dicionário de locuções e expressões
da língua portuguesa

Lexikon | *obras de referência*

CARLOS ALBERTO DE MACEDO ROCHA
CARLOS EDUARDO PENNA DE M. ROCHA

dicionário de locuções e expressões da língua portuguesa

1ª edição – 3ª impressão

© 2021, by Carlos Alberto de Macedo Rocha,
Carlos Eduardo Penna de M. Rocha

Direitos de edição da obra em língua portuguesa adquiridos pela Lexikon Editora Digital Ltda. Todos os direitos reservados. Nenhuma parte desta obra pode ser apropriada e estocada em sistema de banco de dados ou processo similar, em qualquer forma ou meio, seja eletrônico, de fotocópia, gravação etc., sem a permissão do detentor do copirraite.

Lexikon Editora Digital Ltda.
Rua Luis Câmara, 280 - Ramos,
Rio de Janeiro - RJ, 21031-175
Tels.: (21) 2221-8740 – (21) 2560-2601
www.lexikon.com.br – sac@lexikon.com.br

Veja também www.aulete.com.br – seu dicionário na internet

EDITOR
Paulo Geiger

PRODUÇÃO
Sonia Hey

REVISÃO DE CONTEÚDO
Amir Geiger
Clara Diament

REVISÃO
Eduardo Carneiro

PROJETO GRÁFICO E DIAGRAMAÇÃO
Nathanael Souza

IMAGEM DA CAPA
Cadu Rocha

CAPA
Filigrana

1ª edição - 2011
1ª edição - 2ª impressão - 2019

CIP-BRASIL. CATALOGAÇÃO NA FONTE
SINDICATO NACIONAL DOS EDITORES DE LIVROS, RJ

R572d   Rocha, Carlos Alberto de Macedo
           Dicionário de locuções e expressões da língua portuguesa / Carlos Alberto de Macedo Rocha, Carlos Eduardo Penna de M. Rocha. - Rio de Janeiro : Lexikon, 2011.
           704 p.

           Inclui bibliografia
           ISBN 978-85-86368-71-4

           1. Língua portuguesa - Palavras e expressões - Dicionários. I. Rocha, Carlos Eduardo Penna de M. II. Título.

11-6308   CDD: 469.3
                                                CDU: 811.134.3'373(038)

"À esposa e mãe Vera Ignez, por seu apoio e compreensão, ao Prof. Adalberto Moreira dos Santos Penna, sogro e avô, cujo amor pela língua portuguesa tanto nos inspirou, à família e aos amigos, por sua inestimável colaboração."

SUMÁRIO

APRESENTAÇÃO	IX
Definições	X
Utilidade	XI
Estruturação	XII
Abreviaturas adotadas	XIII
Locuções e expressões	XV
Chaves para consulta	XV
DICIONÁRIO DE LOCUÇÕES E EXPRESSÕES DA LÍNGUA PORTUGUESA	1
ÍNDICE REMISSIVO	465
OBRAS DE APOIO – Referências Bibliográficas	682

APRESENTAÇÃO

Centenas de frases ou locuções são usadas por nós todos os dias, de modo natural, sem que percebamos. A evidência de que elas passaram a fazer parte de nosso linguajar é quando vêm à nossa mente como estereótipos, com um significado não propriamente nosso, mas resultante de experiência comum, modelada no tempo por centenas de pessoas. Por isso mesmo são capazes de expressar nosso pensamento de modo mais completo e perfeito do que a frase que pudéssemos formular no momento. De fato, as locuções, expressões idiomáticas ou frases feitas fazem parte de nosso vocabulário e o enriquecem, demonstrando uma precisão que a palavra, isoladamente, não é capaz de conferir ao pensamento.

Julgamos, pois, apropriado e oportuno, que voltássemos nossa atenção para estas expressões, reunindo-as em uma coleção onde possam ser preservadas e estudadas. Este é o escopo do *Dicionário de locuções e expressões da língua portuguesa* que ora apresentamos ao leitor.

Enfim, é imperioso registrar que este trabalho só estará completo quando, despertado o interesse pelas frases, locuções, idiomatismos, outras obras venham enriquecer este estudo, advindas de todos os cantos onde o nosso vernáculo pontuar.

FUNDAMENTOS

Logo que procedemos às pesquisas para este trabalho – com o objetivo inicial de compor uma coletânea de frases feitas – percebemos as limitações da bibliografia em português dedicada ao assunto. O comum é que as coleções de locuções e expressões idiomáticas estejam limitadas a estudos regionalistas ou a pequenas amostras em alguns compêndios. Os dicionaristas, de fato, registram muitas delas, mas o fazem de modo não sistemático, citando-as como apêndice dos vocábulos. Já os gramáticos não costumam dedicar capítulo especial ao estudo das locuções; alguns deles nem menção delas fazem, enquanto outros se limitam a classificá-las segundo a sua função: preposicionais, verbais, adverbiais, interjetivas etc.

A despeito de não terem ainda recebido a atenção merecida, as locuções desempenham um papel importantíssimo no nosso idioma e nos demais. São essenciais na conversação, quando desejamos externar com mais precisão um pensamento ou mesmo condensá-lo. Não seria exagero dizer que a compreensão destas expressões faz toda a diferença no aprendizado de uma segunda língua ou mesmo no perfeito entendimento e domínio da nossa própria.

Foi com o objetivo de preencher uma lacuna nas referências do português no Brasil, que desenvolvemos, ao longo de uma década, este dicionário. Embora nossa ideia fosse fazê-lo o mais extenso, abrangente e informativo possível, não tivemos a pretensão de esgotar o assunto, ainda mais considerando o riquíssimo manancial de antigas expressões existentes, além daquelas novas, criadas a cada dia.

Neste dicionário, além de explorar com muita intensidade a riqueza de nossa língua, apresentando as expressões com suas definições, incluímos várias informações subsidiárias, citando exemplos paralelos em latim, inglês e francês, bem como curiosidades relacionadas. É assim que apresentamos esta obra, caro leitor – como uma provocação para, através do uso da língua, ampliar nossos horizontes de conhecimento sobre nosso país e nossos hábitos; sobre a cultura, a história, e, por que não, sobre a vida.

REFERÊNCIAS

Para lastrear nossas decisões em relação às expressões que deveriam ser incluídas neste dicionário, buscamos as definições de especialistas e estudiosos do assunto. Napoleão Mendes de Almeida[3], por exemplo, assinala que locução é "modo especial de falar, maneira de dizer" e nos dá sua definição: "Uma reunião de termos, *i.e.*, de palavras, enquanto expressam uma ideia, forma a frase ou locução, que virá a ser a expressão do pensamento". No *Aurélio*[33,53] encontramos definição semelhante: "Reunião de palavras equivalentes a uma só", ou que "funcionam como uma unidade". O *Dicionário Houaiss*[30] registra acepção muito próxima: "Conjunto de palavras que equivalem a um só vocábulo, por terem significado conjunto próprio e função gramatical única, enquanto o Langacker[40] diz que "locução é grupo de palavras constituindo uma unidade de sentido", portanto, na mesma linha das citações anteriores e até com sentido mais amplo que aquelas. Apoiamo-nos, também, na definição do *Aulete*[5,15,28,29 e 49]: Locução é um "conjunto de duas ou mais palavras que portam significado distinto daquele que advém da consideração das palavras isoladamente". Em outras línguas, como no francês, observamos conceito similar: "Grupo de palavras constituindo uma unidade de sentido", é como define o *Larousse*[36].

Neste mesmo tom encontramos definições de outros autores e linguistas. Segundo Jean Dubois[32], "Em gramática tradicional, uma locução é um grupo de palavras (nominal, verbal, adverbial) cuja sintaxe particular dá a esses grupos o caráter de grupo estereotipado e que correspondem a *palavras úni-*

cas. Assim, "pôr fogo" é uma locução verbal equivalente a "acender"; "a sete chaves" corresponde a "bem guardado" e "assim por diante", esta, também, uma locução.

Interessam-nos, também, neste nosso estudo, as definições de "Expressão idiomática" e de "Frase feita". O *Aurélio*[33] nos ensina que expressão idiomática é: "Sequência de palavras que funcionam como uma unidade; idiomatismo, idiotismo, frase feita, locução estereotipada, grupo fraseológico". Ex. "Ficar a ver navios"; "Acabar em águas de bacalhau".

Uma expressão idiomática seria portanto uma locução cujo significado não pode ser predito a partir dos significados individuais dos morfemas que a compõem: a expressão "chutar o balde", por exemplo, na sua unidade lexical nada tem a ver nem com "chutar" nem com "balde", mas sim com uma acepção própria, assumida pelo grupo de palavras. Palavras que constantemente vêm unidas formam, muitas vezes, uma unidade lexical: "a pão e água"; "pão com manteiga", "verde e amarelo", nas quais a acepção de cada uma das palavras perde o significado cedendo-o para o conjunto das palavras, ou seja, para a locução. O *Aulete*[15] explicita: "Locução, ou expressão frasal, nem sempre traduzível, palavra por palavra, para outra língua".

Quanto às frases feitas, é como classificamos as locuções que exprimem um comportamento cultural também estereotipado; assim, a expressão "Como vai Você?" é uma frase feita utilizada para "fazer começar uma troca verbal em certas situações".

Neste sentido, valeria, ainda, registrar as definições para "frase". O *Michaelis*[47] registra: "Palavras ou grupo de palavras que concorrem para exprimir uma ideia ou conjunto de ideias. Expressão, locução. Membro de período". O *Aurélio*[33] resume: "Reunião de palavras que formam sentido completo, sentença. Locução, expressão", enquanto o *Aulete*[15] define: "Unidade de comunicação linguística dotada de uma estrutura e com sentido completo".

Estes registros reforçam, a nosso ver e definitivamente, o conceito de equivalência entre locução, frase, idiomatismo e expressão e nos autorizam a considerá-los como parte de um só corpo fraseológico.

CONCEITO

A partir das definições estudadas, nossa conclusão é que locução, expressão, frase ou frase feita são sinônimas. A frase feita pode ser uma "locução estereotipada", como nos ensinam os mais autorizados lexicógrafos, mas continua sendo frase e locução. Segundo os linguistas, uma língua pode ser considerada como um conjunto infinito de frases, cada uma delas associando um significado a uma sequência de sons.

De acordo com essas ideias, um completo dicionário de locuções conteria tantas quantas fossem as frases possíveis ou existentes, o que, é obviamente impossível de ser elaborado, além de ter pouca utilidade. Estamos particularmente interessados naquela locução definida pela maior parte dos eruditos da linguagem: "Reunião de palavras equivalentes a uma só", ou, para não ser radical, "que se constitui como uma unidade de sentido". Com isso, restringe-se drasticamente a lista, tornando sua elaboração viável e sua utilização racional. A nossa coletânea pretendeu seguir essa linha, com concentração nas expressões de uso mais corrente que, por si só, contam-se na casa dos milhares.

Uma questão que devemos mencionar é a das locuções hifenizadas, especialmente aquelas compostas por duas palavras. Embora possam ser tranquilamente enquadradas na categoria de locuções, convencionou-se que, com a inclusão do hífen, tornam-se morfologicamente palavras compostas, e como tal constituem entradas nos dicionários tradicionais – bem como no *Vocabulário ortográfico da língua portuguesa*, da Academia Brasileira de Letras –, ao contrário das não hifenizadas, que aparecem como adendos de outras entradas. À parte da discussão sobre a lógica (do novo *Acordo Ortográfico*) que definiu a inclusão do hífen em algumas expressões enquanto o retirou de outras, nesta obra preferimos incluir locuções hifenizadas apenas circunstancial e excepcionalmente. Neste dicionário, as entradas desse tipo são marcadas com o sinal especial "♦".

ESTRUTURAÇÃO

Com o objetivo de oferecer diferentes opções de pesquisa ao leitor, este dicionário foi dividido em duas grandes seções: Na primeira, denominada "Locuções – Lista Alfabética", encontram-se quase 18.000 locuções entre entradas organizadas alfabeticamente e suas variações. Além dos significados, centenas das entradas são complementadas por achegas que expandem assuntos de interesse geral.

Na segunda parte, 7.400 termos em português e também em outras línguas como latim, francês, inglês, espanhol e italiano estão listados em um "Índice Remissivo". Nesta seção é possível localizar uma locução a partir dos termos que a compõem, para subsequente pesquisa de seu significado na lista alfabética.

Os Autores

Obs. O número de referência nas citações corresponde às obras citadas na Bibliografia.

ABREVIATURAS ADOTADAS

a.C. Antes de Cristo
a.D. Anno Domini (depois de Cristo)
abr. Abreviado, abreviatura
acp. Acepção
adj. Adjetivo
Aer. Aeronáutica
Al. Alemão
Anat. Anatomia
ant. Antônimo
Ap Apocalipse do apóstolo João
aprox. Aproximadamente
Arqueol. Arqueologia
Astrol. Astrologia
Astron. Astronomia
Aut. Automóvel, automobilismo
BA Bahia
Basq. Baquete
bras. Brasileirismo
c. Centígrado
catol. Católico / Catolicismo
CE Ceará
cf. Confronte; confrontar
cfe. Conforme
ch. Chulo
Chin. Chinês
cit. Citado; citação
coloq. Coloquial
Com. Comércio, comercial
conj. Conjunção
contr. Contração
Cosm. Cosmologia
Crist. Cristianismo
cronol. Cronologia
d.C. Depois de Cristo
Demog. Demografia

depr. Depreciativo
dic. Dicionário
dim. Diminutivo
Dipl. Diplomacia, diplomata
e.g. Por exemplo
Ecl Livro do Eclesiastes
Ecol. Ecologia
Econ. Economia
Ed. Editor / Edição / Editora
Elétron. Eletrônico
Eng. Engenharia
Equ. Equivalente
esp. Especialmente
Espn. Espanhol
Esp. Esporte
Ex. Exemplo
Ex Êxodo (Livro do)
Expr. Expressão
Fig. Sentido figurado
Fil. Filosofia
Fís. Física
Folc. Folclore
Fr. Francês
Fut. Futebol
Gn Livro do Gêneses
Geog. Geografia
Geol. Geologia
Geom. Geometria
ger. Geralmente
Gír. Gíria
GO Goiás
Gram. Gramática
Heb. Hebraico
Hist. História
i.e. *(id est)* = Isto é

Imp. Impressão, impresso
Inf. Informática
Ing. Inglês
interj. Interjeição
Irôn. Irônico
Is Isaías, Profeta
It. Italiano
Jo João, apóstolo e evangelista
Joc. Jocoso
Jorn. Jornalismo
Jud. Judaísmo
Jur. Expressão jurídica
Lat. Latim
Lc Lucas, apóstolo e evangelista
Lev Levíticos (Bíblia)
Lit. Literal; literalmente
loc. locução
loc.adv. locução adverbial
loc.subst. locução substantiva
Lóg. Lógica
m Metro
MA Maranhão
Mar. Marinha, marítimo
Mat. Matemática
Mc Marcos, apóstolo e evangelista
Mec. Mecânica
Med. Medicina
Met. Meteorologia
MG Minas Gerais
Mil. Militar
Mit. Mitologia
m.q. Mesmo que
Mt Mateus, apóstolo e evangelista
Mús. Música.
N. Norte e nascido
NB Note bem
N.E. Nordeste
num. Numeral
Oft. Oftalmologia

Obs. Observação/ões
Od. Odontologia
°C Graus centígrados
P.ex. Por exemplo
P.ext. Por extensão
Pal. Paleontologia
PE Pernambuco
Pej. Pejorativo
PI Piauí
Pl. Plural
Pol. Política
Pop. Popular
prep. Preposição
pron. Pronome
Psic. Psicologia
Quím. Química
ref. Referência / referente
reg. regionalismo
Rel. Religião
RJ Rio de Janeiro
Rm Carta de Paulo, apóstolo, aos romanos
RN Rio Grande do Norte
RS Rio Grande do Sul
Séc. Século
Semiol. Semiologia
Soc. Sociologia
SP São Paulo
subst. Substantivo
Tabu. Tabuísmo
Tb. Também
Teat. Teatro
Teol. Teologia
Topog. Topografia
Urol. Urologia
Us. Usado/a
V. Ver/veja
Var. Variante(s)
V.g. (Verbi gratia) = Por exemplo

LOCUÇÕES E EXPRESSÕES
(Lista Alfabética)

CHAVES PARA CONSULTA

Ordenação Alfabética
   As entradas estão organizadas em ordem alfabética, de acordo com a norma da ABNT NBR 6033. Segundo este critério, a ordenação é feita primeiro por palavra e nesta, de letra por letra.
   Ex.:
   a abarrotar A mais não poder. *V.* "à tripa forra" e "à farta".
   à base de *1.* À vista de; na base de; baseando-se em; com base em. *2.* Que tem como principal componente (uma substância, uma mistura, um aparelho etc.)
   a ferro frio Com arma branca, penetrante.
   a um passo *1.* Próximo. *2.* Iminente.
   abafar a banca *1.* Colocar-se em primeiro lugar; sobrepujar, vencer plenamente; suplantar brilhantemente. *2.* Apresentar-se muito bem-trajado. *3.* Ganhar todo o dinheiro de que o banqueiro dispunha para arriscar no jogo. *4.* Ter grande sucesso em algo, granjeando admiração, prestígio.
   acabar com a festa Atrapalhar; intervir numa situação agradável, festiva, promissora etc. frustrando-a, impedindo seu bom desfecho.

Palavras entre parênteses
   São colocadas entre parênteses a(s) palavra(s) alternativa(s), *i.e.* que pode(m) substituir ou complementar a(s) imediatamente anterior(es), sem alteração da acepção.
   Ex.:
   Arranhar o latim (um idioma qualquer) Falar imperfeitamente o latim (o idioma citado)
   Em letras de fogo (ouro) Em termos fora do comum; surpreendente; memorável.
   humanamente possível (ou impossível) Diz-se de algo que está (ou não está) nos limites da capacidade de realização humana.

Itálico
   São grafadas em *itálico*:
   As abreviaturas e siglas adotadas; remissões; exemplos.

Ex.: **montado na ema** *Bras. N.E.* Embriagado.

As palavras em outros idiomas.

Ex.: ***grand monde*** Expressão francesa que alguns cronistas sociais atribuem, à guisa de refinamento, aos que compõem grupo social abastado, frequentador de reuniões festivas e acontecimentos de cunho mundano. O *m.q.* "alta sociedade". Em inglês: *"high society"*.

Títulos de obras e exemplos:

Ex.: ***amarrar o burro*** *1*. Apoiar-se. *P.ex.*: *E agora, onde é que vou amarrar meu burro?*.

Sombreamento e itálico

Utilizado para detalhar o significado de cada locução ou para oferecer ao leitor informações adicionais a ela respeitantes.

Ex.: ***El Niño*** *Met. Espn.* Corrente de águas marinhas superficiais e quentes, que ocorre nas águas ocidentais da América do Sul (Pacífico), causadora de grandes alterações climáticas. *V. "La Niña"*.

> *É o nome pelo qual os povos de língua espanhola designam o Menino Jesus. O nome dado à corrente marítima está ligado ao fato de ela se manifestar no fim do ano, próximo ao Natal.*

Números no corpo do significado

Os números assim colocados referem-se às várias e diferentes acepções de uma mesma locução.

Ex.: **Roer os ossos** *1*. Ficar com o resto. *2*. Ter de trabalhar sem auferir nenhuma paga.

Ponto e vírgula (;)

O ponto e vírgula (;) separa os significados equivalentes de cada verbete.

Ex.: **Rodeado de cuidados** Mimado; adulado; excessivamente protegido.

Negrito

Estão em negrito as cabeças dos verbetes (entradas).

Ex.: **dono de seu nariz** Senhor de si; independente; de personalidade.

A

à banda Inclinado para um lado.
a bangu *1.* Violentamente; à bruta. *2.* Desmazelado, mal feito.
a abarrotar A mais não poder. *V.* "à tripa forra" e "à farta".
à beira-rio Junto ao rio; nas margens do rio.
à boca pequena De modo confidencial, reservado, bisbilhoteiro. O *m.q.* "à boca miúda".
a bom recado Bem guardado, protegido, seguro.
a acabar Demais, muito.
a alma da festa Pessoa muito ativa, alegre, animada, entusiasmada, divertida, que numa festa entretém as pessoas e as mantém igualmente alegres e animadas.
a altas horas Tarde da noite. *V.* "altas horas" e "horas mortas".
a altura *1.* O céu, o paraíso. *2.* Deus; o Altíssimo. *Var.* "as alturas".
à altura da situação Conforme demandado pela situação; de acordo; conforme.
à altura de Em condições de; capacitado para exercer ou desempenhar um cargo, uma missão.
à antiga À moda antiga.
à baila *V.* "vir à baila".
a bandeiras despregadas Sem limite, com toda a expansão. *V.* "rir às bandeiras despregadas".
à base de *1.* À vista de; na base de; baseando-se em; com base em. *2.* Que tem como principal componente (uma substância, uma mistura, um aparelho etc.)
à beça Em grande quantidade; muito; à farta; ao extremo; em abundância; em profusão; copiosamente.
à beira da morte A ponto de morrer; moribundo.
à beira de No limiar de; à borda de, à margem de; na iminência de.
à beira do abismo Desastre; ruína; grande perigo. *Var.* "à beira do precipício".
à beira-mar Junto ao mar; na praia.
a bem O *m.q.* "por bem".

a bem da verdade Falando francamente; para dizer a verdade; de verdade; na realidade.
a bem de Em favor de; em prol de; por.
a bem dizer Na verdade..., a bem da verdade; para ser exato...
a bico de pena *1.* Ao correr da pena; sem preocupações com detalhes etc. *2.* Feito (desenho) exclusivamente com uma pena entintada.
à boa vida À toa; na ociosidade; sem trabalhar.
à boa-fé Com franqueza; certamente.
à boca da noite No início da noite.
à boca miúda Em voz baixa, em surdina, em segredo; num diz que diz que; segundo as notícias que correm por aí. *Var.* "à boca pequena".
a bolsa ou a vida Intimação de um ladrão à vítima, em um assalto; fórmula com que os assaltantes intimam suas vítimas a lhes entregarem o que têm de valor.
a bordo Embarcado; na embarcação.
a braços com Em luta com; às voltas com; envolvido em.
a breve trecho Dentro de pouco tempo.
à bruta Violentamente.
à busca de *1.* À procura de. *2.* Na tentativa de. *Var.* "em busca de".
a cada instante Continuadamente; sem cessar; a todo instante.
a cada passo Frequentemente; a todo momento.
a cada triquete A cada momento; a cada passo.
a calhar Oportuno; adequado; a propósito. Usa-se dizer "Vir a calhar" ou "Vir bem a calhar".
a caminho *1.* Indo em direção a determinado lugar; em marcha. *2.* Prestes a acontecer; em andamento.
a cântaros Torrencialmente (chover); copiosamente.
a capite ad calcem *Lat.* "Da cabeça aos pés".

a capella *It.* A capela. Termo que designa o canto sem qualquer acompanhamento por instrumentos.
a capucha Escondidamente; sem alarde; sem ostentação; sem adornos.
a caráter Com propriedade; conforme à época e ao país ou região; no rigor da moda, do tempo, da ocasião; em que se exige (festa, baile etc.) o uso de fantasia ou traje típico.
a carga cerrada De um jato, sem exame ou distinção; por atacado. *V.* "carga cerrada".
à cata de À procura de; em busca de.
a cavaleiro *1.* Em posição elevada. *2. Fig.* Com domínio da situação, com predomínio.
a cavaleiro de Em posição elevada em relação a.
a cavalo Montado sobre o cavalo ou sobre qualquer coisa à moda de cavaleiro.
a caverna de Platão Percepção incompleta, limitada, fantasiosa da realidade.

> *O filósofo grego Platão (428-347a.C.), em seu escrito "A República", compara nosso mundo cotidiano a um "abrigo subterrâneo", onde somos mantidos acorrentados. À nossa frente uma parede e atrás de nós, uma fogueira. Incapazes de virar a cabeça, vemos somente sombras projetadas na parede pelo fogo. Nada conhecendo além disso, tomamos as sombras por "realidade". Os seres humanos, assim como todos os objetos da caverna, para nós não passam de sombras; não têm, para nós, outra realidade além dessa. À mente humana a realidade só se revela na claridade da filosofia, do conhecimento.*

a cem por hora A toda pressa; muito velozmente.
a certa altura Em determinado momento.
a céu aberto Ao ar livre; sem abrigo; ao relento; a descoberto; à luz do dia.
à chucha calada *1.* Secretamente; às ocultas; sem ninguém perceber; dissimuladamente; em silêncio. *2.* Em silêncio, sem reclamar, sem protestar. *V.* "à socapa".
a coberto de Livre de; defendido contra; protegido.
a cobra vai fumar Significa: "Algo vai acontecer"; "Uma ação é iminente".

> *Legenda da Força Expedicionária Brasileira nos campos de batalha da Itália, em sua campanha na II Guerra Mundial (1939-1945).*

a coisa está preta Diz-se quando a situação está difícil, perigosa, custosa. *Var.* "a coisa está ruça", "a coisa está pegando fogo" e "a coisa está feia".
a colação A propósito.
A como? A que preço?; Quanto é?
a cômodo À vontade.
à conta de A pretexto de; por causa de; a título de. *Var.* "por conta de".
a conta-gotas Vagarosamente; pacientemente.
a contento Satisfatoriamente; como se quer; como desejado; conforme as expectativas.
à contracorrente Em sentido contrário à corrente; ao inverso, ao contrário.
a contragosto Contra a própria vontade.
a contrapelo Em sentido contrário; desfavoravelmente. O *m.q.* "ao revés"; "ao arrepio de".
a contratempo Inoportunamente; fora de ocasião.
a contrario *Lat.* Pela (razão) contrária.
a corda e a caçamba Diz-se de amigos inseparáveis. *Var.* "corda e caçamba".
à coté *Fr.* Ao lado de; acessoriamente.
a crédito A prazo (compra, aquisição, pagamento).
a cru Sem disfarce; cruamente.
à cunha Lotado.
à curta De forma ligeira; apressadamente.
a curto prazo Brevemente; dentro em pouco.
à custa de Por conta de; devido a; por causa de; com sacrifício, danos ou prejuízo de. *V.* "a expensas de".
a custo Dificilmente; penosamente; com esforço.
a dar com (o) pau Em grande quantidade.
a décima Musa Seria a "Inspiração". *V.* "as nove irmãs".
a dedo Cuidadosamente.
à deriva Sem rumo; ao léu; ao sabor das intempéries (*ref.* a embarcações).
a descoberto *1.* Sem proteção; sem garantia real. *2.* O *m.q.* "às claras".
a desfavor Contrariamente; em oposição.
à desmedida Excessivamente.
a desoras Fora de horas; fora de tempo; muito tarde da noite.
a despeito de Apesar de; não obstante.
a Deus e à ventura Ao léu; ao deus-dará; largado à sorte.
a Deus misericórdia Graças à misericórdia de Deus.
à diferença de Ao contrário de; diferentemente de.
à direita *1.* Indicação de um caminho ou direção a tomar. *2.* Indicação de posição (direita) em relação a algo (neste caso seguido de

a folhas tantas

'de': *à direita de*. *3*. Indicação de tendência política com ideias conservadoras.
à direita e à esquerda Em todas as direções.
a distância (ou **à distância**) *1*. De longe; de certo lugar distante. Ex.: *À distância ouvia-se o canto dos pássaros*. *2*. Longe, ao longe; distante do observador. Ex.: *Algo se move à distância*; *Mantenha-se à distância do cão feroz*.

> *Os dicionários, como* Aulete *e* Houaiss, *colocam o uso da crase como opcional, nesta locução. Note-se, também, que pode não ocorrer locução, quando se menciona uma determinada distância, e neste caso a crase é de regra. Ex.:* O portão ficava à distância de 4 metros.

a do ó *Reg*. Cachaça.
a duras penas Com muito esforço; com grande dificuldade.
a eito A fio, sem interrupção.
à escoteira Sozinho; desacompanhado.
à escovinha Corte de cabelo bem rente.
à escuta Atentamente; em estado de atenção, de vigilância quanto ao que se ouve.
a esmo Ao acaso; incerto; sem rumo ou ordenação; irrefletidamente.
a espaços De tempos em tempos; de vez em quando; com intervalos.
à espera Na aguarda; na expectativa.
à espreita De atalaia; em observação; à espera; à procura.
à esquerda *1*. Indicação de um caminho ou direção a tomar, no caso, a esquerda. *2*. Indicação de posição (esquerda) em relação a algo (neste caso, seguido de "de": à esquerda de).
a esta parte Até agora; até hoje.
a exemplo de Tal como algo acontece com; conforme o modelo dado ou o modo demonstrado por; feito como (alguém) faz ou fez; em imitação a.
a expensas de À(s) custa(s) de; por conta de. *Var.* "às expensas de". *Var.* "à custa de".

> *A palavra "expensas", que significa despesas, custo, é usada apenas nesta locução, equivalendo a "por conta de", "à custa de" e "às custas de". Até pouco tempo atrás só se admitia a construção com "a" (e não "às") na língua culta, mas o uso se impôs e os dicionários registram as duas formas.*

a faca Com uso de faca; diz-se de qualquer ato no qual se utiliza uma faca. *Var.* "a facadas".
à face de Em face de; diante de.

à face do mundo Diante de todos; abertamente; em público. O *m.q.* "às claras".
à falsa fé Deslealmente; com fingimento; traiçoeiramente.
à falta de No caso de ausência, de carência; à míngua; em lugar de. *Var.* "na falta de" e "em falta de".
à farta À saciedade; com abundância, fartura. (Em sentido estrito, refere-se à condição de haver comida bastante para satisfazer completamente a todos os comensais.) *Var.* "a fartar", "à tripa forra" e "a abarrotar".
a favor de Em benefício de; favoravelmente a; em consideração a.
à fé Na verdade, por certo. *Var.* "*a la* fé".

> Obs. *A expressão, como exclamação, equivale a "Palavra!" ou "Por Deus!".*

à feição de À maneira de; conforme o gosto ou à semelhança de; ao jeito de.
a ferro e fogo Por todos os meios de combate; a todo custo; de qualquer maneira; com determinação e férrea vontade.
a ferro frio Com arma branca, penetrante.
a fim *Coloq*. Com vontade, disposto.

> *Não confundir com "afim", que significa: próximo, aderente, conexo.*

a fim de *1*. Com o propósito de; com a intenção de; para. *2*. Disposto a.
a fina flor Escol, nata; o melhor.

> *Diz-se, quase sempre, referindo-se a pessoa que pertence à classe mais abastada ou mais ilustrada da sociedade.*

a finco Com afinco, perseverança, zelo.
a fio Sem interrupção; completamente.
a fio de espada Passar algo "a fio de espada" significa eliminar, matar, destruir, utilizando a espada.
à flor da pele Superficialmente; em cima da pele.
à flor de À superfície de.
a flux Abundantemente; profusamente.
a fogo lento *1*. Sob a ação prolongada de um fogo pouco vivo, fraco. *2*. *Fig*. Lentamente (ao fazer algo), sem pressa para terminar. *Var.* "a fogo brando".
a folhas tantas A certa altura; em dado momento; nesse ponto; em tal e tais páginas.

> *Também se diz quando se quer indicar, num trabalho escrito, a quantas folhas do início está o assunto de que se trata (que fora mencionado).*

3

à força

à força De maneira violenta, forçada, com o uso da força.
à força de A poder de; de tanto; à custa de.
a fortiori *Lat.* 1. Argumento que enfatiza uma conclusão mais clara, partindo-se do que era menos evidente. 2. Argumento que enfatiza que, aceita uma premissa, com mais razão ainda se aceitará algo consequente a ela.
à francesa 1. À maneira francesa. 2. Procurando não ser notado (ao sair), sem se despedir. *V.* "de fininho" e "sair de fininho".
à frente Na dianteira; na direção correta; na vanguarda; no comando.
à fresca Em trajes leves; à vontade.
a frete Pronto para o transporte (o veículo), sob remuneração do serviço a ser prestado.
a frio 1. Sem ir ao fogo. 2. Sem qualquer forma de atenuação.
a fundo 1. Intimamente, profundamente, completamente. 2. Em cheio; amplamente.
a fundo perdido Diz-se de recursos financeiros que se destinam a entidades governamentais ou privadas como ajuda ou como forma de incentivo, sem expectativa de retorno.
a furta-passo Cautelosamente.
a furto O *m.q.* "às ocultas".
a galope 1. Na máxima andadura do animal. 2. *Fig.* Apressadamente, até mesmo com certa precipitação.
à gandaia A esmo; à toa; ao léu; sem destino.
à garra Expressão usada em "ir à garra", que significa "perder-se" ou "esforçar-se".
a gente A(s) pessoa(s) que fala(m): eu, nós.

Os gramáticos recomendam evitar o uso abusivo desta locução e não usá-la, definitivamente, na linguagem formal e técnica.

a gosto 1. Da forma, na medida, do jeito em que é agradável a alguém. 2. À vontade, confortavelmente.
a gota-d'água Algum acontecimento, fato ou coisa que faz ultrapassar os limites de alguém ou de algo, excedendo sua capacidade de suportá-los.
a granel 1. Em quantidade; abundantemente. 2. Sem embalagem (sobretudo os cereais). 3. Em desordem.
à guisa de À maneira de; à feição de; no lugar de.
à hora No horário; pontualmente. *Ex.*: *O avião está à hora*. *Var.* "a horas".
a horas O *m.q.* "à hora".
a horas mortas Com a noite avançada; na noite alta. O *m.q.* "a altas horas". *V.* "horas mortas".
à imitação de A exemplo de; conforme.
à inglesa À moda inglesa.
a intervalos De espaço a espaço; de vez em quando.
a jato A toda pressa; com muita velocidade. *Var.* "a jacto".
a jeito De molde; a calhar; convenientemente, oportunamente.
a juros Para renda. *Ex.*: *Colocar o dinheiro a juros*, que significa aplicá-lo para usufruir renda.
a jusante Na mesma direção em que corre um curso de água, ou para onde vaza a maré. *V.* "a montante".
à la carte *Fr.* Expressão francesa que indica que num restaurante pode-se escolher o prato de uma lista, o cardápio (*la carte*, em francês).
à la diable *Fr.* Locução da língua francesa, equivale a: desordenadamente; atabalhoadamente.
a la fé *V.* "à fé".
à la mode *Fr.* Segundo a voga, o gosto, a moda vigente.
à la recherche du temps perdu *Fr.* Expressão francesa que literalmente significa: "à procura/em busca do tempo perdido". Evocação dos tempos da infância e mocidade de uma pessoa.

Trata-se, também, do título de um romance do escritor francês Marcel Proust (1871-1922).

à la volonté *Fr.* À vontade. (*V.*) Ouvia-se esta expressão, também, popularmente, sob a forma modificada (corruptela): *à la vonté*.
à laia de À moda de; à maneira de; à feição de; à semelhança de.
à larga 1. Com abundância. 2. À vontade, a gosto.
a latere *Lat.* Literalmente, significa: "a seu lado".

"Legado a latere" é o cardeal escolhido pelo Papa, entre os que o assistem, para desempenhar missões especiais, sobretudo diplomáticas.

à lauta De modo abundante; copiosamente; opíparo.
a léguas de A grande distância de; longe de.
a leite de pato 1. Diz-se de atividade sem

remuneração ou vantagens. *2.* Também se aplica esta expressão ao jogo no qual não estão envolvidas apostas em dinheiro.
à letra Palavra por palavra; literalmente; à risca; rigorosamente.
a limine Lat. Desde o princípio; sem maior exame.
a longo prazo Diz-se, *esp.* de empréstimos concedidos ou tomados a serem pagos parceladamente ou não, em período de tempo longo; longo período de tempo.
à luz de Segundo o modo de ver, o critério, as normas e princípios ou as leis de.
à luz de velas Iluminado por velas.
à luz do dia O *m.q.* "às claras"; à vista de todos; durante o dia.
a maior *1.* Como locução substantiva: a mais importante; grande entre grandes; a máxima; a que se destaca dentre outras. *2.* Como locução adverbial: o *m.q.* "a mais".
a mais Além do necessário; de mais; além disso; excesso.
a mais antiga das profissões O meretrício.
a mais bela metade do gênero humano *1.* Diz-se das mulheres, em geral. *2.* Refere-se, também, às pessoas a quem nos ligamos por laços de amizade muito íntimos e/ou intensos.
a mais não poder No (ao) máximo; até quando (quanto) for possível; todo o possível; até o limite.
a mal À força; contra a vontade.
a mancheias Em grande quantidade, prodigamente, liberalmente; à larga. *Var.* "às mancheias".
a mando de Por ordem ou comando de (alguém).
à maneira de À imitação de; à moda de.
a manhã da vida A infância.
a mão Com a mão; trabalho manual, artesanal. *Ex.: Feito a mão.*
à mão Ao alcance da mão; perto; à disposição.
à mão armada Portando arma; com arma na mão.
a mão de Deus A graça de Deus; a proteção de Deus.
à mão livre Diz-se, sobretudo, de desenho feito exclusivamente com as mãos, isto é, sem o uso de quaisquer instrumentos auxiliares senão o lápis, a pena, o pincel ou equivalentes.
à mão-cheia Às mancheias. *Var.* "às mãos-cheias".
à máquina Diz-se de qualquer coisa que se faz ou fabrica com o auxílio de máquinas e/ou aparelhos apropriados.

a marcha da apuração Numa eleição, o acompanhamento dos resultados que vão sendo divulgados.
à margem de *1.* À beira de. *2.* De lado. *3.* Ao lado de. *4.* Fora de, sem participar de.
a martelo À força.
à matroca Ao acaso; sem governo, sem rumo; à toa. *Var.* "à deriva".
à medida de Consoante, segundo, conforme.
à medida que À proporção que; ao passo que. Nunca use "à medida em que". *V.* "na medida em que".
a meia distância Nem muito distante nem muito perto.
à meia-luz Em penumbra; em meia-claridade.
a meia-voz Em voz baixa; na surdina.
a meio caminho Mais ou menos na metade da distância entre dois lugares; no caminho; relativamente perto.
a meio pau *1.* Hasteada até o meio do mastro (bandeira) em sinal de luto. *2. Fig.* Um tanto triste (alguém), consternado. *3.* Ligeiramente embriagado.
a menor Em quantidade, qualidade, teor etc. inferior (ao esperado); a menos; de menos.
a menos Em quantidade menor da que deveria existir, ter, fornecer etc.; acerca. *Var.* "de menos" (*V.*).
a menos que A não ser que; salvo se.
à mercê de Ao sabor de; ao capricho de; sob a dependência de.
à mesa *1.* Durante uma refeição. *2.* Diz-se de pessoas, grupo de pessoas, convidados etc. que estão sentados à mesa para uma refeição.
a mesma e velha história Desculpa costumeira ou expectativa de que as coisas se encaminharão ou acontecerão como de costume.
a meu pesar Contra a minha vontade.
a meu (seu) talante À minha (sua) vontade; ao meu (seu) arbítrio, desejo.
a meu ver No meu entender; na minha opinião; segundo penso.
a mil *1.* A todo vapor; apressadíssimo; atrasadíssimo; em ritmo alucinante. *2.* Muito animado, entusiasmado, motivado. *Var.* "a mil por hora".
à milanesa Diz-se de alimentos, *esp.* carnes e legumes, panados e fritos/assados.

> *O alimento "panado" ou "empanado", ger. carne ou petisco, é aquele coberto ou passado em ovo e farinha de rosca antes de ser frito ou assado.*

à míngua

à míngua À falta de; por falta de; desprovido de tudo, especialmente de alimento; sob privação; passando falta. *Var.* "à míngua de".
à minuta Preparada no momento (*ref.* a refeição).
à mira de À espreita de; de atalaia.
a miúdo Com frequência; sempre; repetidamente. O *m.q.* "amiúde".
à moda de *1.* Segundo o costume da época; ao estilo ou ao gosto de; como é usado por (ou em); no feitio de; assemelhando a; imitando a. *2.* Prato de comida preparado de modo especial, característico de determinado restaurante ou de seu *chef*.
a modo Devagar, com jeito.
a modo de À maneira de; ao jeito de; à moda de.
a modo(s) que Parece que; como que.
a montante Parte do curso de um rio que fica do lado da nascente, a partir do ponto onde se encontra o observador; em direção à nascente. *V.* "a jusante".
a monte Ao léu; a esmo; à toa.
à morte Pessoa que está desenganada, muito doente e sem esperança de sobrevida, prestes a falecer.
à mostra De modo visível; claramente.
a muque À força.
a não ser Fora, exceto, afora.
a não ser que Salvo se.
a nível de Esta expressão, segundo alguns gramáticos, é modismo desnecessário e condenável. No dizer deles, é preferível *em* ou *no* nível, quando não seja possível substituir a expressão por outra equivalente, como *p.ex.*: *em termos de*; *no que se refere a*; *com relação a* etc. Evite-se, pois, seu uso. *Cf.* "no nível" e "ao nível". *V.* "em nível".
a noite é uma criança Diz-se como justificativa de ir pela noite adentro trabalhando ou se divertindo, ou na expectativa de continuar programa ou atividade durante o resto da noite.

Muitas vezes acrescenta-se a essa observação esta outra: "A noite é boa companheira."

a non domino Lat. Lit. Da parte de quem não é dono. Diz-se de transferência de coisas móveis ou imóveis por quem não é delas proprietário.
a nu Descoberto; sem disfarces; notório, patente.
a olho Só pela vista; sem pesar nem medir; por cálculo.
a olho desarmado *V.* "a olho nu".

a olho nu Sem auxílio de um instrumento óptico. *Var.* "a olho desarmado".
a olhos vistos Visivelmente, à evidência.
à ordem Que é transferível por endosso; endossável.
a ouro e fio Em equilíbrio perfeito; exatamente; sem diferença nenhuma.
a páginas tantas Em certo momento; a certa altura de um documento escrito.
à paisana Em trajes civis.

Diz-se, especialmente, referindo-se a militar que não porta o seu uniforme.

a pão e água *1.* A mais simples das dietas. *2.* Vivendo sob precárias condições de alimentação; à míngua.
a pão e laranja Quase sem recursos; na miséria.
a par (de) *1.* Ao lado; junto. *2.* Informado, ciente, como *p.ex.* em "a par da situação".
a par de Estar ciente, bem informado; em vista de.
a par e passo Simultaneamente; *lat.* "*pari passu*".

Pari passu = Expressão latina que significa: simultaneamente; com passo ou velocidade igual; lado a lado; ao mesmo tempo.

à parte *1.* Secretamente; em particular. *2.* Em separado; sem contar com; além de; fora; afora; de lado.
a partir de Tomando tal ponto como começo; de um determinado momento ou situação em diante; a começar de.
a passo Lentamente.
a passo e passo O *m.q.* "passo a passo".
a passos de gigante Em progressão muito rápida.
a passos de tartaruga Lentamente.
a passos largos Rapidamente; aceleradamente; depressa.
a passos lentos *Fig.* Vagarosamente, lentamente.
a pata de cavalo Com extrema violência ou grosseria (ao resolver uma situação, tratar de um problema ou tratar alguém etc.).
a pátria celeste O céu.
a paz esteja convosco Saudação de bom augúrio (*Cf. Lc* 24.36 e *Jo* 20,19) usada por Jesus com os Apóstolos, após sua ressurreição, quando se encontravam.

A expressão correspondente em latim é "Pax vobiscum", em hebraico, "Shalom aleichem", em árabe, "Salam aleikum", de onde 'salamaleque'.

6

a priori

a pé Com as próprias pernas, sem utilização de veículo ou montaria (ao caminhar, ao ir para algum lugar).
a pé de Servido precariamente de; desprovido de.
a peito Com empenho, decisão ou interesse.
a peito descoberto *1.* Sem proteção; sem armas para se defender; desarmado. *2.* Com coragem, com franqueza; sinceramente. *Var.* "a peito aberto".
a perder de vista *1.* Até muito longe, a grande distância; fora de alcance. *2.* Em grande quantidade ou número.
a perigo *1.* Correndo riscos; em situação de perigo. *2.* Sem dinheiro; quebrado. *3.* Passando por dificuldades e transtornado.
a permanecerem assim as coisas... Fórmula usada para esclarecer que dada afirmação é verdadeira desde que não haja mudanças na situação de fato.

Em latim a expressão correspondente é: "Sic standibus rebus."

à perna solta À vontade; descansadamente, relaxadamente.
a peso de ouro Muito caro.
a pino A prumo; verticalmente.
a pique de A ponto de; em risco de; prestes a; quase.
a pleno Completamente.
a plenos pulmões Com toda a força dos pulmões; gritando; em voz muito alta.
a poder de À força de; por causa de; por meio de.
a ponto de Prestes ou próximo a; prestes a; quase a; na iminência de; em perigo de. *Ex.: a ponto de sair; a ponto de afogar-se.*
a ponto que O *m.q.* "de maneira que".
à porfia *1.* Em disputa ou contenda. *2.* Sem descanso, sem cessar, obstinadamente, sem querer ceder; sucessivamente.
a porta da rua é serventia da casa Diz-se apontando para alguém a saída da casa, demonstrando o desejo de que a pessoa saia imediatamente.
à porta de Próximo de; prestes a. *Var.* "às portas de".
a portas fechadas Reservadamente, em sala separada, longe de outras pessoas porventura presentes (diz-se de conversa, conferência, reunião etc.); em segredo; reservadamente.
a pospelo *1.* Em direção contrária à dos pelos. *2.* À força, violentamente.
a posteriori Emprega-se a locução para indicar a conclusão que se tenha tirado após o conhecimento da existência ou a natureza da causa. *V. "a priori".*

Expressão latina: "pelas razões posteriores" ou "pelo que se segue". Diz-se, em filosofia, da demonstração ou do conhecimento que se baseia em princípios não inferidos imediatamente por meio da razão pura, mas deduzidos da experiência.

a postos *1.* Preparado para uma tarefa. *2.* Presente no lugar designado.
a pouco e pouco O *m.q.* "pouco a pouco".
a poucos lanços A pouca distância.
a prazo Para pagamento/recebimento posterior, ou parcelado (compra ou venda realizada).
a preceito Rigorosamente; minuciosamente.
a preciosa rubiácea O café.
a preço de *1.* Com o sacrifício de. *2.* À custa de. *3.* Com o risco de.
a preço de banana Baratíssimo.
a preço de ouro Muitíssimo dispendioso.
à pressa Depressa; apressadamente.
à prestação *1.* Em pagamentos parcelados (compra, dívida etc., geralmente em parcelas mensais). *2. Fig.* De maneira lenta, por etapas (realização de tarefa, projeto, qualquer ação).
a pretexto de *1.* Com o fim aparente de; à guisa de. *2.* Com o alegado motivo de (não necessariamente verdadeiro).
à primeira Logo no começo. *Var.* "à primeira vista".
à primeira enxadada Logo no início; logo no começo da ação; à primeira vista; com pouco trabalho.
a primeira impressão é a que fica Expressão usada para justificar a simpatia ou aversão que se tem por uma pessoa quando se a conhece, mesmo que alguém diga que ela é exatamente o contrário do que a gente pensa.
à primeira vista *1.* De repente. *2.* Aparentemente, como resultante de uma primeira análise, de uma primeira impressão. *3.* Imediato, logo na primeira vez em que se encontra, se conhece (algo, alguém).
a princípio No começo; no início; inicialmente; para começar. *Cf.* "em princípio".
a princípio, são flores No começo, tudo parece fácil.
a priori Expressão latina que significa: "Pelas razões anteriores" ou "segundo um princípio anterior".

à procura do tempo perdido

Designa, na filosofia, a demonstração ou conhecimento que se baseia em princípios inferidos diretamente do raciocínio, sem auxílio da experiência. Daí usar-se a expressão para designar um fato ou afirmativa que se faz dependente ainda de experimentação, de prática ou até mesmo de comprovação. Assim, "conclusão a priori" é aquela tirada sem apoio nos fatos. V. "a posteriori".

à procura do tempo perdido V. *"à la recherche du temps perdu"*.
a profissão mais antiga do mundo O meretrício.
à proporção que À medida que; ao passo que.
a propósito *1.* A respeito; a tempo; oportunamente. *2.* Locução *us.* também para introduzir ou esclarecer sobre o que se vinha falando, equivalendo a "por sinal", por "falar nisso", "aliás" etc.
a própria Propriamente; com propriedade.
à prova de Que pode se submeter e resistir a qualquer tipo de exame relacionado a; resistente a.
à prova de bala Que não permite a penetração de um projétil.
a prumo Verticalmente; perpendicularmente.
a pulso À força.
a qualquer aceno Imediatamente, ao mais leve indício da vontade.
a qualquer momento Em breve; de uma hora para outra; de repente; iminente. *Var.* "a qualquer instante".
a qualquer preço *1.* Sem considerar o preço. *2.* Custe o que custar; de qualquer jeito. *Var.* "a todo preço" e "a qualquer custo".
a quando e quando De quando em quando.
a quantas anda(m)? Em que pé está? Como vai tudo? Como vão as coisas?
a quatro mãos Com a ajuda ou colaboração de outra pessoa.
a que ponto Quanto; até onde.
A que propósito? Com que fim? Com qual finalidade?
à queima-roupa De muito perto; de repente; violentamente, cara a cara.
a quem interessar possa Em editais, principalmente, usa-se esta frase para indicar os destinatários das mensagens neles contidas.
a quente Com o emprego de calor, em processamentos (como na laminação de aço, em forja).
a quilo Diz-se da maneira de servir em certos restaurantes onde se dispõem todas as iguarias para que o próprio cliente as escolha e delas se sirva, pagando o valor correspondente ao peso da comida. Em alguns lugares se diz "por quilo".
a rastos Arrastando-se; rastejando; em decadência.
à razão de Ao preço de; na conformidade de; na proporção de; com (ou à) taxa de (índice de progressão, processo de mudança etc.).
a reboque (de) *1.* Atrelado a; acompanhando; *2. Fig.* Na sequência de.
à rédea solta *1.* Livremente; à vontade. *2.* Precipitadamente; sem freios. *Var.* "à rédea larga".
a Redentora Antonomásia da Princesa Isabel (1846-1921), ex-regente do Império do Brasil, por ter assinado a "Lei Áurea", que libertou os escravos, em 13 de maio de 1888.
a respeito de Com respeito a; quanto a; no que se refere a; relativamente a.
a resto Finalmente; afinal; por fim.
a resto de barato Por um preço irrisório.
a retalho Aos bocados; por miúdo; a varejo.
à revelia Sem conhecimento ou sem audiência da parte revel; ignoradamente; ao acaso; sem cuidado.

Revel = Que ou aquele que não comparece quando chamado para fazer sua defesa; que ou quem não contesta a ação em face dele proposta (diz-se de réu).

a revezes Uma vez ou outra; às vezes, por vezes, de vez em quando; alternativamente. *Var.* "às revezes".
a rigor *1.* Na verdade; rigorosamente; de fato. *2.* Formalmente, de conformidade com o ritual e as circunstâncias.
à risca Com precisão; exatamente; rigorosamente; à letra.
a riverdeci It. Traduz-se por "Até que nos encontremos de novo"; até a vista, até logo.
à roda de À volta de; ao redor de.
a rodízio Diz-se da maneira de servir em certos restaurantes onde, por um preço fixo, as iguarias são oferecidas seguidamente aos clientes enquanto quiserem, sem limite de quantidade.
a rodo Aos borbotões; à beça; em grande quantidade; à farta; a granel.
a rol Relacionado minuciosamente numa listagem.
a rua é pública Ou seja, é para uso de todos, indistintamente.
a saber *1.* Isto é. *2.* Na seguinte ordem; conforme se descreve.
a saída do ano O fim do ano corrente.

à toa

a salvo Com segurança; sem perigo; fora de perigo; livre.
a sangue-frio Sem emoção, com frieza, sem piedade, sem paixão; deliberadamente.
a se Lat. Por si.
a seco *1.* Diz-se de forma de remuneração que só contempla salário, sem refeição. *2.* Tipo de lavagem de roupa por meio de produtos químicos, sem uso de água. *3.* Sem ingestão de bebida alcoólica; em que não se serve bebida alcoólica (evento, reunião etc.). *4.* Sem acompanhamento (canto), *"a capella"* (V.).
a seguir Seguidamente; sem interrupção; em seguida ou sequência.
a senhora Forma de tratamento respeitoso a pessoa do sexo feminino; pronome de tratamento.
a sério Com responsabilidade; a valer; seriamente; deveras.
a sete chaves Bem guardado; muito fechado.
a sete palmos debaixo da terra Sepultado; morto. V. "sete palmos" e "debaixo de sete palmos".
a seu bel-prazer V. "ao bel-prazer".
a seu gosto Como (alguém) desejava ou imaginava.
a seu modo Segundo seu feitio, seu jeito de ser ou de entender; a seu gosto, no seu estilo.
a seu seguro Livre de perigo.
a seu talante À sua vontade; ao seu arbítrio; conforme seu desejo. Diz-se também "a meu talante".
a seu tempo Na ocasião oportuna, propícia.
a si mesmo À própria pessoa.
à simples vista Numa olhadela; num relance; com um simples olhar; instintivamente; sem necessidade de reflexão, de estudo; intuitivamente.
à socapa Com pés de lã; sem ruído; pela calada; com disfarce; furtivamente. O *m.q.* "à sorrelfa" e "à chucha calada".
a socos e pontapés O *m.q.* "aos socos e pontapés".
a soldo de A serviço de alguém, com remuneração.
à solta Livremente; sem controle; sem peias. *Var.* "às soltas".
à sombra Na cadeia.
à sombra de Sob a proteção de; amparado ou protegido por.
a sopapos *1.* A tapas; a bofetões, tabefes, golpes. *2.* Subitamente. V. "de sopapos".
à sorrelfa Sorrateiramente; dissimuladamente; com o intuito de enganar. O *m.q.* "à socapa".
à sorte Ao acaso.

a sorte foi (está) lançada O passo decisivo foi tomado. V. *"alea jacta est"*.
a sós Consigo próprio; sozinho; isolado, sem companhia.
à sovela Empinado, arrepiado.

> *A sovela é uma peça de metal us. para furar e costurar peças de couro.* Obs. *A definição de sovela parece dissociada do sentido da locução acima, mas é o que se usa e que os compêndios consagram.*

à sua altura V. "à altura de".
à sua maneira Conforme o jeito da pessoa; como é do costume da pessoa fazer ou agir; do seu jeito.
a súbitas De repente; subitamente.
à superfície Superficialmente; por cima; à tona.
a tal ponto que Diz-se para expressar que certa ação ou situação excedeu seu limite normal e atingiu um ponto extremo, levando a certa consequência. *Ex.*: *Ela se irritou a tal ponto que chegou a se engasgar.*
a talho aberto A descoberto.
a talho de foice A jeito, a propósito.
a tapa Violentamente.
à tarde Depois do meio-dia e antes de a noite cair.
à tardinha No fim da tarde. *Var.* "de tardinha" e "de tardezinha".
a tempo *1.* Oportunamente; a propósito. O *m.q.* "a horas". *2.* Dentro do prazo ou tempo necessário para se fazer ou alcançar algo prestes a se realizar. (Neste caso, também "a tempo de".)
a tempo desabrido Num tempo mau, tempestuoso.
a tempo e a hora No momento oportuno.
a tento Com cautela.
a termo que De maneira que; de sorte que.
à testa de *1.* Na liderança de. *2.* Na direção (administração) de.
a tiracolo Indo de um ombro para o lado oposto até à cintura ou debaixo do braço oposto a esse ombro.
a título de Na qualidade de; com o fundamento de; com o pretexto de.
à toa *1.* Ao acaso; a esmo. *2.* Sem razão; sem reflexão. *3.* Inutilmente, em vão. *4.* Irrefletidamente. *5.* Sem ter do que se ocupar.

> *Pelo Acordo Ortográfico de 1990 essa locução não tem hífen. Sem hífen, portanto, a registra o* Vocabulário ortográfico da língua portuguesa, *5ª ed., de 2009.*

a toda Velozmente; com vontade, com ímpeto.
a toda brida Com a maior velocidade; galopando; a toda pressa; em disparada.
a toda força Com todo o ímpeto; com toda a potência.
a toda hora Constantemente; frequentemente.
a toda pressa Com a maior rapidez possível; sem demora. V. "às pressas".
a toda prova Que pode ser submetido e que resiste a qualquer prova.
a todo custo O m.q. "a qualquer preço"; com todo o empenho.
a todo galope Com extrema rapidez.
a todo instante O m.q. "a cada instante".
a todo momento A todo instante; sem cessar; ininterruptamente; continuamente.
a todo pano 1. Às carreiras; apressadamente. 2. Com todo potencial; com denodo.
a todo preço Custe o que custar; de qualquer modo. O m.q. "a qualquer preço".
a todo pulso Com toda a força.
a todo tempo A qualquer hora ou momento; sempre. Var. "a todo momento".
a todo transe A todo custo; custe o que custar; de qualquer maneira. Var. "a todo o transe".
a todo vapor 1. Velozmente. 2. Com ímpeto; decididamente; com todas as forças e disposição.
a todo volume Na mais alta potência (diz-se de som, sistema de som ligado).
à tona 1. À superfície, à flor (da água). 2. A propósito.
a toque de caixa A toda pressa; precipitadamente.
a torto e a direito 1. Sem ordem ou organização; às tontas; sem reflexão prévia; de qualquer maneira; às cegas; sem escolha; a esmo (diz-se argumentos, ações, propostas, ações etc.). 2. Sem discernimento; indiscriminadamente. 3. Em grande quantidade.

> Não é raro encontrar-se em textos brasileiros o equivalente francês: "à tort et à travers". Em latim, a correspondente é: "ab hoc et ab hac".

a traços largos Sem entrar em minúcias descritivas; tratado de um modo genérico.
à traição Traiçoeiramente.
a trancas Aos saltos, com intervalos.
a trancos 1. Aos trancos. (V.) 2. Com intervalos ou interrupções.
a trancos e barrancos A custo, com muito trabalho e riscos; enfrentando seguidas dificuldades. O m.q. "aos trancos e barrancos".

a trechos De vez em quando.
a três por dois Amiúde; frequentemente, desordenadamente.
à tripa forra À larga; muito; sem despender nada.
a troco de Em troco de; em compensação de.
a troco de reza Por baixo preço; muito barato ou grátis.
a trouxe-mouxe Sem ordem; de qualquer jeito; confusamente.
à ufa À larga; abundantemente; à custa alheia.
à última hora No derradeiro momento.
a um (só) tempo Ao mesmo tempo; na mesma ocasião; concomitantemente.
a um passo 1. Próximo. 2. Iminente.
a uma voz Unanimemente; em uníssono.
a una voce It. Em uníssono; a uma voz; unanimemente.
a undécima hora V. "undécima hora".
à unha! 1. Expressão usada pelo público nas touradas, para animar o toureiro na pegada do touro. 2. Manualmente.
a unhas Com muito esforço.
a unhas de cavalo Com toda pressa; com a maior rapidez.
a vaca foi pro brejo Diz-se de algo que não deu certo, fracassou, não sucedeu conforme se esperava.
à valentona À bruta; violentamente.
a valer 1. Em quantidade; muitíssimo. 2. Nas apostas, quando "a valer", está em jogo uma quantia em dinheiro ou em outros bens.
à vara e a remo Com todo o esforço; por todos os meios.
a varejo A retalho; forma de venda de pequenas quantidades de cada mercadoria.
a vau A pé, pisando o fundo, ao atravessar o leito de uma corrente d'água (sem precisar nadar).
a vela 1. Em completo estado de nudez. 2. Provido de vela(s) como meio de propulsão (barco, prancha marítima ou terrestre etc.).
à ventura Ao acaso; a esmo; ao deus-dará. (V.)
a ver navios À espera do que não chega nem chegará; com frustração; com sentimento de insucesso, de logro.
a verdade, toda a verdade, nada mais que a verdade Parte da fórmula de juramento tomado de testemunhas, nos julgamentos.
a vida começa aos quarenta Diz-se para ressaltar que é nessa etapa da vida que se sabe, de fato, diante da experiência acumulada, aproveitá-la proveitosamente.

a vida continua Expressão dita após um acontecimento cujo desfecho devemos aceitar como inevitável, num apelo para nos reanimarmos.
a vida é breve Advertência sobre a efemeridade da vida humana.

> A frase é atribuída a Hipócrates (460-370 a.C.) e se encontra nos seus "aforismos", que se constituem em um resumo de suas teorias. Ele foi considerado o pai da medicina, por ter sido iniciador da observação clínica.

à vista Compra ou venda realizada em dinheiro, com pagamento no ato da transação.
à vista de Na presença de; diante de.
à vista desarmada O m.q. "a olho nu".
à vista disso Neste caso, sendo assim, nestas circunstâncias.
a vitória está no papo É certo o sucesso.
à viva força Com violência.
à volta de Próximo de (falando-se de tempo).
à vontade *1.* Se se deseja dar liberdade de ação ou facilitar os movimentos e o comportamento de uma pessoa, dizemos: "fique à vontade". *2.* Sem constrangimento; fartamente. *3.* Confortavelmente. *4.* Voz de comando militar.
a voo de pássaro *1.* Por alto, superficialmente. *2.* Diz-se de um desenho que figura uma paisagem, vista por um observador na posição de um pássaro em voo.

> O correspondente em francês é: "à vol d'oiseau".

a zero *1.* Diz-se de uma disputa na qual a vitória foi conseguida sem que o oponente conseguisse um tento sequer. *2.* Complemento de frase na qual se quer ressaltar um grau mínimo. *3.* Sem nenhum dinheiro ou alimento; limpo.
ab absurdo Lat. Partindo do absurdo. Trata-se de método de demonstração usado sobretudo em matemática, no qual se propõe algo absurdo ou falso como artifício para, por exclusão, alcançar a solução.
ab aeterno Lat. Desde toda eternidade.
ab hoc et ab hac Lat. Lit. "por este e por esta"; ou "disto/disso e daquilo". O m.q. "a torto e a direito".
ab imo corde Lat. Do mais fundo do coração; do fundo do peito. Var. "ab imo pectore".
ab incunabulis Lat. Desde criança; desde o princípio.
ab initio Lat. Desde o começo ou origem.

ab initio ad finem Lat. Do princípio ao fim. V. "ab ovo (usque) ad mala".
ab intra Lat. De dentro. O m.q. "ab ovo".
ab irato Lat. Num impulso de cólera.
ab ore ad aurem Lat. "Da boca ao ouvido", literalmente. Emprega-se quando se quer dizer: "em segredo; discretamente."
ab ovo Lat. "Desde o começo". O m.q. "ab initio".
ab ovo (usque) ad mala Lat. Expressão que vem do latim, cuja tradução é "Do princípio ao fim". V. "Da sopa à sobremesa". O m.q. "ab initio ad finem".
ab rupto Lat. Subitamente; em declive, íngreme.
aba de filé Corte de carne correspondente ao lado da rês, sobre a ponta da agulha.
ábaco mágico Matriz numérica quadrada (com número de elementos igual ao quadrado de qualquer número ímpar). Os elementos que o compõem correspondem à série de números naturais, sem repetição de nenhum deles, de tal forma que a soma dos números que estiverem na mesma coluna, linha ou diagonal seja a mesma. O m.q. "quadrado mágico".

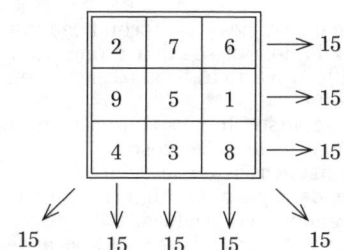

abafar a banca *1.* Colocar-se em primeiro lugar; sobrepujar, vencer plenamente; suplantar brilhantemente. *2.* Apresentar-se muito bem-trajado. *3.* Ganhar todo o dinheiro de que o banqueiro dispunha para arriscar no jogo. *4.* Ter grande sucesso em algo, granjeando admiração, prestígio.
abafo materno Carinho, afeto.
abaixador de língua Instrumento para manter a língua de um paciente abaixada para possibilitar exames clínicos, ou em cirurgias.
abaixar a bola Ficar menos arrogante, menos contestador, menos crítico ou mordaz.
abaixar a cabeça *1.* Assumir atitude de subserviência, submissão, humildade. *2.* Curvar-se; envergonhar-se; resignar-se.
abaixar a crista Conter (alguém) o impulso agressivo; deixar de ser arrogante; tornar-se humilde; acatar a opinião alheia;

abaixar a grimpa

deixar de contestar a opinião de outrem. *Var.* "abaixar o penacho"; "abaixar o topete".
abaixar a grimpa Submeter-se; humilhar-se. *Var.* "abaixar a proa".
abaixar a guarda Deixar a intransigência; tornar-se mais receptível.
abaixar as calças Ceder, humilhando-se; amedrontar-se; acovardar-se.
abaixar o facho Acalmar-se; deixar ou perder a arrogância ou jactância; apagar, assentar, sossegar o facho (= o entusiasmo, a excitação). *Var.* "abaixar o topete".
abaixar o penacho *V.* "abaixar a crista". *Var.* "abaixar o topete".
abaixar o tom Diminuir o ímpeto, o entusiasmo.
abaixar os olhos *1.* Não resistir a crítica ou a pressões, submetendo-se. *2.* Furtar-se ao olhar de alguém, por vergonha ou subserviência.
abaixo da crítica *1.* Muito ruim (desempenho, qualidade, resultado etc.), muito abaixo do esperado.
abaixo da média Pior (desempenho, qualidade, resultado etc.) do que o esperado ou usual.
abaixo de Em posição ou condição inferior a; depois de; em seguida a (em qualquer disposição vertical, como, por exemplo, uma lista).
abalo nervoso Choque psíquico com repercussão no sistema nervoso.
abalo sísmico Sismo, terremoto.
abalos de replicação Abalos sísmicos que se sucedem, se reproduzem.
abanar a cabeça Mover a cabeça de um lado para outro em sinal de desacordo, de dúvida, de compaixão, de desânimo etc.
abanar as orelhas Não consentir; recusar.
abanar moscas Estar ocioso, desempregado, à toa; vadiar.
abanar os queixos Provocar alguém falando e gesticulando com a mão em sua face ou próximo a ela.
abandonar a batina Renunciar ao sacerdócio. *Var.* "deixar a batina".
abandonar a causa Deixar de lutar pelo que acredita ou que defende.
abandonar o barco Deixar de cuidar de algo em que estava empenhado; sair de uma empreitada; desistir de algo.
abandonar o campo *1.* Sair de campo, desistindo da disputa; desistir de um empreendimento, de um negócio. *2.* Fugir a uma discussão.
abandonar sem lutar Desistir; esmorecer.
abandono de emprego Ato de deixar de comparecer ao local de trabalho ou de realizar suas tarefas estando o contrato de trabalho em vigor. *Var.* "abandono de serviço".
abarcar o mundo com as pernas Querer tudo ao mesmo tempo; empreender várias coisas ao mesmo tempo.
abas do rei Abrigo, amparo.
abdicar à pátria Emigrar.
á-bê-cê da profissão Os fundamentos de uma profissão. *Var.* "bê-á-bá de uma profissão".
abecedário maiúsculo O alfabeto maiúsculo.
abecedário minúsculo O alfabeto minúsculo.
aberração da natureza *1.* Fenômeno da natureza que resulta em aparência insólita, de causa desconhecida e/ou estranha. *2.* Degradação moral imprópria aos sensatos. *Var.* "aborto da natureza".
aberração dos sentidos Erro que se deve atribuir à má interpretação das impressões recebidas pelos sentidos.
aberto a todos *1.* Que admite (evento, realização, produto etc.) acesso a toda e qualquer pessoa. *2.* Passível (tema, publicação, obra etc.) de livre discussão ou debate.
abertura de espírito Receptividade a todas as ideias; vivacidade da inteligência.
ablativo de viagem *1.* Últimas providências para encetar uma viagem. *2.* Partida inesperada; desaparecimento.
ablução areenta A que é feita com areia em regiões sem água (como as praticadas pelos muçulmanos ritualmente ou quando no deserto).

Ablução = Lavagem.

abóbada celeste O firmamento.
abóbada palatina O céu da boca; o palato.
aborto da natureza *1.* Coisa rara e desconforme; prodígio. *2.* Pessoa de prodigioso talento ou de espantosa maldade. *3.* O *m.q.* "aberração da natureza".
aborto de um talento *1.* Insucesso, malogro. *2.* Monstruosidade.
abotoar o paletó Morrer.
abraçar a opinião (de alguém) Aderir ou apoiar as ideias (de alguém).
abraçar uma causa Aderir a ela.
abraço de tamanduá Traição; deslealdade; falsidade.

A locução vem do fato de o tamanduá deitar-se de barriga para cima e braços abertos. Se algum animal incauto por ele passa ou sobre ele cai, é fortemente abraçado até ao esmagamento.

abrandar o coração de alguém Dispor essa pessoa para a prática de boas ações, refrear o ódio etc.

abre-te, Sésamo Invocação mística para assegurar acesso a lugares usualmente inacessíveis.

> São as palavras mágicas de Ali Babá, no conto "Ali Babá e os 40 ladrões", das "Mil e uma noites", para afastar a rocha que bloqueava a entrada da caverna onde se abrigavam e escondiam os tesouros roubados.

abridor de boca Aparelho *us*. para manter aberta a boca de paciente para tratamentos ou exames clínicos/cirúrgicos.

abrigo antiaéreo Local de defesa passiva para proteção contra efeitos de ataques aéreos.

abrigo natural Caverna ou simples escavação rochosa que serve como moradia eventual ou permanente.

abrir a alma Abrir o coração; expandir-se, externar seus sentimentos; desabafar.

abrir a boca Dizer, contar ou revelar um segredo; falar o que pensa, sente ou sabe; reclamar; chorar. *V.* "não abrir a boca".

abrir a bolsa *1.* Dispor do dinheiro para ajuda ou contribuições, de forma desprendida e generosa. *2.* Pagar uma conta.

abrir a cabeça Ficar receptivo a ideias, especialmente ideias novas; passar a pensar com mais racionalidade.

abrir a gaita *RS* Começar a chover.

abrir a lata *1.* Repetir o que mandaram afirmar sem cogitar de sua exatidão. *2.* Falar besteiras; falar mais do que deveria; cometer indiscrições.

abrir a manta e levantar a cesta Ir-se embora.

abrir a mão Ceder; prodigalizar; doar com generosidade. *Cf.* "abrir mão de". *V.* "abrir as mãos".

abrir a marcha Ir na frente, na vanguarda.

abrir a parada Desfazer aposta que se fez em corrida de cavalo ou rinha de galo.

abrir a porta *1.* Franquear a entrada. *2.* Ser receptivo.

abrir a torneira Desandar em descompostura; começar a chorar.

abrir alas Formarem-se fileiras de pessoas, frente a frente, abrindo espaço para que alguém passe entre elas.

abrir as asas Voar; ir-se; ganhar personalidade e atitude, deixar de ser tímido; tornar-se independente, adquirir meios próprios de agir, ganhar a vida etc.

abrir as mãos *1.* Ser liberal, favorecer. *2.* Aceitar suborno. *V.* "abrir a mão".

abrir as pernas *1.* Ceder, tolerar; entregar-se; consentir sem protesto; conceder. *2. Fut.* Jogar mal, de propósito, facilitando a vitória do adversário.

abrir as portas *1.* Auxiliar, favorecer. *2.* Receber uma pessoa com lhaneza, afabilidade. *3.* Acolher ou admitir sem restrições um novo membro ao seu grupo. *Var.* "abrir a porteira".

abrir as velas *1.* Navegar. *2.* Iniciar uma viagem de barco.

abrir aspas/parênteses Numa exposição, fazer uma digressão explicativa ou fora do contexto. *V.* "abrir parênteses".

abrir caminho *1.* Dar passagem, facilitar os meios para a obtenção de alguma coisa. *2.* Entrar com esforço ou violência. *V.* "abrir passagem".

abrir com chave de ouro Iniciar auspiciosamente uma atividade.

abrir denúncia Denunciar; acusar falta alheia.

abrir fogo Começar a atirar com arma de fogo.

abrir mão Ceder; renunciar a algo ou a um direito.

abrir mão de *1.* Abandonar, desistir, renunciar; pôr de parte. *2.* Dispensar; ceder; consentir. *Cf.* "abrir a mão".

abrir no pé Fugir. *Var.* "abrir o pé".

abrir o apetite Provocar o desejo de comer.

abrir o arco Pôr-se em fuga; fugir.

abrir o berreiro Fazer birra; chorar muito, "abrir o bué" (*V.*). Também se diz: "abrir no/um berreiro".

abrir o bico *1.* Contar segredo, denunciar, delatar. *2.* Dar mostras de cansaço (após exercício físico ou trabalho árduo). *Var.* "abrir o jogo".

abrir o bué O *m.q.* "abrir o berreiro".

abrir o caminho Dar oportunidade; tomar a iniciativa.

abrir o compasso Apertar o passo; andar mais depressa.

abrir o coração Mostrar-se receptivo; abrir-se; externar seus sentimentos.

abrir o desfile Ir à frente de um desfile ou apresentação.

abrir o entendimento Esclarecer; conscientizar.

abrir o jogo *1.* Dar início ao jogo; *2.* Falar com franqueza sobre o assunto ou sobre suas intenções; expor-se. *3.* Em jogo de cartas, mostrar as cartas que tem. O *m.q.* "abrir o bico"; "pôr as cartas na mesa" (*V.*).

abrir o olho

abrir o olho Ter cautela; observar; precaver-se.
abrir o peito *1.* Revelar os sentimentos com toda a lealdade. *2.* Cantar com todo o entusiasmo.
abrir o verbo Pôr-se a falar de maneira desabrida.
abrir os bofes Começar a berrar; chorar intensamente.
abrir os braços a Receber bem; aceitar; acolher (alguém).
abrir os horizontes Conhecer ou dar a conhecer novas coisas.
abrir os olhos *1.* Procurar conhecer as coisas como verdadeiramente são; cair em si; perceber. *2.* Descerrar as pálpebras; despertar; acordar. *Var.* "abrir os olhos de".
abrir os olhos à luz Nascer.
abrir os olhos de Fazer ver o que (alguém) não consegue enxergar ou discernir; esclarecer; mostrar a verdade; alertar.
abrir os ouvidos Ficar atento ao que se diz; tentar compreender o que dizem.
abrir os panos Ir-se embora; fugir; escapar; desaparecer.
abrir os salões Dar reuniões, oferecer recepções.
abrir parênteses *1.* Colocar na escrita o sinal. *2.* Interromper um período ou uma narrativa para fazer uma digressão. *Var.* "abrir aspas".
abrir passagem O *m.q.* "abrir caminho".
abrir praça Afastar pessoas ou objetos para dar lugar a outros.
abrir preço Dar o primeiro lance num leilão ou num negócio.
abrir-se em sorriso Sorrir espontaneamente, com vontade e sinceridade.
abrir trincheiras 1. Cavar trincheiras, *i.e.* abrigos no solo para proteção de combatentes. 2. Munir-se de defesa; acautelar-se.
abrir um buraco para tapar outro Resolver um problema criando outro.

> *Esta expressão encontra conceituação bem precisa no conhecido provérbio "Pior a emenda que o soneto".*

abrir uma avenida em Dar uma navalhada em (alguém).
abrir uma brecha *1.* Encontrar uma saída, um modo de contornar uma dificuldade ou de superá-la. *2.* Encontrar um ponto fraco em algo (argumento contrário, regulamento, defesa etc.) e superá-lo, abrindo, talvez, caminho para se impor.
absolutamente nada Ênfase à ideia de 'nada', descartando qualquer possibilidade de exceção à não existência de algo, definida pelo 'nada'.
absolutamente não Ênfase de uma negativa peremptória, enérgica, definitiva.
absolutismo de grupo Tendência de um grupo utilizar a ação e o pensamento que lhe são próprios como critério para julgar os outros.

> Obs. *Quando se trata de grupos étnicos, equivale ao termo etnocentrismo.*

absolvição canônica *Rel. Catol.* Suspensão de pena eclesiástica.
absolvição sacramental *Rel. Catol.* Perdão de pecados ou culpas ao penitente que se mostra arrependido, por meio do Sacramento da Penitência.
absolvição sumária A que o juiz concede, no tribunal do júri, logo no início do processo.
absorvente higiênico Tampão vaginal, usado pela mulher para reter o fluxo menstrual. *Var.* "absorvente interno" e "absorvente íntimo".
absorver o choque Resistir a uma situação ou notícia desagradável e/ou inesperada. *Var.* "absorver a pancada".
absorver-se no trabalho Dedicar-se com todo empenho e atenção ao serviço.
abstenção eleitoral Não comparecimento a uma votação, ou voto que consiste em declaração explícita de abstenção.
abster-se de álcool Não fazer uso de bebidas alcoólicas.
abstrair-se de más companhias Evitar o convívio com pessoas de má índole ou mau comportamento.
abusar da boa vontade de (alguém) Aproveitar-se da ajuda de alguém, além do que seria razoável em face da solicitude desse alguém.
abuso de autoridade O *m.q.* "abuso de poder".
abuso de confiança *1.* Ato de prevalecer-se alguém, para fins diversos ou ilícitos, da confiança que lhe é/foi dispensada. *2.* Exceder-se, alguém, na autoridade que lhe foi delegada.
abuso de direito Exercício irregular de um direito objetivamente legal para ocasionar dano contra a moral e contra a sociedade.
abuso de poder Mau uso do poder por dele se fazer uso indevido, para fins espúrios, ou extrapolando o âmbito de suas prerrogativas; não cumprimento ou exagero no uso de autoridade por parte daqueles a quem

dela foi legalmente investido. *Var.* "abuso de autoridade".
abusus non tollit usum Lat. O abuso não impede o uso. Significa que nem por não se dever abusar de uma coisa, fica seu uso proibido.
abyssus abyssum invocat Lat. O abismo chama o abismo. Tirado de um salmo de Davi, emprega-se para exprimir que um erro acarreta outro.
acaba que No fim das contas; afinal.
acabado e enterrado Terminado; assunto que deixou de ser importante ou que já foi realizado, superado ou resolvido.
acabar bem *1.* Morrer tranquilo. *2.* Ter desfecho satisfatório, feliz, adequado (problema, situação, processo etc.).
acabar com a festa Atrapalhar; intervir numa situação agradável, festiva, promissora etc. frustrando-a, impedindo seu bom desfecho.
acabar com a raça de Matar, assassinar; derrotar, vencer de modo definitivo; desmoralizar.
acabar com a vida Cometer suicídio; assassinar alguém.
acabar de matar Dar o último golpe, o golpe fatal.
acabar de sair do forno Ser muito recente; ser novidade; ter justamente acabado de ficar pronto.
acabar em pizza O *m.q.* "dar em nada", referindo-se especialmente a investigações e processos contra suspeitos de irregularidades cometidas (praticadas) por pessoas poderosas ou influentes (políticos, empresários etc.) que não resultam em punição dos responsáveis.
acabar mal Não ter um fim bem-sucedido; fracassar.
acabar-se como sabão na mão de lavadeira Desfazer-se; consumir-se com certa facilidade.
acabou-se a festa Constatação do término de um evento, um processo, uma situação, uma condição favorável, alegre, proveitosa etc. O *m.q.* "acabou-se o que era doce".
acabou-se o brinquedo Expressão usada para indicar que ora em diante as relações ou as conversas serão sérias.
acabou-se o meu/teu/seu gás Cansei-me (cansou-se) demasiado, a ponto de não mais me/se aguentar.
acabou-se o que era doce Indica o término de algo agradável, bom. O *m.q.* "acabou-se a festa".
ação ao portador Título de participação no capital financeiro de uma empresa que não identifica o proprietário, pertencendo, pois, a quem a tiver em seu poder.

ação de graças Ato de piedade e devoção com que se agradece a Deus por benefícios recebidos.
ação e não palavras É a admoestação que se faz a quem prega e não é capaz ou não se dispõe a fazer o que fala. Há em latim a frase correspondente: "*Res, non verba*".
ação e reação Denominação dada ao princípio que Isaac Newton enunciou, baseado nas suas próprias experiências e nas de outros cientistas: "A reação é sempre igual e oposta à ação" ou "As ações recíprocas de dois corpos são iguais e se exercem na mesma direção e em sentidos opostos". Com esse mesmo conceito de reciprocidade, a locução é aplicada em relação ao comportamento humano.

Sir Isaac Newton (1642-1727), físico, matemático e filósofo inglês, fez experiências e descobertas fundamentais, dando notável contribuição à ciência.

ação entre amigos Rifa, quase sempre organizada em benefício de alguém que esteja necessitando de ajuda financeira, cujos bilhetes correspondentes são vendidos a amigos e conhecidos.
ação nominativa Título de participação no capital financeiro de uma empresa, no qual consta o nome do seu detentor.
ação ordinária Título de participação no capital financeiro de uma empresa, que dá direito a voto e participação nos seus lucros.
ação popular Ação (processo judicial) movida por particular(es) relacionada com defesa ou conservação de coisa pública de uso comum.
ação preferencial Título de participação acionária, que dá prioridade no recebimento de dividendos e no reembolso do capital investido a ele correspondentes, mas que, ordinariamente, não dá direito a voto ou participação nas assembleias da empresa emissora.
acarretar razões Acumular motivos.
aceitar a vida como ela é Conformar-se com as circunstâncias da vida. *Var.* "aceitar as coisas como elas são".
aceitar o jogo Entrar no esquema de certa ação ou situação.
acenar com a bandeira branca Pedir trégua numa luta ou disputa. *V.* "bandeira branca".
acender a chama da esperança Dar ou renovar esperanças.
acender a lamparina Embriagar-se.
acender a lanterna Tomar bebida alcoólica. O *m.q.* "matar o bicho" ou "acender a lamparina".

acender as ventas *N.E.* Farejar (o cão ou o cavalo) pressentindo perigo.
acender feijão no fogo O *m.q.* "botar feijão no fogo".
acender os olhos Abri-los muito; arregalá-los.
acender uma vela a Deus e outra ao Diabo Agradar simultaneamente a adversários distintos, e mesmo opostos; ter duas atitudes ou comportamentos opostos, ou agir de duas maneiras contraditórias, para garantir todas as possibilidade de atingir o objetivo.
acento gráfico *1.* Indicação gráfica de sílaba acentuada. *2.* Sinal diacrítico.

> Diacrítico = Diz-se de sinal gráfico que confere novo valor fonético e/ou fonológico a uma letra. [No português, os sinais diacríticos são os acentos agudo, grave e circunflexo, a cedilha e o til.] (Aulete)

acento nacional Sotaque; o modo de falar da população de um país.
acepção de pessoas Escolha, preferência por um determinado grupo de pessoas ou por uma delas, por discriminação.
acerca de A respeito de; relativamente a; sobre; com referência a.
acertar a escrita Resolver diferenças; ajustar contas. *Var.* "acertar as contas".
acertar a mão Descobrir e dominar a forma correta de realizar uma tarefa, atividade.
acertar contas com alguém *1.* Procurar dirimir desentendimentos com alguém. *2.* Realizar ajustes financeiros.
acertar em cheio Acertar no alvo, resolver um problema, dar resposta correta, fazer uma escolha ou opção feliz etc., de modo pleno e insofismável. *Var.* "acertar na bucha" e "acertar a mão".
acertar na gata Ter sorte.
acertar na mira e errar o alvo Pretender alcançar um objetivo determinado, utilizando métodos ou instrumentos que julga adequados, mas que se mostram impróprios ou ineficazes.
acertar na mosca Acertar em cheio; ser preciso nos argumentos, respostas e observações. *Var.* "acertar no alvo".
acertar os relógios *1.* Combinar um plano comum de ação. *2.* Chegar a um acordo, a um entendimento. *Var.* "acertar os ponteiros".
acerto de contas *1.* Apuração de quem é devedor ou credor de quem, e do montante de créditos e débitos. *2.* Procura ou acordo de apaziguamento de conflitos. *V.* "ajustar contas".
acesso de fúria Atitude repentina de alguém que se lança sobre pessoas e/ou objetos, desesperadamente, causando danos às pessoas e destruindo coisas, numa evidência de estar fora de si, fora de controle emocional. *Var.* "acesso de raiva".
acesso de riso Assomo de riso intenso e incontido.
achado do vento *1.* Objeto encontrado cujo dono não foi identificado. *2.* Descoberta, lembrança ou ideia que surge por acaso.
achar bom Gostar; julgar conveniente; aprovar.
achar de bem Julgar acertado, correto, conveniente; ponderar. *Var.* "achar por bem".
achar natural Considerar como normal, usual, corriqueiro.
achar o comer feito Encontrar, já feito por outrem, aquilo que se tinha obrigação ou necessidade de fazer.
achar o fio da meada Descobrir a maneira de esclarecer o que está ou parece estar confuso.
achar o que dizer Encontrar motivo de censura ou de desculpa, ou argumento.
achar por bem O *m.q.* "achar de bem".
achar que é alguém Ter a pretensão de ser importante, ou prendado, ou bem-sucedido; ser orgulhoso, envaidecido.
achar ruim Não gostar de; desagradar-se de um gesto ou atitude; desaprovar; não julgar adequado.
achar uma brecha Encontrar ocasião propícia, ou caminho para vencer uma dificuldade.
achar uma saída Encontrar maneira de safar-se de situação incômoda ou desagradável.
achar-se bem Ter saúde, disposição; estar satisfeito, contente.
achar-se mal Não ter saúde nem disposição; estar insatisfeito ou aborrecido.
achatamento salarial Situação ou processo nos quais reajustes salariais em níveis inferiores à desvalorização da moeda resultam em queda do valor aquisitivo (real) do salário.
acidente de percurso *1.* Acontecimento imprevisto que transtorna a evolução, até então positiva, de um fenômeno, de um processo econômico, social etc., mas não chega a prejudicar o resultado final.
acidente fatal Aquele que causa danos físicos graves, levando à morte.
acidente geográfico Apresentação contrastante do terreno em relação ao das áreas próximas.
acidente vascular cerebral (AVC) Distúrbio da circulação encefálica (p.ex., um derrame), súbito, de duração e intensidade variá-

ad intra

veis, que podem produzir perda de consciência, dificuldade motriz e distúrbios da fala.
acima das posses Quando se diz "gastou acima das posses", quer-se dizer que a pessoa teria despendido mais dinheiro do que tinha ou do que viria a ter a tempo de saldar o compromisso assumido.
acima de Em posição superior num conjunto, numa série, numa hierarquia etc.
acirrar os ânimos Contribuir para que os ânimos se exaltem, ou seja, que uma discussão se torne mais acalorada, mais radical.
acomodar-se com as circunstâncias Conformar-se.
aconteça o que acontecer Seja como for; haja o que houver.
acordar com as galinhas Acordar e levantar-se muito cedo. *Var. ant.* "dormir com as galinhas".
acordar o cão que dorme Estimular o inimigo que estava quieto; bulir em algo que estava esquecido e do qual pode resultar malefícios.
acordo de cavalheiros Entendimento em que as partes, sem disputas, acertam seus negócios, garantindo-se mutuamente pela palavra empenhada; acordo entre as partes sem que haja registro escrito oficial ou formal do que ficou estabelecido.
acreditar (em determinada coisa) piamente Crer com convicção, inabalavelmente.
acreditar em Papai Noel Ser ingênuo.
acredite se quiser Advertência que às vezes se faz ao relatar caso incomum, fato extraordinário.
acrobacia aérea *Aer.* Conjunto de manobras difíceis e arriscadas realizadas em avião; qualquer exercício ou manobra acrobática realizada no espaço aéreo.
açúcar cristal Açúcar branco concentrado em forma de pequenos grãos brilhantes.
açúcar de cana Açúcar; aquele produzido a partir da cana-de-açúcar.
açúcar de confeiteiro Açúcar branco finíssimo, *us.* na confecção de bolos e doces, *esp.* em coberturas.
açúcar mascavo Açúcar produzido em engenhos, não branqueado ou refinado, de coloração amarelo-queimado. *Var.* "açúcar mascavado".
açúcar queimado Calda de açúcar derretido a alta temperatura, de coloração castanha.
acuidade auditiva Grau de sensibilidade do sentido da audição.
acuidade visual Grau de sensibilidade do sentido da visão.
acumulação indébita Apropriação de bens por meios ilegais.

acusar recebimento Declarar ter recebido (alguma coisa). *Var.* "acusar o recebimento" e "acusar recepção".
ad aeternum *Lat.* Para sempre.
ad amusim *Lat.* À risca; com exatidão.
ad argumentandum tantum *Lat.* Só para argumentar.
ad astra per aspera *Lat.* Locução usada como divisa e que significa: "aos astros (à glória) por caminhos ásperos (difíceis). *Var.* "*ad augusta per angusta*" (às alturas por caminhos difíceis).
ad augusta per angusta *Lat.* Chegar (alcançar) a glória por caminhos difíceis; perseverança.
ad bestiam *V.* "às feras".
ad calendas graecas *Lat.* Para as calendas gregas. Empregado em tom irônico porque os gregos não tinham calendas. *V.* "calendas gregas".

As calendas eram festas romanas realizadas no primeiro dia de cada mês.

ad cautelam *Lat.* Por precaução.
ad corpus *Lat.* Diz-se de venda de imóvel em que se ajusta o preço do todo sem especificação de área. *Ant.* "*ad mensuram*".
ad diem *Lat.* Usado para designar o dia final de um prazo.
ad exemplum *Lat.* Por exemplo; para exemplificar.
ad extremum *Lat.* Até o fim.
ad finem *Lat.* Até o fim.
ad gloriam *Lat.* Para a glória.
ad hoc *Lat.* Literalmente, "para o momento". *1.* De propósito. *2.* Designado para executar, eventualmente, determinada tarefa; substituto eventual, para o caso, nomeado por Juiz; provisório. *3.* Que visa a um fim ou função específicos, e só a eles.
ad immortalitatem *Lat.* Para a imortalidade.

Este é o lema da Academia Brasileira de Letras.

ad infinitum *Lat.* Que não tem fim ou limite; sem limite no tempo ou no espaço; indefinidamente.
ad instar *Lat.* À semelhança de.
ad intra *Lat. Lit.* Significa "para dentro".

Usa-se a expressão também com o sentido de "pensar, interiorizar, refletir, assimilar"; há também a locução "ad extra", com o significado de "para fora", usada com o sentido de "externar, expor, agir".

17

ad libitum *Lat.* À vontade; livremente.
ad limina *Lat.* Expressão que se emprega para designar as visitas quinquenais dos bispos residenciais à Santa Sé, para prestar contas de suas dioceses. Significa "ao limiar".
ad litteram *Lat.* Ao pé da letra; literalmente.
ad majorem Dei gloriam *Lat.* Significa "Para a maior glória de Deus".

> *Usada como lema pela Companhia de Jesus (dos jesuítas). Usa-se também abreviadamente: AMDG.*

ad mensuram *Lat.* Diz-se da venda de imóvel com especificação de sua área. *Ant.* "ad corpus".
ad nauseam *Lat.* Até a náusea, *i.e.*, até provocar enfado, fastio; até fartar.

> *Emprega-se em sentido metafórico: "Argumentação, comprovação, testemunho, provas "ad nauseam", vale dizer, com tal riqueza que farta, se faz excessiva para ser irrespondível.*

ad nutum *Lat.* Segundo a própria vontade; ao arbítrio.
ad perpetuam rei memoriam *Lat.* Para perpétua memória da coisa. Usada nas bulas papais.
ad referendum *Lat.* Sob condição de consulta aos interessados e aprovação deles; pendente de aprovação.

> *É expressão empregada para exprimir que um ato fica dependendo da aprovação de uma autoridade ou poder ao qual tem de ser submetido oportunamente ou como manda a lei ou norma.*

ad unum omnes *Lat.* Todos, sem exceção; unanimemente.
ad usum *Lat.* Conforme o uso; segundo a praxe.
ad valorem *Lat.* De acordo com o valor, referindo-se a tributação proporcional ao valor da mercadoria vendida ou importada.
ad vitam aeternam *Lat.* Para a vida eterna.
ad vivam *Lat.* Ao natural; tal qual; exatamente.
ademais de Além de.
adeus de mão fechada Despedida com intenção injuriosa ou obscena; gesto agressivo, ameaçador.
adeus eterno Despedida de um moribundo ou de pessoas que se supõe não tornar a vê-las.
Adeus minhas encomendas! Foi-se; babau; exclamação de desesperança: *Var.* "Foi tudo por água abaixo!", "Acabou-se!", "Está tudo acabado!" e "Não tratemos mais disso!" *V.* "Adeus, viola!".
adiantado em anos Pessoa de avançada idade.
adiante de À frente de, em frente de.
administrar ensino Ensinar.
administrar justiça Aplicar as leis; exercer o poder judiciário.
administrar os sacramentos *Rel. Catol.* Conferir os sacramentos a um fiel.
admirável mundo novo Forma irônica de se referir ao mundo contemporâneo em função de suas conquistas tecnológicas, com base no título de uma obra satírica do escritor, romancista e ensaísta inglês Aldous Huxley (1894-1963) sobre o avanço tecnológico e social, traçando uma visão pessimista do futuro da humanidade.
adoçar a boca Cativar com bons modos ou com pequenos favores.
adoçar a pílula 1. Revestir (algo) com uma aparência sedutora, enganadora. 2. Repreender alguém, porém com palavras não contundentes, de modo ameno.
adoecer de Ser acometido de (uma determinada doença).
adormecer no Senhor Morrer.
adorno de linguagem Cuidado, apuro na expressão oral ou escrita.
adrenalina pura Altamente excitante.
adubo verde Diz-se de plantas leguminosas (feijões, trevos, etc.) que possuem certas bactérias em suas raízes, fixadoras de nitrogênio no solo, fertilizando-o.
adular o sol que nasce *Fig.* Adular, fazer zombarias ou cortesias exageradas às pessoas há pouco chegadas a altas posições ou ao poder.
advocacia administrativa Tráfico de influência.
advogado de causas perdidas O que defende o indefensável.
advogado de porta de fábrica Advogado sem clientela, que vive a procurar clientes pelas prisões e portões de fábricas. *Var.* "advogado de porta de xadrez/cadeia".
advogado do diabo Indica a pessoa que, nas discussões, procura pôr em evidência todas as possíveis objeções, mesmo as mais capciosas ou absurdas, tudo com a intenção de ser o assunto plenamente esclarecido antes da decisão final.

aglomerado urbano

> *Esta expressão deriva dos processos de beatificação, canonização e nomeação para os altos cargos da Igreja Católica Romana, quando o "Postulator fidei" (Lat.) ou "Advogado do diabo" (Lat. "Advocatus diaboli") procura argumentos para dificultar o processo.*

aequo domino *Lat.* Calmamente.
aere perennius *Lat.* Para sempre; de longa duração.
afazeres domésticos Aqueles que se relacionam com a administração e manutenção de um domicílio.
aferrar-se a uma ideia Apegar-se a ela; teimar nela.
afiado como uma navalha *1.* Muito afiado. *2.* Ferino, mordaz.
afiar com Avançar para atacar (alguém).
afiar os dentes Caluniar; dizer mal de alguém.
afinal de contas Afinal; concluindo; finalmente. O *m.q.* "no final das contas" e "no fim das contas".
afinador de motores Pessoa perita na regulagem de motores de explosão.
afofar e deixar Encaminhar o que se pretende e aguardar o resultado.
afogar as mágoas Embebedar-se com o objetivo de lamentar algum acontecimento, sobretudo amoroso e adverso.
afogar o ganso *Pop.* Copular.
afogar o Judas O *m.q.* "beber água de bruços".
afogar-se em pingo-d'água *1.* Fazer drama por pouca coisa; fazer de coisa simples uma extrema dificuldade; complicar-se. *2.* Colocar importância em pequeníssimos assuntos ou problemas. O *m.q.* "afogar-se em pouca água".
afronta faço, se mais não acho; se mais achara, mais tomara Diz o leiloeiro no pregão, estimulando os lances.
afrouxar a rédea Deixar à vontade; dar rédea a. *Var.* "afrouxar o laço".
afrouxar o garrão *1.* Dobrar as pernas e cair; acovardar-se (o homem); ter medo; dar-se por vencido. *2.* Cansar-se ao subir ladeira ou ao realizar pequeno esforço físico. *Var.* "afrouxar os quartos".

> *Garrão = A parte da perna oposta ao joelho (nos animais), bem como o tendão do calcanhar (nos humanos); jarrete.*

afundar no mundo Partir, ir-se embora.
agarrado às saias Sob proteção feminina; muito apegado a mulher, geralmente à mãe, dela dependente, inseguro quando longe.
agarrar a ocasião pela calva Aproveitá-la, antes que passe. *Var.* "agarrar a ocasião pelos cabelos"; "agarrar uma oportunidade com unhas e dentes".
agarrar na orelha da sota Jogar baralho aficionadamente.
agarrar no sono Dormir profundamente; ferrar no sono.
age quod agis *Lat.* Presta atenção ao que está fazendo!
agência de notícias Empresa de serviços jornalísticos que colhe e produz notícias e as distribui pelos órgãos de divulgação e pelos seus assinantes.
agência de propaganda Empresa de serviços que planeja, executa, distribui e controla a propaganda e/ou publicidade de seus clientes. *Var.* "agência de publicidade".
agência funerária O *m.q.* "casa funerária".
agência turística Empresa especializada em organizar e oferecer aos clientes roteiros turísticos e viagens.
agenda eletrônica Dispositivo computadorizado de tamanho reduzido, para registro e consulta de nomes, endereços, compromissos etc., disponível em várias configurações.
agente da lei (de polícia) Qualquer membro de corporação policial que tenha funções ligadas à ordem e segurança públicas.
agente de viagens Aquele que representa empresas de transporte de pessoas ou agências de turismo.
agente duplo Espião ou agente secreto a serviço, concomitantemente, de dois países ou interessados antagônicos.
agente natural *1.* Insumo econômico, matéria-prima etc. tal como fornecido ou determinado diretamente pela natureza. *2.* Fonte natural de energia, como calor, vento, maré, magnetismo etc.
agente secreto Pessoa encarregada de uma missão sigilosa.
agente transmissor Aquilo que tem ação direta na propagação de doenças, como vetor ou hospedeiro de bactérias e vírus.
agir com a cabeça Agir pensadamente, com calma, sem precipitação.
agir na sombra Agir às escondidas; secretamente.
aglomerado urbano Conjunto de vilas e cidades constituindo sistemas urbanos sob influência de um centro maior e mais desenvolvido. O *m.q.* "aglomeração urbana".

agnus Dei

> Quando esses sistemas se unem, se ligam uns aos outros, dá-se o nome de conurbação urbana.

agnus Dei Lat. Expressão latina que, literalmente, significa "cordeiro de Deus". *1.* Oração cantada ou recitada nas missas e que antecede à comunhão. *2.* Medalha de cera benzida que se traz no pescoço.
agora a coisa vai Diz-se para indicar que a ação, finalmente, vai começar, ou que, vencidos dificuldades ou impedimentos, os processos em andamento começarão a operar, a dar resultado.
agora (aí) é que a porca torce o rabo Agora é que a dificuldade é maior ou mais evidente.
agora, agora Agorinha; agora mesmo; já, já.
agora é que são elas Aqui é que está a dificuldade; é chegado o momento difícil, decisivo.
agora mesmo Agorinha, neste momento; neste instante; ainda agora; agora, agora.
agora que Já que; uma vez que; desde que; a partir do momento em que.
agorinha mesmo Neste exato momento; agora mesmo.
agradar a gregos e troianos Agradar a pessoas de diferentes gostos; ser ambíguo e indefinido para com isso agradar a opiniões, preferências ou gostos contrários. *Var.* "agradar a Deus e ao diabo".
agreste acatingado Zona de transição entre o agreste e a caatinga.

> O agreste é uma zona próxima ao litoral da Região Nordeste, caracterizada por solo pedregoso. Sua vegetação, entre a mata e a caatinga, é típica de ambientes secos.

agricultura de subsistência A que se destina apenas ao sustento das pessoas que se ocupam dessa atividade.
água abaixo Na direção da corrente; a jusante. *Ant.* "água acima".
água arriba *1.* Contra a corrente (falando de curso-d'água); a montante. *2.* Difícil, árduo, trabalhoso. *V.* "negócio de água arriba".
água batismal A água que é empregada para a administração do batismo.
água benta Aquela que recebeu a bênção sacerdotal.
água choca Coisa sem graça, insípida, sem nenhum atrativo especial.
água com açúcar Meloso, doce, suave, sentimental, melífluo.
água de barrela *1.* Água suja. *2. Pop.* Café muito ralo. *Var.* "água de batata".

água de briga Aguardente de cana; cachaça.
água de cana Aguardente de cana; cachaça.
água de cheiro Produto de perfumaria elaborado com álcool e variadas essências aromáticas. O *m.q.* "água-de-colônia".
água de coco Albume líquido do coco-da-baía ainda verde, *us.* como bebida hidratante e refrigerante.

> O albume é um tecido nutritivo rico em substâncias alimentares, que envolve o embrião de muitas plantas.

água de goma *PA* Ou manipueira, é o suco leitoso da mandioca ralada, ingrediente do molho denominado tucupi.
água de morro abaixo e fogo de morro acima Diz-se exprimindo grandes e muitas facilidades na execução de uma tarefa. *V.* "como água de morro abaixo e fogo de morro acima".
água de rosas Extrato de rosas em água destilada ou em solução alcoólica.
água destilada Água isenta de sais minerais, obtida por destilação.
água doce Aquela que não contém quantidade significativa de cloreto de sódio, como a da chuva, das fontes, dos rios e lagos. *V.* "água potável". [O Vocabulário da Academia registra a palavra composta água-doce.]
água e sal Maneira de designar um regime alimentar rigoroso.
água férrea A que contém quantidade de ferro em dissolução superior à habitual nas águas potáveis.

> Pode ser utilizada como coadjuvante no tratamento da anemia e outras doenças carentes de ferro.

água furtada "Puxado" (acréscimo) que se faz em moradias (simples), encontradiço no interior de todo o Brasil. Com esse recurso, aproveita-se parte da construção original, enquanto o telhado, sendo também dela uma extensão, não carece de nova calha. (Não confundir com a palavra composta "água-furtada").
água gasosa Água mineral que contém, naturalmente, quantidades variadas de gás carbônico em solução.
água mineral A que contém sais naturais acima do habitualmente encontrado nas águas potáveis, gasosa ou não.

> Essas águas podem ou não conter gases, igualmente potáveis.

água morna Diz-se de pessoa indecisa ou lenta em suas decisões.
água na boca V. "de dar água na boca".
água na fervura Coisa, fato, situação etc. que arrefece o entusiasmo ou a excitação do momento.
água natural É a que existe na natureza, oriunda de fontes, chuvas, orvalho, etc.
água oxigenada Peróxido de hidrogênio (H_2O_2), incolor, usada como antisséptico, alvejante e oxidante.
água potável Água própria para beber. O m.q. "água-doce", ou "água doce".
água que passarinho não bebe Cachaça ou qualquer bebida alcoólica.
água que passou debaixo da ponte Acontecimentos passados cuja lembrança não vale mais a pena cultivar; fatos superados e que se quer esquecer, por variados motivos. O m.q. "águas passadas".
aguardente de cabeça A que se destila em primeiro lugar.
água sanitária Hipoclorito de sódio em solução aquosa, us. como alvejante e antisséptico.
águas de março As primeiras chuvas que vêm depois do verão, em algumas regiões.
águas dormentes Águas lacustres.
águas emendadas Diz-se das nascentes comuns de dois ou mais rios e/ou que pertencem a diferentes bacias hidrográficas.
águas passadas Coisas que já se passaram; coisas de antigamente. O m.q. "água que passou debaixo da ponte".
águas pluviais As que procedem das chuvas.
água termal Água medicinal cuja temperatura normal excede a do ambiente em que flui.
águas territoriais Águas marítimas, adjacentes à costa de uma nação, sobre as quais ela exerce soberania.
água tônica Água gaseificada de sabor levemente amargo.

> É oferecida ao consumidor contendo extratos vegetais aromáticos e quinino, acidulantes e conservadores.

aguardente de cana Aguardente obtida da fermentação e destilação do sumo ou mosto da cana-de-açúcar, com teor alcoólico entre 38% a 54%; cachaça.
águas continentais Nome pelo qual, genericamente, se denominam os cursos de água, lagos e geleiras.
águas profundas Águas marítimas existentes em profundidades superiores a 200 m.

águas servidas Águas após uso doméstico, industrial e de outras origens e despejadas em coletores sanitários para tratamento e despoluição ou simplesmente fluindo diretamente para cursos-d'água, fossas sanitárias, etc.
águas turvas Desordem, confusão.
aguaceiro branco Indícios de chuvarada, caracterizados por ventos repentinos e fortes, mas sem precipitação atmosférica.
aguçar a língua Dispor-se a maldizer.
aguçar os dentes Dispor-se para comer sofregamente; preparar-se para fruir coisa intensamente desejada.
aguenta, coração Expressão usada por uma pessoa sob intensa emoção, preparando-se para o que vier a ocorrer.
aguentar a barra 1. Desdobrar-se em esforços e manter o domínio de uma situação difícil e penosa. 2. Cumprir o combinado; aguentar as pontas; aguentar a mão. Var. "aguentar o rojão".
aguentar a mão Enfrentar ou sustentar uma posição ou uma situação, embora embaraçosa e difícil; resistir; apoiar. Var. "aguentar o barco".
aguentar a mecha Suportar trabalho penoso ou contrariedades.
aguentar a parada V. "aguentar a mão" e "aguentar as pontas".
aguentar a retranca Resistir ante uma situação difícil, desfavorável. O m.q. "aguentar a barra".
aguentar as consequências Aceitar ou suportar o risco ou a responsabilidade de seus atos.
aguentar as pontas V. "aguentar a mão".
aguentar calado Não reclamar; aceitar as imposições sem contestá-las.
aguentar firme Resistir com determinação. Var. "aguentar o rojão".
aguentar o repuxo Ser forte nas adversidades; não revidar a um insulto; sustentar-se numa posição, ainda que a duras penas; suportar um choque, uma má notícia, um revés, uma dificuldade. O m.q. "aguentar a mão".
aguentar o tempo Ser capaz de enfrentar quaisquer dificuldades.
aguentar o tirão Suportar o golpe.

> Tirão, ou estirão, é um puxão seco, uma tirada com força.

aguentar o tranco Resignar-se e resistir galhardamente diante de situações difíceis.
aguentar sozinho Aguentar certas situações sem recorrer à ajuda de outrem ou sem obtê-la.

Águia de Haia

Águia de Haia Antonomásia de Rui Barbosa.

> Rui Barbosa de Oliveira – estadista e jurisconsulto brasileiro (1849-1923) – a quem se chamou de "Águia de Haia" em virtude de sua brilhante atuação na segunda Conferência da Paz, em Haia, na Holanda, ocorrida em 1907.

águia de papo amarelo Espertalhão.
Águia de Patmos Diz-se de São João Evangelista, apóstolo de Cristo.
agulha no palheiro V. "procurar agulha em(no) palheiro".
Ai de! Pobre de; desgraçado de.
Ai de mim! Diz-se quando a gente se considera incapaz de atingir ou de conseguir algo referido por outrem.
Ai de nós! Expressão de comiseração do próprio homem ante a fugacidade da vida. É também empregada em várias outras situações.

> Há em latim a correspondente "Eheu! Fugaces labuntur anni", frase constante de obra do autor latino Horácio.

Ai dos vencidos! 1. Invocação que simboliza o direito dos mais fortes. 2. Ameaça aos que estão em posição de inferioridade. 3. Citação com que se lembra que o vencido está à mercê do vencedor.

> A locução correspondente em latim é "vae victis". São as palavras de Breno, general gaulês, ao atirar a espada ao prato da balança no qual estavam os pesos com que se deveria pesar o ouro do resgate dos romanos, e que eram falsos, tendo estes protestado contra o abuso.

aí é que a coisa pega O *m.q.* "aí é que são elas". *Var.* "aí é que a coisa encrenca".
aí é que a coisa pia fino O *m.q.* "agora é que são elas". *Var.* "aí é que a coisa fia fino".
aí é que a porca torce o rabo É neste momento que aparecem as dificuldades. Esta é a dificuldade, a encrenca.
aí é que está o nó Esta é a dificuldade. O *m.q.* "aí é que a porca torce o rabo". *Var.* "aí é que está a questão"; "aí é que está o busílis".
aí é que são elas Aí é que começa a dificuldade.
Ai, Jesus! Exprime dor, aflição.
Aí tem coisa! Expressão que denota desconfiança (supondo-se, por exemplo, que há algo ainda não revelado ou insuficientemente esclarecido); não ser o que aparenta. *Var.* "aí tem jacutinga", "aí tem truta" e "aí há coisa".
ainda agora Agorinha; há pouco. *Var.* "ainda agorinha".
ainda assim Não obstante; apesar disso. O *m.q.* "mesmo assim".
ainda bem Felizmente; graças a Deus; mal aconteceu. Diz-se, também, o antônimo: "ainda mal".
ainda em cima Demais; além disso.
ainda em riba Ainda por cima; além do mais.
ainda haver muita água para passar debaixo da ponte Ainda haver muito o que fazer ou acontecer antes do final (de algo). V. "água que passou debaixo da ponte".
ainda mais Além do mais; nem assim.
ainda mal Infelizmente. V. "ainda bem".
ainda não Até agora não ocorreu, mas pode vir a acontecer.
ainda para mais ainda Ainda mais; ainda por cima.
ainda para mais ajuda Ainda por cima; ainda em cima.
ainda por cima 1. E para piorar as coisas... 2. Além disso. O *m.q.* "ainda em cima" e "ainda mais".
ainda pular a cerca Ainda ter vigor físico, apesar da idade.

> Nesta expressão, há manifesta dubiedade de sentido, uma das quais dá a entender que a pessoa a que se refere ainda é sexualmente capaz. V., a propósito, "pular a cerca".

ainda quando Mesmo que; ainda que; embora; até se; posto que; dada a hipótese de.
ainda que Apesar de que; embora; ainda quando; conquanto; posto que; embora; não obstante; sem embargo.
ainda que mal pergunte Diz-se quando se quer fazer uma observação indiscreta ou uma indagação mais contundente. *Var.* "ainda que por mal pergunte".
ainda verde Imaturo.

> Esta locução tanto se aplica às frutas ou vegetais cuja maturação ainda não se completou, quanto a pessoas que não estão intelectualmente formadas ou que lhes falta experiência de vida.

ajoelhou, tem que rezar Diz-se quando uma pessoa, tendo tomado uma atitude ou iniciado algo, não pode e/ou não deve voltar atrás.
ajuda de custo Quantia suplementar paga a funcionário (empregado) pela realização de determinados serviços fora do local de

trabalho ou por tarefas extras nas quais há custo adicional para realizá-las. Também se emprega: "ajuda de custa".
ajudante de ordens Oficial militar sob comando de outro de patente mais alta ou de autoridade civil como chefe de governo, ministro de estado, etc.
ajudar a bem morrer Assistir espiritualmente a um moribundo, confortando-o com a religião, com a oração, com o consolo.
ajudar à missa Acolitar o sacerdote na celebração.
ajudar-se de pés e mãos Valer-se de todos os meios; lançar mão de todos os recursos.
ajuntar as trouxas Dar o fora; ir-se embora; ir saindo.
ajuntar joelhos Estar inativo, sem trabalho, ocioso.
ajuntar o dia com a noite Trabalhar sem descanso, ininterruptamente.
ajustar contas *1.* Liquidá-las, saldá-las. *2.* Fazer represálias a alguém. *V.* expressão derivada: "ajuste de contas".
ajustar contas com Haver-se com ou acertar as contas com alguém (referindo-se ou a desavenças ou a conciliação de contas financeiras).
al dente *It.* Literalmente, significa "ao dente". Diz-se do macarrão medianamente cozido. Corresponde à expressão em português "ao ponto" (*V.*).
alagação de outubro *BA* No estado da Bahia, é assim denominado um período de quatro a seis dias de chuvas ocorrentes no mês de outubro e que sinalizam verão úmido.
alargar a consciência Livrar-se de alguns escrúpulos e de ideias ultrapassadas ou equivocadas; abrir a cabeça a novas ideias.
alargar os passos Andar mais depressa.
alarme falso Aviso de um perigo que, de fato, não se concretizou.
alavanca de câmbio *Aut.* Alavanca com a qual o motorista altera a relação de marchas do veículo, de acordo com os requisitos do motor relacionados com a pista. *Var.* "alavanca de mudanças" e "alavanca de marcha".

Haste metálica por meio da qual o motorista alterna convenientemente a marcha do veículo, conferindo-lhe mais ou menos força e modo de tração.

alavancar as vendas Promover ajustes na política de vendas de sorte a alcançar incrementá-las.
alça de mira Alça de pontaria de uma arma de fogo.

Alfa de Centauro

alçar as armas Deixar ou desistir do combate.
alçar voo Levantar voo; decolar.
aldeia global É o mundo imaginado como uma pequena comunidade à qual teria sido reduzido devido ao poder dos meios de comunicação modernos que permitem rápido e eficiente contato entre os povos, ainda que estejam estabelecidos nos mais remotos lugares, tornando-os todos sob uma mesma influência e nivelando-os cultural e socialmente.
alea jacta est *Lat.* Literalmente, significa: "A sorte foi lançada." Hoje, diz-se quando se consegue realizar algo difícil ou ao fim de uma árdua jornada e que não se pode voltar atrás. *V.* "cruzar o Rubicão".

Frase atribuída a Júlio César, imperador romano, que a teria proferido ao atravessar o rio Rubicão (em 49 a.C.), comandando tropas romanas, contrariando expressas ordens do Senado romano.

além d'amanhã Depois de amanhã.
além da imaginação Algo que está acima do que se possa razoavelmente aceitar como possível.
além da medida Mais do que queria ou do que era suficiente.
além de *1.* Mais distante. *2.* Expressão que designa o complemento de uma ideia.
além de quê Além disso; de mais a mais. *Var.* "além do quê".
além de queda, coice Diz-se de insucessos completos e seguidos de algo em cuja realização alguém se empenhava.
além de tudo Além do mais; além disso.
além disso (disto) De mais a mais; além do mais. *V.* "ainda por cima".

Há que se observar a distinção de significados dos demonstrativos "isto" e "isso".

além do mais Além disto (disso); de mais a mais.
aletas de estabilização Pequenas asas montadas na cauda de foguetes, que lhes conferem estabilização e equilíbrio na sua trajetória, no pouso e na decolagem.
Alfa de Centauro A principal estrela da constelação de Centauro e a mais brilhante do céu.

É estrela múltipla e uma de suas componentes (a "Próxima de Centauro") é de todas as estrelas a que mais próxima está da Terra.

23

alfa e ômega *1.* A primeira e a última letra do alfabeto grego. *2.* Diz-se para significar que determinada coisa é o princípio e o fim de tudo o que de alguma forma lhe diz respeito, e, especialmente, de Deus ou de Cristo, como o princípio e o fim de toda a ordem material e espiritual.

> *Expressão usada pela primeira vez por São João, no Apocalipse.*

alfa Morse O *m.q.* "alfabeto Morse".
alfabeto Braile Alfabeto que utiliza pontos em relevo, utilizado por pessoas privadas de visão, que identificam nesses pontos, sinais gráficos, letras e algarismos, possibilitando-lhes lerem os textos assim grafados.
alfabeto cirílico Alfabeto eslavo derivado do grego, composto de 43 letras.
alfabeto fonético Sistema convencional de caracteres gráficos que simbolizam os sons de cada idioma para cada palavra indicada.
alfabeto grego Derivado do fenício, é composto de 24 letras, oficializado em Atenas em 403 a.C. como grego clássico.
alfabeto latino Data do século VII a.C., era composto de 21 letras. Posteriormente, foram introduzidas as letras J, U, Y, Z e W. É utilizado hoje por grande parte das línguas ocidentais.
alfabeto Morse O *m.q.* "código Morse". Conjunto especial de sinais imaginado para as comunicações telegráficas, constando simplesmente de pontos e linhas, agrupados em diversas combinações e que se traduzem por letras, algarismos e sinais gráficos.

> *Samuel Finley Breese Morse (1791-1872), pintor e inventor norte-americano, foi o inventor do telégrafo elétrico sem fios e do código de sinais que leva seu nome.*

alfândega marítima A que se instala em porto de mar.
alfândega seca A que se instala em porto terrestre e em aeroportos.
alfinete de segurança Alfinete de duas hastes dobradas, com uma das pontas em forma de presilha e que dispõe de uma cavidade na qual se encaixa a outra ponta, muito *us.* para prender fraldas em bebês. *Var.* "alfinete de fralda".
algarismo arábico Os símbolos que representam os números, no sistema decimal de numeração: 0, 1, 2, 3, 4, 5, 6, 7, 8 e 9.
algo que está pegando Algum empecilho para o andamento de uma ação.

algodão de açúcar Algodão-doce; espécie de doce feito com açúcar transformado em fios finíssimos e que se tornam, juntos, como que algodão em mecha.
algodão em rama Algodão tal como colhido, sem beneficiamento.
algodão hidrófilo Produto perfeitamente dessecado e higienizado, para uso farmacêutico e cirúrgico-hospitalar.
alguém que só tem gogó Alguém que fala muito mas pouco age; muito prosa.
algum dia Em época indeterminada.
algum tanto Um tanto; um pouco; algo.
alguma coisa Um tanto; algo.
alheio de si Absorto; alienado; alheado.
alhos e bugalhos Quando se confundem coisas semelhantes, mas distintas, diz-se que se "misturam alhos com bugalhos".

> *Dentre as acepções registradas pelos dicionaristas para "bugalho", as que parecem corresponder ao sentido desta locução é (Aulete): "Galha, protuberância tubercular que se forma na casca de carvalhos"; (Novo Aurélio): "Qualquer objeto de forma aproximadamente esférica"; e (Houaiss): "Qualquer objeto esférico ou globoso que lembre a noz de galha."*

ali, no toco De modo firme, decidido.
alienação fiduciária *Econ.* Garantia de pagamento através de transferência do domínio de bens, pelo devedor ao credor.
alienação mental Qualquer perturbação mental que incapacita o indivíduo para agir segundo as normas legais e habituais de seu meio social; perda da razão devido a perturbações psíquicas; perda de identificação com pessoas suas conhecidas.
alis volat propriis *Lat.* Literalmente, voa com seus próprios meios, *i.e.*, trabalha, age, com seus próprios atributos ou recursos.
alisar os bancos da escola Estudar muito.
alistamento militar Inscrição obrigatória de todo cidadão brasileiro ao completar 18 anos de idade, no serviço militar de quaisquer das três armas.
aliviar a roupa Passar a usar roupas mais leves.
aliviar o bolso de Furtar.
alívio cômico *Teat.* Numa peça, breve intervalo com apresentação de momento cômico para aliviar a tensão causada por um ato anterior densamente dramático, emocionante ou impressionador.
all right *Ing.* "Tudo certo." Usada para indicar que tudo vai bem; de acordo; Está bem! É comum também ouvir-se: "*O.K.*"

alma danada Indivíduo perverso, malvado.
alma de aço *1.* Pessoa enérgica, dura no trato, forte, vigorosa, inexorável. *2.* De aço; peças que, feitas de outro material, são reforçadas interiormente por uma parte de aço.
alma de outro mundo Fantasma; espectro.
alma errada O *m.q.* "alma penada".
alma gêmea Pessoa com quem se tem grande afinidade de espírito. *Var.* "alma irmã".
alma lavada *V.* "de alma lavada".
alma mater Lat. *1.* A natureza, como princípio criador. Mãe nutriz, bondosa. *2.* Poeticamente, a pátria ou a escola.
alma nova Alento pelo qual uma pessoa que se acha abatida se restaura, se anima.
alma penada Espectro de morte que se imagina vagar pela Terra. *P.ext.* Pessoa sem rumo, desprotegida; desorientada; sofrida. *Var.* "alma perdida".
almoçar, jantar e cear Pensar obsessivamente em comer.
almoço ajantarado Almoço servido mais tarde que o habitual, suprimindo, às vezes, o jantar.
almoço comercial Almoço trivial, de preço módico, rapidamente servido.
almoço de assobio O que se constitui simplesmente de café e pão.
almocreve das petas Indivíduo mentiroso.

> *Almocreve = Pessoa que conduz animal de carga. Peta = Mentira; fraude.*

alta (baixa) latitude *Geog.* É mais alta ou mais baixa a latitude se mais próxima do polo ou do equador, respectivamente.

> *Latitude é a distância, medida em graus, entre um ponto do globo terrestre e o equador, variando de 0 a 90° para o norte ou para o sul. Em termos gerais, quanto maior a latitude, mais próximos estaremos de um dos polos da Terra e mais frio deverá ser o clima.*

alta burguesia Alta sociedade.
alta hospitalar Autorização dada pelo médico ao paciente para que este deixe o hospital, considerando não haver mais necessidade de sua permanência ali, em tratamento.
alta noite O *m.q.* "noite alta".
alta sociedade A classe mais opulenta da sociedade. *V. "grand monde"*.
alta tecnologia Técnica avançada, de última geração, que usa as mais modernas conquistas da ciência. *V.* "tecnologia de ponta".

altas esferas Diz-se das pessoas influentes política, econômica ou socialmente.
altas horas Horas mortas; tarde da noite. *V.* "a altas horas".
alter ego Lat. Lit. "outro eu". Significa o amigo do peito, de confiança, para quem não se guardam segredos e com o qual se identifica plenamente.
alteza real (imperial) Título honorífico que se dava aos reis (imperadores) e, posteriormente, apenas a príncipes, em Portugal e no Brasil.
♦ **alto-astral** Quem está em alto astral está com elevado estado de espírito, ou desfruta um período de sucesso, entusiasmo, euforia. Ao contrário, se está em "baixo-astral".
alto bordo *V.* "de alto bordo".
alto clero Na igreja católica, constituem os dignitários superiores (bispos, cardeais, etc.).
alto coturno *V.* "de alto coturno".
alto e bom som *1.* Em voz alta, para todo mundo ouvir. *2.* Sem rodeios; sem segredos; claramente. *Var.* "alto e claro".
alto e malo A esmo, ao acaso, sem escolha.
alto impacto *V.* "de alto impacto".
Alto lá! Expressão que significa "Pare!" ou "Não continue!" "Pare onde estiver!" "Espere um momento!" "Não prossiga!".
alto nível *1.* Qualificação intelectual ou cultural de grau superior, excepcional. *2.* Alta qualidade, excelência. *3.* Alta moralidade, civilidade.
altos e baixos Altibaixos, vicissitudes; reveses; as alternâncias da vida ou de um negócio.
alumiar as ideias Ingerir bebida alcoólica.
alvará de construção Documento emitido por uma prefeitura licenciando a execução de uma obra, sob determinadas condições.
alvo de riso Alguém de quem se zomba ou se ri, por ter feito ou dito algo sem sentido ou cometido uma gafe etc.
alvará de soltura *Jur.* Documento em que o juiz ordena a soltura de preso.
alvo fácil Ser alvo fácil é estar em posição vulnerável.
alvor das faces A brancura das faces.
ama de clérigo Mulher que dirige casa de padre.
ama de leite Mulher que amamenta criança alheia; também se diz: babá, ama, e mãe de leite.
amaciar a bola *Fut.* Dominar a bola arremessada em sua direção com um só toque, amortecendo-a e colocando-a em condições de ser trabalhada.
âmago da questão O ponto mais importante, crucial, da questão.

amanhã de manhã

amanhã de manhã No dia seguinte cedo.
Amanhã é outro dia! Não há dia absolutamente igual a outro e as coisas podem não vir a acontecer tal como hoje (geralmente como exortação de otimismo).
amanhã o carneiro perdeu a lã Réplica de quem não se conforma com o adiamento de certo fato para o dia seguinte.
amanhecer com a avó atrás do toco Acordar irritado, de mau humor. *Var.* "amanhecer de chinelos trocados".
amarrar a cabra *N.E.* Embebedar-se.
amarrar a cara Amuar-se; zangar-se; aborrecer-se. *Var.* "amarrar o bode". *V.* "ficar de bode" e "de bode amarrado".
amarrar cachorro com linguiça *V.* "tempo em que se amarrava cachorro com linguiça".
amarrar o bode *N.E.* Ficar amuado. *Var.* "amarrar uma tromba".

> *Bode é o macho da cabra. Nos dicionários não se encontra acepção que combine com o sentido da locução, típica do nordeste do Brasil.*

amarrar o burro 1. Apoiar-se. *P.ex.*: *E agora, onde é que vou amarrar meu burro?*. 2. Envolver-se com; participar; aderir. *P.ex.*: *Onde é que fui amarrar meu burro?*.
amarrar o facão Chegar ao climatério.
amarrar o gato *Pop.* Defecar.
amarrar uma linha no dedo Diz-se do costume que algumas pessoas têm de amarrar uma linha no dedo para não se esquecerem de algo.
amassar a cara de (alguém) Surrar (alguém); rachar a cabeça de (alguém).
amassar a gata Embebedar-se.
amassar a lata O *m.q.* "dar a lata".
ambiente carregado Ambiente em que há tensão emocional entre as pessoas presentes.
ambos de (os) dois Fórmula pleonástica de "ambos", ainda usada pelo povo.
amigo às direitas Amigo incondicional.
amigo certo nas horas incertas Amigo que não falta na sua amizade.

> *A locução correspondente em latim é "Amicus certus in re incerta carnitur".*

amigo da boca para fora Amigo infiel; mau amigo; amigo falso.
amigo da onça Pessoa que, embora considerada amiga, age como se não fosse.

> *O cartunista pernambucano Péricles de Andrade Maranhão, da antiga revista "O Cruzeiro", do Rio de Janeiro, popularizou o personagem "amigo da onça", criando situações cômicas alusivas àquelas suas características, como aqui definidas.*

amigo de peniche Falso amigo. O *m.q.* "amigo urso".
amigo de seu(s) amigo(s) Aquele que se comporta como verdadeiro amigo; amigo de verdade.
amigo de todo o mundo Diz-se de quem é amável para com todos, sem ser amigo de ninguém. *Var.* "amigo do gênero humano".
amigo do alheio Ladrão.
amigo do peito Pessoa que é amiga de verdade, muito prezada; amigo íntimo, muito querido.
amigo extremado Grande e extraordinário amigo; amigo do peito, muito considerado.
amigo íntimo Aquele com o qual existe uma convivência aberta, compartilhada e muito leal. O *m.q.* "amigo do peito".
♦ **amigo-oculto** Numa festa comemorativa em que há troca de presentes, cada uma das pessoas que, após o sorteio dos nomes de todos os participantes entre si, oferta anonimamente um presente àquele que lhe coubera por sorte. A este compete, ao final da comemoração, descobrir qual a pessoa que o presenteou. *Var.* "amigo-secreto".
amigo particular Amigo íntimo.
♦ **amigo-secreto** *V.* "amigo-oculto".
♦ **amigo-urso** O amigo falso, desleal. *V.* "amigo de peniche".
amizade colorida Relacionamento íntimo, amoroso, sem compromisso social ou formal, e muitas vezes passageiro.
amolar o boi Amolar, incomodar outra pessoa; importunar. *V.* "ir amolar a outro" e "vá amolar o boi".
amolar o canivete O *m.q.* "beber água de bruços".
amolar os queixos Aguardar ou preparar-se para uma lauta refeição, ansiosamente esperada.
amor à primeira vista Amor súbito, ao primeiro momento.
amor carnal O que busca a satisfação sexual. *Var.* "amor físico".
amor físico O *m.q.* "amor carnal".
amor livre O que repudia a consagração religiosa ou legal (casamento civil ou religioso).
amor platônico Ligação amorosa sem aproximação, sem mútua comunicação, sem declaração formal; amor ideal, elevado ao máximo grau da amizade, dedicação e afeto,

sem nenhuma preocupação propriamente amorosa no sentido em que geralmente se emprega esta palavra.

Para Platão, filósofo grego, que tratou desse assunto, tal modalidade de amor ideal constituía a quintessência da dedicação e um dos grandes meios intensificadores da virtude.

♦ **amor-próprio** *1.* Respeito de si próprio; sentimento que o homem tem de sua dignidade, de seu próprio ser. *2.* Egoísmo, vaidade.
amostra de gente Pessoa de muito pequena estatura.
amostra grátis Pequenino.
anã branca (vermelha, negra, marrom) *Astron.* Classificação de uma estrela.

Branca: estrela de baixa luminosidade, em final de evolução; marrom: a que está no estágio intermediário para planeta; negra: em último estágio, de massa semelhante à do sol; vermelha: de pequeno volume e pequena massa.

analfabeto de pai e mãe Indivíduo rigorosamente analfabeto.
analfabeto funcional Diz-se daquele que, embora saiba ler e escrever, não conseguiu desenvolver-se na compreensão dos textos.
análise clínica *Med.* Exames laboratoriais de amostras de material colhido do organismo de pacientes, para auxiliar a avaliação de seu estado geral e propiciar diagnóstico mais preciso.
análise de sistemas *Inf.* Formulação e planejamento de tarefas relacionadas com o processamento de dados, através da informática.
análise léxica, lógica, sintática *Gram.* É o exame de cada palavra de uma frase, identificando sua função segundo as várias classes gramaticais.
análise quantitativa *Quím.* Determinação da quantidade de cada elemento constituinte de uma amostra de materiais.
analista de sistema Profissional de informática capacitado a conceber, planejar, organizar e produzir sistemas de informações.
anão de jardim Diz-se, jocosamente, de pessoa de baixa estatura.
ancien régime Fr. Antigo regime de governo francês, anterior à Revolução de 1789.
âncora cambial Instrumento de política monetária que visa à estabilização do nível de preços mediante a fixação da taxa cambial.

âncora de salvação Último recurso; última esperança que remanesce. Algo em que se apega na esperança de salvação. O *m.q.* "tábua de salvação".
âncora monetária Instrumento de política monetária que visa à estabilização do nível de preços mediante o controle da expansão da oferta de moeda.
ancorar o barco Parar; desistir; não ir adiante.
andar à bucha Envolver-se em confusão; em rixas. *Var.* "andar às buchas".
andar à gandaia Vadiar.
andar a reboque Acompanhar outra pessoa, subordinando-se ao seu comando.
andar à roda Andar dando voltas, ao redor de alguma coisa ou de alguém.
andar à sirga de (alguém) Não largar (alguém) enquanto não conseguir obter (dele) o que deseja. *V.* "à sirga".
andar à solta Andar fora de controle.
andar à toa Vadiar; passear; perambular. *Var.* "andar aos embóleus".
andar ao colo Ser trazida (criança) sobre os braços e encostada no peito de alguém.
andar ao corrente Andar informado.
andar aos embóleus À matroca. O *m.q.* "andar à toa".
andar aos esses Andar ziguezagueando, por embriaguez.
andar aos tombos O *m.q.* "andar aos trambolhões".
andar aos trambolhões Andar aos esbarros, rolando, aos tombos.
andar às aranhas Andar às tontas; estar confuso, desnorteado.
andar às moscas *1.* Passar vida ociosa. *2.* Ser (um estabelecimento comercial ou de outra espécie) pouco frequentado.
andar às voltas com Estar muito ocupado com; buscar a solução de.
andar atravessado com Estar de rixa com; querer mal a.
andar cercando frango Denunciar-se bêbado por andar cambaleante.
andar colado Trafegar (veículo) atrás de um outro e muito junto a ele.
andar com a cabeça à roda *1.* Estar tonto; sentir vertigem. *2.* Ter muitos assuntos pendentes a resolver.
andar com a cabeça ao léu Andar sem chapéu ou cobertura.
andar com a cabeça no ar Andar distraído, desorientado. *Var.* "andar com a cabeça à roda".
andar com a pulga atrás da orelha Andar desconfiado, inquieto, suspeitoso, prevenido.

andar com alguém no colo Acariciar, proteger, trabalhar pelo bem-estar dessa pessoa.
andar com alguém pelo gogó Estar zangado ou prevenido contra alguém.
andar com as mãos nas algibeiras Estar ocioso, sem trabalho e sem dinheiro. *Var.* "andar de mãos nas algibeiras".
andar com as próprias pernas Tornar-se independente, tomar suas próprias decisões; enfrentar sozinho as dificuldades que se lhe aparecerem.
andar com o diabo à solta Sucederem-se casos desastrosos ou infelizes.
andar como cachorro que caiu do caminhão de mudança Andar muito e cansativamente.
andar como caranguejo Andar de lado; atrasar, em vez de adiantar.
andar como cobra quando perde a peçonha *N.E.* Mostrar-se ansioso de vingança.
andar como tartaruga Andar vagarosamente. *Var.* "andar como lesma".
andar da sala para a cozinha Andar atarefado.
andar de asa caída Andar acabrunhado, desanimado, desiludido.
andar de beiço caído Estar enamorado.
andar de cabeça erguida Não ter motivos para envergonhar-se; ser altivo.
andar de cabresto Ser dominado por alguém, *ger.* pela mulher (esposa/companheira).

Sobre "cabresto", V. "eleitor de cabresto".

andar de ceca em meca Andar por vários lugares; andar por aqui e ali, meio sem rumo.
andar de coleira larga Viver à sua maneira, à vontade, sem depender de outrem.
andar de gatinhas Andar com os joelhos e as mãos no chão.
andar de mal a pior Sofrer (alguém) contratempos, coisas ruins etc., seguida ou frequentemente e cada vez mais graves.
andar de mão em mão Passar (alguma coisa) pelas mãos de muitas pessoas, sucessivamente.
andar de mãos nas algibeiras *V.* "andar com as mãos nas algibeiras".
andar de olho em *1.* Observar com insistência (alguém). *2.* Vigiar; seguir os passos de alguém. *3.* Interessar-se vivamente por. *Var.* "estar de olho em".
andar de peso Andar de má sorte; ser seguidamente vítima de infelicidade, caiporismo, azar.

andar de rixa Estar frequentemente se desentendendo (com alguém), estarem (pessoas) a se ofender mutuamente.
andar de salto alto Dar-se ares de importante, de enfatuado; encher-se de demasiada confiança.
andar de tromba com alguém Estar zangado com alguém, demonstrando-o.
andar em bolandas Estar azafamado, afobado; andar aos tombos.
andar em círculos Não conseguir solucionar uma questão; chegar sempre de volta aonde começou.
andar em dia com Cumprir pontualmente os compromissos; estar atualizado; estar a par do que se passa; ter suas contas em ordem.
andar em pancas 1. Estar em situação difícil. 2. O *m.q.* "andar em bolandas" e "ver-se em pancas".
andar escovando urubu Estar desempregado.
andar feito caramujo com a casa às costas Mudar-se de casa constantemente.
andar fora de si Estar muito perturbado, confuso, por grande aflição, desgosto ou contentamento.
andar fora dos eixos Viver desregradamente; ser malcomportado.
andar fora dos trilhos O *m.q.* "pisar fora do rego".
andar na chuva Bêbado; de pileque; na água. Também se diz "estar na chuva".
andar na cola de *1.* Seguir o exemplo de. *2.* Não perder alguém de vista. *3. Aut.* Dirigir veículo muito próximo ao da frente.
andar na corda bamba *1.* Estar em dificuldades; passar aperto; em situação periclitante. *2.* Estar na iminência de perder o emprego, o cargo ou a posição que atualmente desfruta.
andar na fossa Estar abatido, em maus momentos, angustiado.
andar na linha Proceder, comportar-se como se espera ou deseja.
andar na pindaíba Andar quase sempre sem dinheiro. O *m.q.* "estar na pindaíba".
andar na pista de alguém Seguir os passos de alguém; estar à sua procura.
andar na ponta Vestir-se com esmero e requinte; luxar.
andar na ponta dos cascos Estar muito bem preparado para. *V.* "estar na ponta dos cascos".
andar nas alcatras Montar em pelo (num animal).
andar nas bocas do mundo Ser muito falado ou ser alvo de comentários gerais, quase sempre desairosos.

andar nas mãos de todos Ser vulgar.
andar nas nuvens Estar alegre, despreocupado; sonhar acordado; muito satisfeito com o estado de coisas.
andar ao atá *CE; N.E.* Andar a esmo, sem rumo, desorientado.
andar no cavalo dos frades Andar a pé.
andar no vácuo do outro Em disputas automobilísticas, trafegar (um carro) bem junto ao da frente para se beneficiar do vácuo provocado por esse e, eventualmente, em virtude desse impulso adicional, conseguir ultrapassá-lo com mais facilidade.
andar nos ares Andar entusiasmado, eufórico, inquieto, sobressaltado.
andar nos trilhos Agir corretamente, comportadamente.
andar nos trinques Vestir-se com apuro, com elegância, de roupa nova; muito bem-trajado. *V.* "estar nos trinques".
andar num cortado Ver-se metido em trabalhos, dificuldades.
andar num torniquete Andar azafamado, atarefado.
andar numa roda-viva Andar atarefado, sem descanso, com muito trabalho.
andar o carro adiante dos bois Começar (um processo, um trabalho, uma atitude) por onde deveria acabar; desenvolver-se (algo) ao inverso da ordem natural das coisas. *V.* "pôr o carro adiante dos bois".
andar o diabo à solta Acontecerem ao mesmo tempo vários contratempos ou eventos desastrosos ou funestos.
andar para trás como caranguejo Praticar ato ou tomar atitudes retrógradas, que já haviam sido abandonadas ou superadas; retroceder.
andar pelo fio da navalha Enfrentar algo difícil e arriscado.
andar pelos cantos Andar envergonhado, amuado, arredio.
andar pelos quintos Andar longe.
andar por ceca e meca O *m.q.* "andar de ceca em meca".
andar sobre brasas Ter grave inquietação.
andar térreo Num edifício, *ger.* o andar que se situa no mesmo nível da rua.
andar, virar, mexer Mover-se, tomando providências para ganhar a vida ou atingir um dado fim.
anéis de Saturno Formação existente no plano equatorial de Saturno, de partículas que gravitam em redor desse planeta, constituindo-se em anéis concêntricos, visíveis claramente com instrumentos.
anéis olímpicos Cinco círculos entrelaçados, cada um representando um dos continentes da terra, símbolo das Olimpíadas mundiais.

> *As cores e os continentes representados pelos círculos são: o amarelo – Ásia; o azul – Europa; o preto – África; o verde – Oceania; e o vermelho – América.*

anel do pescador Anel com que os Papas selam os breves, fazendo, com ele, uma impressão sobre lacre vermelho.

> *É assim chamado porque tem por emblema o primeiro Papa, São Pedro, pescando numa barca. Breves são cartas ou documentos papais comunicando decisões, concessões, testemunhos de apreço, de aprovação etc.*

anel rodoviário Rodovia que circunda a uma cidade, destinada a aliviar o trânsito através da área urbana, *esp.* do seu centro.
anestesia geral A que suspende toda a sensibilidade do corpo, com reversibilidade da consciência do paciente, através de aplicações anestésicas orais e/ou venosas.
angariar votos Ir de casa em casa, de cidade em cidade, tentando obter apoio a uma candidatura a cargo eletivo.
angina de peito Dor constritiva intensa, no peito, frequentemente irradiante para o lado esquerdo, provocada por isquemia do miocárdio, resultante de moléstia coronariana.
angu de caroço Situação complicada, intricada, que se mostra de difícil solução.
ângulo reto O que é formado por duas retas reciprocamente perpendiculares; ângulo de 90°.
animal bipes implume *Lat.* Significa: "animal bípede, sem penas", *i.e.*, o homem.
animal de estimação Animal doméstico merecedor de cuidados especiais da parte de seu dono e/ou das pessoas da casa. *Var.* "bicho (ou bichinho) de estimação".
animal de tiro Animal utilizado na tração.
animal irracional Qualquer dos animais superiores, à exceção dos homens.
animal racional O homem.
animal sem rabo Pessoa muito grosseira, estúpida.
ânimo buliçoso Audácia.
animus abutendi *Lat.* Intenção manifesta de cometer abuso.
animus furandi *Lat.* Intenção manifesta de furtar.
animus necandi *Lat.* Expressão latina empregada nos tribunais, quando se evidencia que o criminoso teve a intenção de cometer o delito. Literalmente, significa: "vontade de matar".

animus rem sibi habendi *Lat.* Intenção ou vontade de possuir algo.
anistia fiscal Perdão ou atenuação de penalidades devidas por não cumprimento de obrigações fiscais.

> *A anistia ger. decorre de esforço arrecadatório dos órgãos fiscais governamentais, estimulando assim sua regularização.*

aniversário natalício O dia em que se completa um ano, ou mais, de idade.
anjo caído Mulher bela que se transviou do caminho da virtude e honestidade.
anjo corredor *Folc.* Personagem fantasioso do folclore brasileiro, na figura de um homem que perambula pela área rural batendo com um cajado ou cacete nas porteiras de fazendas, amedrontando quem o encontrar ou perceber-lhe a presença.
anjo custódio *V.* "anjo da guarda".
anjo da guarda *1.* Espírito celeste que se acredita cuide de cada pessoa, protegendo-a do mal e conduzindo-a para o bem. *2. Fig.* Pessoa que protege, que defende outra. *Var.* "anjo custódio".

> *Rel. catol. Em toda a história da Igreja sempre se acreditou na existência de anjos destinados a guardar e a proteger os homens na caminhada terrena.*

anjo das trevas O diabo. *Var.* "anjo mau".
anjo mau O *m.q.* "anjo das trevas".

> *Anjo-mau (grafado com hífen), é como se denomina uma espécie de mosquito ocorrente no vale do rio Doce (MG/ES).*

anno domini (a.D.) *Lat.* Literalmente, significa "ano do Senhor". Usada principalmente nos países anglo-saxões para designar que o ano citado é da era cristã.

> *No Brasil, usamos a notação "d.C.", "depois de Cristo".*

annus mirabilis *Lat.* Um ano de ótimas realizações; memorável. Tradução do latim: ano das mil maravilhas ou maravilhoso.
ano a ano Seguidamente, em cada ano, um ano após outro.
ano bissexto O que tem 366 dias e que se repete a cada quatro anos. *Var.* "ano bissêxtil".

> *Os anos bissextos são sempre múltiplos de 4, a não ser que sejam divisíveis por 100, quando não serão bissextos, mesmo se divisíveis por 4, com exceção dos divisíveis por 400, que serão bissextos. Por exemplo, o ano 1000 não foi bissexto, mesmo sendo divisível por 4. Mas 1200 foi bissexto, pois divisível por 400.*

ano capicua *Cronol.* Ano cujos algarismos podem ser lidos indiferentemente da esquerda para a direita ou da direita para a esquerda. *Ex.:* 2002, 1991, 2112 etc.

> *Capicua = Algarismos agrupados de tal forma que dá no mesmo serem lidos da esquerda para a direita, e vice-versa. Ex.: 1221, 456654, 313 etc.*

ano civil Período que se inicia em 1º de janeiro e termina no dia 31 de dezembro.
ano climatérico Aquele durante o qual se crê que a vida corre perigo. *Var.* "ano decretório".

> *Denominação dos anos que são múltiplos de sete. O mais crítico é o sexagésimo terceiro, por ser múltiplo de sete e de nove. Decretório = decisivo, terminante, peremptório, resolvente; climatérico = relativo a qualquer das épocas da vida consideradas críticas, por se pensar que o organismo sofria periodicamente uma transformação radical.*

ano comercial Ano considerado como sendo de 360 dias (12 meses de 30 dias), utilizado para transações comerciais e financeiras.
Ano da Graça Qualquer ano cujo número se reporte ao do nascimento de Jesus Cristo. Ano da "Era de Cristo" (*V.*).

> *Nos escritos antigos, sobretudo em atas e registros oficiais, costumava-se indicar a data do registro com a expressão: "Aos (tantos) dias do mês de (cit.) do Ano da Graça de (citação do ano)..."*

ano de vacas gordas Período de progresso, de bons negócios, de bons acontecimentos.
ano de vacas magras Período aziago, de má sorte, de insucessos, de carências e dificuldades.
ano eclesiástico *V.* "ano litúrgico".
ano fiscal *Econ.* Período de 12 meses em que os governos executam e cumprem o orçamento, embora, às vezes, extrapolando o ano civil; ano orçamentário.
ano letivo Período do ano em que se cumpre o calendário escolar.
ano litúrgico *Rel. Catol.* Ciclo anual em que a Igreja Católica comemora/celebra o mis-

Antiga Aliança

tério de Cristo (Advento, Natal, Epifania, Tempo Comum, Quaresma, Semana Santa, Páscoa, Tempo Pascal, Pentecostes e, de novo, Tempo Comum).

> *A liturgia de cada um desses anos é diferenciada, classificada em ano "A", ano "B" e ano "C". Em cada um deles, nas leituras dominicais, predomina o Evangelho segundo os evangelistas Mateus, Marcos e Lucas, respectivamente, embora entremeados por trechos do Evangelho de João. O ano de 2008, por exemplo, foi o ano "A"; consequentemente, 2009 será "B", 2010, "C", e assim sucessivamente.*

ano sabático Para os judeus, o último ano de cada série de sete.

> *Originalmente aplicado na agricultura, estipula que determinada gleba deva 'descansar' um ano a cada sete anos de cultura, preservando-se assim a fertilidade da terra. No ano sabático as dívidas eram remidas. Modernamente o conceito extrapolou essa regra religiosa judaica, e aplica-se em geral a um ano de reciclagem de um profissional, que o dedica ao estudo, aperfeiçoamento, especialização etc.*

ano santo Rel. catol. Jubileu periódico dos católicos (a cada 25 ou 50 anos), determinado pela autoridade papal, dedicado a estudos reflexões e orações especiais.
ano sideral Tempo que medeia entre duas passagens consecutivas do Sol pelo meridiano dum mesmo corpo celeste.

> *Na Terra, a duração do ano sideral é, em tempo médio, de 365 dias, 6 horas, 9 minutos e 9,5 segundos, i.e., 365,256261 dias.*

ano solar Período que corresponde ao número de dias que a Terra leva em sua revolução em torno do Sol.
ano útil Os dias de um ano comum ou bissexto (365 ou 366), descontados os dias feriados ou não trabalhados.
ano vai, ano vem Diz-se do passar inexorável do tempo. *Var.* "entra ano, sai ano".
anoitecer e não amanhecer Eufemismo que expressa que alguém morreu, ou morrerá, durante a noite.

> *Eufemismo = Ato de suavizar a expressão de uma ideia substituindo a palavra ou expressão própria por outra mais agradável, mais polida.*

anorexia mental Doença resultante da diminuição voluntária continuada da ingestão de alimento (sobretudo os ricos em proteínas). Também se diz: "anorexia nervosa".

> *A dieta que a pessoa afetada se impõe inclui muitas vezes o uso de eméticos (vomitórios).*

anos a fio Ano após ano; durante muito tempo; interminavelmente.
anos dourados Anos passados, sobretudo os da juventude, nos quais se gozou de felicidade.
ante meridiem Lat. Locução que significa "antes do meio-dia". Abreviadamente: a.m. V. "post meridiem".

> *As abreviações a.m. e p.m., ou simplesmente am e pm, são muito utilizadas nos Estados Unidos para designar se o horário corresponde a um momento antes ou depois do meio-dia. Neste sistema, nove horas da manhã são representadas como "9:00 am" ou "9am", enquanto as três horas da tarde são registradas como "3:00 pm" ou "3pm". No Brasil, e em grande parte do mundo, esses mesmos horários seriam descritos como "9h" e "15h".*

antena direcional Antena orientada para um retransmissor terrestre ou celeste.
antena parabólica Antena de formato parabólico, usada para comunicação por satélite.
antes assim Melhor assim.
antes de Anteriormente a; à frente de; em lugar mais próximo a.
antes de Cristo Período anterior ao nascimento de Jesus Cristo, designado abreviadamente por a.C.

> *Assim, 140 a.C = Ano 140 antes de Cristo.*

antes de mais nada Em primeiro lugar; antes de tudo; imediatamente; para logo.
antes de ontem O dia que antecedeu o dia de ontem.
antes de tudo O *m.q.* "antes de mais nada".
antes do dilúvio Há muito tempo; muito antigo.
antes do tempo Antes de chegar a ocasião oportuna; prematuramente.
antes que Primeiro que; de preferência a que.
antes tarde do que nunca O que foi longamente esperado é sempre bem recebido.
Antiga Aliança V. "Antigo Testamento".

antigo continente *1.* Europa, Ásia e África. *2.* Portugal, em relação às antigas colônias.
Antigo Testamento *Rel. Crist.* Conjunto dos livros da Bíblia anteriores a Jesus Cristo. *Var.* "Antiga Aliança".

> São 46 livros: Pentateuco (cinco livros); Históricos (16 livros); Sapienciais ou da Sabedoria (sete livros) e Proféticos (18 livros).

antiguidade clássica Diz-se da história da Grécia e de Roma e das civilizações que com ela se inter-relacionavam.
antípoda da virtude O pecador.
antípoda do tempo Aquele que troca o dia pela noite.
anúncio classificado Pequeno anúncio colocado em seções próprias, *esp.* dos jornais diários, oferecendo serviços ou mercadorias para venda, compra ou locação.
anúncio luminoso Publicidade feita através de painéis luminosos ou iluminados.
ao abandono Em lastimável estado; sem proteção ou auxílio; largado; desprezado.
ao abrigo de Protegido de.
ao acaso Sem direção; sem rumo; à toa; a esmo; impensadamente.
ao alcance das mãos Facilmente alcançável; a curta distância.
ao alcance de Acessível para.
ao alto A prumo.
ao amanhecer Ao cair da manhã; ao alvorecer.
ao ano Por ano; frequência anual de uma ação.
ao anoitecer Ao cair da noite.
ao apagar das luzes No último momento; no fim da festa/evento.
ao ar livre Fora de qualquer recinto coberto.
ao arbítrio de À vontade de; à mercê de.
ao arrepio de Ao contrário de; em direção oposta à normal; contra a corrente; contra a maré. *V.* "ao revés".
ao atar das feridas Tardiamente, fora de tempo.
ao bel-prazer À vontade; ao próprio arbítrio.
ao cabo de Ao final de.
ao cantar do galo De madrugada.
ao capricho de *V.* "à mercê de".
ao centro Na posição central em relação a outras, no centro de um certo espaço, certo posicionamento, certa situação etc.
ao certo Com exatidão, com certeza.
ao colo Nos braços.

ao comprido No sentido do comprimento.
ao contrário (de) Pelo contrário; virado; em posição oposta a outra; inversamente. O *m.q.* "do contrário", "em contrário" (*V.*).
ao corrente de A par de.
ao correr da pena Expressão que indica ter sido um texto escrito numa só penada, de um só fôlego, *i.e.*, sem reflexão nem maiores cuidados com a forma; sem correção; de improviso.
ao correr de Ao longo de; em direção a.
ao correr do martelo No leilão; por lance.
ao depois Posteriormente; mais tarde; depois.
ao derredor de O *m.q.* "em derredor de".
ao desamparo Em estado de abandono; em esquecimento.
ao desdém Descuidadamente; negligentemente; desafetadamente.
ao destempo Inoportuno; fora de ocasião.
ao deus-dará À toa, descuidadamente; a esmo; à sorte; ao acaso; irrefletidamente. O *m.q.* "ao léu" e "a Deus e à ventura".
ao dia Expressão para designar, nas receitas médicas, a frequência com que um medicamento deve ser ministrado: *Ex.: 3 x (vezes) ao dia.*
ao diabo Expressão de repulsa, indignação, raiva. *Var.* "aos diabos".
ao dispor de *1.* A serviço de; pronto para ser usado por. *2.* Liberado para o uso de (alguém). *3.* Às ordens de, disposto a ajudar, colaborar etc.
ao encontro de Em direção de; em busca de; em favor de.
ao entardecer Ao cair da tarde.
ao extremo Em extremo.
ao frigir dos ovos No final das contas; para rematar; por fim. *Var.* "ao fim de", "ao cabo de" e "no frigir dos ovos".
ao gosto de Ao estilo de; segundo a orientação de.
ao infinito Interminavelmente; sem fim.
ao inverso Do lado oposto; ao contrário.
ao invés Ao contrário;
ao invés de Indica situação contrária; ao contrário de; ao revés de; às avessas. *Ex.: Ao invés de sair, entrou; Morreu, ao invés de viver. Cf.* "em vez de".
ao jeito de Ao modo de; à maneira de.
ao lado Perto, junto; ao pé.
ao lado de *1.* A favor de; favoravelmente; de acordo com. *2.* Perto de, junto a; em companhia de. *3.* Em comparação com.
ao largo Guardando distância.
ao largo de Longe de.
ao léu Ao deus-dará; à vontade; ao acaso; ao vento. O *m.q.* "ao deus-dará".

ao longe A (De) grande distância; de longe.
ao longo de *1.* Ao lado de; na orla; em paralelo com; por todo o comprimento de; durante. *2.* No sentido longitudinal; à margem ou à beira de; junto a. *3.* Por toda a extensão de.
ao lusco-fusco Às cegas, sem instruções ou com vagas indicações. O *m.q.* "entre lusco-fusco".
ao menos No mínimo; pelo menos; quando mais não seja.
ao mês Indica a frequência temporal (no caso, mensal) de um evento.
ao mesmo passo Ao mesmo tempo; no mesmo ritmo.
ao mesmo tempo Simultaneamente.
ao natural *1.* Naturalmente; segundo o natural. *2.* sem preparo, sem tempero; sem cozer, assar ou fritar; tal como foi colhido.
ao nível de À mesma altura; no mesmo patamar; à altura de. *Cf.* "a nível de" e "em nível de".
ao ouvido Em voz baixa, em segredo.
ao par A preço igual; do mesmo valor. *Cf.* "a par".
ao par de Ao lado de.
ao passo que À medida que; ao mesmo tempo que; enquanto; mas; contudo.
ao pé da letra À letra; literalmente.
ao pé de Junto de; perto de. *Var.* "aos pés de".
ao pé do ouvido Sigilosamente; em confidência; falar baixinho; em segredo.
ao ponto Na culinária, diz-se da carne (ou de algumas outras iguarias, como o macarrão), medianamente assada ou cozida. V. "*al dente*" (expressão da língua italiana).
ao ponto de O *m.q.* "a ponto de".
ao pôr do sol Ao entardecer.
ao portador Diz-se quando, num objeto, carta, cheque, ação (título), encomenda etc., não estiver indicado ou inscrito o nome a favor de quem foi endereçado.
ao que parece Pelo visto; assim sendo.
ao que tudo indica Diante das evidências, dos indícios, dos sinais etc.; ao que parece; pelo visto.
ao redor À volta; em torno; em redor.
ao redor de Em volta de; em redor de.
ao relento Fora de casa, sem abrigo.
ao rés de Ao longo de; próximo de; ao nível de.
ao rés do chão Rente ao chão; ao nível do chão.
ao revés Às avessas; ao contrário. *Var.* "a contrapelo"; "ao reverso".
ao sabor da maré Ao acaso; sem controle.
ao sabor de Sob a força de; à mercê de; ao bel-prazer; à vontade de.
ao sabor do vento Ao léu; sem ação.
ao som de Com acompanhamento musical de; enquanto se ouve (*esp.* música, ou determinada música).
ao sopé Na base.
ao talho de Ao alcance de.
ao tempo que Na mesma ocasião que; quando.
ao todo No total; por inteiro.
ao toque das ave-marias Ao entardecer.
ao través De parte a parte; de lado a lado; por meio; diagonalmente; de um ponto a outro.
ao uso de Segundo o uso ou costume.
ao viés Obliquamente.
ao vivo *1.* Realmente; dando a impressão de realidade. *2.* Em transmissão pela televisão ou pelo rádio, diretamente de onde e simultaneamente ao fato que está acontecendo.
aos arrancos Com movimentos convulsivos e/ou com esforços repetidos e intermitentes.
aos atropelos Atropeladamente; realizado com pressa e sem ordem.
aos baldes O *m.q.* "aos borbotões".
aos bofetões Com violência; à força.
aos boléus Aos trambolhões; aos encontrões; com dificuldade.

> *Boléu significa exatamente queda, baque, trambolhão.*

aos borbotões Inúmeros; muitíssimos; em grande quantidade; aos montes. *Var.* "aos milhares" e "aos milhões".
aos diabos *V.* "ao diabo".
aos molhos Em grande quantidade. *Var.* "aos montes" e "aos montões".
aos montes Abundantemente; sem medida; de montão. *V.* "aos molhos".
aos olhos de Na opinião de; ao parecer de.
aos pandarecos Cansado; extenuado. *Var.* "aos frangalhos", "aos bagaços".
aos pares *1.* Quando só se pode tê-los em conjunto de dois. *2.* Em grupos de dois (coisas ou pessoas).
aos pedaços Em pequenas partes.
aos poucos Devagar; lentamente; em pequenas doses. *Var.* "aos pouquinhos".
aos prantos Chorando copiosamente.
aos pulos Saltando.
aos punhados Em pequenas porções.
aos quatro ventos Para todos os lados e direções. *Var.* "aos quatro cantos".
aos socos e pontapés Com extrema violência.
aos trambolhões Aos tombos; atabalhoadamente.

aos trancos Aos saltos; aos trambolhões.
aos trancos e barrancos A custo; com muitas dificuldades e empecilhos, vencendo todos os obstáculos. *Var.* "a trancos e barrancos".
apagar o cachimbo Perder o entusiasmo, o elã; pôr água na fervura.
apagar o facho O *m.q.* "abaixar o facho".
apagar o fogo Satisfazer o desejo sexual.
apagar o fogo com azeite Querer fazer ou conseguir uma coisa por meios inadequados.
apalpar o terreno Procurar conhecer as disposições de outrem ou o estado de uma questão, antes de tomar uma decisão. *Var.* "apalpar o chão".
apanhar água com peneira É expressão que denota ação inútil. *Var.* "carregar água em cesto".
apanhar alguém com a mão na cumbuca Surpreender alguém praticando atos ilícitos ou bisbilhotando.
apanhar alguém de calças curtas Surpreender alguém em atitude constrangedora ou comprometedora.
apanhar chuva Ser molhado pela água da chuva.
apanhar com a boca na botija *V.* "com a boca na botija".
apanhar como boi ladrão Apanhar muito; levar uma grande surra.
apanhar moscas Empregar o tempo em coisas sem importância; estar ocioso.
apanhar no ar Apreender com rapidez; compreender ou perceber imediatamente o que se diz ou o que se faz.
Apanhei-te, cavaquinho! Frase que se diz a quem se apanha num flagrante.

A frase foi popularizada por uma composição de Ernesto Júlio Nazareth (1863-1934), pianista e compositor brasileiro, um dos grandes nomes do chorinho.

aparar arestas Entender-se com alguém; esclarecer um mal-entendido.
aparar as asas de Restringir as manifestações de independência e intimidade de alguém. *Var.* "cortar as asas de".
aparelho sanitário Cada uma das peças do equipamento dos banheiros, tais como a pia, a banheira, o chuveiro, o vaso e acessórios; louça sanitária.
aparência exterior É expressão que, embora encontradiça, deve ser evitada, porquanto redundante.
apartamento conjugado Pequeno apartamento constituído de sala e quarto (em um só espaço) quitinete (pequena cozinha) (em *Ing. kitchenette*) e banheiro.
apelar para a ignorância Apelar, recorrer a expediente em que se usa violência ou grosseria de palavras ou ações.
apelo à ignorância *Lóg.* Sofisma em que se exige que o adversário aceite a prova apresentada se não tiver outra melhor; ou em que se assinala que, se certa prova não for aceita, não se terá como chegar à certeza sobre o ponto em questão; ou, ainda, o que consiste em se aproveitar o fato de o adversário ignorar acontecimento que destruiria a prova apresentada.
apelo ao respeito *Lóg.* Argumento que se impõe ao adversário por invocar o peso da opinião de uma autoridade universalmente reconhecida, ou que é apresentada como tal.
apelo dramático Insistente, veemente e desesperada invocação de ajuda e/ou apoio. *Var.* "apelo patético" e "apelo veemente".
apertados como sardinhas em lata Muito juntos; colados uns nos outros.
apertar a cravelha *1.* Apertar os subordinados, deles exigindo demasiado, levando-os a se impacientarem ou a se insurgirem. *2.* Insistir; teimar; mostrar-se exigente.
apertar a mão Cumprimentar; manifestar concordância, entrar em acordo. *V.* "aperto de mão".
apertar o botão errado Fazer má escolha ou opção.
apertar o cerco Exercer pressão física ou moral; cercar por todos os lados.
apertar o cinto *1.* Economizar; privar-se de alguma coisa. *2.* Cingir cinto de segurança (como ação ou como aviso) em viagem aérea ou terrestre.
apertar o passo Andar mais depressa; acelerar. *Var.* "apertar o pé".
apertar o pé Apressar o passo; acelerar as passadas. *V.* "apertar o passo".
aperto de mão Cumprimento em que duas pessoas se dão as mãos (a direita, geralmente) comprimindo-as uma à outra, como gesto de saudação, ou para selar um acordo etc.

O aperto de mão pode ser acompanhado de outros gestos e manifestações de civilidade, cordialidade ou amizade.

apesar de Ainda que; embora.
apesar de que Embora; conquanto.
apesar de tudo O *m.q.* "apesar de", embora de sentido mais amplo.

aqui jaz

apesar disso (disto) Entretanto; não obstante.
apesar dos pesares Apesar de tudo.
apetite sexual Vontade e disposição de praticar ato sexual.
apito final Término de um certame, de uma partida esportiva.
aplicar o ouvido Prestar bastante atenção; ficar atento. *Var.* "aplicar os ouvidos".
apontar o dedo Mostrar, apontando.
aporias de Zenão *Fil.* Teoria que pretendia provar algo através de raciocínio por absurdo ou contraditório.

> *Teoria formulada pela primeira vez na História pelo filósofo grego Zenão de Eleia (séc. V a.C.).*

após de Depois de; atrás de.
aposentadoria compulsória A que estabelece o afastamento do trabalho de pessoa que tenha atingido o limite de idade determinado pela lei.
apostar no escuro Apostar antes de ver o jogo que tem em mãos ou de avaliar as próprias possibilidades.
apostar todas as fichas Ter absoluta confiança no sucesso de uma ação ou de uma decisão.
aposto a minha cabeça Asseguro como fora de qualquer dúvida.
apostolado da Oração *Rel. Catol.* Irmandade de devotos do Sagrado Coração de Jesus.
aprender a lição Conhecer os fatos e avaliar as suas consequências como resultado de experiências passadas.
aprendiz de feiticeiro Pessoa que inicia um processo e não consegue controlá-lo depois.

> *Tema e título do poema sinfônico de Paul Abraham Dukas (1865-1935), compositor francês, sobre o texto "Der Zauberlehering", de Johann Wolfgang Goethe, pensador e escritor alemão (1749-1832).*

Apresentar armas! Ordem de comando militar.
aprontar um escarcéu Promover gritaria, alvoroço; escandalizar. *Var.* "fazer um barulhão".
aprontar uma Cometer algum deslize de comportamento.

> *Diz-se, normalmente, a respeito de alguém de quem já se esperava que isso acontecesse.*

apropriação indébita Posse e retenção de coisa alheia sem consentimento do dono.
aproveita bem o dia *V. "carpe diem"*.
aproveitar a brecha Valer-se de oportunidade que se apresenta e realizar o que se pretendia. *Var.* "aproveitar a deixa"; "aproveitar a maré".
aproveitar enquanto o Brás é tesoureiro Agir enquanto é tempo; enquanto tudo é favorável, aproveitar-se da oportunidade. *Var.* "aproveitar enquanto é tempo"; "aproveitar a oportunidade".
apunhalar pelas costas Agir desonestamente; trair (alguém).
aquecer as turbinas Entusiasmar-se; animar-se; preparar-se cuidadosamente para uma ação.
aquecimento central Sistema de aquecimento que disponibiliza ar quente através de dutos por todos os ambientes.
aquecimento global Aumento gradual da temperatura na Terra, decorrente da deterioração (devido à poluição ambiental) das camadas atmosféricas filtradoras dos raios solares (especialmente o ozônio) e da influência desse fato sobre outros fatores.
aquecimento solar Sistema de coletores do calor solar providos de dutos em serpentina ligados a um reservatório de água que, aquecida, é distribuída por um edifício ou casa, através de encanamentos.
aquele que Quem.
aquém de *1.* Do lado de cá de. *2.* Abaixo de; por menos de; em grau inferior a; exceto.
aquentar água para o mate dos outros Trabalhar para proveito de outros.
aqui e acolá Em variados lugares; ao acaso; a esmo.
aqui e agora No presente momento.
aqui e ali Ora num, ora noutro lugar; em vários lugares.
aqui é que está o busílis Eis o ponto no qual as dificuldades se apresentam. *Var.* "Aqui é que a roda pega".
aqui é que são elas Nisto é que está a dificuldade.
aqui entre nós Confidencialmente; somente entre você e mim. *V.* "cá entre nós".
aqui está fulano que não me deixa mentir sozinho Modo brincalhão de pedir o testemunho confirmatório de outra pessoa presente.
aqui há dente de coelho Isso não está bem explicado, há algo estranho nisso (diz-se quando se quer colocar em dúvida uma situação tida como real ou cabal).
aqui jaz Epitáfio tradicional, após o qual se escreve o nome da pessoa sepultada.

> *Em latim, a locução correspondente é: "Hic jacet".*

aqui na Terra Neste mundo.
aqui pra nós Diz-se a alguém ao lhe revelar um segredo e ao mesmo tempo pedindo discrição.
aqui tem jacutinga O mesmo que "aqui tem coisa" e "aqui há dente de coelho".

> *Sendo a jacutinga (ave florestal da Mata Atlântica) ameaçada de extinção, a expressão deve ser derivada da dificuldade de se avistar uma delas.*

aqui, que ninguém nos ouve Diz-se quando se quer dar tom de segredo a qualquer revelação. O *m.q.* "que ninguém nos ouça".
Aquilo é que é! É admirável!
Aquilo é uma vaca Diz-se de pessoa (*ger.* mulher) de quem se maldiz.
ar ambiente O ar que nos rodeia e no qual estamos como que imersos.
ar condicionado Atmosfera confinada a que se atribuem artificialmente condições de umidade e temperatura para dar sensação de conforto às pessoas que nela estão.
ar de família Semelhança na fisionomia, modos, postura, feições e/ou temperamento com os membros da família a que pertence.
ar de festa Indícios de comemorações.
ar de poucos amigos Semblante fechado com o qual alguém se apresenta, ar sério, parecendo inamistoso; cara fechada; carrancudo. *Var.* "cara de poucos amigos".
ar encanado Corrente de ar.
ar livre Espaço aberto de onde se pode vislumbrar o céu.
ar pesado Ambiente carregado, conturbado, devido a desavenças, discussões.
ar triunfante Expressão de grande júbilo, irradiando alegria.
ar viciado Ar não renovado ou impregnado de materiais ou substâncias que o poluem.
arame farpado Arame com pontas a certos intervalos, utilizado em cercas destinadas a conter animais ou a formar barreiras em vias ou locais públicos ou, ainda, nas trincheiras de um campo de batalha.
árbitro da elegância *1.* Pessoa de gosto refinado que dá o tom das coisas da moda. *2.* Pessoa que, habitualmente, se traja com elegância, refinadamente.
arca da Aliança Tabernáculo em que se guardavam as tábuas da lei mosaica.
arca de Noé *1.* Embarcação que, segundo a Bíblia, Noé teria construído por ordem de Deus, nela se refugiando – junto com familiares e casais de variados animais – do dilúvio que sobreveio. *2.* Casa onde toda espécie de gente se aloja.
arca por arca Corpo a corpo.
arcabouço constitucional As linhas gerais da Constituição de um país. *V.* "Carta Magna".
arco de pua Furadeira manual em formato de manivela e dotada de broca.
arco de triunfo (triunfal) Monumento em forma de arco, às vezes decorado, com que se comemora algum acontecimento histórico de grande significação para os que o ergueram.
arco e flecha Arma constituída de um arco retesado por uma corda flexível presa aos seus extremos que, distendido, arremessa uma flecha com ponta contundente ou perfurante. Também o esporte olímpico que consiste em atirar flechas num alvo usando sofisticado modelo de arco.
arder a tenda Fracassar um empreendimento, um negócio, um projeto, um propósito, uma experiência.
arder em desejos Desejar ardentemente, ou seja, de modo quase irrefreável.
arder em guerra Ser assolado pelas lutas.
arder por (alguém) Ter muito amor a. *V.* "arder em desejos".
área de ação Limite de atuação.
área de livre comércio *Econ.* Associação de países caracterizada pela eliminação de obstáculos ao comércio recíproco. O *m.q.* "zona de livre comércio".
area non aedificandi *Lat.* Espaço onde não é permitido construir.
área de serviço Nos apartamentos, área aberta ou não, *us.* para lavanderia, armários, etc., *ger.* ligada à cozinha.
arear a caçamba Vadiar, bajular.
área útil Área correspondente ao piso dos cômodos de uma construção (não se inclui, pois, a área horizontal ocupada pelas bases das paredes.
areia lavada Areia de rio, limpa de terra.
areia movediça *Fig.* Expressão que designa assunto ou ambiente em que se sente pouca firmeza ou segurança. Diz-se: "Isso é como areia movediça", *i.e.*, quanto mais mexido, mais complicado.

> *Areia movediça = Banco de areia saturado de água, formado por pequenos grãos arredondados e lisos com mínima aderência entre si, formando um meio mole e pouco resistente ao peso, por isso tendente a ceder ao peso dos objetos nele colocados.*

arenga de mulher Garoa; chuvisco persistente.
aréola mamária Círculo pigmentado que circunda o bico da mama.
argumento *ab absurdo* Argumento ou raciocínio em que se lança ideia contrária à sua com o propósito de chegar à conclusão que se quer.
argumento de bolsa Diz-se quando falham as palavras e abre-se a bolsa (*Fig.*) para conseguir o que se deseja; corrupção.

Há correspondente em latim: "argumentum ad crumenam".

argumento de cacete O *m.q.* "argumento de bolsa", porém, com o uso de violência, em vez de palavras e/ou dinheiro.
argumento de rachar Argumento indestrutível, insofismável, definitivo.
argumentum ad ignorantiam *Lat.* Apelo à ignorância; argumento que procura estabelecer como prova de algo o fato de não existir prova em contrário desse algo.

Trata-se de um falso dilema, pois a falta de prova não é prova. Algo não é verdadeiro por não se ter provado ser falso, e vice-versa.

arigó da vazante *PB* Tolo; indivíduo rústico; caipira. Também se diz simplesmente "arigó".
arma biológica Artefato bélico cuja carga inclui principalmente bactérias, e que causa efeitos maléficos nos locais, plantações e pessoas sobre os quais for lançado.
arma branca Qualquer instrumento perfurante ou cortante e que seja usado para ferir ou cortar, no ataque ou defesa pessoal.
arma de dois gumes Aquilo que oferece vantagens e, ao mesmo tempo, desvantagens. Também se diz: "faca de dois gumes" (*V.*).
arma de fogo Arma que lança projéteis com carga perfurante e explosiva.
arma do crime Objeto causador do delito.
arma nuclear Artefato bélico dotado de dispositivo detonador de energia nuclear por fissão, por fusão nuclear ou por ambas.
arma química Arma que conduz substâncias nocivas e capazes de provocar a morte de seres vivos, *us.* inescrupulosamente em guerras.
arma secreta *1.* Meio para se safar de uma situação, mas não revelado a nenhuma outra pessoa. *2.* Em ambiente militar, arma de grande potencial ainda não utilizada e que, acredita-se, capaz de alterar o quadro do conflito.
armação dos ossos O esqueleto.
armado até os dentes Muito armado; portando muitas e diversificadas armas; bem-armado.
armar a cauda *1.* Levantar (o pavão) e desdobrar a cauda. *2. Fig.* Exibir-se, vangloriar-se, de seus atributos.
armar o maior barraco *1.* Criar confusão, rebelar-se, reclamar com veemência; protestar. *2.* Partir para a briga. *Var.* "armar um barraco" e "armar barraco".
armar sobre falso Basear-se em equívocos, em falsidades.
armar um banzé Provocar desordem. *V.* "armar o maior barraco".
armar um circo Armar um escarcéu, uma confusão, um estardalhaço, uma manifestação exagerada e veemente.
armar um esquema Planejar; montar uma estratégia.
armário embutido Aquele que é montado no vão para tal existente em um cômodo.
armar-se com o sinal da cruz Persignar-se para resistir às tentações ou livrar-se de perigos, sob proteção divina.
armar-se de coragem Decidir enfrentar; lançar-se ao desafio.
armas espirituais *Rel. Catol.* Os meios de que a Igreja se serve para repelir ou castigar as ofensas contra a religião, sem dano na pessoa ou nos bens do ofensores.
armas leves Armas pequenas e de pouco peso, portáteis.
armazém de secos e molhados Aquele onde se vendem gêneros alimentícios, bebidas, utensílios e mercadorias diversas.
armazéns gerais Depósitos, autorizados pelo governo, a receber e guardar mercadorias, mediante emissão de conhecimento de depósito.
arquivo morto Onde se guardam objetos e documentos antigos e que não vão mais ser utilizados ou o serão muito raramente.
arquivo vivo Pessoa que detém muitas informações importantes a respeito de um acontecimento ou fato.
arrancar a máscara Deixar cair a máscara; revelar-se; mostrar-se como realmente é.
arrancar a pele a Defraudar; explorar; maltratar; exorbitar.
arrancar os próprios cabelos Demonstrar grande irritação ou desespero.
arranhar o latim (um idioma qualquer) Falar imperfeitamente o latim (o idioma citado).

arranhar o violão

arranhar o violão Tocar violão ainda sem muita habilidade. (Usa-se em relação a qualquer instrumento musical.)
arrasar quarteirão Ser empolgante, sensacional, esfuziante. *V.* "de arrasar quarteirão".
arrastar a asa Insinuar-se junto a alguém, com intenções amorosas; demonstrar interesses amorosos por uma pessoa; namorar; galantear. *Var.* "arrastar as asas".
arrastar a mala *1.* Ser logrado ou não lograr êxito. *2.* Ir em vão a um encontro. *Cf.* "arrastar mala".
arrastar a vida Viver com dificuldade.
arrastar a voz Falar pausadamente.
arrastar mala Roncar bravatas; ameaçar; posar de valente. *Cf.* "Arrastar a mala".
arrastar na lama Dizer mal de; abocanhar no crédito ou na reputação de. *Var.* "arrastar pela lama" e "arrastar no lodo".
arrastar os pés Diz-se da pessoa que tem dificuldades para andar. *Var.* "arrastar a carcaça" (expressão pejorativa).
arrastar pela rua da amargura O *m.q.* "arrastar na lama".
arrebentar a boca do balão Ir com tudo; ter retumbante sucesso; desempenhar-se magnificamente. O *m.q.* "botar pra quebrar".
arrebentar de rir O *m.q.* "rir a bandeiras despregadas".
arrebitar as orelhas Ficar atento a; demonstrar grande interesse por.
arregaçar as mangas Dispor-se a trabalhar a sério, a enfrentar o serviço; pôr-se a executar o serviço que lhe compete.

> *A expressão vem do fato de que antigamente os operários e trabalhadores rurais, estes principalmente, usavam roupas muito largas no corpo, sendo necessário que as pessoas arregaçassem as mangas ao se porem a trabalhar.*

arregalar os olhos Abrir os olhos ao máximo, demonstrando espanto, medo ou admiração.
arremesso lateral *Fut.* Ato de repor uma bola em jogo, com as mãos, por ter ela saído pelas laterais do campo.
arremesso livre *Esp.* No jogo de basquetebol, o lançamento da bola à cesta em cobrança de falta.
arrepender-se da hora em que nasceu Sentir profundo arrependimento pelo que tenha feito ou dito; criticar severamente a si mesmo por algo que fez; querer sumir, de vergonha.
arrepiar caminho Voltar atrás; retroceder; desandar; desligar-se. *Var.* "arrepiar o passo".

arrepiar carreira *1.* Abandonar o que vinha fazendo; voltar para trás. *2.* Sustar a corrida.
arriar a bandeira *1.* Fazer descer a bandeira do mastro no qual se achava hasteada. *2.* Sinalizar rendição ao inimigo. *3.* Desistir; entregar-se.
arriar a carga Cansar; fatigar-se.
arriar o topete Dar-se por vencido; deixar de ser arrogante.
arrimo de família Diz-se de pessoa que mantém uma família e que lhe provê o sustento.
arriscar a pele Expor-se ao perigo.
arriscar a sorte Tentar a sorte em um jogo de azar.
arritmia cardíaca Anormalidade do ritmo das contrações cardíacas (batimentos).

> *Também se usa dizer simplesmente arritmia.*

arroba métrica Unidade de medida de peso ainda *us.* no Brasil, equivalente a 15 kg.
arrocho salarial Instrumento de política econômica que contempla a contenção drástica do nível de salários, em geral associada a medidas de contenção de despesas ou estabilização de preços.
arrombar uma porta aberta Realizar um trabalho inútil; criticar ou agir contra algo que já tinha sido corrigido, solucionado.
arrostar o perigo Afrontar; enfrentar o perigo, sem medo.
arrotar importância Falsa ostentação. Diz-se, às vezes, "comer sardinha, arrotar tainha." *Var.* "arrotar grandeza".
arrotar postas de pescada Gabar-se de riqueza inexistente; gabolice; jactância.
arrotar sapiência Alardear seus conhecimentos, gabar-se deles, sem modéstia. *Var.* "arrotar sabedoria".
arrotar valentia Apregoar sua valentia, sua coragem, muitas vezes falsamente.
arroz de carreteiro Prato típico do sul do País, feito de arroz adicionado de carne de sol desfiada ou picada, paio ou linguiça, refogados em gordura e temperos.
arroz de festa Diz-se da pessoa que comparece a muitas (todas as) festas. *Var.* "arroz-doce de função".

> *Em alusão, provavelmente, ao fato de o arroz estar presente em quase todas as refeições, no Brasil, inclusive nas mais festivas.*

arroz de sequeiro Arroz cultivado em estação de seca.

árvore da vida

arrumar a casa Colocar as coisas em ordem.
arrumar a trouxa Pegar seus pertences e arrumá-los para se retirar.
arrumar as malas Estar de partida; preparar-se para viajar, para partir. *Var.* "fazer as malas".
arrumar (/fazer) a trouxa Retirar-se; sair.
Ars gratia artis *Lat.* "A arte, pela arte." A arte justifica-se pela própria arte. *V.* "*l'art pour l'art*".

> *Lema dos mundialmente conhecidos estúdios de cinema Metro-Goldwyn-Mayer (MGM), integra a famosa marca do leão que ruge nas vinhetas que até hoje antecedem a exibição das produções da empresa.*

art déco *Fr.* Movimento nas artes decorativas que surgiu na década de 1920 e dominou a década de 1930.

> *Inspirado basicamente no cubismo e nos preceitos da nova arquitetura, buscava o equilíbrio dos volumes, certa singeleza linear e uma fácil adaptação à produção industrial, além de elementos decorativos geométricos, abstratos e, por assim dizer, elegantes. Nos Estados Unidos, a cidade de Nova York é uma das que contam com grande número de construções no estilo "art déco", incluindo arranha-céus, como os famosos Chrysler Building (1930) e o Empire State Building (1931), enquanto Miami concentra suas edificações déco em um bairro de grande afluxo turístico. No Brasil, o déco foi bastante popular, por vezes sincretizado com o estilo "marajoara" ao incorporar ornamentos típicos desta nação indígena, igualmente abstratos e geométricos. Em Belo Horizonte (MG), por exemplo, encontramos vários exemplares déco de qualidade, como o Ed. Acaiaca e o Cine México (estes dois com influência marajoara), além do Ed. Chagas Dória, entre muitos outros.*

art nouveau *Fr.* É o nome por que é conhecido um estilo (nas artes) que floresceu em fins do século XIX e início do XX, influenciando a decoração e a arquitetura, conceituando-se pela absoluta independência em relação à tradição.
arte da palavra Retórica; eloquência; capacidade de falar e exprimir-se com facilidade; fluência no falar.
arte pela arte Conceito sobre a autonomia da arte, privilegiando a estética e livrando-a de conotações funcionais, pedagógicas e/ou morais. Em *Lat.* "*Ars gratia artis*".
arte rupestre Nome pelo qual é conhecida a arte pré-histórica do desenho, feito, de um modo geral, sobre as paredes dos rochedos e das cavernas, pelos artistas pré-históricos.
artes cênicas As artes e técnicas da representação teatral.
artes liberais *1.* As que requerem estudo e grande aplicação de inteligência. *2.* Na Idade Média, assim se designavam as matérias ensinadas nas escolas da época: a) Trívio (gramática, retórica e dialética) e b) Quadrívio (aritmética, geometria, música e astronomia.

> *São consideradas as seguintes: gramática, retórica, lógica, aritmética, geometria, astronomia, música, arquitetura e medicina.*

artes plásticas Aquelas que se ocupam das reproduções ou criações de formas, como o desenho, a pintura, a gravura, a escultura etc.
artifício de cálculo Diz-se de operações destinadas a facilitar ou permitir a demonstração/resolução de problemas (como alguns propostos pela matemática), através de meios criativos que contornam as dificuldades, construindo caminhos alternativos para as soluções.
artigo de fundo Editorial de um jornal; opinião de um jornal. O principal artigo de um jornal, geralmente publicado sob responsabilidade da Editoria do órgão.
artigo de segunda Objeto ou mercadoria qualquer de qualidade inferior.
artigos da fé *Rel. Catol.* Pontos de crença, verdades reveladas por Deus e propostas como tais pela Igreja.
artista obscuro Aquele que é pouco conhecido; ignorado.
artista plástico Neologismo que procura distinguir aquele que se dedica à arte laborada sobre algo concreto (pintura, escultura etc.).
árvore-da-borracha A seringueira.
árvore da ciência do bem e do mal Nome atribuído à árvore descrita na Bíblia, que estava no meio do Paraíso terrestre e que representava a consciência do bem e do mal. *Var.* "árvore da vida".
árvore da vida *Rel.* Segundo a Bíblia, árvore presente no paraíso, e que proporciona-

árvore de Natal

ria plena felicidade a Adão e Eva e a seus descendentes, segundo o plano da criação de Deus.

> *A desobediência deles, comendo o fruto da árvore da ciência do bem e do mal (pecando), levou Deus a castigá-los expulsando-os do Paraíso e tornando-os mortais.*

árvore de Natal *1.* Pinheiro natural ou artificial, ou outra planta, galho ou o que se lhes assemelha, enfeitado com bolas e peças alusivas à festa, além de luzes para a comemoração natalina. *2. Fig.* Pessoa muito enfeitada que usa roupas, joias, penteados etc. de cores berrantes, cortes inusitados, chamando a atenção de quantos a veem.
árvore genealógica Representação organizada e esquemática dos antepassados de uma pessoa, de uma família; linhagem; estirpe.
as alterosas O estado de Minas Gerais.
as alturas O céu; o paraíso; Deus.
às apalpadelas Tateando; apalpando; às cegas; com hesitação.
às armas Convite à luta, a empunhar armas.
às avançadas Pouco a pouco; aos poucos.
às ave-marias Ao entardecer.
às avessas Em sentido inverso, oposto; ao contrário; ao invés; o *m.q.* "ao revés".
às boas Amigavelmente.
às braçadas Em grande quantidade; em quantidade.
às caladas Encobertamente; às escondidas; sub-repticiamente.
às carradas Em grandes quantidades; abundantemente.
às carreiras Apressadamente.
às cegas Às tontas; sem ver; às apalpadelas; às escuras; às cegas.
às centenas *1.* De cem em cem; aos grupos de cem unidades. *2.* Em grande quantidade; em grande número.
as cinco letras Usa-se esta expressão quando se quer referir à palavra "merda", sem pronunciá-la, todavia.
às claras Publicamente; abertamente; sem nada a esconder; à vista de todos; sem subterfúgios; sem mistério.
as coisas estão pretas A situação é grave, difícil.
às costas Dependurado (algo) ou preso nas costas. V. "no costado".
às custas de *1.* Por conta de; à custa de; a expensas de. *2.* Graças a; por meio de.
ás de copas As nádegas.

às direitas Como deve ser; de acordo com os princípios da razão ou da justiça.
as duas culturas As artes e as ciências.
às dúzias Expressão para denotar grande quantidade.
às escâncaras A descoberto; à vista de todos.
às esconsas Às escondidas; furtivamente.
às escuras Sem luz; na escuridão; às apalpadelas; tateando. V. "no escuro".
às favas Que me importa?
às feras Indica o enfrentamento de feras, imposto pelos romanos aos condenados.

> *A expressão correspondente em latim é: "ad bestiam".*

às furtadelas Às escondidas. O *m.q.* "às ocultas".
às léguas A toda pressa; às carreiras.
às lufadas Com intermitência.
as mais das vezes Quase sempre; na maioria dos casos. *Var.* "o mais das vezes". "as mais vezes" e "no mais das vezes".
às mancheias O *m.q.* "às mãos-cheias".
às mãos A expressão "ter às mãos" significa estar de posse de algo para estudo, para exame.
às mãos ambas Com ambas as mãos.
às mãos-cheias Abundantemente. *Var.* "às mancheias".
às mãos lavadas Sem dificuldade; gratuitamente.
às mil maravilhas Muito bem; excelentemente; primorosamente.
às moscas Isolado; sem público, sem frequentadores (referindo-se a um estabelecimento comercial ou lugar público).
às não sabidas O *m.q.* "às ocultas".
as nove irmãs *Mit.* As musas, cada uma das nove deusas que presidiam as artes liberais.

> *São elas: Clio – história; Euterpe – música; Tália – comédia; Melpômene – tragédia; Terpsícore – dança; Érato – poesia lírica; Polimnia – canto; Urânia – astronomia; e Calíope – poesia épica.*

às nuvens A sumir de vista.
às ocultas De modo oculto; às escondidas. *Var.* "a furto" e "às furtadelas".
às pamparras Exprime ideia de grande quantidade ou intensidade; muito. *Var.* "às pampas".
as paredes têm ouvidos Alusão a que se deve ter cuidado ao se enunciar segredos ou assuntos reservados, por estarem vul-

assentar os cinco mandamentos

neráveis a intrusões ou bisbilhotices, à revelia dos implicados.
às pencas O *m.q.* "em penca".
às portas da morte Diz-se da situação de pessoa acometida de grave doença e a ela prestes a sucumbir; pessoa moribunda.
às portas de V. "à porta de".
às pressas Precipitadamente; com urgência. V. "a toda pressa".
as quatro últimas coisas Seriam: a morte, o julgamento, o céu e o inferno.
às sabidas O *m.q.* "às claras"; publicamente.
às secas Sem conduto (sem líquido que ajude a engolir).
as sete maravilhas do mundo antigo V. "Sete maravilhas do mundo antigo".
as sete virtudes V. "Virtudes cardeais".
às soltas O *m.q.* "à solta".
as tábuas da Lei V. "Os Dez Mandamentos".
às tantas *1.* A certa altura ou ocasião; em tempo indeterminado. *2.* Forma de se referir a hora imprecisa, vaga, indeterminada.
às tontas Desordenadamente; desgovernadamente; sem rumo; atabalhoadamente; sem direção, desorientadamente; às cegas; atarantadamente.
as três graças *Mit.* Designação de deusas mitológicas que personificam o dom de agradar.

São elas: Aglaia, Eufrosina e Talia, filhas de Júpiter e Eurinome. As graças são representadas sob a forma de três jovens despidas, juntas, sendo que a do meio está de costas.

às turras Em constantes desavenças ou mútuas altercações.
as últimas As notícias mais recentes; as derradeiras.
às últimas Ao extremo; à extremidade.
às upas Aos saltos. Aos corcovos.
às vezes De vez em quando; de quando em quando; raramente; por acaso; em determinadas ocasiões.
às vinte Muito depressa.
às voltas com Enredado com, tendo de tratar, enfrentar, cuidar de (*ger.* dificuldades, perigos).
♦ **asa-delta** Aparelho em forma de asa, constante de uma armação rígida em triângulo, coberta de tecido, que tem no centro um trapézio de tubos metálicos onde o praticante se apoia e se prende para lançar-se em voo livre.
ascensão do Senhor *Rel. Catol.* Festa em que a Igreja comemora a subida de Jesus ao céu.

ascensão meteórica Ascensão rápida, fulminante, em carreira profissional.
asilo político Concessão, da parte de alguns países, de acolhimento e proteção a estrangeiros perseguidos em seus próprios países por motivos de natureza política.
asinus asinum fricat *Lat.* Literalmente, significa "um burro coça o outro". Diz-se, ironicamente, a respeito de pessoas que se elogiam reciprocamente, trocando exagerados cumprimentos.
aspirador de pó Aparelho elétrico para aspirar o pó ou detritos.
assaltar a geladeira Comer escondido.
assanhado como barata em tempo de chuva Diz-se de pessoa inquieta, agitada.
assassino em série Pessoa que assassina várias outras sucessivamente, *ger.* utilizando os mesmos métodos. *Var.* "assassino serial (ou sequencial)".

Em inglês, diz-se: "serial killer".

assédio sexual Ato ou menção que leve a constrangimento de natureza sexual; abordagem com intenções sexuais; insistência importuna de alguém, em posição privilegiada, que usa essa vantagem para obter favores sexuais, *esp.* de subalternos.
assembleia constituinte Aquela constituída de parlamentares revestidos de mandato constituinte, para elaborarem ou emendarem a Constituição de um país.
assembleia dos fiéis *Rel.* A Igreja.
assembleia legislativa No Brasil, diz-se *esp.* dos órgãos estaduais compostos por membros eleitos (deputados) encarregados de elaborar e aprovar leis de sua competência constitucional.
assentar a cabeça Voltar à calma para resolver uma situação; tornar-se sensato, ajuizado; botar a cabeça no lugar.
assentar a mão Adquirir destreza ou segurança no que se faz. *Var.* "acertar a mão".
assentar como uma luva Vir a calhar; ser conveniente, adequado; servir perfeitamente. *Var.* "cair como uma luva".
assentar o braço (em) O *m.q.* "descer o braço".
assentar o cabelo (de) *Bras. N.E.* Matar; morrer.
assentar o facho Abaixar, apagar, sossegar o facho (o entusiasmo, a excitação). O *m.q.* "abaixar o facho".
assentar o pau em V. "meter o pau em".
assentar os cinco mandamentos Dar um tapa em alguém.

> *Por alusão aos cinco dedos da mão.*

assentar praça Fazer-se soldado.
assento ejetável Nos aviões militares, o assento do piloto e do copiloto, que, em caso de pane, pode ser lançado para fora do avião, caindo de paraquedas que se abre automaticamente.
assento etéreo O céu, o paraíso. *Var.* "assento eterno".

> *Etéreo = "algo divino, que pertence à esfera celestial".*

assim, assim Mais ou menos; nem bem nem mal; sofrivelmente.
assim como Bem como; de (uma tal) maneira que; logo que; assim que; do mesmo modo que; como.
assim como assim De qualquer maneira; de um jeito ou de outro.
Assim é, se lhe parece Frase que se usa quando se quer pôr um ponto final numa discussão, não tendo conseguido fazer prevalecer sua opinião.

> Cosi è se vi pare (It.), *que corresponde a "Assim é, se lhe parece", em português, é o título de uma peça de teatro do escritor italiano Luigi Pirandello (1867-1936), escrita em 1917 e definida por ele mesmo como uma "farsa filosófica" em que discute e busca a verdade.*

assim mesmo Ainda assim, apesar disso; apesar de tudo; entretanto; todavia; igualmente; do mesmo modo; exatamente assim.
assim ou assado De um modo ou de outro modo. De qualquer jeito. *Var.* "assim e assado".
Assim passa a glória do mundo. Expressão que indica as efêmeras condições da natureza humana.

> *Correspondente em latim:* "Sic transit gloria mundi."

assim por diante Sucessivamente, da mesma forma.
assim que Logo que; de maneira que; de sorte que; tanto que.
Assim seja! Amém! Queira-o Deus!
assim sendo Desta maneira, já que é assim...
assimilar o golpe Absorver a admoestação, a notícia dolorosa, a situação constrangedora etc.

assinar embaixo Manifestar total apoio a alguém no que fez ou falou ou que tenciona fazer ou falar.
assinar em branco *1.* Pôr assinatura em papel em branco, manifestando, assim, total confiança em quem vai escrever acima dela. *2. Fig.* Aprovar sem exame o que outro(s) fez (fizeram), compartilhando as responsabilidades.
assinar em cruz *1.* Fazer uma cruz no lugar da assinatura, por não saber escrever. *2.* Assinar sem ler, por não saber ou por estar fisicamente impossibilitado de fazê-lo. *Var. N.E.* "assinar de cruz".
assinar o ponto *1.* Inscrever o nome numa folha de presença, especialmente no emprego. *2.* Passar rapidamente num lugar que se costuma frequentar. *3. Pop.* Cumprir obrigação sexual.
assinatura a rogo Aquela que é aposta por alguém que, impossibilitado de fazê-lo ele mesmo por doença ou defeito físico ou, ainda, por ser analfabeto, documenta outra pessoa para fazê-lo legalmente em seu nome.
assistência social Serviço gratuito, de natureza diversa, prestado aos membros da comunidade social por órgãos públicos, civis ou religiosos, atendendo às necessidades daqueles que não dispõem de recursos suficientes.
assistir de camarote Ver e/ou presenciar um acontecimento de uma posição privilegiada; ver de longe, bem acomodado, sem participar ou se envolver no episódio que presencia. *Var.* "assistir de palanque".
assobiar e chupar cana Referência a duas ações ou atividades que é impossível (ou muito difícil) realizá-las ao mesmo tempo. *Var. Fut.* "bater o escanteio e cabecear".
assobio de cobra Aguardente de cana; cachaça.
associação de ideias Conexão de ideias e lembranças na mente de uma pessoa que a faz ligar os fatos uns aos outros.
associação de palavras Conexão de umas com as outras, quanto às suas acepções.
assunto de família Assuntos atinentes exclusivamente a questões familiares e que só aos seus membros diz respeito ou interessa.
assunto quente Assunto do momento, sobre o qual todos se interessam e sobre ele comentam e discutem. *Var.* "assunto momentoso".
assustar-se com a própria sombra Ser extremamente medroso; ter medo da própria sombra.
astro da noite A Lua.

até o último suspiro

astro de cinema O ator de cinema, *esp.* o que já desfruta fama.
astro de primeira grandeza *1.* Em astronomia, é a estrela de maior magnitude (em brilho). *2.* Diz-se de pessoa que ocupa lugar proeminente no seu meio.
astro do dia O Sol.
astro errante Cometa.
astro rei O Sol. (Usa-se mais a palavra composta "astro-rei".)
atacar pelas costas Agredir sorrateiramente, sem dar oportunidade de revide. V. "apunhalar pelas costas".
atado à cama Diz-se do enfermo a quem a doença prende ao leito.
atado de pés e mãos Sem poder fazer ou deixar de fazer alguma coisa; privado de liberdade; tolhido em suas ações.
ataque de nervos Crise nervosa, súbito acesso de nervosismo.
atar as mãos a Privar alguém da liberdade de ação; tolher.
atar e desatar Fazer e desfazer; ficar indeciso.
até a consumação dos tempos Até o fim de todas as épocas, até um futuro tão distante que se confunde com a eternidade.
até a medula *1.* Integralmente; até o mais íntimo. *2.* Até o último ponto. *3.* Demasiadamente; em excesso.
até a medula dos ossos De modo penetrante e profundo; até o mais íntimo do corpo.
até a raiz do(s) cabelo(s) Até não mais poder; completamente, totalmente.
até a raiz dos cabelos De modo radical; completamente; inteiramente.
até à saciedade Até fartar; até satisfazer completamente as exigências físicas e/ou morais.
até a última gota Até o fim; até o final; até acabar. *Var.* "até os ossos" e "até o caroço".
até a última letra Completa e integralmente; sem nada escapar.
até a vista Até breve; até o próximo encontro.
até agora Até este momento.
até aí morreu Neves Expressão que significa: "isso que me conta não é nenhuma novidade" ou "a solução que sugere já foi tomada e não surtiu efeito". Diz-se a quem relata fato já sabido; noticiarista retardatário.
Até ali! A mais não poder; inexcedivelmente.
até amanhã Fórmula de despedida entre pessoas que esperam tornar a se encontrar no dia seguinte.
até os olhos Excessivamente; a mais não poder.

até aqui Até este ponto, este lugar.
Até aqui! O *m.q.* "estar por aqui".

A locução é complementada por gesto que aponta, com a mão horizontalmente espalmada, a garganta, mostrando "estar cheio", enfastiado. Var. "de saco cheio".

até as orelhas Totalmente.
até as tampas Completo; cheio.
até as telhas Completamente cheio; lotado.
até as últimas Até o extremo.
até breve Fórmula de despedida: até logo; até já.
até cair de costas Muitíssimo; a fartar.
até certo ponto Em parte; de certa forma; quase; em certa medida; não totalmente; não completamente.
até debaixo d'água De maneira total ou exagerada (ao assumir compromisso, adesão a algo, ao simpatizar, ao ser solidário, fiel etc.); até o fim; de todos os modos; sem dúvida; certamente; muitíssimo; em todos os sentidos; em qualquer circunstância.
até dizer basta Em grande quantidade; muito. *Var.* "até dizer chega".
até então Até esse tempo.
até já Até daqui a pouco; até logo.
até logo Fórmula de despedida entre pessoas que esperam tornar a se encontrar dentro de breve tempo. *Var.* "até logo mais" e "até mais (ver)".
até mais V. "até logo".
até mais não poder O mais possível.
até mais ver Até a vista; até novo encontro. O *m.q.* "até logo".
até mesmo Expressão enfática para ressaltar a presença de um elemento inesperado.
até não poder mais O *m.q.* "até mais não poder".
até o cabo Até o fim; tudo. *Var.* "até o pescoço".
até o diabo dizer basta Muito; pra valer! Sem parar. O *m.q.* "como o diabo".
até o fim Até que tudo esteja terminado. Até o último.
até o fim do mundo Locução que se diz quando se quer enfatizar que a decisão tomada é inabalável.
até o momento Desde algum tempo até agora.
até o pescoço *1.* Até o máximo. *2.* Até a altura do pescoço. *Var.* "até o pescoço".
até o sabugo Até o fim. O *m.q.* "até os ossos".
até o último suspiro Até o fim; até as últimas.

43

até onde a vista alcança Expressão que indica amplidão, grande extensão.
até onde a memória alcança Dentro de um período recente o bastante para que alguém se lembre de algo.
até os ossos Inteira e completamente.
até perder o fôlego Cansar-se demasiado; sem poder respirar.
Até quando? Quer-se, com esta expressão, perguntar quanto tempo se deverá esperar para que algo aconteça.
até que Até o momento em que. Diz-se quando se deseja fixar um limite ou a vigência de algo: *Fique aí até que passe a chuva.*
até que a morte nos separe Juramento de casais enamorados.
até que enfim Expressão de alívio ao se atingir um objetivo há muito perseguido, ao se concretizar uma expectativa etc.
até que o inferno congele Nunca.
até que ponto Até onde.
até que venha o Reino *Rel. Crist.* Até que se instale o Reino de Deus; até que o Reino de Deus seja alcançado.
até segunda ordem Até que novas ordens sejam dadas.
até sempre Até a vista; até logo.
até um cego vê *1.* Indica que um raciocínio é claro como uma luz que, de tão intensa, até um cego "pode" perceber; evidente. *2.* Algo de amplo domínio público; conhecido por todos.
até um dia Esta expressão encerra uma ideia de que o reencontro com uma pessoa se dará remotamente.
Até você? Expressão que denota admiração ou surpresa diante da atitude de uma pessoa.
aterrissagem forçada Pouso não previsto de uma aeronave devido a pane, avarias ou emergências. *Var.* "pouso forçado".
aterro sanitário *Ecol.* Depósito de resíduos sólidos, compactados ou dispostos em camadas, *ger.* sob a responsabilidade das prefeituras municipais, e que visa a minimizar a agressão ao meio ambiente; lixão.
atestado de burrice Diz-se que uma pessoa "passa atestado de burrice" se comete, insistentemente, ações impensadas ou mal pensadas.
atiçar o fogo *1.* Alimentar a fogueira, colocando mais material inflamável. *2.* Alimentar (contribuir) para o acirramento de ânimos; insuflar; incitar.
atingir em cheio Acertar no alvo; ir direto ao ponto mais importante; alcançar plenamente o objetivo.

atirador de elite Militar exímio no uso de armas de fogo, requisitado para reforço da segurança pública em circunstâncias especiais.
atirar a luva Provocar, desafiar, reptar.
atirar a primeira pedra Ser o primeiro a condenar ou a punir alguém.

> Alusão ao episódio narrado no Evangelho de João (8, 1-11) sobre a mulher adúltera. Todos a condenavam e queriam apedrejá-la. Tendo insistido com Jesus a dar sua opinião, ele disse que aquele dentre os acusadores que não tivesse nenhum pecado, que "atirasse nela a primeira pedra", mas nenhum se apresentou. A mulher livrou-se e Jesus também a perdoou, mas recomendando que não mais pecasse.

atirar no primeiro que me aparecer na frente Estar em estado de completa revolta, de desespero e irritação. *Var.* "matar o primeiro que me aparecer na frente".
atirar no que viu e acertar no que não viu Conseguir resultado diferente daquele que almejava, mas igualmente desejado.
atirar pra todos os lados *1.* Desferir críticas, acusações, repreensões etc. a torto e a direito. *2.* Desnortear-se; confundir-se.
atirar-se aos pés de Submeter-se a (alguém); colocar-se na dependência de (alguém).
atividade paralela Trabalho que se faz além do normal e regular, concomitantemente a este.
atlas celeste Coleção de mapas indicando a posição das estrelas e de corpos celestes na esfera celeste.
ato adicional Dispositivo pelo qual se altera a constituição de um país e que passa a integrá-la.
ato contínuo Imediatamente; em seguida.
ato de fé *1.* Palavra ou ato que exprime a adesão a uma causa, a uma crença. *2. Rel. Catol.* O Credo.
ato de variedades Espetáculo teatral variado.
ato falho *1.* Em psicanálise, fala ou gesto que, inadvertidamente, sem intenção explícita ou consciente, reflete uma atitude, uma preocupação, uma intenção de quem o comete. *2.* Falta; uso inapropriado (às vezes intencional) na linguagem falada ou escrita, de termos que sugerem referências supostamente indesejadas por outro(s).
ato institucional Estatuto ou regulamento baixado pelo governo.

ato sexual A cópula; o coito.
atolado até a alma Envolvido em situação extremamente difícil, difícil de dela se livrar. *Var.* "atolado até o pescoço".
atolado até o pescoço Sobrecarregado de serviço e tarefas.
atolado em dívidas Muito endividado.
atrás da cortina Por baixo do pano, disfarçadamente.
atrás das grades Encarcerado, aprisionado.
atrás das portas Em segredo; em conluio; na surdina.
atrás de *1.* Do lado ou do lugar posterior a; imediatamente depois de. *2.* Em seguimento a; no encalço de; à procura de.
atrás dos bastidores *1.* Ocultamente, sem aparecer. *2. Teat.* Referência ao que se passa no teatro atrás do pano de boca, enquanto o espetáculo não é iniciado.
atrasado mental Burro, idiota, débil mental.
atraso de vida *1.* Aquilo ou aquele que atrapalha, causa embaraço, prejuízo. *2.* Atitude, ou circunstância de atitude considerada inadequada, superada, inócua ou contraproducente.
através de *1.* De um para outro lado de; por entre. *2.* No decurso de. *3.* Por intermédio de.
atravessar a alma de alguém Movê-lo à compaixão; causar-lhe dó, lástima. *Var.* "atravessar o coração de alguém".
atravessar no meu caminho Atrapalhar-me; dificultar-me.
atravessar o Rubicão Tomar decisão temerária, enfrentando as consequências. *V.* "*alea jacta est*". *Var.* "cruzar o Rubicão".
atravessado na garganta *1.* Entalado; sufocado. *2. Fig.* Angustiado; aborrecido. *3.* Impossível de aceitar (ofensa, injúria, injustiça), ainda não respondido ou resolvido, por isso ainda causando sofrimento, angústia, indignação etc.
atropelar a gramática Falar ou escrever incorretamente a língua, cometendo erros gramaticais.
aú com rolê Aú seguido de rolê.

Aú = Movimento do capoeirista em que, com as mãos no chão, forma uma figura semelhante a um "a"; erguendo as pernas, forma figura semelhante a um "u"; retornando ao chão, forma figura semelhante a uma estrela. Rolê = Movimento de transição que o capoeirista executa agachado, de costas para o adversário, com o apoio das mãos e dos pés, com o objetivo de movimentar-se pelo chão.

au grand complet Expressão francesa que significa: "inteiramente, inteiro", usada quando se quer dizer que tudo se apresenta ou transcorre da forma mais completa, com todos os detalhes e rigor.
au revoir Expressão francesa que significa "Até a vista".
auf Wiedersehen *Al.* Até a vista.

A pronúncia aproximada para a expressão seria auf-vídersen.

aula inaugural Aula magna.
aula magna Aula que abre o ano letivo, sobretudo em universidades.
aura popular Estima pública. Popularidade, fama, prestígio; ser alvo de aplauso ou do favor público.

A expressão correspondente em latim é "Aura popularis", hoje empregada ao se referir à inconsistência e à efemeridade da fama, da popularidade.

aura vital Respiração; alento.
aurea mediocritas *Lat. Lit.* "mediocridade dourada (áurea)." Expressão usada por Horácio (Quintus Horatius Flaccus – 68-8 a.C.), poeta e filósofo romano, para exaltar as vantagens de uma condição intermediária entre a opulência e a pobreza.
auri sacra fames *Lat. Lit.* "maldita fome do ouro." Famosa expressão de Virgílio (Publius Virgilius Maro – 70-19 a.C.), poeta latino, referente à avidez.
aurora austral Aurora polar observada em altas latitudes austrais.
aurora boreal Aurora polar observada em latitudes boreais (Norte, *esp.* o extremo norte).
aurora polar Denominação de certos resplendores noturnos muito frequentes nas altas latitudes de ambos os hemisférios.
ausente de Distante de; não presente em/a.
aut vincere aut mori *Lat.* Vencer ou morrer. *Var.* "*aut mors aut victoria*".
auto de fé Solenidade celebrada pela Inquisição e na qual compareciam os penitenciados do Santo Ofício que, depois de ouvirem ler as suas sentenças, ou abjuravam seus erros ou eram "purificados" no fogo.
auto de praça Táxi; automóvel de aluguel.
automóvel de praça Táxi.
autor dos seus dias O progenitor.
autor intelectual Pessoa que idealiza um crime, mas determina ou contrata outrem para realizá-lo. *Var.* "autor moral".

aval em branco Documento cambial no qual consta apenas a assinatura do avalista, não contendo, pois, o nome de quem está (ou estará) usufruindo dessa garantia.
aval pleno O que consigna o nome da pessoa em favor de quem é concedido.
avaliar um livro pela sua capa Fazer crítica apressada, sem conhecer bem o que critica. *Var.* "julgar um livro pela capa".
avançado em anos Entrado em anos; adiantado em anos; idoso.
avançar o sinal *1.* Não atender ao sinal fechado para o trânsito. *2.* Ter relações sexuais antes do casamento. *3.* Ir além do que suas atribuições ou competência lhe permitem. *4.* Ultrapassar os limites permitidos ou estabelecidos. *Var.* "avançar a linha".
avante de À frente de; além de.
Ave, Caesar, morituri te salutant Expressão latina que significa: "Salve, imperador, os que vão morrer te saúdam."

Consta serem estas palavras ditas pelos gladiadores antes de cada embate, dirigindo-se às autoridades presentes, especialmente ao imperador.

ave de arribação A que chega em determinados tempos, mas que não fica permanentemente.
ave de Juno O pavão.
ave de Júpiter A águia.
ave de mau agouro *1.* Ave que, segundo a crendice popular, pressagia uma desgraça. *2.* Pessoa que dá más notícias ou prognostica desgraças.
ave de Minerva O mocho.
ave de rapina Ave predadora; a que tem hábitos carnívoros. *Fig.* Pessoa má.
ave de São João A águia.
ave de Vênus A pomba.
ave rara Indica algo muito raro ou excepcional e, portanto, muito valioso.

A expressão vem do latim: "avis rara".

avesso a badalação Diz-se de pessoa que não tolera ostentações, a exibir-se e muito menos de ser alvo delas.
avesso da medalha O *m.q.* "reverso da medalha".
aviação embarcada Conjunto de aeronaves que opera com base em porta-aviões.
avis rara *V.* "ave rara".
aviso prévio Comunicação que se dá ao empregado, de parte do empregador e vice-versa, manifestando a intenção de rescindir o contrato de trabalho entre ambos a partir de determinada data.
avô (avó) torto(a) O padrasto (a madrasta) do pai ou da mãe em relação aos filhos deste (desta).
azeitar as canelas Fugir, escapar; retirar-se em debandada.
azucrinar os ouvidos Incomodar alguém com falatório insistente, ininterrupto.
azul do céu Azul claro e límpido, como o do céu sem nuvens e claro; azul-celeste.
azular no mundo O *m.q.* "cair no mundo".

B

baba de moça Doce elaborado com calda de açúcar e ingredientes como leite de coco e gemas de ovos.
babar na gravata Mostrar-se idiota.
babar ovo Lisonjear para obter vantagens; bajular.
babar-se por alguém Ter-lhe extremado amor ou admiração. *Var.* "ficar babando por".
bacalhau de porta de venda Pessoa magérrima.
bacia das almas *V.* "na bacia das almas".
bafo de onça Hálito fétido; mau hálito; halitose; cheiro de bebida alcoólica na boca. *Var.* "bafo de tigre".
bagagem literária Conjunto de obras de um escritor.
bagunçar o coreto Provocar; fazer confusão; protestar.
baião de dois *CE; N.E.* Prato de feijão e arroz cozinhados juntamente e que pode vir acompanhado de carnes.
baile a fantasia Reunião dançante à qual se deve comparecer trajando fantasia. *Var.* "baile de máscaras" (quando se requer ou se admite o uso desse disfarce).
baioneta calada A que está armada na boca de um fuzil ou de qualquer arma de fogo de cano longo.
baixa categoria Má qualidade. *Var.* "última categoria".
baixa estação O período em que a frequência aos pontos turísticos é menor devido a férias, clima etc.
baixar a bola de Fazer alguém se calar ou deixar de ser presunçoso ou arrogante.
baixar a cabeça Obedecer; tornar-se subserviente.
baixar a cortina Terminar o espetáculo ou vedar o acesso a determinada coisa.
baixar a crista O *m.q.* "abaixar a crista".
baixar a grimpa Perder o entusiasmo, o orgulho.
baixar a guarda *1.* Enfraquecer as defesas, deixar de estar atentamente na defensiva, tornando-se mais vulnerável. *2.* Deixar de lutar; desistir de algo; não mais pelejar pelos seus ideais ou aspirações.
baixar a lenha em *V.* "meter a lenha em".
baixar a mão em Surrar (alguém).
baixar a ripa Agredir, atacar; falar mal de alguém, sobretudo em sua ausência.
baixar à sepultura Enterrar ou ser enterrado; sepultar ou ser sepultado. *Var.* "baixar à terra".
baixar ao hospital Internar-se em hospital para tratamento.
baixar a trunfa Moderar-se; conter-se.
baixar noutra freguesia Ser excluído (ou excluir-se) de um grupo, um contexto para se ligar a outros. (Diz-se a alguém "Vai baixar noutra freguesia" quando se quer afastá-lo do convívio.) *Var.* "baixar noutro centro".
baixar o bico Comer ou beber em excesso.
baixar o cacete Esbordoar.
baixar o facho O *m.q.* "baixar o topete".
baixar o pano *Teat.* Cair o pano; terminar o espetáculo ou o ato.
baixar o pau Bater, surrar. *V.* "baixar a ripa".
baixar o relho Bater com açoite, chicote; espancar.
baixar o sarrafo em Baixar o pau em; meter a lenha em; surrar (alguém).
baixar o topete Moderar-se; tornar-se mais modesto e/ou menos arrogante. *Var.* "baixar o facho".
baixar os olhos Dirigir o olhar para o chão; envergonhar-se.
baixar sem e levantar com Furtar.
 ♦ **baixo-astral** *V.* "alto-astral".
baixo calão Palavra ou expressão grosseira ou obscena.
baixo clero *1. Rel. Catol.* Os simples presbíteros. *2. Fig.* Em certas categorias profissionais, *esp.* nos grupos políticos, Câmara dos Deputados, Senado etc., conjunto de membros de menor projeção e prestígio.
baixo nível *1.* Baixa qualificação intelectual ou cultural. *2.* Baixa categoria profis-

sional. *3.* Qualidade inferior. *4.* Escassa ou nula educação ou civilidade. *5.* Característica ou qualidade do que é reles, vulgar, obsceno etc.
baixo profundo *1.* O cantor capaz de emitir notas extremamente graves. *2.* Esse registro de voz.
bala de festim Bala não contundente, inofensiva, cujo projétil, feito de papel comprimido, se desfaz logo desferido.
bala de goma Guloseima feita de açúcar, amido, essência e corante, gelatinosa e que se desfaz na boca; jujuba.
bala na agulha Meios, como, *p.ex.*, dinheiro, prestígio, poder, necessários para se alcançar determinado objetivo, prontos para serem utilizados no momento certo.
bala perdida Projétil que não tendo encontrado o alvo mirado, atinge uma pessoa ou algo, provocando morte, ferimento ou estragos.
balaio de gatos *1.* Local onde a desordem se instalou. *2.* Confusão, rolo, conflito entre muitos.
balança mas não cai Diz-se de algo que se encontra em posição instável ou prestes a cair e que, no entanto, continua ereto.
balançar o coreto Atrapalhar; abalar. *V.* "bagunçar o coreto".
balançar o galho da roseira *Ch.* Peidar; soltar-se.
balançar o rabo Mostrar que está dando atenção a alguém ou a algum assunto.

Locução mais usada na forma "Nem balançou o rabo", significando que a pessoa a que se refere não deu importância ao fato ou ao relato que foi levado à sua consideração.

balançar o véu da noiva *Fut.* Fazer um gol (o que faz balançar a rede que guarnece a meta).
balanço de pagamentos Registro das entradas e saídas dos valores das transações comerciais entre países, compreendendo os negócios comerciais, a balança de serviços e movimentos de capital. Também se diz "balança de pagamentos".
balão de ensaio Diz-se de notícias a respeito de simples intenções ou projetos que se divulgam como iminentes ou verdadeiros, simplesmente para sentir a opinião do público e se poder avaliar sua receptividade, sucesso ou viabilidade.
balde de água fria Fato, circunstância, ação etc. que frustram um processo ou expectativa positivos, causando decepção onde havia entusiasmo, otimismo etc. *V.* "derramar água fria".
balsa salva-vidas Flutuador ou embarcação *us.* para salvamentos de pessoas em risco de afogamento.
banana de dinamite Embalagem cilíndrica (cartucho) com certa quantidade de dinamite.

Dinamite é um explosivo obtido a partir da mistura de uma base de nitroglicerina com uma certa quantidade de substância inerte.

bananeira que já deu cacho *1.* Na expressão "isso é bananeira que já deu cacho", quer-se dizer que a situação não se repetirá. *2.* Pessoa em decadência, em declínio de prestígio; indivíduo decrépito. *3.* Negócio ou empresa que já não apresenta resultados. *4.* Solo esgotado.

Como se sabe, cada caule da bananeira já tendo dado um cacho não dará outro, por isso é cortado.

banca de jornal Espécie de estande, às vezes de estilo padronizado, muitas vezes em forma de uma pequena loja localizado principalmente nas calçadas das ruas, mas também em terminais de transporte, aeroportos etc., onde se vendem publicações periódicas como jornais e revistas.
banca examinadora Grupo de pessoas qualificadas encarregadas de avaliar candidatos a cargos ou cursos.
bancar o avestruz Obstinar-se em não ver ou considerar o lado desagradável das coisas ou em não se envolver em determinado assunto.
bancar o Cristo Expiar ou pagar pelos outros.
bancar o difícil Fazer-se de importante; dificultar o entendimento para valorizar sua opinião; manifestar pretensões além de sua qualificação.
bancar o jogo Assumir a responsabilidade de um jogo, sustentando a banca, *i.e.*, recebendo as apostas e pagando os prêmios que couberem aos participantes.
bancar o palhaço Comportar-se ou ser posto em ridículo ou ser levado a tolices. *V.* "fazer papel de bobo".
bancar o peru Deixar-se fazer de tolo.
bancar o trouxa Fazer papel de imbecil ou ingênuo; deixar-se lograr.
banco central Instituição que regula o meio circulante de um país bem como a fiscali-

zação e o funcionamento de seu sistema bancário.
banco de areia Acúmulo de areia causado pelo vento, pelas ondas do mar ou corrente dos rios.
banco de dados Coleção de dados organizados e estruturados segundo certos critérios, armazenados em computador para tratamento ou consulta posterior.
banco de gelo Grande massa de gelo flutuante no mar.
banco de leite Lugar onde há coleta de leite materno humano, conservando-o e distribuindo-o para suprir as necessidades de recém-nascidos que dele não podem prescindir, na falta do leite da própria mãe.
banco de reservas Assento(s) em que ficam alguns jogadores à disposição do técnico de equipes esportivas para substituírem eventualmente, no decurso dos jogos, os jogadores titulares.
banco de sangue Lugar onde se coleta, classifica e se provisiona sangue humano, disponível para transfusões.
banco dos réus O lugar onde os réus se assentam quando são julgados em audiência, por juiz ou júri.
banda de fora O lado externo de uma coisa qualquer.
banda de música 1. *Fig.* Diz-se de grupo de pessoas sempre prontas a apoiar outras ou outra, em quaisquer circunstâncias; grupo de bajuladores. 2. Grupo de músicos civis ou militares, *ger.* executantes de músicas populares, marchas e dobrados e que se exibem, sobretudo, ao ar livre ou em coretos, paradas e outros variados eventos.
banda de pneu A superfície ranhurada do pneu, que fica em contato com o solo. Também se diz: "banda de rodagem".
banda larga *Inf.* Faixa de frequências larga o bastante para o tráfego de informações em alta velocidade. Na internet esse tráfego chega a ser dez vezes mais rápido do que em conexão discada.
banda marcial Conjunto militar de músicos (com instrumentos de sopro e percussão), que executa marchas militares, dobrados etc.
Banda Oriental Antiga denominação do atual Uruguai.
banda podre Diz-se da parte má ou deteriorada (deturpada) de uma coisa qualquer ou de uma organização, corporação, sociedade etc.
bandeira a meio-pau A que está hasteada a meia altura do mastro, sinalizando luto. *Var.* "bandeira em funeral".

bandeira branca Sinal ou símbolo de paz erguido por uma das partes em uma guerra, ou pessoas em conflito, simbolizando o pedido de uma trégua ou a rendição, ou a reconciliação.
bandeira de conveniência A de um país em que um navio mercante é registrado devido às vantagens disso advindas ao armador.

É denominado "armador" a pessoa ou firma que explora comercialmente navios mercantes.

bandeira dois Condição que indica que a corrida de táxi será calculada sobre uma tabela majorada, usualmente no período noturno e/ou feriados.

Nos antigos taxímetros, havia uma peça móvel, uma "bandeira" onde estava inscrito o número 2, que ao ser levantada indicava ao passageiro a aplicação da tarifa especial enquanto acionava uma aceleração do mecanismo de contagem do aparelho. Os equipamentos modernos, digitais, não apresentam mais a peça móvel. Entretanto, a indicação do algarismo "2", agora em visor eletrônico, mantém a tradição que informa a prevalência da tabela majorada.

bandeira em funeral O *m.q.* "bandeira a meio pau".
bandeira nacional Pedaço de pano em uma ou mais cores, habitualmente retangular, às vezes incluindo um emblema e/ou legenda, utilizado como símbolo de uma nação e de sua soberania.

A bandeira nacional do Brasil evolui simultaneamente à sua transformação de colônia em Reino, em Império e, posteriormente, em República. Já à época da Declaração da Independência, em 1822, ostentava o tradicional retângulo verde sobreposto por um losango amarelo. Àquela época, entretanto, mais representava o pavilhão pessoal dos reis ou imperadores do que a nação, por isso ostentava ao centro o brasão da Casa Real. Somente com a República atingiu sua forma atual, com a troca do brasão real por uma esfera azul estrelada com o dístico branco e as palavras "Ordem e Progresso". Curiosamente, antes que atingisse sua forma final, em sua primeira versão republicana chegou a ser completamente diferente, muito inspirada na bandeira

> dos Estados Unidos da América, porém com as cores tradicionais brasileiras. Outro fato interessante é que uma versão proposta por Júlio Ribeiro, em 1888, e rejeitada, acabou sendo aproveitada como a bandeira do estado de São Paulo, na forma como hoje a conhecemos.

banha de cobra 1. Conversa com o objetivo de enganar a pessoa com quem se fala. 2. Proposta ou promessa que não se tem intenção de cumprir.
banhar as mãos no sangue de Matar, assassinar (alguém).
banhar-se em águas de rosas Sentir-se muito feliz e tranquilo e contente.
banhar-se em lágrimas Chorar copiosamente.
banho de assento Banho de imersão da parte inferior do tronco; banho de asseio. Também se diz: "semicúpio".
banho de bola No futebol, diz-se da atuação de um time que venceu outro com grande número de gols, como na expressão "Deu um banho de bola", i.e., venceu fácil e com dilatado placar.
banho de cheiro Banho de imersão com mistura na água de ervas aromáticas, essências, etc.; banho de ervas.
banho de facão Sova de sabre.
banho de gato Banho ligeiro, superficial.
banho de loja Ação e resultado de percorrer várias lojas, com o fito de renovar o guarda-roupa, modificar o estilo, adaptar-se à moda ou de ataviar-se com joias e bijuterias ou através de cosméticos.
banho de luz Exposição do corpo à ação de raios luminosos emitidos por lâmpadas elétricas especiais, de efeitos terapêuticos.
banho de poeira 1. Trambolhão; queda desastrosa. 2. Situação na qual um veículo vai à frente de outro (que lhe vai colado), superando-o em velocidade, principalmente em estrada não pavimentada.
banho de sangue Massacre selvagem e em massa; chacina, carnificina.
banho de sol Exposição do corpo aos raios solares.
banho turco Espécie de sauna.
bar mitzvah Heb. No judaísmo, o jovem que, ao completar 13 anos, assume a responsabilidade religiosa e civil dos seus atos, em cerimônia religiosa também assim denominada.

> Bat mitzvah = Quando é a jovem (moça) que, aos 12 anos, assume a responsabilidade religiosa e civil dos seus atos.

baraço e cutelo V. "senhor de baraço e cutelo".

> Baraço = Cordel; corda fina; laço de forca.

baralhar as cobertas Sul Meter-se em conflito(s); brigar.
barata de igreja Pessoa muito beata, assídua aos cultos religiosos; carola; barata de sacristia.
barata descascada Comparação atribuída a pessoa muito pálida e desbotada.
barata tonta Comparação atribuída a pessoa inquieta, que não sabe o que fazer, desorganizada, confusa, apavorada.
barba a barba Face a face; em confrontação.
barba, cabelo e bigode 1. Algo definitivo, completo. 2. Fut. Diz-se de situação na qual uma agremiação vence outra(s) em várias categorias, p.ex., infantil, juniores e profissionais.
barbas de bode Aquelas que alguns usam abaixo do queixo, assemelhando às do bode; cavanhaque.
barca de São Pedro A Igreja Católica.
barcaça de desembarque Embarcação usada para desembarque de tropas.
barco a vela Embarcação dotada de velas que servem de propulsoras.
barra da saia Pessoa influenciada por mulher.
barra de direção Aut. Peça que liga o volante à caixa de direção e sincroniza seus movimentos.
barra de ferramentas Inf. Numa interface gráfica, bloco de ícones clicáveis, personalizáveis e que facilitam o acesso aos recursos disponíveis de um aplicativo.
barra de menu Inf. Barra retangular inserida no alto da tela ou da janela relacionando os vários comandos disponíveis, suscetíveis de ativação direta por meio de cliques do mouse.

> Janela, na informática é uma região retangular que figura na tela do computador, emoldurada, exibindo dados sobre um processo em execução.

barra de rolagem Inf. Barra apropriada para percorrer todo o conteúdo de uma janela.
barra de tarefas Inf. Numa interface gráfica, painel horizontal estreito no alto da tela (janela) que mostra ícones ref. a arquivos e programas.
barra do dia O amanhecer.

♦ **barra-limpa** *1.* Pessoa decente, correta, responsável, amiga. *2.* Sem empecilhos, sem perigo.
♦ **barra-pesada** *1.* Algo, alguém ou situação perigosa ou comprometedora. *2.* Pessoa suspeita, dada a contravenções.
barra suja Pessoa desonesta, falsa.

> *Dizer que "a barra está suja" é avisar que há empecilhos sérios para a realização do que se pretende.*

barracão de zinco Moradia pobre, simples, típica de favelas.
barras assimétricas Aparelho de ginástica feminina constituído de duas barras cilíndricas e horizontais apoiadas em suportes de diferentes alturas, nas quais a atleta se exibe alternando os exercícios entre as barras.
barras paralelas Aparelho de ginástica masculino constituído de duas barras cilíndricas paralelas e horizontais nas quais o atleta executa exercícios apoiando-se nelas com os braços ou com as mãos.
barreira do som Conjunto de fenômenos que ocorrem quando um corpo sólido se desloca no ar com velocidade próxima ou igual à do som e que resulta num estrondo sonoro ao alcançá-la, devido ao desencadeamento de ondas de choque.

> *No ar seco, a 0 °C o som se propaga com uma velocidade de 331,35 m/seg.= 1.192,860 km/h.*

barretada com o chapéu alheio Serviço ou favor prestado a alguém graças ao prestígio, trabalho ou favores decisivos de outrem.
barriga da perna Parte musculosa posteros-superior da perna; panturrilha; batata da perna.
barriga de cerveja Diz-se de quem tem barriga proeminente, avantajada.
barril de chope Diz-se em tom crítico ou brincalhão de pessoa baixa e gorda.
barril de pólvora. *Fig.* Situação delicada, tensa, a ponto de explodir e de imprevisíveis consequências, causada por divergências sérias e de difícil conciliação.
bastante bom Satisfatório.
batalha campal A que se trava e desenvolve em campo aberto.
batalha de gigantes Confronto entre duas importantes e/ou poderosas pessoas, facções, partidos políticos, empresas etc.
batalhão de gente Grande número de pessoas.

batata da perna O *m.q.* "barriga da perna".
batata quente Situação difícil ou complicada que alguém está incumbido de resolver. *V.* "tijolo quente".
bate não quara *Reg. S.* Vestimenta, objeto ou situação contínua e insistente, repetidamente usados.
bate-papo virtual *Inf.* Comunicação através da internet somos se fora uma conversação e que se realiza em tempo real através de mensagens recíprocas entre os usuários; papo *on-line*. Em *Ing.*: "*chat*".
bate, puxa, espicha e rasga O número 27 no jogo de víspora.
bateau-mouche *1.* Locução francesa que designa um típico barco de passageiros que percorre o rio Sena, em Paris. *2. P.ext.*, qualquer barco que se lhe assemelhe na construção e com finalidade turística.
bateção de boca Discussão.
batedor de carteiras Gatuno dado ao furto de carteiras de cédulas ou dinheiro do bolso de incautos; punguista.
batendo chifre No meio de aglomeração.
bater *V.* também "dar".
bater (jogar) um bolão Ser exímio jogador de futebol.
bater a alcatra na terra ingrata *RS* Cair no chão; morrer.
bater à boa porta Pedir a quem se acha em condições de atender.
bater a boca no mundo Gritar. Revelar algo não autorizado ou permitido. *Var.* "botar a boca no mundo".
bater a brasa Disparar arma de fogo.
bater a caçoleta Morrer. O *m.q.* "bater as botas".
bater a cama nas costas Ferrar no sono.
bater a canastra Morrer.
bater a linda plumagem Fugir; desaparecer; ir embora. *Var.* "bater a bela plumagem".

> *Diz-se em tom irônico.*

bater a mão no peito *1.* Fazer esse gesto, à guisa de inocentar-se ou de pedir perdão. *2.* Ostentar coragem e valentia.
bater a outra porta Procurar outro recurso, em virtude de ter falhado o primeiro.
bater a pacuera Ir-se embora; morrer.
bater à porta Pedir ajuda, auxílio, socorro; apelar para.
bater a porta na cara de (alguém) Repelir; deixar de atender (alguém); negar atendimento (a alguém).
bater as asas Desaparecer; ir embora; fugir.
bater as botas Morrer. *Var.* "bater a caçoleta" e "comer capim pela raiz".

bater asas Ir-se embora; fugir.
bater aspas *1.* Bater orelha; andar lado a lado ou emparelhado com alguém. *2.* Cochichar, sussurrar; segredar.
bater boca Discutir, altercar; desentender-se.
bater bola Brincar com a bola; treinar (em jogo de bola).
bater bolsa Andar (a meretriz) à procura de fregueses. *Var.* "bater bolsinha".
bater bruacas *RS* Sair a viajar, a andar à toa.

> *Bruaca = Saco, bolsa ou mala de couro cru, para transporte de objetos e mercadorias sobre bestas.*

bater cabeça Dar cabeçada, agir sem pensar, desastradamente.
bater caixa *1.* Bater papo. *2.* Propalar, insistir sobre um assunto. *3.* Divulgar ou contar confidências. *4.* Anunciar, espalhar notícia. *5.* Contar vantagens.
bater carteira Furtar, subtraindo a carteira de dinheiro da vítima.
bater certo Ser correto; exato.
bater chapa No linguajar da política partidária, decidir-se (algum candidato) a disputar algum cargo.
bater chifres *Fig.* Dar-se bem (uma pessoa com outra[s]), por alusão aos bois que compõem uma junta de tração do "carro de bois", trabalhando em conjunto e em harmonia. *Cf.* "bater os chifres".
bater com a cabeça pelas paredes Cometer desatinos; estar doido, desorientado.
bater com a cara na porta Não ser recebido por alguém que procurara ou ter sido frustrada sua tentativa de encontrar-se com alguém. *Var.* "bater com o nariz na porta".
bater com a cola na cerca Morrer.
bater com a língua nos dentes Dar com a língua nos dentes; falar indiscretamente; revelar um segredo; fazer inconfidências.
bater com a porta na cara *1.* Não lograr sucesso. *2.* Não encontrar receptividade. *Var.* "bater com o nariz na porta"; "bater com o rabo na cerca"; e "bater com os dentes" ou "bater com a língua nos dentes".
bater de cara com O *m.q.* "dar de cara com".
bater de porta em porta Ir à procura de algo, exaustivamente. *Var.* "bater em todas as portas".
bater em ferro frio Esforçar-se inutilmente para alcançar algo.
bater em retirada *1.* Fugir, ceder, recuar. *2.* Afastar-se de um lugar, para não se comprometer com um problema que se presume vá acontecer.

bater em todas as portas Recorrer a muitas pessoas, na esperança de obter algo (emprego, ajuda etc.).
bater estrada Andar em busca de alguém ou de alguma coisa.
bater horas V. "dar horas".
bater mato *1.* Andar muito e sem direção certa, *ger.* em busca de alguma coisa. V. "bater pasto".
bater na madeira Segundo a crendice popular, quando se pensa ou se fala em algo ruim que há possibilidade de acontecer, crê-se que dando-se ligeiras pancadas com a mão na madeira tal não venha a acontecer; isolar.
bater na mesma tecla Insistir no mesmo assunto; ser impertinente. V. "É sempre a mesma cantilena".
bater no muro Ter frustrados os esforços.
bater no pau Afastar, batendo num pau ou madeira, o mau agouro; isolar o azar. *Var.* "bater na madeira".
bater no peito Arrepender-se; pedir misericórdia. *Var.* "bater nos peitos". V. "bater a mão no peito".
bater o coração Sentir certa perturbação ou comoção denunciada pela aceleração dos batimentos cardíacos.
bater o ferro enquanto está quente Aproveitar a ocasião.
bater o martelo *1.* Fechar negócio; encerrar um leilão; dar o lance final em um leilão. *2.* Tomar decisão final quanto a algo.
bater o pacau Morrer. O *m.q.* "bater a caçoleta".
bater o pé Mostrar-se insubmisso ou teimoso; resistir; teimar; opor-se. *Var.* "bater pé".
bater o prego Morrer.
bater o queixo Estar com muito frio; tremer de frio.
bater o recorde Conseguir uma marca notável de desempenho esportivo (ou de outra natureza competitiva) a qual ninguém ainda conseguira. *Var.* "estabelecer um recorde".

> *Record = Ing. Marca; registro. Sobre recorde.* V. *"em tempo recorde".*

bater o sino Alegrar-se; comemorar.
bater o trinta e um Morrer.
bater orelha Andar parelho com outro; ser ou estar igual a outro; ser de igual força. *Var.* "bater orelhas".
bater os chifres *1.* Estarem ou marcharem, as reses, bem juntas umas das outras. *2.* Andar em parelha os bois de uma junta de

bois de carro; como alusão a isso, andarem duas pessoas sempre juntas. *Cf.* "bater chifres".
bater os dentes Tremer de frio ou de medo.
bater pala Bajular os superiores.
bater palhada Em operação agrícola de colheita das espigas de milho, quebrar os colmos ou arrancá-los após a colheita, para dar início a nova plantação.
bater palmas Aplaudir.
bater papo Papear; conversar, sem compromisso; conversar à toa.
bater pasto *1.* Tirar o mato do pasto. *V.* "bater mato" (2). *2.* Como *loc. subst.*, atividade que consiste em arrancar o mato ou ervas indesejáveis que vicejam espontaneamente nos pastos, prejudicando-os.
bater pé Mostrar-se insubmisso, teimoso. *Var.* "bater o pé".
bater pernas Andar à toa; gostar de perambular pelas ruas da cidade; o *m.q.* "medir rua".
bater pino *1.* Achar-se mal física ou moralmente. *2. Mec. Aut.* Bater, fazendo barulho, o pino da válvula do motor, indicando estar desregulado. *3.* Faltar capacidade vital devido à idade avançada.
bater ponto Registrar, em cartões, folhas ou por outros meios, a presença do trabalhador no local de trabalho.
bater prego sem estopa Proceder sem certeza de êxito.
bater roupa *1. Fut.* Pegar, soltar e tornar a pegar (o goleiro, no futebol), uma bola chutada pelo adversário. *2.* Durante a lavagem manual de roupa, batê-la, depois de esfregada, em uma pedra ou qualquer superfície lisa para torná-la mais livre das sujeiras.
bater sem dó nem piedade Surrar sem considerar a violência com que o faz; maltratar.
bater um fio Telefonar.
bater um papo *V.* "bater papo".
bater uma caixa O *m.q.* "dar um toque".
bater uma pelada *Fut.* Participar de um jogo informal de futebol entre amadores, em campo simples, às vezes sem o uniforme e calçados apropriados.
bateu, levou Advertência, ou registro, de que uma agressão será ou é respondida com violência também, que haverá ou há revide; olho por olho.
batida policial Investigação conjunta que a polícia faz de surpresa em locais suspeitos de abrigarem contraventores da lei.
batismo de fogo A primeira experiência de um soldado na linha de fogo, no campo de batalha. *P.ext.*, qualquer experiência ou prova difícil pela qual alguém passa pela primeira vez.
batismo de imersão Cerimônia consistente em introduzir rápida e parcialmente em água o batizando, pronunciando a fórmula sacramental.

> *Quando o batizando é introduzido completamente na água, denomina-se "batismo de submersão"; há ainda o batismo de infusão e o de aspersão.*

batismo de sangue *1.* Martírio dos catecúmenos (primeiros cristãos). *2.* Primeiro sangue derramado em combate.
BD player Aparelho eletrônico usado para tocar discos do tipo "*blu-ray*" (*Blu-ray disc* – BD), reproduzindo as imagens e sons que neles foram gravados.
bê-á-bá de uma profissão *V.* "á-bê-cê da profissão".
beau geste *Fr.* Belo gesto. Diz-se de ato altruístico, generoso ou solidário, que alguém praticou.
bêbado como um gambá Demasiadamente bêbedo. *Var.* "bêbado (ou bêbedo) como um cacho" e "bêbado de cair".
bebê chorão Pessoa que chora por qualquer motivo.
bebê de proveta O que resulta da gravidez decorrente da colheita de óvulo da mãe e fecundação *in vitro*, com sêmen paterno, sendo o ovo resultante introduzido posteriormente, em época adequada, no útero materno.
bebedor de sangue Indivíduo cruel, mau, sanguinário.
bebedor social Pessoa que ingere bebidas alcoólicas, eventual e moderadamente, *ger.* em reuniões sociais, e que não é um viciado.
beber à saúde de Fazer, no ato de beber, votos pela saúde de alguém; brindar.
beber água de bruços Copular (o homem). *Var.* "amolar o canivete".
beber água de chocalho *N./N.E.* Falar demais; ser tagarela. *V.* "Falar pelos cotovelos".
beber água nas orelhas dos outros Andar aos cochichos e intrigas.
beber as lágrimas de (alguém) Consolar (alguém).
beber azeite Ser muito esperto, vivo, sagaz.
beber como um gambá Ingerir muita bebida alcoólica; ser beberrão. *Var.* "beber como uma esponja".

beber leite de galinha Estar despreocupado.
beber pelo mesmo copo Ter intimidade ou confiança.
beber um gole Tomar um trago, uma pequena dose.
bebida generosa Aquela de dosagem alcoólica mais elevada e de longa formação e duração, e que, com o correr do tempo, vão se apurando suas qualidades de sabor e densidade.
beco sem saída Impasse; enfrentamento de algo difícil ou intransponível; falta de alternativa.
beijar a lona Ser nocauteado (no boxe), ou seja, cair na lona do ringue, atingido por golpe forte do adversário. *Var.* "beijar o chão".
beijar a terra *1.* Ir (cair) com a cara ao chão. *Var.* "beijar o chão". *2.* Beijar a terra diante de (...) é sinal de humilhar-se em relação a quem se posta diante do praticante desse ato.
beijar o chão Ir (cair) com a cara ao chão.
beijo da morte A aproximação da hora fatal; a morte.

Alusão ao gesto de Judas, que, com um beijo, entregou Jesus aos seus inimigos, para ser julgado e condenado à morte de cruz.

beijo da paz O que os primeiros cristãos se davam (ou dão, em algumas comunidades), em sinal de união fraterna. *Var.* "ósculo da paz".
beijo de desentupir pia Beijo na boca, forte e prolongado.
beijo de Judas Traição; afeto de traidor. O *m.q.* "beijo de morte" (*V.*).

Os trechos dos Evangelhos sobre a traição de Judas estão em: Mc 14, 43-44, Mt 26, 47-50 e Lc 22,47-48.

beijo de língua Aquele em que as línguas se tocam.
beijo de moça Variedade de doce de ovos, apresentado em pedaços envolvidos em papel.
beijo de morte Ação aparentemente boa, mas que se revela maléfica, nefasta. *V.* "beijo de Judas".
beijo de um anjo Termo referente a uma morte súbita, indolor, tranquila, originário da tradição judaica, alusão à descrição bíblica da morte de Moisés, ocasionada pelo beijo de um anjo.

Em hebraico, neshikat saraf.

bel canto It. Expressão italiana que significa "a arte de cantar".
bela dupla Referimo-nos a "bela dupla" se queremos elogiar um conjunto de duas coisas, animais ou pessoas devido à sua harmonia, sua formosura e às demais qualidades que aparentam ter em comum.
bela tacada *1.* Diz-se de uma iniciativa bem imaginada e executada com bom êxito. *2.* No jogo de bilhar ou sinuca, tacada de sucesso.
beliscão de frade Beliscão aplicado com os nós dos dedos indicador e médio dobrados.
belle époque Fr. 1. A época relativa aos primeiros anos do séc. XX, considerados como de uma vida agradável e fácil. *2.* Diz-se dos costumes, das tendências, dos objetos etc., característicos dessa época.
belo como o dia Muito formoso.
belo sexo As mulheres.
bem achado *V.* "*bene trovato*".
♦ **bem-acordado** *1.* Bem contratado, *i.e.*, com todas as exigências legais. *2.* Já estar perfeitamente consciente, após o sono.
♦ **bem-afeiçoado** Diz-se de pessoa cuja feição, fisionomia, é bela.
♦ **bem-afigurado** Com possibilidades de ser bem-sucedido; propício; favorável; auspicioso. *V.* "mal afigurado".
♦ **bem-arrumado** *1.* Organizado. *2.* Bem-vestido.
bem assim Inclusive; e também.
bem bolado Bem imaginado; espirituoso; criativo.
bem cedo *1.* Muito cedo; de manhãzinha. *2.* Breve.
bem como Assim como; do mesmo modo que.
bem comum Conjunto de condições sociais que possibilitam a felicidade coletiva.
bem de raiz Os imóveis, de modo geral. *Var.* "bens de raiz".
♦ **bem-dotado** *1.* Bem aquinhoado em qualidades físicas, inteligência, habilidades etc. *2.* Bem aquinhoado (homem), especificamente no que se refere ao tamanho do pênis.
bem entendido Sem dúvida; isto é.
bem feito de corpo Pessoa cujo físico é bem proporcionado.
Bem feito! *1.* Exclamação interjetiva irônica que se diz quando sucede mal a alguém por sua própria culpa, geralmente como consequência de ação maldosa, desonesta ou irresponsável. *2.* Bem realizado (Nesta acepção não é interjeição).

O antônimo é malfeito e não mal feito.

bem haja Que tudo corra da melhor maneira.

Bico calado!

♦ **bem-informado** A par dos acontecimentos; sabedor de algo que poucos sabem.
bem lembrado Comentário sobre algo do interesse de alguém, mas que o esquecera e lhe é lembrado.
bem longe Bastante ou muito longe.
♦ **bem-mandado** Obediente, serviçal, de boa vontade.
♦ **bem-merecer** Ter reconhecidos seus bons serviços ou comportamento.
bem no meio *1.* Exatamente no meio de algo. *2.* Acertar no alvo (na mosca).
bem perto Muito perto; muito próximo.
♦ **bem-posto** Elegante; com boa apresentação.
bem proporcionado Algo que se apresenta nas devidas proporções, adequadamente; equilibrado, harmônico.
bem que Ainda que; posto que.
bem que eu gostaria de Maneira de evocar o desejo de fazer algo.
♦ **bem-talhado** *1.* De boas formas; esbelto; elegante. *2.* Diz-se, também, da roupa bem-feita; que cai bem no corpo da pessoa. (Neste caso, a expressão é: "bem-talhada").
bendito dos penitentes *BA Folc.* Romaria apenas de homens que, na sexta-feira santa, saem em procissão.

Nesta celebração, os penitentes partem do cemitério seja de dorso nu, seja enrolados em lençóis brancos. Durante a procissão até a matriz, em que um dos homens carrega a cruz, a penitência é estimulada enquanto se recitam benditos e admoestações contra o pecado.

Bendito seja Deus! Expressão interjetiva de louvor a Deus; expressão de admiração.
bene trovato Expressão italiana que, literalmente, significa "bem achado" ou "ideia feliz, original."
benefício da dúvida Conceito jurídico de que, até que seja provada a culpa, considera-se inocente uma pessoa acusada de algum delito.
benfeitoria voluptuária Obras dispensáveis que visam tão somente a satisfazer gostos, requintes e prazeres.
bens de capital Bens próprios para a produção de outros (máquinas, equipamentos, galpões, ferramentas etc.).
bens de consumo Os que, duráveis ou não, atendem à demanda dos consumidores.
bens de produção O *m.q.* "bens de capital".
bens de raiz Os imóveis de qualquer natureza.

bens duráveis Os que não são imediatamente consumidos.
bens imóveis Os que não podem ser removidos de um lugar para outro de maneira integral, incólume.
bens públicos Os que pertencem à União, aos estados ou aos municípios.
Benza Deus! Invocação da proteção de Deus ante uma situação adversa, inesperada.
beque central O *m.q.* "zagueiro central".
beque de área O *m.q.* "zagueiro de área".
besta de carga Cavalgadura usada como meio de transporte de carga pesada.

A besta (mu/mula) é um animal híbrido, estéril, resultante do cruzamento de cavalo com jumenta ou égua com jumento.

besta do Apocalipse Animal fantástico, com sete cabeças e dez chifres, tratado no Apocalipse de São João Evangelista, capítulo 13.
besta quadrada Diz-se, superlativamente, de pessoa completamente ignorante, rude, grosseira, imbecil.
besteira das grossas Ação demasiadamente tola ou estúpida; asneirada.
bezerro de ouro O dinheiro.

Metáfora derivada do episódio do bezerro de ouro que os hebreus, na sua saída do Egito em busca da Terra Prometida, obrigaram Aarão a fazer, enquanto Moisés demorava-se no Sinai e recebia de Deus as Tábuas da Lei, e que eles adoraram. V. Ex 32.

bezerro desmamado Diz-se de pessoa (*esp.* crianças) que chora por qualquer coisa. *V.* "manteiga derretida". *V.* "chorar como bezerro desmamado".
biblioteca viva Diz-se de pessoa de grande erudição.
bicha-louca *Pop.* Homossexual que exibe maneirismos femininos.
bicho de matar com pedra Coisa, animal ou pessoa muito feia, horrorosa.
bicho de sete cabeças Tarefa, situação, problema difícil; diz-se que algo (tarefa, compromisso etc.) não é um bicho de sete cabeças quando se quer acentuar que a dificuldade na sua condução ou solução não é tão grande quanto se imagina.
bicho do mato Indivíduo arredio, solitário, esquisitão. *Var.* "bicho de buraco", "bicho de concha", "bicho de toca".
Bico calado! Comando para não contar o que se ouviu.

55

bico de jaca Tipo de lapidação de cristal em forma de pequenas pirâmides salientes cujo conjunto lembra a casca da jaca (fruto da jaqueira).

bico de papagaio *1. Med.* Formação óssea malformada em torno dos discos da coluna vertebral, resultando em dores e fenômenos reflexos. *2.* Nariz adunco (curvo em forma de garra ou gancho).

> *Cf. "bico-de-papagaio", planta ornamental de flores de coloração vermelha, alaranjada ou amarela.*

bico de pato *1.* Peça de arado (instrumento para lavrar a terra). *2.* Instrumento para exames ginecológicos. *3.* Variedade de remate de bainha em costuras.

bico de pena Obra artística (desenho) realizada com a técnica que utiliza pena de bico fino.

bico do seio Mamilo.

bico doce *1.* Manha. *2.* Arte de seduzir. *3.* Diz-se de pessoa de fala macia, envolvente. *Var.* "bom de bico".

bife a cavalo Bife com ovos fritos.

bife à milanesa Bife passado em ovo e farinha de rosca e depois frito.

bife de cabeça chata Sardinhas.

bife de chapa Bife feito em chapa quente com muito pouca ou nenhuma gordura.

bife enrolado Bife cozido enrolado em recheios variados, *ger.* servido com um palito que o mantevе enrolado enquanto em cozimento. *Var.* "bife rolê".

big brother *Ing. Lit.* Grande irmão. Referência a uma pessoa, grupo de pessoas ou a um sistema dos quais se tem a impressão de que estão constantemente espiando e controlando as ações de outro(s).

> *Esta expressão foi criada pelo escritor norte-americano Eric Blair (1903-1950), mais conhecido por seu pseudônimo, George Orwell, em sua famosa e brilhante obra de ficção futurista 1984. Na sociedade totalitária retratada por Orwell, o "Grande Irmão" seria o grande líder de um país do futuro, a Oceania. Na prática, era um grande ditador, que por todos deveria ser reverenciado. Apesar de nunca aparecer em público, sua imagem estava espalhada por toda parte em cartazes, outdoors e também aparecia recorrentemente na famosa "teletela", uma espécie de vídeo que havia na casa de todos os cidadãos. No decorrer da enfadonha programação exibida na teletela, todos eram constantemente lembrados que "The big brother is watching you", ou "O Grande Irmão está lhe observando", já que o dispositivo tinha também a capacidade de enviar imagens das residências para o governo. Essa intimidação vigilante servia para desencorajar qualquer intenção do indivíduo de se voltar contra o statu quo da sociedade.*

bigode de arame Bigode retorcido, finalizado em ponta. Diz-se *tb.* de quem o ostenta.

bigode de gato *Inf.* Fio pequeno e pontiagudo, usado para fazer contato sobre um determinado ponto da superfície dum semicondutor.

bigue bangue Aportuguesamento da *loc.* inglesa "*big bang*" (grande explosão), *us.* para descrever a grande explosão da qual teria resultado a criação do universo.

bilhar francês Bilhar comum de três bolas, em que o jogador faz ponto quando consegue carambolar uma delas nas outras duas.

bilhar inglês Sinuca. Tipo de bilhar que usa oito bolas e uma outra (jogadeira) com a qual o jogador tenta carambolar uma das outras e fazê-la cair numa das seis caçapas da mesa, ganhando pontos conforme o valor que se atribui a cada bola encaçapada.

bilhete azul Dispensa do emprego.

bilhete branco Bilhete que não foi premiado.

bilhete corrido Pessoa casada.

bilhete de loteria Impresso de segurança, dividido em frações, cada uma delas contendo um número, regulamento do sorteio, data da extração, que dá direito ao seu portador ao prêmio que por sorte lhe couber na forma regulamentada.

bitola estreita Distância de 1 m (ou menos) entre os trilhos paralelos de uma linha férrea. O *m.q.* "bitola métrica".

bitola larga Distância superior a 1 m entre os trilhos paralelos de uma ferrovia.

> *É mais comum a bitola de 1,435 m, como nos Estados Unidos e na Europa. A de 1,60 m, existe no Brasil e em poucos países mais.*

bitola métrica A bitola estreita de 1 m. *Var.* "bitola estreita".

black tie *Smoking* (*Ing.*), traje masculino formal com paletó preto, lapelas de cetim, gravada borboleta preta em camisa branca.

> *Em inglês, a palavra* smoking *não existe com a acepção que lhe damos no Brasil; o termo correspondente é "tuxedo".*

blue chip *Ing.* Ação de firma confiável, de rentabilidade segura, *ger.* negociada em bolsa.

Ação = Parcela de valor variável do capital de uma sociedade anônima. Título correspondente a essa parcela.

blue jeans *Ing.* Calça de tecido de algodão (brim, ganga) azul-índigo, de uso geral.
blu-ray disc (BD) Mídia em forma de disco ótico, de alta capacidade, destinado a comportar imagens e sons em alta resolução, além de arquivos digitais de dados em geral. Pode ser lida em computadores ou em um *blu-ray player* (V.).
blu-ray player Aparelho eletrônico capaz de ler e reproduzir mídias digitais, *esp.* discos óticos do tipo *blu-ray*, além de CD´s, DVD´s e memórias *flash* (*pen drives*).
boa alma Assim costumamos fazer referência a pessoa de boa formação, solidária, afável, caridosa, enfim, de boas qualidades morais.
boa bisca Expressão irônica e pejorativa, significando indivíduo sem valor, sem (de mau) caráter; patife, tratante.
boa boca Pessoa de bom apetite e que come de tudo.
boa bola *1.* Piada espirituosa. *2. Fut.* Em esporte com bola, aquela que chega ao jogador bem ao jeito de controlá-la e de realizar boa jogada.
boa cabeça A de quem tem boa memória.
boa causa Objetivo meritório; boa ação.
boa cepa Boa qualidade, boa origem.
boa changa *RS* Negócio bom, vantajoso.
Boa coisa não é. Expressão irônica e céptica que se usa quando alguém, ao lhe ser relatado algo realizado por outrem, manifesta sua desconfiança quanto à eficácia ou justeza de tal realização porque bem conhece seu autor e sabe do que ele é capaz.
boa espada Pessoa exímia na esgrima de espada.
boa estampa Bela aparência física, ou quem a tem.
boa estrela Boa sorte; diz-se de pessoa a quem as boas coisas, o sucesso, acodem com frequência que ela tem boa estrela.
♦ **boa-fé** *V.* "de boa-fé".
boa forma Bom condicionamento físico, ou atlético; boa disposição, higidez etc.

Higidez = Boa saúde.

boa gente Pessoa(s) boa(s), bondosa(s), honesta(s), simpática(s), confiável(eis), cortês(es).
boa hora Momento favorável, oportuno, próprio. *V.* "em boa hora".
boa leitura Leitura de publicações sérias, instrutivas, bem escritas.
boa mesa Diz-se de serviço de alimentação farto e de ótima qualidade.
Boa noite! Saudação para a noite. Também é comum ouvir-se: "Boas noites".
♦ **Boa-Nova** *1. Rel. Crist.* O Evangelho de Cristo. O anúncio da salvação. Também se diz: "Boa-Nova de Deus". *2.* Notícia alvissareira.
boa para cortar manteiga Diz-se de faca sem fio, cega.
Boa pedida! É como a pessoa manifesta seu agrado por algo que outra pessoa proporciona, pediu ou trouxe.
boa pergunta É aquela que, além de considerada oportuna, enseja ao interlocutor explanar sua ideia com outros pormenores.
♦ **boa-pinta** Pessoa que se apresenta atraente, inspirando confiança. *V.* "má pinta".
boa política Maneira boa, prudente, sensata de agir, concluir ou conduzir uma questão.
boa prosa Conversa interessante, agradável, cativante; diz-se que tem boa prosa quem tem uma conversa assim. O *m.q.* "bom papo".
Boa sorte! Expressão de encorajamento ou votos de bom êxito que se faz à pessoa que vai participar de uma competição, participar de ou pleitear algo.
Boa Terra A Bahia, em especial a cidade de Salvador, sua capital.
♦ **boa-vida** Indivíduo que desfruta uma vida tranquila, sem preocupações e, às vezes, até mesmo sem a necessidade de trabalhar.
boa vontade Disposição favorável.

Segundo Kant (Immanuel Kant – 1724-1804 –, filósofo alemão), trata-se do "imperativo categórico", que é a intenção do ser humano de comportar-se pela pura noção de dever preceituado pela lei moral universal.

Boas entradas Saudação que se dirige a alguém nas vésperas do ano-novo.
boas falas Boas notícias.
boas graças Simpatia; acolhimento.
boas maneiras Comportamento de acordo com as normas da boa educação; bons modos.
♦ **boas-novas** Notícias recentes e boas. *Cf.* "Boa-Nova".
♦ **boas-vindas** *V.* "dar as boas-vindas".

bobo alegre Indivíduo tolo, que permite que dele zombem, pessoa simplória, porém alegre e divertida.
bobo da corte Indivíduo que costuma fazer papel ridículo, intencionalmente ou não, por isso vítima de chacotas.

> *Bobo da corte, ou bufão, é como era chamado um serviçal de monarquias, sobretudo medievais, encarregado de entreter os reis e rainhas e fazê-los rir. Eram as únicas pessoas que podiam criticar o rei sem correr riscos.*

bobo de ver Ficar bobo de ver é maravilhar-se com algo que vê ou de que se toma conhecimento.
boca aberta Estar ou ficar de boca aberta é demonstrar admiração, surpresa, espanto, perplexidade etc.
Boca calada! Frase usada para impor silêncio.
boca da noite O começo da noite; o anoitecer.
boca de anjo A de quem só diz coisas boas e agradáveis.
boca de fogo *1.* Peça de artilharia como o canhão, o obus, o morteiro etc. *2.* Conquistador de mulheres; namorador.
boca de cena Num teatro, a parte (espaço) do palco (quando existe) que está defronte da cortina fechada.
boca de chupar ovo Boca pequena.
boca de espera Ficar na boca de espera é ficar no aguardo.
boca de forno Brinquedo de crianças: em um deles, o "mestre"distribui tarefas que cada um dos participantes terá de cumprir, senão recebem "bolos".

> *O "bolo" é uma palmada na mão, às vezes utilizando instrumentos como réguas ou palmatórias, ger. com efeito punitivo. Em jogos de crianças, o bolo é mais simbólico e as palmadas, suaves, são aplicadas no perdedor.*

boca de fumo Local onde se vende e/ou se consome maconha, ou outras drogas.
boca de lobo *1.* Aberturas, *ger.* tapadas com grade, existentes junto ao meio-fio das calçadas, por onde escoam as águas pluviais. *2.* Local perigoso de frequentar. *3.* Sistema estrutural de segurança para cofres.
boca de moela Boca desdentada.
boca de ouro Aquela de quem tem os dentes frontais revestidos de ouro. *V.* "boca rica".

boca de sapo Diz-se de pessoas cuja boca é muito larga.
boca de sino Abertura em forma de sino; manga ou calça com tal formato.
Boca de siri! Apelo para que se guarde segredo.
boca de urna *1.* Área nas proximidades do local de votação. *2.* Propaganda eleitoral realizada próximo aos locais de votação. *3.* Pesquisa de intenção de votos apurada em locais próximos às urnas.
boca do estômago Parte externa do corpo, na região superior acima do estômago, correspondente à cárdia.

> *Cárdia = Orifício que permite a passagem do conteúdo esofagiano para o estômago.*

boca do lobo *V.* "cair na boca do lobo".
boca do sertão Últimas cidades ou núcleos habitados antes de uma área pouco povoada, despovoada ou virgem.
boca livre Diz-se de festa onde se é admitido sem convite, usufruindo gratuitamente tudo o que nela se oferece.
boca rica *1.* Oportunidade de ganhos fáceis ou obtenção de proveito sem esforço. *2.* Pessoa que tem muitos dentes revestidos de ouro. O *m.q.* "boca de ouro".
boca suja Diz-se da pessoa useira em falar palavras de baixo calão, chulas.
bocado de tempo Razoável intervalo de tempo; nem muito nem pouco tempo que já passou ou durou.
bodas de ouro Celebração do 50º aniversário de casamento.

> *É costume denominarem-se as "bodas", com pequenas variações, como segue: 5 anos de casamento: Madeira; 10 anos: Estanho;15 anos: Cristal; 20 anos: Porcelana; 25 anos: Prata; 30 anos: Pérola; 35 anos: Coral; 40 anos: Esmeralda; 45 anos: Rubi; 50 anos: Ouro; 60 ou 75 anos: Brilhante (ou Diamante).*

bode expiatório Pessoa sobre quem se faz recair a culpa de outro(s) ou a quem se imputam todos os reveses e desgraças.

> *Em Lev. 16, as recomendações das Escrituras para a expiação das faltas fazem referência ao "bode expiatório", que era separado do rebanho no Iom Kipur e abandonado para que perecesse, expiando com seu sacrifício as faltas e os pecados do povo judeu.*

bofetada com luvas de pelica Revide com fina ironia.
bofetada sem mão Insulto de palavras; alusão ofensiva.
boi carreiro O que se presta à tração.
boi de carro Boi carreiro, aquele utilizado na tração.
boi de sela É o que serve de montaria.
boi de corte Boi destinado ao abate.
boi de corte Rês destinada ao matadouro. *Var.* "Gado de corte".
boi de(da) guia Cada um dos bois de tiro (tração) que compõem a primeira junta (a da frente) do carro; boi da ponta.
boi de piranha *1.* Boi que o vaqueiro faz atravessar o rio, como isca, para verificar se há piranhas. *2. Fig.* Pessoa que se submete ou é submetida por um grupo, instituição etc. como cobaia, como quem experimenta algo novo para ver se dá resultado, e portanto será a vítima do insucesso, se houver.
boi de presépio Expressão atribuída a quem se limita a concordar e a apoiar as ações de outros, jamais se manifestando com ideias próprias.
boi em pé Boi de corte, ainda no pasto (não abatido).
boi frouxo Aquele que não mais serve para a reprodução.
boi manso, aperreado, arremete Alusão, ou advertência de que a paciência tem limites.
boi na linha *1.* Dificuldade inesperada; obstáculo, empecilho repentino. *2.* Algo que atrapalha os planos de alguém.
boiar no assunto Não entender daquilo do que se está tratando.
bola branca *1.* Numa urna ou sacola se colocam bolas de várias cores e uma só branca. Quem a tirar é o sorteado ou indicará a decisão final sobre tema considerado. *2.* Aprovação; sinal de sucesso, sorte.
bola da vez *1.* Na sinuca, a bola que deve ser tocada, *i.e.*, a de menor valor que ainda esteja em jogo. *2.* Também se diz de alguém ou alguma coisa prestes a ser pivô de um acontecimento.
bola de cristal Bola de vidro ou cristal usada por adivinhos que através dela dizem poder "ver" o futuro do consulente.
bola de neve Diz-se de problemas que se prolongam e sucessivamente vão se agravando, criando enquanto isso mais problemas, que vão se avolumando.
bola de sabão Bola formada pelo sopro em um canudo que houvera sido imergido em água saturada de sabão ou outro líquido equivalente.

bola fora Insucesso numa ação, *esp.* num jogo de futebol.
bola murcha *Fig. 1.* Situação ou estado de desânimo, apatia, pouca energia: *Ele está com a bola murcha.* *2.* Pessoa sem ânimo, pusilânime.
bola na rede *Fut.* Gol.
bola pra frente Expressão que se usa quando se quer dar um assunto por encerrado e concitar todos a prosseguir, com ânimo, na execução ou discussão das demais tarefas e/ou assuntos.
bola preta *1.* Em determinados sorteios, tirar a bola preta pode significar penalidade. *2.* No jogo de sinuca, "estar pela bola preta" equivale a dizer que basta encaçapá-la para ganhar o jogo; nesse caso, há outra locução equivalente: "estar pela boa".
bola rolando *1.* Jogo em andamento e, por extensão, processo, projeto etc. em desenvolvimento. *2.* A expressão "quero ver a bola rolando", demonstra o desejo de se ver logo o começo de algo, em cuja expectativa a pessoa se encontra.
bola venenosa *Fut.* Bola lançada com efeito e que engana o adversário ao interceptá-la.
bolar as trocas Trocar as bolas; inverter as coisas, o raciocínio etc.
bolear a perna Apear do cavalo; desmontar.
bolo de gente Aglomeração humana.
bolo de rolo *PE* Tipo de rocambole com envoltório extremamente delgado, recheado *ger.* de goiabada, muito apreciado em todo o *N.E.* do Brasil.
bolsa de estudos Subsídio que se concede a estudantes, professores, pesquisadores, financiando os estudos e o aperfeiçoamento deles, concedida por entidades públicas ou privadas.
bolsa de mercadorias Instituição onde se negociam mercadorias, *esp.* "*commodties*".

As commodities *(Ing.) são quaisquer produtos primários cujo comércio internacional seja volumoso (minério de ferro, soja, trigo, café, algodão, energia etc.).*

bolsa de valores Instituição pública ou privada operadora de fundos públicos, ações e outros títulos de crédito, regulando as negociações e cuidando de sua integridade.
bom alvitre Bom conselho ou sugestão; boa lembrança ou proposta.
bom apetite *1.* De pessoa que se alimenta bem ou que come com disposição diz-se que "tem bom apetite". *2.* Forma de desejar uma boa refeição a alguém.

bom caminho Boa conduta; vida honesta; comportamento louvável, correto.
bom como água Muito bom; excelente. *Var.* "bom como pão".
♦ **bom-copo** Bom bebedor (assim entendido aquele que bebe muita bebida alcoólica, mas que não se embriaga ou que não o demonstra); dado à bebida. *Var.* "bom de copo".
bom da bola Pessoa que tem juízo, mentalmente equilibrada.
bom de *1*. Apto ou ideal para. *2*. Exímio em. *Var.* "bom em".
bom de bico *1*. Diz-se de quem é astucioso na argumentação. *2*. Falastrão. *3*. Aquele que promete mas não cumpre. *4*. Pessoa que conta vantagens, que se vangloria. *5*. Aquele que se faz passar por bom; falso. *V.* "bico doce".
bom de boca Animal bem domado, dócil ao comando, especialmente o cavalo.
bom de bola *1*. Esportista exímio, *esp.* o praticante de futebol. *2*. *P.ext.*, pessoa que é competente em seu ofício.
bom de cascos Em forma; em bom estado físico.
bom demais Muito bom.
bom demais para durar Expressão usada para lamentar algo bom do qual não mais se desfruta. Às vezes é expressão de pessimismo.
bom demais para ser verdade Qualificação de algo que não acreditávamos pudesse vir a acontecer, mas que parece se concretizar.
Bom dia Palavras com as quais as pessoas se saúdam ao se encontrarem, pela manhã. *Var.* "Bons dias".

> Note-se que bom-dia (com hífen) refere-se ao cumprimento, e não às palavras que o compõem: "Você já deu bom-dia a seu tio?"

bom garfo Pessoa que come muito; de bom apetite.
bom gosto Gosto refinado, apurado, no trajar, nas escolhas, na apreciação da arte, na disposição da casa etc.
bom ouvido É o daquela pessoa cuja acuidade auditiva é ótima, sobretudo para bem distinguir cada tom de uma escala cromática e reproduzi-lo afinadamente, seja através de um instrumento musical ou da própria voz.
bom papo Diz-se de pessoa com quem se gosta de conversar e que sabe sustentar uma prosa interessante; pessoa de conversa agradável, cativante.

bom para cortar manteiga Diz-se de instrumento de corte sem fio, cego, não afiado.
bom partido Pessoa considerada em condições ideais para se casar: pela saúde, riqueza, formosura, qualidades morais, caráter etc.
bom perdedor Alguém que se comporta bem, calmamente e com desportividade diante de um insucesso.
Bom proveito! Locução que se usa para desejar a alguém que vai usufruir um bem, uma viagem, qualquer outra coisa proveitosa e agradável, para que delas faça bom uso e para que seja para o seu bem e alegria.
bom que dói Ótimo; muito bom.
bom samaritano *V.* "o bom samaritano".
bom sinal Indicação positiva, favorável, aceitável, adequada, da existência ou ocorrência de algo.
bom te ver Forma de cumprimento, com manifestação de consideração. Na expressão está subentendido o verbo: "Foi..." ou "É...".
bom, bonito e barato Diz-se de algo que preenche todas as expectativas, ou necessidades, ou opções etc. *V.* "*Nec (Non) plus ultra*".
bomba inteligente Bomba ou obus dotado de dispositivo eletrônico capaz de localizar o alvo e se direcionar até ele.
♦ **bom-senso** *1*. A razão colocada a julgar e a raciocinar no caminho da vida; discernimento; equilíbrio. *2*. Capacidade de solucionar cada caso segundo o senso comum. *Cf.* "senso comum".

Embora o Vocabulário Ortográfico da Língua Portuguesa só registre 'bom-senso', pode-se admitir que as palavras 'bom' e 'senso' mantêm seus significados próprios, ou seja, pode-se dizer também 'bom senso'.

♦ **bom-sucesso** *1*. Sucesso; êxito; vitória. *2*. Parto feliz.
bon gré mal gré O m.q. "*nolens, volens*".
bon vivant *Fr.* Indivíduo de disposição alegre, que sabe gozar a vida.
boneca de milho Espiga de milho ainda com os estames ligados aos grãos ainda verdes.
bons antecedentes Documento fornecido pelo registro criminal, assegurando que o requerente não teve ou tem processos criminais que lhe pesem.
bons costumes Boas maneiras; educação. Em *lat.*, "*boni mores*".
bons tempos Os tempos antigos, de boas recordações.
Bons ventos o levem Votos de êxito ou de feliz viagem.

Bons ventos o tragam Votos de boas-vindas.
borda do campo De um modo geral, é como se denomina o limite de um campo .

Campo é um terreno plano, extenso, com poucas árvores, com gramíneas e/ou vegetação rala ou arbustiva.

bordado de Penélope V. "teia de Penélope".
bordoada de cego Pancada, golpes desferidos a torto e a direito, sem ver em quem.
borrar as calças *1.* Não conseguir conter a defecação a tempo de baixar ou tirar as calças. *2. Fig.* Manifestar medo intenso, pavor, terror que, por vezes, pode ocasionar a defecação. *Var.* "fazer nas calças" e "borrar-se de medo".
borrar de manteiga Passar muita manteiga em (*ger.* pão).
♦ **bossa-nova** *1.* Movimento na música popular brasileira criado nos anos 1950/60 caracterizado pela renovação rítmica, melódica e harmônica e por uma forma de samba suave e pausada, com valorização das letras. *2.* Maneira nova de fazer algo.
bota de sete léguas "Usar bota de sete léguas" significa andar rapidamente, a pé.

No conto infantil "Gato de botas", de Charles Perrault, quem a usava era capaz de vencer sete léguas a cada passada.

botar *V.* também expressões com os verbos "pôr" e "colocar".

De modo geral, as locuções com 'botar' têm também uma versão com 'pôr'.

botar a alma no inferno Cometer pecado mortal.
botar a alma pela boca Estar ou ficar ofegante.
botar a boca no mundo *1.* Dar gritos, berrar com estardalhaço, chorando, advertindo etc. *2.* Reclamar em altos brados, protestar. *3.* Revelar segredos, contar tudo o que sabe; abrir-se. *Var.* "botar a boca no trombone" e "pôr a boca no mundo".
botar a bola pra rolar Dar início a um empreendimento.
botar a casa abaixo Manifestar-se ruidosa e intempestivamente; fazer um escarcéu.
botar a colher Intrometer-se. O *m.q.* "meter a colher".
botar a mão na consciência Pensar, meditar a fim de reconhecer se está ou não em falta ou erro.

botar a mão no fogo Confirmar e garantir aquilo que se afirma, ou a idoneidade, honestidade de alguém ou de algo.
botar a mesa Prepará-la para as refeições.
botar a perder *1.* Causar o fracasso de (alguém ou de algum empreendimento). *2.* Desperdiçar.
botar areia em Prejudicar, atrapalhar, boicotar, criar empecilhos a.
botar as cartas na mesa Revelar o que tinha guardado como segredo ou estratégia.
botar as mangas de fora Expandir-se; mostrar-se como realmente é; revelar-se. *Var.* "botar as manguinhas de fora" e "botar as unhas de fora".
botar as mãos na cabeça Exprimir, com esse gesto, contrariedade ou desespero.
botar azeitona na empada de alguém *1.* Criar ou revelar dificuldade em projetos de outrem; atrapalhar os planos de alguém. *2.* Ajudar alguém sem vantagens para si e até mesmo com desvantagens; favorecer. *Var.* "pôr azeitona na empada de alguém".
botar banca Fazer-se de importante; vangloriar-se de uma qualidade, posição ou situação.
botar boné *N.E./N.* Ser infiel; cornear.
botar chifres em Ser infiel a (*ger.* cônjuge), tendo relações sexuais com outrem. Também "pôr chifres em".
botar cinza nos olhos de Enganar, iludir alguém. *Var.* "deitar cinza nos olhos de".
botar (colocar) no mesmo saco Dispensar o mesmo tratamento; atribuir o mesmo valor ou importância; não diferençar.
botar corpo Adquirir formas adultas; desenvolver-se fisicamente. O *m.q.* "criar corpo".
botar em (num) jequi Deixar em situação difícil, pôr em apuros, num beco sem saída.

Jequi = 1. Cesto afunilado, us. como armadilha para peixes. 2. Lugar muito apertado ou algo muito justo.

botar feijão no fogo Dar ordens de preparar ou providenciar comida para mais comensais. *Var.* "acender feijão no fogo".
botar fogo na canjica *1.* Animar-se. *2.* Precipitar um acontecimento. *Var.* "tocar fogo na canjica" e "tacar fogo na canjica".
botar fogo na fogueira Acirrar os ânimos. *Var.* "botar lenha na fogueira".
botar fora *1.* Jogar no lixo; livrar-se de. *2.* Esquecer; superar.
botar na cabeça Decidir; convencer-se; aceitar.
botar na cerca Não escalar (um atleta) para uma partida de futebol.

botar na roda *Fut.* Trocar passes sucessivos para obrigar o adversário a correr atrás da bola, a fim de cansá-lo ou para ganhar tempo. Fazer cera.
botar no bolso *1.* Enganar. *2.* Ser superior a (algo ou alguém). *3.* Roubar. *Var.* "pôr no bolso".
botar no chão Derrubar, fazer cair, desfazer, abandonar.
botar no chinelo Levar vantagem, suplantar; ser muito superior a.
botar no mato Jogar ou pôr fora, por imprestável ou por não mais querer determinada coisa.
botar nos chifres da lua Botar nas alturas, elevar; enaltecer. O *m.q.* "pôr nos chifres da lua".
botar o bloco na rua *1.* Agir com franqueza, objetividade. *2.* Tomar providências decisivas. *3.* Tomar a peito; tomar a iniciativa.
botar o boné em *N.E.* Trair; ser infiel a.
botar o dedo na ferida Tocar no ponto fraco, vulnerável; mostrar a fragilidade de algo ou os erros que contém.
botar o olho em Ficar observando ou vigiando (algo ou alguém).
botar o pé na forma *Fut.* Treinar chutes e passes, buscando adquirir precisão.
botar o pé no caminho Iniciar viagem.
botar o pé no mundo *1.* Correr; fugir. *2.* Ir-se embora, empreender longa viagem a muitos lugares.
botar olho grande em *1.* Cobiçar, desejar. *2.* Invejar.
botar os cornos de fora Adquirir ousadia; sair do habitual acanhamento. *Var.* "botar os corninhos de fora".

Alusão ao que faz o caracol quando não é perturbado, ocasião em que exibe seus cornos, tentáculos ou antenas.

botar os queixos em *Sul* Descompor, destratar.
botar para correr Expulsar; afugentar, obrigar a sair ou a fugir.
botar para fora Expulsar; lançar fora; tirar de dentro.
botar para rachar O *m.q.* "botar pra quebrar".
botar pelo ladrão *1.* Ser abundante, pródigo, demasiado; sobrar. *2.* Vomitar. *Var.* "sair pelo ladrão".
botar por terra *V.* "deitar por terra".
botar pra quebrar *1.* Meter-se num empreendimento com coragem e confiança, mesmo correndo riscos. *2.* Agir com energia e alguma violência, brigar, agitar. *V.* "arrebentar a boca do balão".
botar quebranto Lançar mau-olhado.
botar sebo nas canelas Correr; sair logo de um lugar; fugir; acelerar o passo. *Var.* "passar sebo nas canelas".
botar tudo na praça *1.* Dizer tudo que pensa e sabe. *2.* Cometer indiscrições.
botar uma pedra em cima de *1.* Dar fim a um assunto ou questão que vai tomando ares desagradáveis e constrangedores. *2.* Relegar ao esquecimento fato ou circunstância desagradável, uma briga, um fracasso etc. *Var.* "pôr uma pedra em cima de".
botar verde para pegar maduro O *m.q.* "jogar verde para colher maduro".
botões do seio Os mamilos.
braçada de peito Braçada no estilo do nado de peito.
braço a braço Corpo a corpo.
braço de mar Porção de mar entre terras muito próximas.
braço direito Pessoa que se constitui como o principal auxiliar, ajudante, colaborador ou conselheiro de outra. *Var.* "braço forte".
braço é braço Exclamação jactanciosa de vigor físico.
braço forte Auxiliar eficaz, decidido, dedicado. *Var.* "braço direito".
braço secular O poder da justiça civil.
bradar aos céus *1.* Reagir com espanto, horror, repulsa etc. a algo chocante. *2.* Protestar, invocar justiça.
brain drain *Ing.* Êxodo de intelectuais, cientistas, artistas, de um país ou região, em busca de melhores condições de trabalho, de remuneração ou de realização pessoal e/ou profissional.
branco como a neve Branco intenso e puro.
branco como cera Diz-se do aspecto de pessoa que se apresenta muito pálida por doença ou choque, causado por medo ou susto.
branco de medo Com muito medo.
branco do olho A esclera.

Esclera = Anat. Oft. Camada externa e fibrosa do globo ocular que constitui a parte branca do olho. [A palavra substituiu esclerótica na nova terminologia.]
(Aulete)

branco do ovo A clara do ovo.
brasa debaixo de cinza Maldade ou perigo encobertos, dissimulados, enganosos.
break-even point *Ing.* Ponto de equilíbrio; nível de produção/vendas que indica não

ter havido nem lucro nem perdas em um negócio, ou seja, indica *tb.* o nível mínimo de lucro necessário para cobrir todas as despesas arcadas para atingir esse ponto.
briga de cachorro grande Briga entre poderosos.
briga de foice Briga renhida.
briga de foice no escuro Briga renhida, cujo resultado é imprevisível devido ao equilíbrio dos contendores e às suas qualidades.
brilhar pela ausência Expressão irônica que se usa ao referir-se a alguém que se fez notar justamente por não ter comparecido aonde deveria, ou que tem mais brilho quando não está (por na verdade não ser nada brilhante) do que quando está presente.
brincadeira de mau gosto Aquela que causa desgosto ou dano a alguém.
brincando, brincando Com muita facilidade ao realizar tarefas sem maiores esforços, sem propósito firme.
brincar com a morte Fazer algo muito arriscado e perigoso.
brincar com fogo *1.* Lidar com algo perigoso do qual não pressente ou avalia o perigo ou o subestima. *2.* Descuidar-se de coisas perigosas.
brincar com pólvora Arriscar-se; expor-se.
brincar de esconder Brincar de esconde-esconde.

A brincadeira, em geral, desenvolve-se assim; uma ou mais crianças se escondem e uma ou mais outras as procuram.

brincar de gato e rato Se alguma pessoa brinca de gato e rato com outra, a pessoa mais fraca ou menos importante é continuamente assediada e, alternadamente, tratada normalmente. Esta situação a deixa insegura e amedrontada.

O gato, ao apanhar um rato, faz exatamente isso: abocanha-o e solta-o repetidas vezes, antes de devorá-lo.

brincar de médico Tocar e deixar-se tocar nas partes íntimas; bolinar; chinchar.
brincar de pegar Brincadeira de crianças que se resume em destacar uma delas para tentar pegar ou tocar cada uma das outras e estas tudo fazerem para evitar que tal aconteça. *Var.* "Brincar de pique".
brincar de roda Cantar, girar, saltar (as crianças), de mãos dadas, em círculo.
brincar em serviço Comportar-se irresponsavelmente no trabalho ou na ação que pra-

buzinar aos (nos) ouvidos

tica, desperdiçando tempo e oportunidades e prejudicando o andamento do serviço.
brinquedo de criança Coisa fácil de realizar; algo com que não há necessidade de se preocupar. *Var.* "brincadeira de criança".
brotar como cogumelo Aparecer inopinadamente e em abundância.
brotar sob as cinzas *V.* "renascer das cinzas".
bruma seca Névoa seca; turvação da transparência atmosférica, causada pela poeira, fumaça, poluição etc.
bruxo do inferno Satanás.
bucha da perna Barriga da perna; panturrilha.
bucha de canhão Diz-se, pejorativamente, de pessoa muito feia, como na frase: "Não servir nem para bucha de canhão".
bufê frio Aquele no qual só são servidas iguarias frias.
bulir em casa de marimbondo Meter-se em confusão. O *m.q.* "mexer em casa de marimbondo".
bumba meu boi *Folc.* Dança, bailado popular organizado em cortejo com personagens diversos em torno do tema da morte e ressurreição do boi; também se diz: "boi-bumbá, boi-melão, boizinho etc.".
bunda de tanajura Bunda grande, protuberante, destacando-se bastante devido a uma cintura fina.
buraco negro *Cosm.* Formado quando o campo gravitacional é de tal intensidade que a velocidade de escape de um corpo se aproxima da velocidade da luz.

Velocidade da luz no vácuo é de 299.792.458 m/s; ou seja, aproximadamente 300 mil km/segundo.

burro como uma porta Extremamente ignorante.
burro de carga *Fig.* Indivíduo sobre quem os outros se descarregam do trabalho que lhes competia fazer.
burro sem rabo Nome jocoso que se dá a carregador que trabalha com um carrinho que puxa atrás de si.
buscar a vida Procurar ganhar a subsistência.
buscar água no cesto Trabalhar ou ocupar-se em vão. *Var.* "apanhar água com peneira".
buscar fogo Ir ou vir muito apressadamente; demorar-se muito pouco em uma visita.
buzinar aos (nos) ouvidos Incomodar com insistentes pedidos, queixas, reclamações.

C

cá entre nós Expressão que indica confidência; em segredo. *V.* "aqui entre nós".
cabeça a cabeça No turfe, situação na qual dois ou mais animais chegam emparelhados (ou quase) na linha de chegada.
cabeça com cabeça Emparelhado; junto; na mesma linha. *Var.* "cabeça a cabeça".
cabeça coroada Príncipe; membro da realeza.
cabeça de arroz Diz-se de pessoa frívola, fútil, sem importância.
cabeça de bagre *Fut.* No futebol, termo pejorativo para um jogador medíocre.
cabeça de bater sola Cabeça cuja conformação é achatada.
cabeça de boi A rês.
cabeça de casal A pessoa que se responsabiliza pelos negócios do casal e que é provedora dos meios de sustentação da família.
cabeça de chave *Esp.* Em torneios esportivos, o jogador ou equipe à qual se atribui mais chances de se classificar para a etapa seguinte (diante de seu histórico competitivo), encabeçando, por isso, uma das chaves do torneio.
cabeça de coco *1.* Pessoa esquecida, distraída. *2.* Pessoa de cabeça oca, ignorante.
cabeça de melão *V.* "cabeça de vento".
cabeça de negro Espécie de bombinha (fogos de artifício) cuja explosão produz forte estampido.
cabeça de página Cabeçalho (Dizeres que indicam o objeto do artigo que encima).
cabeça de ponte Posição vanguardeira que forças invasoras estabelecem em território adversário para garantir o acesso e o avanço do grosso das tropas.
cabeça de praia Porção de uma praia invadida por forças invasoras beligerantes, mantida sob controle por essas forças e constituída como base para ações militares mais amplas.
cabeça de prata Diz-se de pessoa idosa, em quem já preponderam as cãs.
cabeça de proa Carranca, peça de madeira esculpida em forma de cabeça, com exageros de formas e de feições, que se coloca nas proas dos barcos, *esp.* fluviais. O *m.q.* "carranca de proa".
cabeça de vento Diz-se de pessoa distraída, alheada, desatenta e que pratica ações irresponsáveis ou inadequadas às circunstâncias. *Var.* "cabeça oca" e "cabeça de melão".
cabeça desmiolada Indivíduo extravagante, tresloucado.
♦ **cabeça-dura** É o indivíduo entestado, confrontador e que demora a aceitar ou não aceita definitivamente um conselho, um conceito ou uma ideia que lhe dão; teimoso.
cabeça erguida Atitude altaneira ou soberba, de quem se considera confiante e senhor de si, ou de quem mantém a dignidade em situações difíceis.
cabeça forte Talento, inteligência, engenhosidade.
cabeça fria Calma de espírito; serenidade; tranquilidade; ponderação.
cabeça leve Despreocupação, otimismo; alívio.
cabeça oca Diz-se da pessoa sem juízo; adoidado; doidivanas. *V.* "cabeça de vento".
cabeça quente Nervosia, agitação, envolvimento emocional que prejudicam ou impedem a capacidade de raciocinar razoavelmente.
cabeças vão rolar Expressão que significa anúncio ou previsão de que algumas pessoas vão ser destituídas dos cargos que ocupam na administração pública, numa empresa.
cabecear de sono Cair com (de) sono.
cabelinho nas ventas Tem-nos um indivíduo de gênio atrevido; afoito, brigão.
cabelo bom Cabelo liso.
cabelo de cupim Carapinha.
cabelo de fogo Assim se costuma dizer de pessoa cujos cabelos são ruivos.
cabelo de fuá Cabelo pixaim, muito encrespado e lanoso.

cabelo lambido Cabelo muito liso, escorrido.
cabelo ruim Cabelo muito encarapinhado.
cabide ambulante Pessoa muito magra.
cabide de empregos *1.* Pessoa que acumula vários empregos, *esp.* se os ocupa de forma apenas nominal, recebendo salários sem exercer as funções respectivas ou exercendo-as de forma muitíssimo precária e irregular, sem as obrigações dos que ocupam cargo idêntico. *2.* Órgão ou instituição do serviço público que emprega mais pessoas do que o necessário.
cabo de guerra Jogo em que duas equipes puxam, em direções opostas, uma corda de modo a arrastar uma delas até um determinado ponto previamente marcado.
cabo eleitoral Indivíduo que cabala votos para um candidato em troca de favores ou de dinheiro.
caboclo velho *N.E.* Forma de tratamento empregada em vocativos, sempre com sentido amistoso, íntimo.
cabra da peste *N.E.* Título que se dá tanto em forma de trato carinhoso quanto para identificar a pessoa violenta, assim como ao trabalhador, também ao desordeiro; indivíduo valente, disposto ou digno da admiração por vários motivos e qualidades como bravura, destemor, sabedoria, habilidade etc.; indivíduo valoroso, confiável, bom. *Var.* "cabra bom da peste" e "cabra da moléstia".
cabra-macho *Bras. N.E.* Nome que no Nordeste do Brasil costuma-se atribuir a homem que se afirma corajoso.
caça às bruxas Diz-se que se está na temporada de caça às bruxas quando estamos à procura dos malfeitores que vêm atrapalhando nossa vida ou nossos negócios e interesses; quando se buscam os responsáveis por certos acontecimentos de cunho negativo.
caça grossa Animais de grande porte, objetos de caçada.
caça submarina Esporte que consiste em caçar o peixe no seu próprio elemento (no mar), mediante mergulho do pescador que o fisga com um arpão.
caçador de talentos Profissional que seleciona novos valores para a carreira artística ou, de um modo geral, para o mercado de trabalho.
caçar borboleta *Fut.* Sair o goleiro, erradamente, numa bola alta.
caçar de esbarro Modo de caçar que consiste em progredir (o caçador) por uma trilha, sem ruído, a fim de surpreender a caça.

caçar encrenca Fazer provocações, agir de modo desafiador, provocando não raro desavenças e confusão.
caçar frango O *m.q.* "cercar frango".
caçar o que fazer Arranjar ou tentar arranjar ocupação; deixar de ociosidade.
caçar pulga em juba de leão Praticar ação temerária, arriscada, ignorando ou não o perigo.
caçar sua turma 'Vá caçar sua turma' é convite impositivo que se faz a alguém para sinalizar-lhe que não é bem-vindo, que deixe de importunar etc.
cachaça de cabeceira Aquela que é destilada em primeiro lugar.
cachimbo apagado Pessoa que demonstra cansaço, esgotamento, desânimo; alguém inútil, imprestável, superado, esgotado, incapaz.
cachimbo da paz Entre algumas tribos indígenas norte-americanas, utensílio de uso cerimonial, dotado de longo tubo ligado a pequeno pote com certas ervas, utilizado em cerimoniais conciliatórios. *P.ext.* Metáfora para conversações, tentativas de acordo que conciliem adversários e deem solução pacífica a conflitos. *V.* "fumar o cachimbo da paz".
cacho de nervos Pessoa extremamente nervosa, agitada, irritadiça, impaciente.
cachorro sem dono Indivíduo perdido, abandonado.
caco de gente *1.* Pessoa pequenina ou criança. *2.* Pessoa muito fraca, magra, alquebrada, muito doente.
cacoethes scribendi *Lat.* Traduz-se por "mania de escrever"; compulsivo desejo de escrever.
cada macaco no seu galho *1.* Cada um em seu lugar, em sua ocupação. *2.* Cada qual com o seu destino. *Var.* "cada qual com seu saraquá".

Saraquá = Cavadeira de pau usada na semeadura do milho.

cada passinho A cada passo; a todo momento/instante.
cada qual Cada um.
Cada qual com seu saraquá. cada um em seu devido lugar; cada macaco no seu galho;.
cada um Toda e qualquer pessoa ou coisa; todo ser humano.
cada um dos dois Um e o outro; ambos.
Cada um lá se entende. Cada qual sabe o que deve fazer, não carecendo de orientação ou aconselhamento. *Var.* "cada um que se entenda".

Cada uma

Cada uma! Locução interjetiva empregada com função intensiva ou em formas elípticas para dar ideia de frequência ou repetição de ocorrências, situações ou atos notáveis ou extraordinários, *ger.* para qualidades ou consequências pouco apreciadas. *Ex.: Esse menino faz cada uma...*
Cada uma que parece duas. Observação que se faz sobre fatos que nos parecem inusitados, estranhos, extraordinários.
cada vez *1.* Em toda oportunidade. *2.* Seguido de comparativo, significa aumento ou diminuição gradativa.
cada vez mais Que aumenta com crescente intensidade.
cadastro de pessoa física Documento emitido pela Receita Federal exigido em diversas transações comerciais, jurídicas etc. e cujo número de registro consta de muitos outros documentos de identificação. Conhecido pela sigla CPF.
cadáver ambulante Diz-se de pessoa que, pelo mau estado físico com que se apresenta, parece estar prestes a morrer.
cadeia alimentar *Ecol.* Conjunto de organismos de um ecossistema organizados hierarquicamente segundo suas fontes de alimento.

> *Nos níveis inferiores dessa cadeia estão as plantas e, nos superiores, os animais carnívoros.*

cadeia de lojas Série de lojas de uma mesma empresa, embora em lugares diferentes. *Var.* "rede de lojas".
cadeia nacional Rede de comunicação formada por todas ou grupo de emissoras de rádio e/ou televisão do país.
cadeira cativa Assento em estádio, plateia etc., que a pessoa adquire para tê-la disponível e com exclusividade para assistir aos espetáculos artísticos, esportivos etc.
cadeira curul Cadeira de marfim onde se acomodavam, na Roma antiga, membros da alta magistratura.
cadeira de arruar Cadeira (liteira), usada antigamente para transporte de pessoas pelas ruas da cidade, provida de quatro ou duas hastes de madeira sustentadas por pessoas, *ger.* escravos.
cadeira de balanço Geralmente com braços, e com estrutura de madeira recurvada na base que permite um movimento oscilatório a cada impulso, inclusive da própria pessoa que nela se assenta.
cadeira de braços A que é dotada de apoios laterais para os braços de quem a usa.

cadeira de rodas Cadeira sobre rodas para uso da parte de indivíduos com dificuldade de locomoção.
cadeira de São Pedro O trono, cadeira ou sólio pontifício, de uso do Papa; a sede do governo da Igreja Católica Romana. *Var.* "cadeira pontifícia".
cadeira elétrica Cadeira ligada a uma corrente elétrica, na qual se executam, em algumas unidades federadas dos Estados Unidos da América, os condenados à morte.
cadeira episcopal Trono, com ou sem dossel, existente nas sedes episcopais, destinada ao Bispo ou ao celebrante dos ofícios.
cadeira gestatória Espécie de andor sobre o qual há uma cadeira e que é utilizado para conduzir o Papa nas solenidades pontificais.
café amargo Notícia ou fato ruim ou desagradável; angústia.
café coado *V.* "Não tem café coado".
café com leite *1.* Que tem a cor próxima de bege, característica do tom da mistura do café com leite. *2.* Acordo tácito vigorante tempos atrás na política brasileira, no qual haveria alternância do poder na chefia do governo federal entre os estados de São Paulo (onde mais se produzia o café) e Minas Gerais (mais importante produtor de leite).
café comprido Café mais ralo que o normal.
café da manhã Desjejum; refeição leve que se toma de manhã.
café pequeno *1.* Cafezinho (aquele servido em pequenas xícaras). *2.* Simples, fácil. *3.* De pouca ou nenhuma importância.
café pingado Café com um pouquinho de leite.
café preto Café puro, sem adição de leite.
cafundó do Judas Lugar ermo, distante.
cagada federal *Ch.* Grave erro, equívoco, confusão.
cagado de arara *Ch.* Azarado.
cagar nas calças *Ch.* Ser pusilânime; ter medo. O *m.q.* "morrer de medo".
cagar regras *Ch.* Dar-se ares de sabichão; pedantear.
Cai fora! Comando imperativo para que alguém saia de onde está.
cai não cai Diz-se de algo ou de alguém prestes a cair ou com pouco equilíbrio; em posição precária, à beira do fracasso.
caindo aos pedaços Diz-se assim estar aquilo que é muito velho, ou muito estragado, ou muito debilitado. *V.* "aos pedaços".
caindo de sono Dominado pelo sono a ponto de não mais se aguentar em pé.

cair a cara Sentir-se, de repente, desapontado, envergonhado ou frustrado.
cair a ficha 1. Lembrar-se subitamente de algo. 2. Entender subitamente algo que lhe parecia obscuro ou ininteligível. 3. Perceber, de repente, do que se trata, o que realmente implica uma situação ou fato.
cair a ligação Interromper-se a comunicação telefônica por defeito técnico da rede.
cair a máscara O *m.q.* "tirar a máscara".
cair a sopa no mel Vir a propósito; dar tudo certo.
cair abaixo Vir abaixo.
cair aos pedaços Desfazer-se; desmoronar-se.
cair aos pés de Humilhar-se perante; pedir perdão a.
cair bem 1. Ser bem aceito; agradar; ser adequado ao contexto, ou meio, ou objetivo a que se destina. 2. Soar bem. 3. Diz-se, também, a propósito do talhe de um vestuário quando se quer destacar que ele se adaptou bem ao físico de quem o usa ou vai usá-lo.
cair bem para Combinar bem com; ficar muito bem em. (*Esp.* referindo-se a uma veste ou adorno, em relação à pessoa que os porta.)
cair com os cobres Pagar; arcar com as despesas. *Var.* "espichar os cobres" e "passar os cobres".
cair com sono Ter vontade incontrolável de dormir; cabecear de sono; morrer de sono. *Var.* "cair de sono".
cair como sopa no mel Vir a propósito, adequadamente, tal como se desejava.
cair como um patinho Deixar-se lograr ou iludir ingenuamente. *Var.* "cair como um pato".
cair como uma bomba Vir ou chegar ou acontecer ou ser conhecido de repente (fato, notícia bombástica); surpreender.
cair como uma luva Vir a propósito; no momento e na forma certa; servir perfeitamente. V. "assentar como uma luva".
cair das alturas Espantar-se ou decepcionar-se com acontecimento imprevisto; ter grande surpresa. *Var.* "cair das nuvens".
cair das nuvens 1. Ficar muito surpreso, espantado. 2. Aparecer repentinamente; cair do céu. 3. Decepcionar-se, desiludir-se. *Var.* "cair das alturas".
cair de cama Adoecer.
cair de cansaço Ficar extenuado a ponto de ser obrigado a descansar.
cair de costas Em sentido figurado, a expressão cair de costas significa espantar-se, admirar-se de algo que se vê ou se ouve.
cair de costas e quebrar o nariz Ser tão caipora que até lhe acontecem coisas inacreditáveis.
cair de joelhos (diante de) Assumir atitude de submissão, subserviência ou de ação de graças à divindade.
cair de maduro 1. Não poder mais resistir, sustentar-se, manter-se onde está; não se poder evitar. 2. Desprender-se (o fruto da árvore).
cair de pau Criticar duramente.
cair de pé Perder um posto, um cargo, um jogo, sofrer um revés, mas disso saindo altaneiramente, com a consciência de ter feito o melhor que pôde.
cair de podre Cair por si, devido à precariedade de sua situação; fracassar devido às próprias deficiências.
cair de quatro 1. Cair de joelhos e com as mãos no chão. 2. *Fig.* Espantar-se, surpreender-se. 3. Ficar totalmente apaixonado, entregue a essa paixão.
cair de queixo Comer com toda a vontade, com sofreguidão.
cair de sono Estar dominado pelo sono; não estar se aguentando mais acordado. *Var.* "cair com sono".
cair de (da) moda Deixar de estar na moda; ser coisa que ninguém mais usa.
cair do cavalo Ter forte ou grande surpresa, sobretudo desagradável.
cair do céu Diz-se de acontecimento feliz, de ventura inesperada que ocorre na melhor ocasião.
cair do galho Perder o prestígio; cair de moda; perder o cargo que ocupava.
cair doente Adoecer.
cair dos céus Chegar ou acontecer na hora certa, oportunamente. O *m.q.* "cair das nuvens".
cair duro Levar um choque, um impacto, devido a notícia ruim ou espantosa.
cair em boas mãos Expressão que significa que algo de meu interesse está sendo conduzido por pessoa honesta e competente.
cair em contradição Diz-se das pessoas que dizem ou fazem algo colocando-se a si próprias em oposição ao que antes disseram ou fizeram.
cair em descrédito Não mais merecer confiança.
cair em descuido Descuidar-se.
cair em desgraça Não merecer mais o respeito dos outros.
cair em domínio público Diz-se que uma obra caiu em domínio público quando os direitos autorais sobre ela, depois de um determinado tempo que varia segundo o contrato, são considerados vencidos, po-

dendo serem reproduzidas sem o correspondente pagamento ao seu autor ou seus herdeiros.

cair em graça Ser acolhido com estima e afeto.

cair em mãos de Ficar sob o domínio de. *V.* "cair nas mãos de".

cair em poder de Ser submetido ou dominado por (outrem).

cair em prantos Chorar copiosamente.

cair em si *1.* Reconhecer seu erro; voltar à realidade. *2.* Refletir.

cair em tentação Deixar-se tentar; pecar.

cair fora Sair; fugir; ir-se embora.

cair mal Não ser bem aceito o que se faz ou se diz.

cair na arapuca Deixar-se lograr, apanhar. *Var.* "Cair na armadilha".

cair na bandalha Passar a ter vida dissoluta. O *m.q.* "cair na gandaia".

cair na barrela Perder a honra; ficar com a reputação maculada.

cair na boca do lobo Ser apanhado numa cilada ou envolvido num perigo que se queria evitar. O *m.q.* "cair na esparrela". *Var.* "cair na goela do lobo" e "cair na boca de todos".

cair na boca do mundo Ser alvo de maledicência; tornar-se malfalado. *Var.* "cair na boca do povo".

cair na goela do lobo Expor-se temerariamente ao perigo.

cair na cama Ir dormir.

cair na conversa Deixar-se enganar; ser ludibriado.

cair na embira Ser preso.

cair na esparrela Deixar-se apanhar ou enganar; cair na armadilha, na ratoeira. O *m.q.* "cair na boca do lobo".

cair na farra Dissipar-se em folguedos e bebedeiras; divertir-se desvairadamente. *Var.* "cair na gandaia" e "cair na folia".

cair na gandaia Entregar-se a atividades prazerosas, *esp.* festas; cair na farra; divertir-se e pouco se preocupar com suas obrigações e responsabilidades.

cair na gargalhada Rir freneticamente, com estardalhaço.

cair na malha fina Ter seu negócio, ou sua declaração de renda, examinados minuciosamente pelos fiscais do Imposto de Renda.

cair na mão *1.* Ficar à disposição. *2.* Chegar (algo) até uma pessoa súbita e inesperadamente.

cair na pele de Zombar de; ridicularizar; criticar (alguém) sistematicamente.

cair na ratoeira Cair na emboscada, na armadilha, no ardil. O *m.q.* "cair na esparrela". *Var.* "cair no logro".

cair na razão Atinar com a causa.

cair na real Dar-se conta dos fatos tais como são e acontecem; deixar de fantasias. *Var.* "cair na realidade".

cair na rede Deixar-se apanhar ou envolver de tal forma que se torna difícil desvencilhar-se; cair no logro; prender-se num laço.

cair na rotina Voltar a agir da maneira costumeira, *ger.* após ter passado por experiências mais radicais, fora de seu padrão.

cair na tiguera *SP/RS* Fugir; desaparecer.

cair na vida *1.* Entregar-se à prostituição. *Var.* "cair na zona". *2.* Vadiar.

cair na zona Prostituir-se. *V.* "cair na vida".

cair nas costas de Passar (tarefa, atitude etc.) a ser atribuída a alguém que se supõe seja o responsável e que deva arcar com as consequências dessa prática.

cair nas graças de Passar a gozar da simpatia de (alguém).

cair nas mãos de Ficar sujeito ao poder de. O *m.q.* "cair em mãos de".

cair nas unhas de alguém Ficar sob o domínio ou no poder de alguém; submeter-se a alguém. *Var.* "cair nas garras de".

cair no anzol Cair na esparrela; cair na armadilha, no logro; ser ludibriado, iludido. *Var.* "morder a isca".

cair no berreiro Chorar muito, incontrolavelmente. O *m.q.* "cair no bué".

cair no conto Ser iludido, logrado. *Var.* "cair no conto do vigário".

cair no domínio público *V.* "cair em domínio público".

cair no engano Deixar-se enganar.

cair no esquecimento Sair da memória, da lembrança; ser esquecido.

cair no goto *1.* Entrar (parte de um alimento) na glote no ato da deglutição, produzindo sufocação e tosse. *2.* Ser objeto de agrado, atenção, reparo, simpatia.

cair no jeito Vir à feição; vir a calhar.

cair no laço Ser envolvido em um embaraço, trama ou dificuldades dispostas para esse fim; cair na armadilha; deixar-se lograr ou ser apanhado em flagrante. O *m.q.* "cair na esparrela".

cair no logro *V.* "cair na ratoeira".

cair no lombo de alguém Incidir sobre alguém os prejuízos de um empreendimento e/ou suas consequências.

cair no mato Fugir, desaparecer; ir-se; desaparecer; cair no mundo.

cair no mundo Partir, ir-se embora. *Var.* "cair no mato" e "azular no mundo".

cair no oco do mundo Fugir, escapar.

cair no rol do esquecimento Cair no esquecimento.
cair no sono Ferrar no sono.
cair no verde Fugir para o campo, para o mato.
cair num engano Enganar-se, deixar-se enganar.
cair num erro Ser vítima de erro; verificar que errou.
cair o pano *1.* Acabar-se o fingimento, a representação. *2. Teat.* Chegar ao fim um ato, ou o espetáculo. *3.* Chegar ao desfecho um processo, um drama, uma história.
cair para não se levantar Arruinar-se para sempre; desacreditar-se; desonrar-se sem reabilitação possível.
cair para trás *1.* Cair de costas no chão. *2.* Assustar-se; surpreender-se por algo que lhe contam ou que presencia.
cair pelas tabelas Não se aguentar de pé; sentir-se extremamente fraco ou fatigado. *Var.* "cair pelas beiradas".
cair por terra Ruir; malograr; fracassar; gorar.
cair redondamente Estatelar-se; cair de repente e com todo o corpo.
Caiu um lenço! Diz-se ironicamente ou em tom zombeteiro, ao se ouvir um forte barulho.
♦ **caixa-alta** *1.* Na caixa de tipografia, a seção onde se colocam os tipos das letras maiúsculas. *2.* Pessoa rica, poderosa.
caixa das almas Pequeno cofre que algumas igrejas costumam colocar à disposição dos fiéis para nele serem colocadas esmolas, óbolos ou contribuições.
caixa de câmbio No automóvel, conjunto de engrenagens que permitem a variação da marcha e da força motriz de um veículo. *Var.* "caixa de marchas" e "caixa de mudanças".
caixa de descargas Depósito embutido ou não na parede, destinado à retenção de água para lavagem dos vasos sanitários, dotado de válvula, libera a água mediante o acionamento de um comando mecânico.
caixa de fósforos *1.* Caixinha onde se acomodam palitos com fósforo na ponta e que por fricção numa das bordas dessa caixa produzem uma chama. *2.* Diz-se de aposento ou de qualquer recipiente de reduzidas dimensões.
caixa de marchas O *m.q.* "caixa de câmbio". *Var.* "caixa de mudanças".
caixa de música Instrumento mecânico, *ger.* de pequenas dimensões, de fabricação artística, esmerada, a qual, aberta, executa melodias e, por vezes, exibe também algo que se movimenta, como uma bailarina, um boneco etc. Usa-se como porta-joias. *Var.* "caixinha de música".
caixa de Pandora Origem de todos os males.

> *Mit. A expressão advém da lenda de Pandora, a primeira mulher, que era provida de todos os dons. Foi enviada aos homens com uma caixa – recebida como presente de Júpiter – que encerrava todos os bens e todos os males. Aberta a caixa por Epimeteu (o primeiro homem), seu conteúdo (o bem e o mal) espalhou-se pela Terra, permanecendo ao fundo apenas a esperança. Ao longo dos séculos, o termo "Pandora" também tem sido associado a uma "caixa de surpresas". No filme Avatar (2009), grande sucesso dirigido pelo norte-americano James Cameron, por exemplo, Pandora é o nome dado pelos humanos a um planeta fictício, habitado por um povo aparentemente primitivo e inofensivo. Este povo, denominado Na'vi, revela-se no entanto como uma civilização organizada, com surpreendente capacidade de resistência.*

caixa de som Caixa acústica, para propagar o som através de alto-falante(s) nela instalado(s).
caixa de surpresa *1.* Conjunto de meios secretos e ardis de uma pessoa. *2.* Brinquedo que consiste de uma figura representando um animal, pessoa ou coisa fixada a uma mola dentro de uma caixa e que salta subitamente para fora ao se retirar a tampa, assustando quem a abrir incautamente. *Var.* "caixinha de surpresa".
caixa do pensamento A cabeça.
caixa dois Escrituração do movimento financeiro relativo a recursos ilegais, com o objetivo de sonegação à tributação.
Caixa Econômica Estabelecimento bancário, *ger.* estatal, destinado a receber a poupança popular, efetuar pequenos empréstimos, inclusive através de penhor de joias e objetos pessoais de valor, além de financiar a aquisição, construção ou reparo de imóveis.

> *No Brasil, suas atividades são ainda mais diversificadas: administra as loterias federais, efetua empréstimos a entidades públicas e funciona como captador de recursos a médio e curto prazos, como qualquer outro estabelecimento de crédito.*

caixa eletrônico Equipamento conectado à rede de computadores dos estabelecimentos bancários, por meio do qual os usuários têm acesso a vários serviços bancários, mediante utilização de um cartão individual, magnetizado, protegido com senha.

> *É conhecido nos meios técnicos como ATM, que, em inglês, corresponde a "Automatic Teller Machine", ou seja: máquina de atendimento automático. Ultimamente, passou-se a chamá-la, no Brasil, de máquina de autoatendimento.*

caixa postal Caixa com porta e chave, existente nas agências postais, em que se deposita a correspondência destinada a cada assinante (pessoa ou firma) que se credenciou junto à agência.
caixa registradora A que registra o movimento de vendas de um estabelecimento comercial
caixão de defunto Esquife; urna funerária.
caixinha de fósforos O *m.q.* "caixa de fósforos" (*l.*).
caju murcho *N.E.* Diz-se de pessoa ou coisa que se tornou indesejada, sem atrativos.
cal extinta A que foi submetida à ação da água; hidróxido de cálcio.
cal virgem A que não sofreu ação de água.
Cala a boca! Não fale! Imposição de silêncio a alguém.
calado como um túmulo Em silêncio absoluto. *Var.* "calado como uma porta".
calamidade pública Desestabilização da normalidade da vida de uma coletividade devido a catástrofes, inclusive decorrentes de fenômenos naturais.
calar o bico Não falar; guardar segredo. *Var.* "fechar o bico".
Cala-te, boca! Alguém diz isso para si mesmo como advertência quanto ao que está revelando.
calcanhar de Aquiles Diz-se da parte vulnerável de uma questão, de uma pessoa, de uma empresa; o ponto fraco.

> *A expressão é calcada na história de Aquiles, herói mitológico grego que teria papel fundamental na guerra de Troia. Fora ele tornado imortal por sua mãe, Tétis, que, para realizar a magia, mergulhou-o no rio Estige, segurando-o pelo calcanhar, que, assim, não ficou protegido. Foi exatamente no calcanhar que Páris o acertou com uma flecha, matando-o.*

calcanhar de Judas Lugar ermo, distante, de difícil acesso.

calcanhar do mundo Lugar afastado, longínquo. O *m.q.* "cafundó do judas".
calção de banho Traje masculino para banhos em lugares públicos como mar, piscina etc.
calçar o estômago Alimentar-se ligeiramente enquanto aguarda a refeição principal, contentando a fome que se avizinha. *Var.* "forrar o estômago".
calçar pelo mesmo pé Ter os mesmos gostos.
calças de pegar frango Calças curtas ou muito curtas; calças cujo comprimento não chega aos tornozelos. *Var.* "calças de pescar siris", "calças de saltar riacho" e "calça pega-franco (pega-marreco)".
cálculo renal (vesical ou urinário) Aglomeração de partículas, por precipitação de certas substâncias e sais minerais (cálcio, uratos etc.), em vários órgãos do corpo humano, como rins, vesícula, bexiga; tais cálculos são vulgarmente chamados de pedras.
calda bordalesa Mistura de sulfato de cobre e cal, diluída em água, usada como fungicida em hortas e em outras plantações.
caldeirões e caçarolas Jocosamente se diz ao saudar os circunstantes, informalmente, à guisa de discurso, como na frase: "Senhores e senhoras, caldeirões e caçarolas."
caldo de cana Resultante do esmagamento da cana de açúcar, o líquido resultante pode ser tomado puro (neste caso denominado de garapa) ou utilizado para a fabricação de seus derivados, por destilação (cachaça, aguardente de cana) ou cozimento (rapadura, açúcar mascavo) e por refinação (açúcares brancos).
caldo entornado *1.* Transtorno, contratempo, desavença. *2.* Oportunidade perdida, trabalho frustrado. *V.* "entornar o caldo".
caldo requentado O *m.q.* "bananeira que já deu cacho".
caldo verde Caldo feito de folhas de couve picadas e temperado com sal e azeite (culinária portuguesa).
calendário gregoriano Resultou da reforma do calendário juliano, tendo sido introduzido pelo Papa Gregório XIII (1502-1585). Nesse calendário, até hoje vigente, a cada quatro anos há um ano bissexto, que ocorre quando a dezena do número que corresponde ao do ano for divisível por 4, à exceção dos anos seculares; estes só são bissextos caso os números a eles correspondentes sejam divisíveis por 400.
calendário juliano É o calendário reformado por Júlio César, imperador romano (101- 44 a.C.), no qual foi criado o "ano bis-

câmbio paralelo

sexto" (*V.*), de 366 dias a cada quatro anos, posteriormente reformado pelo Papa Gregório XIII.

calendas gregas Dia de São Nunca. Momento ou tempo nenhum; nunca.

> *Por alusão ao fato de que as calendas (primeiro dia de cada mês romano), que pertenciam ao sistema de cronologia romano, não existiam entre os gregos. V. "às calendas gregas".*

cálice de amargura *1.* O que, durante a agonia, o anjo ofereceu a Cristo. *2.* Símbolo de infortúnios, na expressão "beber do cálice de amargura".

> *Reminiscências dos sofrimentos de Cristo no horto de Getsêmani. V. Mt 26,42, Mc 14,36 e Lc 22,42.*

call girl *Ing.* Prostituta cujos serviços são combinados através de telefonema.

calmaria antes da tempestade Situação ou estado de calma, com prenúncios de iminente agitação, confusão, ocorrências violentas ou funestas etc.

calo de estimação Diz-se do calo que não se consegue extirpar completamente e que, por isso mesmo, acompanha a pessoa ao longo de sua vida, como se fosse, assim, objeto de estimação, *i.e.*, aquilo que a pessoa traz sempre consigo.

calor da paixão Momento, auge, clímax de um relacionamento apaixonado.

calor do cão *Pop.* Calor intenso, sufocante, insuportável.

calor humano Solidariedade; aconchego; boa acolhida de parte de outrem.

calos na alma Resistência, estoicismo de quem fica impassivo ou indiferente ante aflição moral ou sentimental. *Var.* "calos na consciência"; "calos na vergonha".

calota polar Calota esférica e de gelo, existente nos polos da Terra, de Marte e de outros astros.

cama de gato *1. Fut.* Ação de agachar-se um jogador enquanto o adversário, junto a ele, pula para cabecear uma bola, caindo sobre seu corpo, o que constitui violação da regra e incide em penalidade. *2.* Brincadeira com barbante, na qual formam-se com ele tramas entre as duas mãos, e cada participante, a partir da trama urdida por um, a transfere para suas mãos e cria com certos movimentos novo formato de trama.

cama de pregos Desconforto, incômodo; o fato ou a circunstância de não poder descansar, não ter tempo para descansar. *Var.* "cama de espinhos".

cama de varas *1.* Cama rústica montada sobre tábuas e tocos de madeira, bambu etc. *2.* Trabalhador rural, sobretudo os mais pobres.

cama de vento Espécie de catre dobradiço, de madeira e lona.

cama e mesa Morada e comida.

cama feita Situação em que a pessoa já encontra tudo preparado para a sua ação.

câmara alta O Senado Federal.

> *A "câmara baixa" é a Câmara dos Deputados.*

câmara de comércio Assembleia de comerciantes.

câmara de compensação Reunião diária de banqueiros (seus prepostos) para acertarem as contas decorrentes das trocas de cheques sacados contra outros estabelecimentos e por eles resgatados.

câmara digital Tipo de câmara que utiliza tecnologia digital para registro de imagem.

Câmara dos Comuns A câmara baixa do Parlamento inglês.

câmara fotográfica Máquina fotográfica; aparelho com que se tiram fotos.

câmara lenta Recurso usado em cinema e televisão para conferir lentidão ao movimento natural das imagens.

câmara municipal Edilidade; órgão deliberativo da administração pública municipal. Também se diz câmara dos vereadores.

camarote do sereno A rua.

camarote do Torres As galerias gerais dos teatros (os lugares mais altos e afastados em relação ao palco).

câmbio flutuante Taxa de câmbio que flutua livremente segundo a maior ou menor procura das moedas.

câmbio livre *Econ.* Compra e venda de moeda estrangeira livre de regulação oficial, na qual a taxa de câmbio varia ao sabor da oferta e da demanda; também se diz: "câmbio flutuante".

câmbio manual Transação de dinheiro em espécie na compra e venda de moeda estrangeira.

câmbio negro Comércio ilegal de moeda estrangeira.

câmbio oficial Taxa de conversão fixada pelo governo entre a moeda nacional e a estrangeira.

câmbio paralelo Negócios legais com moeda estrangeira, livres de controle oficial,

caminhar com as próprias pernas

funcionando a taxas de conversão que flutuam ao sabor do mercado livre de câmbio. As divisas assim negociadas são provenientes sobretudo de turismo.

caminhar com as próprias pernas Assumir tarefas e obrigações por si mesmo, sem ajuda ou supervisão de alguém.

caminho da Cruz Via Sacra. O caminho percorrido por Jesus até o Calvário, onde foi pregado na cruz.

caminho da roça Marcha de pessoas em uma trilha, uma atrás da outra, em fila.

caminho das pedras Rumo ou seguimento que se deve dar a uma questão de difícil solução, para que tenha êxito.

caminho de Damasco Arrependimento; conversão.

> *A expressão origina-se da conversão de São Paulo ao cristianismo, quando em viagem de Jerusalém a Damasco.*

caminho de ferro Ferrovia. O *m.q.* "estrada de ferro".

caminho de mesa Pano estreito e longo, bordado, que guarnece o centro de mesas fora dos horários de refeição.

caminho de rato Linha sinuosa de separação dos fios de cabelo, exibida quando mal penteados ou cortados.

caminho de São Tiago A Via Láctea.

> *Diz-se, também, de romaria que costumam fazer os peregrinos a partir do nordeste da Espanha ou desde a França, em direção a Santiago de Compostela, na Espanha, onde estaria sepultado o apóstolo Tiago, no lugar em que existe hoje um santuário a ele dedicado.*

caminho impraticável Caminho intransitável, por onde não se pode passar devido às suas precárias condições de tráfego.

caminho ingrato *1.* Aquele que é muito áspero, cheio de precipícios. *2.* Figuradamente, aquele pelo qual se passa na vida, entremeado de dificuldades.

caminho sem volta Processo, rumo, opção dos quais não vale mais a pena ou não se pode mais recuar, se arrepender, voltar.

camisa de força Espécie de camisa de tecido forte que tolhe o movimento dos braços e imobiliza as pessoas e que é usada para conter a fúria de pessoas violentas, devido a problemas mentais.

camisa de onze varas Dificuldades superiores às forças ou possibilidades de alguém; problema de difícil solução.

> *Alusão às longas vestes dos torturados pela Inquisição.*

camisa de pagão Vestimenta de recém-nascido.

camisa de Vênus Preservativo masculino us. durante o coito como meio anticoncepcional ou como proteção para possível contaminação de doença sexualmente transmissível, feito de material elástico fino e resistente; *condom*. Também se diz "camisinha".

camisa esporte Camisa que se usa sem gravata – com ou sem gola, quase sempre de malha e aberta até o peito, de mangas curtas – em ocasiões informais ou esportivas.

camisa polo Camisa esporte, de malha, mangas curtas, com pequeno decote na parte superior, vindo da gola, que é característica desse tipo de indumentária.

camisa social Camisa masculina que se usa enfiada na calça, provida de colarinho para uso com gravata e paletó, em ocasiões mais formais.

campanha gaúcha Região geográfica do estado do Rio Grande do Sul, de topografia ondulada, colinas suaves (coxilhas).

campo cerrado O *m.q.* "cerrado".

> *Cerrado = Terreno com vegetação caracterizada por árvores baixas, retorcidas, em geral dotadas de casca grossa e suberosa, espaçadas. Ocorre no Planalto Central brasileiro, na Amazônia, em parte do Nordeste e muito pouco no Sul.*

campo de aviação Aeródromo; pista de pouso de aeronaves. *Var.* "campo de pouso". *V.* "pista de pouso".

campo de batalha Área geográfica onde se desenvolve uma batalha militar.

campo de manobra Limites de ação que se determinam a alguém, dentro dos quais poderá agir autonomamente. *Var.* "espaço de manobra".

campo limpo Campo constituído de arbustos baixos e gramíneas que revestem alguns solos arenosos no Planalto Central do Brasil.

campo livre Área, âmbito de ação, de atuação, sem empecilhos ou estorvo.

campo minado *1. Fig.* Lugar, âmbito, atividade perigosos, onde o trabalho é difícil, cheio de armadilhas. *Ex.: Exportação é um campo minado. 2.* Área em que foram enterradas minas explosivas que se armam com um simples pisar.

campo santo Cemitério.

canto da sereia

campos gerais Extensas campinas entre certos planaltos.
canal de televisão Faixa de frequência de 6 MHz de largura, na faixa de radiodifusão da televisão.
canastra real No jogo de canastra, conjunto sequencial de cartas formado sem curinga.
canção polifônica Composição para várias vozes.
candidatura oficial Aquela favorecida com o apoio do governo.
candomblé de caboclo Forma simplificada do candomblé, em que há influências indígenas, elementos do espiritismo, de magia negra africana e europeia etc.
canela de cachorro Capacidade de andar muito; andarilho.
canelas de maçarico Pernas longas e finas; pernas de maçarico. *Var.* "canelas de ema".

> *Maçarico = Ave migratória que nidifica na costa ártica da América do Norte, de onde, pelo inverno, emigra para o sul, alcançando o Equador, o Chile e muitos pontos do território brasileiro.*

caneta esferográfica Utensílio de escrita composto de um tubo de tinta cujo fluxo é controlado por pequena esfera metálica que regula a saída da tinta por fino orifício na ponta do tubo.
canoa furada *V.* "embarcar em canoa furada".
cansado de saber Sabedor (alguém) há muito tempo de algo que agora se lhe apresenta como se não soubesse.
cansar a beleza de Ser impertinente; amolar; aborrecer (alguém).
cansar de esperar Aborrecer-se pela demora de algo prometido ou aguardado.
cansar de lutar Desistir; esmorecer; desanimar.
cantar a mesma cantiga Repetir sempre a mesma coisa, insistir nos mesmos pedidos ou exigências.
cantar a palinódia Desdizer-se; retratar-se.

> *Palinódia = 1. Retratação daquilo que se disse ou fez. 2. Ant. Poema em que o autor se retrata do que dissera em outro. (Aulete)*

cantar a pedra *1.* Xingar usando termos chulos. *2.* Previsão ou antecipação de notícias e acontecimentos.
cantar a tirana Dizer as verdades a alguém; descompor.
cantar ao desafio Cantar improvisadamente e em disputa com outro.
cantar como taquara rachada Cantar com voz rouquenha.
cantar de gaiato Tentar mostrar-se esperto simulando ingenuidade, disso tirando proveito para si.
cantar de galinha Acovardar-se.
cantar de galo *1.* Considerar-se vitorioso. *2.* Comandar. *3.* Mostrar-se valente; impor, mandar. *4.* Mandar (o homem) em sua própria casa.
cantar de sereia Tentar iludir ou seduzir.
cantar em falsete *V.* "em falsete".
cantar em prosa e verso Elogiar muito uma pessoa.
cantar mas não entoar Participar (pessoa apta, em grupo, equipe etc.) com ideias, trabalho etc., mas, por vários motivos, não se entrosar com o grupo, não ter boa aceitação.
cantar noutra freguesia Ir amolar o boi; aborrecer a outro; procurar outro que lhe dê atenção.
cantar o jogo *1. Esp.* Orientar, de fora, os jogadores durante uma partida. *2.* Prever uma ocorrência, uma jogada, um sucesso ou insucesso.
cantar o pau Ocorrer pancadaria; briga. Nessa ocorrência, diz-se "O pau cantou!".
cantar sempre a mesma cantiga Repetir sempre as mesmas desculpas, os mesmos pedidos, lamúrias etc.
cantar vitória Gabar-se de um feito.
canteiro de obras Local preparado junto a uma obra de engenharia, onde se realizam trabalhos auxiliares e preliminares, servindo também de depósito.
cantiga de amor Composição poética medieval, *ger.* na forma de trova, em que o amante se dirige à amada declarando seu amor.

> *Normalmente, o amor representado nessas cantigas é impossível ou não é correspondido.*

cantiga de roda Canto infantil apropriado para o brinquedo da roda.
cantigas, tenho ouvido muitas Não me deixo mais enganar facilmente.
canto coral Coro; conjunto de pessoas (adultos ou crianças) que cantam músicas em uníssono ou em várias vozes, utilizando vozes masculinas e/ou femininas ou ambas.
canto da sereia Palavras ou atos que visam a conquistar amizade ou confiança de outrem. *Fig.* Ilusão, armadilha, engodo.

canto do cisne Derradeira manifestação de um artista; obra notável (especialmente a última) de um grande artista ou escritor, feita nos últimos anos de sua vida.

> *A expressão deriva da antiga crença de que os cisnes, quando prestes a morrer, emitiriam um lindíssimo e harmonioso gorjeio.*

canto gregoriano Canto litúrgico católico, assim chamado por haver sido coordenado por São Gregório, o Grande, no séc. VI; canto eclesiástico; cantochão.
cantor de banheiro *1.* Tenor de banheiro (ou de chuveiro). Pessoa que tem por hábito cantar ou cantarolar enquanto toma banho. *2.* Diz-se de quem geralmente não tem boa voz ou afinação.
cão de fila *1.* Cão grande, bravo, que ao morder não larga facilmente a presa; é muito utilizado na guarda de prédios. *2.* Pessoa que presta serviços de guarda em prédios.
cão e gato Combinação impossível ou extremamente difícil. *Ex.*: Viver como cão e gato é viver em constante conflito.
Cão Maior e Cão Menor Nome de duas constelações, uma austral e outra boreal.
cão policial Cão facilmente domesticável muito utilizado pela polícia e como guarda pessoal. *Var.* "pastor alemão".
capa de chuva Veste de tecido impermeável para *us.* como protetora de chuva.
capa de santidade Aparência de bondade, ternura.
capa e espada Diz-se que é "de capa e espada" romance ou filme de cinema que narram aventuras passadas nas épocas de duelos e galantarias.
capanga de Oxóssi O fetiche de Oxóssi.

> *Fetiche = Objeto a que se atribui poder sobrenatural ou mágico e ao qual se presta culto. Obs.: Alguns dicionaristas recomendam a grafia "Oxoce", como designação genérica das divindades (orixás) cultuadas pelos iorubas do sudoeste da atual Nigéria e de outras regiões da África. O culto a essas divindades foi trazido para o Brasil pelos negros escravizados oriundos dessas áreas e aqui incorporadas por outras seitas religiosas.*

capaz de tudo É capaz de tudo quem não mede as consequências dos atos que pratica, por não temê-las. *V.* "ser capaz de tudo".
capela dos olhos A pálpebra.
capelão militar Sacerdote designado para atender serviços religiosos e prestar assistência espiritual a membros das forças armadas.
capinar sentado Sofrer; ser maltratado.
capital aberto (sociedade anônima de) Empresa que tem ações distribuídas entre um determinado número de acionistas (portadores), e que podem ser negociadas nas bolsas de valores.
capital de giro É o capital em dinheiro usado por uma empresa para sustentar estoques e custos de produção e vendas. Capital circulante.
capital de risco É aquele aplicado onde há possibilidade de perdas, assim mesmo presumindo-se vantajoso diante de certos fatores e circunstâncias.
capital fechado (sociedade anônima de) Empresa que tem suas ações em mãos de um número restrito de pessoas, não negociadas em bolsas de valores.
capital fixo Denominação do capital imobilizado em terrenos, prédios, máquinas, instalações etc., de uma empresa. O *m.q.* ativo fixo ou permanente.
capital social É todo recurso aplicado pelos sócios no empreendimento.
capitalismo de estado Conceito de sistema político-econômico no qual o Estado aplica recursos nos setores produtivos e de serviço, típicos do setor privado no regime capitalista.
capitania dos portos Repartição do Ministério da Marinha à qual compete o trato de assuntos relacionados com a segurança da navegação e o tráfego marítimo.
capitania hereditária Cada uma das primeiras divisões administrativas do Brasil colonial, cujos chefes tinham o título de capitão-mor.
capitão de indústria Grande industrial; pioneiro e líder da classe empresarial industrial.
capitis diminutio *Lat. Lit.* "Diminuição da capacidade." *Jur.* Diminuição ou perda de autoridade, em geral humilhante ou vexatória; desapreço, humilhação.
capítulo e parágrafo Do princípio ao fim; tim-tim por tim-tim.
capítulo final Desfecho.
capote de pobre Aguardente de cana; cachaça.
cara a cara Frente a frente; face a face.
cara amarrada Cara de poucos amigos; amuo; zanga; mau humor.
cara de bezerro desmamado Supõe-se que esta expressão se baseia na aflição e na la-

cuna que sente alguém por algo que lhe foi tirado, como acontece ao privar do leite o bezerro.

A expressão, embora seja de uso corrente, não parece apropriada, sobretudo porque nessa situação o semblante do bezerro não muda. Ele expressa sua reclamação com berros continuados.

cara de bolacha Cara larga e gorda.
cara de enterro Fisionomia de quem está triste. *Var.* "cara de defunto" e "cara de velório".
cara de fome Cara chupada, magra, pálida.
cara de fuinha Cara miúda e enfezada.
cara de lua cheia Cara muito arredondada.
cara de mamão-macho Diz-se que tem-na indivíduo de rosto longo e descarnado.
cara de nó cego É a de pessoa antipática, de má catadura.
cara de pacamão de enxurrada Cara muito feia, esquisita.
cara de palhaço Aparência de tolo.

O sentido pejorativo não se refere à digna profissão de palhaço, mas a quem não leva a sério o que devia ser levado, a quem é grotesco sem pretender sê-lo como pantomima, como representação.

cara de pamonha Cara inexpressiva; cara de bobo. *Var.* "cara de babaca", "cara de tacho", "cara de idiota" e "cara de bundão".
cara de pau *1.* Expressão fisionômica impassível, ou ausência de expressão. *2.* Diz-se também de indivíduo sem pejo, que mesmo sabendo estar errado procura alcançar o que deseja; desavergonhado; cínico.
cara de poucos amigos Fisionomia que denota pouca disposição de ânimo, arredia; cara amarrada. *Var.* "ar de poucos amigos".
cara de quem comeu e não gostou Cara enjoada ou que manifesta contrariedade ou dissabor. *Var.* "Cara de quem chupou limão".
cara de quem morreu e se esqueceu de deitar Aqui se trata de comparar com o de um moribundo o semblante de uma pessoa, por denotar impassividade, inexpressividade, sofrimento etc.
cara de réu Fisionomia fechada, carrancuda.
cara de segunda-feira Com jeito desanimado de quem volta a enfrentar a vida numa segunda-feira, esse dia da semana que corresponde à retomada da rotina de trabalho, tido portanto como pouco agradável, sobretudo após um ou dois dias de descanso e prazeres. Diz-se também: "cara de sexta-feira" (pelo cansaço acumulado de uma semana).
cara de tacho Fisionomia que indica frustração, desapontamento; sem graça.
Cara de um, focinho de outro. Comparação entre duas pessoas muito parecidas uma com a outra.
cara de velório *V.* "cara de enterro".
cara deslavada Cara de descarado; sem-vergonha.
cara fechada O *m.q.* "cara amarrada".
cara lambida Diz-se do aspecto ou da pessoa (*esp.* de criança) que denota certo ar brejeiro, travesso.
Cara ou coroa? Expressão usada na disputa, por meio de uma moeda.

Em certas moedas, o lado em que costuma estar estampada uma efígie é chamado de 'cara', o lado oposto, onde há, geralmente a indicação do seu valor nominal, é a 'coroa'.

♦ **cara-pálida** Nome que os índios dão às pessoas de pele clara, us. às vezes de forma brejeira como vocativo, forma de tratamento, chamamento etc.
carbonato de cálcio Substância química de fórmula $CaCO_3$. Sais de ácido carbônico aliado a cálcio, usado como suplemento alimentar (carência de cálcio), antiácido, em tintas, cosméticos etc.
caractere alfanumérico *Inf.* Qualquer dígito numérico ou letra do alfabeto (ou, eventualmente, um símbolo especial, como letra acentuada) que pertence a um sistema específico de codificação.

Caractere = Letra do alfabeto, algarismo, sinal de pontuação ou símbolo de qualquer natureza que serve de sinal convencional na escrita e que, em sistemas de computação, pode ser introduzido em um computador pelo teclado ou por outro dispositivo de entrada, assim como exibido na tela ou em outro dispositivo de saída.

♦ **cara-metade** O cônjuge.
cárcere privado Local onde, ilegalmente, alguém mantém presa uma pessoa.
careca como um ovo Pessoa que ostenta a cabeça completamente desprovida de cabelos.
carga cerrada *1.* Descarga simultânea de muitas armas de fogo. *2.* Também se diz da forte pressão que se exerce sobre uma pessoa para que faça ou deixe de fazer algo. *3.* Esforço concentrado na solução de uma questão ou de uma ação.

♦ **carga-d'água** *1.* Chuva forte; pancada. *2.* Na expressão "Não sei por que cargas-d'água...", quer se enfatizar a estupefação diante de um fato ocorrente do qual não se conhece a causa.
carga horária Número de horas de atividade em certo período de tempo de um trabalhador empregado.
carga útil Carga de avião ou veículo espacial, constituída de tripulação, combustíveis, equipamentos, ferramentas e de tudo o que for relacionado ao objeto do voo.
cargo público Exercício de funções em órgãos governamentais por pessoas credenciadas conforme estipulam as leis que tratam e regulamentam os assuntos relacionados com tais funções.
cárie dentária Destruição do esmalte e da dentina dos dentes por corrosão progressiva e ação de bactérias.
carimbar as faixas *Fut.* Derrotar uma equipe logo na primeira partida que esta disputa após ter se sagrado campeã.
carimbo datador Carimbo dotado de números e letras móveis para aposição de datas.
carne de minha carne *1.* Parente próximo, *esp.* os filhos. *2.* Também se diz referindo-se à esposa em relação ao esposo.
carne de pescoço Diz-se de pessoa dura, exigente, irredutível, severa, com quem é difícil tratar, negociar etc.
carne de sol *MG; N.; N.E.* Carne levemente salgada, em mantas, posta ao sol para secar; carne de vento; carne do sertão. Charque.
carne e sangue meus Meus filhos.
carne para canhão Soldado.
carne verde Carne fresca.
carne vermelha A que tem coloração vermelha como a de boi, porco e de quase todos os animais mamíferos.
carneiro hidráulico Espécie de bomba de elevação de água, que funciona com a pressão da própria água.
carneiros de Panurgo Diz-se de pessoa que acompanha outra sem consciência de seu destino. O *m.q.* "Maria vai com as outras".

> *A expressão deriva do personagem do Pantagruel, de François Rabelais (Alcofribas Nasier, 1483-1553, escritor e padre francês), num episódio conhecido como carneiros de Panurgo; este, tendo comprado um carneiro de outro personagem rico e pretensioso, joga-o ao mar e os outros carneiros do rebanho pulam atrás, arrastando consigo o seu dono.*

Carpe diem. É uma expressão latina que significa, *lato sensu*, "aproveita bem o dia" ou "aproveita o momento fugaz".

> *Esta expressão tem paralelo em línguas modernas, como no inglês:* "Take time while time is, for time will away", *ou seja, "aproveite o tempo enquanto perdura, pois o tempo se vai".*

carradas de razão Diz-se que alguém tem, ou está, com "carradas de razão" quando está pleno de razão, quando tem motivos de sobra para dizer ou fazer o que está dizendo ou fazendo.

> *Carradas = Grande quantidade.*

carranca de proa Escultura de madeira figurando uma cabeça, *ger.* de dimensões e feições exageradas, que se usa colocar na proa de barcos. O *m.q.* "cabeça de proa". V. "figura de proa".

> *O adorno das embarcações com tais esculturas é comum no Brasil, sobretudo nos rios São Francisco e Amazonas.*

carregador de piano Indivíduo a quem se incumbe de tarefas penosas, pesadas; pessoa esforçada, muito ativa, incansável no exercício de suas incumbências.
carregar a celha Franzir a testa, baixando o sobrolho em demonstração de aborrecimento ou cólera.
carregar a mão Pôr (alguma coisa) em demasia, além da medida em que deveria.
carregar a sua própria cruz Ter que suportar ou sustentar uma experiência pessoal difícil, angustiosa, dolorosa, sem que outra pessoa possa aliviá-la. *Var.* "ter uma cruz para carregar".
carregar água em peneira *1.* Fazer esforço inútil; perder tempo. *2.* Tentar realizar uma tarefa impossível ou extremamente difícil. *Var.* "apanhar água com peneira".
carregar ao colo *1.* Ajudar alguém com extrema dedicação, fazendo tudo por ele. *2.* Dar sustento (alimento, moradia etc.) a alguém. *Var.* "carregar aos ombros".
carregar aos ombros Tratar (alguém) com especial carinho ou atenção.
carregar as sobrancelhas Franzir as sobrancelhas.
carregar nas costas *1.* Ser quem realiza sozinho trabalho, tarefa, missão etc. de (outrem, todo um grupo etc. que é quem deveria fazê-lo). *2.* A variante "carregar alguém

nas costas" significa ter alguém como encargo. *Var.* "levar nas costas".
carregar nas tintas Mostrar-se exagerado ao descrever algo; enfatizar certos aspectos de um tema, de uma narrativa.
carregar o sobrolho O *m.q.* "franzir a testa" e "franzir as sobrancelhas". Olhar com aspecto de severidade.
carregar pedras Fazer trabalhos penosos, difíceis.
carregar pedras enquanto descansa Ocupar o tempo de descanso trabalhando.
carregar piano Receber o encargo de realizar as tarefas mais pesadas num conjunto de tarefas.
carregar um fardo Ter de arcar com grandes responsabilidades ou de realizar tarefas penosas e/ou trabalhosas. *V.* "carregar um peso (nas costas)".
carregar uma opinião Ser opinioso, caprichoso, obstinado, teimoso ou inflexível em sua opinião.
carreira diplomática Ordenação dos postos, em escala decrescente, dos funcionários efetivos do Ministério das Relações Exteriores.

Na expressão "seguir a carreira diplomática", está a ideia de pretender engajar-se na diplomacia.

carrinho de mão Pequeno carro de metal, de uma só roda dianteira e dotado de dois pés e varais que são empunhados pela pessoa que o conduz. (Usado na construção civil, fazendas, armazéns etc.)
carro alegórico Carro ornamentado, motorizado ou não, utilizado em desfiles temáticos, especialmente no carnaval.

Os carros alegóricos são elementos marcantes dos desfiles das escolas de samba, por todo o Brasil. No Rio de Janeiro, em especial, essas alegorias móveis assumiram um papel preponderante na estruturação do desfile. A partir da década de 1970, com a ousadia do carnavalesco Joãozinho Trinta, à época o responsável pelos desfiles da escola 'Beija-flor', os carros alegóricos assumiram proporções gigantescas. Hoje, os carnavalescos buscam uma sofisticação cada vez maior desses veículos, que, além de fantásticas alegorias, carregam dezenas de sambistas envolvidos em efeitos visuais diversos.

carro-chefe *1.* Diz-se que é o "carro-chefe" de uma empresa o produto que lhe traz os maiores rendimentos ou que lhe provê a liderança em um segmento de mercado. *2.* Aquilo que é de maior destaque num conjunto de congêneres, como certa obra de um artista, o item mais importante de um projeto, o tema principal de uma campanha etc.
carro de boi Carro puxado por uma ou mais parelhas de bois, e guiado por carreiro.
carro de corrida Veículo motorizado, de muita potência e chassi aerodinâmico, desenvolvido para competições.
carro de passeio Automóvel de duas ou quatro portas, destinado ao transporte de passageiros.
carro de praça Táxi.
carro esporte Automóvel de duas portas, de forma aerodinâmica e munido de motor potente para atingir grandes velocidades.
carro muito rodado Diz-se do automóvel muito usado, que já rodou muitos quilômetros.
carrocinha de cachorros Veículo destinado a recolher cães abandonados em áreas urbanas.
carta aberta A que se dirige a alguém ou a alguma entidade, publicamente.
◆ **carta-branca** *1.* Autorização dada a alguém para agir com plenos poderes em nome de quem subscreve a carta. *2.* Carta de baralho sem figura.
carta celeste Mapa celeste. Representação dos astros e de sua posição na abóbada celeste.
carta constitucional A Constituição de um país.
carta de alforria Título que se conferia ao escravo libertado.
carta de crédito Autorização dada a um banqueiro para que entregue, credite ou coloque à disposição do favorecido certa quantia em dinheiro.
carta de fiança Documento em que alguém se obriga a honrar o compromisso de um terceiro, caso este não o honre.
carta (carteira) de habilitação Documento expedido pelos órgãos estaduais de trânsito declarando que o portador está habilitado a dirigir veículos conforme especifica.
carta fora do baralho Diz-se da pessoa que não é (mais) escolhida ou considerada para assumir uma missão, para realizar uma tarefa; pessoa que já não tem prestígio, que já não tem autoridade.
carta geográfica Representação da imagem da terra mediante convenções cartográficas; mapa.
carta hidrográfica Carta dos oceanos e mares, destinada a orientar a navegação.
Carta Magna Constituição; carta constitucional. Lei fundamental e suprema de um Estado.

> *Diz-se, especialmente, referindo-se à Constituição assinada em 1215 pelo rei João, da Inglaterra.*

carta na manga V. "ter uma carta na manga".
carta patente Documento emitido pelo poder público que encerra privilégio, concessão ou autorização de funcionamento.
cartão amarelo *Fut.* Cartão dessa cor que o árbitro mostra, como advertência, ao jogador que cometeu falta considerada grave.
cartão de crédito e/ou de débito Cartão plástico, com impressão magnética de dados pessoais, identificadores de seu portador, emitido pelas operadoras, com o qual se podem realizar compras e pagamentos no comércio e na indústria, para pagamento posterior, em datas aprazadas.
cartão de ponto Cartão que registra, numa empresa a hora de entrada e de saída de cada empregado.
cartão de visita Pequeno retângulo de papel encorpado onde está impresso o nome de seu dono. Às vezes, também faz-se dele constar o endereço e/ou o nome da empresa em que trabalha ou de que participa, além do cargo que nela ocupa.
cartão magnético Cartão com tarja magnética na qual se armazena informação passível de ser processada eletronicamente.
♦ **cartão-postal** Bilhete feito em papel encorpado e em dimensões reduzidas, *ger.* ilustrado no anverso com paisagens ou reprodução de fotos de lugares e que se emitem, por via postal, a amigos e conhecidos, saudando-os e/ou relatando algo.
cartão vermelho *Fut.* Cartão que o árbitro de uma partida exibe como penalidade a jogador (com isso expulsando-o de campo) após ter-lhe advertido com o cartão amarelo ou após o jogador ter cometido falta gravíssima, a critério do árbitro.
Cartas Chilenas Célebre panfleto escrito em versos contra Luís da Cunha Pacheco e Meneses, governador de Minas Gerais (1786).

> *A autoria dos versos é controvertida, mas é geralmente atribuída a Tomás Antônio Gonzaga, poeta e jurista (1744-1810), um dos inconfidentes mineiros; as* Cartas chilenas *foram escritas, provavelmente, entre julho de 1788 e fevereiro de 1789.* V. *"Conjuração Mineira".*

cartas marcadas Diz-se de situação de farsa, de ludíbrio, na qual, qualquer que seja a ação a que se induz alguém, o desfecho já foi preparado, ou é previsível, embora essa pessoa não o saiba.
cartas na mesa V. "pôr as cartas na mesa".
carteira de câmbio Repartição de um estabelecimento bancário que cuida dos negócios específicos feitos com moeda estrangeira.
carteira de identidade Documento oficial no qual se acham inscritos os dados pessoais de seu portador, sua assinatura, retrato e impressões digitais, servindo de identificação. O *m.q.* "cédula de identidade".

> *Em alguns lugares tratam-na simplesmente como "RG" (registro geral).*

carteira de trabalho Documento onde se registram dados relativos ao emprego de seu portador; carteira profissional. *Var.* "carteira profissional".
carvão mineral Carvão de pedra; hulha.
carvão vegetal Aquele obtido como resultado da queima controlada de madeira (lenha), em fornos especiais.
casa assombrada Casa em que se acredita haja assombração, *i.e.*, aparições, fantasmas, duendes etc. *Var.* "casa mal-assombrada".
Casa Civil Gabinete do presidente da República ou de governadores dos estados, que cuida particularmente dos interesses dos respectivos governantes naquilo que afeta a condução de sua administração e da política.
casa comercial Estabelecimento comercial.
Casa da Moeda Estabelecimento do governo federal de um país, onde são impressas as cédulas e cunhadas as moedas que ali circulam e/ou que se encarrega do suprimento delas aos estabelecimentos bancários.
casa da sogra Lugar onde todos mandam, sem comando ou ordem. V. "casa de mãe Joana".
casa de botão A abertura nas vestimentas por onde se introduzem os botões que as fecham.
casa de câmbio Estabelecimento onde se negociam moedas estrangeiras.
casa de campo Casa fora da cidade onde as famílias passam os fins de semana em recreação ou descanso.
casa de cômodos Casa onde se alugam quartos.
casa de correção Estabelecimento penitenciário onde se recolhem, para reeducação, menores delinquentes e/ou marginais.
casa de detenção Estabelecimento onde ficam provisoriamente detidos os réus que aguardam julgamento.
casa de Deus A igreja.

casa de mãe Joana *1.* Casa, lugar, depósito etc. em que muitos mandam ou mexem e que, por isso mesmo, vive desarrumada, em confusão. Casa aberta para todos. *2.* Desorganização; balbúrdia, confusão. Diz-se também "casa da sogra".
casa de máquinas Espaço situado no extremo superior dos poços de elevadores, no qual se assentam as máquinas que controlam e acionam os elevadores de um edifício. Genericamente, qualquer cômodo ou lugar onde se concentram as máquinas motrizes de um estabelecimento, de um navio etc.
casa de misericórdia (ou Santa Casa de Misericórdia) Hospital beneficente.
casa de orates Casa de loucos. *Var.* "casa dos orates".

Orate = Indivíduo louco, sem juízo, tresloucado; doido, idiota, louco.

casa de pasto Restaurante.
casa de penhor Estabelecimento onde se empresta dinheiro sob garantia de bens, *esp.* joias, relógios etc. Também chamada de "prego".
casa de saúde Hospital.
casa de tavolagem Casa de jogo; cassino.
casa de tolerância Bordel.
casa decimal *Mat.* Em um número expresso com frações decimais, estas são as que figuram após a vírgula. *Ex: xx, 345...*
casa do Senhor Casa de Deus; templo religioso; igreja.
casa dos enta Diz-se do intervalo de números que vai de quarenta a noventa e nove, expressão *ger.* usada ao referir-se à idade aproximada das pessoas. Ou seja, dizer "Ele já está na casa dos enta" (ou "nos enta") significa dizer que ele já passou dos quarenta anos de idade.
casa e comida A expressão denota a disponibilidade de moradia e alimentação numa hospedagem. Às vezes se diz "casa, comida e roupa lavada", ampliando, assim, o que se está oferecendo em termos de comodidades.
casa funerária Estabelecimento que se ocupa da fabricação de urnas funerárias e das providências relacionadas com o sepultamento, a cremação etc. *Var.* "agência funerária".
casa malfalada Local tido como mal frequentado, ilegal ou usado para fins contrários à moral e/ou aos bons costumes.
casa militar Militares componentes de repartição do Governo que lhe dão assessoria e suporte na área de segurança e a ela se subordinam.

casa noturna Boate; casa de espetáculos ligeiros, *shows*, exibições de artistas etc. durante a noite.
casa paroquial *Rel. Catol.* A casa onde reside o pároco, chefe de uma paróquia.
casa paterna *1.* A casa onde nascemos e em que residem nossos pais. *2.* A pátria.
casa popular Aquela cujo custo de construção permite sua aquisição por pessoas de baixa renda.
casa real A família nobre à qual pertence o rei; família real.
casado atrás da porta Amancebado.
casado na igreja verde Amasiado, amigado, amancebado. *Var.* "casado na capelinha verde".
casamento aberto Aquele no qual cada cônjuge concorda em que o outro tenha outros parceiros sexuais.
casamento branco O que não se consuma pelo ato sexual; casamento sem relações sexuais.
casamento civil O que é celebrado de acordo com a lei civil.
casamento de ocasião Casamento por interesse familiar ou econômico, em que o amor não é o motivo principal da união.
casamento de papel passado Casamento civil. *V.* "casar no cartório".
casamento religioso Aquele que é celebrado diante de autoridade religiosa.
casar as ideias Fundir diferentes ideias e formular uma terceira, de consenso.
casar de véu e capela *N.E.* Casar no religioso.
casar na polícia *1.* Casar por força de um mandado judicial. *2. Fig.* Casar rapidamente, pouco tempo depois de ter conhecido o(a) parceiro(a). (Expressão sarcástica, *ger.* por ter a mulher engravidado.)
casar no cartório Casar no civil, perante o oficial do Registro Civil; casar-se oficialmente, com reconhecimento da lei. *Var.* "casar no juiz".
casar no padre Casar-se na igreja, eclesiasticamente. Também se diz: "casar na igreja".
casca de ferida Pessoa muito implicante, aborrecida, enxerida.
casca de noz Embarcação, geralmente pequena, frágil, que se aventura no mar.
cascar fora *Gír. 1.* Ir embora. *2.* Fugir, evadir-se de um local ou situação.
cascavel de rabo fino Indivíduo perverso.
cascavel de vereda Indivíduo traiçoeiro.
cash flow Ing. V. "fluxo de caixa".
caso de consciência Dúvida sobre o modo de proceder de acordo com a moral, a propósito de algo que a pessoa faz ou já fez.

caso de polícia Ocorrência cuja solução deve ser entregue ou ficar aos cuidados da polícia.
caso de vida e morte Caso gravíssimo que está a merecer atenção especial.
caso perdido Evento sobre o qual não há esperança de solução; caso encerrado.
caso sério *1.* Acontecimento ou problema grave. *2.* Pessoa ou coisa difícil de lidar ou de controlar. *3.* Pessoa que desperta atenção e provoca excitação.
cassação de direitos políticos Imposição, pelos órgãos legislativos federais, àqueles que, exercendo mandatos públicos, sofrerem condenação por atos considerados passíveis de punição, impedindo-os de se elegerem e de elegerem, bem como de terem acesso a cargos públicos.
cassar a palavra Proibir de falar.
castelo de areia Projeto sem fundamento ou irrealizável.
castelo de cartas *1.* Coisa sem solidez, que facilmente se desmorona. *2.* Projetos mal estudados e que estrondosamente fracassam.
castelo de vento Projeto sem fundamento, irrealizável ou de difícil realização; sonhos; quimeras; utopias. *Var.* "castelo no ar" e "castelo de areia".
catar cavaco Perder (o indivíduo) o equilíbrio ao caminhar ou correr, seguindo para a frente descontroladamente até uma certa distância com o corpo curvo e as mãos quase tocando o chão, até que reencontre o equilíbrio.
catar formiga Cair ao comprido; esparramar-se no chão.
catar lata Ir amolar o boi; deixar de ser aborrecido. Mais comumente diz-se: "ir catar lata".
catar milho Datilografar, digitar, muito vagarosamente, utilizando somente um ou dois dedos das mãos.
catar pelo em ovo Procurar algo onde tal não existe; procurar chifre em cabeça de cavalo.
cativeiro da Babilônia *1.* Tempo em que os papas residiram em Avinhão (França) (1309 a 1377). *2.* Alusão ao cativeiro dos hebreus na Babilônia no tempo de Nabucodonosor (*V.* Livro dos Reis, 25).
católico romano Católico apostólico romano ou simplesmente católico. Adepto dessa religião.
caubói de asfalto Diz-se de automobilista imprudente, que abusa dos excessos na direção de veículos.
causa final O fim último das coisas.

causa debendi Lat. Origem, fundamento da obrigação.
causa mortis Lat. Lit. "Por causa da morte." *1.* A causa determinante da morte de alguém. *2.* Imposto devido sobre herança ou legado.
causa petendi Lat. Situação jurídica que constitui o fundamento (motivo) da demanda (ação) judicial.
causa traditionis Lat. Razão, finalidade ou fundamento da transmissão das coisas entre as partes interessadas.
causa turpis Lat. Causa obrigacional ilícita, imoral, criminosa ou desonesta, da parte de um litigante.
causa perdida Certa atividade pode vir a ser uma causa perdida se não tiver sucesso.
causar espécie Causar estranheza; surpreender; intrigar. *Var.* "Fazer espécie".
causar nojo Provocar reação de asco, de repugnância.
cavalaria andante Conjunto de cavaleiros andantes.
cavaleiro andante *1.* Pessoa que luta por ideais inalcançáveis, inatingíveis. *2.* Na Idade Média, indicava o cavaleiro que corria pelo mundo em busca de aventuras.

O cavaleiro andante medieval tinha entre seus objetivos principais a defesa dos fracos, além de lutar pela Igreja e pela justiça, bem como reparar a honra ofendida de damas e donzelas ou salvá-las de monstros e vilões.

cavaleiro da triste figura *Fig.* Diz-se de pessoas que pelo aspecto um tanto grotesco ou pelos arroubos de valentia, ou por outras características, se assemelham ao personagem D. Quixote (I, 22).

D. Quixote é o famoso personagem do livro de mesmo nome, de autoria de Miguel de Cervantes Saavedra, romancista, dramaturgo e poeta espanhol (1547-1616).

cavalo de balanço Brinquedo em forma de cavalo, feito, *ger.*, de madeira, cujos pés se encaixam em apoios curvos que permitem se lhe imprima um movimento oscilatório para a frente e para trás.
cavalo de batalha *1. Fig.* Complicação, embaraço, dificuldade; *2.* Razão de ser; bandeira. *3.* Assunto predileto; argumento principal, confiável, favorito. *4.* Área de atuação, especialidade em que alguém se dá melhor.

A expressão tem correspondente em francês: "cheval de bataille".

cavalo de pau *1.* Brinquedo constituído de um pau provido, numa das pontas, de uma cabeça semelhante à de um cavalo, usado pelas crianças entre as pernas, à guisa de cavalo. *2.* Manobra com carro que consiste em frear subitamente o veículo (com o freio de mão), em alta velocidade, ao mesmo tempo submetendo-o a esterçamento da direção, o que o faz girar em torno de uma das rodas dianteiras (360 graus, se a manobra for completa) e parar imediatamente. *3.* Acidente com uma aeronave, ao pousar, quando embica o nariz da fuselagem no solo.
cavalo de sela Cavalo de montaria, de boa andadura.
cavalo de Troia Pessoa ou coisa deliberadamente enviada com o intuito de desorientar o inimigo ou de minar sua resistência no seu próprio território.

A expressão deriva da lenda que relata o episódio segundo o qual, na guerra entre troianos e gregos, estes haviam se escondido em enorme cavalo de madeira. Oferecido o cavalo a Troia, seu rei fê-lo conduzir para dentro da cidade, sem nada perceber. Em hora estratégica, os gregos de lá saíram e surpreenderam os troianos, vencendo-os.

cavalo paraguaio *Gír. Fut.* Usa-se a locução para designar equipes que largam na frente nas competições, mas no decorrer da mesma caem paulatinamente de produção.

Esta expressão teria origem no turfe, onde os cavalos que saem em primeiro e terminam entre os últimos seriam chamados dessa forma. É provável que o termo "paraguaio", em tom pejorativo, esteja relacionado ao preconceito brasileiro quanto à qualidade dos produtos trazidos do Paraguai ao Brasil.

cavalo pisado Diz-se do cavalo maltratado, que apresenta feridas no lombo causadas pela sela, devidas ao abuso na utilização do animal como montaria ou tração.
cavar a própria cova Expressa uma ação que prejudica ou pode vir a prejudicar seu próprio autor. *Var.* "cavar a própria sepultura".
cavar a vida Procurar os meios de subsistência; trabalhar muito para viver. *V.* "lutar pela vida".

caveira de burro Azar. Diz-se, particularmente, que "tem caveira de burro (enterrada)" um determinado lugar no qual nada que ali se estabelece consegue prosperar.
caverna de Platão O mito da caverna, também chamado de "alegoria da caverna", foi escrito pelo filósofo grego Platão, e encontra-se na obra intitulada "A República" (livro VII). Trata-se da exemplificação de como podemos nos libertar da condição de escuridão que nos aprisiona através da luz da verdade. *Var.* "os prisioneiros da caverna" ou, menos comumente, "A parábola da caverna".
CD player Aparelho eletrônico usado para tocar discos compactos (*Compact disc* – CD), reproduzindo os sons que neles foram gravados.
♦ **cê-cedilhado** A letra "c" com cedilha (ç). Também se diz "cê-cedilha".
ceca e meca *V.* "de ceca em meca".
ceder à evidência Admitir o que não pode ser contestado.
ceder o passo a Deixar (alguém) passar à frente, por civilidade e cortesia.
ceder terreno Recuar; perder vantagens de que desfrutava.
cedo ou tarde Condição que se atribui a uma situação na qual se considera uma determinada ocorrência como inevitável, embora não se tenha ideia de quando possa vir a acontecer. Tb. se diz "mais cedo ou mais tarde".
cédula de identidade *V.* "carteira de identidade".
cédula hipotecária Título de crédito garantido por hipoteca.
cédula pignoratícia Título de crédito garantido por penhor de mercadorias ou de frutos pendentes (a colher).
cego como uma toupeira Totalmente cego (tem sentido levemente pejorativo).
cego guiando cego Pessoa inexperiente ou incompetente aconselhando ou assessorando outra.
ceia do Senhor *Rel. Catol.* Eucaristia.
Celeste Império O antigo Império Chinês.
célula fotoelétrica *Eletrôn.* Dispositivo capaz de gerar uma corrente ou uma tensão elétrica quando excitado por luz ou imagem; fotocélula.
cem por cento *V.* "cento por cento".
cem vezes Diz-se com o sentido de "muito frequentemente". Se dissermos "cem vezes mais", podemos estar nos referindo a uma grandeza ou frequência muitíssimo maior do que a mencionada.
cena cômica Comédia.

cena do cotidiano Acontecimentos do dia a dia, da rotina da vida diária.
cena lírica A ópera.
cena muda *Teat.* Aquela cujo(s) intérprete(s) exprime(m) seus sentimentos e transmite(m) suas mensagens através de gestos (mímica), olhares, posturas do corpo etc., sem emitir(em) palavras. No cinema, é a cena (parte) em que o(s) ator(es) ou não é(são) ouvido(s) (como no cinema mudo) ou se expressa(m) gestualmente, sem pronunciar palavras.
cena trágica A tragédia.
censo demográfico Apuração, por pesquisa direta ou amostragem, da população de uma cidade, região ou país e de suas características físicas, educacionais, culturais, econômicas etc.
centímetro por centímetro Diz-se de uma maneira cuidadosa, meticulosa, progressiva, detalhada de medir, esquadrinhar, avançar, conquistar etc.
cento por cento Por completo; totalmente, integralmente. Ótimo, maravilhoso. *Var.* "cem por cento".

> *Alguns filólogos recomendam que se use, preferencialmente, a forma "cento por cento" a "cem por cento".*

central elétrica Estação (usina) geradora de eletricidade.
centro cirúrgico Área hospitalar aparelhada com recursos técnicos e humanos para efetuar intervenções cirúrgicas.
centro das atenções Diz-se de pessoa que por ser famosa, importante ou por seu comportamento, atrai e prende a atenção de tantos quantos a virem.
centro de gravidade O ponto de aplicação da resultante de forças sobre um corpo sujeito à atração gravitacional da Terra.

> *A posição do centro de gravidade de um corpo, p.ex. um objeto, é importante para o seu equilíbrio.*

centro de processamento de dados *Eletrôn.* Concentração de recursos materiais, tecnológicos e humanos especializados em registrar, analisar e disponibilizar todos os elementos necessários à gestão de uma empresa, entidade ou organização. CPD.
centro de saúde Repartição de medicina social, *ger.* pública, destinadas a agir dando suporte à população na área profilática e preservativa relativamente à saúde; posto de saúde.

centro (ou unidade) de terapia (ou tratamento) intensiva Área hospitalar dedicada a dar assistência a pacientes em situação de risco. Siglas CTI e UTI.
centro do universo Expressão pejorativa que se atribui a alguém que chama muita atenção sobre si, pretensiosamente.
centro histórico Núcleo antigo de uma localidade ou cidade, caracterizado sobretudo pela existência de construções, edificações, *ger.* remanescentes de sua fundação ou de épocas consideradas relevantes do ponto de vista histórico.

> *Alguns acham imprópria a denominação a não ser quando aplicada a um local por ter ali ocorrido um fato relevante para a história em geral, e não restrito ao local em si mesmo.*

cera do ouvido Secreção cérea, pardacenta, das glândulas ceruminosas do conduto auditivo externo; cerume. V. "estar com cera no ouvido".
cerca de Perto de; pouco mais ou menos; aproximadamente; em torno de; por ocasião de.
cerca de pau a pique Cerca feita com esteios simples e dispostos lado a lado.
cerca viva Sebe.
cercar frango Andar às tontas; andar como bêbado.
cercar por todos os lados Tomar o máximo cuidado, minuciosamente.
cerceamento de liberdade /defesa *Jur.* Redução ou supressão das garantias a que o acusado, quando em juízo, tem direito.
cérebro eletrônico O computador.

> *Cérebro eletrônico é uma denominação, hoje em desuso, para os computadores, que são essencialmente dispositivos eletrônicos especializados no processamento de informações. Permanece corrente, no sentido de que muitas empresas e instituições de pesquisa buscam desenvolver sistemas que reproduzam o funcionamento do raciocínio humano, de uma forma mais próxima da real. Como o objetivo é desenvolver uma "inteligência artificial", em outros países, como nos E.U.A., o termo corrente para cérebro eletrônico é "artificial brain", ou "cérebro artificial".*

cereja do bolo Toque final ou detalhe que valoriza um feito. *Fr. "la cerise sur le gâteau".*

cerrar os punhos Fechar a mão e assumir postura de quem quer esmurrar algo ou alguém, de quem está se controlando para não reagir fisicamente a alguma forma de provocação ou excitamento.
certa feita Certa (em determinada) ocasião; certa vez; certo dia.
certa vez Uma vez; em certas ou algumas ocasiões ou circunstâncias.
certidão negativa 1. Documento com fé pública comprovando não haver registros de inadimplência, atestando ausência de restrição de qualquer natureza ou de qualquer outro impedimento legal relacionados com a pessoa que se cita. 2. Ficha limpa.
certificado de garantia É um documento expedido pelo fornecedor de uma mercadoria onde se expressa o compromisso de substituição ou de reparo no caso de algum defeito.
certificado de reservista Documento comprobatório de quitação com o serviço militar.
certo como a morte Certíssimo, indubitável; inevitável. *Var.* "certo como dois e dois são quatro".
certo como boca de bode Ajustado; perfeito.

Alusão à perfeita junção que têm, ger., os lábios caprinos.

certo dia Num dia indeterminado; em certa ocasião.
cessão de crédito Transferência pelo credor de seus direitos creditórios; endosso.
cesta básica Conjunto de produtos de primeira necessidade que seriam suficientes para uma família de requisitos de consumo mínimos, para um mês de consumo.

Esses conjuntos costumam ser distribuídos por órgãos governamentais, empresas e entidades, com fins complementares de salários, caritativos ou humanitários.

c'est la vie *Fr.* A vida é assim.
céu da boca A abóboda palatina; palato.
céu de brigadeiro 1. Céu sereno, que apresenta excelentes condições para o voo. *Fig.* 2. Condição ótima, perfeita, para a realização de algo.
céu de rosas Céu de aspecto sereno, com poucas nuvens ou nenhuma, e sem ventos fortes.
céu encapotado Céu nublado, coberto de nuvens escuras.
céus e terras *V.* "mover céus e terras".
chá da meia-noite Agonia e morte.

♦ **chá-dançante** Reunião dançante vespertina, à hora do chá.
chá das cinco Refeição leve, servida por volta das cinco horas da tarde, constituída de chá, torradas, bolos, *petits-fours* etc.

Trata-se de tradicional costume do povo inglês, em cuja língua se diz: "five o'clock tea."

chá de bebê Reunião, *ger.* feminina, em que a gestante é presenteada com peças do enxoval da criança e/ou de utensílios correlatos.
chá de cadeira Diz-se da situação constrangedora de uma moça que, num baile, nunca é convidada para dançar.
chã de dentro (fora) Modalidade de corte da coxa bovina; também se diz: coxão mole (duro).
chá de panela Reunião de amigos dos noivos, nas vésperas do casamento, em que àqueles são oferecidos presentes constituídos de objetos de uso doméstico diário, como utensílios de cozinha e de limpeza, e durante o qual se costuma submetê-los a vários tipos de brincadeiras.
chá de sumiço Diz-se que "toma chá de sumiço" alguém que tenha deixado de ir a lugar onde costuma frequentar. *V.* "tomar chá de sumiço".
chá e simpatia Hospitalidade e consolo que se oferece a uma pessoa desvalida, aflita, desamparada, com ela compartilhando as aflições e os problemas.
chamado da natureza Necessidade de defecar.
chamar a atenção 1. Atrair a atenção (de alguém). 2. Repreender alguém por alguma coisa errada que fez.
chamar à fala Ordenar a alguém que cumpra com seus compromissos, que honre a palavra empenhada. *Var.* "chamar às falas".
chamar à morte Desejá-la, almejá-la.
chamar à ordem Advertir, repreender.
chamar à razão Convencer, trazer à razão; fazer ver.
chamar à responsabilidade Lembrar a alguém sua responsabilidade perante outrem ou por seus atos.
chamar às armas Mobilizar, convocar soldados e tropas à luta.
chamar de tudo quanto é nome Dirigir impropérios, ofensas de muitos e variados modos; xingar.
chamar nas esporas 1. Picar a montaria com as esporas para estimular a andadura. 2. Censurar alguém.

chamar nos peitos *1.* Alimentar-se. *2.* Abraçar com certo ímpeto.
chamar o Juca Vomitar. *Var.* "chamar o Raul".
chamar pro pau Chamar para briga; provocar.
chamar urubu de meu louro Estar passando privação, necessidade. *V.* "tomar a bênção a cachorro".
chamas eternas Suplício do inferno.
chapa fria Placa falsa de licenciamento de veículo automotor.
chapéu de palha Chapéu cilíndrico de pouca altura, feito de palha trançada, enformado e com aba. *Var.* "chapéu de palhinha".
chapéu de sol Guarda-sol. Utensílio semelhante na sua estrutura a um guarda-chuva, mas de dimensões grandes, *us.* como abrigo dos raios de sol, *esp.* em praias e beiras de piscinas.

> *Chapéu-de-sol é também nome de uma árvore decídua tropical, bastante disseminada pelo mundo, também conhecida como amendoeira ou sete copas. Resistente, com qualidades ornamentais e com uma copa capaz de gerar generosa sombra, é bastante apreciada na arborização urbana, especialmente em locais quentes e no litoral. Conhecida como "amendoeira-da-praia".*

charmoso como um hipopótamo Frase irônica e/ou crítica relativa aos aspecto físico ou postura de uma pessoa.
chato de galochas Indivíduo muito maçante, insuportável, impertinente, insistente, aborrecido, fastidioso.
chave de braço Golpe que se dá envolvendo e apertando com um braço o pescoço do contendor.
chave de fenda Ferramenta do feitio do formão, cuja extremidade se introduz no sulco da cabeça de um parafuso e gira, para o apertar ou afrouxar; chave de parafuso.
chave de ouro Conclusão perfeita, apoteótica; remate feliz e com êxito.
chave de roda Ferramenta cruciforme com uma chave de porca em cada uma das quatro pontas das barras, para apertar e desapertar as porcas das rodas dos automóveis.
◆ **chave-inglesa** Tipo de ferramenta usada para apertar porcas, roscas, canos, parafusos etc., de abertura graduável.
chave mestra Chave especial capaz de abrir todas as portas de um edifício, de uma casa etc.

chave Philips Chave de parafuso dotada de ponta em forma de cruzeta, para desenroscar parafusos cujas cabeças têm sulco de igual formato, ao qual se adapta perfeitamente.
chaves de São Pedro *1.* As chaves do Paraíso. *2.* As insígnias da autoridade pontifícia. *Var.* "chaves do céu".
check-in *Ing. 1.* Do verbo inglês "*to check-in*" que significa "entrar (em um hotel) e assinar o seu registro de hóspede"; apresentar-se no balcão de uma empresa aérea, no aeroporto, para conferência da passagem, despacho de malas e recebimento de talão de embarque. *2.* Também se diz, na aviação, como designação dos procedimentos iniciais de um voo, quando os pilotos conferem o funcionamento de todas as partes mais importantes da aeronave, precavendo-se de eventuais panes.
checkout *Ing.* Do verbo inglês "*to checkout*", que significa "deixar (o hotel) e pagar a conta referente à estadia".
check-up *Ing. 1.* Diz-se, sobretudo, de exame geral de saúde a que se submete uma pessoa preventivamente ou não, realizado de maneira intensiva, *ger.* em hospitais ou clínicas especializadas. *2.* A expressão aplica-se também em qualquer verificação que se faça de modo preventivo em equipamentos, quanto ao seu funcionamento.
chefe de cozinha O cozinheiro principal de um restaurante e que dirige a cozinha.

> *A aspiração dos chefes de cozinha é o de serem graduados em cursos especializados, sobretudo na França, passando a portadores do famoso "cordon-bleu" (V.).*

chefe de Estado O supremo mandatário de uma nação. No caso do Brasil, o presidente da República.

> *Nas monarquias constitucionais, bem como nos regimes parlamentaristas, distingue-se a figura do chefe de Estado e o de governo, aquele exercido pelo monarca (rei) ou presidente e este pelo primeiro-ministro.*

chefe de família Aquele ou aquela que tem sob sua responsabilidade o sustento e a direção do lar e da família.
chefe de trem Num trem, a pessoa encarregada e responsável pela composição durante a viagem.
Chega de onda! Comando para alguém dado a visagens, exibicionismos, tretas,

sem nada acrescentar de útil ou proveitoso.
chegar à raiz de (algo) Ir ao fundo de; descobrir a origem e/ou as razões de.
chegar a sua hora Estar ou ficar à beira da morte; *V.* "chegar seu dia e sua hora" e "chegar a hora de alguém".
chegar a vez Chegar a ocasião favorável ou desfavorável.
chegar ao fim do túnel Sair de um período difícil, penoso; alcançar o objetivo longamente esperado. *V.* "enxergar/ver a luz no fim do túnel".
chegar ao fundo *1.* Chegar ao âmago de uma questão, à raiz, às causas etc. *2.* Fracassar totalmente; perder tudo ou toda a esperança. *3.* Ver esgotarem-se todos os seus recursos. *4.* Cair na prostração, no desânimo. *Var.* "chegar ao fundo do poço".
chegar ao fundo do poço Atingir o ponto máximo de uma crise, de uma situação difícil, de um estado de desânimo etc. quando aparentemente pior não pode ser. *Var.* "chegar ao ponto de saturação".
chegar ao pódio *1.* Completar um serviço, um trabalho, de modo cabal. *2.* Estar entre os primeiros colocados numa disputa qualquer.
chegar aos ouvidos Conhecer, tomar conhecimento por ouvir dizer.
chegar às falas Discutir, altercar, brigar. *Var.* "ir às falas".
chegar às raias Atingir o limite; chegar ao cúmulo; abusar.
chegar às vias de fato Entrar em briga corporal, culminando desentendimentos sérios entre pessoas; brigar; trocar socos; chegar a um confronto corporal.
chegar de mãos abanando Chegar sem nada, de mãos vazias. *Var.* "chegar com uma mão atrás e outra na frente".
chegar de supetão Chegar de repente, inopinadamente.
chegar em hora errada Chegar fora de hora; chegar em hora incômoda ou embaraçosa.
chegar junto Empatar; ter as mesmas ideias e ao mesmo tempo.
chegar na horinha Chegar exatamente na hora combinada; chegar em cima da hora, bem a tempo.
chegar no pedaço Aparecer, simplesmente, num local.
chegar o seu dia e sua hora Chegar o dia em que os acontecimentos envolverão a sua pessoa, inclusive a morte. *V.* "chegar sua hora".
chegar para apagar as luzes Chegar atrasado.

cheio da erva Riquíssimo; endinheirado.
cheio da grana Endinheirado; rico. *V.* "cheio da erva". *Var.* "cheio da nota".
cheio de Com muito (de algo).
cheio de altos e baixos Sujeito a muitas variações; inconstante.
cheio de cerimônias Diz-se de pessoa muitíssimo formal, *i.e.*, que obedece rigorosamente às etiquetas, exagerando na sua observância.
cheio de chove não molha Cheio de luxos.
cheio de coisas Confuso, embaraçado; cheio de melindres ou de cuidados exagerados. *Var.* "cheio de dedos".
cheio de cor Alegre, vistoso, pitoresco, vivaz.
cheio de dedos *1.* Confuso, embaraçado, atrapalhado: *2.* Cheio de ademanes, mesuras, trejeitos; amaneirado.

Ademanes = Movimentos das mãos para exprimir ideias; trZejeitos e gestos, principalmente expressos com afetação.

cheio de dias Idoso.
cheio de fobó Galanteador pretensioso e enfatuado.
cheio de frescura Cheio de luxos, de requintes supérfluos; cheio de melindres, afetação. O *m.q.* "cheio de nove-horas".
cheio de histórias *1.* Enrolado, enleado, complicado, difícil. *2.* Afetado, presunçoso, pretensioso. *Var.* "cheio de luxos".
cheio de ípsilons Diz-se de indivíduo detalhista, preocupado com minúcias e formalismo. O *m.q.* "cheio de nove-horas".

Os dicionários costumam registrar o plural de ípsilon (ou ipsílon) com o simples acréscimo de um 's'. A grafia ipsilone (plural ipsilones) também é admitida. O Vocabulário Ortográfico da Língua Portuguesa (5ª ed. 2009), registra as duas grafias.

cheio de luxos Exigente, implicante, pretensioso.
cheio de merda O *m.q.* "cheio de luxos"; antipático; enfatuado.
cheio de nó pelas costas Atabalhoado; embaraçado.
cheio de nove-horas *1.* Cheio de luxos; cheio de novidades, de frescuras; maçante; implicante. *2.* Diz-se de coisa muito trabalhosa, enfeitada, complicada. *3.* Vaidoso, implicante. *Var.* "cheio de chove não molha".
cheio de novidades *V.* "cheio de luxos" e "cheio de nove-horas".

cheio de partes Diz-se de pessoa manhosa, cheia de melindres.
cheio de prosa *1.* Falacioso; falastrão. *2.* Pode ser também referência a alguém cheio de manha, astucioso ou dado a conversa fiada.
cheio de si Enfatuado; metido, presunçoso; orgulhoso. Diz-se em francês: *"rempli de soi même"*.
cheio de titicas O *m.q.* "cheio de luxos", de partes, de exigências tolas e/ou ridículas.
cheio de vento O *m.q.* "cheio de si"; convencido.
cheio de vida Que esbanja saúde e animação.
cheirar a bode velho Cheirar mal. *Var.* "cheirar a carniça" e "feder como um bode".
cheirar a cueiros Mostrar-se ainda muito jovem e imaturo para ser capaz de assumir responsabilidades compatíveis com a vida adulta. *Var.* "cheirar a fralda" e "mal ter saído dos cueiros".

> *Cueiro = Pano leve e macio com que se envolvem os recém-nascidos; fralda.*

cheirar mal / não cheirar bem *1.* Exalar odores desagradáveis. *2.* Parecer suspeito (algo, situação, explicação etc.), suscitar desconfiança quanto à lisura, segurança, qualidade etc. Usa-se a expressão "Isso não está me cheirando bem" para dizer que algo desperta essa sensação.
cheirinho da loló (cheiro) Líquido de feitura doméstica, composto de substâncias anestésicas que, aspiradas, tem efeitos embriagantes, como os do lança-perfumes.
cheiro de santidade *V.* "odor de santidade".
cheque administrativo O que é emitido por um banco contra ele mesmo e que pode servir de ordem de pagamento.
cheque ao portador Aquele que é pagável a qualquer pessoa que o apresentar ao Banco.
cheque borrachudo Aquele que, por insuficiência de fundos, vai e volta para a mão do emitente.
cheque bumerangue O que foi, de propósito, preenchido incorretamente, voltando, por isso, ao emitente para retificação. Enquanto isso ele ganha prazo para prover-lhe fundos.
cheque cruzado Aquele sobre o qual se riscam enviesadamente duas retas paralelas, significando que somente pode ser pago a um estabelecimento bancário, sob identificação do sacador.
cheque de viagem Cheque de quantia prefixada, *ger.* expressa em dólares dos EUA, emitido contra instituição financeira internacional e pagável em qualquer país, e que requer, por segurança, duas assinaturas do emitente (uma na compra do cheque e outra quando de sua utilização). É bem conhecido pela denominação inglesa: *"traveller's cheque"*.
cheque em branco Cheque assinado sem a determinação da quantia a ser paga.
cheque especial Cheque vinculado a "conta garantida" (*V.*).
cheque nominal O que é pagável apenas a quem nele se especifica; cheque nominativo.
cheque olímpico O que, emitido com insuficiência de fundos, obriga o emitente a correr para depositar o montante necessário à sua cobertura no banco sacado.
cheque pré-datado O que é emitido para pagamento em data futura.
cheque tartaruga O que demora a ser descontado, beneficiando seu emitente.
cheque visado Aquele em que o banco após seu visto, indicando que a quantia respectiva foi debitada da conta do emitente e se encontra à disposição do favorecido.
cheque voador O que é emitido após ou ao final do expediente bancário de um fim de semana, dando prazo maior ao seu emitente para prover sua conta dos fundos necessários para honrá-lo.
cherchez la femme *Fr.* Expressão que se usa a fim de indicar pistas para solução dos mais intrincados conflitos e crimes, dizendo-se que atrás dessas coisas sempre há uma mulher envolvida direta ou indiretamente. Daí dizer-se, nessas circunstâncias: "Procure-se a mulher" que é a literal tradução da locução francesa.

> *A frase foi usada por Alexandre Dumas, pai (1802-1870), escritor francês, em* Les Mohicans de Paris, *embora a alusão ao vínculo das mulheres em conflitos e crimes perpetrados por homens seja encontrada em autores antigos, como em "Virgílio"* (Eneida).

chiar na faca cega *Bras. N.E.* Sofrer muito por desprezar as convenções sociais.
***chief executive officer* (*CEO*)** É com essa designação na língua inglesa – ou simplesmente com a sigla CEO (iniciais do título) – que, nos meios financeiros e empresariais,

são referidos os presidentes executivos de grandes companhias.
chifre em cabeça de cavalo Diz-se de coisas, pensamentos ou acontecimentos absurdos, inusitados.

> *É comum o uso da expressão "ver chifre em cabeça de cavalo", significando que a pessoa exagera nas perspectivas de um fato.*

chocar os ovos Preparar um golpe, um roubo, conforme se diz entre delinquentes.
chop suey *Chin.* Prato da culinária chinesa, feito de brotos de bambu e feijão, cebola, cogumelos, carnes variadas e que se serve acompanhado de arroz.
choque de culturas ou "choque de civilizações" são conflitos que muitas vezes se estabelecem devido a mudanças de classe social ou de ambiente, bem como no convívio entre pessoas de diferentes formações culturais.

> *Na opinião de Huntington (Samuel P.), norte-americano, professor da Universidade Harvard, os conflitos seriam, no futuro, travados entre os grupos de países constituintes de culturas ou civilizações diferenciadas. (Veja, ed. 1942, ano 39 – nº 5, p. 67)*

choque do futuro Os desajustes e desorientações causados pelas rápidas mudanças tecnológicas e sociais dos últimos tempos.

> *Título de obra (Future Shock) sobre o tema, de Alvin Tofler, (escritor futurista norte-americano), Editora Artenova, Rio de Janeiro, 1973.*

chorar a morte da bezerra Lamentar-se de algum fato ou circunstância irremediáveis.
chorar as mágoas Reclamar sem cessar; choramingar. *Var.* "chorar as pitangas".
chorar como bezerro desmamado Chorar com grande alarido, contínua e copiosamente.
chorar de barriga cheia Lamentar-se ou reclamar sem razão.
chorar lágrimas de sangue Sentir profunda dor, consternação ou arrependimento, manifestada por pranto copioso.
chorar miséria *1.* Queixar-se de sua má situação. Contar lérias para conseguir alguma coisa. *2.* Mostrar-se avaro. *Var.* "chorar as pitangas" e "chorar suas misérias".

> *Lérias = Lábia, fala astuciosa que visa iludir, enganar outrem.*

chorar na cama que é lugar quente Não ter outro consolo senão a resignação.
chorar no ombro de Lamentar-se com alguém por suas desditas.
chorar no pinho Tocar viola ou violão.
chorar pelas cebolas do Egito Ter saudades dos tempos idos, embora tenham sido pouco felizes.
chorar pelos cantos Estar muito triste, sem compartilhar sua tristeza com os outros.
chorar sobre o leite derramado Lamentar-se tardiamente de um fato de que participou, realizou ou que esperava participar ou realizar. *Var.* "clamar sobre o leite derramado".
chorar suas misérias Contar, lamentando, a vida triste que leva. *Var.* "chorar miséria(s)".
chova ou faça sol De qualquer maneira.
chover a cântaros Chover muito, torrencialmente; cair chuva pesada.
chover baba e ranho Desfazer-se em lágrimas.
chover canivetes Acontecer algo impossível, verificar-se algo absurdo.
chover no molhado *1.* Realizar trabalho inútil ou pouco proveitoso. *2.* Perder tempo em algo já sabido por todos ou já realizado. *3.* Sugerir ou adotar algo que já foi feito ou que é inócuo, ineficaz. *Var.* "ensinar o Pai-nosso ao vigário".
chover no roçado de Acontecer algo vantajoso para, realizar-se um bom negócio ou algo dar certo para.

> *O entendimento da expressão "choveu no meu roçado" (roçado = lavoura) é o de que algo de bom ou vantajoso aconteceu para (alguém), como acontece quando a chuva cai sobre uma plantação.*

chumbo trocado Revide; vingança. Há uma versão mais extensa, como no provérbio "Chumbo trocado não dói".
chupando o dedo *1.* É como fica quem não consegue alcançar seu intento. *2.* Ou quem é preterido ou excluído.
chupar cana e assobiar ao mesmo tempo Conseguir fazer ao mesmo tempo duas tarefas, ou dois trabalhos, ou assumir duas atitudes impossíveis de ocorrem simultaneamente.
chupar o olho Lograr alguém vendendo-lhe por preço extorsivo um produto.

chupar o sangue *1.* Aproveitar-se (de alguém, de um grupo/povo); explorar (alguém). *2.* Deixar a cargo de outrem a parte mais difícil e trabalhosa de um trabalho ou uma tarefa ou um desafio comum.
chupar os olhos da cara Extorquir; aproveitar-se. O *m.q.* "chupar o sangue".
chutar a sorte Jogar fora uma oportunidade que estava nas mãos.
chutar a urucubaca Sair de um período de má sorte.
chutar alto Contar mentiras e/ou gabolices inverossímeis.
chutar cachorro morto Revelar-se ou mostrar-se covarde; aproveitar-se das fraquezas dos outros.
chutar contra seu próprio gol *1.* Virar a cabeça; rebelar-se. *2.* Desempenhar mal o seu papel num negócio, numa situação.
chutar o balde O *m.q.* "perder a paciência".
chutar o pau da barraca Mostrar-se irritado, aborrecido, impaciente. *2.* Abandonar, desistir de um projeto. O *m.q.* "perder as estribeiras" e "chutar o balde".
chutar para córner Pôr (alguém) de lado; dar o fora em; largar. O *m.q.* "chutar para escanteio"

> Corner = Ing. *1. Canto (de um recinto). 2. Os ângulos retos de uma quadra ou campo esportivo.*

chutar para o alto Desprezar, pôr de lado; deixar de interessar-se por ou desistir de.
chute de letra *Fut.* O que se dá passando o pé que chuta por trás do pé de apoio, ou, *p.ext.*, com firulas, enfeitando a jogada com movimentos singulares de pernas e pés.
chute no traseiro *1.* Levar um chute no traseiro é situação humilhante para a vítima; nesta acepção, portanto, significa humilhação, menosprezo. *2.* Também se diz que "leva um chute no traseiro" a pessoa despedida de um emprego de modo abrupto.
chuva ácida Chuva que traz consigo partículas ácidas de gases poluentes de várias fontes terrestres.
chuva criadeira *Pop.* Chuva mansa e duradoura, benfazeja às atividades rurais.
chuva de estrelas Queda de meteoros.
chuva de molhar bobo Chuvisco, chuva miúda, que se pensa possível enfrentar sem abrigo e que se verifica que não era bem assim.
chuva de ouro (ou de prata) Na pirotecnia, efeito de fogos de artifício que reproduzem como que uma chuva de pontos luminosos dourados (prateados).

chuva de palavrões Impropérios intermináveis, xingatório.
chuva de pedra Granizo.
chuva miúda Chuva fina e fraca.
chuveiro automático O que é provido de resistências elétricas, que esquentam a água que jorra ao simples abrir da torneira, ligando-se à corrente elétrica automaticamente com o fluxo da água.
ciclo lunar Período de 19 anos solares, no fim dos quais as fases da Lua começam a realizar-se nos mesmos dias do calendário em que se realizaram no período anterior.
ciclo menstrual Período que na mulher ocorre em média a cada 28 dias e que se inicia com a menstruação.
ciclo solar Ciclo de 28 anos solares, no fim dos quais as datas dos meses e os dias da semana se correspondem na mesma ordem.
ciclo vital A série de vários estágios pelos quais os viventes passam, ou das sucessivas fases da vida vegetal e animal.
cidadão do mundo Homem que põe os interesses da humanidade acima dos demais. *Var.* "cidadão do universo".
cidade aberta Cidade sem fortificações ou defesas militares.
cidade das sete colinas Denominação que se dá a Roma (Itália).

> *As colinas são: Vaticano, Janículo, Aventino, Célio, Esquilino, Píncio e Capitólio.*

cidade dos pés juntos Cemitério.
cidade eterna Roma, que assim é chamada por ser ela sede do papado e, portanto, guia de toda a cristandade e da "eterna Igreja de Deus".
cidade histórica Assim é chamada cada uma das cidades do tempo do Brasil colonial cujo patrimônio arquitetônico foi preservado.

> *Tais cidades foram, quase sempre, palco de acontecimentos influentes na história do País. Entre muitas outras, são cidades como Ouro Preto, Tiradentes, São João del Rei, em Minas Gerais; Goiás Velho, em Goiás; Paraty, no Rio de Janeiro; Olinda, em Recife; São Luís, no Maranhão.*

Cidade Maravilhosa Antonomásia da cidade do Rio de Janeiro.

> *Consta que o termo 'Cidade Maravilhosa' foi cunhado pelo escritor maranhense Coelho Neto (1864-1934), radicado no Rio de Janeiro, em um artigo que escreveu para* A Notícia *na década de 1920. Em*

círculos polares

1928, lançou um livro de contos cujo título era igualmente A cidade maravilhosa. *A designação para a capital fluminense foi popularizada depois que o compositor André Filho a utilizou em uma marchinha que compôs para o carnaval de 1935 e que mais tarde foi escolhida como o hino oficial da cidade. Hoje, todos conhecemos os famosos versos do refrão, invariavelmente repetido em todos os bailes de carnaval em todo o Brasil: "Cidade Maravilhosa, cheia de encantos mil, Cidade Maravilhosa, coração do meu Brasil!"*

cidade sagrada Jerusalém, em Israel, para judeus, muçulmanos e cristãos; Meca, na Arábia Saudita, para a religião islâmica. Machu Picchu, para os incas.
ciência de algibeira Saber superficial.
ciências ocultas Supostas ciências cujo conhecimento era vedado ao vulgo: adivinhação e fenômenos de natureza extrassensorial, como a parapsicologia, astrologia, quiromancia etc.
cigarro de palha Cigarro feito com fumo de rolo picado enrolado em palha de milho previamente preparada ou cortada na hora.
cimento amianto Fibrocimento; mistura de cimento com amianto.
cimento armado *Eng.* Ou concreto armado, é o concreto que envolve uma estrutura de arames de aço trançados, aumentando a resistência a determinados esforços previamente calculados pelos que o projetam.
cimento *Portland* Obtido pela pulverização de uma mistura de materiais calcários e argilosos, que se calcinam até fusão incipiente.
cinema falado Aquele cuja projeção é acompanhada de sons coordenados com a imagem.
cinema mudo Filme cinematográfico sem trilha sonora.

Tais filmes existiram até a década de 30 (1930-1940). Muitas vezes, a exibição da obra era acompanhada por músicos que tocavam ao vivo, especialmente o piano, embora as composições não tivessem muita relação com a imagem na tela.

cingir a coroa Tomar posse de governo monárquico.
cinto de castidade Espécie de cinto de metal que cobria também o púbis, fechado a cadeado, que outrora era imposto às mulheres, sobretudo na Idade Média, com o fim de impedi-las da prática de relações sexuais nas longas ausências dos maridos.

cinto de segurança Faixa de cinto presa ao assento de aviões e de veículos motorizados que serve para impedir a projeção inercial dos passageiros em caso de impacto.
cintura de pilão Cintura fina, muito delgada e acentuada. *Var.* "cintura de vespa" e "cintura de tanajura".
cinturão verde Área de produção de hortifrutigranjeiros em torno de uma cidade.
circo de cavalinhos Circo.
circo lunar Grande depressão existente na superfície da Lua.
circuito Elizabeth Arden No âmbito do Ministério das Relações Exteriores, é o nome que se costuma atribuir às representações diplomáticas nas melhores e mais famosas cidades do mundo: Paris, Londres, Nova Iorque, Roma, por alusão à rede de representações da indústria dos famosos cosméticos Elizabeth Arden.
círculo de ferro Aperto, dificuldade grave; percepção de impotência de uma pessoa para fazer algo.
círculo de fogo A faixa litorânea das Américas, banhada pelo oceano Pacífico, onde existem numerosos vulcões ativos e extintos.
círculo de relações Conjunto das pessoas que estão ligadas a outras por laços de amizade, parentesco ou por interesses comerciais ou sociais.
círculo vicioso *1.* Erro lógico que consiste na coincidência entre premissas e conclusões. Usado também para indicar um raciocínio repetitivo, que sempre retorna às premissas iniciais. *2.* Situação na qual a consequência assume a função de causa do mesmo processo, gerando a mesma consequência, e com isso fechando o círculo sem progressão do processo.

Exemplo clássico é, em economia, o denominado "círculo vicioso da pobreza": é o que se estabelece num país que não pode investir nas atividades econômicas por lhe faltarem recursos; faltando estes, sua produção não pode aumentar; não aumentando, a renda também fica estagnada; sem renda, não há poupança; sem poupança (recursos), não pode haver investimento; não se realizando investimento... e assim sucessivamente.

círculo virtuoso Diz-se de uma sequência de acontecimentos que se encadeiam e culminam com solução satisfatória. *Cf.* "círculo vicioso".
círculos polares *Geog.* Círculos situados a 66°32' nas latitudes sul e norte, que delimi-

tam as zonas glaciais dos hemisférios terrestres (antártica e ártico, respectivamente).
círio batismal *Catol.* Vela acesa na chama do círio pascal, que se coloca na mão do batizando na cerimônia sacramental do batismo.
círio pascal *Catol.* Grande vela consagrada na Páscoa, representando a Luz de Cristo, isto é, Jesus ressuscitado, Luz do Mundo.
cirrose hepática Certa doença crônica do fígado.
cirurgia estética A que visa a modificar, embelezando, uma parte externa do corpo humano. *Var.* "cirurgia plástica".
clamor público Descontentamento ou indignação popular que se manifesta explicitamente.
clareza meridiana *1.* Clareza ou claridade absoluta. *2.* Diz-se de explanações ou explicações absolutamente satisfatórias.
claro como a luz Qualifica o assunto de que se trata como bem explicado, perfeitamente compreensível; evidente; patente. *Var.* "claro como água" e "claro como o dia".
claro como o dia Evidente; de muita clareza; bem exposto ou explanado.
claro pelo claro Francamente; claramente; sinceramente.
claros do exército Falta de pessoal nos quadros do exército.
classe "A" Excelente; de qualidade superior; supimpa. *Var.* "nota dez".
classe média *1.* Classe social cuja renda anual é considerada média em relação à maior e à menor renda da população de um país. *2.* Conjunto das pessoas que pertencem a esse extrato social.
classe sacerdotal Os padres, os sacerdotes.
classes proletárias As que se compõem de proletários, ou seja, de operários e/ou cidadãos pobres, que vivem de trabalho *ger.* mal remunerado.
cláusula ouro É a que estabelece, nos contratos, pagamentos em ouro ou em moeda estrangeira ou nos equivalentes em moeda nacional para assegurar a manutenção do valor pecuniário, diante da depreciação ou oscilação do valor da moeda do Estado em que será cumprida tal obrigação.
cláusulas pétreas Texto constitucional imutável.

> *O texto assim designado é o que não pode ser alterado nem mesmo por emenda à Constituição. Tem por objetivo assegurar a integridade da Constituição. As principais cláusulas pétreas da Constituição Brasileira estão prescritas no art. 60º parágrafo 4º.*

clima continental O predominante no interior dos continentes e cuja temperatura média de verão e inverno se mostra diferenciada em mais de 17 °C.
clima desértico Caracterizado pelas secas prolongadas e média anual de chuvas de apenas 25 cm.
clima frio O de temperatura entre 5 e 10 °C.
clima glacial Nos polos, com temperatura média abaixo de 0 °C.
clima quente Aquele cuja temperatura média oscila entre 20 °C e 25 °C.
clima subtropical Clima quase sem inverno. A temperatura média do verão e do inverno estão geralmente abaixo de 20 °C, com estações bem definidas.
clínica cirúrgica A parte da medicina que aplica terapêutica cirúrgica.
clínica geral A parte da medicina que trata de doenças dos vários órgãos e sistemas do corpo sem uso de cirurgia. *Var.* "clínica médica".
clínica médica O *m.q.* "clínica geral"
clip art *Ing.* Ilustração disponível para pronta e livre utilização em trabalhos gráficos.
clipagem eletrônica Assim se denomina a atividade ou serviço de recortes de matérias nos meios de divulgação, escritos sobre determinado assunto, pessoa, empresa etc., que interesse a vários segmentos da atividade política, econômica e outras. O *m.q.* "*clipping* eletrônico".
clube de várzea Clube esportivo dos subúrbios das grandes cidades, onde a prática de esportes é amadorística.
cobertor de orelha Aquele ou aquela com quem alguém se deita para dormir.
cobertor de pobre A cachaça.
cobra criada Indivíduo muito experiente, tarimbado.
cobra que morde o rabo Situação em que se dá voltas sem efetivamente resolver o problema.
cobra que perdeu o veneno Designação que se aplica a pessoas raivosas e violentas que, no momento, estão impossibilitadas de revidar ou reagir e têm de se conformar. *Var.* "cobra que perdeu a peçonha".
cobrar força Ir-se recuperando da saúde; convalescer.
cobras e lagartos *V.* "dizer cobras e lagartos".
cobrir de beijos Expressar com beijos todo o amor e o carinho que se tem por alguém.
cobrir de elogios Exagerar nos louvores a alguém.
cobrir de ouro Presentear alguém com objetos de grande valor.

coisa do arco-da-velha

cobrir um acontecimento No meio jornalístico, fazer reportagem acompanhando um evento ou um fato.
cobrir um lance Num leilão, oferecer um lance superior ao último que foi dado.
cobrir-se com penas de pavão Pavonear-se; arrogar-se feitos por outros realizados; gabar-se de suas próprias realizações.
coçação de saco Ócio; ociosidade; falta do que fazer; situação em que se está à toa.

A origem do termo alude a uma suposta prática dos homens adultos de coçar o saco escrotal, quando sozinhos e ociosos. Obs. A palavra "coçação" não está registrada nos dicionários consultados nem no Vocabulário Ortográfico da Língua Portuguesa, mas é ouvida com frequência.

coçar a cabeça Dar sinais de indecisão, de estar confuso, arrependido, perplexo etc.
coçar o saco Ficar à toa. *V.* "Coçação de saco".
coçar-se com a mão do peixe Carecer de recursos.
cochilar sentado *V.* "estar pescando".
código de acesso Combinação de caracteres (números, letras ou símbolos) usados para ter permissão de entrar num computador ou num programa dele constante; usa-se, também, em cartões magnéticos para acesso a equipamentos eletrônicos diversos, como caixas eletrônicos bancários, sistemas de crédito etc.
código de barras Conjunto de barras paralelas, de diferentes espessuras, impressas em uma embalagem, documento, nota fiscal etc. e que identificam, por leitura óptica, a origem, o fabricante, o nome do produto, seu preço etc.

Pode ser interpretado por um aparelho tradutor / leitor / decodificador óptico acoplado a um computador.

código de endereçamento postal Código numérico identificador de endereços (cidade, bairro, rua etc.), criado para facilitar a entrega de documentos postais. (sigla: CEP).
código Morse Alfabeto Morse, usado na telegrafia, baseado apenas em traços e pontos, que podem ser expressos com sinais luminosos ou sonoros de maior (traço) ou menor (ponto) duração. *V.* "alfabeto Morse".
coeficiente de inteligência *V.* "quociente de inteligência".

coelho na cartola Ter coelho(s) na cartola significa que uma pessoa dispõe de argumentos mais ponderáveis e ainda não expostos aos interlocutores. Ao utilizar tais argumentos, diz-se ter tirado o coelho da cartola.
cofiar os bigodes Alisar, afagar o bigode, passando a mão por ele, assinalando atitude pensativa. *Var.* "cofiar a barba" e "cofiar os cabelos".
cofre de carga Contêiner.

Grande recipiente móvel, transportável por caminhões, trens, aviões ou navios, que podem ser lacrados e assim transferidos de um meio de transporte para outro.

Cogito, ergo sum *1.* Expressão latina que, literalmente, significa: "Penso, logo existo." Verdade firme e assegurada, de que não se pode duvidar. *2.* Princípio primeiro do cartesianismo, proposto por René Descartes (1596-1650), filósofo, físico e matemático francês.

Descartes, após duvidar de sua própria existência, a comprova ao ver que pode pensar; e conclui que se está sujeito a tal condição, deve de alguma forma existir.

coisa à toa O *m.q.* "coisa de nada", sem importância, desprezível.
coisa alguma Nada; coisa nenhuma.
coisa de Aproximadamente; mais ou menos; cerca de.
coisa de arromba Algo extraordinário, notável.
coisa de cinema Coisa mirabolante, retumbante, que excede a imaginação e que só se considera possível com os recursos cinematográficos, mas não na vida real.
coisa de criança *1.* Algo de fácil realização. *2.* Palavras com que se desculpam certas atitudes, atos ou falas de crianças.
coisa de louco Algo que acontece de forma inusitada, estranha.
coisa de nada O *m.q.* "coisa à toa"; coisa sem importância.
coisa de outro mundo Coisa extraordinária, extravagante, estranha, inusitada, formidável.
coisa de primeira mão Objeto que o dono foi o primeiro a usar.
coisa de vulto Algo muito importante ou de grande tamanho.
coisa do arco-da-velha Coisa de espantar; extraordinária, fabulosa.

coisa do outro mundo Inverossímil, que causa tanta admiração; incrível; estupenda.
coisa em si *Filos.* No kantismo, o que subsiste independentemente de representação é causa dos fenômenos, mas não pode ser experimentado pelos seres humanos, pois não pode ser intuído.

> *Kantismo = Doutrina do filósofo alemão Immanuel Kant (1724-1804)*

♦ **coisa-feita** Feitiçaria; bruxaria.
coisa nenhuma Nada; absolutamente nada.
coisa pública Os negócios e interesses do Estado; o Estado.
coisa que o valha Equivalente.
♦ **coisa-ruim** *1.* Algo desagradável ou mau. *2.* O demônio.
coisa sem pés nem cabeça Coisa sem nexo, sem sentido, incompreensível.
coisas da vida Acontecimentos normais no decorrer da vida, embora algumas vezes desagradáveis.
coisas e loisas Muitas e variadas coisas; isto e aquilo; assuntos e coisas não especificadas; mistura de vários assuntos.
coisas mínimas Objetos (coisas) de pouca importância ou valor.
coisinha à toa O *m.q.* "coisa à toa". *Var.* "coisinha de nada".
coisinha linda Expressão de elogio, sobretudo a uma criança, brejeiramente a uma mulher, ou a respeito de um objeto, de um mimo, que se destacam pela beleza, pela graciosidade, pela delicadeza.
coisíssima nenhuma Absolutamente nada; de modo algum.
colapso de energia Falta momentânea de energia elétrica devido a problemas de geração ou de transmissão. Popularmente, diz-se "apagão".
colar grau Conferir título ou grau (referindo-se a cursos, *ger.* de nível superior).

> *É bom notar que a colação de grau é ato da instituição de ensino, ou seja, é ela que dá o título ao formando. É, pois, incorreto dizer que "alguém (aluno) colou grau".*

♦ **colarinho-branco** É assim chamado o trabalhador qualificado que ocupa lugar de destaque na administração de uma empresa.
colarinho de palhaço Folgado; sem preocupação.
colcha de retalhos Qualquer coisa formada de partes heterogêneas e disparatadas, sem unidade no seu conjunto.

colchete de gancho Aquele em que as duas peças que o compõem se engatam uma à outra, uma delas provida de um gancho e a outra de uma argola.
colchete de pressão Tipo de colchete em que as duas peças se encaixam uma na outra, por pressão.
colégio dos cardeais *V.* "sacro colégio".
colégio eleitoral Grupo de indivíduos designados para elegerem ocupantes de um cargo, *ger.* público, ou para receberem homenagens, prêmios etc.
colete ortopédico Aquele cujo formato é anatômico, feito de material especial, rígido, e que serve para proteger a coluna vertebral ou o tórax devido a defeito congênito, acidente, doença etc.
colher de chá *V.* "dar uma colher de chá".
colher de pedreiro Instrumento feito de aço, provido de um cabo, usado para preparar a argamassa e lançá-la na parede, assentar tijolos, cerâmica etc.
colher os frutos Obter a recompensa por esforços ou trabalhos.
colher os louros Receber alguém o prêmio por algo que tenha feito.
colis postaux *Fr.* Pequenas encomendas, até determinado limite de peso, transportadas sob o controle dos correios.
colo de garça Pescoço alto e bem-conformado.
colocar Ver também expressões iniciadas com os verbos "pôr" e "botar".
colocar a carroça na frente dos bois *V.* "pôr o carro adiante dos bois.
colocar a prêmio Oferecer recompensas pela captura ou resgate de alguém.
colocar à prova Submeter algo a testes para certificar-se de sua qualidade, honestidade, autenticidade, valor etc.
colocar contra a parede Pressionar alguém a revelar algo de que se supõe seja ela detentora.
colocar em jogo *1.* Iniciar ou estabelecer uma disputa. *2.* No futebol ou em outros esportes que usam bolas, lançar ou posicionar a bola no início ou durante a partida.
colocar em prática Agir no sentido de concretizar uma ideia, uma tese, um projeto. *Var.* "pôr em prática".
colocar (pôr) na balança Comparar méritos; sopesar prós e contras de uma decisão, de uma escolha, de uma proposta.
colocar no colo Mimar; cobrir de cuidados exagerados; ajudar.
colocar raposa para tomar conta de galinheiro Fazer algo, tomar decisão, adotar medida impensada e temerária que põe

algo em risco, por deixá-lo vulnerável à cobiça alheia.
colocar todos os ovos na mesma cesta Investir tudo numa só empresa, aplicação ou ação, correndo os riscos consequentes.
colocar uma pedra em cima Encerrar um assunto; deixar de lado. *Var.* "botar uma pedra em cima de".
colocar/pôr uma pá de cal em Tentar esquecer-se de um episódio desagradável.
colocar-se no lugar de Assumir as obrigações, os compromissos de outrem com o objetivo de avaliar o trabalho ou responsabilidade dessa pessoa. *Var.* "colocar-se na pele de".
colônia agrícola *1.* Povoação de colonos. *2.* Estabelecimento localizado em zona rural, onde certos condenados cumprem pena realizando trabalhos rurais.
colônia de férias Instalações, de um modo geral fora dos centros urbanos, para hospedagem de pessoas em férias, dispondo de estrutura de entretenimento, de esportes etc.
colônia penal Estabelecimento onde certos condenados cumprem pena, *ger.* trabalhando. Também se diz: "colônia agrícola".
colorido especial *V.* "dar um colorido especial".
colosso do Norte Nome que se costuma dar aos Estados Unidos da América.
coluna social A parte do jornal ou da revista que estampa notícias acerca dos acontecimentos sociais.
coluna vertebral Coluna formada pela superposição articulada das vértebras, situada na parte dorsal do tronco e que sustenta a cabeça, sendo, por sua vez, sustentada pela bacia.
colunas de Hércules *Fig.* O termo designa o limite até onde é possível levar em frente uma empresa ou trabalho. O *"nec plus ultra"* (*V.*).

Termo referente à antiga denominação do promontório que dominava o estreito de Gibraltar, que, sendo a única e estreita passagem do mar Mediterrâneo para o oceano Atlântico, era o limite para uma navegação segura.

com a avó atrás do toco Amuado, zangado. *Var.* "com a vó atrás do toco".
com a barriga no espinhaço *1.* Muito magro. *2.* Com muita fome.
com a barriga roncando Com muita fome.
com a bateria arriada *Fig.* Diz-se de pessoa desanimada ou cansada.

com a boca fechada Estar com a boca fechada tanto pode significar que a pessoa reduziu ao mínimo o que ingere de alimentação quanto que reduziu ao mínimo aquilo que fala.
com a boca na botija Em flagrante; na prática de ato ilícito.
Com a breca! Exprime admiração, espanto, descontentamento.
com a burra cheia Com muito dinheiro; em grande abastança. *Var.* "com as burras cheias".

Burra = Um tipo de caixa ou cofre que se usava para guardar ou transportar coisas diversas, esp. valores (joias, dinheiro etc.).

com a cabeça a mil Assoberbado de trabalho, de preocupações, de projetos, de ideias e, por isso, cheio de preocupações, aflições, expectativas etc.
com a cabeça erguida Orgulhosamente; confiantemente; sem nada temer.
com a cabeça no ar Distraído, desconcentrado, desatento, absorto, pensando em outras coisas que não o que está acontecendo à sua volta. *Var.* "com a cabeça nas nuvens".
com a cachorra *1.* Com a corda toda; com tudo; com sorte; com disposição. *2.* De mau humor, zangado.

É interessante notar que para esta locução encontramos acepções conflitantes, ambas de uso corrente.

com a cachorra cheia Bêbado; de pileque; na água.
com a camisa do corpo Desprovido de quase tudo; diz-se de quem só tem de seu a roupa que está vestindo e mais nada.
com a cara e a coragem Modo decidido com que alguém se vê forçado a enfrentar um problema ou um desafio, apesar de não se considerar em condições ideais para fazê-lo.
com a cara no chão Em situação vergonhosa ou vexatória, denotando frustração ou derrota por algo que não deu certo. Envergonhado; decepcionado.
com a cobertura de Com o apoio, o auxílio, o estímulo de.
com a corda no pescoço Em aperto, em apuros.
com a corda toda *1.* A todo vapor; a toda pressa. *2.* Com grande prestígio; eufórico; investido de poder e autoridade.
com a crista arriada O *m.q.* "de crista caída".

com a faca e o queijo nas mãos *V.* "estar com a faca e o queijo nas mãos" e "ter a faca e o queijo nas mãos".
com a faca na garganta Passar por grande aperto. O *m.q.* "com a corda no pescoço". *Var.* "com a faca no peito".
com a língua coçando Desejoso (alguém) de falar ou de revelar algo, principalmente sobre segredos, bisbilhotices etc.
com a língua de fora Cansado; exausto, ofegante.
com a mão na consciência Conforme os ditames da consciência (quando se age, toma-se atitude, faz-se pronunciamento etc.), com justiça e bom senso.
com a mão na massa *1.* Em pleno ato, no momento mesmo da execução de tarefa, trabalho etc. *2.* De surpresa, no momento em que algo está sucedendo (*ger.* flagrando ação ilegal de quem usufrui bem alheio). *Var.* "com as mãos na massa". *V.* "pôr as mãos na massa".
com a mosca azul *1.* Cheio de soberba, de orgulho. *2.* Cheio de aspirações, ambições.
com a orelha em pé Atento, alerta, intrigado. *Var.* "de orelha em pé".
com a orelha pegando fogo *1.* Com sensação de afogueamento, por razões fisiológicas. *2.* Diz-se popularmente da sensação de alguém que está sendo alvo de maledicências, ou de quem alguém está falando naquele momento.
com a pedra no sapato *1.* Desconfiado, precavido contra qualquer surpresa. *2.* Ressentido, chateado.
com a presença de Com a participação de; com a visita de.
com a pulga atrás da orelha Com desconfiança.
com a rédea na mão No comando; na direção segura.
com a tardinha No final da tarde. O *m.q.* "à tardinha" e "pela tardinha". *Var.* "de tardinha".
com acinte De modo provocador.
com açúcar Facilmente.
com água na boca *1.* Com apetite intenso por determinada iguaria. *2. P.ext.* Com vivo desejo, cobiça, inveja.
com ambas as mãos Com as duas mãos; com determinação, com a maior boa vontade.
com antecedência Previamente. O *m.q.* "com antecipação".
com antecipação Antes do prazo marcado; adiantadamente. O *m.q.* "por antecipação".
com ar de resto Com desprezo, com indiferença.

com armas e bagagens De maneira completa, integral. *V.* "de armas e bagagens".
com as calças na mão Em situação de dificuldades, embaraço, angústia, incerteza etc., devido, *p.ex.*, ao insucesso de um negócio, ao repentino fim de uma parceria, por ter sido logrado etc.
com as canjicas de fora Rindo.

> *Dentre as acepções para "canjica", parece, aqui, tratar-se da semelhança da fileira de dentes que as pessoas mostram ao rir, com a fileira dos grãos de milho na espiga, sabido que tais grãos são também chamados de canjica.*

com as costas na parede Em dificuldades, pressionado, sem alternativa.
com as duas mãos O *m.q.* "com ambas as mãos".
com as mãos abanando Com as mãos vazias, sem nada portar.
com as mãos atadas Figuradamente, se diz assim quando a pessoa está impotente diante de uma situação.
com as mãos estendidas Pronto para ajudar.

> *Curiosamente, "com a mão estendida" pode ter o sentido oposto de "a pedir ajuda, ou esmola".*

com as mãos na algibeira Sem ter o que fazer; sem ação; inativo; ocioso; desempregado. *Var.* "com a mão no bolso".
com as pernas bambas Com muito medo ou susto, a tal ponto de não se conseguir manter firmes as próprias pernas.
com as pernas para o alto *1.* Em postura ou atitude de descanso, relaxamento. *2.* Em situação de estar à toa, sem ter o que fazer. *V.* "de pernas para o ar".
com as rédeas na mão Com o comando da situação.
com base em O *m.q.* "à base de".
com bravura Com denodo, férrea vontade e disposição.
com calor Calorosamente, com entusiasmo.
com cara de doente Com expressão ou aspecto de quem está de fato doente, ou com a cara pálida por susto ou medo.
com cara de quem não quer nada Diz-se de alguém que apresenta um aspecto de desânimo, desinteresse ou alheamento.
com carga total Com pleno desempenho de suas qualidades dominantes, com toda a energia e todo o empenho.
com casca e tudo *1.* Integralmente. *2.* De

modo rude, como na expressão: "tratar (alguém) com casca e tudo".
com cera no ouvido Surdo; ouvindo mal.
com certeza Certamente, decerto, evidentemente.
com classe Com categoria; com dignidade, compostura, seriedade, personalidade.
com conhecimento de causa Com conhecimento do assunto do qual se está tratando, ou das técnicas e métodos apropriados para o que se está fazendo.
com consciência Com probidade, honestidade; segundo as regras da consciência.
com dia Antes de ser noite; enquanto há luz do sol. *Var.* "de dia".
com dinheiro contado Com pouco dinheiro; tendo disponível apenas o suficiente para determinado uso.
com efeito Efetivamente; realmente; de fato; portanto.
Com efeito! Interjeição que denota surpresa, estranheza, como em "Imagine só!" ou "Ora, veja só!"
com exceção de Exclusive (isso); fora (isso). *Var.* "à exceção de".
com fé, arruda e guiné Diz-se ao se enfrentar uma tarefa que se imagina mais difícil, significando que, além de sua disposição, espera contar com a ajuda de suas crenças e seus amuletos.
com fogo no rabo Com muita agitação, excitação, raiva.
com força total Com vitalidade, com toda a força; com tudo.
com frequência Frequentemente; muitas e repetidas vezes.
com fundos Com disponibilidade de capital, de haveres. Diz-se também do cheque com suficiente provisão de saldo para ser honrado.
com honra Honradamente; dignamente.
com igualdade Em partes iguais; igualmente.
com jeito Com habilidade; com astúcia; prudentemente.
com (sua) licença Permita-me; forma gentil de solicitar algo (a alguém).
com licença da palavra Aposto que corresponde a um pedido de desculpa ao se dizerem palavras julgadas inconvenientes ou indignas da atenção do ouvinte.
com língua de palmo De má vontade.
com louvor Com méritos, distinção, merecimento.
com mão de ferro Com energia; com rigor.
com mão de gato Sorrateiramente. *Var.* "com a mão do gato".
com mão de mestre Com competência, perfeição, perícia, habilidade.

com mão diurna e noturna Dia e noite; constantemente. Também se ouve: "com mão noturna e diurna".
com meias medidas Com paliativos.
Com mil demônios! Expressão de zanga, impaciência ou irritação. *Var.* "Com mil diabos!".
com mil desculpas Expressão com a qual se lamenta por alguma coisa que se fez ou se falou em prejuízo de outrem, demonstrando, quase sempre, que não era essa sua intenção.
Com mil diabos! O *m.q.* "Com mil demônios!"
com muito auê De modo tumultuado ou confuso; com muita agitação, muito barulho.
com muito suor Com muito trabalho e esforço; à custa de sacrifícios.
com o andar do tempo Na medida em que os dias passam e os acontecimentos se sucedem.
com o bico n'água e morrendo de sede Diz-se quando se tem a posse ou a disponibilidade de um bem ou de uma situação e, por alguma razão, delas não se pode usufruir.
com o coração apertado Contristado, abalado e triste.
com o coração na boca Muito cansado, arfante.
com o coração nas mãos *1.* Aflito, angustiado, na expectativa de algo cujo desfecho não pode imaginar. *2.* Com sinceridade e veracidade.
com o coração partido Com sentimentos de dor; sob intensa emoção; O *m.q.* "com o coração apertado".
com o credo na boca Na iminência de um perigo.
com o fito de Com o propósito, intento, objetivo de.
com o maior pique Com muito ânimo e disposição, pronto a enfrentar o trabalho ou a tarefa que se lhe apresentar.
com o pai na forca Apressado.
com o pé atrás Com desconfiança, com hesitação.
com o pé direito De modo feliz, auspicioso; com boa sorte, com sucesso.
com o pé esquerdo De maneira infeliz.
com o pé na cova *1.* Na iminência de morrer, moribundo. *2.* Diz-se também, com certo humor macabro, de pessoa muito idosa.
com o pé no estribo De partida; prestes a partir. *Var.* "com o pé na estrada".

Também se dz que está "com o pé no estribo" quem está pegando a estrada. Portanto, "pôr o pé no estribo" corresponde a "pegar a estrada".

com o perdão da palavra

com o perdão da palavra Expressão usada para amenizar e ao mesmo tempo evidenciar palavras fortes ou violentas.
com o rabo entre as pernas Em estado de completa derrota, humilhação ou frustração.
com o rabo na cerca Comprometido; preso a certas ações ou situações. *V.* "dar com o rabo na cerca".
com o suor do rosto À custa de trabalho pesado ou de grandes sacrifícios.
com os burros n'água Expressão usada quando se quer dizer que um empreendimento não teve sucesso. *V.* "dar com os burros n'água".
com os cinco sentidos Com o máximo cuidado.
Com os diabos! Expressão que denota espanto, contrariedade, zanga, surpresa. *Var.* "Com os demônios!"; Com seiscentos mil diabos!"
com os nervos à flor da pele Muito nervoso; sensível; pronto a explodir de raiva, de impaciência.
com os nervos em pandarecos Exausto, esgotado mentalmente; muito abalado.
com os olhos abertos Muito atento ao que acontece em volta ou ao que alguém faz ou fala. *Var.* "de olhos abertos".
com os olhos rasos d'água Prestes a chorar ou já choroso, devido a mágoas, tristeza, emoção etc.
com os pés nas costas Com facilidade. *Var.* "com um pé nas costas".
com os pés no chão Com espírito prático; com abordagem realista; baseado mais nos fatos que em teorias ou ideais.
com os seus botões Consigo mesmo, de si para si. *Var.* "com seus botões".
com pés de lã Sorrateiramente. O *m.q.* "com pés de ladrão".
com pés de ladrão Sem ser pressentido; sorrateiramente. O *m.q.* "com pés de lã".
com picuinhas Com melindres; com imposição de pequenas e inconsistentes restrições.
com pouco... Algum tempo depois. *Ex.*: *Com pouco, chega ele à cena.*
com precisão Com perfeição, minúcia, cuidado.
com pressa *1.* Apressadamente. *2.* Em ritmo acelerado.
com profusão Com abundância.
com quantos paus se faz uma canoa *V.* "mostrar com quantos paus se faz uma cangalha (canoa)".
com quatro pedras na mão Agressivamente; com grosseria e/ou irascibilidade.

Com que então...! Afinal de contas...! Quer dizer que...
Com que roupa? Retruca-se a alguém enfatizando que não se tem a mínima condição de realizar algo que está sendo sugerido.
com raiz e galhos Completamente, inteiramente, radicalmente.
com relação a A propósito de. *Var.* "com respeito a"; "com referência a", "no que tange/concerne a".
com respeito a O *m.q.* "a respeito de".
com saco para *V.* "não estar com saco para".
com segurança Seguramente.
Com seiscentos diabos! O *m.q.* "Com mil demônios!". *Var.* "Com os seiscentos diabos!"
com seus botões Consigo mesmo.
com sono Com vontade de dormir.
com tempo Com vagar; dispondo de tempo.
com todas as letras Fielmente, com todos os pormenores; claramente.
com todo o gás Com todo o ímpeto, toda a força, vontade, disposição.
com todo o respeito Diz-se quando se quer dirigir ou retrucar a uma pessoa hierarquicamente superior ou a pessoa mais idosa, discordando da opinião dela.
com todo o tempo do mundo Quem diz que está com todo o tempo do mundo está afirmando que está inteiramente à disposição (para tarefa, trabalho etc.) pelo tempo que se fizer necessário.
com todos os efes e erres Com absoluta exatidão; meticulosamente.
com todos os pontos e vírgulas Com todas as minúcias. O *m.q.* "com todos os efes e erres".
com todos os sacramentos Com todos os requisitos, sem nada faltar.
com tudo Dizemos que alguém está com tudo quando está confiante, progredindo, saudável, feliz. Há uma versão estendida: está com tudo e não está prosa, *i.e.*, disso não se gaba porque está evidente.
com um olho aqui, outro lá Estando num lugar e passando por uma certa experiência, pensar ou acompanhar outra situação, num outro lugar; prestar atenção em duas coisas ao mesmo tempo.
com um pé nas costas Com muita facilidade. *V.* "de olhos fechados". *Var.* "com uma perna às costas".
com um quente e dois fervendo *1.* Muito irritado. *2.* A toque de caixa; com pressa.
com uma mão atrás e outra adiante Com as mãos vazias; pobre, sem recursos; em estado de penúria.

com uma perna às (nas) costas Com grande facilidade.
com unhas e dentes De todas as maneiras possíveis; a todo custo; denodadamente.
com usura *1.* Com avareza, mesquinhez. *2.* Com ganância, juros excessivos.
com vento fraco Sem cerimônia (*V.*).
com vista a Fórmula de endereçamento quando se submete um assunto à consideração de outra pessoa. *Var.* "com vistas a".
com vontade Cheio de gana, de prazer; com zelo; com disposição.
com vontade ou sem ela De qualquer jeito; sem apelação.
comandar o barco Exercer a direção de; tomar as rédeas de. *Var.* "conduzir o barco".
combate singular O duelo.
combustão espontânea A que ocorre naturalmente, sem a presença de agente específico de ignição.
combustível atômico/nuclear Substância físsil utilizada num reator nuclear.
come e dorme Indivíduo ocioso, sem ocupação, vivendo à custa de outro(s).
come na minha (sua) mão Expressão que se costuma usar para indicar que uma pessoa segue incondicionalmente a orientação minha ou de outra pessoa; comporta-se como pessoa servil.
começar a inana Surgir alguma situação de aborrecimento, de caceteação.

> *Inana é uma coisa que aborrece, incomoda; situação de dificuldade.*

começar do zero Iniciar algo sem contar com nenhum subsídio inicial, sem se basear em nenhum trabalho ou processo anterior. *Var.* "começar da estaca zero".
começo do fim O início da derrocada de um empreendimento, de uma tarefa, de uma era, época, governo etc.
comédia de costumes Peça teatral que retrata usos e costumes, ideias ou sentimentos habituais de determinada sociedade, classe ou profissão, em determinada época.
comedor de caranguejo Epíteto atribuído pelas populações de Minas e do interior do Espírito Santo aos habitantes de Vitória (*ES*) e do litoral circunvizinho.
comedor de chão Grande andarilho.
comedor de formiga Alcunha que os santistas (naturais da cidade paulista de Santos) dão aos nascidos na cidade de São Paulo.
comer a bola *Fut.* Jogar uma partida muito bem; destacar-se num jogo; mostrar-se competente no jogo. *Cf.:* "comer bola".

comer a isca Deixar-se enganar, cair em esparrela. *Var.:* "engolir a isca".
comer a isca e cuspir no anzol Receber um benefício, um favor e não o retribuir ou o reconhecer.
comer à tripa forra Comer a fartar.
comer alguém por uma perna Enganar alguém da forma mais astuta, *i.e.*, com ardil, engenhosamente.
comer as palavras Ter de desdizer-se; retratar-se.
comer barriga *1.* Na revisão do jornal, deixar passar erros gramaticais, ortográficos, informações extemporâneas, incompletas ou inverídicas. *2.* Deixar escapar uma boa oportunidade. *3.* Em jogos de baralho, deixar de fazer uma boa jogada, por distração ou incompetência. O *m.q.* acepção 2 de "comer mosca".
comer bola *1.* Aceitar suborno; vender-se. *2.* Diz-se, também, do cachorro ou gato que morreu por ingerir pedaços de alimento envenenados. *Cf.* "comer a bola".
comer brisa Passar fome.
comer calado Não se queixar ou não reagir a uma injustiça que se lhe faz. *Var.* "engolir calado".
comer capim pela raiz Morrer. *Var.* "bater as botas" e "comer grama pela raiz".
comer cobra *1.* Estar de mau humor. *2.* Enfurecer-se. *Var.* "engolir cobra" e "virar cobra".
comer cocada Ser acompanhante de namorados. Ser "pau de cabeleira" (*V.*).
comer com a testa Ver a coisa que deseja e não poder possuí-la.
comer com os olhos Olhar fixa e interessadamente para algo ou alguém; cobiçar.
comer como pinto e cagar como pato Ganhar pouco dinheiro e gastar muito.
comer como um cavalo Comer muito. *Var.* "comer como um boi", "comer até encher a pança" e "comer até entornar".
comer como um lobo Comer muito e com avidez.
comer como um passarinho Ser muito comedido no comer; ser frugal.
comer como um porco Comer com comportamento rude, demonstrando não estar habituado ao uso da etiqueta geralmente aceita.
comer da banda crua Estar em situação desvantajosa; passar dificuldades. *Var.* "comer da banda podre (ruim)".
comer da mesma gamela Viver em intimidade; ter opiniões ou interesses comuns; conviver.

comer e chorar por mais

Gamela = Vasilha simples, de formato variado, ger. de madeira, artesanal, us. para diversos fins, esp. culinários e preparação de alimentos.

comer e chorar por mais Apreciar enormemente uma coisa.
comer e emborcar o cocho Mostrar-se ingrato, mal-agradecido; falar mal de quem só lhe fez o bem. *Var.* "comer e virar o cocho".
comer estrada Andar ou caminhar com rapidez; vencer uma viagem longa.
comer feijão e arrotar peru Contar falsa vantagem; ser prosa, gabola.
comer fogo Passar por trabalhos penosos, por dificuldades. *Var.* "comer da banda podre".
comer formiga Bobear.
comer gambá errado Tomar uma coisa pela outra; ser ludibriado; enganar-se, ser enganado; ir na conversa. *Var.* "comer gato por lebre".
comer gato por lebre O *m.q.* "engolir gato por lebre". *V.* "gato por lebre".
comer grama *Fut.* Ser fintado e estatelar-se ridiculamente no gramado, em consequência.
comer grama pela raiz Morrer; estar sepultado. *Var.* "comer capim pela raiz".
comer insosso e beber salgado Lutar com sérias dificuldades; passar por dificuldades, decepções, situações desagradáveis. O *m.q.* "comer da banda podre".
comer isca O *m.q.* "morder a isca".
comer mosca *1.* Passar batido (*V.*), no jogo de cartas; deixar, por distração, de fazer uma jogada decisiva. *2.* Ser enganado; não compreender nada do que se passa; deixar passar uma oportunidade que se lhe oferece. *3.* O *m.q.* acepção *3* de "comer barriga".
comer na gaveta Ser sovina/avarento.

A expressão viria da avareza extrema de se esconder na gaveta da mesa o prato com a comida, ao receber inesperadamente alguma visita.

comer no mesmo cocho Entender-se bem com outrem; aparceirar-se com alguém; ser da mesma igualha. *Var.* "comer no mesmo prato".
comer o badalo Falar demais.
comer o couro de Espancar; surrar (alguém).
comer o pão que o diabo amassou *1.* Passar por muitas dificuldades, tormentos, privações. *2.* Comer pouco e mal. *V.* "comer da banda crua". *Var.* "comer o que o diabo enjeitou".

comer o peito da franga *MG* Alcançar vitória. *Var.* "comer o peito da franga com molho pardo".
comer pela mão de Estar sob a tutela de.
comer pela perna Enganar, ludibriar.
comer pelas beiradas *1.* Ir devagarinho tentando solucionar uma questão. *2.* Minar, com paciência, a resistência de alguém.
comer por dez Ser glutão, ter alguém o hábito, nem sempre recomendável, de comer muito.
comer ruim *N.E. V.* "comer da banda crua".
comer sardinha e arrotar pescada Incorrer em jactância, gabolice; contar vantagens. O *m.q.* "comer feijão e arrotar peru".
comer terra Viver com dificuldades e amarguras.
comer um boi Comer em excesso, numa assentada.
comércio eletrônico Compra e venda de bens ou serviços através de meios eletrônicos (pela internet).
comes e bebes Comidas e bebidas (*esp.* referindo-se àquelas que são oferecidas numa festa); festa.
cometer uma baixeza Praticar uma ação vil.
cometer uma gafe Por ignorância, dizer ou fazer algo impróprio, em ocasiões igualmente impróprias. *V.* "dar um fora".
comida de sal Todo alimento temperado com sal.
comida de urso Sova; surra.
comigo é assim Diz-se de forma um tanto arrogante, na justificativa de uma atitude.
Comigo não, violão! Maneira familiar (íntima) de externar absoluta discordância, recusa, negativa.
Comigo ninguém pode. *1.* Expressão gabola da própria força ou habilidade para safar-se de situações difíceis ou do poder de anular a influência ou o poder de outrem; afirmação de valentia. *Var.* "comigo ninguém rasga". *2.* Denominação de conhecida planta ornamental.
comissão de frente Componentes de escola de samba, vestidos com trajes especiais, que seguem à frente, abrindo o desfile de uma escola, saudando o público e os juízes.

No passado, seus componentes eram, geralmente, dirigentes da escola, num desfile lento e formal. Depois, passou a ser uma alegoria coreografada, executada por dançarinos, muitas vezes com o recurso de efeitos especiais.

comissão parlamentar de inquérito Grupo de parlamentares oficialmente constituído para investigar fatos relevantes de ordem constitucional, econômica ou social do país, investida de poderes equiparados ao do Judiciário. Sigla: CPI. (Referindo-se a uma comissão específica, já instalada, escreve-se com maiúsculas.)
comissário(a) de bordo Funcionário(a) incumbido(a), a bordo de aeronaves comerciais, dos serviços relacionados com o conforto, a segurança e o bem-estar dos passageiros. Aeromoço(a).
comme il faut Fr. Lit. "como é necessário", "como deve ser". Próprio, correto.
commercial paper Ing. Econ. Nota promissória comercial, que é um título cambial endossável e, pois, negociável.
Common Law Ing. É como se designa o direito consuetudinário em vigor na Inglaterra e nos Estados Unidos da América. Lei não escrita.
como a necessidade Urgente; indispensável; premente.
como água Em abundância.
como água de morro abaixo e fogo de morro acima Inexoravelmente; de modo incontrolável (ou quase) e com muita rapidez (na evolução de uma situação, de um processo etc.).
como água e fogo Absolutamente incompatíveis entre si (seres, coisas, conceitos, processos). O *m.q.* "como cão e gato".
como água nas costas de pato Diz-se de algo que não perdura, efêmero.
Como assim? Locução que exprime admiração, espanto, incredulidade (é como se dissesse: "Explique isso melhor.").
como cão e gato De maneira incompatível (entre pessoas, animais); expressão que se encontra muito frequentemente quando se quer ressaltar a dificuldade de convivência entre pessoas. *Var.* "como gato e rato" e "como gato e cachorro".
como cisco Em grande quantidade.
como convém Como é adequado, necessário, aconselhável.
como de costume Como usual.
como de fato Sem dúvida; efetivamente; com certeza.
como der na cabeça Como achar que deva ser, naquele momento e diante das circunstâncias; ao sabor da vontade ou inspiração momentâneas. *Var.* "como der na ideia" e "como der na telha".
como deve ser Tal como se espera e parece adequado diante das circunstâncias. Corresponde a *"comme il faut"*.

como diz o outro Segundo a maneira de ver de certa pessoa.
como dizia meu pai Diz-se quando se quer dar foros de veracidade ou autoridade a algo que se diz. *Var.* "como dizia meu avô (ou avó, ou mãe etc.).
como dois pombinhos Como dois namorados que demonstram reciprocamente seu ardente amor.
como é que chama MG Usado para designar alguém ou algo cujo nome não vem à memória no momento. Equivale a: fulano, coisa.
como ele só Como só ele é capaz de ser ou de fazer; à sua maneira. O *m.q.* "que só ele".
como estátua Inerte; parado; imobilizado. *Var.* "como um poste".
como formiga *1.* Em grande quantidade. *2.* Tão voraz como. *3. Var.* "que nem formiga".
como gato sobre brasas A toda pressa.
como gente grande De maneira muito correta, bem feita, ponderada, responsável
como irmãos Como amigos e companheiros.
como lá diz o outro Como se diz; como há quem diga.
como macaco por banana Expressão usada para enfatizar o quanto alguém gosta de determinada coisa.
como manda o figurino *1.* A rigor; tal como recomendado; com todos os "efes e erres"; com total obediência às normas, ao cerimonial. *2.* Segundo a boa praxe; como deve ser; como é socialmente recomendável. *Var.* "conforme manda o figurino".
como nunca *1.* De maneira nunca antes ocorrida. *2.* Também se diz "como nunca" para expressar um intenso agrado pelo que se está oferecendo.
como o dia e a noite Como rotineiramente as coisas se sucedem.
como o diabo Muito; em excesso; demais. V. "até o diabo dizer basta". *Var.* "como o demônio".
como o diabo gosta Ótimo; excelente.
como o peixe n'água À vontade; no seu elemento.
como peixe fora d'água Fora de seu elemento; incomodado; inibido; desambientado. *Var.* "como um peixe fora d'água".
como peru em círculo de giz Diz-se da atitude perplexa de pessoas que agem ingenuamente e não sabem sair de dificuldades triviais.

como Pilatos no credo

> *A comparação com o peru deriva de uma certa 'ingenuidade' do peru (que se julga prisioneiro de um círculo de giz traçado a sua volta, e não sai dele), assim como da crença de que ele não age com maldade.*

como Pilatos no credo Sem interesse no assunto de que se está tratando; eximindo-se de responsabilidades, por covardia ou displicência.

> *Pilatos é mencionado no credo cristão com a lembrança de que o padecimento do Cristo se deu sob o seu governo, tendo ele procurado se eximir da responsabilidade ao lavar as mãos.*

como poucos Como exceção; como raramente se encontra ou ocorre.
como príncipe À maneira de príncipe; esplendidamente.
como que Expressão que equivale a "como se".
como queira Expressão de consentimento ao que outra pessoa ordenou ou demonstrou desejar. *Var.* "como quiser" (em determinadas circunstâncias).
como quem nada tem com a coisa Como se o caso não lhe dissesse respeito.
como quem não quer e querendo De maneira dissimulada. *Var.* "como quem não quer nada".
como quer que Seja qual for a maneira com que; de qualquer modo que.
como queríamos demonstrar Conclusão habitual dos raciocínios, sobretudo na matemática euclidiana. Usa-se ao final das demonstrações da solução de problemas, *ger.* com a simples indicação das iniciais: c.q.d.

> *É expressão que vem do latim: "Quod erat demonstrandum" (V.) – Euclidiana – De Euclides, matemático grego que viveu no séc. III a.C., em Alexandria.*

como quiser O *m.q.* "como queira".
como sardinhas na lata Confinados, espremidos; extremamente apertados; muitas pessoas em espaço exíguo, insuficiente para todas.
como se Parecido com; tal como.
como se não houvesse amanhã Com imprevidência, sem pensar no que virá depois (refere-se a ação, atitude etc.).
como sói acontecer Como sempre acontece.
como tal Desse modo; nessa qualidade.
como tartaruga Assim se diz quando nos referimos à morosidade de algo ou de alguém, dado que a tartaruga é, por natureza, lenta ao andar.
como terra Em grande quantidade.
como último recurso O *m.q.* "em último recurso".
como um anjo Tranquilamente; perfeitamente. Diz-se também de pessoa que agiu com bondade, cortesia e delicadeza.
como um cão No abandono; desprezado; maltratado.
como um condenado Muito; em excesso; à farta.
como um cordeiro De maneira dócil; manejável; inocente.
como um demônio De forma passional, impetuosa, arrebatada, violenta ou cruel.
como um desesperado Como alguém fora de seu juízo; como um louco.
como um infeliz Muito, espantosamente. *Ex.: Corre como um infeliz.*
como um louco Desvairadamente; exageradamente; ansiosamente.
como um passarinho *1.* De maneira muito delicada, frágil, vulnerável. *2.* É locução muito usada na expressão "morrer como um passarinho", que significa morte sem sofrimento, tranquila.
como um pinto Totalmente molhado, encharcado, a pingar.
como um príncipe Com todas as comodidades e privilégios possíveis.
como um raio Com muita rapidez e intensidade. *Var.* "como um relâmpago" e "como um meteoro".
como um relógio *1.* Pontualmente. *2.* Diz-se do funcionamento preciso de algo.
como um só homem Em massa, em peso; por unanimidade; como uma só pessoa.
como um turbilhão Com extrema velocidade.
como uma bala Com muita rapidez. *Var.* "como uma flecha".
como uma flecha Com extraordinária rapidez; rapidamente.
Como vai essa bizarria? Modo de cumprimentar equivalente a "Como passa de saúde? " ou "Como vai?", mas com um certo exagero e intimidade ou em tom de brincadeira, crítica ou elogio.

> *Bizarria = Deriva de "bizarro", que tem várias acepções: elegante, refinado, generoso, liberal, gentil. Também: jactancioso, arrogante, extravagante.*

Como vai essa força? Modo de saudar as pessoas, equivale a: Como vai?; Como está (ou vai) passando?
como vilão em casa de seu sogro Com mo-

computação gráfica

dos descomedidos e insistentes; de modo orgulhoso e enfatuado.
comover as pedras Comover profundamente as pessoas que ouvem ou veem (fala, cena etc.).
compact disc *Ing. Inf.* Disco gravável, contendo informações, arquivos, músicas, sons, imagens etc., acessados em computadores ou equipamentos eletrônicos especiais. Sigla: CD.
competição desenfreada Feroz e interminável competição entre contendores, desportistas, comerciantes, industriais etc., visando à vitória ou à conquista de clientes, com a utilização de todos os meios possíveis e até mesmo aéticos.
complexo brasileiro Denominação do conjunto de rochas e terrenos que constituem o sistema arqueano do solo brasileiro.
complexo de Édipo *Psic.* Inclinação erótica de uma criança pelo progenitor do sexo oposto, realçada em virtude do conflito com o progenitor do mesmo sexo, ao mesmo tempo amado, odiado e temido. O termo tem origem na mitologia grega.
complexo de Electra Amor sexual recalcado de filha para com o pai. O termo tem origem na mitologia grega.

Alusão metafórica a Electra, personagem lendária grega, filha de Agamemnon e Clitemnestra. Seu destino resume-se no amor ao pai e no ódio à mãe. Quando a mãe matou Agamemnon, Electra fez com que seu irmão Orestes fugisse e, com ela, posteriormente, matasse a mãe.

complexo de inferioridade *Psic.* Complexo vinculado a sentimentos de deficiências reais ou imaginárias.
complexo de Poliana Tendência a ver apenas o lado bom, positivo, otimista das coisas, das pessoas e dos acontecimentos.

Deriva da história narrada por Eleanor H. Porter, no livro "Pollyanna", ed. em 1913 e, posteriormente, por vários outros autores como sequência, nos quais a personagem, com esse nome, apresenta tais características.

complexo de superioridade *Psic.* Indivíduo pretensioso, que se julga melhor do que os outros em algo e/ou em tudo. *V.* "complexo de inferioridade".
compra e venda Operação que consiste na obrigação de comprar o que o outro vende, com a respectiva transferência do domínio do objeto da transação. Contrato de compra e venda.
comprar a consciência de Corromper; subornar.
comprar a ideia Ser convencido por alguém. *V.* "vender a ideia".
comprar barulho Intervir numa disputa ou briga e dela vir a participar ativamente.
comprar bonde Cair no conto do vigário; fazer um mau negócio; deixar-se ludibriar.

Bonde = 1. Veículo elétrico de transporte urbano, para passageiros ou carga, que se move sobre trilhos. 2. Anedota carioca diz que a expressão deriva do caso de um mineiro que foi enganado por um espertalhão que lhe teria vendido um bonde.

comprar briga Meter-se em complicações sem necessidade nem proveito; meter-se onde não é chamado; provocar uma pessoa, sem razão.
comprar cartas Tirar cartas do baralho para a própria mão de cartas, em alguns jogos.
comprar fiado Comprar a crédito.
comprar gato por lebre Ser enganado, recebendo coisa pior que a devida ou esperada. *Var.* "engolir gato por lebre". *V.* "vender gato por lebre";
comprar na bacia das almas Comprar muito barato.
comprar nabos em saco Fazer negócio às escuras, sem prévia análise ou exame.
compromisso de honra Qualquer compromisso que tenha a honra como penhor.
computação em nuvem Processamento de dados utilizando um servidor remoto, onde estão efetivamente instalados (e não na máquina do usuário) o sistema operacional e o(s) *software(s)* utilizado(s). *Var.* "computação na(s) nuvem(ns)".

O cloud computing, como o termo é referenciado em inglês, é considerado uma tendência na informática. Com o advento da internet, que cresceu em abrangência e capacidade, tornou-se possível a concretização dessa tecnologia. A ideia é reduzir os custos evitando pesados investimentos em hardware e software localmente, através da utilização online de servidores externos para as atividades de processamento de dados necessárias, das mais simples às mais complexas.

computação gráfica *Inf.* Produção e armazenamento de imagens, gráficos, quadros etc., em computadores.

computador eletrônico

computador eletrônico Processador eletrônico de dados com capacidade de aceitar informações, efetuar com elas operações programadas, fornecer resultados para resolução de problemas. Podem ser analógicos ou digitais.

> Diz-se também, e com quase total prevalência de uso, apenas "computador".

cômputo eclesiástico Série de regras pelas quais se determinam as datas das festas móveis das Igrejas cristãs.
comum de dois Substantivo comum a dois gêneros. *Ex.*: artista, jovem, dentista etc.
comungar das mesmas ideias Pensar identicamente a outra(s) pessoa(s).
comunhão universal Regime de associação matrimonial em que todos os bens e dívidas passivas se tornam comuns entre os cônjuges.
comunicação de massa Comunicação social dirigida a uma faixa de público abrangente, que contemple a maior parte possível dos elementos-alvo.
concerto grosso Composição na qual um pequeno grupo de instrumentos solistas ora se alterna ora se funde com o grosso da orquestra.
concha acústica Abóbada formada por ☐ de esfera, ou por paredes côncavas, destinada a dirigir os sons refletidos, utilizada em espetáculos ao ar livre.
concha de orelha Parte côncava da orelha que capta os sons para o canal auditivo.
conciliar o sono Adormecer.
Concílio Ecumênico *Rel. Crist.* Reunião de Igrejas cristãs para definir e deliberar sobre pontos atinentes à missão que lhes é própria.
concorrência pública Licitação aberta a todos os interessados que devem provar capacidade de atender a todos os requisitos impostos pelo respectivo regulamento (edital).
concreto aparente Concreto que não recebe revestimentos nem pinturas.
concreto armado Armação de ferro enchida e revestida de massa composta de brita e cimento, usada na construção de vigas, lajes etc., de uma edificação.
concurso de títulos Concurso para cargos ou funções cuja seleção é avaliada conforme os títulos (diplomas, certificados etc.) que cada candidato apresenta.
concussão cerebral *Med.* Estado de inconsciência resultante de golpe na cabeça.
conde palatino No Império Romano, conde investido de suprema autoridade judicial.

> Durante o Sacro Império Romano-Germânico, conde investido de poderes imperiais.

condição *sine qua non* Condição indispensável. V. "*sine qua non*".

> Literalmente, a locução latina "sine qua non" ou "causa sine qua non" significa "Condição sem a qual não".

condicionador de ar Aparelho para regular a temperatura de um ambiente fechado.
condicionamento físico Aptidão física que se adquire por treinamento ou adaptação, inclusive usando aparelhos apropriados.
condições normais de temperatura e pressão Estado de um sistema cuja temperatura é igual a 0 °C e cuja pressão é igual a 76mm de mercúrio.
condomínio fechado Conjunto residencial (casas ou apartamentos) cercado, com acesso restrito aos moradores ou controlado, em que os equipamentos comuns são compartilhados e as despesas de manutenção do conjunto são repartidas.
conduto vulcânico Ligação entre a cratera e a câmara magnética de um vulcão; chaminé do vulcão.
cone de sinalização Cone de cerca de meio metro de altura, geralmente pintado de amarelo e preto, colocado em vias públicas e rodovias para delimitar área de tráfego temporariamente interrompido ou para indicar a direção a seguir.
cone de sombra Zona sombria projetada num astro, por outro que se interpõe, num eclipse.
Cone Sul É como se costuma designar a região meridional da América do Sul.

> Os países que formam a região são: a Argentina, o Brasil, o Chile e o Uruguai.

cone vulcânico Acumulação de lavas e de outros produtos lançados por um vulcão em torno de sua cratera, formando um cone cujo vértice coincide com a boca do vulcão.
conferência de cúpula Reunião dos mais altos representantes dos Estados (países) para o debate e encaminhamento de temas de caráter mundial ou regional.
conferência episcopal Assembleia de bispos de uma região episcopal ou de todas elas.
confiança cega Confiança irrestrita e total em alguém ou em algo.

confiar ao papel Escrever; pôr/registrar ideias no papel.
confiar no próprio taco Ser seguro de si; não depender de ninguém.
confins da Terra As mais distantes regiões; fim de mundo.
confissão auricular *Rel. Catol.* A que se faz ao ouvido do confessor, particular e individualmente.
confissão comunitária *Rel. Catol.* A que se faz em grupo, em conjunto com a comunidade.
confissão de dívida Obrigação escrita pelo devedor reconhecendo a dívida e aceitando as cláusulas para resgatá-la.
confissão de fé O credo cristão, que contém os "artigos de fé".
conflito de gerações É o desentendimento que se estabelece entre as gerações humanas, *esp.* no que se relaciona com a ética, fruto de defasagens culturais e comportamentais.
conflito de interesses *1.* Choque entre os interesses pessoais e as obrigações inerentes ao seu estado ou responsabilidade. *2.* O que ocorre quando dois ou mais indivíduos têm interesses sobre um mesmo objeto, do que pode resultar uma ação judicial. *3.* Contestação recíproca entre indivíduos, empresas ou nações que aspiram aos mesmos interesses ou disputam os mesmos direitos.
conflito de leis Divergência entre as leis de diferentes jurisdições quanto ao que especificamente tratam.
conforme for Dependendo de como, se e quando acontecer.
conforme manda o figurino V. "como manda o figurino".
confortos de enforcado Diz-se ironicamente de benefícios que chegam tarde demais e não mais podem ser fruídos.
confundir alhos com bugalhos Misturar ou não distinguir coisas boas com ruins ou maléficas.

Bugalho = Qualquer objeto esférico ou globoso que lembre a noz de galha, que, por sua vez é uma excrescência ocorrente no carvalho, em forma globular.

confusão mental Estado mental que se caracteriza pela confusão das ideias e que conduz à perturbação do entendimento.
congelou-se-lhe a voz Sua voz ficou embargada.
congregação dos fiéis A Igreja Católica, o conjunto dos católicos.
conhecer a fundo Ser perito em determinado ramo do conhecimento humano; dominar inteiramente uma matéria.

conhecer alguém por dentro e por fora Saber perfeitamente de quem se trata, com suas qualidades e seus defeitos. *Var.* "conhecer por fora e por dentro".
conhecer como a palma da mão Conhecer completamente bem e perfeitamente.
conhecer de nome Ter conhecimento sobre alguém tendo como referência seu nome, mas sem conhecê-la pessoalmente, portanto não podendo identificá-la quando a vê.
conhecer de vista Distinguir uma pessoa entre outras sem ter com ela quaisquer relações, nem sequer ter trocado com ela algumas palavras.
conhecer Deus e todo o mundo Ter grande popularidade; ser muito conhecido.
conhecer meio mundo Diz-se de pessoa com largo círculo de amigos e de conhecidos, com os quais sempre se relaciona.
conhecer o jogo de alguém Saber das intenções de alguém e conhecer seus truques.
conhecer o rigor da mandaçaia *SP* Sofrer uma dura lição; ser punido com severidade.

Mandaçaia = Inseto himenóptero, meliponídeo (Melipona anthidioides), cuja ferroada é severa.

conhecer o terreno Estar bem familiarizado com o assunto de que se trata ou com as pessoas com quem se discute.
conhecer o terreno em que pisa Estar senhor de si; saber perfeitamente o que quer; dominar o assunto e saber lidar com as pessoas com quem trata.
conhecer os bastidores *1.* Estar (pessoa frequentadora dos altos escalões do governo e de grandes organizações) a par de tudo o que ali acontece de importante, inclusive decisões e projetos ainda não revelados ao público. *2.* Saber detalhes não públicos ou divulgados de algum fato, processo, instituição etc.
conhecer o seu eleitorado Ter (alguém) pleno conhecimento sobre todas aquelas pessoas que lhe são subordinadas, ou com as quais convive, trabalha etc.
conhecer pela pinta Reconhecer alguém à primeira vista, por certos sinais, pelo comportamento, pelos modos e maneiras.
conhecer por dentro e por fora Conhecer algo ou alguém intimamente, com todos os detalhes.
conhecer seu lugar Reconhecer o âmbito e o alcance de sua capacidade, posição hierárquica, posição social etc.
conhecer-se por gente Começar a usar a razão; entrar (a criança) em idade racional e consciente, com memória duradoura.

Conhece-te a ti mesmo

Conhece-te a ti mesmo. (*Lat. Nosce te ipsum*) Inscrição em grego que figurava no frontispício do templo de Apolo, em Delfos, cidade da Fócida na vertente sudoeste do monte Parnaso. Nessa frase o filósofo ateniense Sócrates (470-399 a.C.), consubstanciou os princípios da sua filosofia, apontando-a como regra de vida.

> *Apolo era entre os gregos o deus da inteligência, da beleza, da pureza moral e das artes. Veneraram-no em vários santuários, sendo o principal deles o de Delfos, numa fonte próxima, onde iam os poetas beber a "inspiração".*

conhecimento de causa Experiência, perícia; perfeito domínio do assunto de que se trata.
conhecimento de depósito Recibo de depósito de mercadorias. Recibo que os armazéns gerais, trapiches ou estabelecimentos similares dão aos depositantes de mercadorias, para certificar o depósito, emitido conjuntamente com o *warrant*, mas dele separável e que contém obrigatoriamente a cláusula "à ordem", sendo, pois, suscetível de transferência por endosso a outrem.
conhecimentos gerais Erudição; cultura extensa; cabedal de cultura.
conheço como a palma de minha mão Conheço em detalhes, perfeitamente bem.
cônjuge supérstite O cônjuge que sobrevive a outro.
conjunção carnal Ato sexual; cópula.
conjunto de circunstâncias Acaso; conjugação de fatos que vêm a suscitar uma ação ou constituir-lhe o contexto.
Conjuração Mineira Movimento de inspiração liberal e republicana pela independência da capitania de Minas Gerais, em fins do século XVIII, durante o vice-reinado português no Brasil.

> *Abortada por delação, seus líderes foram presos e encarcerados ou desterrados e seu principal cabeça, o alferes Tiradentes (Joaquim José da Silva Xavier – 1746[?]-1792), enforcado e esquartejado em 21.4.1792, no Rio de Janeiro.*

conquistador barato Pessoa dada a conquistas amorosas, mas de modo grosseiro, descarado, sem classe, vulgar.
consagrar a hóstia (o vinho) *Rel. Catol.* Converter o pão e o vinho no corpo e sangue de Jesus Cristo.
consanguinidade colateral/linear Ligação genética que existe entre descendentes de um antepassado comum (colateral) ou entre uma pessoa e seus descendentes, ou antepassados (linear).
consciência limpa A de pessoa que se convence de ter agido lisamente, de ter procedido bem e corretamente.
consciência pesada O *m.q.* "peso de/na consciência".
conselho de guerra Tribunal especial, instituído em tempo de guerra e constituído por oficiais das forças armadas, que julga as infrações de natureza militar cometidas por militares ou pessoas sujeitas à jurisdição militar.
consenso das gentes *Rel.* Prova da existência de Deus pelo consenso das crenças de todos os povos.
consertar o estrago Reparar o erro.
considerar o reverso da medalha Ver o ponto de vista contrário, favorável ou desfavorável, relativamente ao assunto de que se trata.
consignação em folha Desconto feito mensalmente em folha de pagamento de empregados, decorrente de contrato ou de expressa autorização do titular.
consistência de caráter Perseverança, firmeza, constância.
conspiração do silêncio É um acordo entre um número de pessoas para não revelarem nada sobre certo assunto a fim de prevenir a sua divulgação, que deve ser mantida em segredo. V. "pôr no gelo".
constipação nasal *Med.* Resfriado; processo inflamatório causado por vírus ou de natureza alérgica que produz congestão das vias aéreas superiores, coriza, febre e mal-estar.
construção civil Atividade relacionada com a construção de prédios, casas e edificações diversas.
construção gramatical Sintaxe.
construção na areia Quimeras. Coisa efêmera, pouco estável e duradoura.
construção naval A que se dedica à construção de navios.
construir castelos no ar Fazer planos mirabolantes, sonhadores, irrealizáveis ou de difícil realização; sonhar.
construir na areia Diz-se de algo feito de modo precário, provisório, sem base sólida.

> *Esta locução lembra passagem do Evangelho segundo Mateus (Mt 7,24) sobre a prudência (construir casa sobre rocha) e a imprudência (construí-la sobre areia).*

contato de agência

cônsul honorário Cidadão de um país, nele residente e que representa os interesses de outra nação.
consultar as bases *1.* Consultar as bases eleitorais. *2. P.ext.* Consultar ou aconselhar-se com um grupo de suporte.
consultar o bolso Verificar as disponibilidades financeiras.
consultar o espelho Mirar-se nele.
consultar o travesseiro *1.* Delongar para o dia seguinte a solução de um negócio. *2.* Pensar melhor e mais detidamente sobre uma proposta, um assunto etc.
consultar os astros Consultar um astrólogo para saber o que dizem os astros a seu respeito ou a respeito de algo; recorrer à astrologia para tomar uma decisão.
consumação do matrimônio União carnal dos esposos.
consumação dos séculos *Rel. Crist.* O fim dos tempos; o fim do mundo.
consumação mínima Em alguns bares e restaurantes e casas noturnas, quantia mínima de consumo estabelecida, a que está obrigado o frequentador, *ger.* com o direito de permanência quando há apresentação artística ou alguma outra atração.
Consumatum est. Últimas palavras de Jesus na cruz. Expressão latina que significa: "Tudo está consumado; acabou-se".
conta conjunta Conta bancária em nome de mais de um titular e que pode ser movimentada por qualquer uma delas, caso se trate do tipo solidária.
♦ **conta-corrente** Conta bancária de depósitos à vista, onde se registra o movimento de entrada (depósitos) e saída (saques) de valores monetários.
conta de chegar Aquela em que se aumenta ou diminui o valor das parcelas com o fim de obter um certo total não fracionário ou preestabelecido, a fim de facilitar o troco, os registros etc.
conta de mentiroso O número 7.
conta fantasma Conta aberta em estabelecimento bancário, de titular fictício, com propósito de realizar transações financeiras ilícitas e burlar a fiscalização.
conta garantida *Econ.* Conta bancária em que o banco garante o pagamento de cheques cujo valor supere o do saldo disponível, até um determinado limite e sob contrato. Diz-se também: "conta especial".
conta no vermelho Conta-corrente bancária em situação de débito, *i.e.*, com saldo negativo.
Conta outra! Diz-se a alguém que relata algo difícil de se acreditar.

conta redonda/arredondada Aquela em que se desprezam os valores decimais ou se lhes complementam até a unidade. *V.* "conta de chegar".
contabilidade nacional Sistema de registro da atividade econômica de um país ou região em períodos determinados, geralmente de um ano, sob a forma de agregados como consumo, produção, poupança, investimento etc., expressos em valores correspondentes à moeda do país ou a uma moeda de referência.
contador de lorotas Gabola; aquele que conversa fiado.
contagem regressiva Sequência de operações que precedem um evento qualquer; retrocontagem.
contanto que Sob condição de que.
contar as horas Aguardar ansiosamente um momento pelo qual muito se espera.
contar até dez Contar de um a dez, refletindo, antes de responder a uma pergunta desafiadora ou ofensiva ou de tomar uma atitude radical; conter-se, refletir.
contar carneirinhos Procurar adormecer contando animais que se imagina estejam pulando uma cerca.
contar com *1.* Confiar na ajuda de (alguém); contar com (alguém). *2.* Ter (alguém) como certo algo (fato, circunstância, processo etc.) no qual se baseia para obter benefício, orientar sua ação etc. *Var.* "contar certo com (alguém)".
contar com o ovo dentro da galinha Fazer planos com base em coisa incerta. *Var.* "contar com sapato de defunto".
contar lorota Contar mentira; contar vantagem. *V.* "contador de lorotas".
contar nos dedos da mão Contar, medir algo que se apresenta em pequena quantidade, que não exceda a dez unidades.
contar o milagre sem dizer o nome do santo Narrar um fato sem declinar o nome dos personagens, por alguma razão.
contar os dias *V.* "contar os minutos".
contar os minutos Ficar na expectativa; ansiar pela chegada do momento do encontro, do acontecimento etc.
contar os passos Andar devagar.
contar vantagem Vangloriar-se de suas próprias qualidades ou de seus próprios feitos, de suas origens, de suas posses etc.; bazofiar.
contato de agência Funcionário de empresa de propaganda que a representa junto a um cliente e que supervisiona a implantação e o desenvolvimento da campanha publicitária respectiva.

Conte para outro

Conte para outro! É o que se costuma dizer a alguém que nos relata algo em que não acreditamos. Como *Var.* ouve-se também: "conte outra", com o mesmo sentido.
contentar gregos e troianos Agradar a todos, coisa difícil, ainda mais quando têm eles objetivos, formação, gostos etc. tão diferentes uns dos outros.

> *É bem conhecida a história da guerra entre Troia e a Grécia, cujos povos entraram em longa luta por desavenças profundas.*

continente austral As grandes massas de terra existentes em torno do polo Sul.
continente negro A África.
conto com você Espero que você esteja comigo, ajudando-me a enfrentar um problema, uma situação.
conto da carochinha *1.* Conto popular, dirigido principalmente crianças, cujo tema inclui seres ou situações fantásticas. *2.* Lorota, mentira; conversa mole. *V.* "conto de fadas".

> *Carochinha = Diminutivo de carocha, que é mulher velha; bruxa.*

conto da cascata Tipo de vigarice armada para lograr incautos.
conto de fadas *1.* História, dirigida ao público infantojuvenil, cujo tema são fadas, seres fantásticos ou mágicos. *2.* Afirmação ou narrativa de algo imaginário ou inacreditável. *V.* "conto da carochinha".
conto de réis Um milhar de mil-réis. Também se diz simplesmente "conto".

> *Real = Unidade monetária brasileira a partir de 1.7.1994 (símbolo: R$. Sobre réis, V. "não valer um tostão furado".*

conto do paco Logro que marginais passam em pessoas incautas e que consiste na troca de um pacote que aparentemente contém cédulas por uma quantia qualquer de dinheiro. Na verdade, o pacote só contém papel cortado no tamanho das cédulas e só a primeira delas é, de fato, verdadeira.
conto do vigário Ludíbrio a incautos que consiste na oferta de aparentes vantagens que na verdade só lhes trazem prejuízos, para proveito só de quem passa o conto, ou seja, o vigarista; manobra de má-fé com propósitos enganosos.
contra a corrente Contra a maioria; contra a opinião geral; contra obstáculos poderosos; atitude incomum. *Var.* "contra a correnteza" e "contra a maré".
contra a vontade A contragosto; com coação, constrangimento.
contra o relógio *1.* Com o tempo que resta (para se fazer algo, cumprir tarefa, alcançar resultado etc.) se escoando, exigindo que se redobre o esforço, se aumente a velocidade etc. *2.* Durante (a execução de algo) e somente dentro de um determinado tempo marcado num cronômetro.
contra o vento Na direção contrária àquele em que sopra o vento.
contraordem de pagamento Ordem que se dá ao banco para bloquear o pagamento de cheques ou de outras ordens que tais.
contra tudo e contra todos Com decisão obstinada, postura, atitude que contraria opiniões e conselhos de todos, e ignora evidências desfavoráveis.
contraria contrariis curantur Lat. V. *"similia similibus curantur".*
contrato social O tácito ou expresso acordo entre governantes e governados.
contravenção penal Ato ilícito considerado menos grave que o crime, ao qual se imputa a seu autor simplesmente pena de multa ou prisão simples.
contribuição de melhoria Tributo que o contribuinte paga por supostos benefícios ao(s) seu(s) imóvel(eis), decorrentes de obras públicas realizadas pelo Estado.
controle acionário Detenção, de parte de um sócio, da maioria das ações de uma empresa, dando-lhe o direito de decisão nas assembleias.
controle de natalidade Prevenção anticonceptiva.
controle remoto Aparelho que serve para controlar as funções de um aparelho eletrônico a distância.
convenção de condomínio Documento em que se regulamentam os direitos e deveres dos condôminos.
convenções de Genebra Série de tratados internacionais formulados em Genebra, na Suíça, definindo os direitos e deveres de pessoas, combatentes ou não, em tempo de guerra, base dos direitos humanitários internacionais.

> *A primeira convenção realizou-se em 1864, quando se criou a Cruz Vermelha; seguiram-se a de 1906, de 1929, 1949 e emendas (Protocolos) de 1977 e 2005.*

convenções sociais Aquilo que está geralmente admitido ou tacitamente convencionado pela sociedade.

conversa de comadres Bisbilhotice; conversa à toa.
conversa de jogar fora Conversa sem compromisso, de pouco ou nenhum proveito; conversa de quem não tem nenhum assunto importante a tratar; passatempo; conversa fiada.
conversa de pescador *1.* Conversa fiada. *2.* Exagero, limítrofe da bazófia, ou mesmo da mentira.
conversa fiada Propósito ou proposta de pessoa que na realidade não tem intenção de cumprir o que diz ou combina; papo-furado; bazófia. *Var.* "conversa mole".
conversa mole para boi dormir Conversa entediante, sem objetivos claros; bazófia. *Var.* "conversa mole" e "conversa para (pra) boi dormir".
conversa vai, conversa vem Assim é o que se diz quando, ao relatar o desfecho de um caso, atribui-se ao ritmo alternado e insistente dos entendimentos a solução final.
conversar com a garrafa Embriagar-se.
conversar com as paredes Falar sozinho, para si mesmo.
conversar com o travesseiro *1.* Pensar com calma sobre um assunto até o dia seguinte, procurando refletir melhor sobre ele e pesando sua responsabilidade. *2.* Conversarem marido e mulher, aberta e francamente, quando juntos na cama. *Var.* "consultar o travesseiro".
convite ao roubo Relaxamento da segurança, como, *p.ex.*, portas destrancadas, objetos esquecidos ou deixados em lugares de fácil acesso etc.
coordenada geográfica Cada uma das duas coordenadas de um ponto sobre a superfície da Terra, referidas ao equador (latitude) e a um meridiano de origem (longitude) geralmente o de Greenwich, que passa perto de Londres, na Inglaterra.
Copa do Mundo Competição futebolística entre nações, que ocorre a cada quatro anos, cujo vencedor é o campeão mundial.
cópia autenticada Documento oficial copiado do original e referendado por tabelião.
cópia xerográfica/heliográfica Cópia de documento através de máquinas e/ou processos especiais; retrocópia, heliografia.
copidesque Revisão de textos para publicação (ortografia, gramática, clareza, adequação às normas editoriais etc.). Em inglês se diz "*copy desk*".
coq au vin *Fr.* Fina iguaria da culinária francesa, feita com carne de ave flambada no conhaque e cozida em vinho tinto.

coquetel Molotov Bomba de fabricação caseira, feita com gasolina dentro de uma garrafa e um pavio ao qual se bota fogo e se lança na direção desejada, explodindo ao impacto.

> *Durante o ataque à Finlândia, em 1939, o comissário de Relações Exteriores da União Soviética, Vyacheslav Mikhailovich Molotov, foi ao rádio dar explicações. Segundo ele, os russos estavam lançando "cestas de pão" e não bombas sobre os finlandeses, que, por sua vez, apelidaram os "presentes" russos – de fato, bombas artesanais – de "cestas de pão Molotov", e depois, "coquetéis Molotov".*

cor da noite A cor preta.
cor de burro fugido Cor estranha, indefinida. *Var.* "cor de burro quando foge".
cor de jambo Moreno-claro.
cor fria A que ocupa, no espectro solar visível, a faixa compreendida entre o verde e o violeta, além de toda a gama de cinzas. A cor quente é a que ocupa a faixa entre o vermelho e o amarelo, além das gamas de marrons e ocres. *V.* "cor quente".

> *As cores que aparecem visíveis no espectro solar são, pela ordem, inclusive como aparecem em um arco-íris: vermelho, laranja, amarelo, verde, azul, índigo e violeta.*

cor local O conjunto de circunstâncias acessórias que em uma obra de arte caracterizam uma época, um lugar, um costume.
cor neutra Cor indefinida e de tonalidade suave, como, *p.ex.*, o cinza, o pardo, o bege.
cor quente A que ocupa, no espectro solar visível, a faixa compreendida entre o vermelho e o amarelo, além das gamas de marrons e ocres. *V.* "cor fria".
coração de leão *Fig.* Homem corajoso e de elevados sentimentos.
coração de ouro Diz-se que o tem, ou que o é, uma pessoa bondosa, generosa.
coração de pedra Diz-se que o tem, ou que o é, pessoa insensível, cruel. *Var.* "coração de gelo".
coração mole Diz-se que o tem, ou que o é pessoa com sentimento compassivo e compreensivo diante das necessidades do outro.
coração partido Diz-se que o tem pessoa afligida por grande mágoa causada por amores frustrados ou por outras causas.
coração torcido Diz-se que o tem pessoa que se afasta das normas do bem e da justiça.

coram populo *Lat.* Em público; alto e bom som.
corar até a raiz dos cabelos Estar ou ficar em situação vergonhosa.
corar de vergonha Ficar com rubor nas faces, caracterizando uma situação vexatória, insuportável, mas assumida.
corda bamba Situação difícil, embaraçosa, periclitante.
corda e caçamba O *m.q.* "a corda e a caçamba".
cordão de isolamento Corda com que se delimita área vedada a uso público, exclusiva para certas atividades.
cordão de sapato Cordão para atar e apertar o calçado no pé.

> Com o mesmo significado, mas pouco usada hoje, é a palavra "atacador", que deriva do substantivo "ataca", na acepção "cordão ou correia com que se ataca (aperta) alguma coisa".

cordão umbilical *1. Med.* Órgão fibroso, assemelhado a um cordão, que liga o feto à placenta, assegurando sua nutrição por meio de vasos sanguíneos enquanto ainda em gestação. *2. Fig.* Laço forte que une pessoas umas às outras, por comunhão de ideias, amizade etc.
cordeiro de Deus Jesus Cristo.
cordeiro sem mácula Jesus Cristo.
cordon-bleu *Fr.* Cozinheiro muito competente. Também se diz da distinção que é conferida a tais profissionais por organizações do ramo existentes na França e na Suíça. *V.* "chefe de cozinha".
cores firmes Aquelas que não desbotam nem esmaecem. *Var.* "cores fixas".
cornetão de semente Marido enganado que finge ignorar que sua esposa o trai.
cornimboque do Diabo Lugar longínquo, ermo, medonho. *Var.* "cornimboque do Judas" e "cafundó do Judas".

> Cornimboque = Ponta de chifre de boi usada como tabaqueiro.

corno da abundância A cornucópia.
corno manso *Pej.* ou *Ch.* Marido ou amante enganado que sabe disso mas não reage ou não se incomoda com o fato.
coro a capela Canto coral não acompanhado de instrumento musical.
coroa de espinhos *1.* A que impuseram a Jesus Cristo. *2.* Tormento; aflição.
coroa de louros *1.* Na Antiguidade greco-romana, coroa de folhas de louro conferida aos que se distinguiam por ações nobres. *2. P.ext.* Prêmio, recompensa, distinção, glória, reconhecimento.

> Louro = A folha do loureiro (laurus nobilis), muito usada como condimento e, entre os antigos gregos e romanos, na confecção das coroas dos vencedores de competições.

coroa dentária *Od.* Revestimento de um dente em parte ou totalmente com materiais próprios.
coroa funerária Num funeral, ou velório, coroa de flores que se coloca sobre o esquife do morto.
coroa solar *Astron.* Intensa luminosidade da atmosfera solar, de variável intensidade da atividade do Sol. O *m.q.* "coroa branca" e "coroa de *Fraunhoffer*".

> Suas variações afetam o clima terrestre.

coroar a obra Arrematar um trabalho.
coroar o evento Finalizar um evento de maneira brilhante, sensacional, atraente. *Var.* "coroar a ideia".
corpo a corpo *1.* Diz-se de luta, ou luta em que os contendores têm contato físico um com o outro. *2.* Diz-se de circunstância de contato, ou contato (como em propaganda, principalmente eleitoral) em que há proximidade e contato físico ou pessoal.
corpo celeste *Astron.* Qualquer objeto existente no espaço sideral.
corpo consular O conjunto de cônsules e vice-cônsules credenciados num país.
corpo de baile O conjunto *ger.* permanente dos bailarinos de um teatro, de uma escola, de uma companhia de dança. *V.* "*corps de ballet*".
corpo de bombeiros Guarnição militar ou não que se encarrega do combate a incêndios, salvamentos e de outros socorros.
corpo de Cristo *Rel. Catol. 1.* O pão eucarístico. *2.* A Igreja cristã, da qual Cristo é o cabeça. *V.* "*Corpus Christi*".
corpo de delito Fato material em que se baseia a prova de um crime.
corpo de Deus *Rel. Catol.* Festa da Igreja Católica na qual se celebra a presença de Cristo na Eucaristia.
corpo diplomático Os representantes estrangeiros credenciados junto ao governo de um país.
corpo discente Conjunto de alunos de um estabelecimento de ensino.
corpo docente O conjunto dos professores de um estabelecimento de ensino.

corpo e alma *V.* "de corpo e alma".
corpo estranho Algo ou alguém que não deveria estar onde no momento está ou é encontrado; algo que destoa do conjunto.
corpo fechado Aquele que, de acordo com a crendice popular, é invulnerável a armas, malefícios, mandingas etc., passíveis de afetar sua integridade física. *V.* "fechar o corpo".
corpo glorioso *Rel. Catol.* Estado em que hão de estar os corpos dos bem-aventurados, depois de sua ressurreição.
corpo presente Na presença do cadáver (uma missa, por exemplo).
corpo são e mente sã Plena saúde; higidez. Em latim: *"mens sana in corpore sano"*.
corpo sem alma Diz-se de um exército sem general, de um partido sem chefe, de uma pessoa sem energia e ânimo etc.
corpos celestes Os astros.
corps de ballet *Fr.* Literalmente, "corpo de baile". Grupo ou conjunto dos dançarinos de um teatro, de uma escola etc.
Corpus Christi *Rel. Catol. Lat.* A festa do Corpo de Cristo. A celebração mística do "Corpo de Cristo" (*V.*) realizada na quinta-feira posterior ao domingo da Santíssima Trindade.
correção monetária Mecanismo financeiro que consiste na aplicação de um índice (*ger.* oficial) para ajuste periódico de valores afetados por um processo inflacionário, corrigindo-os para que se equivalham aos preços reais originais.
corredor polonês Passagem estreita formada por duas fileiras paralelas de pessoas que batem com as mãos e os pés na pessoa que, por castigo, é obrigado a percorrê-la.
corredores do poder Diz-se dos vários personagens que influem num governo e que nem sempre podem ser identificados, bem como das sutilezas e particularidades da administração pública que condicionam, de certa forma, a ação do principal mandatário.
correio eletrônico *Inf.* Serviço oferecido por um provedor, através da internet, que possibilita a troca de mensagens e transmissão de documentos através do computador pessoal. Em inglês: *"e-mail"*.
corrente de ar Movimento de ar; vento, brisa, *esp.* que passa continuamente por um mesmo lugar, o que causa certo desconforto às pessoas.
correr a cortina Revelar algo, desvendar o que esteve oculto; deixar e falar de um fato.
correr a cortina sobre Ocultar algo; deixar de falar algo sobre um fato, sobre um acontecimento que testemunhou ou dele tomou conhecimento.
correr a coxia Andar por toda parte; andar ao acaso; vaguear sem destino; andar à toa; vadiar.
correr a obra Arrematar um trabalho.
correr a toda Correr na máxima velocidade possível.
correr água sob a ponte Passar o tempo; sucederem-se acontecimentos.
correr às armas Acudir a convocação militar; preparar-se para o combate.
correr as sete partidas do mundo Viajar pelo mundo todo.
correr atrás das borboletas Deixar-se levar por ilusões.
correr atrás de Seguir ou ir à caça; procurar alcançar o objetivo, com decisão, com vontade; perseguir.
correr atrás do prejuízo Procurar superar a má fase; dar a volta por cima.

> *Embora a construção da locução sugira "ir ao encontro (procurar o) do prejuízo", deve-se levar em conta que "correr atrás de" significa perseguir. Daí o sentido da locução.*

correr atrás do rabo Não conseguir resolver um problema por incapacidade.
correr banhos Fazer-se proclamar para casamento.
correr ceca e meca Andar por muitos lugares; viajar muito. *V.* "andar de ceca em meca".
correr com alguém Expulsar esse alguém.
correr como um louco Movimentar-se ou, mesmo, correr, desvairadamente, sem controle.
correr contra o relógio Apressar-se para cumprir determinada ação cujo êxito ou exigência depende de prazo previamente estabelecido.
correr de boca em boca Circular rapidamente uma notícia, um comentário.
correr montes e vales Afadigar-se; andar muito, empregar muitos esforços para conseguir um objetivo.
correr mundo 1. Viajar. 2. Espalhar-se (uma notícia).
correr o risco Enfrentar uma situação ou tarefa determinada, um desafio, ainda que consciente dos riscos inerentes. *V.* "correr risco".
correr os olhos por O *m.q.* "passar os olhos por".
correr parelhas com Igualar-se a; rivalizar com.

correr perigo

correr perigo Estar exposto ou sujeito a perigo.
correr por fora Concorrer a algo, sem confiar, contudo, no seu sucesso; ficar na expectativa. *Var.* "correr em paralelo".
correr pro abraço *Fut.* Um jogador de futebol, após ter feito um gol, correr para junto dos companheiros para deles receber os cumprimentos.
correr rios de tinta Escrever exaustivamente sobre um determinado assunto.
correr risco Fazer, conscientemente, algo que envolve risco. *Var.* "correr riscos".
correr terras Viajar, peregrinar, correr mundo.
correrem os proclamas Decurso de tempo entre a leitura/divulgação na igreja do compromisso de casamento e a data da efetivação do matrimônio.
correspondente de guerra Jornalista, ou repórter, encarregado de fazer a cobertura de uma guerra.
corresponder à expectativa Satisfazer à expectativa. Revelar-se tal qual se imaginava que fosse.
corrida com (de) obstáculos *Esp.* No atletismo, é a corrida na qual ao longo do trajeto os participantes têm, além de correr, de saltar sobre barreiras ali colocadas sucessivamente a distâncias predeterminadas.
corrida contra o tempo Tentativa ansiosa de fazer algo antes de um determinado tempo ou prazo. *Var.* "corrida contra o relógio".
corrida de fundo Corrida pedestre de longa duração, de longo percurso (5.000 m, 10.000 m, maratona, meia maratona, *cross-country*); as três primeiras são provas olímpicas.

> *Dentre as corridas de fundo destaca-se a maratona, que é uma corrida de 42.125 m, que corresponde à distância entre as cidades gregas de Atenas e Maratona. É uma prova olímpica comemorativa do feito do soldado grego Filípedes (cerca de 490 a.C.) que, chamado pelo comandante ateniense Milcíades, foi mandado até Atenas, arregimentando, pelo caminho, soldados para reforçarem o exército grego que lutava contra o persa Dario I, rei da Pérsia (de 521 a 486 a.C.), resultando na derrota deste pelos gregos.*

corrida de revezamento *Esp.* Corrida de longo percurso realizada por vários atletas de uma mesma equipe, que se revezam em determinados trechos, caracterizada pela troca, no fim de cada trecho, de um bastão. Prova de revezamento.

corrida de touros Tourada espanhola; tauromaquia.
corrido a vara Perseguido pela justiça.
corrido da moléstia *N.E.* Raivoso, irado, furioso; hidrófobo. *V.* "da moléstia".
corrido de vergonha Vexado; envergonhado.
corrija-me se eu estiver errado Pedido de colaboração a alguém que nos assiste para que nos alerte sempre que incorramos em erros e enganos.
♦ **corta-jaca** Lisonjeiro, bajulador.
cortar a alma Tocar, comover; cortar o coração.
cortar a cabeça de Demitir alguém; destituir do comando ou posição de decisão.

> *Usa-se esta locução frequentemente para expressar o ato de demitir por motivos políticos, interesses pessoais etc.*

cortar a palavra a Impedir (alguém) de continuar a falar.
cortar a natureza de *SP* Provocar frigidez sexual em; desestimular a sexualidade de.
cortar a teia de vida de Tirar a vida de; matar.
cortar as amarras com Desligar-se daquilo ou daquele que serve de amparo, proteção ou a quem está associado.
cortar as asas de Restringir a ação de uma pessoa, de uma instituição. O *m.q.* "aparar as asas de".
cortar as cartas Dividir o baralho em partes.
cortar caminho Passar por trajeto mais curto; utilizar um atalho.
cortar jaca Adular, bajular, lisonjear.
cortar na junta Chegar à hora exata da refeição.
cortar na própria pele Reduzir as suas despesas ao máximo, numa contingência, anunciando a decisão para servir de exemplo a outros.
cortar no rumo de Dirigir-se, encaminhar-se, rumar para.
cortar o barato Suprimir privilégios ou vantagens de alguém.
cortar o coração Suscitar piedade. *V.* "de cortar o coração".
cortar o cordão (umbilical) Tornar-se adulto, independente da tutela familiar.
cortar o fogo Debelar incêndio ou evitar sua propagação.
cortar o mal pela raiz *1.* Destruir inteiramente e em tempo aquilo que prejudica ou molesta, evitando consequências irremediáveis. *2.* Extirpar o mal completamente.

cortar o sono a Acordar quem dorme; interromper o sono de.
cortar os "tês" e pingar os "is" Ser cuidadoso; estar atento a todos os detalhes.
cortar os esporões Acabar com a arrogância de alguém. *V.* "baixar o facho".
cortar os laços Interromper as relações com alguém ou com alguma coisa.
cortar os zeros Reduzir o valor de algo.
cortar pelos dois lados Praticar a pederastia ativa e passivamente.
cortar prego Ter medo.
cortar relações Terminar uma relação de amizade, ou simplesmente cordial, com alguém.
cortar um dez (doze) Passar por momentos difíceis ou por períodos de muito trabalho.
cortar um dobrado Passar por ou viver em situação difícil, penosa; suportar trabalho árduo, dificuldades ou sofrimento. O *m.q.* "cortar um dez (doze)". *Var.* "cortar uma volta", "cortar volta" e "cortar voltas".
cortar uma volta O *m.q.* "cortar um cobrado".
cortar volta(s) *1.* Mudar de caminho, temendo perigos. *2.* O *m.q.* "cortar um dobrado".
corte celeste *Rel. Crist.* Grupo de anjos e santos que rodeia o trono de Deus. *Var.* "corte celestial".
corte drástico É o que se faz, *p.ex.*, nas despesas pessoais ou nos custos das empresas, a fim de equilibrar as finanças.
corte marcial Conselho de justiça militar.

> *Órgão judiciário que julga crimes ou infrações de natureza militar e mesmo as comuns em tempo de guerra ou de exceção.*

corte papal ou pontifical *Rel. Catol.* Grupo de pessoas que rodeia o papa, os cardeais e os prelados.
cortina de bambu *1.* O regime comunista chinês. *2.* A China, enquanto se isolava do resto do mundo.
cortina de ferro Barreira, restrição de acesso e comunicação sustentada pelos países socialistas da Europa Oriental, especialmente pela União Soviética, para impedir a livre comunicação entre seus habitantes ou entre estes e o resto do mundo, sob o argumento de que isso era necessário em defesa de seu sistema de governo.

> *Trata-se de famosa metáfora proferida, na ocasião, por Winston Churchill (1874-1965), primeiro-ministro inglês ao dizer que "uma cortina de ferro havia descido sobre a Europa".*

cortina de fumaça *1.* Fumaça que se deixa escapar para esconder ou dissimular uma operação ou movimento militar. *2.* Qualquer coisa que se faça para dissimular um negócio, uma atitude, uma ação.
corto o meu pescoço se... É advertência que se ouve de alguém que confirma de modo veemente sua certeza quanto ao que está se referindo.
cosendo bainha O *m.q.* "cercar frango", na acepção de "andar ziguezagueando como os ébrios".
coser a facadas Crivar de facadas; meter a faca em alguém com ânsia.
costurar um acordo Acertar os detalhes e normas de um contrato.
cota de malha Espécie de proteção para o tronco, em forma de túnica feita de fios de aço trançado, que os antigos cavaleiros usavam como proteção em suas lutas.
coup de grâce *Fr.* Golpe de misericórdia.
coup de maître *Fr.* "golpe de mestre" (*V.*).
couro cabeludo A parte da pele da cabeça geralmente coberta de cabelos.
couro verde Couro de animal recém-abatido, não curtido.
cousas e lousas O *m.q.* "coisas e loisas".
couve à mineira Prato feito de couve cortada bem fina e refogada em gordura (especialmente em banha de porco).
***couvert* artístico** Soma que se adiciona à nota de despesas num restaurante ou bar à guisa de pagamento pela apresentação de artistas.

> *A palavra francesa "couvert" significa o conjunto de acessórios que se põe na mesa à disposição de cada conviva; no Brasil, porém, costuma-se designar por essa palavra o antepasto (salgados, torradas, azeitonas etc.).*

cova de serpente Grupo de pessoas más, pouco amistosas.
covas de mandioca *N.E.; MG* Nome que popularmente se dá às nuvens do tipo cúmulos, nimbos-estratos ou nimbos-cúmulos que produzem chuvas.
cozer a bebedeira Dormir para que os efeitos da bebedeira passem.
cozinhar a fogo brando *1.* Adiar, delongar, procrastinar sucessivamente a solução de um negócio, de um caso, de um assunto. *2.* Tratar de um assunto com calma, sem afobação. *Var.* "cozinhar em água fria".
cozinhar em água fria Ir adiando indefinidamente a solução de um assunto ou problema. *Var.* "cozinhar a fogo brando".

cozinhar em banho-maria Conduzir um assunto de modo lento, intencionalmente, com o objetivo de fazer com que os interessados dele desistam, ou por não julgar oportuno dar-lhe solução imediata ou a curto prazo.

> Banho-maria é um processo de cozimento lento no qual se utiliza uma panela mergulhada em outra ou em um vaso com água.

cozinhar o galo *1.* Simular que está trabalhando, sem estar; fazer hora; morrinhar; engazupar; procrastinar. *2.* Deixar o tempo passar, sem agir.
cozinheiro de forno e fogão Cozinheiro de excepcional competência.
crassa ignorância Grande (completa) ignorância.

> *Crassa = rudimentar; grosseira; elementar.*

cré com cré, lé com lé Cada qual com seus iguais.
crédito rotativo O que permite, dentro de determinadas regras, utilização livre (a débito ou a crédito) pelo correntista, sob contrato.
credo quia absurdum *Lat.* Creio por ser absurdo.
credo ut intelligam *Lat. Lit.* "creio para compreender". Fórmula que resume a posição doutrinária fundamental de Santo Anselmo (1033-1109), arcebispo de Cantuária, teólogo e filósofo agostinista italiano, o qual afirma ser a fé a fonte de todo o saber filosófico ou teológico.
credo velho Aquilo que é inquestionável, incontestável.
creio em Deus Pai *Rel.* Palavras que iniciam a oração do "Credo".

> *O Credo sintetiza os artigos essenciais do cristianismo.*

creme chantilly Creme fresco e batido.
crème de la crème Expressão francesa que significa "o melhor do melhor" e que se usa quando se quer ressaltar a excelência de algo.
creme de milho Fubá fino, especial.
crença implícita A que se tem em alguma coisa, sem exame prévio.
cresça e apareça *1.* Frase que se diz às crianças ou a jovens que querem parecer ou agir como adultos; a novatos que querem saber mais que os antigos. *2.* Diz-se também quando se quer diminuir a importância da participação de uma pessoa numa questão. *3.* Dito de desafio.
Crescente Fértil Diz-se da região na Ásia Menor, ao redor do deserto da Arábia, que corresponde ao mundo bíblico antigo.

> *A região abrange o Iraque, a Síria, o Líbano, Israel e Egito e é geralmente representada por uma "meia-lua" (daí o 'crescente') traçada no mapa da região, com um dos vértices no Golfo Pérsico, outro no médio Nilo e o arco côncavo maior passando pelas cabeceiras dos rios Eufrates e Tigre.*

Crescente Vermelho Denominação da "Cruz Vermelha" (*V.*) nos países muçulmanos.
crescer como bola de neve Aumentar progressivamente.
crescer como cogumelo Crescer rapidamente.
crescer como rabo de cavalo Descer ao invés de subir; diminuir ao invés de aumentar; regredir ao invés de prosperar.
crescer no conceito Fazer por merecer devido ao trabalho que fez ou os atos que praticou.
crescer nos cascos Exasperar-se, irritar-se, subir nas tamancas; perder a paciência.
cria de pé Criança nova, mas que já anda.
cria de peito Criança nova, que ainda mama. *Var.* "criança de peito".
♦ **criado-mudo** Pequeno móvel que se coloca geralmente ao lado da cama, destinado à guarda de pequenos objetos e sobre o qual se colocam luminária, despertador etc.
criador de caso Encrenqueiro; do contra; pessoa que procura dificultar as coisas, tumultuar os entendimentos ou os negócios que estão se realizando.
criança de colo Aquela que ainda não aprendeu a andar.
criança de mama Aquela enquanto é amamentada. *Var.* "cria de peito".
criança de peito A que ainda está sendo alimentada com o leite materno. O *m.q.* "criança de mama" e "cria de peito".
criança grande Adulto que demonstra interesses e preferências próprias da infância ou que apresenta atitudes imaturas.
criança mimada A criança mimada é aquela que recebe dos adultos, dos pais principalmente, educação demasiadamente carinhosa e transigente, deixando-a malacostumada com tal tratamento.
criar alma nova Recobrar a coragem, o alento, o entusiasmo; renovar-se.
criar ao peito Amamentar.

criar asas Desaparecer sem deixar vestígio; sumir.
criar banha Engordar por nada fazer, por não se exercitar.
criar calo no coração ou na paciência Habituar-se a sofrer, a esperar.
criar casos Suscitar dificuldades, complicações, intrigas.
criar coragem Fazer surgir a coragem; reunir todas as suas forças para enfrentar uma situação que lhe parece difícil.
criar corpo "ganhar corpo" (V.).
criar mofo Ficar velho.
criar na larga Criar gado à solta, no pasto.
criar raízes Estabelecer-se em algum lugar.
criar um clima Criar ambiente favorável ao desenvolvimento da ação que se propõe.
criar um monstro Dar início ou incentivo a uma ação que se torna depois incontrolável, ou que surpreende pela maneira intensa ou exagerada com que é executada.
crime contra a honra *Jur.* Crime de calúnia, de injúria e/ou de difamação.
crime culposo *Jur.* Aquele em que quem o pratica não teria a intenção de cometer o delito, mas que por ele foi cometido por suas ações imprudentes, negligentes ou imperitas.
crime de colarinho-branco Tipo de contravenção que ocorre nos meios econômico-financeiros e que levam a danos sociais (créditos e empréstimos fraudulentos, corrupção passiva, evasão fiscal, mau uso dos recursos públicos etc.).
crime de lesa-pátria Crime contra a pátria.
crime de responsabilidade O cometido por funcionário público, com abuso de poder ou violação do dever inerente a seu cargo, emprego ou função.
crime doloso *Jur.* Neste tipo de crime o agente teria agido consciente do resultado ilícito decorrente.
crime hediondo *Jur.* É o crime constante de qualificação de lei e que em julgamento não admite anistia, indulto e cuja pena é mais rigorosa.

Alguns dos crimes que a lei especifica: praticados por grupo de extermínio; homicídio qualificado, latrocínio, estupro etc.

crime organizado *Jur.* O que é praticado por uma organização (seus componentes) criminosa estruturada como uma empresa.
crina vegetal Têm este nome as fibras vegetais que são utilizadas tal como as crinas animais o são.
crioulo do pastoreio V. "negrinho do pastoreio". *Var.* "criloulinho do pastoreio".

crista da onda *1.* Auge de uma situação, de uma ação. *2.* A moda atual; evidência, sucesso.
cristal de rocha *Geol.* Quartzo incolor, de grande valor industrial, inclusive para equipamentos eletrônicos e em telecomunicações.
cristal líquido *Quím.* Substância com características dos corpos cristalinos, em estados da matéria entre o líquido e o sólido, que responde rapidamente a estímulos elétricos que alteram suas cores, utilizada em telas de muitos aparelhos eletrônicos.
crítica construtiva Apreciação sincera do trabalho de uma pessoa, contendo eventualmente reparos, mas oferecendo sugestões. *2.* Diz-se da crítica solicitada, *i.e.*, daquela que de antemão se sabe ser laudatória.
crivar (alguém) de perguntas Dirigir muitas e seguidas perguntas (a alguém).
crivar de balas Atirar repetidamente em algum alvo, com arma de fogo.
crivo de Eratóstenes *Mat.* Método de cálculo/resolução (algoritmo) para encontrar números primos até um certo limite.

Eratóstenes de Cirene (295-194 a.C.) foi um matemático, filósofo, astrônomo, geógrafo, historiador e poeta grego. Dentre várias realizações, a ele é creditada a primeira tentativa de calcular o diâmetro da Terra, além da pesquisa em relação aos números primos. Os números primos são os números inteiros não nulos que só são divisíveis por si mesmos ou pela unidade.

crosta da Terra A parte externa e consolidada da Terra; litosfera. *Var.* "crosta terrestre".
♦ **Cruz-credo!** Exclamação de espanto, medo, susto, como que exorcizando algo mau.
Cruz de Genebra O *m.q.* "Cruz Vermelha".
cruz de Lorena Um tipo de cruz que tem dois braços transversais.
cruz de malta Cruz de quatro braços iguais, cada um deles terminando com alargamento de suas extremidades. *Var.* "cruz de São João".
cruz de Santo André Cruz em forma de um X (xis).
cruz de São Francisco Cruz em forma de T grego (t = Tau). É também chamada de "cruz de Santo Antônio".
cruz florenciada Cruz cujos braços terminam em forma de flor-de-lis.
cruz gamada Suástica, símbolo adotado pelo nazismo de Hitler.
cruz grega Aquela cujos quatro ramos têm igual comprimento.

cruz latina

cruz latina Aquela cujo braço horizontal cruza o vertical acima da metade da altura deste.
cruz suástica O *m.q.* "cruz gamada".
cruz vermelha Cruz de braços iguais, de cor vermelha sobre fundo branco. Colocada em ambulâncias, de acordo com a Convenção de Genebra, tem trânsito livre assegurado em zonas de conflito, para socorrer os feridos.
Cruz Vermelha Internacional É uma organização que hoje está no mundo inteiro, dedicada à assistência a feridos de guerras e revoluções, gozando de certas imunidades e proteção.

> *Fundada em 1863 pelo filantropo suíço Henry Dumont (1828-1910), fato que lhe valeu o prêmio Nobel da Paz de 1901.*

cruzado novo Unidade monetária vigente no Brasil entre 16.1.1989 e 15.3.1990. Substituído pelo "cruzeiro".
cruzador de batalha Navio de guerra, médio, veloz, versátil, *us.* para escoltas, bombardeios etc.
cruzar espadas Lutar, disputar algo.
cruzar o Rubicão Tomar uma decisão irrevogável; cruzar o ponto de não retorno.

> *O Rubicão era um riacho no nordeste da Itália que antigamente marcava a divisa de Roma com a Gália Cisalpina. Júlio César, em 49 a.C., atravessou-o, não obstante a proibição a um general de liderar uma força militar em incursões fora de sua província. Esse fato levou-o à guerra com o senado. Ao atravessar o Rubicão teria pronunciado a histórica frase "alea jacta est", ou seja, "a sorte está lançada".*

cruzar os braços *1.* Furtar-se ao trabalho. *2.* Não intervir, por indiferença.
cruzar os dedos *1.* Colocar o dedo indicador sobre o médio, cruzando-os, num gesto que, por superstição, atrai a sorte, segundo a crendice popular. *2.* Ficar em atitude de ansiosa expectativa.
Cruzeiro do Sul Constelação austral, característica do hemisfério sul situada ao sul de Centauro e ao norte de Mosca.

> *A olho nu, compõe-se de cinco estrelas, quatro das quais dispostas em forma de cruz e uma situada sobre o menor braço da cruz e de uma nebulosa escura, o "saco de carvão".*

cruzeiro marítimo Passeio turístico de longa distância, a bordo de um transatlântico.
cruzeiro novo Unidade monetária brasileira (NCr) do período de 13/03/1967 até 15/05/1971 quando voltou à denominação de cruzeiro.
cruzeiro real Unidade monetária brasileira (Cr) de 01/08/1993 até 01/07/1994, quando foi substituída pelo real (2.750 cruzeiros novos = 1 real). Símbolo: R.
cu de ferro Diz-se de pessoa muito dedicada aos estudos e ao trabalho.
cu de mãe joana Coisa ou negócio em que todos se intrometem. *Var.* "cu da mãe joana".
cu do mundo O *m.q.* "cafundó do judas".
cuca fundida Estado de confusão mental, com muitas ideias na cabeça, ou sem saber se orientar ante muitas e/ou contraditórias informações, solicitações, situações etc.
Cuidado com a louça que o santo é de barro. Forma de advertência sugerindo cuidado com o que faz ou se diz, pois pode ser perigoso; aviso de cautela e de comedimento.
Cuide de sua vida! Não interfira em meus assuntos particulares. *Var.* "Não amola!" e "Olhe para si!".
cuique suum Lat. Lit. A cada um o seu. Aforismo do direito romano.
culpar o mordomo Jogar a culpa no que parece óbvio, sem exame mais detido do caso.
cultura de almanaque Conhecimentos ou saber imperfeitos, superficiais ou precários.
cultura de massa Cultura imposta pela indústria cultural ou através de meios propagandísticos e de mídia.
cultura física Desenvolvimento e fortalecimento sistemático do corpo humano pela ginástica, desportos, atividades físicas etc.; malhação.
cum grano salis Lat. Lit. "com uma pedrinha de sal". Com um tudo-nada de brincadeira; não de todo a sério.

> *Tudo-nada = Pequeníssima porção; quase nada; insignificância.*

cumprimentos rasgados Cortesias exageradas.
cumprir a palavra dada Manter as promessas ou os compromissos feitos ou assumidos; ser correto nas suas atitudes. *Var.* "cumprir a palavra empenhada".
cumprir à risca Seguir meticulosamente o que foi combinado, tratado, contratado, planejado.

curador de massas falidas O que tem o encargo de zelar pelos interesses da massa nos processos falimentares e nos de concordata e promover, perante o juízo criminal, a responsabilidade do autor do crime falimentar.

curral do Conselho Local onde eram recolhidos, tempos atrás, os animais apreendidos por andarem à solta nas vias públicas.

curral eleitoral Clientela de votantes influenciados e subordinados a um político, que os orienta e conduz para uma votação para que nele votem.

currente calamo *Lat.* Ao correr da pena, como na expressão: "Fazer versos *currente calamo*", ou seja, de improviso, sem parar.

A palavra latina "calamo" é proparoxítona. Calamo = Cálamo, que significa caule, esp. de herbáceas. Também: segmento de caniço cortado em ponta, outrora instrumento de escrita.

curriculum vitae *Lat.* Literalmente, "carreira da vida". Conjunto de dados concernentes ao estado civil, ao preparo profissional e às atividades anteriores de quem se candidata a um emprego, a um concurso etc.

curso d'água Água corrente que pode constituir em regato, ribeirão ou rio; curso fluvial. Também se diz: "curso de água".

curso de madureza Curso para adultos para o primeiro e segundo graus.

curso forçado Obrigatoriedade de receber, como meio de pagamento, a moeda emitida pelo governo de um país, nesse país.

cursor do *mouse* *Inf.* Ícone, *ger.* uma seta, que se desloca na tela do monitor, acompanhando movimentos do *mouse*, e que indica onde a ação deste terá efeito, caso seja clicado.

curva de nível *Topog.* Linha que nos mapas topográficos marca os pontos da mesma cota.

A cota é a cifra que, numa unidade de comprimento, indica a distância de um ponto a um plano horizontal ao qual se referencia.

curtir a vida Desfrutar a vida sem grandes preocupações.

curtir um som Desfrutar a música que se está tocando.

curto como coice de porco De pequeno alcance.

curto de ideia Que é ou quem é pouco inteligente.

curto de vista Que não enxerga bem; deficiente da visão.

curto e grosso Maneira de responder ríspida, sem dialogar, descortesmente.

curvar a fronte Submeter-se; ceder; humilhar-se.

curvar os joelhos Ajoelhar; prestar adoração; demonstrar subserviência.

curvas perigosas *1.* Teor de aviso que é posto nas rodovias advertindo da existência de um trecho difícil. *2.* Diz-se também que as têm as mulheres sensuais.

cuscuz de tapioca Bolo de farinha de tapioca, coco ralado e açúcar, embebidos em leite e que não é cozido nem assado.

cuspido e escarrado Tal e qual; idênticos; cara de um, focinho de outro; muito parecido. Diz-se, nesse sentido: "É a cara do pai, cuspido e escarrado."

Consta que esta locução é corruptela desta outra: "esculpido em Carrara". Carrara é cidade italiana, na região da Toscana, em cujos arredores ocorrem jazidas de mármore branco mundialmente famoso, do qual se utilizaram famosos escultores. Mas há quem sustente outra origem: seria corruptela de "esculpido e encarnado", sendo encarnar = pintar ou esculpir imagens de modo que pareçam reais.

cuspindo algodão Diz-se que assim está uma pessoa sedenta; com muitíssima sede.

cuspindo bala *1.* Em estado de embriaguez. *2.* Extremamente irritado, nervoso.

cuspir chumbo Atirar com arma de fogo; o *m.q.* "passar fogo".

cuspir fogo Ficar com raiva, zangado.

cuspir marimbondo Ficar raivoso, irado.

cuspir na cara Ultrajar.

cuspir na honra de alguém Dirigir ultrajes a alguém; denegrir.

cuspir no prato em que se comeu Cometer uma grande ingratidão; ser mal-agradecido aos favores ou benefícios que recebeu; ser ingrato. *Var.* "sujar a água que bebe".

cuspir para o ar *1.* Jactar-se; gabar-se. *2.* Dizer de outrem o que outrem pode vir a dizer de nós. *Var.* "cuspir para cima".

custar a vida Ser causa de morte de.

custar caro (barato) Ter preço muito elevado (ou baixo).

custar os olhos da cara Ser de preço absurdo, muito elevado, fora de nossas possibilidades.

custar os tubos Ser muito caro; custoso; de preço elevadíssimo.

custar uma nota (preta)

custar uma nota (preta) Ser caro, dispendioso.
custe o que custar A qualquer preço; haja o que houver. *Var.* "custe o que custar, doa em(a) quem doer". Há equivalente em francês, às vezes citado no Brasil: *"À tout prix"* (A qualquer preço).
custo de vida *Econ.* Índice da variação de preços de bens e serviços consumidos por parte representativa da população de uma região ou país, avaliando, por esse meio, o poder de compra da população.
cutucar onça com vara curta Afrontar o perigo.

D

da boca para fora Falsamente; fingidamente.
dá cá aquela palha Motivo irrisório, que não justifica a reação ou a consequência que suscita. *Ex.: Fica furioso por dá cá aquela palha.*
da cabeça aos pés Em toda a sua totalidade (referindo-se ao corpo humano). Dos pés à cabeça.
da capo It. Colocada no fim de um trecho escrito de música, a expressão significa "desde o princípio", *i.e.*, indica que se deve repeti-lo todo.
da copa e da cozinha Diz-se de pessoa íntima, da casa; o mesmo que "de copa e cozinha".
da esquina Do mesmo quarteirão, do mesmo bairro.
da gema Legítimo, autêntico, genuíno. *Ex.: carioca da gema.*
da mão para a boca Diz-se da situação de quem dispõe de poucos recursos, que mal dão para sua sobrevivência.
da mesma forma Igualmente; do mesmo modo.
da mesma laia Diz-se, *ger.* com sentido pejorativo, de pessoas de mesma tendência, mesma formação, mesmos pensamentos e ideias (portanto, *ger.* de caráter negativo); diz-se de quem pertence à mesma roda que outrem; da mesma panelinha. *Var.* "da mesma estirpe".

> *Trata-se de uma expressão usada pejorativamente, quase sempre ressaltando as qualidades negativas de alguém. Obs.: Os dicionários registram para "laia" as acepções: qualidade, espécie; jaez; casta; feitio; estofa.*

da moléstia Terrível, medonho; do diabo; dos diabos.
da noite para o dia *1.* De repente. *2.* De um dia para o outro.
da pá virada Impetuoso, estouvado, incorrigível, trapalhão. Diz-se de pessoa traquinas, travessa, dada a excessos, sem disciplina.
da parte de A pedido ou mando de; por ordem ou recomendação de; por parte de.
da pesada Diz-se de quem (indivíduo ou grupo) está disposto a tudo, a enfrentar todos os perigos, em qualquer situação.
da peste *N.E. 1.* De causar espanto ou medo; espantoso; terrível. *2.* Diz-se de coisa ou pessoa muito má, ou, ao contrário, ótima, excelente, extraordinária. *Var.* "do(s) diabo(s)".
da pontinha Diz-se quando se quer elogiar as qualidades de alguém ou de algo que agrada, que é bom, bonito ou gostoso, quase sempre acompanhado do gesto de segurar com os dedos a ponta de uma das orelhas. *Var.* "da ponta".
da pontinha da orelha *V.* "da pontinha".
da prateleira de cima Diz-se de produto ou mercadoria da melhor qualidade; excelente.
da rede rasgada *N.E. 1.* De vida dissoluta. *2.* Atrevido, insolente, desabusado.
da silva De verdade; com certeza. Ênfase que se dá a uma ideia e que se diz geralmente no fim da frase. *Ex.: Fulano está irritado (ou zangado) da silva.*
da sopa à sobremesa Do princípio ao fim; com ampla abrangência; totalmente. *V.* "*ab ovo (usque) ad mala*".
da terra Do local; daqui, deste lugar.
dação em pagamento Pagamento de dívida cedendo bens.
dado o caso Supostamente, admitido o caso.
dado que Suposto que; na hipótese de que.
dama de companhia Senhora ou moça que serve de acompanhante de alguém.
dama de ferro Alcunha atribuída a Margaret Thatcher, ex-primeira-ministra inglesa, devido à firmeza com que presidiu o gabinete.
dama de honra Moça ou menina que, em trajes apropriados, acompanha ou precede

a noiva na cerimônia de casamento religioso.
danado da vida Zangado; furioso; enraivecido. *Var.* "fulo da vida" e "louco da vida".
danado de bom O *m.q.* "bom demais".
danar-se no mundo O *m.q.* "afundar no mundo".
dança clássica A que é executada por um grupo de bailarinos ao som de música clássica, e que segue uma coreografia relacionada com um tema, sob normas de movimentos, passos e posturas sistematizados.
dança do ventre Dança sensual oriental de mulheres que movimentam de modo contínuo e ondulado o ventre e os quadris, ao som de música própria.
dança macabra Espécie de dança alegórica, em que se representava a morte arrastando consigo pessoas de todas as idades e condições.
dançar como tocam Adaptar-se a uma situação; fazer o que os outros querem, esperam ou exigem.
dançar conforme a música *1.* Agir segundo as conveniências do momento; adaptar-se à situação; acompanhar o que é sensato, oportuno ou conveniente diante das circunstâncias. *2.* Aceitar as normas. *Var.* "dançar conforme tocam a música".
dançar miudinho Submeter-se; ser derrotado; ficar subjugado.
dançar na corda bamba Estar em situação embaraçosa, periclitante. *V.* "andar na corda bamba".
dandar pra ganhar vintém Expressão carinhosa que se usa para estimular uma criança a dar seus primeiros passos.
daquele jeito Expressão com que se qualificam situações, ações, atuações, ideias etc., em geral de forma pejorativa, *p.ex.*, expressando desleixo, mau desempenho, modos inconvenientes etc.
daqui a pouco Em breve, a partir de um certo momento.
daqui e dacolá De vários lugares; daqui e dali.
daqui em diante Doravante; a partir de agora. *Var.* "daqui por diante".
dar *V.* também "Não dar".
dar um tombo em Causar prejuízo a.
dar a "luz verde" Dar permissão; liberar. *V.* "sinal de tráfego".
dar a alma a Deus Morrer. *Var.* "dar a alma ao Criador" e "entregar a alma a Deus".
dar a alma ao diabo *1.* Fazer qualquer coisa para alcançar o que se deseja intensamente. *2.* Pecar. *Var.* "vender a alma ao diabo".

dar à costa *1.* Ir ter à costa (orla marítima). *2.* Naufragar junto à costa.
dar a Deus o que o diabo não quis Tornar-se religioso na velhice.
dar a dianteira Permitir que outro lhe tome a dianteira em algo.
dar a entender Insinuar; fazer perceber.
dar à estampa Imprimir; publicar.
dar a impressão de Aparentar, parecer.
dar a largada Dar sinal para que uma competição de corrida inicie.
dar a lata *1.* Repelir aspirações amorosas. *2.* Despedir do emprego.
dar a língua Mostrar a língua em provocação a alguém.
dar à língua O *m.q.* "bater com a língua nos dentes". *Var.* "dar de língua".
dar a louca em Estar com a louca; ficar biruta, ruim da cabeça.
dar a lume Publicar obra de sua própria autoria.
dar à luz *1.* Parir. *2.* Editar um artigo, publicar uma obra.
dar a mão *1.* Amparar; ajudar. *2.* Estender a mão para cumprimentar.
dar a mão à palmatória Confessar ou admitir um erro ou engano. *Var.* "dar as mãos à palmatória".

Palmatória era um instrumento em forma de uma pequena raquete, de madeira, com que antigamente se castigavam (batendo com ele nas palmas das mãos) alunos insubordinados ou relapsos.

dar a nota Distinguir-se; sobressair-se.
dar a outra face Reagir impassivelmente a ofensas ou agressões, demonstrando estoicismo, autocontrole etc., por razões filosóficas, morais, por temperamento etc.

É a atitude aconselhada por Cristo (Mt 5,39), em contraposição à lei antiga do "olho por olho e dente por dente": Eu agora vos digo: não resistais ao homem mau; antes, àquele que te fere na face direita, oferece-lhe também a esquerda.

dar a palavra *1.* Permitir que alguém fale; dar a vez de falar a alguém. *2.* Prometer, assegurar o cumprimento de uma promessa.
dar a palma a Considerar vencedor ou superior.
dar a saber Fazer constar, dar ao conhecimento; fazer ciente de.
dar a saída Iniciar; principiar.
dar a tábua Lograr, desenganar, desiludir, recusar um pedido.

dar à taramela Falar muito; tagarelar. *Var.* "dar taramela".
dar à unha Trabalhar afanosamente, com diligência.
dar a venta Ficar muito cansado, extenuado, frouxo.
dar a vida Sacrificar a existência; morrer ou dispor-se a morrer por algo ou alguém.
dar a vida a Ser origem/causa da existência de. *Var.* "dar vida a".
dar a vida por Gostar imensamente de; sacrificar-se por.
dar a volta por cima *1.* Diante de uma dificuldade, superá-la ou contorná-la. *2.* Não se dar por vencido; relevar os obstáculos, superar as dificuldades; ir em frente. *3.* Após um revés, fracasso, tragédia etc., aprumar-se, refazer-se, não se abater.
dar acordo de si Voltar ao normal, depois de ter estado privado do uso dos sentidos; confuso.
dar adeus *1.* Despedir-se. *2.* Morrer. *3.* Renunciar a alguém ou a algo; perder (algo). *Var.* "dar adeusinho".
dar adeus a *1.* Saudar (alguém) a distância. *2.* Constatar irremediável perda de (objeto, oportunidade, situação privilegiada, expectativa etc.).
dar água na boca Despertar (iguaria, comida) em alguém o apetite, a gula; suscitar (algo) o desejo de possuí-lo. *V.* "de dar água na boca".
dar anca Deixar (a cavalgadura) que se lhe monte na garupa. *Var.* "dar garupa".
dar andamento a Dar continuidade a um trabalho ou assunto; promover o andamento ou a execução a.
dar ares de Parecer-se um tanto com; tomar a aparência de; fingir.
dar ares de sua graça Aparecer; manifestar-se onde era esperado; comparecer a ou participar de reunião após longo tempo ausente ou desinteressado.
dar as boas-vindas Saudar uma pessoa que chega.
dar as caras Aparecer (uma pessoa, em um lugar, onde sua presença é um tanto surpreendente).
dar as cartas *1. Fig.* Ter grande prestígio; pôr e dispor; mandar; chefiar com poderes absolutos. *2.* Num jogo de baralho, distribuir as cartas entre os participantes.
dar as costas (a) Fugir (de); deixar de dar atenção ou apoio a; abandonar.
dar às de Vila Diogo Evadir-se; fugir.

Expressão antiga. Encontra-se registro dela em obras tão antigas quanto "Dom Quijote de la Mancha" e autores portugueses desde o século XVI.

dar as mãos *1.* Segurar a(s) mão(s) de outra(s) pessoa(s), como um gesto de acolhimento, amizade. *2. Fig.* Buscar um consenso, um objetivo em comum, unir forças.
dar as voltas em Vencer ou convencer (alguém).
dar asa Dar confiança, intimidade a. *Var.* "dar asas".
dar asas a cobra Incentivar o maldoso em suas maldades.
dar asas à imaginação Devanear; sonhar; fantasiar; divagar.
dar até a roupa do corpo *1.* Demonstrar grande solidariedade, disposição de colaborar, ajudar etc. *2.* Estar disposto a alcançar determinada coisa a que sacrifício for.
dar audiência a Receber (uma pessoa) para a ouvir.
dar azar *1.* Contribuir algo ou alguém (por suposição ou crendice), sem explicação racional, para o insucesso de algo que nos interessa. *2.* Passar por algum infortúnio devido à ocorrência casual de fatores desfavoráveis.
dar bainha Fazer uma dobra na borda de uma peça de pano ou vestuário, cosendo-a, para evitar que se esgarce ou desfie, ou simplesmente para diminuir-lhe o tamanho.
dar baixa Terminar seu tempo de serviço militar.
dar baixa de (em) *1.* Retirar algo de um registro; arquivar um processo. *2.* Fazer o registro da saída de artigos do estoque.
dar banana Fazer (para alguém) gesto considerado obsceno e ofensivo, com conotação fálica (dobrar o antebraço sobre o braço onde se apoia a mão oposta), em sinal de repúdio, protesto etc.
dar bandeira Deixar transparecer algo que deveria ser guardado em segredo ou ficar oculto; chamar a atenção.
dar banho O *m.q.* "dar um banho".
dar bicadas Servir-se de pequenas guloseimas antes da refeição principal.
dar bobeira Ser enganado por ingenuidade ou inadvertência; ser passado para trás; bancar o trouxa. O *m.q.* "ficar marcando touca" ou "dormir de touca".
dar bode Não dar certo; dar em confusão.
dar bola *1.* Dar confiança a; dar entrada para um namoro; flertar. *2.* Dar atenção a; ligar importância a. *3.* Peitar, subornar. *Obs.* Em sentido contrário, diz-se "não dar bola".
dar bolo *1.* Acabar em confusão, briga, desentendimento. *2.* Não comparecer a um

compromisso previamente acertado. *Var.* "dar o bolo" e "dar bololô".
dar bolo em *1.* Saber mais que; ser mais competente que (alguém). Vencer uma disputa. *2.* Deixar (alguém) esperando, não tendo comparecido a encontro ou compromisso marcado com ele.
dar brecha para Dar condições para que algo tenha condições de ser feito, iniciado, tentado.
dar bronca *1.* Chamar a atenção de alguém de modo incisivo; repreender. *2.* Irritar-se. *Var.* "dar uma bronca".
dar busca Revistar uma pessoa para verificar se ela porta um objeto procurado, armas etc.; revistar (um recinto) em busca de algo, ou de evidências de algo.
dar cabeçada *1.* Fazer mau negócio. *2.* Fazer asneira, burrice, tolice; fazer algo erradamente. *3.* Dar um mau passo; *4. Fut.* Cabecear.
dar cabo de Consumir tudo; acabar com tudo; exterminar.
dar cacho Morrer.
dar calote Deixar de pagar dívida ou conta, ou contraí-la sem intenção de saldá-la. *Var.* "passar um calote".
dar capote Num jogo, vencer por grande diferença de pontos, marcando o dobro ou mais dos pontos do adversário; alcançar vitória cabal, sem derrotas.
dar carona Conduzir no seu veículo, gratuitamente, outra pessoa. *V.* "pedir carona".
dar cartaz a O *m.q.* "fazer cartaz".
dar certo Ter bom êxito (ação, tentativa, experimento etc.).
dar chabu Não dar certo; falhar.
dar changui Dar vantagens a um oponente.
dar com Deparar-se com; encontrar-se com.
dar com a cabeça pelas (nas) paredes Estar desesperado, fora de si; cometer desatinos.
dar com a cara na porta Não ser recebido; ter rejeitado um pedido. *V.* "bater com a cara na porta".
dar com a língua nos dentes Falar indiscretamente; revelar um segredo. *Var.* "bater com a língua nos dentes".
dar com a porta na cara de *1.* Negar (algo) a (alguém) de maneira rude, sem cerimônias. *2.* Negar-se a receber (alguém). *V.* "bater a porta na cara de".
dar com luva de pelica *1.* Responder ou agir de maneira polida e, ao mesmo tempo, cáustica ou irônica a alguém que tenha sido grosseiro, rude ou indelicado em alguma observação que fez ou ato que praticou. *2.* Retribuir o mal com o bem. *3.* Ser irônico, mordaz, ferino, sob a aparência de polidez e boas maneiras.

Pelica é pele fina de animal preparada para confecção de artefatos especiais de couro (luvas, bolsas, calçados etc.).

dar com o nariz na porta *1.* Encontrar fechada a porta que se esperava encontrar aberta. *2.* Não ser recebido por alguém. *3.* Não encontrar o que procurava (buscava). *Var.* "dar com a cara na porta".
dar com o pé *1.* Desprezar. *2.* A expressão é também usada para denotar abundância. *3.* Fugir.
dar com o rabo na cerca *1.* Morrer. *2.* Não ter sucesso num empreendimento; frustrar-se. *V.* "com o rabo na cerca".
dar com os burros n'água *1.* Perder um negócio; ter insucesso numa empreitada. *2.* Não se conter; perder o autodomínio; fazer tolices, asneiras. *V.* "dar em água de barrela".
dar com os costados em Ir a algum lugar; aparecer em um local por acaso ou muito raramente.
dar com os olhos em Avistar, ver (de modo fortuito).
dar com os ossos em Ir ter a.
dar com os quartos de lado *N.E.* Roer a corda; faltar a um compromisso.
dar combate a Combater; empenhar.
dar confiança a Tratar alguém com familiaridade ou consentir em ser assim tratado.
dar conhecimento Fazer saber; editar; publicar; informar.
dar consulta Dar conselhos profissionais.
dar conta de *1.* Ser capaz de. *2.* Prestar contas de. *3.* Ingerir toda a comida. *4.* Dar cabo de. *5.* Estar a par de tudo o que se passa. *6.* Completar uma tarefa inteira.
dar conta do recado Cumprir o compromisso assumido; desempenhar a contento o encargo recebido; realizar toda a tarefa; desobrigar-se bem de um encargo.
dar conversa Dar atenção ao interlocutor.
dar cor a Tornar algo ou alguém interessante, atrativo, animado.
dar corda a Estimular, instigar uma pessoa a falar muito, a contar tudo o que sabe, a fofocar.
dar corda para se enforcar *1.* Fornecer razões contrárias àquilo que se pretende fazer crer. *2.* Estimular, maliciosamente, alguém a falar ou fazer algo que o prejudica, a revelar segredo etc.
dar corpo a Dar forma, estrutura, consistência, substância, a algo.

dar crédito a Acreditar em.
dar cria Parir.
dar cria Parir.
dar de Começar a; passar a fazer algo que não costumava fazer. *Ex.*: *Deu de beber (o que até agora não fazia)*.
dar de banda Diz-se do cavalo que ao ser montado costuma enviesar o corpo (às vezes, de repente), caminhando obliquamente em relação ao caminho que percorre.
dar de bandeja 1. Dar alguma coisa sem exigir nada em troca; 2. No futebol, dar um passe perfeito para um companheiro, que marca o gol. *Var.* "dar na bandeja" e "dar uma bandeja".
dar de barato Admitir sem discussão ou questionamento; supor como verdade o que outrem afirma.
dar de bunda Diz-se da cavalgadura que se defende com movimentos dos quadris ou que procura se livrar do cavaleiro ou da carga que carrega com tais movimentos (meneios).
dar de cara com Encontrar-se de repente em presença de alguém ou de alguma coisa.
dar de cima Insistir; vigiar; assediar.
dar de comer Alimentar.
dar de dez em Ser muito superior a; obter vitória incontestável *Var.* "dar de dez a zero".
dar de face O *m.q.* "dar de cara".
dar de frente Encontrar; topar inesperadamente.
dar de frente para Estar bem defronte a.
dar de letra *Fut.* Dar um chute de letra, ou seja, de modo habilidoso, passando o pé que chuta por trás do pé de apoio.
dar de mamar à enxada Descansar, apoiando-se no cabo da enxada.
dar de mão Pôr de lado; dispensar; renunciar; abandonar.
dar de ombros Mostrar indiferença.
dar de presente Presentear.
dar de rosto Dar de cara com.
dar de si Esforçar-se.
dar descarga Limpar (*ger.* privada) com forte fluxo de água.
dar desconto 1. Aliviar de exageros o relato que se faz, a pedidos do interlocutor. 2. Conceder um abatimento no preço de venda de um produto.
dar dicas Dar conselhos, orientações ou palpites sobre variados assuntos.
dar dinheiro Ser lucrativo (diz-se de empreendimento capaz de dar retorno financeiro, lucro).
dar dois dedos de prosa Conversar durante pouco tempo, num rápido diálogo.

dar duro Trabalhar com afinco.
dar em água de bacalhau Frustrar-se; dar em nada (um negócio ou intento); malograr. *Var.* "dar em água de barrela" e "ir por água abaixo".
dar em cima de Cortejar ou assediar insistentemente; paquerar, galantear, pressionar alguém.
dar em droga 1. Dar em nada; ter mau êxito; fracassar; desviar-se do bom caminho; perder-se. 2. Não dar bom resultado ou lucro.
dar em falso Falhar, fracassar. *Var.* "dar em droga".
dar em nada Não ter bom êxito; não ter nenhuma consequência ou nenhum desdobramento; fracassar. *Var.* "dar em pantana".
dar em terra Cair ou fazer cair; arruinar-se.
dar entrada 1. Iniciar o pagamento de uma dívida parcelada. 2. Entregar uma petição ou pleito a uma repartição de Governo. 3. Conceder autorização para entrar.
dar esperanças Alimentar as aspirações de alguém; dar mostras de vir a ser favorável a solução de um assunto de interesse de outrem.
dar espetáculo Fazer-se notar por ato insólito; tornar-se ridículo; escandalizar; ser objeto de zombaria; proceder de maneira ridícula em público. *Var.* "dar escândalo".
dar estrilo *V.* "dar o/um estrilo".
dar fé a Acreditar; acreditar em.
dar fé de 1. Afirmar como verdade; testificar. 2. Garantir, por encargo legal, a verdade ou a autenticidade do texto de um documento ou de um relato, de uma assinatura etc. 3. Ver; notar; perceber.
dar fim a Terminar; concluir; matar; fazer desaparecer, extinguir.
dar fogo Ceder os fósforos ou o cigarro que está fumando para que outro acenda o seu.
dar folga Conceder descanso; permitir que a tarefa seja interrompida.
dar fora Cometer uma gafe. *Var.* "dar um fora".
dar força a 1. Apoiar, estimular. 2. Reforçar, confirmar.
dar galho 1. Redundar em complicação, balbúrdia, barulho, briga. 2. Trazer ou ocasionar dificuldades.
dar garupa 1. Aceitar (o animal) que uma outra pessoa além do cavaleiro monte nele. 2. Levar alguém na garupa do cavalo.
dar gás Estimular, incentivar, incitar.
dar gosto *V.* "de dar gosto". *Cf.* "fazer gosto".
dar gravata em Dar um golpe em alguém, passando o braço em torno do pescoço da pessoa e pressionando-o.

dar horas Soarem as horas no relógio. Diz-se: "Já deu dez (ou outro número) horas." *Var.* "bater horas".
dar ibope Ter audiência (um programa do rádio ou da televisão); ser prestigiado junto à opinião pública.

> *Ibope é sigla de bem conhecida empresa brasileira de pesquisa e análise de opinião pública (Instituto Brasileiro de Opinião Pública e Estatística).*

dar ideia de Apresentar semelhança ou aparência de; fornecer o plano de (alguma coisa).
dar importância a Ter em consideração; fazer caso de.
dar indiretas Fazer alusões um tanto veladas e sutis a algo que uma pessoa faz ou diz.
dar lambujem Dar pequena vantagem ao oponente, num jogo.

> *Lambujem = A acepção que corresponde ao sentido da locução é a de "guloseima", portanto, coisa boa, conveniente.*

dar largas a Dar asas a; soltar; liberar.
dar lição de Ensinar algo relativo a, *esp.* sendo um exemplo. *Cf.* "dar uma lição a alguém".
dar licença Permitir; consentir.
dar linha *1.* Estimular alguém a contar detalhes de algo ou a falar a propósito de algo que interessa. *2.* No brinquedo ou esporte de empinar papagaio (pipa), o ato de soltar a linha que o prende, para que alcance maior altitude ou para controlá-lo.
dar livre curso a Deixar correr livremente; não opor resistência ou obstáculos.
dar lugar *1.* Ceder a vez; substituir; permitir; ceder o lugar. *2.* Fazer supor; induzir a crer; causar. *3.* Abrir caminho. *4.* Suscitar, provocar.
dar lugar a Ter como resultado.
dar má nota Agir de maneira inconsequente, não condizente com as circunstâncias, o ambiente, o momento; cometer uma gafe; dar um fora.
dar mais que chuchu na cerca Ser coisa fácil, abundante, generosa.
dar mangas a Oferecer condições para (algo) ou permitir que (algo se realize).
dar mão (forte) a Ajudar, apoiar.
dar margem a Dar ensejo, ocasião, pretexto, motivo a.
dar mastigadinho Oferecer a alguém alguma coisa já totalmente preparada e resolvida, sem necessidade de nada mais a ela acrescentar.
dar meia-volta Voltar para o lugar de onde veio, se estiver indo, ou voltar-se, parado, para o lado exatamente contrário em relação ao em que se encontrava.
dar milho a bode Fazer algo que não atinge o objetivo; realizar algo sem objetivo ou inutilmente.
dar milho na garrafa Ser sovina; pão-duro.
dar mole *1.* Fazer algo aos poucos, devagar. *2.* Agir sem cuidado e atenção. *3.* Não se esforçar muito, facilitar. *4.* Não ter firmeza nem autoridade. *5.* Paquerar. *Var.* "dar moleza".
dar mostras de Manifestar claramente alguma coisa; evidenciar; dar sinais de; deixar perceber.
dar murro(s) em ponta de faca Pretender o impossível e, às vezes, com risco pessoal. Pelejar muito por uma coisa que não vale a pena.
dar na cabeça *1.* Decidir, sem muita reflexão ou num repente. *2.* Nos jogos de loteria, sair o número sorteado com o primeiro prêmio.
dar na cara de Bater, surrar alguém.
dar na cuca Ter ideia de. *Var.* "dar na cabeça".
dar na mesma Ser igual; tanto fazer; não se alterar. *Var.* "dar no mesmo".
dar na pista Fugir.
dar na telha Cismar; dar na veneta.
dar na veneta Vir à ideia; ocorrer (a alguém) um impulso repentino.
dar na vista Fazer ou acontecer algo que todos possam ver; falhar no objetivo de fazer algo com discrição; chamar a atenção; tornar-se escandaloso; ser notado; tornar-se público e notório. *Var.* "dar nas vistas".
dar nas canelas Correr, andar depressa, fugir.
dar no costelão *1.* Meter-se em negócio muito lucrativo. *2. MG* Encontrar, lavrando, um veio mineral muito rico.

> *Costelão é o nome que se dá ao veio mineral, mais comumente à ocorrência de cristal de rocha.*

dar no couro *1.* Acertar plenamente; aguentar (alguma coisa, sobretudo fisicamente); dar conta da tarefa. *2.* Ser sexualmente potente. *3.* Ser hábil ou eficiente em algo, *esp.* ser bom jogador de futebol.
dar nó em pau seco Fazer algo impossível ou extremamente difícil de ser realizado. *Var.* "dar nó em pingo-d'água".

dar nó em pingo-d'água Ser capaz de sair de todas as dificuldades; ser extremamente hábil e astuto.
dar no macaco *Ch.* Masturbar-se (o homem).
dar no pé Fugir; ir embora; safar-se.
dar no prego Cansar; afrouxar o garrão; ser vencido; fatigar-se.
dar no saco *Gír.* Importunar; aborrecer; encher o saco de.
dar no vinte Acertar.
dar nome a *1.* Pôr nome em alguém ou em alguma coisa. *2.* Tornar afamado.
dar nomes aos bois *1.* Revelar os nomes de envolvidos em falcatruas, roubos ou de autores de quaisquer contravenções ou que provocaram algo condenável ou irregular. *2.* Nomear, claramente, o(s) nome(s) do(s) autor(es) de um ato ou fato.
dar nos calcanhares Fugir. *Var.* "dar nos cascos".
dar nos cascos Cair fora; fugir; abandonar. *Var.* "dar nos calcanhares".
dar nos nervos Irritar, aborrecer, enervar.
dar nós no lenço Fazer um despacho, bruxaria ou mandinga, visando a alcançar algo para o bem ou para o mal de outra pessoa.
dar nos paus Fugir apressadamente; escapulir.
dar o ar da graça *1.* Reaparecer (alguém) depois de estar ausente por certo tempo, ou de estar sendo esperado. *2.* Mostrar-se afável, simpático, agradável. Diz-se também: "dar um ar de sua graça".
dar o balanço *1.* No teatro, fazer um ensaio corrido para verificar se os atores já dominam seus papéis. *2.* Fechar a escrituração de uma escrita contábil para apurar o resultado financeiro do período. *3.* Ao final de qualquer ação ou empreendimento, apurar o resultado.
dar o bolo Não comparecer a um encontro, a um compromisso. Também: "dar bolo" (*V.*).
dar o braço Oferecer o braço para que alguém nele se apoie.
dar o braço a torcer Mudar de opinião; aceitar a opinião de outro; voltar atrás; admitir o acerto da opinião de outro; confessar que se enganou. *V.* "não dar o braço a torcer".
dar o calado como resposta Calar-se; escusar-se de responder.
dar o cano Faltar a um encontro; falhar no cumprimento de um compromisso. O *m.q.* "dar o bolo".
dar o céu Dar tudo o que lhe for possível (principalmente em relação a conquistas amorosas).

dar o contra Fazer oposição; contrariar.
dar o corpo Prostituir-se.
dar o couro às varas Morrer.

A expressão deriva do método utilizado nas áreas rurais para esticar ao sol (com o auxílio de varas) o couro dos animais abatidos, para secar..

dar o dito por não dito Desdizer-se; considerar sem efeito o que se disse ou combinou; recuar de compromisso assumido; negar o que antes dissera.
dar o exemplo Ser o primeiro a fazer determinada coisa; mostrar como se deve fazer; dar um testemunho.
dar o fora *1.* Sair; abandonar uma causa; escapar de uma situação que parece inconveniente ou perigosa; cair fora; fugir. *2.* Tomar a iniciativa de terminar uma relação amorosa. *Cf.* "dar um fora".
dar o/um estrilo *1.* Gritar; reclamar; zangar-se; repreender. *2.* Passar uma descompostura.
dar o/um golpe Agir traiçoeiramente ou com propósitos malévolos.
dar o máximo Fazer tudo quanto for possível; empenhar-se totalmente.
dar o melhor de si Fazer todo esforço possível para realizar determinada tarefa. *V.* "o melhor de si".
dar o meu (seu) (nosso) sangue Fazer enorme esforço; dar tudo de mim (dele) (nós).
dar o nó *1.* Casar-se. *2.* Criar dificuldades.
dar o pé e tomar a mão Abusar da confiança.
dar o pira Cair fora; ir-se embora; sair apressadamente; fugir.
dar o prego Ficar exausto. *Obs.* Também se diz: "dar no prego".
dar o primeiro passo Tomar a iniciativa; dar início a algo.
dar o que falar Despertar atenção; ser passível de censuras; dar motivo a comentários. *Var.* "dar que falar".
dar o que pensar Suscitar reflexão e consideração (diz-se de ideia, discurso, fato, atitude etc.).
dar o que tinha de/que dar Esgotarem-se as possibilidades ou capacidades de algo ou alguém. *V.tb.* "ter dado o que tinha de dar".
dar o quinau O *m.q.* "dar quinau em".
dar o recado *1.* Dar conta da tarefa que lhe competia. *2.* Transmitir com eficácia as ideias ou mensagens que encerra (mensagem, discurso, livro, filme, canção, obra de arte etc.).
dar o sangue por *Fig.* Empenhar-se ao máximo numa tarefa.

dar o serviço Confessar (o criminoso, cúmplice ou testemunha) a sua participação em ato delituoso que procurava ocultar, revelando seus comparsas.
dar o sim Dar o consentimento para casar-se; consentir em alguma coisa.
dar o suíte Ir-se embora; dar o fora.
dar o teco *1.* Ficar zangado, estrilar; reclamar; aborrecer-se. *2.* Acabar; ter fim; morrer.
dar o tom *1.* Marcar a nota ou o tom que se vai tocar ou cantar. *2.* Regular a moda, os hábitos, as maneiras de um grupo. *3.* Servir de exemplo, de orientação.
dar o tombo em *1.* Dar prejuízo a; arruinar, prejudicar alguém. *2.* Tirar de um cargo ou posição, demitindo.
dar o tomé Fugir do jogo.
dar o troco *1.* Voltar a diferença entre o valor entregue e o preço cobrado, numa transação comercial e quando for o caso. *2.* Revidar; replicar imediatamente por algo dito por alguém, de um modo geral quando há altercações; retrucar. *3. Var.* "pagar na mesma moeda".
dar o troco por miúdo Responder ponto por ponto; esclarecer a situação.
dar o último alento Morrer. *Var.* "dar o último suspiro".
dar os anéis para salvar os dedos Ceder em alguns pontos de um acordo para conseguir a aceitação de outros, para não ser (mais) prejudicado ou para viabilizar o acordo.
dar os doces *1.* Fazer festa. *2.* Casar.
dar os pregos *1.* Enfurecer-se, irritar-se, zangar-se. *2.* Ficar desapontado.
dar os primeiros passos *1.* Andar (a criança) pela primeira vez. *2. Fig.* Dar início aos primeiros procedimentos de um processo, um projeto, uma atividade etc.
dar os últimos retoques Concluir um trabalho, uma obra, um serviço, revendo ou aperfeiçoando o que já foi realizado.
dar ou derramar o sangue por Sacrificar-se por; dar tudo por.
dar ouvidos a Aceitar (o que foi dito), tomar em consideração.
dar palha Iludir alguém com uma conversa agradável, capciosa.
dar pancas *V.* "dar um aperto".
dar pano para mangas Dar que falar; dar motivos para falar.
dar para *1.* Mostrar inclinações para. *2.* Sentir que seja capaz de (algo). *3.* Ter vista (de um lugar) para (outro). *4.* Indicar caminho para um certo destino.
dar para o gasto Ser (o que se tem, aquilo de que se dispõe) suficiente o bastante para atender às necessidades, mas não muito mais que isso. Também se usa dizer: "dar pro gasto".
dar para trás *1.* Contrariar; impedir que se faça alguma coisa. *2.* Ir (um negócio) fracassando; regredir. *3.* Recuar, voltar atrás de posição antes assumida.
dar parte de *1.* Denunciar, delatar; comunicar; participar. *2.* Revelar-se, mostrar-se; atribuir-se. *3.* Fingir. Simular; aparentar.
dar parte de fraco Ceder; declarar-se vencido.
dar patada Cometer ato de grosseria; ser mal-educado; receber as pessoas com imprecações.
dar pau Apresentar, de repente, um defeito ou funcionar irregularmente.
dar pé *1.* Fornecer pretexto. *2.* Ter (rio, piscina, trecho do mar etc.) nível de água em altura suficiente para que uma pessoa consiga manter a cabeça fora d'água sustentando-se com o pé no fundo. Ser raso (o curso-d'água). *Ant.* "não dar pé".
dar (pedir) demissão Conceder ou pedir (voluntariamente) dispensa de emprego.
dar pelo Deixar-se montar em pelo (a cavalgadura).
dar pelo custo *1.* Contar a alguém alguma coisa tal como a ouviu de outrem. *2.* Vender mercadoria pelo valor de compra.
dar pelota a Dar importância a; dar bola a; dar atenção a.
dar pontapé na fortuna Rejeitar aquilo que traria sorte.
dar por bem empregado Satisfazer-se com o desfecho de um caso, em que empregou esforços ou forneceu objetos, bens ou dinheiro para sua consecução, embora, às vezes, não tenha logrado completo êxito.
dar por conta Pagar uma parcela de sua dívida.
dar por fé *1.* Afirmar como verdade; testificar. *2.* Perceber, notar, ver.
dar por paus e pedras Zangar-se; enfurecer-se; praticar desatinos. Também se diz: "dar por paus e por pedras".
dar provimento Decidir pela aprovação de um pedido.
dar publicidade (a) Divulgar pelos meios de comunicação disponíveis; tornar conhecido (algo).
dar pulos de alegria Manifestar a alegria de modo mais ou menos ruidoso.
dar que falar Ser alvo ou motivo de comentários (quase sempre desairosos ou desabonadores). *Var.* "dar o que falar".
dar que suar Dar o que fazer; dar grande trabalho.

dar quinau em *1.* Negar; mostrar um erro; frustrar. *2.* Passar à frente de; adiantar-se. Também se diz: "dar o quinau" (*V.*).

Quinau = Corretivo, emenda, lição, e Fig. *juízo.*

dar razão a alguém Apoiar alguém pelo que diz, disse, fez ou faz; concordar com.
dar razão de si Estar em estado de consciência; voltar de um letargo.
dar recibo Declarar quitada uma dívida, uma entrega. O *m.q.* "passar recibo".
dar rédeas *1.* Deixar que o cavalo galope ou ande bem depressa. *2. Fig.* Estimular alguém naquilo que está fazendo. *Var.* "dar rédea larga a".
dar referências Oferecer informações sobre si próprio ou sobre alguém a outras pessoas ou instituições. *V.* "*curriculum vitae*".
dar risinhos Rir com ar de deboche ou crítica.
dar rolo Resultar em confusão, briga.
dar saída *1.* Dar resposta. *2.* Opor uma reação. *3.* Dar coragem, estímulo.
dar sarrafadas em Dar pancada (com ou sem sarrafo); no futebol, aplicar falta(s) violenta(s). *V.* "baixar o sarrafo em".
dar satisfação *1.* Desdizer-se. *2.* Pedir desculpas por alguma coisa de que se arrependeu. *3.* Prestar contas. *Var.* "dar uma satisfação".
dar sede Causar ou provocar sede.
dar sinal Advertir do começo de algo; indicar, advertir.
dar sinal de Dar o exemplo; ordenar o começo de; manifestar-se; dar indício de.
dar sinal de si *1.* Fazer ato de presença; aparecer. *2.* Revelar-se em pleno gozo de suas faculdades físicas e mentais. *Var.* "dar sinal de vida".
dar sinal verde Permitir; autorizar.
dar sopa *1.* Oferecer facilidades para ser roubado ou enganado. *2.* Facilitar em algo; inadvertidamente abrir oportunidade a que aconteça algo que se estava querendo evitar. *3.* Mostrar-se (a mulher), fácil de ser conquistada. *V.tb.* "dar uma sopa".
dar sorte Ser favorecido pelo acaso; ter bom êxito.
dar sota e ás a Ser mais esperto que (outrem); mostrar-se mais fino e inteligente que os outros; superar alguém em alguma habilidade.

Sota = Dama (do baralho de cartas).

dar sumiço Fazer desaparecer ou inutilizar algo.
dar sua fé Atestar; certificar. O *m.q.* "fazer fé".
dar tábua *1.* Recusar-se a dançar (a dama, em relação ao cavalheiro). *2.* Enganar, lograr.
dar teco Tecar; atingir em cheio; acertar.
dar tempo *1.* Esperar ou conceder prazo para que algo se realize; adiar a decisão. *2.* Interromper temporariamente uma relação amorosa, namoro, vida em comum etc. *V.* "dar um tempo". *3.* Ser suficiente o tempo para a realização de algo.
dar tempo ao tempo Fazer com calma; parar para pensar; esperar; não se precipitar; procrastinar.
dar tento de Reparar em; considerar; prestar atenção.
dar tesão em *1.* Provocar libidinosamente, ser excitante. *2. Fig.* Suscitar desejo, vontade de ter ou fazer algo.
dar testemunho de Testemunhar; atestar; confirmar.
dar trabalho Ser trabalhoso, requerer esforço para se realizar ou concretizar.
dar tratos a *1.* Diligenciar. *2.* Torturar, atormentar.
dar tratos à bola Procurar todos os meios para solucionar um problema, resolver uma situação; empregar a imaginação para decifrar ou solucionar algo. *Var.* "dar tratos à imaginação".
dar trela a Conversar com; dar confiança a; dar folga ou licença a; aceitar os galanteios de; puxar alguém à conversa; conceder atenção e/ou tempo a.
dar tudo Trabalhar com afinco, fazer o máximo esforço.
dar tudo por Fazer todos os esforços e dispor-se até o sacrifício por.
dar um... *V.* expressões sem o artigo indefinido.
dar um aperto *1.* Insistir, pressionar. *Var.* 'dar um apertão". *2.* Abraçar com efusão.
dar um arrocho em Exercer pressão sobre alguém, para obter algo; coagir. O *m.q.* "pôr a faca no peito de".
dar um ataque *1.* Sofrer um ataque, um mal súbito; desmaiar; perder os sentidos. *2.* Manifestar súbita crise de nervos, de raiva, de medo, de histeria etc.
dar um baile em *1.* Exercer domínio total sobre um adversário. *2.* Suplantar outrem em saber, em habilidades, em qualquer tipo de disputa etc. *3.* Desfeitear, tripudiar, humilhar.
dar um banho *1.* Demonstrar excelência técnica ou profissional em comparação a

outrem. *2. Fut.* Vencer o rival por um escore dilatado. *3.* Banhar, lavar. *Var.* "banho de bola".
dar um basta Fazer parar ou cessar alguma coisa que não convém ou que incomoda; pôr termo; não tolerar mais. Também se diz "dar o basta".
dar um bolo Acabar em tumulto, confusão, conflito.
dar um bolo em alguém Saber mais, ser mais competente que alguém.
dar um branco Ocorrer (para alguém) um lapso de esquecimento, ou dificuldade de raciocínio, podendo deixá-lo momentaneamente fora de si.
dar um cala-boca Conceder benefício a alguém em troca de sigilo sobre algum ato que se deseja que fique velado; subornar.
dar um caldo Jogar alguém dentro d'água contra a sua vontade ou mantê-lo à força com a cabeça dentro d'água, numa piscina, no mar etc., *ger.* por brincadeira.
dar um carão Censurar ou advertir com rudeza; repreender severamente, mormente na presença de terceiros.
dar um chega pra lá Atacar (alguém); repelir; manifestar repulsa à intromissão de outrem.
dar um clique *1.* Ter uma brilhante ideia. *2.* Lembrar-se, de repente, de algo.
dar um colorido especial Personalizar, sofisticar, abrilhantar um evento/projeto/etc.
dar um doce a Dar um prêmio (a quem faça algo considerado difícil ou impossível), *ger.* como expressão de dúvida afetuosa ou irônica.
dar um duro Trabalhar muito; fazer grande esforço. O *m.q.* "dar duro".
dar um empurrãozinho Dar pequena ajuda, um estímulo, a alguém.
dar um estouro na praça Falir causando grande prejuízo aos parceiros comerciais e/ou fregueses.
dar um fim a (em) Terminar com; eliminar.
dar um flagra Surpreender em flagrante. *Var.* "dar o flagra".
dar um fora Cometer uma gafe; dar palpite errado.
dar um fora em *1.* Não aceitar os galanteios de (alguém). *2.* Tomar a iniciativa de romper um relacionamento com (alguém).
dar um furo Publicar uma notícia em primeira mão; conseguir um furo de reportagem.
dar um galho Causar ou trazer dificuldades, complicações.

dar um gelo em Passar a tratar alguém com indiferença, com frieza; ignorar a existência de uma pessoa; o *m.q.* "pôr no gelo".
dar um giro O *m.q.* "dar uma volta".
dar um jeito Encontrar uma solução criativa ou uma saída para determinada situação. *Var.* "dar um jeitinho".
dar um jeito em *1.* Submeter (alguém) à disciplina; consertar; reparar; improvisar. *2.* Fazer o que for preciso para alcançar um objetivo.
dar um jeito no pé Sofrer uma luxação ou torção no pé. Ouve-se, às vezes, "tomar um jeito" em vez de "dar...". *Var.* "dar um mau jeito no pé" (ou no braço, na mão etc.)
dar um lance Num leilão, fazer uma oferta pelo objeto em licitação.
dar um mau passo *1.* Proceder mal; equivocar-se. *2.* Perder-se; deixar-se seduzir. *V.* "mau passo".
dar um murro na mesa Demonstrar explosivamente impaciência e contrariedade, ou desafio, a auxiliares e companheiros de trabalho.
dar um nó *1.* Ficar (algo) completamente confuso, enrolado, difícil de entender, de dar prosseguimento, de realizar. *2. Fut.* Driblar sensacionalmente o adversário, deixando-o confuso (neste caso, "dar um nó em").
dar um osso para (alguém) Entregar a alguém a responsabilidade por uma tarefa difícil, intrincada, penosa.
dar um passeio *1.* Passear. *2.* Diz-se, também, de um time de futebol ou de outro esporte que vence uma partida com muita facilidade.
dar um pelo outro e não querer troco Expressão que, numa troca, considera o objeto que o outro oferece de qualidade e condição idênticas ou superiores ao que se está oferecendo. Indica, outrossim, estímulo à troca, por oferecer, supostamente, artigo de valor superior.
dar um perdido em (alguém) *1.* Deixar alguém à sua espera e não voltar. *2.* Combinar encontro com alguém e não aparecer nem dar satisfação; dar bolo.
dar um pinote Dar um salto; fugir de cadeia. *Var.* "dar o pinote".
dar um piparote Dar uma batida num objeto com a cabeça do dedo médio ou do indicador fortemente pressionada sobre o polegar, soltando-a com força sobre o objeto, lançando-o a distância, na direção desejada.
dar um piti Ter um acesso histérico; ter um chilique.

dar um pontapé *1.* Chutar (alguém ou algo), com certa violência ou irritação; escoicear. *2.* Abandonar definitivamente algo que vinha tentando realizar, *ger.* por estar irritado, cansado etc.
dar um por fora *1.* Dar uma gorjeta. *2.* Oferecer dinheiro em troca de favores ilegais ou fora do andamento normal; corromper. *Var.* "pagar por fora".
dar um pulo (a) Ir a (algum lugar), voltando logo em seguida; dar um salto a; dar um saltinho a. *Var.* "dar um pul(inh)o logo ali".
dar um puxão de orelhas *V.* "passar um pito".
dar um quarto ao diabo Fazer grande sacrifício; ser capaz de tudo (por ou para alguma coisa).
dar um refresco Dar um alívio, um descanso.
dar um revertério *1.* Ter resultados surpreendentes, quase sempre contrários aos que se esperavam. *2.* Mudar (situação, processo etc.) a tendência ou direção na qual se desenvolvia.
dar um rombo Dar um desfalque; ocasionar prejuízos financeiros a alguém.
dar um sabão (em alguém) Passar uma descompostura (em alguém).
dar um saltinho Fazer uma rápida passagem por algum lugar. O *m.q.* "dar um pulo a".
dar um salto em Ir a algum lugar e voltar num instante. *V.* "dar um pulo".
dar um *show* *1.* Ter uma atuação brilhante; sair-se bem numa intervenção, numa festa, num debate, num exame etc. *2.* Comportar-se de modo escandaloso e chamativo.
dar um sopapo Desferir um bofetão em alguém.
dar um tempo Esperar um pouco; fazer uma pausa, contra a vontade. *V.* "dar tempo".
dar um tiro em *1.* Deixar de se ocupar com; acabar; encerrar; liquidar (um trabalho, um assunto etc.) *2.* Alvejar (algo ou alguém) disparando arma de fogo.
dar um tiro na praça Causar prejuízo a diversas pessoas fraudulentamente.
dar um tiro no pé Fazer algo que prejudique a si próprio.
dar um toque *1.* Dar uma informação ou sugestão. *2.* Intervir levemente numa obra, num trabalho de outrem, com a pretensão de melhorá-lo.
dar um trato *1.* Cuidar da aparência. *2.* Praticar atos libidinosos.
dar uma *V.* expressões sem o artigo indefinido.

dar uma banana Mostrar o antebraço segurando-o com a mão do outro braço em sinal de agressão, ofensa ou revide (gesto considerado ofensivo, quase obsceno).
dar uma bobeada Dormir de touca; distrair-se e deixar de fazer algo; fazer mau negócio; bancar o bobo e ser enganado.
dar uma brecha Oferecer a alguém uma oportunidade para que realize o que pretende. *V.* "dar uma chance".
dar uma bronca Chamar a atenção de alguém, repreendendo-o.
dar uma cabeçada O *m.q.* "dar cabeçada".
dar uma cagada *Ch. 1.* Prejudicar; fazer sujeira com. *2.* Defecar. *3.* Repreender severamente. *4.* O *m.q.* "dar um fora". *5.* Cometer erro grosseiro, estragar tudo. Usa-se mais "fazer uma cagada".
dar uma canja Apresentar (um artista) um número fora do programa, sem cobrar por isso.
dar uma cantada em Tentar seduzir alguém com palavras hábeis.
dar uma chamada Chamar a atenção de alguém; repreender, passar um pito; ralhar; disciplinar.
dar uma chance Dar ou oferecer uma oportunidade (a alguém) para realizar o que pretende.
dar uma chegada Aparecer por curto espaço de tempo em algum lugar.
dar uma ciscada Procurar buscar, pesquisar, por alto (superficialmente).
dar uma coça Surrar.
dar uma cochilada *1.* Dormitar, cochilar. *2. Fig.* Distrair-se; deixar passar uma oportunidade.
dar uma coisa em Ter (alguém) um momento de indecisão, de distração, de perturbação que o coloca em situação de comportamento anormal. *Ex.: Deu uma coisa nele inexplicável.*
dar uma colher de chá Dar mais uma oportunidade; facilitar; favorecer; ajudar; dar uma pequena ajuda; contemporizar.
dar uma de Agir à maneira de.
dar uma de calcanhar *Fut.* Aparar ou chutar uma bola com o calcanhar.
dar uma de gato mestre Agir como quem sabe alguém ou pouco ou quase nada sabe. *Var.* "meter-se a gato mestre".
dar uma de joão sem braço Simular; dar uma desculpa inacreditável; querer tirar vantagens aparentando boas intenções.
dar uma deitada Deitar-se, descansar por pouco tempo.
dar uma dentro Acertar.
dar uma dura Dar um aperto; exigir.

dar uma escapada *1.* Sair de um lugar às escondidas. *2.* Ter relação sexual extraconjugal ocasional.
dar uma esnobada Esnobar.

> *Esnobar* = 1. *Proceder como esnobe.* 2. *Mostrar-se esnobe com. Esnobismo = Tendência a desprezar relações humildes, a aferir os méritos pelas exterioridades.*

dar uma facada *1.* Perfurar com a faca, *ger.* agredindo. *2.* Pedir dinheiro emprestado, a amigos (quase sempre com o intuito de não pagar).
dar uma fechada No trânsito, passar (veículo) de repente para a faixa de rodagem de outro veículo, obrigando seu condutor a usar os freios, a esterçar repentinamente a direção, procurando evitar a colisão.
dar uma força Ajudar com incentivos, estímulos ou mais concretamente; apoiar.
dar uma geral *1.* Fazer uma completa revisão num trabalho. *2.* Colocar tudo em ordem. *3.* Fazer uma faxina. *4.* Fazer uma completa vistoria ou fiscalização.
dar uma goleada Vencer uma partida esportiva (futebol, principalmente), por larga margem de tentos. *P.ext.* Ganhar uma causa com muita facilidade.
dar uma gravata Numa luta, prender um contendor o outro com um braço em volta do pescoço, procurando estrangulá-lo.
dar (uma) guinada *1.* Desviar-se subitamente de algum obstáculo. *2. Fig.* Mudar subitamente de rumo, de orientação, de atitude etc.
dar uma incerta Passar revista ou fazer inspeção de surpresa.
dar uma indireta Fazer uma observação ou alusão sutil sobre alguém ou sobre algo, contudo sem menção explícita à pessoa ou coisa a que se está referindo.
dar uma lavagem O *m.q.* "dar uma goleada".
dar uma lição a alguém Repreender ou corrigir a outrem por falta cometida, *ger.* fazendo algo que o faça perceber que e onde errou.
dar uma limpa O *m.q.* "fazer a limpa".
dar uma luz Apresentar uma sugestão, uma ideia, uma alternativa para uma situação.
dar uma mancada Fazer algo errado ou de forma desastrada ou inoportuna.
dar uma mão a O *m.q.* acepção *1* de "dar a mão".
dar uma mãozinha Dar uma pequena ajuda.
dar uma mordida *1.* Tirar um pedaço, com os dentes; experimentar. *2.* Pedir dinheiro emprestado. *3.* Conseguir alguma vantagem. *Var.* "dar uma mordiscada".
dar uma no cravo, outra na ferradura *V.* "uma no cravo e outra na ferradura".
dar uma olhadela Olhar rapidamente, num relance. *Var.* "dar uma olhadinha".
dar uma palavrinha Falar ou conversar pouco e brevemente.
dar uma passada Fazer breve visita ou passeio. *Var.* "dar uma passadinha", "dar uma chegada", "dar uma chegadinha", "dar uma esticada" etc.
dar uma penada por Interceder em favor de (alguém); auxiliar (alguém), junto a outrem ou a solucionar um caso, um problema.

> *Penada = Traço de pena. Pena = Antigo instrumento de escrita. Com uma penada (assinatura), quem tinha autoridade poderia favorecer o peticionário.*

dar uma peneirada Separar alguma coisa de outra, selecionando.
dar uma pista Fornecer informações ou sugestões que ajudem na localização de algo ou de alguém ou na solução de um caso, um problema.
dar uma prensa em (alguém) Pressionar (alguém) a revelar algo.
dar uma rasteira em *1.* Levar vantagem sobre. *2.* Enganar, lograr, *ger.* traindo, sendo desleal. *3.* Derrubar. O *m.q.* "passar uma rasteira em". Para a ação passiva: "levar uma rasteira".
dar uma rata *V.* "cometer uma gafe".
dar uma respirada Descansar; aliviar-se de tarefas.
dar uma sacudidela no corpo Espreguiçar-se; proceder a um alongamento breve e rápido dos músculos.
dar uma sopa Apresentar-se (um artista), de graça, fora de programa, como uma amostra do que fará ou pretende fazer profissionalmente. *Var.* "dar uma canja". *V.tb.* "dar sopa".
dar uma sova *V.* "moer a pancadas". *Var.* "dar uma surra".
dar uma suadeira em Submeter alguém a trabalhos árduos, penosos, estafantes, pesados. *Var.* "dar um suador".
dar uma topada *1.* Bater com o pé em algo, tropeçando. *2.* O *m.q.* "dar cabeçada".
dar uma trepada Praticar o ato sexual. *Var.* "dar uma rapidinha".
dar uma vacilada Dormir de touca; bobear.
dar uma virada Mudar o rumo dos acontecimentos.

de acordo com

dar uma vista Passar os olhos. *Var.* "dar uma vista de olhos" e "dar uma olhadela".
dar uma volta Dar pequeno passeio.
dar unhada e esconder as unhas Ser hipócrita; ser dissimulador.
dar uns ares de Ser parecido com alguém.
dar vaivém a Abalar, empurrar, imprimir impulso.
dar vau Dar passagem ou escoamento.
dar vazão a *1.* Dar saída a; dar conta de; despachar, resolver. *2.* Deixar irromper uma reação; desabafar, extravasar seus sentimentos.
dar vida a Animar; reanimar; cuidar; estimular.
dar volta ao juízo Enlouquecer, endoidecer.
dar volta em Passar (alguém) para trás.
dar voltas Rodear; despistar.
dar voltas na cama Não conseguir dormir; rolar na cama sem conseguir conciliar o sono.
dar voz de prisão *V.* "voz de prisão".
dar xeque-mate em alguém Colocar alguém em posição de defesa difícil ou intransponível.
dar zebra Ocorrer algo (resultado) inesperado, considerado impossível ou pouco provável; "fez o concurso, mas deu zebra" (*i.e.*, não logrou aprovação).
dares e tomares Desavença, disputa, contenda.
dar-se a melódia Acontecer o que se não esperava e/ou que não era desejado.
dar-se ao desfrute Ser motivo de zombaria ou escândalo ou ridículo.
dar-se ao desprezo Tornar-se digno de desprezo.
dar-se ao luxo de Permitir-se certo capricho ou extravagância; permitir-se o luxo de.
dar-se ao respeito Proceder de maneira respeitável; agir com compostura, dignamente; impor-se ao respeito e à ordem.
dar-se ao ridículo O *m.q.* "dar-se ao desfrute".
dar-se ao trabalho de Incomodar-se para; dispor-se a; empenhar-se em.
dar-se ares (de) Comportar-se (uma pessoa) como se fosse melhor ou mais importante que outras ou do que realmente é.
dar-se as mãos Confraternizar-se; solidarizar-se.
dar-se bem Ter sucesso; ter sorte, ou ser beneficiado numa situação, num processo, numa empreitada etc.
dar-se bem com Manter convívio normal e amistoso com outra pessoa; ter bom relacionamento com.

dar-se conta de Tomar conhecimento de; perceber; notar; conscientizar-se de.
dar-se mal Não ter sucesso; malograr, fracassar; ser obstado em seus propósitos; estrepar-se.
dar-se o caso de Acontecer alguma coisa.
dar-se por achado Demonstrar conhecimento de algo ou nisso estar envolvido.
dar-se por entendido Mostrar que entendeu o verdadeiro alcance ou sentido oculto do que se disse ou praticou, apesar de restar ainda alguma dúvida a respeito.
dar-se por vencido Entregar os pontos; desistir de uma disputa ou da conquista de algo em que se empenhava.
dar-se pressa Apressar-se.
das arábias *1.* Fora do comum; extraordinário; mirabolante; incrível. *2.* Muito esperto, sagaz, astuto.
das duas, uma Diz-se quando se quer que alguém opte por uma das alternativas possíveis.
das dúzias Medíocre; de pouco valor.
data venia *Lat.* Expressão respeitosa que significa "com a devida vênia", com a qual se posiciona uma argumentação ou opinião, divergente da de outrem, com ressalva do mérito dessa.

> *Vênia = Licença, permissão, consentimento.*

day after *Ing.* O dia seguinte.

> *A expressão costuma ser usada para as considerações/análise de um acontecimento ocorrido no dia anterior.*

de *V.* também expressões sem esta preposição.
de A a Z *1.* Completamente, abrangente, total. *2.* Do princípio ao fim. *Var.* "de A a A" e "de alfa a ômega".

> *Há, nos dicionários, o registro de "de á a zê".*

de abalada Com precipitação; afobadamente.
de acarreto *1.* Sem fundamento, sem sentido ou originalidade. *2.* De modo artificial, forçadamente.
de aço Rijo, forte, resistente. *V.* "alma de aço".
de açoite De repente.
de acordo *V.* "estar de acordo".
de acordo com De conformidade com; conforme; segundo.

de adrede De propósito; intencionalmente.
de afogadilho Precipitadamente.
de agalhas *Bras. RS* Esperto, finório, velhaco.
de agora Atual; do presente.
de alcateia À espera.
de alma lavada Em paz com a consciência. Sem se sentir culpado de algo acontecido.
de almanaque Diz-se de cultura, saber, conhecimento insuficientes, imperfeitos, precários, superficiais.

> *Almanaque é uma publicação popular que contém variadas informações de interesse geral, resumidas, além de anedotas, curiosidades, calendário etc., tudo tratado de maneira superficial.*

de alto a baixo Desde a extremidade superior até a inferior. *Var.* "da cabeça aos pés", "dos pés à cabeça"; "desde cima até embaixo", "de cima a baixo".
de alto bordo *1.* De alta categoria; excelente; importante. *2. Mar.* Diz-se de navio de grande porte, de borda alta, próprio para navegar em mar alto. *Var.* "de alto nível".
de alto coturno Socialmente importante; no topo da hierarquia; diz-se de pessoa poderosa, influente, prestigiosa.
de alto impacto *1.* Que provoca grande choque. *2.* De grande repercussão. *3.* De desempenho fora do comum.
de amargar Difícil de suportar, de resolver ou de tolerar; intransigente, ranzinza, impertinente.
de antemão Antecipadamente; com antecedência; previamente.
de antena ligada Atento ao que se passa, se ouve ou se vê.
de antes Em tempo passado; antigamente; dantes. O *m.q.* "em antes".
de apertar o coração Diz-se de situação constrangedora, que nos emociona e sensibiliza, diante do sofrimento de alguém.
de araque De qualidade inferior; ordinário; reles; fraco; ilegítimo.
de armas e bagagens De mala e cuia; integralmente; definitivamente. *V.* "com armas e bagagens".
de arrancada O *m.q.* "de arranco".
de arranco *1.* De súbito; com ímpeto. *2.* Com movimentos intermitentes. *Var.* "de arrancada".
de arrasar Excelente; estonteante; grandioso; lindo.
de arrasar quarteirão Empolgante, sensacional, esfuziante. *V.* "arrasar quarteirão".

de arrebentar os tímpanos Diz-se de som, ruído, algazarra etc. em alto volume. *V.tb.* "furar o tímpano".
de arremesso De modo repentino e com força.
de arremetida De arranco; de súbito.
de arrepiar Diz-se de algo espantoso, terrível, de meter medo. *Var.* "de arrepiar cabelo de ovo".
de arrepiar o(s) cabelo(s) *1.* De arrepiar; de dar medo; terrível; medonho; amedrontador. *2.* Emocionante. *Var.* "de arrepiar os pelos".

> *Também se diz: "de arrepiar os cabelos (os pelos)" e "de arrepiar os cabelos mais íntimos", neste último caso, na busca de maior ênfase ao sentido da expressão.*

de arromba O *m.q.* "de arrasar".
de asa caída Tristonho; macambúzio; deprimido; desanimado.
de assento Bem-comportado, sóbrio, sensato; devagar; pausadamente.
de atalaia De sobreaviso; à espera; à espreita; em alerta, na expectativa.
de auditu *Lat.* Por ouvir dizer.
de aviso Acauteladamente; de prevenção. *Var.* "de sobreaviso".
de barraca armada *Ch.* Com o pênis em ereção.
de barriga Prenhe; grávida.
de barriga para cima Descansada ou indolentemente, em atitude relaxada, ou preguiçosa. *Var.* "de papo para o ar" e "de papo pro ar".
de baldão O *m.q.* "de roldão".
de base Básico; inicial.
de bate-pronto *Fut.* Diz-se da ação de chutar a bola que vem caindo, assim que toca o solo, sem deixá-la quicar, sem ajeitá-la.
de batida Às pressas, à pressa; em correria; apressadamente.
de beiço No beiço; de graça; na conversa.
de bem. *V.* "pessoa de bem".
de bem com Em relações boas ou ótimas com.
de bem com a vida Gozando de tranquilidade e paz; sem maiores problemas ou preocupações.
de bico *Fut.* Com o bico da chuteira (o chute, ou o ato de chutar).
de boa mão De boa fonte (referindo-se a "relato").
de boa mente *1.* Voluntariamente; na melhor das intenções; de boa vontade. *2.* Às vezes, também, "inocentemente". *Ant.* "de má mente".

de cabo a rabo

de boa paz Diz-se de pessoa de índole pacífica, de temperamento tranquilo.
de boa sombra De boa vontade; com prazer.
de boa-fé Sem maldade; confiado; com boa intenção; lealmente. Diz-se, também: "em boa-fé".

> *Em latim há expressão correspondente: "bona fide".*

de bobagem Por tolice; impensadamente.
de bobeira Por engano ou distração, por inércia.
de boca Por ouvir dizer; sem fundamento; sem comprovação; oralmente.
de boca aberta Surpreso; espantado, boquiaberto.
de boca cheia *1.* Com convicção; com orgulho. *2.* Sem razão; injustamente; de barriga cheia.
de boca em boca Por transmissão oral, rapidamente disseminada; com divulgação informal.
de boca suja Diz-se de quem abusa do uso de palavrões em suas conversas; desbocado.
de bode amarrado Amuado; mal-humorado. V. "de amarrar o bode".
de bolso *1.* Diz-se de objeto de tamanho reduzido e em formato tal que pode ser guardado ou levado no bolso. *2.* De dimensões reduzidas em relação a similares (*p.ex.*: *teatro de bolso*).
de bom coração Diz-se de pessoa generosa, compreensiva.
de bom grado Com prazer; de boa vontade; de livre e espontânea vontade; sem objeção.
de bom ou de mau grado Quer queira, quer não.
de bom-tom Conforme o gosto de pessoas requintadas; bom gosto.
Expressão que vem do francês "de bon ton".
de bom recado De confiança; servidor de muito bom recado.
de bons propósitos Bem-intencionado.
de borco De barriga para baixo.
de borra *1.* O m.q. "de merda". *2.* O m.q. acepção *2* de "de nada".
de braço dado *1.* Com os braços mutuamente entrelaçados (duas ou mais pessoas). *2.* Juntos; com bom entendimento. Também se diz: "de braços dados".
de braços abertos Receptivamente, com alegria, com interesse.
de braços cruzados Ociosamente; sem agir; à toa.

de braços dados Em harmônica convivência. *V.* "de braço dado".
de brincadeira Por graça; só para brincar; não ser para levar a sério. Diz-se também: "de brincadeirinha".
de brinquedo Que não é de verdade, que só serve de brinquedo; para brincar. *V.* "de brincadeira".
de bronze *Fig.* Duro; inflexível, insensível.
de bruços Com o ventre e o rosto voltados para baixo, em posição horizontal, ou simplesmente de cabeça baixada, apoiada sobre os braços e recostada em uma mesa, janela etc.
dê cá aquela palha Ninharia; melindre. Na expressão "Ele se irrita por dê cá aquela palha", diz-se que a pessoa à qual nos referimos é irritadiça e que se irrita por coisas sem importância, à toa.
de cá para lá De um lado para outro. *Var.* "de lá para cá".
de cabeça *1.* Sem auxílio de memória escrita ou de meios mecânicos (ao se fazerem cálculos, ou se resgatarem dados ou informações). *2.* De memória; de cor; mentalmente. *3. Fut.* Em que (jogada, passe, gol etc.) a bola foi impulsionada com a cabeça.
de cabeça baixa Submisso, envergonhado.
de cabeça erguida Altaneiro, orgulhoso, confiante.
de cabeça inchada *1.* Com uma ideia fixa numa coisa ou projeto. *2.* Com ciúmes; decepcionado. *3.* Frustrado e triste com a derrota de seu time.
de cabeça virada Diz-se do estado de pessoa que revela comportamento diferente do normal, quase sempre motivado por uma ideia fixa ou pelo convencimento de que aquilo em que acredita é o correto e tem de ser defendido e divulgado, custe o que custar.
de cabeceira *1.* Diz-se da primeira cachaça que sai do alambique (de teor alcoólico mais elevado). *2.* Diz-se quando se deseja ressaltar as qualidades de alguma coisa.
de cabelo em pé Apavorado, amedrontado; sob forte emoção.
de cabelo nas ventas *1.* Enérgico, vigoroso. *2.* Bravo, valente. *3.* Brigão, rixento, provocador.
de cabelos crispados De cabelos arrepiados.
de cabelos em pé Dominado por grande medo; aterrorizado.
de cabo a rabo Completamente; totalmente; do princípio ao fim. *V.* "de A a Z". *Var.* "da cabeça aos pés" e "de ponta a ponta".

de cabo de esquadra Diz-se de comportamento estúpido, ingênuo, disparatado ou tolo.
de cabresto curto Com domínio (ou reciprocamente, sob domínio) rigoroso de alguém; sem liberdade.

> Sobre "cabresto", V. "eleitor de cabresto".

de cacaracá De pouca monta; insignificante, que não merece consideração.
de cadeira *1.* Com suposta ou pretensa autoridade absoluta sobre um determinado assunto ou situação. *2.* Em posição privilegiada.
de cafiroto aceso Zangado ou em desarmonia com (alguém); de mau humor. *Var.* "de candeia às avessas com".
de cair o queixo Estonteante; belíssimo; extraordinário; magnífico.
de caixa baixa Com pouco dinheiro.
de cal e areia Sólido, firme, resistente.
de calças na mão Desprevenido; surpreendido.
de cama Acamado, por doença.
de camarote *1.* Em posição privilegiada, próximo ou em situação confortável para assistir a um espetáculo ou a um evento qualquer. *2. P.ext.* Em posição de testemunhar um fato, processo etc. sem participar dele.
de cambulhada Em confusão, desordenadamente, misturado com outras coisas V. "levar de cambulhada".
de cangalhas De ponta-cabeça; de cabeça para baixo; de pernas para o ar.
de canto chorado Trazer alguém 'de canto chorado' é azucrinar a pessoa com lamúrias sem fim, chorosas, impertinentes.
de capote Com grande diferença (de pontos, de gols etc., entre vencedor e vencido num jogo). V. "dar capote".
de cara *1.* Logo, imediatamente; de saída. *2.* De frente. *Var.* "cara a cara".
de cara cheia Bêbado.
de cara limpa *1.* Sóbrio. *2.* Cínico, sem-vergonha. *3.* Com a consciência tranquila.
de caráter De elevado feitio moral; íntegro, sério.
de carne e osso *1.* Vulnerável, sujeito às fraquezas inerentes ao ser humano. *2.* Materialmente real, *i.é.*, não imaginário ou virtual.
de carona Sem pagar passagem ou entrada, aproveitando a oportunidade.
de carregação *1.* De qualidade inferior; de má qualidade. *2.* Malfeito, mal-acabado.

de casa Diz-se de quem goza da intimidade de alguém, frequentando sua casa sem cerimônias, como se dela fizesse parte.
de caso pensado Premeditadamente; de propósito; intencionalmente. *Var.* "de caso deliberado".
de ceca em meca Por vários lugares, terras e regiões, à procura de algo. *Var.* "Por ceca e meca".
de centro Diz-se de político, partido político ou simpatizante que adota posição intermediária entre a direita e a esquerda.

> *Os adeptos do "centro" pregam a conciliação dos sistemas capitalista e socialista, propõem um capitalismo com preocupações sociais e rejeitam métodos extremos.*

de certa feita V. "certa feita".
de certa forma Em determinadas circunstâncias; de certa maneira.
de certo modo *1.* De maneira indefinida, não muito exatamente. *2.* De maneira não inteiramente satisfatória.
de chapa Em cheio.
de chapéu na mão *1.* Largado; sem vez; na aguarda. *2.* Em situação precária financeiramente e pedindo ajuda.
de cheirar e guardar Diz-se de algo excelente, que merece ser gasto ou utilizado com cuidado e parcimônia.
de chofre De repente; subitamente.
de chupeta Apetitoso; bom, excelente.
de cima Do alto.
de cima a baixo Sem falha; completamente; totalmente.
de circo Diz-se de pessoa esperta, muito experimentada, ou ágil de corpo, capaz de se safar com facilidade de situações difíceis.
de circunstância *1.* Importante, grave, ponderoso; pomposo, formal. *2.* Circunstancial, referente apenas ao presente momento.
de classe De alta categoria; excelente.
de cocheira Reservado; sigiloso; confidencial.
de cócoras *1.* Sentado no chão ou sobre os calcanhares; agachado. *2.* Submisso. *Var.* "em cócoras".
de colarinho e gravata De classe social elevada; relativo a executivos.
de colher *1.* Fácil de resolver; acessível. *2. Fut.* Diz-se de passe que permite a quem o recebe completar facilmente a jogada, geralmente resultando em gol.
de com força *Gír.* Com muito empenho, de maneira incisiva, positiva.

de encontro a

de comum acordo Com a concordância de todos.
de concerto Por combinação; de comum acordo.
de concreto Resolvido, decidido, acertado, assentado.
de confiança Que inspira confiança, diz-se de pessoa ou coisa em quem ou em que se pode confiar.
de conformidade com O *m.q.* "em conformidade com".
de contado À vista (pagamento); em dinheiro.
de contínuo Continuadamente; constantemente, sem demora; imediatamente.
de contrabando Às ocultas; ilicitamente.
de copa e cozinha *1.* Diz-se da empregada doméstica que faz todos os serviços da casa. *2.* Refere-se também a pessoas muito íntimas.
de cor (ó) Com fundamento ou base na memória; de memória.
de cor (ô) Colorido.
de cor e salteado O *m.q.* "de cor (ó)", porém mais enfaticamente.
de coração De bom grado; sinceramente.
de coração mole Bondoso, generoso, sensível.
de cordel *N.E.* Relativo à cultura popular, *esp.* à literatura difundida em livretos de baixo custo, de autoria de poetas populares.
de corpo e alma Com total dedicação ou envolvimento, de maneira plena, total; inteiramente, sem reservas.
de corpo inteiro Dos pés à cabeça.
de corpo mole Com pouca disposição; sem entusiasmo ou empenho; com pouco vigor.
de corpo presente Com a presença, ou em presença da pessoa viva ou de seu corpo (cadáver).
de corrida Às pressas; de passagem.
de cortar o coração Comovente, que inspira piedade. *V.* "cortar o coração".
de costas Com as costas voltadas para outra pessoa, para uma parede ou um lugar qualquer.
de crés a crés De tempos a tempos; de espaço a espaço. Também se diz: "de crés em crés".
de criação Diz-se de filho adotivo relativamente a quem o adotou ou a qualquer membro de sua família.
de crista baixa Muito desapontado, humilhado, frustrado; abatido, desanimado.
de crista caída Acovardado, humilhado, abatido, desanimado. *Var.* "de crista murcha".

de cujus *Lat.* Expressão forense usada no lugar do nome do falecido; o morto.

São as primeiras palavras da expressão "de cujus sucessione agitur", ou seja: "de cuja sucessão se trata".

de dar água na boca Excelente, de ótima aparência; muito bom; muito apetitoso. *Var.* "de fazer água na boca".
de dar dó Merecedor de comiseração, de piedade. *Var.* "de fazer pena".
de dar gosto Maravilhoso; esplêndido. *Var.* "de fazer gosto".
de dar nojo Capaz de provocar reação de repugnância, náusea, enjoo, asco.
de dedo em riste *V.* "dedo em riste". *Var.* "com o dedo em riste".
de detrás Da parte posterior. *Var.* "por detrás de".
de déu em déu De casa em casa; de parte em parte; à procura de alguma coisa; sem rumo ou abrigo.
de dez a um *1.* Certíssimo. *2.* Bom demais.
de dia Enquanto há luz do sol.
de dias De pouco tempo; de apenas alguns dias de vida.
de direito Alusão à legalidade e à justeza do que se fez, faz ou se pretende fazer; legitimamente; amparado pela lei. *Var.* "de pleno direito".
de doer De causar espécie; muito. *Ex.: feio de doer.*
de domínio público Diz-se de obras literárias, artísticas etc. que, por se ter expirado o prazo de proteção legal, podem ser reproduzidas livremente.
de duas larguras Diz-se daquilo que tem largura dupla, *esp.* referindo-se a tecidos; enfestado.
de duas, uma Posição alternativa; proposta de exclusão de uma delas.
de dupla face Diz-se de qualquer objeto, *esp.* peças do vestuário, que pode ser usado indistintamente de um ou de outro lado, embora possa apresentar cores e detalhes diferentes em cada lado.
de empreitada Diz-se de serviço realizado sob condições previamente ajustadas.
de encher a vista Muito bom; ótimo; excelente; agradável de se ver.
de encher os olhos De causar admiração, contentamento, agrado, cobiça.
de encomenda A pedido; especialmente; como desejado; a propósito, que veio a calhar.
de encontro a No sentido oposto; contrariamente.

de enfiada Sem solução de continuidade; consecutivamente.
de então para cá Desde então.
de entrada Antes de mais nada; antes de qualquer coisa; em primeiro lugar.
de envolta De mistura; ao mesmo tempo; confusamente.
de época *1.* Que revela o estilo de determinada época. *2.* Também se diz das caracterizações que, em peças teatrais, no cinema e na televisão, se fazem remontando a épocas passadas. *3.* Diz-se dos frutos característicos de cada uma das estações do ano (primavera, verão, outono e inverno).
de eras passadas Antigo.
de escantilhão De roldão.
de escol De alta qualidade, selecionado, de primeira.
de esconso O *m.q.* "de soslaio".
de escoteiro Sem bagagem.
de esguelha De soslaio, de través, obliquamente.
de espaço Sem pressa; devagar, pausadamente, demoradamente.
de espaço a espaço A espaços; de quando em quando.
de esquerda *1.* Com a mão ou o pé esquerdo. *2.* Diz-se de militante de partido político progressista (não conservador), ou simpatizante dos ideários progressistas, social-democratas, socialistas etc.
de esquina Que fica numa esquina; que dá para dois logradouros; que fica no encontro de dois logradouros.
de estalo De repente; de súbito; inesperadamente.
de estimação Diz-se de um bem ao qual se devota especial predileção ou estima.
de estouro Estupendo, extraordinário. O *m.q.* "de arromba".
de estudo *1.* De propósito. *2.* Que propicia o estudo. O *m.q.* "de caso deliberado".
de faca em punho Empunhando faca em ameaça a ou em ação contra (alguém).
de face Em (de) frente; frente a frente; face a face.
de fachada Que só existe na aparência.
de farol baixo Deprimido, apático, sem energia.
de fato Com efeito; realmente; na realidade; efetivamente. O *m.q.* "de feito". A expressão correspondente em latim é: "*de facto*".
de favor Sem pagamento; de graça; gratuito.
de fazer dormir Tedioso, difícil de aturar.
de fazer pena Deplorável; merecedor de comiseração. *Var.* "de dar dó".

de fazer perder a paciência a um santo Muito enfadonho; insistente, impertinente.
de fechar o comércio De arrasar; sensacional; lindíssima (mulher).
de feito Efetivamente; com efeito. O *m.q.* "de fato".
de ferro *1.* Que (no sentido próprio e no figurado) lembra o ferro pela dureza, peso, resistência etc. *2.* Alusão ao rigor e ao rígido caráter e modo de agir de alguém. Nesta acepção, também se diz: "de fibra".
de fininho De raspão; sorrateiramente; suavemente.
de fio a pavio Do princípio ao fim; de "A" a "Z"; de cabo a rabo.
de flanco Pela lateral; de lado.
de fonte limpa De origem segura; de fonte insuspeita. *Var.* "de fonte segura".
de fonte segura Diz-se das informações confiáveis, obtidas de pessoas qualificadas.
de fora *1.* Que não é residente no lugar; forasteiro. *2.* Do exterior; exterior. *3.* À mostra; exposto; por fora. *4.* Não envolvido em; sem estar dentro; sem participar.
de fora a fora Em toda a extensão; totalmente.
de força Importante.
de forma a De maneira a.
de forma alguma De maneira (jeito) nenhuma (nenhum); sob nenhuma circunstância ou pretexto.
de forma que De maneira que; assim.
de forno e fogão Que tem grandes conhecimentos de culinária.
de frente De face; defronte.
de fugida Apressadamente; na correria. *Var.* "de batida".
de fundo de quintal Referência a trabalhos artesanais ou primitivos, sem o uso de equipamentos e técnicas avançadas.
de futuro *1.* Em tempo futuro; doravante; daqui em diante. *2.* Diz-se de pessoa jovem (ou empreendimento) que tem perspectivas de sucesso.
de gatas De quatro; com as mãos pelo chão. *Var.* "de gatinhas".
de gatinhas Com mãos e joelhos apoiados no chão.
de golpe Repentinamente.
de graça *1.* Gratuitamente; muito barato. *2. Fut.* Diz-se de jogada em que um jogador erra um passe, servindo um adversário em circunstância que pode resultar em gol.
de grande alcance *1.* Diz-se de arma que atira a grande distância. *2.* De grandes consequências ou repercussões.
de grandes proporções Bem grande; muito grande; enorme. *Var.* "de grande porte".

de gravata lavada De certo prestígio, decente; bem-educado.
de há muito Desde muito tempo.
de hábito Usualmente; de modo costumeiro.
de hoje a A partir de agora até...; dentro de (tal tempo).
de hoje em diante De agora para o futuro.
de hoje para amanhã De um momento para outro; logo, logo.
de homem para homem Com franqueza, com sinceridade.
de hora em hora *1.* A cada momento. *2.* Indicação de frequência de algo que se repete a cada hora.
de ida Numa viagem, o bilhete que dá direito somente de ida a um destino.
de idade Idoso.
de igual para igual Como se fosse da mesma condição social; em pé de igualdade; sem distinção; da mesma forma. *Var.* "de igual a igual".
de ilharga De esguelha; enviesadamente; de lado.
de imediato Sem detença; sem demora; imediatamente.
de improviso *1.* De repente; de súbito; inesperadamente. *2.* Sem aviso ou preparo prévio. *Var.* "de inopino".
de indústria De propósito; de caso pensado.
de início No começo, inicialmente.
de inopino O *m.q.* "de improviso".
de jato De súbito; de inopino; repentinamente.
de jeito a De maneira a; de modo a.
de jeito nenhum De nenhum modo. *Var.* "de jeito maneira".
de jeito que O *m.q.* "de modo que".
de joelhos *1.* Com os joelhos no chão, ajoelhado. *2. Fig.* Submisso, humilhado.
de lá para cá De um lado para outro. O *m.q.* "de cá para lá".
de ladeira acima O *m.q.* "de subida".
de lado Obliquamente.
de lado a lado De um extremo ao outro; de uma banda à outra; transversalmente.
de lamber os dedos Muito apetitoso; muito gostoso. *V.* "lamber os dedos"; *Var.* "de lamber os beiços".
de lana-caprina Insignificante, de pouca monta ou importância; irrelevante.
de lápis na mão Pronto a atender às ordens, à disposição.
de lascar Que suscita decepção ou surpresa; profundamente desagradável; irritante.
de lavar e de durar Diz-se de objeto que, embora grosseiro, resiste ao uso, porque resistente.

de légua e meia Muito grande, extenso ou comprido, *ger.* maior que o explicitado; légua de velho; légua das antigas.
de lei *1.* Legal. *2.* De qualidade, autêntico. *Ex.: Ouro de lei; madeira de lei.*
de lés a lés De um lado a outro; de ponta a ponta; de um extremo ao outro.
de letra *1. Fut.* Diz-se de jogada na qual o jogador chuta a bola passando o pé que chuta por trás do pé de apoio. *2. Fig.* O *m.q.* "com um pé nas costas". *V.* "tirar de letra".
de letras gordas *1.* Que lê e escreve muito mal. *2.* Sem instrução; ignorante.
de léu em léu De porta em porta; vagando; errando.
de levantar defunto Diz-se de muito estimulante, como uma bebida alcoólica de alto teor.
de leve Levemente; superficialmente; mansamente; devagar. *Var.* "ao de leve".
de levezinho Muito leve.
de livre e espontânea vontade Sem pressões; de sua própria vontade e arbítrio.
de longa data Desde há muito tempo. *V.* "de velha data".
de longe *1.* A/de grande distância. *2.* Com grande vantagem. *Ex.: Ela é de longe a melhor aluna da classe.*
de longe em longe Com largos intervalos de tempo ou de espaço.
de longo curso Diz-se de embarcação apropriada para viagens de longa distância; transatlântico.
de má mente Contra a vontade, contrariado.
de má natureza De má índole; rebelde; que tende para o mal.
de má raça De má índole; de maus instintos.
de má sombra *1.* De má vontade; a contragosto. *2.* Mal-encarado; taciturno.
de má vontade Sem ânimo; relutante; sem querer.
de má-fé Mal-intencionado; deslealmente.
de maior De maior idade; adulto.

A propósito do uso desta expressão. V. "de menor".

de mais Capaz de causar estranheza; anormal; a mais. *Ant.* "de menos".
de mais a mais Por cúmulo; além de tudo isso; ainda por cima; além disso; além do mais.
de mal Com as relações de amizade rompidas.
de mal a pior Com tendência a piorar ainda mais; cada vez pior; decadente.

de mala e cuia

> *Expressões equivalentes:* Ing. "from bad to worse" *e em* Fr. "de mal en pis".

de mala e cuia Com armas e bagagens; com todos os pertences.
de mama Diz-se de criança de peito e que ainda se alimenta e depende do leite materno.
de mamando a caducando *1.* Da meninice até a velhice. *2.* Diz-se do rebanho, quando se quer referir a todo ele, *i.e.*, a todos os animais que o compõem, qualquer que seja a idade deles (desde as crias até os animais adultos).
de maneira a O *m.q.* "de maneira que".
de maneira geral De modo abrangente.
de maneira nenhuma De modo algum.
de maneira que De modo que.
de maneiras tais Desse modo; assim.
de manhã Do alvorecer ao meio-dia; durante ou pela manhã; manhã.
de manhã à noite Sem parar; ininterruptamente; sempre.
de manhã cedo De madrugada; pouco após o nascer do dia.
de mano a mano Sem dar vantagem (no jogo); no pau. *V.* "mano a mano".
de mansinho Devagar, calmamente; de manso; discretamente; docemente; traquilamente. *Var.* "de manso".
de mão a mão Diretamente.
de mão beijada *1.* Diz-se da entrega de algo a alguém sem pedir (ou exigir) nada em troca; de graça, por favor, gratuitamente ou a preço muito baixo. *2.* Diz-se de algo que se faz como favor ou como oferecimento desinteressado.
de mão-cheia De grande habilidade ou talento (diz-se de quem exerce certa atividade ou profissão). *Ex.*: *Ele é um cozinheiro de mão-cheia.*
de mão em mão De uma pessoa para outra, seguidamente.
de mão na ilharga Em estado ou atitude de ociosidade.

> *A ilharga é o flanco dos animais; no homem, a parte que vai dos quadris aos ombros. As pessoas têm o hábito de colocar as mãos nessa parte do corpo, sobretudo quando descansam.*

de mãos abanando De mãos vazias; não ter nada ou não ter trazido nada.
de mãos atadas Impossibilitado de agir. *Var.* "de mãos amarradas".
de mãos dadas *1.* Segurando a mão um do outro; combinados; juntos. *2.* De maneira solidária, em colaboração mútua.
de mãos largas Generosamente; liberalmente.
de mãos limpas Íntegro, incorruptível.
de mãos postas Em atitude suplicante ou orante.
de mãos vazias O *m.q.* "de mãos abanando".
de mar a mar Por completo, totalmente; de lado a lado.
de marca *1.* De qualidade, que ostenta marca de qualidade; de grife. *2.* De importância; marcante.
de marca maior Fora do comum; que se destaca; que excede os limites vulgares; exagerado. A locução é mais comumente empregada em sentido pejorativo, como, *p.ex.*: *É um ladrão de marca maior.*
de mármore Diz-se de pessoa que não se emociona, demonstra frieza e insensibilidade.
de matar *1.* Muito ruim; duro de resolver; de péssima qualidade. *2.* Magnífico; esplêndido. *Var.* "É de matar!"
de mau gosto Que denota falta de refinamento cultural ou gosto estético infeliz, segundo a consideração de quem julga; que desconhece as normas de etiqueta; que expressa vulgaridade, grosseria.
de mau grado De má vontade; contra a vontade.

> *Não confundir com 'malgrado': não obstante, apesar de.*

de mau humor Irritado; amolado; nervoso.
de maus bofes Irritadiço; nervoso; intratável, genioso.
de maus fígados Diz-se de quem é genioso; irritadiço, vingativo; de maus bofes.
de meia O *m.q.* "meio a meio". Um "negócio de meia" é um empreendimento igualmente compartilhado.
de meia-estação Diz-se de roupa própria para se usar entre as estações do ano, ou seja, em condições climáticas intermediárias.
de meia-idade Diz-se de pessoa cuja idade está entre a do moço e a do idoso, mais ou menos entre os 40 e os 60 anos.
de meia-pataca O *m.q.* "de meia-tigela".
de meia-tigela De pouco ou nenhum valor, sem credibilidade; sem importância; de origem medíocre. *2.* De baixa condição social; fanfarrão. *Var.* " de meia-pataca".
de meio-tijolo Diz-se de parede com espessura igual à da menor medida de um tijolo comum (09x19x19 ou 29 cm).
de melhor mente Mais facilmente.
de memória O *m.q.* "de cor" (ó).

de menor Trata-se de expressão errônea, mas encontradiça no Brasil para designar pessoa menor de idade, assim considerada aquela que ainda não completou 18 anos de vida. Evite-se seu uso, assim como da var. "dimenor".
de menos Em menor quantidade; a menos; faltando (objetos, de um total). *Var.* "a menos".
de mentira Que não é real ou verdadeiro.
de mentirinha De brincadeira.
de merda *Tabu.* Reles, ordinário. *Var.* "de borra".
de mês em mês A cada mês.
de mestre De qualidade superior; de gênio; de grande habilidade.
de mil amores Com o maior prazer.
de mim para mim Comigo mesmo.
de minha parte Quanto a mim; no que me toca; segundo penso.
de miolo mole Amalucado, caduco, gagá, esclerosado.
de mister Necessário.
de mistura *1.* Ao mesmo tempo; em conjunto; simultaneamente. *2.* De modo variado, sem seleção.
de modo a De maneira a; a fim de.
de modo algum Absolutamente não; sem possibilidade ou hipótese de (acontecer, fazer, se concretizar etc.).
de modo que Assim; desta forma.
de molagem *1.* À custa de outros. *2.* De graça; por preços ínfimos, irrisórios.
de molde A propósito; na ocasião própria; de maneira oportuna.
de molho *1.* Diz-se de algo que se coloca imerso em água ou qualquer outro líquido por certo tempo. *2.* Usa-se também para se referir a pessoa acamada, em razão de doença ou por não poder andar. *3.* Diz-se também de algo que está sendo guardado, preservado para uso futuro.
de momento a momento Seguidamente e a intervalos; continuadamente; sucessivamente.
de montão Em grande quantidade.
de monte a monte De lado a lado; totalmente; em grande escala.
de morte *1.* Mortalmente. *Ex.*: *ferido de morte.* *2.* Perigoso, arriscado *3.* De trato ou convívio difícil.
de moto próprio Espontaneamente; de vontade própria. *V.* "de livre e espontânea vontade".
de muita armação e pouco jogo Diz-se de pessoa que tem muito boa presença, mas que se revela insegura ou inútil em situações difíceis.

de muito O *m.q.* "há muito".
de muitos, um Lema com o mesmo significado de "a união faz a força".

Expressão que corresponde à locução latina "e pluribus unum", famosa por constar das armas dos Estados Unidos da América, com alusão à federação resultante da união das unidades político-territoriais que a compuseram.

de mulher para mulher *1.* Como aliada; com franqueza, como a que liga pessoas que têm interesses comuns. *2.* Em que há sinceridade; franco; verdadeiro (na conversa entre mulheres).
de nada *1.* Muito pequeno ou insignificante; sem importância. Locução também usada em resposta a um agradecimento: à expressão "muito obrigado", responde-se "de nada". *Var.* "não há de quê"; "não por isso". *2.* Sem valor. *3.* Inseguro, inerte; desanimado. *V.* "por nada".

A expressão "não ser de nada" significa "ser inofensivo, ou incapaz de qualquer coisa útil."

de nariz empinado Altivo, orgulhoso; de queixo empinado. *Var.* "de nariz arrebitado".
de nascença Desde que nasceu; que é de nascimento, congênito.
de nível De classe ou categoria superior; fino, educado, culto; de qualidade.
dê no que der O *m.q.* "aconteça o que acontecer" e "haja o que houver".
de noitão Com a noite já bem adiantada.
de noite No período noturno; durante a noite.
de nome *1.* Afamado, famoso. *2.* Uma das possíveis respostas à indagação: "Você conhece fulano?", significando que o conhece apenas por ter ouvido seu nome em alguma ocasião.
de nomeada Famoso, de renome, célebre, de valor reconhecido.
de nonada De pouca valia; ninharia, insignificante.
de norte a sul De cabo a rabo; inteiramente; totalmente. *V.* "do Oiapoque ao Chuí".
de novo Novamente; outra vez.
Dê o fora! Comando dirigido a quem está sendo expulso ou convidado a sair de um lugar. Trata-se de expressão que denota grosseria.
de ocasião Vantajoso; convidativo (ref. ao preço de uma mercadoria); oportuno.

de ofício Realizado por iniciativa de imperativo legal, por autoridade investida de funções apropriadas.
de oitiva Por ouvir dizer; de ouvido. *Var.* "de orelhada".
de olho em Mantendo vigilância constante; acompanhando alguém.
de olho no gato e de olho no peixe Em estado ou atitude de vigilância, atenção.
de olhos abertos Atento; vigilante.
de olhos fechados *1.* De cor (de memória). *2.* Com domínio completo sobre o que se faz. *3.* Sem enxergar. *Var.* "de olhos cerrados".
de onde De que lugar; do lugar que; do que.
de onde em onde Aqui e ali; de espaço a espaço.
de ordinário Geralmente; por via de regra.
de orelha De ouvido; por ter escutado. *Var.* "de ouvida".
de orelha em pé Atento, prevenido, alerta.
de orelhada *V.* "de oitiva".
de orelhas baixas Humilhado, abatido ou acovardado. *Var.* "de orelhas murchas".
de ouro *1.* De muito valor; de grande qualidade; precioso. *2.* De grande valor pessoal, pelas qualidades, pelo caráter etc.
de outra feita Noutra ocasião. *Cf.* "desta feita" e "de uma feita".
de outra sorte Contudo; ainda assim; por outro lado.
de outras eras De outros tempos; de tempos antigos.
de outrem De outra pessoa.
de outro planeta Diz-se de quem é estranho ou diferente, que realiza coisas fora do comum.
de ouvido *1.* Por ouvir dizer. *2.* Sem preparação ou estudo. *3. Mús.* Sem utilização de notação (partitura).
de ovo virado De mau humor; irritadiço.
de pagode Em grande quantidade.
de pai para filho Dado ou transmitido com carinho e interesse, sem ônus para quem recebe.
de palanque Em posição confortável e estratégica; privilegiado.
de palavra Que cumpre o que promete.
de pancada De chofre; de uma vez; abruptamente; subitamente.
de papel passado Segundo a lei exige; legalmente, de pleno direito.
de papo para o ar Sem fazer nada; desocupado; vadio; ocioso. *Var.* "de barriga para cima".
de par O *m.q.* "a par".
de par com Juntamente com; ao lado de.
de par em par *1.* Escancaradamente; inteiramente. *2.* Aos pares; dois a dois.

de parte a parte Reciprocamente.
de parte de A mando ou por aconselhamento de.
de passagem *1.* De leve; ligeiramente; superficialmente, por alto, sem maior exame. *2.* Referindo-se à estada em algum lugar, significa que é uma estada breve. *Ex.:* Não vou sentar, obrigado, só estou aqui de passagem.
de pé *1.* Em posição vertical, ereto; em pé. *2.* Conforme o combinado, o comprometido. *3.* Firme, sem se abater. *4.* Em vigor (acordo, combinação etc.).
de pé atrás Com desconfiança e cautela. *V.* "com o pé atrás".
de pé em pé *1. Fut.* Diz-se, quanto ao percurso da bola, quando ocorre uma sequência de passes entre os jogadores de um mesmo time. *2.* Sorrateiramente; sem fazer ruído ao andar. *V.* "pé ante pé".
de pé quebrado Diz-se de verso malfeito.
de pedra e cal Diz-se do que é firme, inabalável; muito seguro; unido; absolutamente certo, seguro.
de peito aberto *1.* Com coragem, sem receio. *2.* De modo franco, leal; desarmado; sincero; com franqueza absoluta; sem rodeios ou segunda intenção.
De pensar morreu um burro! Assim se responde ironicamente quando alguém se desculpa alegando que "pensava que...".
de pequenas proporções Muito pequeno; diminuto.
de *per se* Cada um por sua vez. Considerando em si mesmo, isoladamente, sem relação com outros; por si; unicamente.
de perfil De lado.
de permeio Entre outras coisas; no meio; neste ínterim.
de pernas para o ar *1.* À toa; em férias, descansando; ociosamente. *Var.* "de pernas pro alto". *V.* "com as pernas para o alto". *2.* Em total desordem, desarrumado, revirado etc.
de perto *1.* A pouca distância. *2.* Intimamente; na essência.
de pés e mãos atados Impossibilitado de agir; preso, sem ação.
de peso *1.* Que denota grande violência. *2.* De valor; de importância; respeitável.
de peso e medida Cheio de cuidado e atenção.
de pileque Diz-se de quem está sob efeito de bebida alcoólica, embora ainda consciente. *Var.* "meio alto".
de pique De propósito; por teimosia; por pique.
de pito aceso Agitado, assanhado.

de plano Prontamente; sumariamente; sem dificuldade.
de plantão *1.* Cumprindo turno de prontidão em algum serviço. (Para essa ação, diz-se "dar plantão".) *2. P.ext.* À espera.
de ponta De excelente qualidade.
de ponta a ponta Do princípio ao fim; de cabo a rabo; totalmente, inteiramente.
de ponta-cabeça Diz-se da posição de uma pessoa que está com a cabeça apoiada no chão, em posição invertida em relação à normal (de pé).
dê por onde der Aconteça o que acontecer, sem temer consequências.
de porcelana *Fig.* Muito delicado ou quebradiço; diz-se de algo que deve ser manejado com cuidado.
de porta em porta De casa em casa.
de posses Que possui riquezas, patrimônio.
de pote Em estado de gravidez.
de pouco *1.* Recente. *2.* Recentemente.
de precisão Diz-se de instrumento capaz de medir, pesar, calcular etc., com absoluta exatidão.
de preço De grande valor.
de preferência Prioritário; prioritariamente. De modo preferencial. Equivale a dizer: "Na minha opinião; o melhor é..."
de presente *1.* Atualmente; no tempo presente. *2.* Como oferta. *Ex.*: *Não precisa pagar, estou-lhe dando de presente. 3.* Gratuitamente; de graça.
de prevenção À cautela; previamente.
de primeira *1.* De ótima qualidade. *2.* Diz-se, no futebol, da bola chutada ou passada por um jogador logo no primeiro toque ao recebê-la, sem antes ajeitá-la para o passe ou chute.
de primeira água Excelente; de primeira ordem. *Var.* "de primeira linha".
de primeira categoria Superior; ótimo; de ótima qualidade; supimpa.
de primeira classe De excelente qualidade; de qualidade superior.
de primeira força De primeira categoria; dos melhores.
de primeira linha Da melhor qualidade. *Var.* "de primeiro nível".
de primeira mão *1.* Adquirido da fonte diretamente, sem intermediação. *2.* Que ainda não foi usado.
de primeira necessidade Indispensável.
de primeira ordem Da melhor qualidade. *Var.* "de primeira".
de primeira qualidade De qualidade superior; de ótima qualidade. *Var.* "de primeira".

de primeiro *1.* Outrora; antigamente. *2.* Antes de tudo ou de todos; no princípio. *Pop.* Em primeiro lugar; primeiramente.
de proa Diz-se de pessoa ou órgão importantes, em posição de liderança, ou entre os mais qualificados.
de prol De destaque; relevante.
de prontidão Prestes ou pronto a agir; alerta. *Var.* "Em prontidão".
de pronto Prontamente; num instante; logo; de imediato.
de propósito Com a intenção de; por vontade; de caso pensado; intencionalmente.
de pulso Enérgico; exigente; disciplinador.
de qualidade De boa qualidade.
de qualquer ângulo De qualquer aspecto ou modo que se examine; de qualquer ponto de vista.
de qualquer forma *1.* Apesar de tudo. *2.* De todos os modos; indiferentemente; de qualquer jeito; seja como for.
de qualquer jeito De um modo ou de outro; de todo modo. *Var.* "de qualquer maneira" e "de qualquer modo".
de quando em quando A quando e quando; de tempo(s) a (em) tempo(s), de espaço a espaço.
de quando em vez O *m.q.* "de vez em quando" e "uma vez ou outra".
de quarentena De reserva, de lado, separado; na espera.
de quatro *1.* Com os pés e as mãos no chão, à moda dos quadrúpedes em pé. *2.* Atônito; em estado de emoção.
de quatro costados Nobre, de legítima estirpe; legítimo.

Quatro costados = São os quatro avós (pai e mãe do pai e pai e mãe da mãe).

de quatro pés De quatro; de joelhos e com as mãos apoiadas no chão.
De que modo...? Locução interrogativa que pergunta como se faria ou se realizaria algo.
de quebra Por (em) acréscimo; a mais; mais um tanto, como bonificação; de sobra; além da conta.
de queixo caído Atônito; admirado; embasbacado; maravilhado.
de queixo empinado Altivo, orgulhoso; metido a sebo; de nariz empinado.
de raça *1.* Diz-se de animal que é fruto de cruzamentos qualificados e controlados. *2.* De qualidade; de força; determinado; valente, corajoso.
de rachar Forte, muito intenso. *Ex.*: *Está frio de rachar.*

de raiz

de raiz *1.* Diz-se de bens sólidos, fixados ao solo. *2.* Diz-se de expressão cultural autêntica de um grupo étnico ou social, ou relativa a uma tradição cultural original. *Ex.: samba de raiz.*
de raro em raro Muito raramente.
de raspão Atingindo de leve e resvalando, sem atingir em cheio (algo arremessado ou disparado sobre alguma coisa). O *m.q.* "de través".
de rastos A rastos; rastejando; arrastando-se. *Obs.* É também admitida a forma "de rastros".
de ré Da popa; traseira; caminhando ou transitando com as costas ou parte posterior de um veículo, voltadas para a direção que se está seguindo.
de refilão Superficialmente.
de regra De acordo com o uso.
de relance Com rapidez; num só olhar.
de repelão Com violência; com impetuosidade; velozmente.
de repente Sem ser esperado, sem sinal prévio (ação, acontecimento etc.). Inopinadamente; imprevistamente; subitamente.

> Usa-se no Brasil a locução latina correspondente: "Ex abrupto".

de reserva Guardado para eventual uso futuro, se conveniente ou necessário.
de resguardo De reserva; de sobressalente.
de respeito *1.* Digno de respeito; respeitável. *2.* Muito forte, muito intenso.
de resto Quanto ao mais; aliás; afinal de contas; além disso; ademais; finalmente.
de revés De lado; de soslaio, de esguelha, obliquamente.
de revoada De modo apressado, um tanto desordenadamente.
de riba Da parte mais alta de (alguma coisa); de cima.
de ricochete Indiretamente; por tabela.
de rigor Indispensável; segundo o protocolo.
de rijo *1.* Com força, rijamente; de modo áspero, duro. *2.* Decisivamente; energicamente.
de rixa velha e caso pensado De propósito; premeditadamente.
de roda *1.* Em volta. *2.* Que se acompanha ou se realiza com as pessoas fazendo uma roda (*cantiga de roda, brincadeira de roda*).
de roldão Em tropel, atropeladamente; de golpe; de sobressalto; impetuosamente.
de rosto Face a face; de frente.
de rosto descoberto Sem disfarce ou dissimulação; sem máscara.
de rota batida Sem parar. *V.* "rota batida".

de saco cheio Enfastiado, enfadado, chateado, aborrecido, amolado.
de saia justa *1.* Em situação desfavorável e/ou embaraçosa, desconcertante, constrangedora. *2.* Sem possibilidade de ação ou reação; de mãos atadas. *Var.* "de saia curta".
de saída Primeiramente, logo de início.
de sair De uso fora de casa: "roupa de sair".
de salão De conformidade com as convenções morais e sociais. *Ex.: piada de salão.*
de salto Repentinamente; rapidamente; num pulo.
de salto alto *1. Fig.* Com ares de superioridade; orgulhosamente; de comportamento vaidoso, orgulhoso. *2. Fig.* Tendo o êxito como favas contadas, e por isso não se esforçando muito.
de sangue-frio Diz-se de pessoa calma, controlada, senhora de si, que não esquenta a cabeça facilmente; sereno de ânimo. *V.* "a sangue-frio".
de segunda (terceira etc.) categoria De qualidade inferior; de má qualidade.
de segunda classe De qualidade inferior. *Var.* "de segunda ordem".
de segunda mão *V.* "em (de) segunda mão".
de sela na barriga Na penúria.
de semelhante Deste modo; sendo assim; destarte; assim; desta maneira.
de serviço *1.* Para o uso interno ou próprio (de casa, da empresa etc.). *2.* Que está de plantão (o profissional).
de si consigo Pensando em silêncio ou falando para/com si mesmo; refletindo. *Var.* "de si para consigo mesmo".
de si para consigo mesmo De maneira introspectiva; com seus botões.
de siso *1.* Com juízo e prudência; sensatamente. *2.* Diz-se do último dente da arcada dentária, que só surge ao iniciar a idade adulta.
de sob Debaixo de.
de sobejo Em demasia; de sobra; além da conta.
de sobra Demasiadamente, de sobejo; mais do que o necessário; "ser de sobra" é esbanjar qualidades; ser demais.
de sobre Posto em cima de.
de sobreaviso À espera; em alerta; atento aos imprevistos; disponível para uma convocação, a qualquer momento. O *m.q.* "de aviso" e "de atalaia".
de sobremão Com todo o interesse.
de sobressalto De surpresa; repentinamente; subitamente.
de sobressalente De reserva.
de sol a sol O dia inteiro.

de somenos Sem importância; irrelevante.
de sopapo Subitamente; de repente; inopinadamente.
de sorte que De maneira que; de modo que, de forma que; assim; então; não apenas.
de soslaio De través; de lado; de esguelha; de esconso; obliquamente.
de sotaque De repente; subitamente.
de subida De ladeira acima; de morro acima.
de súbito De arranco; de repente.
de supetão De repente.
de supetão, só espirro Diz-se quando se quer aconselhar alguém a nada fazer inopinadamente.
de surpresa Inesperadamente.
de tal Emprega-se esta locução aposta a um nome próprio (topônimo, antropônimo etc.) em lugar de uma parte dele que se desconhece ou que não se quer declinar: *Ex.*: *João de tal*.
de tal maneira A tal ponto; de tal modo; de tal forma.
de tal sorte Tão; de tal modo; de tal maneira; de tal jeito.
de tanga *Fig.* Em má situação financeira; mal de vida.
de tanga, pote e esteira Em miséria extrema.
de tarde À tarde.
de tardezinha Justo no finalzinho da tarde. *Var.* "de tardinha".
de tardinha No final da tarde, próximo à noite. *V.* "de tardezinha" e "à tardinha".
de telhas abaixo *1.* Dentro de casa. *2. Fig.* Neste mundo; na Terra.
de telhas para cima Acima das coisas terrenas.
de tempo a tempo De vez em quando. *Var.* "de tempos em tempos", "vez ou outra".
de tempos em tempos O *m.q.* "de tempo a tempo".
de terceira classe De má qualidade. O *m.q.* "de última categoria".
de testa De frente.
de tijolo aparente Diz-se de parede de tijolos sem a cobertura de massa.
de tirar o chapéu Diz-se de algo que nos impressiona vivamente; que é digno de admiração; excelente, extraordinário, notável. É também usada a expressão: "ser de se lhe tirar o chapéu". *Var.* "de se tirar o chapéu".
de tirar o fôlego Algo emocionante.
de toa Diz-se, no rio São Francisco, da navegação em que as embarcações são levadas, rio abaixo, pela correnteza, quase dispensando o trabalho dos remeiros.

de tocaia À espreita; na emboscada.
de toda confiança De plena confiança.
de toda maneira De qualquer maneira; de todo jeito; em todo caso; pelo sim pelo não. *Var.* "de todo modo" e "de todas as maneiras".
de todo Totalmente, completamente.
de todo modo O *m.q.* "de toda maneira".
de todo o coração Com sinceridade; com toda vontade, com o máximo empenho, com toda amizade.
de topo *1.* Em pé, com a cabeça para cima. *2.* De supetão; de repente.
de trambolhada Aos trambolhões.
de trás para a frente Revertido; com início no fim; do fim para o princípio.

Saber "de trás para a frente" é saber perfeitamente, de cor, muito bem.

de través De raspão; de lado; obliquamente.
de trivela *Fut.* Diz-se de chute (ou passe, ou finta) em que o jogador, usando o lado externo do pé, imprime à bola um efeito especial.
de tropel Confusamente; tumultuosamente.
de truz De primeira ordem; de alta qualidade, excelente.
de tudo quanto é jeito De todos os modos possíveis e imagináveis; de todas as maneiras.
de tudo quanto é lado Vindo de todas as direções.
de tudo um Diz-se de um conjunto no qual tudo se resume à mesma coisa.
de última categoria De má qualidade. O *m.q.* "de terceira classe".
de última geração Que é a última palavra em técnica; que é o mais moderno, o último modelo.
de (um) ímpeto De súbito, de repente; de golpe; de uma só vez; de supetão. O *m.q.* "de improviso".
de um jato Repentinamente; aceleradamente; de uma só vez. *Var.* "de um jacto" e "de um só jato".

Os dicionários registram tanto "jacto" quanto "jato", com a mesma acepção.

de um bote De uma só vez.
de um dia para (o) outro Inesperadamente; repentinamente.
de um em um O *m.q.* "um por um" e "um a um".
de um fôlego Sem descansar; de uma arrancada; de uma só vez.

de um jeito ou de outro De qualquer jeito. V. "ou vai ou racha".
de um (só) jeito De um só modo, sem alternativa.
de um lado para o outro Sem destino ou direção certos, num vai e vem; indica confusão, indecisão, falta de ordem ou método. V. "de cá para lá" e Var. "para lá e para cá".
de um lance De uma só vez. Var. "de uma lambada" e "de uma tacada".
de um momento para o outro *1.* De repente; num instante. *2.* A qualquer momento (indica iminência de algo). Var. "de um minuto para o outro" e "de uma hora para outra".
de um para outro lado Em todas as direções.
de um polo ao outro De um extremo ao outro; com mudança total de assunto, no meio de uma conversa.
de um pulo Em muito pouco tempo; num instante. Var. "num pulo".
de um rasgo De uma só vez; de vez.
de um só fôlego De uma só vez; sem descanso; sem interrupção; de uma arrancada; decididamente. Var. "de um só jato".
de um tempo para cá Desde um determinado tempo até este momento.
de um tiro De um jato; de uma só vez. Var. "de um traço".
de uma assentada V. "de uma vezada".
de uma cajadada, matar dois coelhos Resolver duas ou mais questões com uma só providência; ir resolver um assunto e resolver outro mais cuja solução não era esperada para o momento.

Cajadada = Golpe que se dá com o cajado, que, por sua vez, é uma espécie de vara curva numa das pontas que os pastores de ovelhas usam no pastoreio, servindo-se da parte curva para apanhar ou conduzir o animal.

de uma estirada De um só fôlego; sem interrupção. Var. "de uma só estirada".
de uma feita Certa vez; em certa ocasião. Cf. "desta feita" e "de outra feita".
de uma figa! Expressão que caracteriza o que é ruim, ordinário, sem valor; ou que denota simples contestação ou dúvida em relação a afirmativa de outrem.

Locução que se apõe à menção de um atributo, condição, caracterização, qualidade etc., para depreciá-los. Ex.: Ele é um médico de uma figa.

de uma hora para outra De repente, sem preparação ou aviso prévio.
de uma lambada De uma vez (V.); numa só e definitiva ação. O *m.q.* "de uma tacada".
de uma só vez Sem repetir a ação; de um fôlego; "de uma vez" (V.).
de uma tacada De uma vez (V.); de uma sentada; com um só movimento, esforço ou ação. Var. "de uma só vez".
de uma tirada Sem descansar. Var. "de um fôlego".
de uma vez *1.* Definitivamente; de uma só vez; para sempre. *2.* Num só movimento ou ação; logo; sem retardo. Var. "de uma vez para sempre", "de uma vez só", "de uma só vez", "de uma vezada", "de uma tacada" e "de uma lambada".
de uma vez por todas Definitivamente; sem necessidade de repetir; pela última vez. V. "de uma vez".
de uma vezada De uma só vez. O *m.q.* "de uma lambada", "de uma tacada". Var. "de uma assentada".
de valor Valioso; precioso; importante; inteligente; capaz.
de vanguarda Progressista, moderno, avançado, prafrentex.
de vau a vau De um extremo a outro.
de veia De humor característico, seja brincalhão, seja intratável etc.
de velha data De(sde) há muito tempo. Var. "de longa data".
de veneta Dado a súbitas decisões; cheio de manias.
de vento em popa *1.* A todo pano; a todo vapor; com pressa; com as circunstâncias a favor; prosperamente. *2.* Diz-se que "vai de vento em popa" ação ou empreendimento que caminham muito bem, fadados ao sucesso.
de ver, cheirar e guardar Belíssimo; raro; precioso.
de verdade Verdadeiro.
de vez *1.* Quase maduro (falando-se de frutos e legumes). *2.* De uma vez para sempre; terminantemente; definitivamente.
de vez Finalmente, definitivamente, no tempo certo.
de vez em onde O *m.q.* "de vez em quando".
de vez em quando De quando em vez; uma vez ou outra; de tempos em tempos; ocasionalmente; algumas vezes (poucas); raramente. Var. "de vez em vez".
de vez em vez O *m.q.* "de quando em quando".
de viagem *1.* Estar "de viagem" é o mesmo que estar "viajando". *2.* Qualificação

de tudo que diz respeito a viagem, como "mala de viagem".
de viés Obliquamente; em diagonal; de esguelha; de través, ao viés.
de virada *Fut.* Diz-se, num jogo, de vitória na qual o vencedor havia estado em desvantagem no placar. Diz-se então que ganhou/venceu "de virada".
de virar e romper Diz-se de pessoa bem preparada para alguma coisa. *Var.* "de sola e vira".
de viva voz *1.* Diz-se do que é comunicado ou relatado oralmente, e não por escrito. *2.* Na televisão e no rádio, diz-se de transmissão no exato momento da ação. *Var.* "ao vivo".
de volta *1.* De regresso. *2.* Em devolução.
de xuá *1.* No basquetebol, diz-se de cesta feita sem que a bola toque no aro ou na tabela. *2.* Diz-se de algo que deu totalmente certo.
debaixo da mesa Secretamente; escondido. Fazer algo (por) debaixo da mesa é não apenas fazê-lo às escondidas, mas *ger.* refere-se a algo escuso.
debaixo da(s) asa(s) Sob proteção, amparo, cuidado (de alguém).
debaixo das cobertas Dormindo, deitado na cama.
debaixo de Em posição inferior a; sob.
debaixo de chave Fechado a chave; bem-guardado.
debaixo de mão À disposição ou sob a posse de alguém.
debaixo de sete palmos Morto e enterrado.
debaixo de vara Situação daquele que é intimado, por mandado judicial, a prestar declarações ou depor perante a autoridade judicial. Diz-se, conforme as circunstâncias: "conduzido debaixo de vara".

> Vara = Jurisdição; área territorial dentro da qual uma autoridade exerce o poder do qual está investido.

Debaixo desse angu tem caroço. Expressão que denota desconfiança numa solução ou numa situação, suspeitando-se existir algo não revelado ou não evidente e que seja fundamental para uma avaliação consistente. *V.* "ter carne debaixo do angu".
debaixo do nariz (de alguém) *1.* Exatamente na frente e na presença de uma pessoa; diz-se de circunstância na qual acontecimentos desenrolam-se à nossa frente, à nossa vista, com nosso conhecimento. *2.* À vista de (alguém).
debaixo dos olhos Sob constante vigilância; à vista de todos.

debaixo dos panos Escondido; furtivamente.
débil mental Indivíduo com distúrbio mental; doido, louco; tolo, débil.
debulhar-se em lágrimas Chorar muito, copiosamente. *Var.* "debulhar-se em pranto".
decepar um texto Alterar radicalmente um texto.
decidido e encerrado É expressão designativa do final de uma reunião, de discussão de um assunto.
décima musa Mulher que se destaca na arte literária; escritora talentosa.
décimo terceiro salário Remuneração extra, equivalente a um salário mensal (ou a um duodécimo do somatório das rendas no ano), que pela legislação brasileira (CLT) deve ser paga ao assalariado até dezembro de cada ano.
declinar (de) um cargo Eximir-se a um cargo. *Var.* "declinar (de) uma responsabilidade".
declinar uma culpa Esquivar-se, fazendo-a recair em outrem.
decoro parlamentar Postura parlamentar compatível com o exercício do mandato.
decúbito dorsal, ventral ou lateral Posição de quem está deitado, respectivamente, de costas, sobre o ventre ou de lado.
dedo anular Aquele em que mais habitualmente se usa anel.

> Dedo anular = O quarto dedo de cada mão, a contar do polegar

dedo de Deus Manifestação da vontade divina.
dedo de prosa Uma conversa curta e amigável.
dedo em riste Atitude irritada e ameaçadora para com alguém, com o indicador apontado em sua direção (diz-se: "com o dedo em riste").
dedo indicador O que está situado entre o polegar e o médio. *Var.* "indicador"; "dedo índex"; "index"; "índice"; "dedo mostrador"; e (fam.) "fura-bolo" ou "fura-bolos".
dedo médio O central e maior dos dedos da mão, situado entre o anular e o indicador. *Var.* "maior de todos" e "pai de todos".
dedo mínimo O último dedo da mão em relação ao polegar e o menor de todos. *Var.* "mínimo"; "dedo auricular"; "dedo mindinho"; "dedo minguinho".
dedo polegar *1.* O primeiro e mais curto e grosso dos dedos da mão e o único que se opõe demais. Também se diz apenas "pole-

gar". *Var.* "mata-piolho" e "cata-piolho". *2.* O primeiro e mais grosso dos dedos do pé; "dedo grande do pé"; "dedão".

dedo verde Diz-se que o têm as pessoas com especial pendor para cuidar de plantas, conseguindo extraordinários resultados.

dedos de fada Diz-se que os têm pessoa (*ger.* sexo feminino) exímia em trabalhos manuais, especialmente na costura e nos bordados. *Var.* "mãos de fada".

dedos em cruz Gesto (no qual se apresentam dois dedos de uma mesma mão cruzados) que se faz como forma de sustentar a esperança de que as coisas aconteçam como se espera.

defeito radical Defeito essencial, de difícil ou impossível correção.

defender a pele Tratar de si, de seus interesses pessoais, em primeiro lugar.

defender(-se) com unhas e dentes Proteger(-se) de forma radical e desesperada, com todo o empenho.

defensivo agrícola Produto químico utilizado para combate e prevenção de pragas que afetam a lavoura; agrotóxico.

defensor público *Jur.* Advogado que o serviço judiciário encarrega de conduzir os interesses de pessoas comprovadamente sem condições financeiras para pagar por tais serviços.

defesa civil *Jur.* Organização pública que se dispõe a ajudar e socorrer a população em casos de perigos ou na iminência de calamidades.

defronte a (de) *1.* Em frente a (de); em face de; diante de. *2.* Em oposição a. *3.* Em comparação com.

defunto sem choro Pessoa desprezada, desamparada, sem proteção.

deitar a mão a (em) Apoderar-se, agarrar, prender (algo ou alguém). *Var.* "deitar as unhas em".

deitar a perder Causar insucesso, ruína ou fracasso de.

deitar abaixo Deitar por terra; derrubar; desmontar.

deitar água na fervura *V.* "pôr água na fervura".

deitar as cartas Dispor as cartas (a cartomante) para fins de adivinhação.

deitar as unhas em *1.* Apoderar-se com fraude ou violência. *2.* Segurar ou agarrar. *3.* Caçar e prender (o policial) um criminoso.

deitar carga ao mar Vomitar debruçado na amurada, quando a bordo de embarcação.

deitar e rolar *1.* Fazer o que quiser, quase sem oposição, aproveitando-se das oportunidades propícias; pintar e bordar. *2.* Num confronto esportivo, dominar totalmente o adversário, quase sem resistência.

deitar fala Fazer discurso (muitas vezes longo e enfadonho); falar sem parar; falar demais; falar pelos cabelos. *Var.* "deitar falação". O *m.q.* "deitar o verbo".

deitar fora Jogar fora; desfazer-se; rejeitar.

deitar lenha na fogueira Estimular discórdias, discussões, desavenças. *Var.* "pôr/botar lenha na fogueira".

deitar malícia Deitar peçonha, fazer alusões maliciosas, por vezes maldosas.

deitar o verbo O *m.q.* "deitar fala".

deitar olho comprido a Cobiçar, desejar, ambicionar.

deitar os bofes pela boca Estar ofegante; demonstrar cansaço. O *m.q.* "pôr os bofes pela boca afora". *Var.* "pôr os bofes para fora".

deitar ovos Colocar os ovos em lugar apropriado para incubação.

deitar peçonha Comentar, divulgar maliciosamente a ação ou atitudes de ditos de outrem.

deitar pérolas a porcos *1.* Favorecer, presentear ou ajudar quem não merece. *2.* Pôr algo material ou intelectualmente, valioso, sofisticado, de qualidade, disponível para quem não tem capacidade de lhes dar/reconhecer valor. *Var.* "jogar pérolas aos porcos".

deitar poeira nos olhos O *m.q.* "deitar terra nos olhos". *Var.* "jogar poeira nos olhos".

deitar por terra Arrasar; destruir; pôr a perder; arruinar; derrubar, prostrar. *Var.* "pôr por terra", "lançar por terra".

deitar sortes Pretender adivinhar por meio de sortes; ver a quem cabe ou toca, por sorteio; sortear.

deitar terra nos olhos Enganar, ludibriar (alguém). *V.* "deitar poeira nos olhos". *Var.* "jogar terra nos olhos".

deitar-se com as galinhas Empoleirar-se para repouso noturno logo ao anoitecer e até mesmo um pouco antes, cedo. *Var.* "dormir com as galinhas".

> *É hábito dos galináceos e, de um modo geral, das aves se acomodarem, antes do anoitecer, em poleiros, galhos de árvores ou em qualquer outro lugar mais alto que o solo, para dormirem.*

deixa estar (jacaré, que a lagoa há de secar) Advertência a quem ameaça, desdenha ou ofende alguém.

> *A expressão, muitas vezes, se resume em "deixa estar".*

deixação de si mesmo Abandono, desprendimento de sua pessoa, abnegação.
deixar a batina *V.* "abandonar a batina".
deixar a bola rolar Deixar acontecer; não mais interferir. *Var.* "deixar a bola correr".
deixar a desejar Não corresponder à expectativa.
deixar à margem Desprezar.
deixar a peteca cair *V.* e *cf.* "não deixar a peteca cair".
deixar a porta aberta *1.* Mostrar-se conciliador, receptivo; dispor-se a conversar, a negociar. *2.* Dar uma nova oportunidade a; não cortar todas as chances a. *Var.* "deixar uma porta aberta".
deixar a vergonha de lado Assumir atitude confiante, decidida, sem timidez. *Var.* "pôr a vergonha de lado".
deixar à vontade Deixar (algo ou alguém) livre, confortável, sem tentar limitá-lo ou influenciá-lo.
deixar assentar a poeira Aguardar o desenrolar dos acontecimentos para tomar, mais adiante, a decisão mais adequada, resguardando-se de atitudes que possam ser influenciadas pela emoção do momento e pelos desentendimentos havidos. *Var.* "deixar a poeira baixar".
deixar barato *1.* Não se importar; não levar a sério algo que poderia ter incomodado. *2.* Ao ser vencido, convencido etc. de algo, não opor muita resistência, não exigir muito esforço, não apresentar grande dificuldade.
deixar cair Deixar correr; não se importar ou não ter mais como influir no desfecho de um caso ou dele não mais se interessar.
deixar cair a máscara *1.* Tornar-se fiel a si mesmo; ser o que é; não ser falso; revelar-se totalmente. *2.* Ser desmistificado, não conseguir mais iludir pela aparência de algo falso, ou fingido. *V.* "tirar a máscara".
deixar claro Esclarecer; revelar tudo sem nada omitir. *Var.* "deixar bem claro".
deixar como está Não mais interferir em (algo), nem se preocupar com seu andamento ou desfecho; deixar correr; deixar o assunto como está; postergar a solução de um assunto; dar tempo ao tempo.

Há quem diga: "Deixar como está para ver como fica."

deixar correr Deixar que aconteça; deixar como está; não fazer caso de.
deixar correr à revelia Descuidar (de um negócio, do curso de um processo, de uma ação etc.).

deixar correr o marfim Não interferir na marcha dos acontecimentos.
deixar de Desistir de; cessar de.

Equivale, na linguagem coloquial a "não".

deixar de besteira Deixar de se preocupar com coisas sem importância; enfrentar a situação sem receio; não ficar se preocupando em demasia (*ger.* na forma coloquial "deixe de besteira."). *Var.* "deixar de bobagem".
deixar de brincadeira Passar a falar com seriedade; falar coisa com coisa, objetivamente.
deixar de conversa Não se gabar; não inventar nada; deixar de gabolice. *Var.* "deixar de conversa fiada".

Diz-se a quem se aconselha a não prosseguir falando sobre determinado assunto.

deixar de história Deixar de rodeios e ir direto ao assunto.
deixar de fora Não dar oportunidade de participar, de influenciar, de intervir; desconsiderar; não aproveitar.
deixar de joelhos Deixar (alguém) em atitude suplicante.
deixar de lado *1.* Reservar; guardar para eventual uso futuro. *2.* Desconsiderar, não levar em conta.
deixar de mão Largar.
deixar de mas Pôr um termo às hesitações.
deixar de moda Deixar de brincar com; deixar de inventar coisas, de conversar fiado.
deixar de molho *1.* Colocar roupas ou alimentos, por um determinado tempo, numa mistura própria para lavar ou temperar. *2.* Deixar um assunto de lado para solução quando for conveniente, considerando-o todavia. *3.* Deixar alguém à nossa espera.
deixar de pirangar *N.E.* Deixar de ser "pão-duro", sovina.
deixar de prosa Deixar de gabolice, de contar vantagens.
deixar de ser besta *1.* Deixar de ingenuidade; não se deixar lograr. *2.* Deixar de ser abusado, confiado, intrometido, maldoso. (O sentido da expressão dependerá do contexto e/ou das circunstâncias.) *V.* "dar um basta".
deixar de ser bobo Não mais se dispor a ser conduzido, mandado, explorado, seduzido etc.
deixar de ser poaia *MG* Deixar de ser chato, antipático, aborrecido, amolante, maçante.

deixar de tolice

> *Poaia* = Termo que designa várias plantas arbustivas (ervas) com propriedades eméticas e febrífugas, como a ipecacuanha. Em outras palavras, o extrato de poaia provoca vômitos, daí a analogia com a pessoa antipática, "enjoada".

deixar de tolice Deixar de bobagem.
deixar em meio Deixar incompleto; não terminar.
deixar em paz Não importunar; não molestar.
deixar entrar o bispo Deixar queimar a comida na panela; bispar.
deixar escapulir entre os dedos V. "escapulir entre os dedos".
deixar estar Não insistir mais, depois de várias tentativas; desistir.
deixar falando sozinho Deixar alguém falando sem interrompê-lo, sem responder às suas eventuais indagações, sem lhe dar atenção.
deixar fulo Provocar ira, irritação, raiva em uma pessoa.
deixar ir Deixar correr; não se importar.
deixar na gaveta Deixar de utilizar algo por algum tempo; desinteressar-se por um assunto de sua alçada.
deixar na mão *1.* Faltar a um compromisso ou a uma promessa. *2.* Excluir (alguém) de uma partilha. *3.* Deixar alguém por sua própria conta (em situação difícil), sem prestar-lhe ajuda ou dar-lhe assistência.
deixar na poeira Ultrapassar (um veículo) outro veículo, deixando este no rastro de poeira (em estrada não pavimentada). *Fig.* Suplantar (alguém).
deixar na saudade *1.* Levar vantagem sobre; superar, sobrepujar, deixar para trás. *2.* Alijar, marginalizar.
deixar nas mãos de Deixar que alguém cuide, sozinho, de um assunto para o qual se procura solução.
deixar o barco correr Deixar que as coisas andem por si, no seu curso natural; não interferir; alhear-se relativamente aos acontecimentos.
deixar o certo pelo duvidoso Desprezar a oportunidade atual e real por uma outra incerta, ainda que aquela não seja tão boa quanto se imagina ser a outra.
deixar o circo pegar fogo Assistir de modo impassível a algo sendo destruído ou, tendo condições de apaziguar uma contenda, uma rixa, uma desavença, não o fazer, acomodando-se. *Var.* "ver o circo pegar fogo".

> "Deixar o circo pegar fogo" não foi a atitude dos funcionários do famoso Ringling Brothers Circus, instalado na cidade norte-americana de Hartford, Connecticut. Em 6 de julho de 1944, a grande tenda do então famoso circo foi rapidamente consumida pelas chamas. O chefe da banda, logo que percebeu o perigo, começou a tocar a canção "Star and stripes forever" – na verdade um código para que os funcionários da brigada de incêndio agissem. Apesar dos esforços desses funcionários, a plateia de 7 mil pessoas correu e se amontoou tentando fugir pela entrada, que já estava bloqueada pelas chamas. Em apenas seis minutos, toda a tenda já ruía. O resultado foram centenas de feridos e 168 mortes. Apesar da tragédia, o Ringling Brothers ficou conhecido pelo apoio irrestrito que ofereceu às famílias das vítimas.

deixar o hábito *1.* Desistir do sacerdócio ou da vida religiosa. *Var.* "despir o hábito" (neste caso, 'hábito' refere-se à túnica talar dos religiosos). *2.* Também é usado para registrar o abandono de um vício, de um costume, de uma mania. Neste caso, a locução seria: "deixar o hábito de", e 'hábito' refere-se a costume, uso.
deixar o mundo Morrer.
deixar o sangue subir à cabeça Deixar-se dominar pela fúria, pelo nervosismo.
deixar o umbigo em Ser nascido em (local).

> Referindo-se à terra natal, a pessoa diria: "Foi em (tal lugar) que deixei o umbigo."

deixar os cueiros Deixar o comportamento de criança, de imaturo, para assumir coisas da vida adulta.

> *Cueiro* = Pano leve e macio com que se envolvem recém-nascidos; fralda.

deixar para (pra) lá Não fazer caso; desprezar; não se importar. *Var.* "deixar que falem".
deixar para trás *1.* Não mencionar; omitir. *2.* Exceder, superar, suplantar (alguém ou alguma coisa). *3.* Esquecer, deixar no passado.
deixar para depois Adiar; procrastinar.
deixar passar *1.* Admitir, tolerar. *2.* Não impedir a passagem de.
deixar perceber Dar a entender.
deixar por conta da sorte Deixar de se ocupar de um assunto difícil e confiar no tempo ou em algo extraordinário para resolvê-lo.

deixar por menos O *m.q.* "deixar barato".
deixar pra lá Não se importar (alguém) com algum acontecimento que o afeta ou lhe diz respeito. Também denota desistência de conseguir algo, como em: "não se incomode"; "não me incomodo"; "esqueça".
deixar rastro Deixar vestígio, marca, pista, indicação.
deixar rolar Permitir que as coisas caminhem normalmente, sem procurar mudar ou influir em seu curso e desfecho.
deixar sua marca em Ter atuação marcante na criação ou no desenvolvimento de (algo), a ponto de essa atuação ser reconhecível em seus resultados.
deixar ver Mostrar, apresentar, exibir.
deixar-se ir *V.* "ir no arrastão".
deixar-se levar Não resistir; consentir; permitir; não obstar; ir na conversa; ser induzido a.
Deixe-me em paz! Não me aborreça! Esqueça-me!
Deixou-me frio. Dizemos assim quando nos contam algo que nos causa muita aflição, medo. Também se diz: "Fiquei arrepiado.".
déjà vu Fr. 1. Literalmente, significa: "já visto". Refere-se a algo que já é bem conhecido e se repete. 2. No domínio da psiquiatria, impressão, ou ilusão, de já se ter presenciado ou vivido antes a situação que agora se apresenta.
delenda Carthago Lat. Lit. 'Cartago deve ser destruída' 1. Sentença com que Marco Pórcio Catão, cônsul, pretor e tribuno romano (234-195 a.C.) terminava suas intervenções no Senado romano. 2. Diz-se para insistir na conveniência e oportunidade de se adotarem medidas drásticas, extremas.
delirium tremens Lat. Perturbação mental que ocorre às vezes em dependentes de álcool e de outros depressivos do sistema nervoso central, caracterizada por tremores, sudorese e alucinações.
demais da conta Em excesso. *Var.* "fora da conta".
demência precoce Esquizofrenia.
demência senil *Psiq.* Distúrbio caracterizado pela diminuição das funções mentais, que acomete idosos devido a esclerose e outras causas, e cujo tipo mais frequente é a doença de Alzheimer.
democracia autoritária Sistema de governo firmado na supremacia do Poder Executivo em relação aos demais poderes.
democracia participativa *Pol.* Sistema no qual a legitimidade decisória cabe diretamente à população.
democracia popular Designação comum aos regimes políticos monopartidários dominantes nos países da área socialista.

Termo que caracterizou os países socialistas do bloco soviético na Europa central e oriental após a Segunda Guerra Mundial. Ainda adotado em países de regime socialista, como o Vietnã e a Coreia do Norte.

democracia representativa *Pol.* Neste sistema político o povo, através do voto, outorga mandatos a representantes que exercerão autoridade em seu nome.
demônio de Sócrates O gênio inspirador desse filósofo, segundo suas próprias menções.
demônio familiar Pessoa que, no seio da família, planta discórdias.
demonstração por absurdo O *m.q.* "redução ao absurdo".
dengue hemorrágica A que é acompanhada de hemorragias e acomete, *esp.*, as crianças e pessoas que já tenham sido infectados anteriormente por outro vírus da dengue.
denominador comum *Fig.* 1. Ponto em que estão de acordo partes litigantes. 2. Aspecto comum em duas opiniões, intenções, análises etc.
dente de coelho 1. Dificuldade; obstáculo custoso de vencer. 2. Coisa escondida; algo de que se suspeita; mistério.
dente de leite Os primeiros dentes que surgem na criança; dentes da primeira dentição.

As agremiações esportivas costumam nomear as diversas categorias de jogadores segundo as faixas de idade, e atribuem a denominação de "dente de leite" aos compostos de crianças entre os sete e os doze anos de idade.

dente de siso (do juízo) *Anat.* Cada um dos quatro últimos dentes (são molares) definitivos a surgirem na arcada dentária humana, entre os 17 e 21 anos de idade.
dente em galinha Coisa absolutamente impossível. *Var.* "dente de galinha".
dente por dente Com desforra igual à afronta. Também se diz "olho por olho" e "olho por olho, dente por dente". *V.* "pena de talião".
dentro das fronteiras tupiniquins Dentro do Brasil.

Em alusão aos indígenas que no país habitam desde antes do "descobrimento".

dentro de

dentro de *1.* Daqui a (certo tempo). *Var.* "dentro em". *2.* No interior de; no íntimo de; no espaço de.
dentro dos conformes Como deve ser; nos conformes.
dentro dos limites O contrário de "fora dos limites". *Cf.* "dentro dos conformes".
dentro em *V.* "dentro de".
dentro em breve Daqui a pouco tempo; brevemente. *Var.* "dentro em pouco".
dentro em pouco O *m.q.* "dentro em breve".
denúncia vazia Faculdade que tem o locador de denunciar o contrato de locação por conveniência própria, independentemente de qualquer motivação.
Deo gratias *Lat.* Graças a Deus.
Deo juvante *Lat.* Com a ajuda de Deus.
dependência física *Psiq.* Distúrbio decorrente do uso continuado de certas drogas e medicamentos e que subordina o corpo a novo equilíbrio vital que se mantém exatamente através da continuidade na ingestão daqueles mesmos medicamentos e drogas.
dependências de empregada Designação que se dá aos cômodos de uma residência destinados aos serviçais da casa.
depois da queda, coice Diz-se a propósito de um insucesso, seguido de outro ainda pior (mais grave).
depois de Em posição posterior; em seguida; após.
depois de amanhã O dia imediatamente seguinte ao de amanhã.
depois de Cristo Período posterior ao nascimento de Jesus Cristo, designado abreviadamente por d.C.
Depois de mim, o dilúvio. Expressão que denota a pretensão, ou jactância, de ser quem a profere pessoa insubstituível em sua tarefa ou função.

> Atribuída a Luís XIV (1638-1715), rei da França, a frase contém pretensiosa convicção de não haver ninguém tão capaz quanto ele de dirigir o país, temendo pelo que possa vir a acontecer após sua morte.

depois que *1.* Desde o tempo em que; posteriormente ao tempo em que. *2.* Logo que; quando.
depositário infiel *Jur.* Aquele ao qual se confia algo em depósito e que se recusa a devolvê-lo quando devido.
depor armas Abandonar a luta, desfazendo-se das armas.
depositar confiança em Crer na honradez e distinção de; ter em bom conceito (alguém).

depressa demais De afogadilho; precipitadamente.
depressão bipolar *Psiq.* Trata-se de uma forma de transtorno de humor com variação entre a fase maníaca (hiperatividade e imaginação fértil), com uma depressiva (inibição, lentidão das ideias, ansiedade ou tristeza). Também se diz: "transtorno (ou distúrbio) bipolar".
der e vier *V.* "para o que der e vier", "dispor-se para o que der e vier" e "estar para o que der e vier".
derivado do petróleo Qualquer substância obtida da destilação do petróleo, como óleo, gasolina, querosene, nafta, óleo diesel etc.
dernier cri *Fr.* A última moda.
derramamento de sangue Morte com ferimentos dos quais verte sangue; morticínio violento, carnificina.
derramar água fria Acalmar; fazer perder o entusiasmo; suscitar decepção.
derramar lágrimas Chorar.
derramar o sangue de outrem Matar, ferir.
derramar o seu sangue Morrer ou ser ferido em luta.
derramar óleo em águas turvas Procurar acalmar ou tranquilizar.
derrame cerebral *Med.* Ou "acidente vascular cerebral" é perda da função neurológica causada por entupimento ou rompimento de vasos sanguíneos cerebrais e hemorragia seguida de perda rápida total ou parcial de funções cerebrais. Sigla: AVC.
derredor de *V.* "em derredor de".
derreter dinheiro Malbaratá-lo; gastá-lo a esmo.
derreter-se em lágrimas Chorar copiosamente.
derrubar o queixo de *Sul* Sujeitar, submeter, subjugar.
dês que O *m.q.* "desde que". Visto que; a partir do momento em que; uma vez que.
desabar o mundo Vir o mundo abaixo; ruírem-se as esperanças.
desabar o tempo Chover forte.
desabrir mão de O *m.q.* "abrir mão de".
desabrochar em sorrisos Abrir-se em sorrisos.
desabrochar um segredo Desvendá-lo.
desafiar a sorte Arriscar temerariamente.
desafiar os perigos Arriscar-se.
desamarrar o bode Desfazer a cara feia; desamuar-se.
desandar a roda Ter início uma série de infelicidades.
desandar a roda da fortuna Mudar-se a sorte de propícia a funesta.

Desculpe a má palavra

desarranjo de cabeça Mania, loucura.
desastre ecológico Catástrofe causada ger. por ação humana sobre o ecossistema.
desatar a rir Rir sem parar.
desatar em lágrimas Afligir-se; chorar muito; enternecer-se.
desatar o nó górdio Fazer o impossível; esforçar-se ao máximo, apesar de saber ser difícil a tarefa que se apresenta.
desatar os nós do lenço Desfazer despacho. *V.* "dar nós no lenço."
Desça o pano. A comédia acabou! Expressão que denota admoestação a alguém para que deixe de representar e passe a encarar os fatos. *Var.* "tire a máscara".
descalçar a bota Resolver um problema difícil; sair de uma dificuldade.
descambar no ridículo Diz-se quando alguma coisa termina de um modo contrário ao que a princípio se supunha, sendo objeto de observações críticas de outrem.
descansar no Senhor Adormecer no Senhor; morrer.
descansar sobre os louros Acomodar-se diante de um sucesso. *Var.* "repousar sobre os louros".
descanso eterno A morte.
descarregar a cólera sobre alguém Satisfazer a cólera (ira, furor) sobre alguém, maltratando-o, apesar de que esse geralmente não o merece. *Var.* "descarregar a ira (ou o furor) sobre alguém".
descarregar remendos *Inf. Port.* Baixar (*download*) atualização de um programa.
descascar um abacaxi Resolver um problema; procurar safar-se de uma dificuldade; sair-se de uma embrulhada, de uma situação desagradável.
descendimento da cruz *Rel.* Celebração do episódio bíblico que relata a retirada do corpo de Jesus após ter sido crucificado e morto na cruz.
descer *V.* também expressões sem o verbo.
descer à cova Morrer. *Var.* "descer ao túmulo".
descer a lenha *1.* Bater; espancar alguém. *2.* Falar mal de alguém, mormente na sua ausência. *Var.* "descer o pau".
descer à morada de Plutão Ir para o inferno. *V.* "império de Plutão".
descer à terra *1.* Morrer. *2.* Deixar de sonhar; ser realista.
descer ao inferno Passar por muito sofrimento; padecer.
descer ao túmulo Enterrar-se; sepultar-se.
descer o braço Surrar, bater, brigar. O *m.q.* "meter o braço em".
descer o cacete O *m.q.* "descer o braço".

descer o morro Mostrar-se ríspido, grosseiro. *V.* "virar a mesa" e "entornar o caldo".
descer o pau O *m.q.* acepção *1* de "meter o pau em".
descer redondo Ser agradável de se engolir, suave (diz-se comumente em relação a vinho, ou outra bebida alcoólica).
descobrimento da cruz *Catol.* Cerimônia realizada nas igrejas, na Sexta-Feira Santa em que se retira o véu que encobria até então a cruz, procedendo-se, a seguir, a sua adoração.
descobrir a América *V.* "descobrir a pólvora".
descobrir a cara Tirar a máscara; deixar de simulação, de fingimento; mostrar-se como realmente é.
descobrir a mina Ter muito sucesso ou êxito num empreendimento. *Var.* "descobrir o filão". *V.* "dar no costelão".
descobrir a pólvora Ter suposta originalidade; dizer ou fazer algo pensando ser novidade. *Var.* "inventar a roda" e "descobrir a América".
descobrir os podres de alguém Revelar os vícios e os defeitos de uma pessoa.
descobrir um santo para cobrir outro Resolver um problema com uma medida que, por sua vez, provoca ou agrava outro problema. *Var.* "descobrir um santo para vestir outro". *V.tb.* "despir um santo para vestir outro".
descolar uma nota Conseguir dinheiro de alguém sem lhe ter prestado o correspondente serviço.
desconto em folha *Econ.* Consignação na folha de pagamento de funcionários e empregados de valores em favor de terceiros; débito em conta concomitante com o crédito de salários.
desconto na fonte *Econ.* Valor descontado dos salários por quem os paga, para recolhimento ao Tesouro em antecipação pelo imposto de renda previsto segundo regras estabelecidas pela Receita Federal.
desculpa de mau pagador Desculpa artificiosa, vã, inadmissível, na verdade mais um pretexto do que uma explicação.
desculpa esfarrapada Justificativa inconsistente. *V.* "vir com histórias".
desculpar o mau jeito Pede-se isso, como atenuante pela intromissão ou intervenção em assuntos com os quais não concorda ou aos quais faz reparos.
Desculpe a má palavra! Modo cortês ou irônico de se pedir licença para proferir uma palavra ou observação grosseira ou até mesmo ofensiva.

desde agora Desde este momento.
desde então Desde esse tempo.
desde já A partir deste momento; doravante; desde agora.
desde logo Desde este momento; logo; portanto.
desde o começo A partir do início. Em latim: "*ab initio*".
desde o ventre materno Desde antes de nascer.
desde quando *1.* A partir de qual determinado momento no passado, *ger.* introduzindo orações interrogativas. *2.* Ironicamente, denota reprovação ou descrédito, com insinuação de falsidade na informação prestada.
desde que Desde o tempo em que; depois que; já que; logo que; visto que; uma vez que.
desde que (eu) me entendo por gente Expressão que significa "desde há muito tempo" ou "desde que tenho o uso da razão".
Desde que lhe tirei as peias, nunca mais o vi. Referência a pessoa não muito amiga cujo paradeiro é ignorado.
desde que o mundo é mundo Desde os mais remotos tempos; há muito tempo. *Var.* "desde quando o mundo é mundo".
desejar ver pelas costas Desejar que alguém suma de sua vista, que se vá. (Diz-se irônica e/ou desdenhosamente.)
desembainhar a língua Falar muito.
desempatar dinheiro Pôr em circulação ou em giro o dinheiro disponível que não estava rendendo, imobilizado. *Var.* "desempatar capital".
desemprego disfarçado Situação em que parte da mão de obra empregada poderia ser despedida mesmo se não houvesse queda de produção.
desemprego estrutural O que ocorre em uma sociedade em desenvolvimento por cair o nível de emprego, em alguns setores, devido à adoção de tecnologias mais avançadas. Por falta de aptidão técnica, os desempregados não conseguem ser absorvidos pelos setores em expansão.
desencargo de consciência *V.* "por desencargo de consciência".
desenferrujar a língua Falar muito, depois de longo tempo de silêncio.
desenferrujar as pernas Movimentar-se, andar, depois de ter estado algum tempo parado.
desenho à mão livre Desenho feito manualmente, sem o auxílio de instrumentos.
desenho animado *1.* Filme cinematográfico, em geral de curta-metragem, baseado numa série de desenhos que representam as fases sucessivas de uma ação, e que, fotografados e projetados, dão a ilusão do movimento. *2.* Ramo da indústria cinematográfica relativo a esse gênero de filmes.
desenvolvimento sustentável Aquele que é realizado com base na utilização racional dos recursos (mão de obra, matérias-primas e disponibilidades financeiras) de tal forma que nem os esgote, nem os degrade.
desfazer a panelinha *1.* Denunciar um plano; provocar o desfazimento de um grupo. *2.* Desfazer um grupo de pessoas dedicadas a algo em comum com base na abri-lo para a admissão de outros membros. *Var.* "desmanchar a igrejinha".

> *Panelinha e igrejinha, como aqui empregado, identificam um grupo sectário, fechado em si mesmo, que assume certos setores de uma comunidade sem admitir novos membros (ou selecionando-os rigorosamente) e privilegiando sempre os que o compõem.*

desfazer-se em Exceder-se em manifestações. *Ex.: desfazer-se em elogios; desfazer-se em lágrimas.*
desfeito em lágrimas Banhado em lágrimas; com o rosto molhado de lágrimas.
desfiar a meada Expor, narrar, referir um caso com todos os seus pormenores.
desfiar o rosário *1.* Rezar o rosário. *2.* Falar tudo o que pensa e que ainda não revelara a ninguém.
desforço físico Violência física; luta; vias de fato. *V.* "Ir às vias de fato".
Desgraça pouca é bobagem! Exclamação de quem deseja demonstrar que não teme perigo ou tenta minimizar as infelicidades de outrem.
desidratação infantil *Med.* Distúrbio causado por forte e rápida diminuição da taxa de água do organismo de uma criança.
desinfetar o (menção de lugar) *1.* Sair, mandar sair de. *2.* Deixar o caminho livre; retirar-se. *Var.* "desocupar o beco" ou "desinfetar o beco" e "desinfetar a área".
Desinfete daí! Saia daí! Suma-se!
desktop publishing *Ing. Inf. V.* "editoração eletrônica".
desmanchar a cara Desfazer a expressão carrancuda.
desmanchar a igrejinha *V.* "desfazer a panelinha".
desmanchar na boca Desfazer-se na boca (alimento delicioso, suave e macio) sem mesmo ser mastigado.

desmentir na lata Contestar pessoal e imediatamente a afirmativa que alguém faz.
desobediência civil *Pol.* Manifestação coletiva não violenta de protestos exigindo concessões do poder público/político.
desocupar o beco V. "desinfetar o (certo lugar)".
desonrar a farda Cometer (militar) ato indigno à ética militar.
desonrar uma mulher Deflorá-la, violentá-la.
desopilar o fígado Produzir ou procurar alegria e motivos de riso; alegrar-se e tornar alegre uma pessoa ou um ambiente.
despachar para o outro mundo Matar.
despedida de solteiro Nas vésperas do casamento, reunião de amigos (especialmente do noivo), numa reunião festiva.
despedir em branco Ir-se ou mandar embora de maneira indelicada, pouco cortês.
despedir-se à francesa Ir-se embora sem dizer adeus ou sem se importar com os que ficam.
despejar a tripa Defecar.
despejar o saco Dizer tudo que sabe; desabafar.
despir o homem velho Corrigir-se dos seus erros e de seus defeitos.
despir um santo para vestir outro Favorecer alguém em prejuízo de outro; prover a uma necessidade ocasionando outra. *V.tb.* "descobrir um santo para vestir outro".
despontar o vício Contentar-se com pouco ou com coisa parecida, ao satisfazer um vício.
desprender a voz Soltar a voz cantando ou falar, saindo do silêncio.
desprender as asas Partir; ir-se; libertar-se.
desquite amigável *Jur.* O que se dá por mútuo consentimento, manifestado diante do juiz que pode vir a homologá-lo sem delongas.
Desse mal eu não morro. Diz-se quando alguém teme que aconteça alguma coisa a outrem, e este rechaça com esta expressão, significando que ele, definitivamente, não acredita que tal venha a ocorrer.

Quando é a outra pessoa que se refere, diz-se, obviamente: "Desse mal você não morre."

desta feita Desta (nesta) ocasião; neste momento; então. *Cf.* "de uma feita" e "de outra feita".

De acordo com as circunstâncias, diz-se também: "dessa feita" ou "daquela feita".

desta força *1.* Desta grandeza ou tamanho. *2.* Desta qualidade.
desta maneira Sendo assim; à vista disso; destarte; assim.
desta sorte Assim, deste modo.
destampar a mão em O *m.q.* "descer o braço".
Deste mato não sai coelho. Nada resultará (solução a algum problema, ideia ou providência boas, bons resultados de algum processo etc.) desta situação.

Com acepção em sentido exatamente contrário, encontramos a frase: "Tem coelho neste mato."

destilar veneno Ser maldoso, maledicente, ofensivo etc.
destorcer o caminho Retroceder.
destripar o mico Vomitar.
detector de mentiras Aparelho usado pela Polícia em interrogatórios, para detectar ou revelar falsas informações de acusados.
detrás de Em lugar posterior a.
deu a louca em Foi tomado de loucura; ficou biruta.
deu no que deu Diz-se quando algo acontece (de um modo geral desfavoravelmente) como se previa.

Às vezes a expressão é empregada com um ar de censura.

deu o maior piti V. "dar um piti".
deu-lhe na cabeça Tomou uma decisão repentina; ocorreu-lhe uma ideia.
Deus e o mundo Todos.
Deus é quem sabe Expressão que significa: "não sei"; "só Deus poderia saber". *Var.* "Deus sabe como".
Deus é testemunha Modo de corroborar a veracidade de uma afirmação.
Deus ex machina *Lat. 1.* Ator que, no antigo teatro greco-romano, personificava um deus, vindo à cena por meio de mecanismos. *2. Fig.* Personagem ou circunstância que propicia desfecho inesperado e feliz numa situação grave.
Deus lhe dê uma boa hora. Maneira de desejar um parto feliz.
Deus me livre *1.* Invocação a Deus para pedir-lhe que afaste de si o mal iminente. Também: "Deus me preserve", "Deus me ponha ao abrigo", "Deus me livre e guarde" etc. *2.* Lugar longínquo, ermo.
Deus me perdoe, mas... Ressalva que se faz antes de emitir juízo temerário.
Deus o livre e guarde Palavras com que se pede a Deus que proteja alguém.

Deus os fez e o diabo os ajuntou

Deus os fez e o diabo os ajuntou Palavras que aludem à união de pessoas malvadas.
Deus permita Fórmula usada para pedir que aconteça aquilo que se almeja.
Deus queira! O *m.q.* "Deus permita". Var. "queira Deus" e "se Deus quiser".
Deus sabe como É o desabafo de quem perguntado como teria resolvido ou superado uma situação.
Deus tal não permita Expressão com que se revela o desejo de que uma coisa não aconteça, não se realize.
Deus te (lhe) pague Pedido a Deus para que abençoe alguém por algo bom que esse alguém praticou.
Deus te (me) perdoe Expressão que denota intenção de penitenciar(-se) por alguma falta cometida ou de conceder o perdão por ofensas recebidas.
Deus te (o) abençoe Invocação a Deus pedindo bênçãos para alguém, sobretudo para os filhos.
Deus vult *Lat.* Deus quer.
deusa das cem bocas A fama.
Devagar com o andor. Admoestação que se faz a alguém impaciente, impulsivo, afobado, a fim de que tenha calma o bastante para, nas circunstâncias, resolver a contento uma questão em que está envolvido ou interessado. O *m.q.* "um passo por vez". Também se diz: "Devagar com o andor, que o santo é de barro."

> *Andor = Plataforma de madeira, dotada de varais, que se ornamenta e sobre a qual se conduzem imagens nas procissões.*

devagar e sempre Maneira lenta, cautelosa, metódica e persistente de fazer algo, tida como a chave do sucesso, em contraposição à ânsia e à precipitação.
dever a Deus e a todo mundo Dever muito a muita gente; estar totalmente endividado.
dever a vida a alguém Ter sido salvo por alguém por algum motivo ou circunstância.
dever de casa 1. Assim se denominam os trabalhos prescritos pelos professores para o aluno fazer em casa. 2. Figuradamente, diz-se das normas e dos procedimentos que foram assumidos por alguém ou por um órgão, empresa etc. e que devem ser cumpridos como acordado e preferencialmente, a fim de que se obtenham as vantagens consequentes. 3. Qualquer tarefa ou missão atribuída a alguém como encargo óbvio que deve levar a bom termo. *Ex.: O time não fez o dever de casa, e perdeu, mesmo jogando em casa.*
dever de consciência Aquele que deriva da noção que o homem deve ter do que é bom e justo.
dever os cabelos da cabeça Dever muito. Var. "dever os olhos da cara".
devido a Por causa de.
Devo e não nego; pagarei quando puder. Diz-se, jocosamente, a propósito de dívidas, desculpando-se por algum eventual atraso.
devorar um livro Ler um livro com sofreguidão, rapidez e gosto.
dez mandamentos Regras diversas de conduta, segundo a Bíblia, dadas por Deus a Moisés no Monte Sinai.

> *São os "Dez mandamentos": 1. Amar a Deus sobre todas as coisas; 2. Não tomar seu santo nome em vão; 3. Guardar domingos (sábados, no original em hebraico) e festas de guarda; 4. Honrar pai e mãe; 5. Não matar; 6. Não pecar contra a castidade; 7. Não furtar; 8. Não levantar falso testemunho; 9. Não desejar a mulher do próximo; e 10. Não cobiçar as coisas alheias.*

dez para as duas Diz-se da pessoa que pisa com os pés não paralelos, inclinados para fora, como na posição em que os ponteiros se encontram na hora indicada na locução.
dez réis de mel coado 1. Quantia ínfima. 2. Insignificância; bagatela.

> *Sobre "réis", V. "não valer um vintém furado".*

dia a dia 1. *Loc. adv.* Todos os dias; à proporção que os dias passam; dia após dia; quotidianamente. 2. *Cf.* "dia a dia" (substantivo), que significa rotina, a sucessão dos dias.
dia alto Diz-se das horas mais avançadas do dia.
dia após dia Um dia depois do outro, sem interrupção.
dia cheio Aquele que se passa com tantos afazeres e distrações que não se vê o tempo escoar.
dia claro Referência à circunstância, ou momento, em que o dia já raiou há algum tempo, já clareou.
dia D 1. O dia escolhido para determinada e importante operação, evento, comemoração, anúncio etc. 2. Assim é chamado o dia 6 de junho de 1944, no qual iniciou-se a invasão da França pelas tropas aliadas,

marcando o início do fim da II Guerra Mundial, ocorrido em 8 de maio do ano seguinte.
dia da Independência O dia 7 de setembro, em que se comemora a Independência do Brasil.
dia da República É o dia 15 de novembro, dia em que foi proclamada a República no Brasil.
dia das crianças No Brasil, comemora-se no dia 12 de outubro.
dia das mães Dia dedicado às mães e que se comemora, no Brasil, no segundo domingo do mês de maio.
dia de Ano-Novo judaico (*Rosh Hashaná*) Celebrado no primeiro (e, por segurança quanto ao calendário, às vezes também no segundo) dia do mês *Tishri* (setembro/outubro).
dia de ano-bom O primeiro dia do ano.
dia de anos Dia de aniversário.
dia de cão Referência a um dia particularmente dificultoso, trabalhoso, trágico. *V.* "dia negro".
dia de finados No Brasil, dia 2 de novembro, dedicado à comemoração dos mortos.
dia de peixe O *m.q.* "dia de preceito".
dia de preceito *Rel. Catol.* Dia especial para os católicos, no qual se comemora algo relacionado com sua fé; dia que para eles a missa é recomendada como devoção.
dia de Reis *Rel. Catol.* Epifania.

> Na Igreja Católica Romana, comemora-se a Epifania no primeiro domingo do ano ou no segundo, caso o dia 1º de janeiro caia num domingo. Nos países que adotam o rito oriental, continua sendo celebrada a 6 de janeiro.

dia de São Nunca Dia que nunca há de vir. *Var.*"dia de São Nunca de tarde".
dia de semana Qualquer dos dias da semana que não seja o domingo, e às vezes o sábado.
dia de Todos os Santos Dia em que a Igreja Católica Romana comemora todos os santos e também os falecidos que estão na glória do céu. Dia 1º de novembro.
dia do Fico *Hist.* No Brasil, o dia 9 de janeiro de 1822, quando o príncipe regente D. Pedro, tendo decidido permanecer no país, disse, perante os representantes da Câmara do Rio de Janeiro: "Como é para o bem de todos e felicidade geral da Nação, estou pronto; diga ao povo que fico."
dia do Juízo Segundo o Evangelho, aquele em que as almas se hão de reunir aos corpos e comparecer à presença de Deus para serem julgadas. *Var.* "dia do Juízo Final".
dia do Quinto O dia em que o erário português, no Brasil colonial, cobrava os 20% de imposto sobre o ouro extraído.
dia do Senhor O domingo, para os cristãos; o sábado, para os judeus; a sexta-feira para os muçulmanos.
dia do trabalho No Brasil, comemora-se, no dia 1º de maio, o dia dedicado ao trabalhador.
dia dos namorados Dedica-se-lhes, no Brasil, o dia 12 de junho.
dia dos pais Dia dedicado aos pais, que se comemora no Brasil no segundo domingo do mês de agosto.
dia e noite Sem parar; ininterruptamente.
dia enforcado Dia útil, próximo a um feriado, em que um trabalhador deixa de comparecer ao trabalho ou em que simplesmente se considera, oficialmente ou não, dia não útil. O *m.q.* "dia imprensado".
dia enxuto Dia não chuvoso.
dia estéril Aquele em que não se faz nada de útil.
dia feriado Dia em que por determinação oficial, não funcionam as repartições públicas, o comércio e a indústria, geralmente motivado por alguma comemoração cívica.
dia imprensado Aquele que cai entre um feriado e um domingo ou entre um domingo e um feriado e em que algumas instituições e atividades deixam de funcionar, dando folga aos funcionários. O *m.q.* "dia enforcado".
dia impróprio Dia não conveniente para fazer algo.
dia letivo Dia de aula.
dia mais, dia menos *V.* "mais dia, menos dia".
dia morto Aquele em que há pouquíssima ou nenhuma atividade; dia parado, sem movimento.
dia negro Dia de más notícias ou maus acontecimentos; a expressão também indica um dia em que tudo vai (ou parece ir) de mal a pior. *V.* "dia de cão".
dia por dia O *m.q.* "dia a dia".
dia santificado O *m.q.* "dia santo" ou "dia santo de guarda".
dia santo de guarda Dia santo; dia santificado; dia consagrado a honrar um santo ou a uma outra comemoração religiosa.
dia sim, dia não Em dias alternados.
dia útil Dia de trabalho; dia de semana.
diabo de saias Mulher tentadora, sedutora.
diabo em figura de gente Pessoa, *esp.* criança, muito inquieta, travessa.

diabo em pessoa *1.* Pessoa má, perversa. *2.* Pessoa muito feia, de aparência horrenda.
diabo no corpo V. "ter o diabo no corpo"; "trazer o diabo no corpo".
diamante bruto *1.* Referência a pessoa de excelentes qualidades mas que carece ainda de certos conhecimentos, traquejo, experiência. *2.* A pedra ainda bruta, não lapidada.
diante de *1.* Defronte de; em presença de; na frente de. *2.* Em consideração a; à vontade; em comparação a; em confronto com. *3.* Em vista disso.
diante dos olhos Na presença de.
diarreia vocal Verbosidade; tendência a ou ação de falar muito, tagarelar.
dias da data Prazo do vencimento de um título, contado a partir de sua emissão.
dias gordos *1.* Dias em que a Igreja Católica não prescreve aos fiéis a abstinência de carne. *2.* Os três dias de carnaval.
dias há que Faz tempo que.
dias que prometem Expectativa de quem espera, para um futuro próximo, perspectivas favoráveis para seus interesses.
dicionário eletrônico O que é editado em suporte informático; modalidade eletrônica de dicionário.
dicionário vivo Alguém possuidor de um extenso vocabulário; pessoa erudita; de memória privilegiada. *Var.* "dicionário ambulante".
diem faustus *Lat.* Dias felizes.
dies irae *Lat.* "O dia da ira", *i.e.*, o dia do Juízo Final.

Primeiras palavras de um famoso hino atribuído a Tomás de Celano, monge da Ordem dos Frades Menores, companheiro e biógrafo de São Francisco (séc. XIII).

dieta balanceada Dieta em que os alimentos entram em adequada proporção, visando a uma correta alimentação.
dieta macrobiótica A que se baseia em alimentos integrais preparados em óleo vegetal ou cozidos em água.
dieta zero Privação total de ingestão de alimentos.
digam o que quiserem É expressão de quem afirma não se importar com a opinião alheia.
dígito binário *Inf.* Em processamento de dados, na notação binária, qualquer dos caracteres 0 (zero) e 1 (um).
dígito de verificação Dígito adicionado ao final de um código numérico e que serve para verificar a exatidão e/ou a validade do dito código.

Em aritmética, dígito é qualquer algarismo arábico, de 0 (zero) a 9 (nove). Na informática, é o elemento de um conjunto de caracteres numéricos ou daqueles que os representam.

digno de menção Que merece ser mencionado; ter o mérito reconhecido.
dinheiro corrente Dinheiro em espécie (cédulas e moedas).
dinheiro de contado O que é pago à vista, em moeda.
dinheiro de plástico Cartão de crédito ou de banco, com os quais se pode pagar despesas ou fazer compras sem o uso de cheques ou da própria moeda.
dinheiro em espécie O *m.q.* "dinheiro vivo".
dinheiro em penca Muito dinheiro.
Dinheiro haja! Exclamação de quem se assusta com o montante de despesas a arcar com determinada ação.
dinheiro miúdo Dinheiro de pouco valor (sobretudo em moedas; dinheiro trocado; trocados, quebrados).
dinheiro na mão Dinheiro do qual se tem posse, portanto disponível para ser usado.

Esta costuma ser, por vezes, a condição imposta para a conclusão de transação que envolva pagamentos.

dinheiro sujo Aquele obtido por meios escusos.
dinheiro vivo O que corresponde a moedas e cédulas. O *m.q.* "dinheiro em espécie".
direção defensiva Maneira de dirigir que se caracteriza pela prevenção de acidentes, sobretudo os que advêm dos erros de outros motoristas.
direção hidráulica Nos veículos automotores, direção provida de um sistema acionado pelo motor do veículo, que facilita o esterçamento da direção, tornando-a mais fácil de manejar.
Direita/Esquerda/Meia-volta, volver! São palavras usadas nas unidades militares no comando da tropa em ordem-unida.

O comando indica ordem para que um subordinado ou um grupamento de soldados imediatamente vire à esquerda ou à direita num ângulo de 90 graus, ou gire sobre os calcanhares, num ângulo de 180 graus.

direito de arena O que regula os direitos de artistas, esportistas etc., relativamente à sua exibição ou exposição em espetáculos públicos ou na transmissão e retransmissão pela mídia.
direito de voz Oportunidade ou direito da pessoa de expressar sua opinião; vez de falar.
direitos civis Os direitos do cidadão, conforme as leis do país.
diretor espiritual Pessoa, geralmente sacerdote, que é elegida como consultor/orientador para assuntos de natureza moral e/ou religiosa, por um grupo de oração ou de reflexão.
diretório acadêmico Composto por estudantes universitários eleitos em assembleia geral para, durante determinado período, defender seus interesses, sobretudo perante os estabelecimentos em que estudam. Centro acadêmico.
dirigir os passos de Dar conselhos a; orientar (alguém).
discípulo amado São João Evangelista, em relação a Jesus.
disco rígido *Inf.* Equipamento magnético destinado ao armazenamento de grande quantidade de dados em um computador, incluindo o sistema operacional.

Em inglês, diz-se: "hard disk". Os discos rígidos, que já foram chamados de "winchester", normalmente são fixos, instalados internamente no computador. Existem no entanto unidades móveis e externas, que podem ser conectadas e desconectadas da máquina, oferecendo capacidade adicional de armazenamento de dados, quando necessário.

disco voador Objeto em forma de disco que muitos afirmam terem avistado voando, a altíssimas velocidades, pairando no ar ou pousado, emitindo luzes e que atribuem a manifestações extraterrestres.

Para alguns, tratar-se-ia de nave extraterrestre. São conhecidos como "objeto voador não identificado" ou simplesmente pela sigla OVNI. Em Ing., "UFO", ou "Unidentified Flying Object".

discriminação racial O *m.q.* "segregação racial".
discutir sobre o sexo dos anjos Promover ou sustentar uma discussão estéril, inconclusiva.
Dispensa comentários. É evidente, óbvio.

display **de venda** Mostruário.

Confeccionados em materiais diversos, como plástico, arame ou papelão, os displays de venda ger. estão coordenados com campanhas publicitárias, destinando-se a expor e destacar nos pontos de venda determinados produtos,, os quais podem ser apanhados pelo próprio consumidor.

display **expositivo** Mostruário constituído por peça publicitária e/ou amostras de produtos.
dispor-se para o que der e vier Preparar-se para enfrentar corajosa, e pacientemente, tudo quanto possa vir a acontecer.
disposição de espírito Estado mental de uma pessoa.
disputar no palitinho *V.* "jogo de palitinhos".
disputar sobre a ponta de uma agulha Ter questão por coisas da mínima importância.
disse me disse Intrigas, mexericos, falatórios.
dissidente político É quem discorda dos atos e ações dos poderes constituídos.
dissídio coletivo Dissensão, em nível de associações de classe, entre patrões e empregados relativamente aos direitos por estes reivindicados, os quais são levados à Justiça do Trabalho pelo sindicato de classe.
disso e daquilo De coisas variadas.
distensão muscular O *m.q.* "estiramento muscular". (*V.*).
Distrito Federal Território onde fica a sede do governo federal (no Brasil).
distrito policial Circunscrição territorial sob a jurisdição de uma autoridade policial.
ditadura do proletariado Regime político, social e econômico desenvolvido teórica e praticamente por Lenin (na Revolução Russa de 1917), e que se baseia no poder absoluto da classe operária, como primeira etapa do comunismo.

Vladimir Ilitch Ulianov, dito Lenin, estadista russo (1870-1924), assumiu a direção da revolução bolchevique e da Rússia e comandou o movimento revolucionário mundial.

ditar a moda Ser capaz de impor, devido à qualidade e/ou à fama, suas criações e seu estilo no campo da moda.

A moda trata esp. do vestuário e adereços femininos, embora, com muito menor interesse, também o masculino e o infantil.

ditar as leis Impor os regulamentos e leis emanados do poder público.
dito e feito Esta locução indica grande rapidez de execução, ressaltada a coincidência entre a palavra e o fato; mal se disse e já se fez; com certeza; como se disse ou previa; sem demora, imediatamente.
dito popular Provérbio.
dito por não dito Negação do que se havia afirmado; mudança de opinião. Us., *p.ex.*, na frase "fica o dito por não dito" V. "dar o dito por não dito".
dívida de gratidão Dever moral ou mera civilidade.
dívida externa *Econ.* Montante dos compromissos de um país (governo, empresas públicas e setor privado) perante credores do exterior.
dívida pública A contraída pelo Estado.
Divide e impera. Do latim *"Divide et impera."* Máxima enunciada por Maquiavel, adotada como lema por Luís XI, da França, por Catarina de Médicis e por outros governantes. Regra básica de pôr os súditos ou comandados uns contra os outros para melhor dominá-los, a fim de mais facilmente gerir o poder.

Niccolò Machiavelli, político, historiador italiano (1459-1527), é hoje considerado o fundador da ciência política descritiva. Sua obra mais conhecida é O Príncipe.

Divina Comédia Título de notável obra do escritor italiano Dante Alighieri (1265-1321).
divina proporção O *m.q.* "razão áurea" (*V.*).
divina providência A sabedoria com que Deus conduz todas as coisas; o próprio Deus.
divisão exata A que tem resto igual a zero.
divisão do trabalho *Soc.* Processo de separação ou especialização das funções culturais de indivíduos ou grupos; processo de organização específica do trabalho.
divisor de águas *1.* Limite das terras drenadas por uma bacia fluvial. *2.* Linha divisória entre diferentes processos, referências, ou seja, as condições ou circunstâncias em que mudam as condições ou a natureza do que estava prevalecendo antes.
diz que diz Boataria, falatório; diz-que; disse não disse, disse que disse.
dizem os filhos da Candinha Dizem os maledicentes e fofoqueiros.

dizer (divulgar) sob reserva Revelar algo pendente de confirmação, um segredo, pedindo que a pessoa que esteja ouvindo seja discreta quanto à sua divulgação.
dizer "*cheese*" Preparar um sorriso para ser fotografado.

Cheese = Palavra inglesa que significa "queijo". A pronúncia da palavra é sibilante, obrigando o falante a abrir os lábios como num sorriso. Muitos brasileiros entendem equivocadamente a expressão como "dizer o xis". Da mesma forma, em algumas lanchonetes brasileiras populares, o "cheeseburger", ou hambúrguer de queijo, é grafado como x-burguer.

dizer à boca pequena Dizer (algo) em segredo, com cautela.
dizer a que veio *1.* Revelar as razões de sua presença em determinada reunião ou evento e realizá-las. *2.* Confirmar (alguém, uma equipe, uma instituição etc.), ratificar com sua atuação, sua eficiência etc. o propósito de sua presença em determinado processo, situação etc.
dizer a tabuada Repetir ordenadamente as operações matemáticas fundamentais (soma, subtração, multiplicação e divisão) e os respectivos resultados, como forma mnemônica de gravar a tabuada na memória. *Var.* "cantar a tabuada" (neste caso, *us.* quando se utiliza de canto para a memorização).
dizer a verdade nua e crua Falar sem rodeios; contar tudo.
dizer a viva voz Dizer pessoalmente, francamente.
dizer a/ao que veio *1.* Justificar sua presença. *2.* Mostrar-se capaz e à altura da tarefa.
dizer adeus a (uma pessoa ou coisa) *1.* Despedir-se (da pessoa) ou renunciar (à coisa). *2.* Constatar que algo (vantagem, bem, expectativa positiva) se perdeu ou se frustrou.
dizer adeus ao mundo Despedir-se da vida; morrer.
dizer alto e bom som Falar francamente, sem meias palavras.
dizer amém Concordar com o que foi dito.
dizer amém a *1.* Consentir em; concordar; aprovar; anuir a; condescender com; aceitar plenamente; não contestar. *2. Rel.* Liturgicamente, significa plena e firme concordância com o ato ou dito que ocorrem numa celebração ou o desejo ardente de que o que se diz se realize.

dizer as últimas a Dizer as maiores injúrias a.
dizer bem de Falar favoravelmente ou com louvor a respeito de. *Var.* "falar bem de".
dizer cobras e lagartos Fazer referências desairosas ou desagradáveis a uma pessoa; injuriá-la ou ofendê-la com suas palavras.
dizer de passagem Fazer breve comentário ou observação no curso de uma conversa, exposição, debate etc.
dizer de si para si Falar consigo mesmo.
dizer dito *N.E. Pop.* Proferir obscenidade.
dizer e fazer Aliar o que diz ao que faz.
dizer extravagâncias Disparatar; dizer bobagens.
dizer horrores Maldizer.
dizer mal de Fazer restrições a; maldizer alguém.
dizer mal de alguém por detrás Falar mal de alguém na sua ausência.
dizer maravilhas de Elogiar (alguém ou algo) calorosamente.
dizer nomes Xingar, falar nomes feios, indecentes; ofender.
dizer o diabo sobre Fazer acusações graves contra alguém.
dizer o que lhe vem às ventas/à veneta Dizer tudo quanto quer ou lhe vem ao pensamento, à cabeça, num acesso de indignação ou desabafo.
dizer o que sente Falar a verdade; ser sincero, real.
dizer o quirieléison Despedir-se da vida; preparar-se para morrer.

Refere-se ao Kirie Eleison, *"Senhor, tenha piedade", oração da liturgia cristã.*

dizer patacoadas Dizer tolices, disparates, coisas ilógicas, mentiras, lorotas.
dizer poucas e boas Falar tudo o que se deseja a uma pessoa (de modo geral desafeta), sem meias palavras, repreendendo-a ou protestando.
dizer respeito a Referir-se a; ter relação com.
dizer tudo o que lhe vem à boca Dizer irrefletidamente ou, também, com sinceridade e francamente.
dizer umas verdades (a alguém) Falar com alguém de modo enérgico e sincero.
dize tu direi eu Bate-boca; falatório cruzado entre contendores sem chegar ao desforço.
do alto *1.* Do céu; de Deus. *2.* De cima.
do balacobaco Excelente; ótimo.
do barulho Extraordinário; ótimo; bonito.
do bom Da melhor qualidade; de primeira. *Var.* "do bom e do melhor".

do bom e do melhor *V.* "do bom".
do cacete *Tabu.* Muito interessante; ótimo; formidável; especial.
Do céu venha o remédio. Só Deus pode livrar de um mal que se supõe suceder indefectivelmente.
Do chão não passa. Palavras que familiarmente se dizem como consolo e ânimo, às vezes como amistosa gozação, para alguém que sofreu uma pequena queda.
do contra Diz-se de pessoa que discorda por princípio, que se opõe habitualmente a ideias, sugestões etc., por pessimismo ou puro espírito de contradição.
do contrário Se não for assim; em caso contrário; aliás.
dó de alma Sentimento de pena e sofrimento.
do dia para a noite Em pouco tempo; de repente.
do diabo Incômodo, terrível, excessivo, medonho. *Var.* "da peste". Também se diz "dos diabos".
do fundo de *1.* Do mais íntimo recôndito, do lugar mais interior, mais secreto. *2.* De um lugar, uma fonte, que não aparece na superfície: "do fundo do coração"; "do fundo da alma". *Var.* "do mais fundo de".
do fundo do coração O *m.q.* "do fundo do peito".
do fundo do peito Expressão que se usa para confirmar a sinceridade do que se fala. *Var.* "do fundo do coração".
do início ao fim *V.* "do princípio ao fim".
do jeito que o diabo gosta Esta expressão é empregada quando se discorda da maneira como é feita uma determinada coisa, por considerar, assim, prejudicial.
do lado de *1.* Ao lado de. *2.* Por parte de. *3.* Em favor de.
do lar Diz-se de quem é de prendas domésticas; de pessoa que se dedica aos afazeres domésticos.
do mal, o menor Define, ante uma difícil decisão entre medidas penosas, a escolha da que seja menos penosa; equivale a dizer "evite-se o mal que possa ser evitado". *V.* "menor dos males".
do mesmo barro Diz-se de coisas muito semelhantes. *Var.* "vinho da mesma pipa" e "farinha do mesmo saco".
do mesmo modo Da mesma forma; igualmente; assim mesmo.
do momento Conforme os costumes e a moda atual.
do Oiapoque ao Chuí Ao longo e na extensão de todo o Brasil; em toda parte.

do outro mundo

As desembocaduras dos rios Oiapoque e Chuí marcam os pontos extremos (setentrional e meridional) da costa brasileira. O rio Oiapoque nasce na serra Tumucumaque, percorre cerca de 350 km e deságua no litoral do Amapá, delimitando a fronteira entre o Brasil e a Guiana Francesa. A foz do Oiapoque, entretanto, não assinala o extremo norte de todo o território brasileiro, pois esta distinção cabe à nascente do Rio Ailã, em Roraima. Já o rio Chuí, ou arroio Chuí, divide o Brasil (o Rio Grande do Sul) do Uruguai e é um pequeno curso-d'água que nasce em Santa Vitória do Palmar. Similarmente ao que ocorre com a foz do Oiapoque, a foz do arroio Chuí marca apenas o extremo sul da costa brasileira. Tecnicamente, o ponto mais meridional do Brasil fica em uma curva deste mesmo rio, mas distante 2,7 km da sua foz.

do outro mundo Excelente; excepcional, ótimo, estupendo; extraordinário; fantástico.
do pé para a mão *1.* De um momento para o outro; inesperadamente. *2.* Logo, prontamente, neste instante.
do peito Íntimo, querido; predileto.
do princípio ao fim Desde o começo e até que termine. *Var.* "do início ao fim".
do próprio punho Escrito à mão pelo próprio autor.
do raiar ao pôr do sol O dia inteiro.
do século *1.* Diz-se do que se julga como a grande realização de uma época, do ponto de vista artístico, científico, administrativo etc. *Ex.: Fulano foi o maior químico do século. 2.* Laico, leigo, secular, em contraposição a religioso.

Século, na acepção 2, corresponde ao mundo, referindo-se à vida no mundo considerado sob seus aspectos materiais, profanos, utilitários. V. "vida secular".

do segundo time Que não é dos mais importantes.
do seu feitio Do seu modo; combinado com o seu modo de ser ou de fazer.
do sublime ao ridículo Diz-se de processo que começa em alto nível, maravilhoso, mas segue-se ou termina de modo tolo, sem sentido, inconsequente.
do tamanho de um bonde Muito grande; muito volumoso; muito alto.
do tamanho de um pedaço de corda Responde-se a pergunta quando não há nenhuma resposta plausível para ela. *V.* "minha avó tem uma bicicleta".
do tempo do onça De antigamente.
doa a quem doer Sem levar em conta se alguém será prejudicado; sem se importar com as consequências. *V.* "por bem ou por mal".
doador universal Indivíduo do grupo sanguíneo "O" que, por não ser portador dos antígenos A e B pode doar seu sangue a outro indivíduo de qualquer grupo sanguíneo, atendidas as demais condições que os bancos de sangue estipulam.
dobrar a cerviz Submeter-se; sujeitar-se.
dobrar a língua Corrigir, reconsiderar o que se disse; falar com mais respeito.
dobrar a parada (aposta) Num jogo ou disputa, confiando em que levará vantagem, apostar quantia mais elevada.
dobrar a verdade Falsear; enganar; dissimular.
dobrar de rir Gargalhar; morrer de rir; rir muito.
dobrar o cabo da Boa Esperança Estar (ficar) velho.

É a denominação do cabo (acidente geográfico) que existe ao sul da África do Sul. O sentido da expressão nada tem a ver com ele senão como alusão ao feito extraordinário de ter sido por ali que foi encontrado o caminho para o Oriente, assim como a velhice é também considerada, de certa forma, uma conquista.

dobrar o sino *1.* Fazer o sino girar sobre o seu eixo para que soe em cada meia-volta. *2.* Comemorar.
dobrar os joelhos Ajoelhar-se.
dobrar pés com cabeça Juntar as extremidades.
dobrar uma esquina Passar de uma rua para outra, virando na confluência delas.
doce como o mel Muito doce e saboroso. *Var.* "doce como açúcar".
doce de coco *Fig.* Diz-se de pessoa graciosa, agradável, gentil, mimosa. *Var.* "uma gracinha".
doctus cum libro *Lat.* Douto com o livro (nas mãos). Diz-se daqueles incapazes de terem suas próprias ideias, recorrendo sempre às dos outros.
doença rebelde A que não cede ou está difícil de ceder; difícil de ser curada, renitente.
doente do peito Fraco do peito, fraco, tuberculoso.
doente imaginário Pessoa que se julga doente sem o estar. *P.ext.* Aquele que, afetado

de simples hipocondria ou perturbações nervosas e passageiras, atribui seu estado a doenças que de fato não tem.
doente terminal Doente que apresenta quadro clínico gravíssimo, com iminente risco de falência múltipla de órgãos e morte consequente.
doer-se por Tomar as dores de; defender, ir em defesa de alguém.
doido manso Pessoa um tanto maluca, mas de boa índole, calma e pacífica.
doido varrido Muitíssimo doido. *Var.* "doidinho da silva". *V.* "da silva".
dois a dois Aos pares. *Var.* "dois e dois" e "a dois e dois".
dois de paus Pessoa sem importância, sem consideração.
dois dedos de Pequena quantidade de.
dois dedos de prosa Conversa de pouca duração.
dois machados nos cabos O número 77 no jogo de víspora.
dois ou três Poucos.
dois pesos e duas medidas Critério desigual no avaliar ou tratar de dois casos diferentes, *ger.* com favorecimento de um em detrimento do outro.

Quanto às restrições à expressão, V. "um peso, duas medidas".

dois-pontos, travessão Diz-se quando se deseja, num diálogo, enfatizar algo de modo categórico ou emitir uma opinião que se julga definitiva.
dolce far niente *It.* Vida de prazeres e ócio.
dolce vita *It.* Vida de luxo e prazeres. Literalmente, significa "doce vida".
dom da palavra Capacidade de falar fluente e convincentemente; facilidade em expressar-se.
dom das línguas *1.* Capacidade natural para falar ou entender muitos idiomas. *2.* Facilidade em fazer-se entender.
dom Juan Galanteador irresistível.
domingo de Páscoa *Rel. Crist.* O primeiro domingo da Páscoa.
domingo de Ramos *Rel. Crist.* Domingo que inicia a Semana da Paixão de Cristo.
dona de casa Mulher que dirige e/ou administra o lar.
dona encrenca *1.* Esposa ou amante, *ger.* severa, que briga com o companheiro por qualquer motivo. *2.* Mulher que briga por qualquer coisa.
dona Maria Costuma-se usar esta expressão para se referir a uma mulher anônima, citada para exemplificar uma situação, um hábito. *P.ex.*: *Dona Maria vai ao mercado para comprar o que é bom e barato.*
dono da bola Aquele que tem o absoluto controle da situação.
dono da verdade Pessoa que pretende sempre ter razão, não admitindo questionamentos de seus pontos de vista, afirmações, julgamentos etc.
dono de seu nariz Senhor de si; independente; de personalidade.
dono do cofre Diz-se da pessoa encarregada das finanças. *Var.* "dono do dinheiro".
dono do time *Esp.* Jogador que centraliza e orienta as jogadas de seu time, comportando-se como se fosse o seu principal dirigente.
dons de Baco As uvas, o vinho.

Na mitologia grega, Baco é o deus do vinho e da embriaguez. Atribuem-lhe a descoberta do vinho e de seu uso.

dons de Ceres As colheitas.

Ceres é a divindade (na mitologia latina) da vegetação e da terra. Venerada como deusa da colheita e da germinação.

dons de Fiori As flores.

À deusa Fiori (ou Flora, em português), cultuada em Roma, era atribuída a força vegetativa que faz as plantas florescerem. Compara-se a Clóris, deusa grega da primavera.

dons do Espírito Santo *Rel. Crist.* São disposições permanentes que tornam o homem dócil para seguir os impulsos do Espírito Santo.

São sete os dons do Espírito Santo: sabedoria, inteligência, conselho, fortaleza, ciência, piedade e temor de Deus (Cf. Is 11,1-2).

dor de cabeça *1.* Cefaleia. *2. Fig.* Aborrecimento; problema difícil de ser solucionado.
dor de corno *1.* Ciúmes; frustração amorosa. *2.* Arrependimento por algo relacionado a amor, namoro ou por não ter feito algo que estava ao seu alcance fazer. *Var.* "dor de cotovelo".
dor de cotovelo O *m.q.* "dor de corno" (*acp*.1).
dor do membro fantasma A sensação de dor ou incômodo que alguém tem relativa-

mente a um membro que lhe foi amputado, como se ainda estivesse intacto.
dores vagas As que se não sentem permanentemente em uma só parte do corpo, mas que aparecem, alternadamente, em outras partes.
dormir a sono solto Dormir profundamente.
dormir acordado Estar distraído ao que se passa em torno; estar alheio; não prestar atenção.
dormir ao léu Dormir ao relento.
dormir com as galinhas V. "deitar-se com as galinhas".
dormir com um olho aberto Expressão que quer acentuar que a pessoa, embora aparente calma e alheamento, permanece atenta, vigilante.
dormir com um olho fechado e outro aberto Fingir que dorme. V. "dormir com um olho aberto".
dormir como um bebê Dormir tranquila e profundamente.
dormir como uma pedra Dormir profundamente.
dormir de olhos abertos 1. Diz-se quando durante o sono as pálpebras estão entreabertas. 2. Fig. Emprega-se também a expressão quando se quer dizer que a pessoa nunca deixa de estar atenta, vigilante.
dormir de touca Deixar-se enganar.
dormir e acordar com (alguém) Nunca deixar (alguém), nem de dia, nem de noite.
dormir na pontaria Fazer pontaria demorada antes de acionar o gatilho.
dormir nas palhas 1. Ser muito pobre; andar descuidado. 2. Ser imprudente e imprevidente.
dormir no ponto Bobear; deixar de estar atento; tardar em tomar as providências requeridas pelo caso ou pela situação; deixar passar uma oportunidade, quando tudo era favorável.
dormir o sono Locução pleonástica usada para exprimir as vezes ou a qualidade do sono que se dorme: "dormir o sono dos justos" e "dormir um sono descansado".
dormir o sono da inocência Dormir serena e tranquilamente.
dormir o último sono Morrer.
dormir sem essa Não ter passado por isso (algo vergonhoso).
dormir sobre 1. Pensar um pouco mais sobre um determinado assunto, amadurecendo sua opinião. 2. Adiar a solução de um assunto sem razão aparente. 3. Aceitar algo, deixando como está, mas com o risco de perder tudo o que já tenha conquistado ou realizado.

dormir sobre louros Ficar descansado, após os êxitos alcançados.
dormir sobre o caso Delongar uma decisão, a fim de ter mais tempo para sobre ela refletir.
dos diabos 1. Muito difícil, custoso, violento. 2. Que envolve contratempos. Var. "do diabo" ou "dos demônios".

Usa-se ao se referir a algo desagradável, incômodo, difícil.

dos males, o menor O m.q. "menor dos males".
dos pecados Que causa espanto, admiração; extraordinário; terrível. Var. "dos meus pecados".
dos pés à cabeça Por todo o corpo. V. "da cabeça aos pés"; Var. "de cima a baixo".
dos pobres Irôn. Depr. Aquilo que, por se considerar de qualidade inferior, estaria ao alcance dos pobres.

Além de irônica, a expressão é discriminatória.

dos quatro costados 1. Completo; rematado; chapado. 2. Genuíno, legítimo. V. "de quatro costados".
dose cavalar Dose excessiva, grande.
dose para leão Encargo demasiado; trabalho ou tarefa penosa. Var. "dose para elefante".
Dou meu braço direito por... Declaração de quem está disposto a ajudar ou a colaborar com uma pessoa, com todo o interesse e disposição.
Dou-lhe os meus emboras. Meus parabéns, minhas felicitações.

Expressão muito pouco usada.

Dou-lhe um doce se... Modo de desafiar alguém a... ou de incentivar a...
Dou-lhe uma, dou-lhe duas, dou-lhe três. Pregão com que o leiloeiro encerra uma disputa pelo bem oferecido a leilão.
dourar a pílula 1. Apresentar algo desagradável ou negativo de maneira mais positiva, mais palatável. 2. Levar alguém, por boas maneiras ou falsas razões, a suportar um incômodo ou um desgosto; tornar algo desagradável parecer mais suportável; disfarçar.
doutor Angélico Designação dada a Santo Tomás de Aquino devido à sua erudição, seu grande saber e sua fé.

Santo Tomás de Aquino (1225-1274), filósofo, teólogo e doutor da Igreja, frade do-

minicano italiano canonizado em 1323. Sua principal obra: Summa Theologica.

doutor da Igreja Teólogo de grande autoridade e saber, intérprete das Escrituras e dos escritos sagrados, cujas obras servem de suporte complementar à doutrina religiosa, sobretudo a cristã.
doutor da mula ruça Mau doutor; curandeiro; charlatão.
doutor de capelo O que tem o respectivo grau e, portanto, faz jus às suas insígnias, à diferença de quem tem simplesmente diploma de curso superior. *Var.* "doutor de borla e capelo".
doutor *honoris causa* *Lat.* Distinção conferida por faculdades ou universidades a pessoas preeminentes para que participem das honras a que têm direito os diplomados por essas instituições.
doutor Seráfico São Boaventura, que, pelo misticismo de seus escritos, mereceu esta designação.
ducha de água fria *1.* Algo que desestimula, que decepciona ou abate o entusiasmo. *2.* Contratempo, fato que, em momento de alegria ou comemoração, reverte esse sentimento com sua negatividade.
ducha escocesa *1.* Jato de água quente seguida de jato de água fria, sucessivamente. *2. Fig.* Sucessão de sucessos e fracassos, bons e maus momentos.
duelo de morte Aquele que só se encerra com a morte de um dos contendores.
duplo jogo O *m.q.* "jogo duplo".
duplo sentido Ambiguidade numa expressão qualquer (frase, texto, ilustração, menção etc.).

Dura lex sed lex. *Lat.* A lei é dura, mas é lei; a lei é rigorosa, mas tem de ser observada.
durma-se com um barulho desses Locução usada quando se quer referir a uma situação confusa, provocada ou no âmbito de outrem, e que temos de aceitar.
duro como corno Muito duro.
duro de cabeça Teimoso, cabeçudo.
duro de engolir Difícil de aceitar; inacreditável.
duro de ouvido Diz-se de quem não ouve bem, quem tem dificuldades para ouvir; meio surdo.
duro de queixo *1.* Duro de boca. *2. Fig.* Diz-se de indivíduo desobediente, teimoso, recalcitrante. *3.* Cavalo de difícil condução pelas rédeas.
duro de roer Custoso de admitir; indigno; intolerável; difícil de acreditar, de suportar ou de levar adiante. *Var.* "duro de engolir".
duro na queda *1.* Bom no que faz; de decisões vigorosas. *2.* Difícil de ser derrotado, de se cansar, de desanimar, de desistir.
duty-free shop *Ing.* Loja em aeroporto etc., na qual a mercadoria vendida é isenta de imposto de importação.
duvido até com os pés Não acredito absolutamente.
dúzia de treze Grupo ou coleção de treze objetos da mesma natureza que se vendem pelo preço de doze.
DVD player Aparelho eletrônico usado para tocar discos versáteis compactos (*Digital Versatile Disk* – DVD), reproduzindo as imagens e sons que neles foram gravados.

E

É a cara de... Diz-se de pessoa que se parece muito com outra: *Ex.: É a cara do pai/mãe.*
É a conta! *1.* Acontecerá ou aconteceu exatamente como previra. *2.* É justamente o que faltava!
É a história de sempre! Diante de uma notícia, exclama-se para ressaltar a mesmice das soluções e, de certo modo, o inconformismo diante da falta de inovações.
É a quarta letra do alfabeto. Responde-se, jocosamente, a quem diz: "Dê!" (Verbo "dar", 3ª pessoa do imperativo afirmativo.)
É a vovozinha. Diz-se revidando a uma provocação real ou aparente. *Var.* "É a sua avó."
E agora, José? Diz-se como indagação sobre o que fazer diante de determinadas situações embaraçosas.

> *Frase cunhada pelo poeta mineiro Carlos Drummond de Andrade (1902-1987), trecho de poema com esse título.*

É aí que... É então que...
É assim e pronto! Peremptória afirmação relativa a uma decisão. *Var.* "É assim que tem de ser!".
E assim por diante. Diz-se após relacionar uma série, para abreviar a citação da sequência.
É batata! Expressão com que se enfatiza uma afirmativa ou concordância.
É bom demais! Expressão de quem está extremamente satisfeito com algo.
É bom que dói. É excelente; muito bom, mesmo.
É café pequeno. Diz-se para se referir a algo fácil de se fazer. *Var.* "É canja."

> *Café pequeno é o tradicional cafezinho, servido em pequenas xícaras e encontradiço em bares, lanchonetes, restaurantes etc.*

É canja. É fácil. *Var.* "É mole." e "É fichinha."
É cobra comendo cobra. Diz-se a propósito de dois fortes rivais ou inimigos que se batem ou disputam.
e comercial Sinal gráfico (&) que substitui a conjunção aditiva, *us.* como ligação nas razões comerciais. (J R Souza & Companhia). Em inglês diz-se *ampersand*.
E como! Ratificação enfática de uma afirmação do tipo "Isto é muito bom!".
E companhia. Significa *et cetera* (*V.*).
E daí? Expressão de desafio ou de indagação a alguém que faz uma observação ou admoestação que é considerada surpreendente, inoportuna ou impertinente. *Ex.: Alguém observa: "Fulano, você não fez o serviço". Fulano responde: "E daí?", em tom que denota não atribuir importância ao fato.*
É danado pra... É muito bom para...; é astucioso, esperto, hábil.
É de cheirar e guardar. É excelente e deve ser gasto com parcimônia.
É de chorar. É lamentável, deplorável, triste.
É de hoje que... Não há muito que... *V.* "Não é de hoje.".
É de se rolar no chão. É de se morrer de rir.
É de vaca bater palmas com os chifres. *N.E.* Diz-se de alguma coisa que causa espanto, admiração; algo inacreditável, extraordinário.
É demais! É exagerado! Excedeu-se! Chega! Basta!
É Deus que... Diz-se como equivalente de "Felizmente...".
É doido e a família não sabe. Maneira de dizer, ironicamente, que alguém não tem juízo perfeito.
É doido, mas tem juízo. Faz coisas ousadas, mas sabe até onde ir.
É duro! É penoso, difícil, triste!
é elementar É primário, simples.
E então? E daí? Como é que ficou? Qual o resultado?
E essa então! Expressão de surpresa diante de um fato.

É por aí

É/está servido? Pergunta de quem oferece algo, querendo tornar ainda mais delicado o oferecimento.
E eu sou besta? Resposta que expressa recusa diante de ato que não se quer ou não se deve praticar.
E eu sou pai disso? É como dizer: "Nada tenho a ver com isso."
É fichinha. Diz-se de alguém ou algo a que não se dá importância.
É fogo na canjica! Exclamação de incitamento ou de entusiasmo.

> Sobre "canjica", V. observações em "tacar fogo na canjica".

É/está fora de questão. Diz-se quando se quer recusar definitivamente uma proposta ou sugestão.
É força. É forçoso, é indispensável.
e.g. (*exempli gratia*) *Lat.* Por exemplo. *Abr.: P.ex.*
É hoje! *1.* Aviso ou advertência de que tal coisa ocorrerá hoje, ou se julga que assim será. *2.* Diz-se como expressão de expectativa de algo ansiosamente esperado e prestes a acontecer.
É isso aí. Eis aí; é assim. Às vezes, expressa apoio, como equivalente de "Muito bem".
É isso mesmo. Expressão de apoio, de conformidade.
E lá vai pedra. O *m.q.* "Lá vai fumaça."
É lógico! É claro, evidente, natural, normal!
e mais É expressão que anuncia uma sequência do discurso, uma peroração. Há várias acepções: principalmente, sobretudo; porém, entretanto; pois, portanto.
É mais fácil que beber água. É facílimo.
É mais fácil um boi voar. Diz-se quando se deseja enfatizar a impossibilidade de que algo aconteça ou seja feito.
É mesmo? É deveras? Sério? Denota surpresa, interesse e, ao mesmo tempo, pede confirmação.
É moleza. É muito fácil. *Var.* "É mole."
É muita honra para um pobre marquês. Dito familiar, irônico ou jocoso de quem é obsequiado.
E muito. Diz-se para confirmar, enfatizando, o que acabou de ser dito.
É muito urso! É exigir ou pedir demasiado.
É na bucha. Na hora; no exato momento em que ocorre.
E não é só. Há algo mais a dizer ou a fazer; não é apenas isso.
e o cacete *Ch.* E mais ainda; e outros mais.
É o cúmulo. Expressa que algo chegou a seu limite (de aceitabilidade), e às vezes a incredulidade de constatá-lo, equivalendo, neste caso, a "Não acredito!", "Não dá para acreditar"!, "É o fim da picada!".
e o escambau *Gír.* E outras coisas, e mais coisas; e muito mais; e assim por diante.
É o fim. Nada mais há a fazer; acabou-se.
É o fim da picada! Ao se usar esta locução quer-se ressaltar algum descontentamento diante do fato presente. *Var.* "Não é possível!", "Não dá para acreditar!" e "É o cúmulo!".
É o fim do mundo. Diz-se quando se está estupefato diante de um acontecimento ou com algo; inacreditável; inimaginável. V. "Não é o fim do mundo".
É o maior. Aplica-se a alguém que se julga ser o mais preeminente ou excelente no seu mister; elogio.
É o máximo! Designa entusiasmo por algo que se considera muito bom.
É o que se pode dizer. Não é possível dizer mais; não há outros argumentos.
E olhe lá. *1.* Expressão que se emprega com relação ao que acaba de ser dito e indica uma oferta, concessão, tolerância, além da qual a pessoa que fala não pretende ou não pode ir. *2.* A certeza ou quase certeza de que a pessoa de quem se fala é capaz de superar ou, ao contrário, de não alcançar, pelo menos integralmente, o que dela se declarou. *3.* A expressão indica que o que foi afirmado antes representa uma concessão, além da qual não se pode ir. Ex.: *Vou-lhe dar uma semana de férias, e olhe lá.*
É pah e buf. É tiro e queda; é certo, sem erro; na bucha.
É para hoje ou não? Exclamação de impaciência diante de uma demora.
É pegar ou largar. Intimação a alguém para que se decida logo sobre uma proposta ou a atitude a tomar diante de algo.
É pele e osso! É magérrimo.
É peta! *MG* É perda de tempo; é inútil; não adianta. Expressa um certo desânimo ou desistência.

> A palavra "peta" tem várias acepções, cfe. registram os dicionários, dentre as quais a de "mentira deslavada", mas não registra nenhuma com o mesmo sentido que em algumas regiões de Minas Gerais se atribui à palavra, como aqui se registra.

e pluribus unum *Lat.* V. "de muitos, um".
É por aí vai... E assim por diante. *Var.* "E por aí afora".
É por aí. É nesse rumo, é desse jeito; é nessa linha de raciocínio.

É possível que

É possível que... Não é absurdo pensar ou supor que...; pode ser que...; é provável que...
E quanto! Muito. Você nem imagina!
é que Ressalta certa palavra ou expressão de uma frase: "é que não gosto desse jeito".
É questão de tempo. Locução que prognostica o sucesso ou o insucesso de algo num futuro ainda incerto.
É relativo. Diz-se quando à opinião de alguém – não se desejando contestá-la inteiramente – faz-se uma ressalva, lembrando alternativas ou situações diferentes. *Var.* "É sempre a mesma história".
E se... O que aconteceria se...
É sempre a mesma cantilena. Trata-se de expressão com que se ressalta a insistência de alguém num mesmo assunto, repetindo-o sempre e enfadonhamente. *Var.* "É bater na mesma tecla" ou "É cantar sempre a mesma cantiga".
É só. Ponto final; nada mais.
é só abrir a boca É só pedir; é fácil, basta pedir; ao seu dispor.
É só falar. Forma de expressar que se está inteiramente à disposição de outrem, atento ao que este pedir.
É só verniz. Diz-se de pessoa que aparenta ser o que na realidade não é.
É só virar as costas. Expressão de desconfiança quanto à sinceridade do que diz ou faz alguém quando em sua presença, comparado com o que diz ou faz em sua ausência.
É sopa. O *m.q.* "É canja."
e tal Expressão com que se encerra, sem concluir na íntegra, uma enumeração, uma citação etc.
e tanto *1.* Quantidade, peso, extensão, comprimento etc., indeterminados ou desconhecidos, mas superiores ao número mencionado. *2.* Expressão usada também como reforço ou aumentativo de algo que se disse ou fez, com que se encarece ou elogia uma pessoa ou coisa mencionada, como em "... um pedaço e tanto".
e tantos Indica a quantidade indeterminada que excede a um número redondo. *P. ex.*: "*Vinte e tantos*", que significa mais de vinte.
É tiro e queda. Expressa certeza quanto ao resultado de uma ação, um método, uma providência etc.
É todo seu. Expressão que significa estar um assunto totalmente entregue aos cuidados e decisão da pessoa com quem se fala.
É tudo. Nada mais a acrescentar.
e tudo o mais Forma de concluir, interrompendo, e generalizando, uma enumeração, listagem, citação etc.

É tudo ou nada. O *m.q.* "para valer". *Var.* "É para/pra valer."
É tudo quanto/que eu queria saber. Assim dizemos ao nos considerarmos plenamente satisfeitos com o que nos é esclarecido até agora.
É tudo uma coisa só. É tudo igual; tanto faz.
e tutti quanti *It. Lit.* "e os demais". Locução que se emprega para encerrar uma enumeração. *Var.* "*tutti quanti*". *V.* "*et reliquia*".
É um águia. Diz-se de pessoa de talento, esperta.
É um deus nos acuda. Expressão com que se define uma situação de azáfama.
É um praça! Diz-se quando uma pessoa é legal, companheiro, amigo, gente fina, gente boa.
É um sonho! Expressão de quem alcançou algo difícil, que esperava há muito tempo.
É um upa. Diz-se quando algo ocorre num breve lapso de tempo, num átimo.
É um verdadeiro chiqueiro! Diz-se em tom de repugnância ou de crítica sobre um lugar fétido e/ou muito sujo ou desarrumado.
É uma boa. Diz-se quando se quer admitir ou aceitar uma ideia ou ao se saber de uma notícia favorável, esperada.
É uma chaminé. Diz-se do fumante inveterado, que fuma demasiadamente.
É uma figura. Diz-se em tom de elogio ou, mais frequentemente, de ironia, sobre pessoa de aparência ou hábitos estranhos.
É uma longa história. Forma de introduzir (ou se esquivar de) o relato de determinado evento do qual participamos. Pode também manifestar nossa intenção de falar sobre isso oportunamente.
É uma pintura. Diz-se de pessoa muito formosa ou de coisa muito bonita e bem-feita.
É uma praga! Diz-se quando uma coisa qualquer aparece em abundância ou tamanho tal que chega a prejudicar.
É uma sarna. Diz-se de pessoa insistente, impertinente, que não desiste facilmente de seu objetivo, que não desgruda, *i.e.*, que procura estar sempre junto de uma outra e determinada pessoa.
É uma vez só. Esta expressão indica que não haverá ou não será admitida repetição.
e uns quebrados Ao se mencionar uma quantia, forma de generalizar, omitindo detalhes, uma parte fracionária do valor principal.
Ecce homo. *Lat. Lit.* "Eis o homem". *1.* Palavras com que Pilatos apresentou aos judeus Jesus com uma vara na mão e uma

coroa de espinhos na cabeça. *2.* A representação de Jesus em tal situação, assim escrito: *Ecce homo.*

eclipse anular *Astron.* Eclipse solar em que o vértice do cone de sombra da Lua não toca na superfície terrestre e ocorre quando a Lua estiver próxima de seu apogeu (ou seja, quando sua posição na órbita está no ponto mais afastado da Terra). Neste caso, o observador verá um anel luminoso (de onde o termo 'anular') em torno da zona circular de sombra, que é a Lua. *Var.* "eclipse anelar" e "eclipse em anel".

> *Neste tipo de eclipse o sol é visto como um anel.*

eclipse da Lua *Astron.* Quando a Lua, em sua órbita, penetra no cone de sombra projetado pela Terra, ocorre o eclipse, que pode ser total ou parcial.

> *O eclipse só ocorre na fase de Lua cheia.*

eclipse do Sol *Astron.* Ocorre quando há um alinhamento da Terra com a Lua e o Sol, causada pela interposição da Lua entre o Sol e a Terra, e a Lua projeta cone de sombra sobre a Terra. O observador terrestre situado nessa zona de sombra verá o Sol parcial ou totalmente coberto pela Lua.

> *Devido à rotação da Terra, a ponta do cone de sombra da Lua sobre a Terra caminha na superfície do planeta.*

eclipse total Ocorre quando a Lua ou o Sol aparecem na Terra totalmente ensombreados.
economia de palitos Economia insuficiente ou irrisória e que nada representa diante da real necessidade ou do que se objetivava. A parca economia que se faz ao se deixar de gastar em coisas pequeninas. *Var.* "economia barata".
edição fac-similada Reprodução por fotografia ou reprografia.
edição príncipe Primeira edição.
edificação multifamiliar Conjunto de duas ou mais residências em uma só edificação.
edificar sobre areia Fazer obra sem base firme, sujeita a desmoronamento ou fracasso.
editor de arte O responsável pela parte gráfica e visual de uma publicação.
editor de som O responsável pelo elemento sonoro de espetáculos teatrais, filmes, programas de televisão ou de rádio etc.

editor de texto *1.* O responsável pela preparação, organização e revisão de originais de uma obra para serem publicados; revisor, *"copy editor"*. *2. Inf.* Programa para computador no qual se podem digitar textos, e também gravar, editar, corrigir, preparar para impressão etc.
editor responsável *1.* Coordenador de uma publicação periódica, respondendo pelo seu conteúdo, embora possa não ter sido ele quem o escreveu. *2. Pop. Joc.* Marido de mulher que engravida do amante. (*Cfe.* Antenor Nascentes – V. "Obras de apoio".)
editoração eletrônica *Inf.* Aplicação de recursos informatizados no conjunto das atividades editoriais: digitação, preparação de originais, projeto gráfico, artes-finais e outros detalhes da produção gráfica que precedem a impressão.
educação a distância Teleducação; cursos que se dão através da televisão ou internet.
efeito bola de neve Ocorre quando algo se desenvolve ou aumenta rápida e incontroladamente, desdobrando-se.
efeito a pagar/receber *Com.* Título ou obrigação a pagar ou a receber; neste último caso, constitui-se como ativo da empresa credora.
efeitos especiais Recursos técnicos empregados no cinema e na televisão para simular situações ou fenômenos impossíveis ou difíceis de serem reproduzidos convencionalmente.
ego inflado Orgulho/convencimento excessivo e muitas vezes, injustificado.
égua madrinha Animal manso que porta uma espécie de sino (cincerro) pendurado no seu pescoço, junto à qual costumam sempre estar os demais animais do rebanho, atraídos pelo som do cincerro.
Eh, porqueira! Expressão usada para demonstrar impaciência ou desagrado; muito ruim.
Eh, puxa! *RS* Exprime admiração, espanto, pasmo, dor.
eis ali Lá está. *Var.* "eis aqui" etc.
eis aqui Aqui está.
Eis aqui a serva do Senhor. *Rel. Crist.* Na tradição cristã, palavras (*Lc* 1,38), com que Maria responde ao anjo que lhe anunciara a concepção do Filho de Deus.

> *A locução latina correspondente é "Ecce ancila domini".*

eis por que Assim; nestas circunstâncias; deste modo.
eis que De repente; subitamente.

eis senão quando Quando menos se esperava; de repente; improvisadamente; então; eis que.
eis tudo Nada há mais o que dizer.
ejaculação precoce *Urol.* Ejaculação seminal que ocorre logo que iniciada a relação sexual.
ejusdem farinae *Lat.* Diz-se a respeito de pessoas com os mesmos vícios e defeitos. V. "farinha do mesmo saco".
El Niño *Met. Espn.* Corrente de águas marinhas superficiais e quentes, que ocorre nas águas ocidentais da América do Sul (Pacífico), causadora de grandes alterações climáticas. V. *"La Niña"*.

É o nome pelo qual os povos de língua espanhola designam o Menino Jesus. O nome dado à corrente marítima está ligado ao fato de ela se manifestar no fim do ano, próximo ao Natal.

elas por elas Na mesma moeda; uma coisa pela outra; dente por dente. Diz-se das represálias. V. "olho por olho".

Expressão paralela em inglês. Não raro mencionada na conversação no Brasil, é "Tit for tat".

Ele é cabeça. O *m.q.* "Ele é muito inteligente".
Ele é meu liga. Ele é meu amigo, meu camarada.
Ele está branco. Ele está pálido, comovido, espantado.
Ele não nasceu ontem. É experiente; tarimbado, esperto.
Ele se acha. Ele pensa que é o bom; o mais bonito; o melhor.
Ele se julga o tal. Diz-se de indivíduo que se proclama inteligente, sabido, entendido etc.
Ele tem o rei na barriga. Diz-se da pessoa enfatuada, presumida, vaidosa, arrogante. V. "ter rei na barriga".
elefante branco *1.* Presente de algum valor e uso, mas que dá muito trabalho e/ou preocupação ou é causador de grande estorvo. *2.* Coisa pouco prática, incômoda, trabalhosa; muito grande e de pouca serventia, de difícil manutenção.

A expressão se origina de antiga prática do rei da Tailândia de oferecer tal animal a quem queria arruinar. Sendo sagrado o animal, o presenteado não podia dele se desfazer, devendo mantê-lo, o que lhe exigia tantos gastos que o levava à ruína.

eleição direta (indireta) Na eleição direta vota-se diretamente no candidato; na indireta, o voto é dado pelo Colégio Eleitoral composto por parlamentares anteriormente eleitos por voto direto.
eleitor de cabresto O que vota sem independência, conduzido ou influenciado por outrem, ou a ele vinculado por interesses econômicos, sociais ou por submissão e medo. Daí o "voto de cabresto".

O cabresto é uma tira trançada de couro ligada à cabeçada presa na cabeça do animal de sela, destinada a conduzi-lo e prendê-lo.

Elementar, (meu) caro Watson. Dizemos quando o que temos de fazer, ou compreender, é muito simples, banal, sem complicação, óbvio.

Esta frase ficou famosa nos filmes baseados em livros de Arthur Conan Doyle (1859-1930, escritor inglês, criador do personagem Sherlock Holmes. Embora Conan Doyle jamais tivesse mencionado tal frase nos livros, os produtores dos filmes a criaram, com propriedade, aliás, pois ela traduz a mente aguçada e raciocínio lógico e o poderoso do detetive e a admiração do amigo (o dr. Watson) diante das conclusões de Holmes.

elixir de longa vida Na Idade Média, substância cuja fórmula os alquimistas desejavam descobrir e que, segundo se acreditava à época, teria poderes para rejuvenescer o corpo e garantir a longevidade humana. *Var.* "elixir da vida".
elo perdido Elemento que falta para completar uma série, uma classificação científica. Na teoria evolucionista de Darwin (Charles Robert), naturalista inglês (1809-1882), seria, particularmente, o elemento de transição na evolução antropológica.

Trata-se de um conceito antigo, hoje superado diante das descobertas mais recentes no campo da arqueologia antropológica, que configura o assunto como de extrema complexidade.

elogio de corpo presente Elogio que se faz em público, na presença do elogiado.
elogio fúnebre Discurso em louvor a um morto, à beira do túmulo.
em (nas, pelas) áfrica(s) Em, nas ou por enormes dificuldades.

em cima da bucha

> *No sentido da expressão, áfrica é grafada exatamente assim, em minúsculas e não corresponde ao nome do continente. Neste caso, significa façanha;proeza; grande dificuldade; difícil de se alcançar.*

em *V.* também expressões sem esta preposição.
em aberto Não concluído, não definitivo.
em absoluto Completamente, totalmente; de modo nenhum.
em abundância Em grande quantidade.
em acelerado Aceleradamente; em andamento ou ritmo acelerado.
em alto grau Muitíssimo; extraordinariamente; do melhor modo.
em amizade Amigavelmente; em intimidade.
em andamento Em processo de resolução, ainda por findar.
em antes Dantes. O *m.q.* "de antes".
em antes de Antes de.
em apreço Em questão; do que se trata.
em apuros Em situação difícil; em mau momento.
em artigo de morte Prestes a expirar; quase morrendo.
em atenção a Por consideração a.
em atividade No pleno exercício de suas atividades; funcionando.
em baixa *1.* Diz-se do mercado de ações, ou de determinado título, quando ocorre desvalorização, com redução dos valores correspondentes. *2.* Também se diz referindo-se a estado de espírito quando desanimado, sem energia.
em baixo Locução admitida por muitos filólogos para a forma sintética "embaixo".
em bando Em conjunto; coletivamente.
em banho-maria Em ritmo lento; em fase de espera, protelação.

> *Banho-maria é o processo de aquecimento ou cozimento lento de qualquer substância, quando se mergulha a panela que a contém em água fervente.*

em benefício de Visando ao bem ou ao proveito de; em prol de.
em bicas Locução que se usa com o sentido de abundância, grande quantidade, como em "suando em bicas", *i.e.*, suando copiosamente, a ponto de escorrer pela face e pelo corpo todo.
em bloco Em conjunto; no todo.
em boa companhia A boa companhia é aquela confiável, amiga, atenciosa e solidária.

em boa hora Em momento ideal, oportuno, apropriado. *V.* "boa hora" e "em má hora".
em boa ordem Pacificamente; ordenadamente; sem confusão.
em boa-fé O *m.q.* "de boa-fé".
em boas mãos Confiado a (ou em posse de) pessoa capacitada, competente.
em bom português Em linguagem clara e compreensível; francamente.
em botão *1.* Que ainda não se abriu (diz-se de flor). *2.* Em estado de desenvolvimento; ainda muito jovem.
em brancas nuvens Sem ser notado; sem ter sido levado em consideração.
em branco *1.* Diz-se de papel no qual nada está escrito, ou desenhado. *2.* Diz-se de algo ainda não usado. *3.* Diz-se de impresso com campos a preencher e ainda não preenchidos.
em breve Daqui a pouco; dentro em pouco.
em breves termos *1.* Em pouco tempo; sem rodeios; sucintamente. *2.* Em poucas palavras.
em busca de O *m.q.* "à busca de".
em cadeia Interligações de diversos elementos reciprocamente dependentes; em sucessão; em rede; sequenciado, como causa e efeito se encadeando.
em caixa Diz-se da importância (em dinheiro) de que se dispõe no momento.
em cana Detido pela polícia; preso, encarcerado.
em carne e osso Em pessoa, diz-se de pessoa fisicamente presente.
em carne viva Sem pele, esfolado.
em carreira Em fila; um atrás do outro.
em cartaz *1.* Em apresentação; em exibição (peça teatral; filme). *2.* Em voga.
em casa Na sua própria casa.

> *A expressão "lá em casa" é muito comum; nela, ocorre a elisão do possessivo "minha".*

em caso contrário O *m.q.* "do contrário".
em caso de Se tal acontecer.
em catadupas Em grande quantidade.
em causa Em questão; de que se trata.
em certa medida De certa maneira; até certo ponto. *Var.* "em determinada medida".
em cheio *1.* De maneira plena; totalmente; de fronte. *2.* Na mosca.
em cima *1.* No alto; na parte mais elevada de alguma coisa. *2.* Certo; no exato momento (*Ex.: em cima da hora*); no alvo.
em cima da bucha *1.* O *m.q.* "na bucha" ou "na mosca". *2.* Com a mesma veemência (ao retrucar, reagir) da indagação ou da ofensa

e com argumentos fortes e convincentes.
3. Imediatamente; sem perda de tempo ou oportunidade.

> Obs.: *Em reação subsequente a uma provocação.*

em cima da hora Na hora H; no momento exato, precisamente, sem atraso; sem mais prazo.
em cima da perna Sem maiores cuidados ou esmero (ao se fazer um trabalho, realizar uma tarefa etc.); às pressas; improvisadamente. *Var.* "nas coxas" e "em cima das coxas".
em cima de *1.* Sobre, colocado ou aplicado na parte superior ou externa de algo.
Em cima de queda, coice. Diz-se quando se quer referir a maus sucessos seguidos; mal sobre mal.
em cima do laço Na última hora.
em cima do lance No exato momento em que o fato acontece. O *m.q.* "na bucha".
em cima do muro Sem se decidir ou tomar partido, às vezes só esperando pela opinião de outros ou que as coisas se definam melhor para tomar o seu partido; indeciso. Também se diz: "em cima da cerca".
em claro *1.* Em branco; não preenchido. *2.* Sem dormir.
em comitê Em particular, em reunião íntima; num pequeno círculo de pessoas.
em comparação a (com) Comparativamente a. *Var.* "em confronto com".
em compasso de espera Na expectativa de algo; na aguarda do desfecho.
em compensação Em contrapartida; em troca; apesar disso.
em comum Em sociedade, em comunidade; conjuntamente.
em comunicação Diz-se de linha telefônica ocupada por outra ligação em curso.
em conclusão Finalmente.
em condições de jogo Apto a participar de um jogo.
em confiança *1.* Sem qualquer dúvida. *2.* Sem medidas acautelatórias.
em confidência Reservadamente, secretamente.
em conformidade com Em harmonia com; de acordo com.
em confronto com O *m.q.* "em comparação a (com)".
em conjunto Juntamente; como um todo; em bloco.
em consciência Na verdade; francamente.
em consequência Como resultado de.
em conserva Mantido em estado quase original.

> *Hoje em dia são encontradiços no mercado alimentos conservados em diversas embalagens e processos.*

em consideração Em respeito ou atenção a.
em consignação Em depósito. *V.* "consignação em folha".

> *A acepção de consignação neste caso é a corresponde a confiança que se confere a alguém para fazer algo em seu nome.*

em conta *1.* Por preço razoável, cômodo. *2.* Diretamente na ou da conta bancária de alguém (depósito ou débito, sem passar pela aprovação ou autorização deste para cada evento).
em contrapartida Em compensação; por outro lado.
em cores Diz-se de algo pintado ou apresentado não em preto e branco.

> *Muitos filólogos e gramáticos condenam veementemente a forma "a cores" como galicismo, enquanto outros a aceitam.*

em coro A uma voz; ao mesmo tempo; junto; em conjunto; todos juntos; simultaneamente.
em couro Nu, despido, pelado; em pelo.
em curso Em andamento; em circulação.
em curso de colisão Prestes a se desentenderem; no caminho do desentendimento.
em decúbito Posição de quem está deitado.
em definitivo O *m.q.* "de vez".
em demanda de Em busca de; à procura de.
em demasia Demasiado; em excesso.
em derredor de À volta de; em torno de; em redor de.
em desacordo Em estado de discordância; contrariamente.
em desbordo Em abundância. (*V.*).
em desenvolvimento *1.* Em preparação; em fase de crescimento. *2.* Diz-se de países em fase intermediária de desenvolvimento, segundo critérios aceitos. Os outros estágios são: desenvolvidos e subdesenvolvidos.
em desespero de causa Como última tentativa de conseguir contornar gravíssima situação.
em desvantagem Em posição desfavorável, desconfortável.
em detrimento de Em prejuízo de; contrariamente ao interesse de.
em devida forma Em forma.
em dia *1.* Sem atraso; pontualmente. *2.* Com todos os compromissos, registros, tarefas

em impedimento

etc. cumpridos, sem pendências. *3.* A par dos acontecimentos mais recentes, atualizado.
em diante Logo; em seguida; sucessivamente; para o futuro; para a frente. *Cf.* "por diante".
em dinheiro Em espécie, *i.e.*, em moeda corrente (cédulas ou moeda metálica).
em direção a Para o lado de.
em disparada A grande velocidade.
em dois tempos Muito rapidamente.
em domicílio A expressão "entrega em domicílio", significa que o objeto adquirido pode ser entregue ao comprador no seu domicílio.

> *Há o equivalente inglês muito usado no Brasil, embora sem propósito: "delivery". O emprego da fórmula "a domicílio" aplica-se (regido pela preposição 'a') quando se usam verbos de movimento: "levar a domicílio", "enviar a domicílio". Muitos gramáticos condenam o uso dessa fórmula em casos como "entrega a domicílio", "aulas a domicílio" etc.*

em dose homeopática Em pequenas doses; pouco a pouco.

> *Homeopático = O que aparece lenta e gradualmente.*

em duas palavras Com brevidade.
em duas palhetadas Com grande facilidade e prontidão; num momento; num instante; rapidamente.
em duplicata Em duas vias do mesmo teor; em dobro.
em dúvida Sem certeza.
em especial Com particular referência a; principalmente.
em espécie Diz-se de dinheiro vivo quando se efetua com ele um pagamento.
em espírito Mentalmente, sem participação física.
em essência *1.* Basicamente, principalmente; fundamentalmente. *2.* Intrinsecamente, naquilo que realmente expressa.
em estado de graça Feliz.
em exercício Em plena função; em atividade.
em exibição Diz-se de um espetáculo teatral ou filme cinematográfico que esteja acontecendo ou sendo exibido no momento.
em extremo Em sumo grau; excessivamente; muitíssimo. *V.* "ao extremo".
em fá Diz-se de instrumento musical afinado tendo esta nota (fá) como tônica.
em face de *1.* Perante, defronte de, diante de; em presença de; em frente de. *2.* Em virtude de.
em falsete Diz-se de canto masculino em que se procura, com voz de cabeça, cantar em registro de soprano ou de meninos.
em falso *1.* Errando o passo e perdendo o equilíbrio, sem firmeza. *2.* Em vão, inutilmente. *3.* Fora do prumo.
em falta *1.* Sem estoque ou não disponível no momento. *2.* Dizemos também que estamos "em falta" com alguém quando deixamos de lhe dar atenção em determinado momento ou circunstância.
em família Em casa, no lar, na intimidade.
em farrapos Diz-se de vestes rotas, que se rasgaram; em pedaços; em frangalhos, em trapos.
em favor de O *m.q.* "a favor de".
em flagrante Na exata ocasião da prática de um ato ou delito.
em flor Novinho.
em forma *1.* Nos devidos termos, em conformidade com a lei. *2.* Em boas condições físicas. *3.* Voz de comando militar para a tropa se formar.
em forma de Com o feitio de.
em frente *1.* Defronte, perante, diante. *2.* Adiante, além. *Ex.: Vamos em frente.*
em frente de *1.* Na presença de.
em função de Em conformidade com; de acordo com; na dependência de.
em funeral Em (como) sinal de luto.
em gênero, número e grau Expressão que indica absoluta concordância.
em geral Geralmente.
em globo Em conjunto.
em grande *1.* Em ponto grande. *2.* Fartamente; com larguez, abundância.
em grande escala Em grande quantidade.
em grande estilo Com solenidade, com pompa, aparato.
em greve Estar em greve significa estar (o empregado) afastado do trabalho como forma de pressionar o empregador a atender suas reivindicações.
em grosso Por atacado; em alta escala.
em grupo Juntos; em bloco.
Em guarda! Comando de atenção.
em honra de Por deferência; como prova de apreço a.
em imaginação De um modo imaginário ou imaginoso; na fantasia.
em impedimento *Fut.* Estar, um jogador de futebol, numa posição tal, por ocasião do lançamento da bola em sua direção, que entre ele e o goleiro adversário não haja nenhum jogador do time oponente. *Var.* "Posição de impedimento".

em intervalos De vez em quando; o *m.q.* "a intervalos", porém, quando se usa um qualificador: "em pequenos intervalos" etc.
em lágrimas Chorando.
em lata Enlatado.
em letras de fogo Em termos fora do comum; surpreendente; memorável. *Var.* "em letras de ouro".
em letras de sangue Cruelmente; cruamente; de modo sanguinário.
em liberdade Livremente; à vontade.
em linha direta Contatos sem intermediários.
em lugar de Em vez de; em substituição a; ao invés de.
em má hora Inoportunamente; fora de hora; em momento impróprio ou inadequado. V. "em boa hora"
em má situação Em mau estado; em mau momento; sem dinheiro; em situação difícil.
em mangas de camisa Sem casaco, paletó ou veste semelhante, sobre a camisa.
em mãos Diretamente ao destinatário (diz-se da entrega de algo).
em mãos seguras Diz-se da entrega de algo a pessoas ou entidades de inteira confiança e competência.
em marcha forçada *1.* Com rapidez. *2.* Em caminhada longa, ininterrupta.
em massa *1.* No total, no conjunto; todos; em bloco. *2.* Maciçamente; em grande número.
em matéria de Quando se trata de; no que tange a.
em mau estado Precisando de reparos. V. "caindo aos pedaços".
em maus lençóis *1.* Em má situação econômica e financeira ou moral. *2.* Envolvido em acontecimentos difíceis de serem justificados.
em média Normalmente; geralmente, em quantidade ou intensidade mais ou menos equivalente à média daquelas que ocorrem num universo/tempo determinado. Ex.: *Este filme teve em média 350 espectadores por sessão.*
em meio Pelo meio (sem estar concluído); pela metade.
em meio a *1.* No decorrer de; no meio de; durante. *2.* Tendo ao redor de si; entre; dentre.
em memória de Para reviver a lembrança de ou homenagear alguém.
em menos de Num lapso de tempo inferior a.
em menos de um amém Num instante; num átimo.

em miúdos Em detalhes.
em moda O que está sendo mais usado atualmente (sobretudo referindo-se a roupas, mas também relativamente a outros objetos de uso como móveis, decoração etc.).
em montão O *m.q.* "aos montes".
em negativo *1.* Diz-se da imagem na qual as cores são inversas em relação às do original, como, *p.ex.*, a apresentação de um desenho originalmente feito em traços pretos sobre fundo branco como um desenho a traço vazado em branco sobre chapado preto. *2.* Diz-se, também, da fotografia quando revelada em filme, antes de se tirarem as cópias positivas.
em neve Diz-se de clara de ovo batida até que adquira consistência espumosa.
em nível Em perfeita horizontalidade; nivelado. V. "a nível de".
em nome da lei Em nome das disposições legais.

> *Esta expressão é comumente usada por autoridades ao impor sanções ou decisões sobre processos cíveis ou criminais, para esclarecer que o fazem atendendo à força da lei.*

em nome de Com autorização de; em lugar de; da parte de.
Em nome de Deus! Exclamação que denota surpresa, incredulidade ou expressa um apelo.
em obras Em construção; em reparo.
em oferta No comércio, expressão que se usa para indicar que se está oferecendo um produto a preço baixo.
em *off* De maneira confidencial; secretamente; sigilosamente; fora das vistas ou orelhas (de outras pessoas presentes).
em ordem de precedência Modo de se organizar um evento cerimonioso, privilegiando as pessoas mais importantes nele presentes.
em osso Construção ainda no esqueleto (estrutura), com paredes sem revestimento, madeiramento sem cobertura. *Var.* "no osso".
em outras palavras Quer dizer...; melhor explicando...; melhor dizendo...
em pandarecos *1.* Em pedaços; feito pedaços. *2.* Em estado de exaustão; muito cansado.
em papos de aranha Em dificuldades, em situação de grande preocupação ou pressa ou em situação difícil, embaraçosa. *Var.* "em palpos de aranha".

Palpo = Apêndice articulado e móvel da boca ou do maxilar de insetos (Aulete). Obs. A utilização da forma "palpos de aranha" constitui eruditismo pedante, segundo ensina o dicionário Novo Aurélio. Já o Aulete *sustenta que a forma "palpos" estaria mais próxima da terminologia zoológica, sendo portanto a mais correta, desse ponto de vista.*

em parte Não inteiramente.
em particular Particularmente.
em passadas eras Antigamente.
em pauta Sob exame ou consideração. Assunto que está agendado para uma reunião.
em pé De pé; em posição ereta; sobre os próprios pés.
em pé de guerra *1.* Às turras; em desavenças; em litígio. *2.* Em estado de tensão, de pré-beligerância, de beligerância iminente.
em pé de igualdade No mesmo plano, grau ou nível; de igual para igual; pau a pau; taco a taco.
em peça No todo; totalmente; inteiro.
em pedaços Despedaçado; quebrado em muitos pedaços.
em pele Nu.
em pelo *1.* Nu, despido; sem roupa. *2.* Diz-se, também, do cavalo ou da montaria sem os arreios respectivos. *Var.* "nu em pelo".
em penca Em grande quantidade.
em perfeita sintonia com Bem de acordo com; agindo coordenadamente (uns com os outros).
em peso Completamente; totalmente; em massa; com tudo e/ou todos.
em pessoa Pessoalmente.
em petição de miséria *1.* Em péssimo e mísero estado. *2.* Diz-se de objeto muito usado ou estragado.
em pilha Em grupo; em montão; colocados uns sobre os outros.
em plena luz do dia À luz do dia; durante o dia.

De um modo geral, diz-se quando se quer ressaltar que um fato pouco comum (esp. se tem aspecto imoral, ilegal etc.) aconteceu, surpreendentemente, durante o dia, ou seja, à vista de todos.

em plena mocidade Na plenitude, na força da mocidade.
em plenitude Em plena ou máxima extensão, brilho, qualidade, quantidade etc.
em polvorosa Tomado de grande agitação, pressa; muito desarrumado, desorganizado, confuso.
em ponto de bala *1.* Na consistência (uma calda de açúcar) certa para ser moldada em forma de bala. *2.* Preparado para enfrentar uma situação, um desafio; pronto. *3.* Em perfeito estado de funcionamento. *4.* Pronto e apto para o ato sexual.
em ponto morto Na banguela, *i.e.*, com a marcha de veículo automóvel desengatada.
Em ponto! Na hora certa; exatamente.
em português claro Claramente; compreensivelmente, sem rodeios, francamente. (Correspondente em inglês: "*in plain english*".)
em pós Após.
em potencial Com possibilidade de aproveitamento ou realização.
em poucas palavras Concisamente.
em praça pública Abertamente, para todos verem ou ouvirem.
em prejuízo de Em detrimento de.
em presença de Em vista de; em virtude de; diante de.
em (de) primeira mão *1.* Sem intermediário; diretamente da fonte ou de quem produz. *2.* Que ainda não foi usado, que não teve proprietários anteriores ao atual. *3.* Expressão muito usada no jornalismo para notícia inédita, ainda não divulgada, sabida diretamente da fonte.
em primeiro lugar Primeiramente; de antemão.
em princípio *1.* Antes de tudo, antes de mais nada. *2.* Conceitualmente, em tese; de modo geral; teoricamente. *Cf.* "a princípio".
em pró de O *m.q.* "em prol de".
em profusão Com abundância.
em prol de Em favor ou em defesa de.
em prontidão O *m.q.* "de prontidão".
em proveito de Em favor ou em benefício de; para o uso de.
em público Na presença de (muitas) pessoas; de maneira aberta, para que todos testemunhem.
em público e raso Diz-se de assinatura por extenso e na presença de testemunhas, em cartório.
em pura perda *1.* Em vão; inutilmente. *2.* Com péssimo resultado; o pior possível.
em qualquer hipótese Sejam quais forem as circunstâncias ou os acontecimentos; em qualquer situação. *Var.* "em qualquer caso".
em quantidade Em grande número ou quantidade; profusamente; abundantemente.

em quarta marcha Depressa. *Obs.* Muitas vezes se usa simplesmente: "em quarta".

A expressão alude a uma das posições da caixa de marchas de um veículo motorizado, justamente aquela que se engrena para alcançar maiores velocidades.

em quatro palavras Com brevidade, laconicamente; em ou com poucas palavras.
em que medida Até que ponto; em que proporção; até onde.
Em que pé está? Este questionamento é dirigido a alguém que cuida de algo de nosso interesse e do qual desejamos conhecer o andamento ou o desfecho.
em que pese a Malgrado se; apesar de; não obstante.
em questão Em apreço; em foco; sob comentário; sob discussão.
em rama Em bruto; em estado natural. Diz-se de planta colhida, ainda não beneficiada: *Ex.: algodão em rama.*
em razão de Por motivo de; devido a.
em rede *1.* Diz-se de emissoras de telecomunicação interligadas, transmitindo o mesmo programa, no mesmo momento. *2.* Também se diz de computadores interligados e trocando informações em tempo real.
em redor À volta; em torno; ao redor.
em regra Em geral, de ordinário; usualmente; em princípio; completamente; segundo o uso, a lei, as conveniências.
em relação a *1.* Proporcionalmente a. *2.* No que tange a, quanto a.
em remate Por último.
em respeito de Em comparação com; à vista de.
em resumo Resumidamente; abreviadamente; em poucas palavras.
em revés Inclinado; oblíquo.
em riba Além disso; ainda por cima; em cima.
em riba de Em cima de.
em rigor Rigorosamente; estritamente.
em riste Em posição erguida; apoiado (para agredir); levantado.
em ritmo de Brasília Com extraordinária rapidez; freneticamente.

Alusão ao ritmo que se imprimiu inicialmente à construção de Brasília, então a recém-instituída nova capital do Brasil. Entre o início da construção de alguns de seus equipamentos, a escolha do projeto final do Plano Piloto e a inauguração da nova cidade, não se passaram mais que quatro anos.

em roda À volta; em redor.
em rota batida Sem parar; depressa.
em rota de colisão Diz-se de pessoas, ideias, processos etc. que conflitam um com outro e que se encaminham para um confronto mais sério.
em rumo de O *m.q.* "rumo a".
em sã consciência Sinceramente.
em salvo Em lugar seguro.
em seco Sem água ou fora da água.
em segredo Secretamente; sem testemunhas.
em seguida Logo depois; em ato contínuo; sem tardança.
em (de) segunda mão *1.* Que não provém direto da fonte original, que passou por intermediário. *2.* Já usado por outrem. *3.* Diz-se de notícia já divulgada anteriormente. *Tb.:* "de segunda mão".
em segurança Ao abrigo de qualquer perigo; em lugar seguro.
em separado À parte.
em sequência O *m.q.* "em seguida".
em ser Em vigor; em uso.
em série Em grande escala e segundo um mesmo padrão de fabricação e montagem.
em seu juízo perfeito Com a cabeça no lugar, *i.e.*, com a mente em perfeito equilíbrio e o raciocínio lúcido.
em si *1.* De *per se*, por si mesmo. *2.* Visto unicamente em seu aspecto próprio, e desacompanhado de quaisquer circunstâncias externas. *3.* Considerado em seu valor absoluto, inerente a sua própria existência.
em sinal de Como prova de; como penhor de.
em sobressalto Com susto ou pavor; inquietamente.
em sociedade Em companhia; em grupo; socialmente.
em socorro Em auxílio, para fins de proteção.
em sonhos Durante o sonho; sonhando.
em substância *1.* Substancialmente; essencialmente. *2.* Em resumo; em suma. *3.* Sem entrar nos pormenores.
em suma Em resumo.
em surdina *1.* Em voz baixa. *2.* Pelas caladas; à socapa; falando bem baixinho. *3.* Diz-se de toque de instrumento musical abafado por meio de um aparelho (denominado "surdina") enfiado na campânula (nos instrumentos de sopro) ou inserido no cavalete (nos instrumentos de corda). *Var.* "na surdina" e "à surdina".

A surdina é um dispositivo que se aplica a alguns instrumentos musicais para abafar e apurar a sonoridade ou alterar a qualidade do som.

em vez de

em suspenso Não concluído, não encerrado; interrompido.
em tamanho natural No exato tamanho do objeto original.
em tanto *1.* Em tão grande quantidade. *2.* Entretanto; neste meio-tempo.
em tecnicolor Muito colorido; em cores vivas.
em tela Em pauta; ora em discussão; sob análise.
em tempo A tempo; oportunamente, no momento certo ou adequado; outrora; antigamente.
em tempo de *1.* Correndo o perigo de; na iminência de. *2.* Na estação de; em época, oportunidade, ocasião, temporada de.
em tempo hábil No devido tempo; no tempo estipulado por regulamentos ou leis.
em tempo recorde Rapidamente; em tempo muito curto; em tempo que ninguém havia ainda alcançado.

> *O dicionário Houaiss assinala que no Brasil é difundida a palavra recorde como proparoxítona, embora a ementa a figure como paroxítona. Já o Novo Aurélio não faz menção à forma paroxítona, enquanto o Michaelis só registra essa última forma. O Aulete informa que no Brasil ambas as prosódias são utilizadas, mas a 5ª edição do Vocabulário Ortográfico da Língua Portuguesa, de 2009, registra o termo como paroxítono.*

em termos Com palavras apropriadas, sem grosserias; guardadas as devidas proporções; sob reservas.
em termos de A ponto de; em condições de.
em termos gerais Sem particularizar; de modo geral; em referência sumária.
em termos hábeis Sem prejuízo ou inconveniência para outrem.
em tese Em teoria; em princípio; segundo meu raciocínio; conforme penso, em tais circunstâncias.
em toda a extensão da palavra Com toda a força de seu significado. *Var.* "na extensão da palavra".
em todo canto Em todo lugar; por toda parte ou lugares. *Var.* "por todo canto", "em todos os cantos", "em todos os cantinhos" e "em todos os cantos da Terra".
em todo caso *1.* Não (nada) obstante; isso considerando; apesar de tudo. *2.* Por segurança, por via das dúvidas. *Var.* "em todo o caso".
em todos os quadrantes Em todas as partes ou lugares; por todo lado.

em todos os sentidos De todos os modos; por todos os ângulos.
em todos os termos Completamente.
em tom de À maneira de; com jeito de; como se fosse.
em torno a (de) À roda de; em redor de; em volta de; em torno de.
em torrentes Abundantemente.
em tosco Em bruto.
em trajes de Adão Pelado; nu.
em trajes menores Usando apenas as roupas íntimas, as roupas de baixo.
em três tempos Em breves instantes; depressa; num instante.
em triunfo De maneira triunfal, gloriosa, vencedora.
em tropel Confusamente; tumultuosamente.
em tudo Inteiramente; completamente.
em tudo e por tudo Expressa totalidade irrestrita na concordância, adesão, apoio etc. a ideias, atos, processos etc.
em turma Aos magotes; em conjunto.
em turnos *1.* Divisão de tarefas por grupos distintos que se sucedem em intervalos de tempo determinados. *2.* Forma de disputa de um campeonato esportivo.
em última análise Esgotados todos os aspectos de um assunto, após maduro exame; em conclusão; em resumo.
em última instância Como último recurso ou tentativa.
em último recurso Em último caso; como último remédio; por fim.
em um instante Em muito pouco tempo; já, já.
em um segundo Num instante; num átimo.
em uma palavra Em resumo; finalmente.
em união com Juntamente com.
em uníssono *1.* Com emissão de sons uníssonos; no mesmo tom; em conjunto; em perfeito acordo; de modo harmônico. *2. Fig.* No mesmo tom; ao mesmo tempo.
em vão Debalde; inutilmente; infrutiferamente.
em verdade Certamente; na verdade; verdadeiramente.
em verdade vos digo Locução usada com muita frequência nos Evangelhos, para afirmar a verdade absoluta das palavras que Jesus proferia ao transmitir seus ensinamentos.
em verde Antes do tempo próprio.
em vez de Esta expressão sugere substituição e quer dizer "em lugar de": *Ex.: Em vez de frango, comi peixe.*

> *Diferencie-se de "ao contrário de" e "ao invés de", que denotam coisas opostas, e não somente alternativas.*

em via de A caminho de; prestes a; na iminência de. *Var.* "em vias de".
em vida Durante a vida; enquanto vivo ou enquanto viveu.
em vigor Em operação; vigente.
em virtude de Por efeito de; em consequência de; devido a.
em vista de Sendo assim; nestas circunstâncias.
em voga Em moda.
em volta de Em torno de; ao redor de.
em xeque *1.* Em perigo; em situação difícil. *2.* No jogo de xadrez, situação em que uma das peças principais (rei ou rainha) está diretamente ameaçada por peça do adversário.
embaixo de Em ponto ou plano inferior a (no espaço); abaixo de; sob. *V.* "em baixo".
embalar com promessas Enganar; viver prometendo e nada cumprindo.
embarcar deste mundo para um melhor Morrer. *Var.* "embarcar/ir desta para a melhor".
embarcar em Meter-se em (enrascada, mau negócio); acompanhar outros em (empreitadas enganosas ou suspeitas).
embarcar em canoa furada Aderir a algo que não dá certo; entrar numa fria; abraçar causa ingrata, sem sucesso.
embarcar nessa Expressão que denota reconhecimento de ter assumido atitude equivocada, por ter-se iludido por conselhos de alguém ou por omissão ou insuficiência de informações. *Ex.*: *Embarquei nessa e me dei mal.*
embolar o meio de campo Atrapalhar.

> A expressão vem do futebol, referindo-se à excessiva concentração de jogadores no meio de campo, prejudicial ao rendimento da equipe.

emborcar o cocho *1.* Ser ingrato, mal-agradecido. *Var.* "virar o cocho". *2.* Embrulhar o estômago; causar nojo ou enjoo.
embotamento mental Estado que se caracteriza pela dificuldade em reagir a estímulos externos; alheamento.
embutir uma lorota Mentir.
emenda pior que o soneto Tentativa de melhorar algo mas que contribui, ao invés, para piorá-lo.
emendar a mão Corrigir-se.
emendar os bigodes Meter-se em luta corporal; engalfinhar-se.
eminência parda Agente ou conselheiro confidencial, especialmente alguém que, atuando em segundo plano, tem grande influência em decisões.

eminha é filhote de ema Remoque a quem alega ser de sua propriedade determinado objeto, ao dizer, enfatizando a sua posse: "É minha."

> Remoque = Dito picante; insinuação maliciosa; zombaria.

emissora afiliada A que faz parte de uma rede liderada por uma emissora que gera a maioria dos programas que as afiliadas retransmitem.
empanar o brilho Prejudicar a boa impressão, o sucesso, o andamento (de uma realização, uma cerimônia ou espetáculo).
empenhar a palavra Obrigar-se por promessa verbal, solene, a alguma coisa; comprometer-se.
empinar o nariz Assumir atitude de arrogância, ostentação, soberbia.
empinar um papagaio Tomar dinheiro emprestado.
empós de Depois de.
empregada para todo serviço *Irôn.* Pessoa que mantém relações sexuais com o chefe. Diz-se, também em tom irônico, crítico ou brincalhão: "empregada de copa, cozinha e cama".
empregado(a) doméstico(a) Profissional que executa trabalhos domésticos; criado(a). Costuma-se dizer apenas "doméstico(a)".
emprenhar pelos ouvidos Acreditar facilmente em tudo quanto se diz.
empresa de capital aberto Aquela que tem seus títulos negociados em bolsas de valores.
empresa de economia mista Empresa com capital misto (estatal e privado) e controle do Estado.
empresa multinacional Aquela que extrapola sua ação além das fronteiras de seu país de origem.
empresa privada Empreendimento de pessoas jurídicas de direito privado.
empresa pública Empresa cujo capital pertence inteiramente ao poder público.
empunhar o bastão Assumir o comando (militar).
empunhar o cetro Reinar, governar.
empurrar a truta Impingir; forçar alguém a aceitar algo.
empurrar bêbado escada abaixo Realizar algo que é fácil de fazer.
empurrar com a barriga *1.* Não dar a devida atenção a um assunto ou a uma tarefa. *2.* Adiar a solução de um assunto, indefinidamente, por variados motivos, nem sempre aceitáveis.

En garde! *Fr.* Em alerta! Atenção!
en passant *Fr.* Expressão francesa que significa: circunstancialmente; ligeiramente; acidentalmente; de passagem; por falar nisso.
en petit comité *Fr.* Locução francesa significando: na presença de um grupo restrito de pessoas (amigos, sócios, parentes).
en tête à tête *Fr.* Expressão que vem do francês e que significa: "a sós", "em particular", "sem testemunhas."
encampar os prejuízos Assumi-los.
encanar a perna Ganhar muito dinheiro; fazer um ótimo negócio.
encangar grilo Não ter nada para fazer; ficar à toa.

> *Encangar = Colocar carga; carregar.*

encargos sociais Encargos das empresas, referentes a direitos sociais: contribuições ao sistema de seguridade social, depósitos no Fundo de Garantia do Tempo de Serviço, décimo terceiro salário etc.
encarregado de negócios *Dipl.* Agente diplomático a quem compete, por falta de embaixador ou de ministro, representar seu governo junto a uma nação estrangeira.
encasquetar uma ideia Ficar obcecado por uma ideia. O *m.q.* "ter uma ideia fixa".
enchente da lua Período compreendido entre o novilúnio (lua nova) e o plenilúnio (lua cheia).
enchente da maré Momento da maré entre a baixa-mar e a preamar seguinte.
enchente das goiabas Enchente que se dá por volta do mês de março, quando as goiabas, já muito maduras, tendo caído ao chão e na beira de cursos d'água, são levadas pelas águas das primeiras chuvas.
encher a boca de uma coisa Falar nessa coisa jactanciosamente, enfaticamente.
encher a bola *1.* Demonstrar habilidades no jogo (ou em outra atividade); bom desempenho em qualquer atividade. *2.* Fazer elogios rasgados a (neste caso, diz-se "encher a bola de...").
encher a burra Ganhar muito dinheiro.
encher a cabeça Estar alguém em conflito com as ideias e com os tantos conselhos e alternativas que as pessoas oferecem, deixando-o confuso.
encher a cara Beber bebida alcoólica demais; embriagar-se. O *m.q.* "encher a caveira", "estar alto", "estar chumbado".
encher a cara de Dar sopapos em alguém.
encher a caveira Embriagar-se. O *m.q.* "encher a cara". *Var.* "encher a cuca".

encher a mochila Comer à farta; enriquecer por meios pouco lícitos.
encher a paciência O *m.q.* "pegar no pé" e "encher o saco".
encher a pança Comer e beber muito e à vontade; empanturrar-se. *Var.* "encher a barriga".
encher a rua de pernas Vadiar, vagabundear.
encher as calças Diz-se quando alguém, especialmente criança, não mais resistindo, faz suas necessidades fisiológicas sem tirar a roupa. *Var.* "encher as fraldas"; "sujar as calças".
encher as medidas Satisfazer plenamente; impacientar-se.
encher de espanto Causar espanto ou grande admiração.
encher de vento Envaidecer; tecer demasiados elogios a alguém.
encher linguiça Dizer, escrever ou fazer coisas que não vêm ou mal vêm a propósito da matéria tratada; ocupar o tempo com coisas de somenos importância, sem nexo ou propósito; descrever alguma coisa com muitos detalhes, excedendo-se.
encher o bucho Comer muito; empanturrar-se. *Var.* "encher o papo" e "encher a pança".
encher o pé *Fut.* Chutar violentamente.
encher o pote Perder as estribeiras (V.); irritar-se; dizer desaforos (a alguém). *Var.* "soltar os cachorros".
encher o saco *Ch.* Enfastiar(-se); aborrecer(-se), importunar, irritar.
encher os bolsos Tornar-se rico, *ger.* de forma ilegal ou desonesta.
encher os olhos Satisfazer; agradar; achar bonito e atraente.
encher tripa Comer demasiado.
enciclopédia viva Indivíduo de vasto saber.
encolher a mão Gastar com parcimônia.
encolher o umbigo Recuar; voltar atrás.
encolher os ombros Mostrar indiferença; sofrer com resignação; não responder; mostrar ignorância.
encomendação das almas *Folc.* Procissão de penitentes que, na quaresma, a horas mortas, percorrem as ruas até o cruzeiro ou adro da Igreja, homens e mulheres totalmente cobertos de branco, orando em voz alta pelas almas do Purgatório e à qual ninguém que não faça parte do grupo deve assistir, pois atrai malefícios.
encomendação do corpo Orações que se fazem pelo defunto, antes do sepultamento.
encontrar eco Ter apoio, simpatia; ter repercussão positiva.

encontrei meia dúzia de gatos-pingados Expressão que significa: Aonde fui, havia muito pouca gente.
encontro de contas *1.* Acerto de contas. *2.* Vingança, represália por algum mal sofrido.
encostado ao pé da embaúba *N.E.* Sem vitalidade, indolente, preguiçoso; tomado pelo desânimo.
encostar na parede Pressionar alguém para que revele algo que se quer saber. *V.* "pôr a faca no peito de".
encurtar a mão Agir com mesquinhez; ser sovina.
encurtar as correias a Cercear ou diminuir a liberdade de alguém.
encurtar razões Ser breve, sucinto; ir direto ao assunto.
endereço eletrônico *Inf.* Nome ou senha pela qual um usuário é identificado na internet e através do qual acessa seu computador, possibilitando a comunicação eletrônica, através de mensagens. No Brasil, convencionou-se aplicar, nos meios da informática, o termo correspondente em inglês às mensagens eletrônicas: *"e-mail"*.
endosso em branco Endosso que não contém o nome do favorecido, mas apenas a assinatura do endossante.

> Endossar é o mesmo que transferir a propriedade de um título, mediante assinatura sob declaração escrita no documento. Um dos documentos mais largamente endossados na virada do século XX para XXI eram os cheques bancários.

endurecer o jogo Resistir; não mais ceder a pressões.
endurecer o lombo *1.* Tornar-se (o cavalo) de lombo duro, *i.e.*, contrair-se para corcovear. *2. Fig.* Rebelar-se contra uma ordem; não ceder; teimar.
enfant gaté Esta expressão é francesa e significa "criança mimada". Nas rodas da alta sociedade, costuma-se atribuir tal expressão àquelas pessoas que se comportam como crianças mimadas ou "filhinhos de papai".

> Enfant significa *"menino", "criança"*, e gaté *deriva do verbo* gâter, *que corresponde a "estragar", "comprometer"*.

enfant terrible *Fr.* Literalmente, significa "criança terrível". Pessoa cujas ideias e/ou comportamento conflitam com as tradições e os costumes do povo, revelando uma certa rebeldia ou independência de atitudes.
enfeitar a testa de Ser infiel a; trair (a pessoa a quem se está ligado por amor carnal); cornear.
enfeitar-se com penas de pavão Jactar-se, por vaidade; atribuir a si ações e feitos nobres de outrem.
enferrujar-se a memória Esquecer o que se aprendeu.
enfiar a cabeça na areia Ignorar um problema, esperando que seja superado sem dele participar; esconder-se; omitir-se.
enfiar a cara Pôr-se a trabalhar com afinco, com ânimo, em determinada tarefa.
enfiar a cara no mundo Fugir.
enfiar a cara num buraco Expressão que denota estar a pessoa envergonhada ou arrependida por ter agido ou tomado certa posição, de tal sorte que preferiria sumir, não enfrentando as testemunhas de sua ação.
enfiar a carapuça *V.* "vestir a carapuça".
enfiar a mão no bolso Pagar uma conta, uma despesa, uma compra.
enfiar a própria cabeça na areia Fugir da realidade; recusar-se a enfrentar os fatos.
enfiar a viola no saco Ir-se embora; desistir.
enfiar água no espeto Esforçar-se, trabalhar muito, sem resultado algum.
enfiar goela abaixo Forçar a aceitação de algo a contragosto da pessoa.
enfiar o pé *Fut. 1.* Chutar a bola com violência; rebater de qualquer jeito a bola. *2.* Atingir o adversário faltosa e/ou deslealmente.
enfiar o rabo entre as pernas *V.* "fugir com o rabo entre as pernas".
Enfim, sós! Exclamação atribuída a noivos na noite de núpcias.
enforcar a sexta(-feita) Deixar de trabalhar ou de ir à escola em dia útil que caia entre dois feriados ou (no caso escolhido para esta entrada) entre um feriado e um fim de semana.
enfrentar a parada O *m.q.* "aguentar a barra".
enfrentar o batente O *m.q.* "pegar no batente".
enganar a dor Procurar alívio aos seus infortúnios, às suas doenças, através de paliativos. *Var.* "enganar a saúde, ou os cuidados etc.".
enganar a fome Comer algo em pequena quantidade ou de baixo poder alimentício, para tentar mitigar a fome ou enquanto espera a refeição. *Var.* "enganar o estômago".

enganar o tempo Fazê-lo passar rápido e imperceptivelmente.
engenheiro de obras feitas Pessoa que se mete a opinar a respeito de tudo, quando sua opinião não é ou já não é necessária ou de alguma valia.
engenho bélico Qualquer máquina de guerra.
engenho de água Antigo processo de moagem que consiste numa roda de pedra fixa e outra giratória, justaposta que trituram os grãos que caem entre elas. A rotação da pedra sobreposta é realizada pela força hidráulica (rio, queda-d'água).
engolir a bola Exibir-se primorosamente num jogo de bola.
engolir a isca O *m.q.* "comer a isca".
engolir a língua Calar, por conveniência ou propósito, ainda que se tenha algo a dizer; ficar calado entre falantes.
engolir a pílula *1.* Aceitar ou suportar algo desagradável. *2.* Cair no logro; deixar-se enganar; sofrer prejuízo sem se queixar; ir na conversa; ser ludibriado.
engolir as próprias palavras Ter de retratar-se, desdizer-se.
engolir calado Absorver as injustiças ou afrontas que se lhe fazem, sem reagir, embora sofrendo. O *m.q.* "comer calado"; "engolir uma afronta".
engolir cobra Enfurecer-se. O *m.q.* "comer cobra".
engolir distâncias Transitar por uma via com rapidez e encurtando caminhos.
engolir em seco Não responder a um insulto, a uma repreensão. Ser obrigado a calar o que se deveria dizer.
engolir frango *Fut.* Diz-se quando o goleiro deixa passar uma bola aparentemente fácil de ser defendida. *Var.* "engolir um frango".
engolir gato por lebre Cair no logro; deixar-se enganar.
engolir o apito *Fut.* Parar (o árbitro) de apontar faltas ou deixar que elas ocorram sem puni-las; ser mau árbitro.
engolir o dicionário Demonstrar ter vasto conhecimento do significado de palavras, ter vasto vocabulário.
engolir o orgulho Controlar-se para não assumir atitude de soberba; humilhar-se.
engolir saliva Não ousar dizer palavra. *Var.* "engolir a saliva".
engolir sapos Suportar coisas desagradáveis sem reagir, sem revidar; suportar humilhações e/ou prejuízos para não perder privilégios ou vantagens obtidas ou prometidas.

engolir um disco O *m.q.* "falar pelos cotovelos". *Var.* "engolir vitrola".
engolir um elefante e engasgar-se com um mosquito Diz-se da pessoa que se sai bem de empresa difícil e fraqueja depois numa mais fácil.
engolir uma afronta O *m.q.* "engolir calado".
engoliu a linha, o anzol, a chumbada e a isca Diz-se de alguém que tenha feito algo de maneira completa, integral, especialmente de quem o fez por ter caído numa armadilha.
engrossar as fileiras de Ingressar em organizações civis ou políticas, tornando-se militante dos ideais do grupo.
enigma figurado São enigmas que se decifram pelas figuras que apresentam.

Alguns enigmas contêm "chaves" para facilitar a interpretação.

enlace matrimonial Casamento.
enlamear a farda Praticar (o militar) crime ou cometer ato aviltante, grave, incompatível com a sua condição de militar. O *m.q.* "manchar a farda".
enquanto o diabo esfrega o olho Num instante; num momento; num átimo. *Var.* "enquanto o diabo esfrega um olho".
enquanto o mundo for mundo Para sempre.
enquanto o sangue me girar nas veias Enquanto eu viver.
enriquecimento ilícito Acréscimo patrimonial obtido de forma ilegal e/ou fraudulenta.
enrolado como um caracol *1.* Submisso; encolhido. *2. Fig.* Confuso, enredado em muitos problemas e situações.
enrolar a bandeira *1.* Desistir de realizar algo. *2.* Interromper a atividade sexual, de maneira voluntária ou não.
enrolar a língua Falar de modo ininteligível.
enrolar a trouxa Calar a boca.
ensaboar as ventas (de) Esbofetear (alguém). *Var.* "ensaboar a cara (de)".
ensaboar o juízo Importunar, molestar.
ensaboar os queixos do burro Trabalhar em vão; perder o trabalho e o tempo.
ensaio geral O que se realiza pouco antes da apresentação oficial, com os figurinos e cenários definitivos.
ensarilhar armas *Mil. 1.* Depô-las cessando a luta. *2.* Arrumá-las em conjunto(s) de três ou quatro em forma de pirâmide(s).
ensebar a bola *Fut.* Reter demasiadamente a bola nos pés.

ensebar as canelas Fugir; escafeder-se; dar no pé. *Var.* "pôr sebo nas canelas".
ensinar o pai-nosso ao vigário *1.* Ensinar ou aconselhar alguém mais experimentado ou mais competente. *2.* Querer ensinar uma coisa a alguém que já a conhece.
ensinar peixe a nadar Perder tempo. O *m.q.* "chover no molhado" ou "ensinar o Pai-nosso ao vigário".
ensinar rato a subir de costas em garrafa *1.* Ensinar a ser espertalhão. *2.* Tentar o impossível. *V.* "dar nó em pingo d'água".
ensino a distância É o que se oferece através dos meios de comunicação modernos e pela internet.
ensino supletivo O ensino complementar que supre a formação regular não completada de jovens ou habilita adultos que não haviam cursado ou concluído o curso fundamental.
entanto que No entanto.
ente de Deus Pessoa.
ente de razão Aquele que só existe na imaginação; fantasia; *Var.* "ente imaginário".
ente pensante A pessoa humana, dotada de pensamento.
ente real Aquele que tem existência real.
Ente Supremo Deus.
entender do riscado Conhecer bem uma disciplina, um ramo de atividade, um assunto. *Var.* "entender do ofício".
entender-se por gente Começar, a criança ou o jovem, a perceber a noção das coisas, do mundo, da vida, do relacionamento social, das responsabilidades e dos direitos da pessoa.
entente cordiale *Fr.* "Entendimento cordial" entre duas ou mais nações sobre questões de política internacional.

> É o nome pelo qual ficou conhecida a aliança militar concluída antes da Primeira Guerra Mundial (1914-1918) entre a Inglaterra, a França e a Rússia.

enterrar a cabeça do boi *N.E.* Estender as comemorações natalinas até o primeiro domingo seguinte. *V.* "enterrar os ossos".
enterrar a própria cabeça na areia Fugir da realidade; recusar-se a enfrentar os fatos.
enterrar a unha Vender ou cobrar muito caro.
enterrar o assunto Dar o assunto por encerrado; não querer mais ouvir falar sobre determinado assunto.
enterrar o cadáver Pagar dívidas.
enterrar o time Contribuir para a derrota do time; ter mau desempenho no jogo.

enterrar os ossos Comer, no dia seguinte, o que sobrou de um banquete ou de uma festa.
enterrar os pés Tomar uma decisão drástica.
enterro dos ossos Ação de comer o que restou de uma festa.
entornar o caldo Agravar uma situação, por falta de prudência ou tato; perder um negócio, por imprudência ou inabilidade. *V.* "caldo entornado".
entortar o caneco O *m.q.* "encher a cara".
entra ano, sai ano O *m.q.* "ano vai, ano vem".
entra e sai Fluxo contínuo de pessoas entrando e saindo.
entrada de ginete e saída de sendeiro Diz-se de situação na qual uma pessoa muito promete e nada cumpre; começa arrogante e sai covarde ou humilde. *Var.* "entrada de leão e saída de cão".
entrada franca Ingresso gratuito; de livre acesso.
entrada sem bola *Fut.* Aquela em que o jogador atinge o adversário sem tocar na bola, *ger.* de propósito.
entrado em anos Idoso, velho.
entrar areia em Surgir algo que dificulte, impeça ou impossibilite a realização de um plano ou algo semelhante.
entrar bem Sair-se mal; ter prejuízo; fracassar; ser enganado.
entrar com a cara e a coragem Ousar.
entrar com o corpo Participar de um negócio como sócio, mas só com a prestação de seus serviços, sem entrar com capital.
entrar com o pé direito Obter êxito ou ter boa sorte no início de um negócio ou de uma carreira; ter boa sorte.
entrar com o pé esquerdo Não estar de sorte no início; dar-se mal.
entrar de cabeça Dedicar-se com afinco a uma tarefa, a uma missão; dispor-se para enfrentar um serviço, uma incumbência.
entrar de gaiato Dar-se mal; ser enganado, ludibriado, trapaceado. *V.* "entrar bem".
entrar de plantão Realizar tarefas à noite; fazer serão.
entrar de sola *1.* Entrar com tudo, com toda a disposição. *2.* No futebol, diz-se quando um jogador acossa um adversário com a perna estendida e a sola da chuteira voltada para ele, jogada perigosa que pode machucar e até causar uma fratura.
entrar em campo Entrar em ação.
entrar em cena Desempenhar um papel no teatro; iniciar sua participação num evento, num negócio. *Var.* "entrar em jogo".

entrar em coma Passar a estado de inconsciência plena devido a um choque (acidente) ou ao agravamento de alguma doença.

> *O coma é um estado mórbido no qual a pessoa perde as atividades cerebrais superiores, conservando o corpo apenas as funções respiratórias e as circulatórias.*

entrar em exercício *1.* Passar a exercer (cargo, função). *2.* Entrar em vigor.
entrar em fria Ficar em situação crítica, difícil ou embaraçosa.
entrar em linha de conta Ser tomado em consideração.
entrar em parafuso Ficar desorientado, baratinado.
entrar em vigor Começar a vigorar.

> *Diz-se esp. de decretos e leis que, invariavelmente, dispõem sobre a data em que suas determinações entram em vigor, i.e., passam a ter a força da lei.*

entrar mudo e sair calado Ficar absolutamente calado; não se pronunciar.
entrar na borracha Ser surrado com cassetete.
entrar na dança *1.* Começar a dançar. *2.* Meter-se num assunto ou negócio a que era estranho ou que se mostra difícil de resolver. *3.* Entrar em confusão, briga ou tumulto.
entrar na faca *1.* Submeter-se a uma intervenção cirúrgica. *2.* Ser esfaqueado.
entrar na lenha *1.* Ser surrado. *2.* Ser reprovado em exames escolares.
entrar na liça Entrar em ação; entrar em cena; entrar na luta por.
entrar na linha *1.* Entrar na norma de conduta certa. *2.* Emagrecer, adquirindo um peso ideal. *3.* Atender ao telefone.
entrar na marreta Apanhar; levar uma surra.
entrar na matéria Começar a tratar do assunto principal.
entrar na minha Aderir a ou simpatizar com o meu modo de ser.
entrar na moda *1.* Começar a ter grande uso e procura, a ser popular, a ser imitado etc. *2.* Acompanhar a moda. *Var.* "entrar na onda".
entrar na pele de Tomar o lugar de; fazer-se passar por; fazer as vezes de. *Var.* "pôr-se na pele de".
entrar na roda Participar, enfrentar.
entrar no cio Entrar no estado fisiológico cíclico das fêmeas de muitos mamíferos, preparatório e favorável à fecundação.

entrar no cordão Aderir.
entrar no embalo *1.* Adquirir o vício de tomar entorpecentes. *2.* Participar ativamente de um *show*, ainda que como simples assistente. *2.* Deixar-se entusiasmar e levar em uma atividade, balada, tarefa etc.
entrar no espírito de Tentar compreender bem outra pessoa ou um ambiente, ou as ideias que apresentam ou praticam.
entrar no jogo Participar de um negócio, de uma iniciativa etc., com a mesma disposição dos que já dele participam; aceitar as regras. *Var.* "entrar no esquema".
entrar no prelo Estar sendo ou já ter terminado o trabalho de edição de uma publicação. *V.* "sair do prelo".
entrar no tapa Apanhar; ser surrado.
entrar nos cobres Receber uma bolada de dinheiro.
entrar nos eixos Morigerar-se; endireitar-se; retornar ao bom caminho; comportar-se bem, ajuizadamente; voltar a conduzir-se com juízo, bom senso; tomar rumo.
entrar numa fria Ver-se envolvido em situação prejudicial, penosa, difícil, que traz prejuízos. *Var.* "entrar em fria" e "entrar numa enrascada".
entrar pela janela Ingressar em escola, universidade, emprego público etc., sem a prestação de concurso, valendo-se de expedientes escusos, influências políticas, nepotismo etc.
entrar pela porta da frente Iniciar uma atividade de modo digno, corretamente.
entrar pela porta dos fundos *1.* Ter acesso a algo de maneira sub-reptícia, ou por ter sido introduzido de maneira informal ou fora das regras. *2.* O *m.q.* "entrar pela janela".
entrar pelo cano Dar-se mal; frustrar-se. *Var.* "entrar pela tubulação".
entrar pelos olhos Ser evidente, muito fácil de ser compreendido. O *m.q.* "estar na cara".
entrar por um ouvido e sair pelo outro Não merecer atenção; não ser levado em consideração.
entre a bigorna e o martelo Entre dois perigos, sem saber safar-se deles. O *m.q.* "entre dois fogos".
entre a cruz e a caldeirinha Num dilema; em situação crítica. *V.* "entre dois fogos" e "entre a cruz e a espada".

> *Caldeirinha = Pote ou vaso de água benta (Aulete / Novo Aurélio). Diante dessa definição, a locução fica sem sentido, a menos que a entendamos como a dificul-*

dade de escolha por parte de um católico suplicante, entre aspergir-se com água benta ou rezar diante da cruz.

entre a espada e a parede Sem saída; em grande perigo; sem escapatória; entre dois fogos.
entre a vida e a morte Em perigo de vida; muito doente.
entre aspas Alude-se a esta marca gráfica para indicar que segue-se a fala de outrem, ou para acentuar o que vai se dizer.
entre dois fogos Atacado pelo inimigo por dois flancos opostos; exposto a dois perigos, a duas influências, a duas alternativas; numa encruzilhada; sem saber o que fazer; em perigo; numa enrascada.
entre duas águas Nem na flor nem no fundo d'água. *Fig.* Neutro. O *m.q.* "em cima do muro".
entre lusco e fusco *1.* Ao lusco-fusco; em momento de transição entre o dia e a noite. *2.* Sem instruções, sem normas precisas. *Var.* "entre lusco-fusco".
entre mortos e feridos No desfecho do caso; na fritada dos ovos.
entre o fogo e a frigideira Num dilema; sem saber que decisão tomar. O *m.q.* "entre a cruz e a caldeirinha".
entre o lobo e o cão À boca da noite; ao entardecer; entre dois fogos.
entre o malho e a bigorna O *m.q.* "entre o martelo e a bigorna".
entre o martelo e a bigorna Em situação de extremo aperto e dificuldades. *V.* "entre a cruz e a caldeirinha".
entre parênteses Indica modo de digressão ou aparte; indica citação no entremeio do discurso.
entre quatro paredes Em segredo; às escondidas.
entre seis e meia dúzia Na mesma, sem alteração; com indecisão; indica troca de algo por coisa idêntica.
entre si De si para consigo; consigo mesmo.
entrega em domicílio *V.* "em domicílio".
entregar a alma a Deus Morrer. *Var.* "entregar a alma ao diabo".
entregar a rapadura Desistir de um projeto ou plano; dar-se por vencido.
entregar às moscas Abandonar.
entregar o jogo *1.* Deixar de se empenhar no jogo. *2.* Não prosseguir em um intento; abrir mão de algo. *3.* Desistir de agir.
entregar o ouro *1.* Deixar escapar um segredo; fazer uma revelação, uma inconfidência. *2.* Desistir, favorecendo um concorrente ou adversário. *Var.* "entregar o ouro ao bandido".
entregar os pontos Desistir de uma competição esportiva; dar-se por vencido ou por convencido; reconhecer a própria derrota; ceder; sucumbir.
entregar-se ao sono Dormir.
entregar-se aos braços de *1.* Cair de amores por. *2.* Submeter-se à proteção de.
entregue às baratas *1.* *Fig.* Diz-se de lugar infestado delas. *2.* Em desordem, descuidado, abandonado.
entregue às moscas Vazio; sem ninguém ou quase ninguém; abandonado. *Var.* "às moscas" e "entregue às baratas".
entretanto que Durante o tempo em que; enquanto. *Var.* "entrementes que".
entrevista coletiva *Jorn.* Entrevista concedida a um grupo de jornalistas de meios de comunicação diversos.
entrevista exclusiva A que se concede apenas a uma determinada empresa jornalística ou a um só repórter.
entulho autoritário Resquícios de um regime político autoritário, ainda não escoimados pelo regime democrático que o sucedeu.
envelhecimento da população Aumento na proporção de idosos em relação à população de uma região ou país.
envelope de janela Envelope que traz um recorte na frente, coberto ou não por papel transparente, e que permite a visualização do nome e endereço do destinatário escrito no seu conteúdo em lugar apropriado e coincidente com aquela abertura.
envelope de madeira Caixão de defunto. O *m.q.* "paletó de madeira".
enviado especial *1.* Jornalista vinculado a uma empresa de comunicação que viaja a outro lugar com a missão de cobrir determinado evento. *2.* Representante diplomático, especialmente encarregado de uma missão específica junto a governo estrangeiro.
enxergar dobrado *1.* Ver duas imagens de tudo, em vez de uma só. *2.* Estar bêbado.
enxergar longe Ser muito esperto, sagaz; visualizar oportunidades. *Var.* "ver longe".
enxergar/ver a luz no fim do túnel *V.* Ser capaz de vislumbrar uma solução ou boa perspectiva para uma situação difícil ou confusa que se prolonga. *V.* "chegar ao fim do túnel".
enxugar as despesas Empreender medidas para reduzir os custos, mantendo apenas as despesas necessárias/essenciais. *Var.* "enxugar custos".

enxugar as lágrimas de Aliviar os sofrimentos de; consolar.
enxugar gelo Realizar trabalho inútil, sem proveito. *Var.* "lançar água no mar".
enxugar o copo Ingerir bebida alcoólica (em demasia).
enxugar os quadros de funcionários Demitir funcionários para aliviar os gastos e adequar seu número às necessidades reais do serviço.
equilibrar-se na corda bamba Fazer tudo para manter-se num negócio ou numa situação, apesar dos percalços.
equilíbrio das contas públicas Situação na qual os gastos e as receitas públicas se equivalem, *i.e.*, se igualam.
equilíbrio do balanço de pagamentos Situação na qual as entradas e saídas de divisas internacionais de um país se equivalem.
equilíbrio político Situação na qual há equilíbrio entre as facções situacionistas e as oposicionistas.
equinócio da primavera/outono *Astron.* O da primavera é o que ocorre nos meses de março (hemisfério norte) e setembro (hemisfério sul); o do outono é o que ocorre inversamente, nesses hemisférios.

Equinócio é a época do ano em que os dias e as noites têm igualmente 12 horas de duração.

equipamento urbano Qualquer artefato implementado no espaço urbano, inclusive no seu subsolo, destinado à prestação de um serviço público.
era cristã *V.* "era de Cristo".
era de Aquário *Astrol.* Período em que a Terra passou a estará sob a influência da constelação de Aquário, a partir do século XXI.
era de César Aquela que começou no ano 38 a.C., em que César Augusto, o primeiro imperador romano, conquistou a península Ibérica.
era de Cristo Série de anos que começou com o nascimento de Jesus; a era atual.
era só o que faltava! Expressão usada quando nos sobrevém algum desgosto ou contrariedade. *Var.* "Era só isso que faltava!". *V.* "Só faltava isso".
Era uma vez... Expressão com que se inicia um conto, especialmente aqueles dirigidos a crianças: "há muito tempo"; "numa certa ocasião".
erga omnes Lat. "Perante todos". Diz-se de ato, lei ou decisão que a todos obriga, ou é oponível contra todos, ou sobre todos tem efeito.

errar a porta Dar-se mal num negócio ou numa tentativa de negócio; lograr-se; enganar-se. *V.* "errar de porta".
errar a vocação *1.* Não seguir o modo de vida que mais lhe conviria. *2.* Fazer algo muito bem, mas fora de seu emprego ou de suas atividades atuais.
errar de porta Tomar o bonde errado; enganar-se.
errar o bote Falhar, sobretudo em tentativa mal-intencionada; frustrar-se.
errar o golpe Falhar na tentativa; fracassar.
errar o lance Não acertar; dar em falso; falhar.
errar o pulo Enganar-se; sair-se mal de uma investida; não obter uma vantagem que se supunha fácil.
erro crasso Erro grosseiro, infantil.
erro de ofício O que se comete na matéria de sua lavra ou no cargo que exerce, por engano, descuido, ignorância, inaptidão ou incompetência.
erro palmar Engano evidente, grande.
erva daninha *1.* Erva que nasce no meio das culturas e atrapalha seu desenvolvimento. *2. Fig.* Diz-se de pessoa que age em prejuízo de uma causa, de um grupo, com comportamento incompatível e incoerente com as convicções e o escopo desse grupo.
escada da fama Diz-se da ascensão progressiva de pessoa, sobretudo artistas, na sua carreira profissional, granjeando grande e crescente prestígio junto à crítica e ao povo.
escada de caracol Aquela em que a superfície tangente dos degraus se desenvolve em espiral, em torno de um eixo.
escada rolante Aquela cujos degraus se movem, subindo ou descendo, acionados mecanicamente.
escala de serviço Relação em que se menciona o serviço que compete a cada um, seu horário e dia de realização.
escala social Conjunto das diversas classes e condições da sociedade.
escapar de uma boa Livrar-se de uma situação difícil; sair ileso de um acidente, de um perigo.
escapar pela tangente Sair a custo, ou por pouco, de uma situação difícil. O *m.q.* "escapar por um triz" e "escapar por um fio".
escapulir entre os dedos Perder-se por distração, falta de cuidados ou pela falta de pequenas providências, o domínio, a posse, a oportunidade de algo que se tinha sob controle. *Var.* "escapar pelos dedos".
escarrado e cuspido O *m.q.* "cuspido e escarrado".
escarrar grosso Alardear importância.

escola da vida

escola da vida O cabedal de experiência e de conhecimentos que se apreende ao longo da vida através do convívio com as pessoas, com as próprias experiências, com as observações dos acontecimentos e não propriamente do estudo.
escola de samba Sociedade recreativa de sambistas, passistas, músicos, figurinistas etc. que promove desfiles (*esp.* durante o carnaval) e apresentações públicas.
escolha de Sofia Dilema de escolha entre alternativas, quando se é pressionado a tomar uma decisão difícil, problemática, angustiante. Escolha feita com muito cuidado e critério.

A expressão provém da história segundo a qual Sofia, mãe judia, num campo de concentração, foi obrigada pelos nazistas a escolher qual de seus dois filhos lhes entregaria.

escolher a dedo Selecionar cuidadosa e rigorosamente.
escolher entre seis e meia dúzia Não ter o que escolher; não ter alternativa.
esconder leite *1.* Aparentar situação inferior à que realmente desfruta. *2.* Não revelar tudo o que sabe sobre determinado assunto; encobrir, fingir, dissimular; não contar tudo o que sabe.
esconder o jogo Disfarçar os meios de que se utiliza para alcançar um objetivo; dissimular; não fazer tudo o que pode e sabe; ocultar as verdadeiras intenções.
escória social A ralé; a mais baixa classe social.

Esta é uma expressão extremamente discriminatória, pois encerra sentido dúbio e pejorativo.

escorregar a língua Dizer impensadamente o que não se queria revelar.
escorrer pelos dedos O *m.q.* "escapulir entre os dedos".
escovar a casaca Deitar (o cavalo) fora o cavaleiro.
escovar a garganta Pigarrear antes de beber; limpar a garganta.
escovar urubu Estar desempregado; à toa; sem o que fazer. O *m.q.* "lavar urubu".
escravas brancas Mulheres que, atraídas para empregos e altos salários, caem na prostituição, obrigadas por contratos ou por dívidas assumidas com os aliciadores.
escravatura branca Tráfico de mulheres, para prostituição.

escravo do dever Diz-se de quem não falta ao dever, o cumpre rigorosamente; de quem se dedica ao dever e/ou ao trabalho quase que obsessivamente, sem descanso, por necessidade, responsabilidade ou inclinação. *Var.* "escravo do trabalho".
escrevente juramentado Auxiliar do serventuário da justiça, que legalmente substitui o titular nos seus eventuais impedimentos.
escrever com luva branca Escrever com delicadeza, sem insinuações malévolas ou ofensivas.
escrever na areia Fazer coisas de efêmera duração ou que pouco duram.
escreveu, não leu, o pau comeu *1.* Titubeou, levou, *i.e.*, sofreu o resultado. *2.* Se o acordo não foi cumprido, haverá punição.
escrita cursiva Manuscrito.
escrito e escarrado Tal e qual; sem tirar nem pôr. *V.* "cuspido e escarrado".
escritor de pulso Escritor de grande inteligência.
Escritura Sagrada O conjunto dos livros canônicos do Antigo e do Novo Testamento; a Bíblia. *Tb.* "Sagradas Escrituras".
escrivão de pena larga Gari.

"Pena larga" é alusão à vassoura.

escumar de raiva Ser tomado de grande cólera ou furor violento.
escuro como breu Tão preto ou escuro como o breu; muitíssimo escuro. *Var.* "preto como breu".

O breu é uma substância obtida pela evaporação parcial ou destilação da hulha e/ou de outras matérias orgânicas.

escuta telefônica/eletrônica Sistema de escuta de emissões eletromagnéticas emitidas por radares e redes de telecomunicações; escuta secreta feita pela polícia, por via telefônica, de conversas suspeitas, sempre com autorização judicial.

Escutas sem autorização judicial são consideradas ilegais e passíveis de pena.

escutar a consciência Levar em conta apenas suas próprias opiniões.
Escute aqui! Preste atenção!; Ouça!
esfera de ação Meio em que alguém exerce influência ou atividade. *Var.* "esfera de atividade".
esfera dos conhecimentos humanos O conjunto de conhecimentos acumulados pelo homem.

esfera terrestre A Terra.
esforço concentrado No jargão político, expediente pelo qual a semana dos congressistas é reduzida, dos sete dias que todos os demais trabalham, a três ou dois, nos quais deveria (hipoteticamente) ser exercida a prática legislativa. Define jocosamente o jornalista Jânio de Freitas: "É uma concentração de parlamentares que detestam o esforço de ir ao Congresso" (*Folha de S.Paulo*, de 26/09/1990).
esforço sobre-humano Esforço muito grande, quase que além das forças humanas.
esfregar as mãos de contentamento Estar muitíssimo satisfeito/alegre.
esfregar nas ventas de Mostrar, exibir, com irritação e/ou acinte. *Var.* "esfregar no nariz de" e "esfregar na cara".
esfriar a cabeça Deixar passar um tempo para se acalmar antes de tomar uma decisão, diante da dificuldade de fazê-lo no calor de discussão relativa ao assunto que deve ser resolvido.
esfriar a esperança Ir perdendo-a.
esgotar a paciência Não suportar mais determinada situação.
esmagar como a um verme Frase de ameaça a quem se acredita poder facilmente confundir ou vencer.
espaço aéreo Espaço acima do território e do mar territorial de um Estado e sobre o qual tem jurisdição e exerce soberania.
espaço de manobra *V.* "campo de manobra".
espaço interestelar *Astron.* Porção vazia do universo, onde predomina o vácuo ou o quase vácuo e, portanto, onde não existem corpos celestes nem suas eventuais atmosferas. Em relação às galáxias, diz-se: espaço intergaláctico.
espaço vital Território sobre o qual um país se julga no direito de exercer a possessão e o controle, sob o pretexto de satisfazer as necessidades de sua população.
espada de Dâmocles Perigo iminente, ameaça constante, especialmente quando se está desfrutando fase próspera e alvissareira.

> Hist. *Dâmocles, cortesão de Dionísio (tirano de Siracusa – séc. IV a.C.). Invejoso da posição de ser rei, satisfez-lhe Dionísio sua vontade, mas por apenas um dia. Em meio a um banquete, viu sobre ele uma pesada espada suspensa por um fio, simbolizando os perigos que ameaçam o comando e a aparente prosperidade.* (Enciclopédia Delta Larousse)

espalhar aos quatro ventos *1.* Lançar algo violentamente em todas as direções; remeter algo a torto e a direito, sem critério. *2.* Divulgar notícias às vezes irresponsavelmente, sem que tenha certeza de sua veracidade. *Var.* "proclamar aos quatro ventos".
espanador da Lua Pessoa muito magra e alta.
espantar o passarinho Enganar o contendor, dando passos imprevisíveis.
espantar tico-tico Dar passos imprevisíveis, fazer negaças, nas brigas, para enganar o adversário.
especialidade da casa Diz-se, nos restaurantes, do prato que constitui a iguaria típica na qual se especializou, supostamente exclusiva.
especialidade farmacêutica Medicamento que tenha fórmula e nome comercial devidamente registrados.
espécie em extinção *1.* Espécie animal ou vegetal em perigo de se tornar extinto devido a condições naturais ou à ação predatória do homem. *2. Fig.* Diz-se de um tipo de pessoa raro ou que tende a desaparecer. *Ex.: Homens românticos são uma espécie em extinção.*
espectro solar Faixa cromática gerada pela refração da luz solar em um prisma triangular transparente composta de uma série de cores que podem ser captadas num anteparo sólido, que deve ser o mais claro possível para apresentar com fidelidade as cores do espectro.
espelho de fechadura Chapa exterior que se aplica na porta, dando um acabamento ao local onde se instalou a fechadura, provido de buraco por onde se faz penetrar a chave.
espera deferimento Ou simplesmente "E.D.". É a expressão que se usa ao final de uma petição a órgão público. É também usual a expressão "Pede deferimento" ou "P.D.".
esperança de vida *Demog.* Índice que se apura, baseado em estatísticas de mortalidade (e de várias outras variáveis) para se calcular a expectativa dos anos de vida das pessoas que residem em determinada região ou país.
esperando uma brecha Esperando a ocasião mais propícia ou oportuna.
esperar a visita da cegonha Aguardar o nascimento de um filho.
esperar até que a poeira assente Esperar até que a situação se acalme; até que tudo possa ser razoavelmente discutido, sem as

emoções do momento; dar tempo ao tempo. *Var.* "esperar a poeira abaixar (assentar/baixar)".

esperar e esquecer Entrar em processo de resignação diante de demora e de ofensa ao mesmo tempo, atitude nem sempre fácil de ser tomada.

esperar pela pancada Aguardar algo desagradável como resultante de algum episódio do qual tenha sido protagonista.

esperar pelo Messias *1.* Fundar-se em vãs esperanças. *2.* Ter esperança numa redenção, mesmo que demore.

> *Messias* = *Para os judeus, redentor prometido por Deus para redimi-los, ainda esperado. Para os cristãos, esse prometido é a realidade da pessoa de Jesus Cristo.*

esperar por sapato de defunto Esperar coisa difícil, duvidosa ou impossível; esperar em vão.

esperar sentado Na expressão "pode esperar sentado", quer se dizer que, de fato, a espera vai ser inútil, *i.e.*, a pessoa não será ou dificilmente será atendida.

esperar uma brecha Aguardar uma oportunidade melhor ou uma ocasião mais propícia.

espetar a conta Não pagar a conta no momento da despesa; comprar fiado, ou seja, a crédito.

espião do céu Satélite artificial ou aeronave usados pelo serviço de inteligência de um país para espionar outro ou vigiar seu próprio território.

espichar a canela Morrer. Também se diz: "espichar (ou esticar) o pernil" e "esticar a canela".

espigão mestre O maior pico de serra, de monte ou de rochedo dos que formam uma cordilheira ou cadeia de montanhas.

espinhela caída Designação comum a diversas doenças (ou manifestações dolorosas) que o povo costuma atribuir à queda da espinhela, que é uma designação vulgar da extremidade inferior do esterno.

espinho atravessado na garganta Aborrecimento ou problema continuado.

espionagem comercial/industrial Coleta de informações sobre negócios, técnicas, desenhos, croquis reservados de uma empresa com o propósito de utilizá-las ou de repassá-las a concorrentes, disso tirando proveito.

espírito das trevas O demônio.

espírito de contradição Disposição para contradizer; índole que leva a contradizer impulsiva e constantemente o que outros dizem.

espírito de corpo Conjunto de sentimentos e opiniões compartilhados por um grupo de pessoas de uma mesma corporação, ou que têm interesses comuns. Corporativismo. *Var.* "espírito de grupo". Em francês diz-se: "*esprit de corps*".

espírito de observação O dom que alguns têm de notar e gravar detalhes do que veem, demonstrando vontade de inquirir as razões do fato, a qualidade do objeto, a arte apresentada etc.

espírito de porco Pessoa que está sempre dizendo ou fazendo coisas em desacordo com os outros; pessoa que interfere em qualquer negócio ou assunto, criando embaraços ou dificuldades ou agravando os já existentes.

espírito de sacrifício Disposição ou tendência para sacrificar-se por seus ideais, convicções etc., inclusive em benefício de outrem.

espírito engarrafado Pessoa que procura ser engraçada, sem o conseguir.

espírito forte *1.* Caráter maduro, ancorado em convicções firmes, que se coloca acima das opiniões das emoções e dos preconceitos. *2.* Livre-pensador.

espírito fraco Personalidade fraca e tímida, seguidora da opinião de outros e de seus exemplos, facilmente dominada por vícios e paixões.

espírito imundo O demônio. *Var.* "espírito maligno".

espírito mercantil O da pessoa que só age por interesse em dinheiro ou lucros.

espírito público Qualidade da pessoa que se preocupa com sua cidade, com a vida civil e com as instituições administrativas e políticas de seu país ou região.

Espírito Santo *Teol.* Na fé cristã, a terceira pessoa da Santíssima Trindade.

espírito santo de orelha *1.* Pessoa que em exames orais sopra ao examinando as respostas às questões propostas. *2.* Pessoa que costuma intrigar com superiores.

espírito sutil Atributo de quem é engenhoso, hábil, perspicaz; que tem muita agudeza.

espírito torto O da pessoa que não pensa e/ou não age conforme as normas de retidão geralmente aceitas.

espirrar para o céu Ostentar arrogâncias e cólera contra quem nos é superior.

esporte fino Diz-se de traje não formal, porém elegante e de boa qualidade.

esportes radicais São aqueles que envolvem alto risco (perigo).

espremer a cabeça Dar um nó nas ideias,

i.e., dedicar-se com afinco a pensar nas questões a resolver.
espremer até a última gota O *m.q.* "extrair todo o suco".
esprit de corps *Fr.* Lealdade entre membros de um grupo. *V.* "espírito de corpo".
espumar de raiva Estar possuído de violento furor.
esqueleto ambulante Pessoa muito magra.
esquentar a cabeça Preocupar-se; ficar aflito; ficar irritado. *Var.* "esquentar a cuca".
esquentar água para o mate dos outros *RS* Trabalhar para o proveito de outros.
esquentar o corpo *1.* Ingerir bebida alcoólica. *2.* Fazer exercício (aquecimento físico).
esquentar o peito Tomar bebida alcoólica; embriagar-se.
esquentar o tempo Acalorar-se uma discussão ou litígio.
esquerda festiva Grupo de esquerda (política) que procede mais por exibição do que por convicção ou ação.
Essa agora! Não esperava por isso! Mais essa!
Essa é boa! Exclamação irônica com que recebemos uma opinião que nos desagrada ou surpreende.
Essa é das gordas! Diz-se quando se quer opinar sobre uma notícia recebida, tachando-a de grave e/ou de grande repercussão.
Essa é de amargar! Exclamação diante de uma piada ruim ou de uma colocação inapropriada. *V. tb.* "Essa é de doer!"
Essa é de doer! Diz-se diante de uma situação indesejada ou como reação a uma piada sem graça. *V. tb.* "Essa é de amargar!"
Essa é que é a coisa. Essa é que é a realidade.
Essa eu não engulo. Não acredito nisso; não considero verdadeira nem aceito uma notícia ou uma afirmação. *Var.* "Essa não cola".
Essa não! Reação de alguém ao ouvir de outrem uma notícia inesperada, espantosa ou desagradável.
Esse filho não é meu! Não sou responsável por este resultado!; Não fui eu quem criou isso. *V.* "Eu não sou pai disso."
esse ou aquele Um ou outro; alguns dentre muitos.
Esse pau tem formiga. Expressão de advertência ou desconfiança a propósito de algo.
Está escrito. Dizem as pessoas deterministas em relação a um fato ou uma possibilidade. *Var.* "Está escrito nas estrelas".

Determinismo = Princípio segundo o qual tudo no Universo, até mesmo a vontade humana, estaria submetido a leis necessárias e imutáveis, de tal forma que o comportamento humano estaria totalmente predeterminado pela natureza, e o sentimento de liberdade não passaria de uma ilusão subjetiva.

Está falando comigo? Indagação a alguém para que confirme o que dissera ofensivamente a respeito do interlocutor.
Está frio. *1.* Estar longe ou perto de saber a verdade. *2.* Estar (ainda) distante de alguma coisa que se procura (inspirado na brincadeira infantil do 'chicotinho queimado'.

Nessa brincadeira, como orientação para quem vendado, busca um objeto escondido, diz-se "tá quente" quando a pessoa está próxima do objeto procurado, e 'está frio' quando está distante.

Está na cara. É evidente; óbvio, claríssimo; não há nenhuma dúvida.
Está no papo! Diz-se, popularmente, de algo que se conseguiu ou que se está prestes a conseguir.
Está ruço. Usa-se (de modo interjetivo) para qualificar uma situação complicada, difícil, problemática.
estabelecer um recorde Bater o recorde; conseguir um notável desempenho (nos esportes, principalmente).

Sobre recorde: V. "em tempo recorde".

estaca zero *1.* Em topografia, a estaca inicial de onde parte a medição. *2.* Ponto de partida; diz-se sobre um negócio, um projeto, um desenvolvimento que ainda não se iniciou, apesar dos planos feitos; ou o ponto de reinício de todo o processo, se em certo ponto ele fracassar.
estação das chuvas Período em que as chuvas são mais frequentes e intensas; o verão. *Var.* "estação das águas".
estação das flores A primavera.
estação de águas Temporada que se passa, em geral numa estância hidromineral; o lugar, balneário em que a passamos.
estação do ano Cada um dos quatro períodos do ano, de 3 meses cada, dois deles começando nos solstícios e dois nos equinócios, diferenciando-se por características climáticas bem delineadas nas zonas temperadas do globo: primavera, verão, outono e inverno.

estação espacial *Astron.* Engenho espacial tripulado ou não, destinado a pesquisas diversas enquanto orbita a Terra; plataforma espacial; estação orbital; plataforma espacial.

estação ferroviária Estação de embarque e desembarque de passageiros de linhas férreas.

estação meteorológica Local dotado de instrumentos para observar, registrar e interpretar os fenômenos atmosféricos: temperatura do ar, velocidade dos ventos, pressão barométrica, pluviosidade, umidade relativa do ar etc.; posto meteorológico.

estação rodoviária (terminal) Local onde os ônibus urbanos centralizam suas operações e os interurbanos utilizam como ponto de partida e chegada.

estado civil Situação jurídica de uma pessoa em relação ao seu vínculo matrimonial: se solteiro, casado, desquitado, viúvo, divorciado etc.

estado de choque Estado em que, de modo súbito e em consequência de emoção violenta, ou de acontecimento psiquicamente muito traumatizante, se instala depressão, atonia ou perda de autodomínio.

estado de coisas Circunstâncias determinadas no momento; situação atual.

estado de coma Estado patológico de inconsciência. *Tb.* se diz apenas "coma".

> *Coma = Estado de inconsciência em que nem sequer uma estimulação enérgica desperta o doente, e durante o qual se perdem as atividades cerebrais superiores, conservando-se a respiração e a circulação.*

estado de graça *1.* Estado de inocência; estado contrário ao de pecado; estado de alma reconciliada. *2. V.* "em estado de graça".

estado de guerra *1.* Circunstância derivada de beligerância efetiva entre Estados nacionais. *2.* Qualquer perturbação da ordem pública que implique uso da força em escala e continuadamente.

estado de sítio *1.* Situação de um lugar cercado por inimigos. *2.* Suspensão temporária de certos direitos e garantias do cidadão. *3.* Sujeição temporária a um regime militar que necessariamente não contempla os direitos individuais.

estado interessante Estado de gravidez.

estágio probatório Período em que se afere a aptidão de um candidato a emprego.

estágio remunerado Período em que uma pessoa pretendente de emprego exerce atividade em caráter precário, mas remunerado.

estalar os dedos Pressionar o dedo médio no polegar e soltar com ímpeto, batendo com aquele na base deste, o que provoca um estalo destinado a chamar a atenção de alguém, a marcar o ritmo de música etc.

estalar ovos Frigi-los.

Estamos no mesmo barco. Com esta frase estamos dizendo que somos solidários com alguém, irrestritamente, ou que estamos na mesma situação, sujeitos ao mesmo processo etc.

Estamos quites. Estamos de contas acertadas; não devemos nada um ao outro.

estampa dos pés A pegada.

estância hidromineral Lugar em que existem fontes de águas minerais, radioativas etc., visitado por pessoas que buscam os efeitos medicinais dessas águas. O *m.q.* "estação de águas".

estar à altura de *1.* Ser capaz de apreciar ou compreender; ser digno de. *2.* Ter condições, capacidade ou competência para realizar uma determinada tarefa.

estar à beira da sepultura Estar prestes a morrer.

estar à beira do abismo Achar-se em má situação financeira.

estar à cunha Estar (ambiente, lugar) abarrotado, lotado, muito cheio de gente.

estar a fim de *1.* Estar com intenção, vontade, disposição ou desejo de. *2.* Estar com desejo de namorar (alguém).

estar à frente de seu tempo Pensar e agir como se estivesse no futuro, onde vigem ideias e costumes diferentes (supostamente avançados) e refinadas tecnologias.

estar à morte Estar desenganado da vida, prestes a morrer.

estar a par de Estar bem informado acerca de; saber bem, conhecer os progressos de. *Var.* "estar ao corrente de".

estar a pé *1.* Estar sem meios mecânicos de locomoção disponíveis, locomovendo-se com os próprios pés; a pé. *2. Fig.* Estar sem apoio, sozinho, sem bases para sustentar uma causa.

estar a pique de Estar a ponto de; estar quase a.

estar a ponto de *1.* Estar prestes a. *2.* Achar-se em perigo de.

estar à porta Estar prestes a chegar, a acontecer.

estar à sombra *1.* Viver encarcerado. *2.* Estar ao abrigo do sol. *3.* Viver sob a proteção de. *4.* Estar em segundo plano em relação a alguém.

estar com a faca e o queijo nas mãos

estar a um passo do altar Estar prestes a se casar.
estar aberta a gaiola Achar-se desabotoada a braguilha.
estar acamado O *m.q.* "estar de cama".
estar aéreo Estar absorto, com as ideias vagando pela mente; sem atenção ao que se passa ao seu redor.
estar ainda com o bocado na boca Não ter ainda acabado de comer.
estar alto Estar bêbado. *Var.* "estar chumbado".
estar antenado Estar (alguém) atento para se inteirar dos fatos que acontecem no campo de suas atividades e, mesmo, além delas.
estar ao abrigo de Estar sob a proteção de.
estar ao corrente de O *m.q.* "estar a par de".
estar ao dispor (à disposição) de Falando de pessoas, significa estar disponível, pronto, desde já, para fazer o que outrem o encarregue de fazer ou peça para fazer.
estar ao fato Ser sabedor; estar ciente.
estar ao lado (de alguém) *1.* Estar próximo de alguém, prestando-lhe solidariedade e apoio. *2.* Estar em um relacionamento amoroso com alguém.
estar apertado *1.* Sentir necessidade urgente de urinar ou de defecar. *2.* Estar sob pressão de alguém. *3.* Estar em dificuldades financeiras. *4.* Ter muito serviço a fazer. O *m.q.* "estar em aperto".
estar às moscas Estar (lugar) vazio, sem ninguém, pouco frequentado.
estar às portas Estar próximo; estar perto, prestes, à beira de.
estar assim-assim Estar passando razoavelmente bem de saúde.
estar atolado *1.* Estar preso ou mergulhado na lama. *2. Fig.* Diz-se com o sentido de "estar apertado" (acepções *2, 3* e *4*).
estar balançando Estar prestes a ser demitido do cargo que ocupa.
estar baratinado Estar confuso.
estar bem *1.* Gozar de saúde. *2.* Sentir bem-estar; estar satisfeito. *3.* Ter uma boa vida, boa condição financeira ou boa situação profissional.
estar bem com Deus Praticar boas ações, agir corretamente; sentir-se em paz consigo mesmo.
estar bem de vida Estar gozando de boa situação financeira, prestigiado e com saúde.
estar bem-disposto Sentir-se bem.
estar brincando Não estar falando seriamente.

estar cagado de arara Estar com muita falta de sorte; estar passando por período aziago.
estar cagando e andando Não dar a menor importância.
estar cagando para Não dar a menor importância a.
estar caído por Estar gostando de; estar enamorado de. *Var.* "estar caidinho por".
estar caindo de sono Estar sonolento; com vontade incontida de dormir.
estar cansado de... Já estar fazendo há muito tempo e/ou muitas vezes a ação que se segue à expressão.
estar careca de saber Estar cansado de saber; saber há muito tempo.
estar certo de Ter certeza de.
estar cheio *1.* Estar farto, entediado, enfastiado. *2.* Estar incomodado com determinada situação, devido à sua interminável duração, ou com alguém, devido à sua impertinência.
estar cheio como um ovo *1.* Estar repleto. *2.* Estar muito rico.
estar chumbado *1.* Estar embriagado. *Var.* "estar alto". *2.* Estar mal fisicamente, prostrado, *ger.* por doença.
estar coberto de razão Ter toda a razão; estar certíssimo.
estar com Ter (*p.ex.: Maria está com febre*); apoiar, solidarizar-se (*p.ex.: Estou com os revoltosos.*). V. "estar com alguém e não abrir".
estar com a avó atrás do toco Zangar-se; estar amuado, aborrecido, mal-humorado.
estar com a barriga roncando Estar com muita fome.
estar com a bexiga *N.E.* Estar nervoso ou raivoso.
estar com a bola Ser a sua vez; ser a vez de sua ação.
estar com a bola toda *1.* Estar bem de vida. *2.* Estar gozando de muito prestígio.
estar com a burra cheia Estar rico.
estar com a cabeça em Estar preocupado com uma só coisa.
estar com a cachorra *1.* Estar embriagado. *2.* Estar irritado, de mau humor. *3.* O *m.q.* "estar com a corda toda".
estar com a corda no pescoço Estar endividado; necessitado de dinheiro; em aperto financeiro.
estar com a corda toda Estar animado, entusiasmado, eufórico.
estar com a espada na cabeça Estar sob pressão, assoberbado de obrigações.
estar com a faca e o queijo nas mãos Estar com a situação sob controle, estar com os

instrumentos, o poder de fazer algo acontecer ou não.
estar com a faca na garganta *1.* Estar constrangido ou forçado a agir de acordo com a vontade de outrem; estar sob ameaça ou tensão. *2.* Estar em grande apertura, *esp.* financeira. *Var.* "estar com a corda no pescoço".
estar com a língua coçando Estar ansioso para revelar algo.
estar com a louca Estar um tanto amalucado, fora de si, desorientado; perder o juízo.
estar com a macaca Encontrar-se irritadiço, inquieto, estar muito agitado.
estar com a mão na massa Estar trabalhando, exatamente naquele momento, em determinada coisa ou cuidando de certo assunto de interesse coincidente de outro(s).
estar com a palavra na boca Estar quase a se lembrar de um nome, de uma palavra, e não conseguir dizê-lo naquele momento.
estar com a telha Estar irritado, de mau humor.
estar com a vela na mão Estar à morte.
estar com a vida ganha Não ter motivo para preocupar-se financeiramente. *Var.* "estar com a vida feita".
estar com a vida que pediu a Deus Estar vivendo tranquilamente e bem; viver como quer.
estar com alguém e não abrir Declarar-se inteiramente de acordo ou demonstrar inteira solidariedade a alguém; apoiar (alguém) em quaisquer circunstâncias.
estar com ar de quem não quer nada Estar aéreo, absorto, desanimado.
estar com cera no ouvido Estar surdo; não estar ouvindo bem.
estar com ferida na asa *1.* Estar enamorado. *2.* Estar ressentido com alguém.
estar com má intenção Estar imbuído de maldade; agir visando a prejudicar (alguém).
estar com moléstia de cachorro *N.E.* Estar com raiva.
estar com nada Estar sem motivação; de moral baixa; sem ação. *V.* "não estar com nada".
estar com o bode amarrado Estar amuado.
estar com o burro amarrado na sombra Estar bem de vida e de saúde, tranquilo e sem problemas.
estar com o cão no couro *N.E.* O *m.q.* "estar com a bexiga".
estar com o coração em festa Estar dominado por um sentimento de alegria e prazer.
estar com o diabo no corpo Estar endiabrado; inquieto, alvoroçado, assanhado; agitado.
estar com o estômago nas costas Estar faminto. *Var.* "estar com a barriga roncando" e "estar com um buraco no estômago".
estar com o miolo mole Ser doido ou caduco ou fazer coisas sem sentido, absurdas.
estar com o olho na estrada Estar prestes a partir.
estar com o rabo preso *1.* O *m.q.* "estar num beco sem saída". *2.* Por estar envolvido em situações, conluios, mamatas etc. de caráter aético ou ilegal, não ter liberdade para agir contra ou criticar tais fatos. *V.* "rabo preso". *Var.* "estar com o rabo na cerca", "ter o rabo preso".
estar com o tutu todo Estar muito rico, endinheirado.
estar com os bolsos furados Gastar todo o dinheiro que lhe vem às mãos.
estar com os dias contados *1.* Ter poucos dias de vida; estar nas últimas. *2.* Estar jurado de morte.
estar com os olhos em Estar observando alguém atentamente, com muito interesse.
estar com os pés na cova Estar perto da morte. *Var.* "estar com o pé na cova" e "ter um pé na cova".
estar com os pés no estribo Estar prestes a partir; estar de partida. Também se ouve: "estar com o pé no estribo".
estar com remorso Estar arrependido ou envergonhado por algum ato que tenha praticado. *V.* "sem remorso".
estar com sorte Estar em boa fase.
estar com tudo O *m.q.* "estar com a bola toda".
estar com tudo e não estar prosa Diz-se a respeito de pessoa considerada feliz, bem-sucedida na vida, vitoriosa, mas não vaidosa por isso.
estar com um pé em Estar prestes a alcançar ou conseguir algo que se tem em vista.
estar com um pepino nas mãos Ter sob sua responsabilidade um assunto espinhoso, difícil de conduzir, de resolver. *Var.* "segurar o pepino".
estar com vontade de Desejar; querer; sentir-se disposto a.
estar comendo brisa Comer pouco, ser extremamente frugal no comer.
estar como (um) peixe fora d'água Estar em apuros, passando por uma fase difícil.
estar como galinha quando quer pôr Mostrar-se desassossegado, inquieto; não se demorar em lugar algum aonde vá.
estar como rato no queijo Estar na boa; estar satisfeito, feliz, de bem com a vida.
estar como um cacho Estar completamente embriagado. *Var.* "estar bêbedo como um cacho".

estar conservado Não aparentar a idade que tem, parecer mais moço do que é.
estar contando os dias Estar ansioso para que chegue o momento esperado.
estar conversado Estar combinado, acordado, decidido em comum acordo.
estar cru em Não ter conhecimentos suficientes em.
estar cuspindo bala Estar zangado, irritado.
estar daquele jeito De um modo geral, a expressão denota insatisfação usada como resposta à indagação sobre seu estado de espírito ou de saúde.
estar daqui Estar ótimo, perfeito, aprovado. Ao se expressar desta forma o falante costuma simultaneamente tocar no lóbulo de sua própria orelha.
estar de acordo Concordar.
estar de antenas ligadas Estar ou permanecer sempre atento.
estar de asa caída Estar entristecido ou desanimado.
estar de aspa torta Estar zangado, amuado, mal-humorado.
estar de aviso *1.* O *m.q.* "estar de sobreaviso"; estar prevenido, alerta. *2.* Estar para ser despedido do emprego. *Var.* "estar de aviso prévio".
estar de bandeira a meio-pau *1.* Estar mais ou menos bêbado. *2.* Estar desanimado, prejudicado.

> *A bandeira hasteada a meio-pau, ou seja, descida do topo até o meio do mastro, indica luto.*

estar de barriga Estar grávida.
estar de bengala Estar velho, avançado de idade; estar alquebrado.
estar de bode amarrado Estar aborrecido, contrariado, zangado, amuado.
estar de boi Estar (a mulher) menstruando.
estar de burros com alguém Estar zangado com essa pessoa.
estar de cama Estar doente, na cama. *Var.* "estar acamado".
estar de castigo Estar cumprindo uma pena, passando por um sacrifício, por uma punição.
estar de chico Estar (a mulher) menstruada.
estar de choco *V.* "estar no choco".
estar de cima *1.* Estar em boa situação, estar bem de vida. *2.* Estar atento, insistindo com alguém para que decida ou faça algo. *V.* "estar em cima de". *3.* Acompanhar de perto a evolução de um caso, de uma providência, de uma tarefa; ficar vigilante.
estar de esperança Estar grávida.
estar de fogo Estar embriagado.
estar de lua Estar de humor instável, ou de mau humor.
estar de luto *1.* Estar triste, pesaroso por um acontecimento infausto, principalmente pelo falecimento de pessoa querida. *2.* Vestir-se com vestes próprias para o luto, segundo o costume local.
estar de mal Estar zangado (brigado) com alguém; não ter mais nenhum relacionamento com alguém, motivado por desavenças ou desentendimentos pessoais.
estar de marcação com Fazer (de alguém) alvo de perseguição contínua; implicar com; ter má vontade com; ter marcação com; perseguir. *Var.* "ter marcação com".
estar de maré Estar com boa disposição.
estar de miolo mole Estar caduco; estar sofrendo do siso.
estar de molho Estar inativo, sobretudo em convalescença.
estar de nojo O *m.q.* "estar de luto".
estar de olho Estar na espreita; vigiar. *V.* "de olho em"; o *m.q.* "andar de olho em".
estar de ovo virado Estar mal-humorado, zangado.
estar de passagem Passar por um local sem intenção de demorar-se ou de ali permanecer.
estar de pau feito Estar preparado para o que der e vier.
estar de pé atrás Estar prevenido, desconfiado. *Var.* "estar com o pé atrás".
estar de peso Estar azarado, em maré de má sorte.
estar de pito aceso Estar inquieto, agitado.

> *Pito = Cachimbo.*

estar de pote Estar grávida.
estar de prevenção com Ter razões para estar contra (uma pessoa) antecipadamente; desconfiar de.
estar de resguardo Estar (a mulher) em período (na gravidez ou após o parto) de certos cuidados e limitações.
estar de saco cheio Não aturar mais; estar impaciente, aborrecido, irritado.
estar de sobreaviso Estar prevenido; à espera. O *m.q.* "estar de aviso".
estar de tanga Estar na miséria.
estar de tromba Andar carrancudo, triste, zangado.
estar de virar e romper *RS* Estar apto para

um fim, em excelentes condições; preparado para o que der e vier.

estar debaixo da telha Estar dentro de casa; estar abrigado.

estar dentro de seus direitos Estar amparado pela lei.

estar desligado Estar absorto, pensando em outra coisa; não estar prestando atenção na conversa ou no que acontece ao seu redor.

estar diferente com Apresentar comportamento diferente do habitual com alguém.

estar duro Estar sem dinheiro, desprevenido, pronto.

estar em ablativo de viagem Estar a ponto de partir. *Var.* "estar em ablativo de partida".

estar em aperto V. "estar apertado".

estar em apuros Estar numa enrascada, por ter feito algo ilegal ou que trará aborrecimentos.

estar em boas mãos Achar-se entregue a quem é competente ou confiável para o caso.

estar em brasa *1.* Estar febril. *2.* Estar furioso.

estar em casa *1.* Estar à vontade. *2.* Sentir-se familiarizado.

estar em cena Estar em evidência; aparecer. *Var.* "estar sempre em cena".

estar em cima de *1.* Ficar insistindo com alguém ou vigiando-o. *2.* Ficar atento em relação a determinada expectativa.

estar em compasso de espera Estar à espera de um acontecimento específico.

estar em dívida com *1.* Dever a. *2.* Dever obrigações a alguém por favores recebidos.

estar em foco Estar em evidência, ser objeto de atenção.

estar em forma *1.* Estar gozando de boa saúde. *2.* Gozar de bom condicionamento físico.

estar em jejum *1.* Ignorar determinada coisa. *2.* Não ter comido nada ainda naquele dia. *3.* Estar em abstinência de algo.

estar em jogo *1.* Estar em causa; sob consideração. *2.* Estar em risco. *3.* *Esp.* Confirmar que o jogo está ou continua em andamento.

estar em mangas de camisa Estar com o tronco vestido apenas com camisa, sem outra vestimenta (suéter, paletó, casaco etc.) por cima dela.

estar em más circunstâncias Estar em perigo ou em má situação financeira.

estar em mau estado *1.* Estar estragado; gasto; malconservado. *2.* Estar decadente; muito doente; muito ferido. *Var.* "estar em mísero estado".

estar em maus lençóis *1.* Estar em situação difícil, crítica ou embaraçosa. *2.* Estar sem meios de defesa contra acusações bem-fundamentadas. *3.* Estar com a vida complicada.

estar em minguante Decrescer, diminuir, perder a antiga força, destreza ou prosperidade.

estar em órbita Estar como que fora de si; estar pensando em outra coisa que não o que acontece ao seu redor; distraído.

estar em ordem Estar como deve ser; ordenado, com tudo arrumado e nos devidos lugares.

estar em paz com a consciência Ter a convicção de ter procedido ou estar procedendo corretamente.

estar em plena força Estar gozando de boa saúde; estar em forma. *Var.* "estar em plena forma".

estar em queda livre *1.* Estar em declínio de prestígio ou de poder. *2.* Estarem os preços, a inflação em baixa contínua e acentuada.

estar em roupas menores Estar vestido apenas com roupas íntimas. *Var.* "estar em trajes menores".

estar em si Estar em seu juízo.

estar em todas Participar ativamente da vida social ou do grupo que frequenta; estar sempre bem-informado; estar em evidência, prestigiado.

estar em todas as bocas Ser por todos muito falado e comentado; ser público e notório.

estar em vésperas de Estar quase a; não tardar muito para.

estar enforcado Estar entalado em dívidas e obrigado a desfazer-se do que lhe é mais necessário.

estar engatinhando *1.* Estar no estágio inicial (a criança) do aprendizado de andar. *2.* Estar se iniciando numa nova profissão; iniciando o aprendizado ou a prática.

estar enleado Estar atarantado, confuso; estar sem saber sua identidade.

estar entre Cila e Caribdes Figuradamente, significa: "escapar de um perigo e cair em outro pior".

Esta expressão provém de episódio da Odisseia de Homero, poeta grego (séc. VIII a.C.). Cila é um rochedo na costa italiana e Caribdes um turbilhão no nordeste da Sicília, perto de Messina, ambos muito perigosos para os navegantes.

estar entre seis e meia dúzia Estar na mesma; estar indeciso diante das alternativas que se lhe apresentam.

estar envolvido até o pescoço Estar muito comprometido com determinado caso ou assunto.
estar enxuto Estar com o corpo bem proporcionado fisicamente, sem adiposidades.
estar escrito Expressão de quem crê que o destino de cada um já é determinado. *V.* "está escrito".
estar escrito na face Estar aparente, pelas expressões do rosto, o que alguém sente, o que pensa, por que está passando. *Var.* "estar estampado na face".
estar esgotado *1.* Não existir mais em estoque. *2.* Estar muito cansado, estressado.
estar estribado Estar endinheirado.
estar fedendo a cueiro O *m.q.* "cheirar a cueiros".
estar feito Ter sucesso, estar realizado na vida.
estar feito bobo Estar um tanto surpreso, admirado, sem saber o que fazer.
estar ferrado Estar frito, em dificuldades, sujeito às consequências do que fez ou falou. O *m.q.* "estar no mato sem cachorro". *V.* "no mato sem cachorro".
estar/ficar de molho *1.* Estar doente, de cama. *2.* Estar afastado temporariamente de seu posto, função ou atividades habituais.
estar/ficar de tanga Estar ou ficar sem dinheiro; sem recursos.
estar/ficar na retranca *1.* Assumir atitude defensiva, reservada, *ger.* por desconfiança; acautelar-se. *2. Fut.* Retrair-se, um time, durante o jogo, fechando a defesa, de forma a aguentar as investidas adversárias e garantir o resultado até então alcançado.
estar/ficar num mato sem cachorro Ver-se em apuros, em situação difícil e desamparado, sem apoio.
estar fora *1.* Estar temporariamente fora de sua casa ou de sua cidade. *2.* Não se interessar; recusar-se a participar.
estar fora de (mim) si Estar sob um estado de fortes emoções e descontrole emocional, desatinado e desorientado.
estar fora de cogitação Não estar nos planos; não ser considerado.
estar fora de forma Estar fisicamente mal, necessitando de exercícios.
estar fora do ar *1.* Estar definitiva ou temporariamente suspensa (a transmissão de uma emissora de rádio ou de televisão). *2. Fig.* Estar ausente; estar desligado ou desatento ao assunto corrente.
estar fora dos eixos Estar baratinado; ter perdido seu sentido ou movimento regular.
estar frio *1.* Estar longe da verdade, do objetivo. *2.* Numa brincadeira comum entre crianças, na qual uma delas é convidada a encontrar um objeto escondido, a orientação que a ela se dá ao se afastar do local onde o objeto foi colocado, enquanto se diz "estar quente" quando dele se aproxima. *3.* Manifestação sobre a temperatura ambiente. *4. V.* "ficar frio".
estar frito *1.* Estar em grandes dificuldades, sem possibilidade de se livrar delas. *2.* Estar em posição desfavorável diante de determinada situação. *3.* Estar em grande perigo.
estar indiferente (com alguém) Deixar esfriar as relações de amizade que tinha com uma pessoa ou manter relações superficialíssimas com ela.
estar ligado Estar atento ao que se passa em redor. *Var.* "estar ligadão".
estar limpo *1.* Estar isento de sujeira ou impureza; estar sem culpa. *2.* Estar sem dinheiro.
estar limpo com alguém Gozar de sua confiança; não ter nenhuma questão pendente; ter sido honesto e leal com alguém.
estar liso O *m.q.* acepção *2* de "estar limpo". *Var.* "estar duro".
estar livre (de) Sentir-se desobrigado de fazer algo (ou de alguém) que o contrariava ou embaraçava.
estar longe de Estar distante de; faltar muito para.
estar mais do que na hora Ser este o momento (de fazer imediatamente ou que já deveria ter sido feito).
estar mais para lá do que para cá Estar em estado não muito bom (*esp.* de saúde).
estar mal de Ter falta de.
estar moído Estar cansado, esgotado.
estar montado no tutu Ter muito dinheiro; ser muito rico. *Var.* "estar montado na grana".
estar morto de... *1.* Estar vivenciando intensamente sensação, ação, sentimento de... etc. *Ex.*: *estar morto de fome, morto de cansaço, morto de tanto rir.*
estar muitos furos acima de Ser muito superior a (sob vários aspectos).
estar na alça de mira de Estar sob observação de.
estar na baila Estar sempre prestigiado, citado, chamado.
estar na berlinda *1.* Está em certa condição de cumprimento de tarefas, penalidades etc., em jogo de prendas. *2.* Estar em evidência; ser alvo de comentários, zombarias, gracejos; estar na ordem do dia. *3.* Ser colocado à parte de um grupo. *V.* "pôr na berlinda".

estar na bica de

estar na bica de Estar prestes a ser, a acontecer.
estar na boca de todos O *m.q.* "cair na boca do mundo".
estar na brecha Estar sempre pronto para a luta. *2.* Estar em via de; estar à espera de uma oportunidade.
estar na cara Estar claríssimo, evidente, óbvio.
estar na cerca *Fut.* Ficar na reserva.
estar na chuva Estar embriagado.
estar na cola de Estar de olho em (alguém); estar vigiando, seguindo, perseguindo (alguém).
estar na condicional Estar em liberdade condicional.

> *A "liberdade condicional" concede liberdade a indivíduo condenado à prisão, sob certas condições, que, se forem rompidas, automaticamente eliminam a concessão.*

estar na corda bamba Estar vivendo situação de extremas dificuldades, sem vislumbre de delas se livrar.
estar na dele (minha) *1.* Estar com a opinião dele (minha). *2.* Firmar-se na própria opinião, acomodar-se numa situação.
estar na dependura Estar na miséria, em má situação financeira; estar sem dinheiro, quebrado, na pior. *Var.* "estar na embira".
estar na escuta *1.* Estar aguardando, ao telefone, uma ligação. *2.* Ouvir rádio com o objetivo de captar uma notícia aguardada. *3.* Manter sob vigilância, monitorando, as ligações telefônicas de alguém.
estar na estica Estar em estado de penúria ou de saúde muito abalada; às portas da morte.
estar na flor da idade Ser jovem.
estar na forja Estar em preparação, em fase de execução; prestes a terminar. *Var.* "estar no forno".
estar na fossa Sentir-se moralmente deprimido.
estar na graça de V. "cair nas graças de". *Var.* "estar em graça para com".
estar na linha de fogo *1.* Estar justamente na trajetória possível de um projétil que esteja sendo lançado ou prestes a sê-lo. *2. Fig.* Estar em posição vulnerável, em exposição (em embates, conflitos, discussões etc.).
estar na lona Estar sem dinheiro; estar quebrado.
estar na minha Firmar-me em minha própria opinião, ou numa posição já assumida.

(Conforme a pessoa que fala, usa-se "estar na sua" ou "estar na dele", com a mesma acepção.)
estar na muda *1.* Estar (ave) na fase de mudança de suas penas. *2. Fig.* Estar em fase de transição, repensando seu comportamento e atitudes, sem tomar nenhuma posição definida e/ou definitiva.
estar na onda Fazer sucesso; estar na moda.
estar na ordem do dia *1.* Estar em voga; ser muito falado. *2.* Nas assembleias, confirmação de estar um assunto na pauta para discussão e deliberação.
estar na pele de Ocupar a posição ou a situação em que outra pessoa se encontra.
estar na pindaíba Estar sem dinheiro. *Var.* "andar na pindaíba".
estar na pinga Estar embriagado pela cachaça.
estar na pior Estar em fase má; na miséria; em dificuldades financeiras.
estar na ponta Ser o primeiro ou estar entre os primeiros; sobressair-se; distinguir-se.
estar na ponta da tabela Numa competição, desfrutar em determinado momento a primeira posição.
estar na ponta dos cascos Estar muito bem-preparado para algo, estar em ótima forma. V. "andar na ponta dos cascos".
estar na prateleira de cima Estar em posição de destaque; ser mercadoria de boa qualidade.
estar na rabeira Estar no último lugar; ser o último da fila.
estar na sombra *1.* Estar ao abrigo do sol. *2.* Viver ignorado. *3.* Viver na dependência de alguém.
estar na sua Manter a própria opinião, posição, atitude etc., pouco se incomodando com os demais.
estar na sua cancha *RS* Estar em lugar conhecido, onde se sente bem.
estar na tela de discussão Ser tratado, discutido.
estar na ucharia Estar sem dinheiro; desprovido de recursos.
estar na última lona Estar completamente sem dinheiro, na miséria, quebrado.
estar naqueles dias *1.* Estar a mulher no período de menstruação. *2.* Estar mal-humorado.
estar nas alturas *1.* Achar-se em condições de vida invejáveis. *2.* Estar em estado de euforia. *V.* "estar nas nuvens".
estar nas boas graças de alguém Ser ou poder contar com ser protegido, beneficiado ou favorecido por alguém.

estar nas mãos de alguém Estar na dependência de alguém; estar subordinado à decisão ou ao comando de alguém.
estar nas nuvens Sonhar, desfrutar uma sensação agradável. *V.* "estar nas alturas". *Var.* "estar no céu".
estar nas últimas Estar agonizante.
estar no ar *1.* Estar (estação de rádio ou TV) transmitindo. *2.* Ser perceptível (ambiente, condições específicas) em sutis manifestações. *Ex.*: *A primavera está no ar. 3.* Estar indefinido, ainda não encaminhado ou resolvido. *Ex.*: *Este projeto ainda está no ar.* *V.* "ficar no ar".
estar no banco dos réus *1.* Estar sendo muito criticado. *2.* Estar sendo julgado por delito ou crime cometido.
estar no bem-bom Estar gozando de boa situação financeira e de saúde; estar como queria, tranquilo, sem maiores problemas.
estar no calor Estar (animal) no cio.
estar no caso de Estar em idênticas circunstâncias.
estar no cerne Estar em pleno vigor físico ou mental; forte; rijo.
estar no céu *1.* Estar muito satisfeito, feliz. *2.* Estar em um ambiente ou vivenciar uma condição extremamente agradável.
estar no choco *1.* Estar ou ficar de cama. *2.* Estar em preparação. *3.* Estar (a galinha) no tempo de deitar sobre os ovos para chocá-los. *Var.* "ficar no choco".
estar no desvio *1.* Estar desempregado. *2.* Vadiar. *Var.* "trabalhar no desvio".
estar no jeito *V.* "no jeito". *Var.* "ficar no jeito".
estar no limbo Esquecer (de alguém ou de alguma coisa) ou ficar absorto, fora da realidade; estar num estado de incertezas e de confusão a respeito do que virá a acontecer.
estar no lugar Estar no lugar adequado, próprio. *V.* "fora do lugar".
estar no mato sem cachorro Ficar sem recursos, sem meios de defesa; ficar abandonado. *Var.* "estar num mato sem cachorro".
estar no mesmo barco Estar junto com outros, enfrentando os mesmos riscos; com os mesmos objetivos; sujeito à mesma situação.
estar no mundo da lua Estar vivendo fantasias; estar fora da realidade, sonhando acordado.
estar no osso *1.* Estar no fim, no resto. *2.* Estar reduzido a sua estrutura de sustentação, sem complementos ou arremates externos. *3.* Estar (um pneu) completamente gasto.

estar no papo Estar certo de alcançar o que esperava ou almejava; maneira jocosa de se dizer ter conseguido o que queria.
estar no paraíso O *m.q.* "estar nas alturas". *Var.* "estar no céu".
estar no páreo Concorrer, participar, manifestar interesse em permanecer numa disputa.
estar no pau Apanhar uma sova; ser surrado.
estar no ponto Estar pronto; estar na condição adequada ou ideal para o que se propõe.
estar no prego Estar penhorado.
estar no prelo Estar em fase de impressão (gráfica), de edição.
estar no sangue Ser (característica física, mentalidade, modo de agir etc.) coerente com a índole da família.
estar no sétimo céu Estar muito feliz, muito satisfeito.
estar no seu elemento Encontrar-se em ambiente que lhe é propício, que conhece bem; estar como peixe n'água.
estar no vermelho Estar em débito. Estar negativo seu saldo na conta-corrente bancária.
estar no xadrez Estar na prisão.
estar nos braços de Morfeu Estar dormindo.

Esta expressão induz a crer que Morfeu, na mitologia grega, fosse o deus do sono; ele era, porém, o criador dos sonhos. Seu pai, Hipnos – de onde "hipnotismo" – é que era o deus do sono.

estar nos cueiros Estar nos começos de arte ou ciência; ser ainda um aprendiz; ser criança; imaturo.
estar nos seus gerais *N.E.* Estar a seu gosto, em liberdade, contente, satisfeito.
estar nos trinques Vestir-se com apuro, com esmero e elegância; de roupa nova. *V.* "andar nos trinques".
estar num beco sem saída *V.* "beco sem saída".
estar num paraíso Estar muito bem-disposto, rodeado de coisas boas.
estar numa boa Estar feliz, de bem com a vida; participar de um bom negócio ou de benefícios.
estar numa camisa de força Estar alguém inoperante devido a dificuldades, a condições que lhe são impostas ou que estão fora de seu controle.
estar numa encruzilhada Não saber que rumo tomar; estar desnorteado.

estar o diabo atrás da porta Diz-se quando nos correm mal os negócios ou nos sucedem frequentes contratempos ou desgostos.
estar papando alto Estar metido em grandes falcatruas ou aventuras, em negócios ou nos amores.
estar para Estar disposto ou prestes a.
estar para nascer... Ainda não existe...; não creio que exista...
estar para o que der e vier Estar disposto a (enfrentar) tudo.
estar pela boa O *m.q.* "estar pela bola preta", na acepção *2* de "bola preta".
estar pela hora da morte Custar muito caro.
estar pelo beicinho Enamorar-se; deixar-se possuir pelo amor. *Var.* "estar pelo beiço".
estar pelos autos *Jur.* Concordar.
estar pelos cabelos *1.* Estar muito atarefado. *2.* Estar muito irritado; estar muito aflito.
estar perto de *1.* Estar junto, próximo de. *2.* Estar prestes a; estar quase acontecendo, alcançando.
estar pescando Estar cochilando.
estar pilhado Estar com muita energia, disposição.
estar pipocando Estar por acontecer.
estar pisando em brasas *1.* Enfrentar situação difícil, perigosa, delicada. *2.* Estar ansioso quanto ao desfecho de algo que lhe interessa; estar aflito pelos muitos problemas que tem de resolver.
estar por Concordar com ou sobre; aceitar; estar a favor de.
Estar por aqui! Esta expressão exclamativa traduz o aborrecimento de uma pessoa com alguém ou por alguma situação, equivalendo a: "Já não aguento mais!". Geralmente, é acompanhada de gesto em que se coloca a mão aberta na altura da garganta ou da testa, procurando dar ideia de sufoco ou repleção. Diz-se também, simplesmente: "Por aqui!".

> Repleção = Estado ou condição do que está repleto.

estar por baixo Estar em posição subalterna, inferior, humilde.
estar por cima Desfrutar uma posição privilegiada em relação a outras pessoas, a um assunto ou situação.
estar por cima da carne-seca *1.* Achar-se em situação confortável, vantajosa; estar por cima, dominando uma situação; em momento favorável. *2.* Estar próspero.

estar por conta *1.* Estar ou ficar disponível, pronto para a ação. *2.* Estar ou ficar furioso, zangado, indignado. *Var.* "ficar por conta".
estar por dentro Estar a par de um assunto; estar informado.
estar por dias *1.* Estar prestes a acontecer algo, *esp.* estar prestes, a mulher, a dar à luz, a parir. *2.* Estar por acabar.
estar por fazer Ainda não foi feito, mas está nos planos de sê-lo.
estar por fora Estar na ignorância de algo, sem conhecer ou saber; não estar por dentro; não estar a par da situação ou do assunto de que se trata; desconhecer.
estar por pouco Estar prestes a; quase; próximo.
estar por terra Estar vencido, derrotado.
estar por tudo Dispor-se a fazer o que outros querem.
estar por um fio *1.* Estar gasto pelo uso, a ponto de estragar-se. *2.* Estar prestes a acontecer; pendente de pouca coisa; quase.
estar pouco ligando Não estar se incomodando com o que os outros dizem ou fazem e que lhe dizem ou não respeito. *Var.* "estar pouco somando".
estar (pouco) se lixando Não fazer o menor caso; não ligar a mínima; não se importar.
estar prestes a Estar a ponto de; quase.
estar pronto *1.* Estar apto a realizar algo imediatamente. *2.* Estar sem dinheiro; estar duro. *3.* Estar completo; estar plenamente realizado ou acabado.
estar quase acreditando que Diante de tantas evidências, estar propenso a acatar como verdadeiro ou aceitar o que lhe dizem.
estar que nem morto *1.* Estar exangue, muito cansado. *2.* Estar com aparência de morto.
estar quebrado Estar na miséria; estar em situação de ter perdido tudo o que tinha; ter tido insucesso nos negócios, falido.
estar quente *1.* Em certos brinquedos infantis, como no "chicotinho-queimado", ou "esconde-esconde", aproximar-se muito de um objeto escondido, que se está a procurar. *2.* Aproximar-se da verdade. *3.* Estar fazendo calor.
estar redondamente enganado Estar incorrendo em erro evidente. *V.* "redondamente enganado".
estar rolando Estar acontecendo ou prestes a acontecer.
estar roxo por Gostar muito de; estar apaixonado por.
estar salivando *1.* Estar ou ficar irado, irritado, possesso, como animal com raiva.

2. Estar ou ficar aguado; aguar. *Var.* "ficar salivando".
estar sem cabeça Estar confuso, desorientado; sem condição de pensar, de raciocinar.
estar sem fôlego Estar ofegante, com falta de ar.
estar sem gás Estar sem disposição.
estar sem nenhum Estar sem dinheiro. O *m.q.* "estar duro".
estar sem o que fazer *1.* Estar (a pessoa) ociosa, à toa, desocupada, desempregada. *2.* Estar impotente, sem meios de fazer algo, resolver uma situação. *Var.* "não ter o que fazer".
estar sem pernas Estar cansado, com as pernas doendo.
estar sem saco Estar sem disposição, sem paciência.
estar sem vintém Estar sem dinheiro.
estar sempre em cena *1.* Procurar alguém estar presente e sempre visível em eventos, ocasiões diversas, para transmitir ideia de sua importância, influência etc. *2.* Ser chamado para muitas missões. *3.* Estar presente em todos os acontecimentos.
estar senhor da situação Ter perfeito conhecimento e controle de uma situação difícil, perigosa.
estar senhor de si Estar consciente, tranquilo; estar sabendo o que faz e suas consequências; estar com a situação sob controle.
estar servido *1.* Ter ou crer já ter recebido o bastante. *2.* Sentir-se satisfeito com o alimento que já lhe foi oferecido. *3.* Na forma interrogativa (*Ex.: Está servido?*), indaga se a pessoa aceita um alimento que lhe é oferecido.
estar sob fogo cerrado Estar sob pressão de outrem com relação a uma atitude a tomar ou um trabalho a realizar.
estar sob juramento Ter feito solene compromisso de dizer só a verdade ou de cumprir o que prometeu; dependente de contrato verbal, garantido por palavra de honra. *Var.* "estar sob palavra".
estar sobre espinhos Estar passando por momento de grandes dificuldades.
estar sonhando Não acreditar no que está vendo, ouvindo ou presenciando.
estar sozinho Considerar-se ou ser considerado o maior, o melhor ou o único em alguma coisa.
estar sujo com Ser alvo de um julgamento ou opinião desabonadores por parte de alguém, *ger.* por ter agido mal, ou se comportado mal em relação a este.

estar teso Estar firme, tenso ou hirto.
estar tinindo *1.* Estar vibrando de contentamento ou raiva. *2.* Estar tudo pronto.
estar todo quebrado Estar muito machucado, ferido, cansado.
estar trocando as pernas Estar bêbado, cambaleante, andando em zigue-zagues.
estar tudo no lugar Maneira de se referir a um corpo esbelto, bem-proporcionado.
estar tudo nos conformes Estar tudo certo, como esperado. *Var.* "estar tudo nos seus conformes".
estar um bagaço *1.* Estar muito mal de saúde ou muito doente; estar velho e alquebrado. *2.* Estar (algo) em muito mau estado. *3.* Estar muito cansado. *Var.* "estar um trapo" e "estar um caco".
estar um forno Estar quentíssimo.
estar uma arara Estar irritado. *Var.* "estar uma fera", "estar uma pilha", "estar uma onça" ou "estar fulo da vida".
estar velho antes do tempo Sofrer, antes da idade ordinária, os percalços da velhice; ter aparência de velho sem o ser.
estar vendendo botões Estar com a braguilha desabotoada.
estar vendido *1.* Estar contrafeito, constrangido, contrariado, desapontado; não se sentir à vontade. *2.* Estar completamente desarvorado, sem meios para corrigir uma situação adversa. *Ex.: A defesa, mal posicionada, estava completamente vendida, e o gol foi inevitável.*
estar vendo coisas Estar delirando, confuso, tomado de alucinações.
estarem as coisas pretas Haver barulho, encrenca, confusão ou na iminência de que tudo isso ocorra; estar em dificuldades.
Estás brincando! Expressão de galhofa, zombaria, gracejo, escarnecimento. Equivale a: "Não posso te levar a sério!"
estátua curul A que representa uma pessoa num carro.
estátua equestre A que representa uma pessoa montada em um cavalo.
estátua jacente Estátua que figura uma pessoa deitada.
estátua pedestre Aquela em que se representa uma pessoa andando a pé.
estátua sagrada Imagem de Cristo, da Virgem Maria, ou dos Santos.
estátua sedestre A que representa alguém sentado.
Este é o tal. Este é o notável, o batuta, o falado, o procurado.
este ou aquele O *m.q.* "esse ou aquele", referindo ao que está presente, ou recém-citado.

este seu criado Fórmula antiga e cortês de se identificar a pessoa que fala.

estender a mão a *1.* Pretender ajudar alguém; dar proteção. *2.* Pedir ajuda a. *3.* Pedir esmola.

estender o saco Pedir esmolas; mendigar.

estender o tapete para Homenagear, dar tratamento especial a alguém que muito prezamos e admiramos; receber as pessoas com honras e atenção.

Em certas cerimônias oficiais, esp. em visitas de autoridades, usa-se estender um tapete para que por ele passe o visitante ilustre.

esticar a canela Morrer. *Var.* "esticar as canelas".

esticar as pernas *1.* Espairecer, descansar, relaxar. *2.* Morrer.

esticar muito a corda *1.* Ser por demais exigente; forçar demais alguém a uma atitude, de tal modo que ela não consegue realizá-la. *2.* Fazer uma situação chegar quase ao limite de sua sustentabilidade, como *p.ex.*, uma provocação até o limite de uma inevitável reação etc.

esticar o pernil Morrer. O *m.q.* "esticar os cambitos".

esticar o pescoço Elevar muito a cabeça, distendendo o pescoço, para poder visualizar melhor a cena a que assistem, impedida devido à aglomeração de pessoas à frente.

esticar os cambitos Morrer. *Var.* "esticar o pernil".

estilo imaginoso Fertilidade de imagens retóricas ou poéticas.

estimar pouco a vida Desprezá-la; não fazer caso dela.

estiramento muscular Ruptura dos ligamentos dos músculos devido a esforços violentos. *Var.* "distensão muscular".

estômago de avestruz Diz-se que o tem pessoa que come muito e faz pouca seleção dos alimentos; que come de tudo, mesmo alimentos que repugnam pelo aspecto ou que quase ninguém tolera, pelo sabor ou pela difícil digestão.

Por alusão ao avestruz, cujo estômago é dotado de poderoso suco gástrico capaz de dissolver até mesmo alguns metais.

estômago fraco Diz-se que o tem quem não tolera determinados alimentos pelo seu sabor, aspecto ou, mesmo, pela quantidade.

estômago nas costas Muita fome.

estômago pesado Digestão difícil.

estopim curto Diz-se que o tem pessoa irascível, que se irrita facilmente e por coisas de somenos.

estória para boi dormir *V.* "história para boi dormir".

Estou falando com o dono da porcada e não com os porcos. Expressão que exprime irritação e repulsa à intervenção de outrem em negócios ou discussões com alguém.

Estou fora! É a exclamação de quem declara não desejar participar de algo.

Estou louco se... Maneira forte de se dizer "não". *Obs.* Em determinadas circunstâncias, flexiona-se o verbo: "Serei, estarei, estaria etc. louco se..."

Estou ou não estou aí nessa marmita? Estou ou não nesse negócio (que se me afigura excelente?).

Esta expressão denota o inconformismo de alguém que se sentiu alijado de um bom negócio e reclama sua participação.

estourar a verba Fazer despesa além do orçamento, de modo que supere o valor reservado ou consignado para os respectivos gastos.

estourar de rir O *m.q.* "rir a bandeiras despregadas".

estourar os miolos Meter uma bala na (própria) cabeça. *Var.* "estourar os tímpanos".

estourar uma casa de jogos, de tolerância etc. Invadir (a polícia), de repente, recintos tais com o objetivo de encerrar as atividades ilegais ali praticadas e prender os responsáveis e os usuários.

estouro da boiada Debandada da boiada ou do rebanho em marcha; tropel incontrolável de animais.

estouro na praça *V.* "dar um estouro na praça".

estrada de ferro Ferrovia; caminho dotado de trilhos assentados paralelamente sobre dormentes, destinado ao tráfego de trens.

estrada de pista dupla Rodovia dividida (ou não) longitudinalmente por um canteiro central ou amurada, tendo em cada um dos lados pelo menos duas pistas de rolamento; autoestrada.

estrada de rodagem Rodovia; pista pavimentada destinada ao tráfego de veículos.

estrada de São Tiago Nome que popularmente é atribuído à "Via Láctea". *V.* "caminho de São Tiago".

Via Láctea = É a galáxia à qual pertence o sistema solar, que se observa no céu em torno de toda a Terra, enxergando-se cla-

Eu sei lá

ramente as estrelas mais visíveis, e como uma tênue mancha luminosa as estrelas mais distantes e ainda visíveis.

estrada real *1.* A estrada principal de uma região; estrada mestra. *2.* Particularmente, a estrada que desde o tempo colonial ligava a região aurífera e diamantífera de Minas Gerais ao litoral.

estragar o paladar Ingerir comida ruim ou de mau gosto após ter saboreado uma iguaria deliciosa.

estragou o meu dia (Este fato) aborreceu-me muito, a ponto de deixar-me mal-humorado pelo resto do dia.

estrela da manhã O planeta Vênus. *Var.* "estrela-d'alva" e "estrela matutina".

Essa denominação advém do fato de que Vênus pode ser visto a olho nu, com grande brilho, ao amanhecer, e também ao entardecer, devido às características de sua elongação. Elongação = Aparente afastamento angular de um astro em relação a um ponto ou a um sistema fixo.

estrela de cinema Atriz (ator) que atua no cinema. *Var.* "astro de cinema".

estrela-d'alva *V.* "estrela da manhã".

estrelar ovos Frigi-los sem os bater.

estropiar um verso Alterar-lhe a métrica.

estropiar uma música Cantá-la ou executá-la mal, sem ritmo, sem expressão, desafinadamente etc.

estudar o terreno O *m.q.* "sondar o terreno".

estufar o barbante *Fut.* Marcar gol com chute forte.

esvair-se em sangue Perder muito sangue, a ponto de desmaiar.

esvair-se em suor Transpirar copiosamente.

esvaziar o porquinho Gastar suas economias.

Ainda perdura o costume antigo de se guardar moedas, como economia, em um cofrinho em forma de porco.

esvaziar o saco Contar tudo o que se sabe; desabafar.

et alii *Lat.* "e outros". Na descrição bibliográfica, expressão que segue o nome do primeiro autor ou colaborador de uma obra, para indicar que há pelo menos outros três.

et caterva *Lat. Lit.* "E o bando restante". Emprega-se para significar: "e os demais". *V.* "da mesma laia".

et cetera *Abr.:* etc. *Lat.* "et coetera", que, literalmente, significa "e as demais coisas" (e assim por diante). Usa-se para evitar uma longa enumeração. Ouve-se, também: "*et cetera* e tal".

Os dicionários não registram esta locução, mas apenas sua forma abreviada: etc. Alguns gramáticos, no entanto, dela tratam e admitem, embora como uma só palavra: etcétera (Cândido Jucá ⁽¹¹⁾).

et pour cause *Fr.* E não sem motivo.

et reliquia *Lat. Lit.* "e o restante". Usa-se esta expressão para encerrar uma enumeração. O *m.q.* a expressão italiana "*e tutti quanti*".

et similia *Lat.* E coisas semelhantes. *Ex.*: "Redige cartas, memorandos, avisos *et similia*".

Eta trem! *Bras. MG* O *m.q.* "Eta!", expressando surpresa, admiração, espanto, diante de um acontecimento.

O regionalismo da locução sugere reforço de seu significado. É também difundida a locução "Eta trem doido!", com a mesma acepção e ainda mais ênfase.

ética médica Conjunto de regras de conduta estabelecida para os médicos e por eles juradas, relativamente aos seus pacientes e práticas médicas.

ética política Oposta à individual, diz respeito aos interesses do grupo sobre o indivíduo.

etnônimo brasílico Designação de grupo, etnia, povo etc., que habitava o território brasileiro em tempos pré-cabralinos, *P.ext.*, de seus descendentes.

Etnônimo = Palavra que designa tribo, etnia, raça, grupo humano definido, nação e, em alguns casos, equivale a nome gentílico ou gentílico.

Eu bem que avisei. Diz-se a alguém, depois de lhe ter acontecido algo que lhe desagradou ou ter tido algum insucesso, lembrando dos conselhos que antes lhe haviam sido dados.

Eu não sou pai disso. Não tenho nada com isso. Não sou o culpado, o autor.

Eu sei lá? Locução exclamativa que se emprega para exprimir dúvida, incerteza, admiração. Também se empregam com o mesmo sentido: "Sei lá!"; "Que sei eu?"; "Sabe lá?"

Eu também sou filho de Deus. Também tenho direitos e quero receber o que estão oferecendo aos outros.
Eu, hem? Interrogação de espanto com que alguém nega ou se surpreende com o que se afirmam dele ou de algo ou alguém que conhece.

> Os dicionários (Houaiss, Aulete, p.ex.) também registram a forma "hein" (além de hem).

Europa continental Toda a Europa, afora a Grã-Bretanha.
evangelho pequenino Máxima, sentença, provérbio.
Evangelhos Sinópticos Os três livros canônicos (de Mateus, Marcos e Lucas), que narram a "boa-nova" (evangelho) que Jesus Cristo veio trazer.

> Os três primeiros livros têm tais semelhanças que podem ser postos em colunas paralelas e observados "com um só olhar"; daí o nome de sinópticos (do gr. synoptikós, "o que de um só golpe de vista abrange várias coisas").

evasão de capital Ação (e suas consequências) de portadores de capital (em dinheiro) que praticam subterfúgios fiscais ou, aproveitando variações cambiais e furos da lei, escamoteiam rendas ou as transferem para aplicação no estrangeiro; evasão de divisas.

> As divisas equivalem às disponibilidades em títulos, ordens de pagamento e cheques, conversíveis em moedas estrangeiras e utilizadas em transações comerciais.

evolução social Processo pelo qual uma sociedade caminha progressivamente para estágios mais desenvolvidos econômica, social e culturamente.
ex abrupto *Lat.* Repentinamente, inopinadamente, arrebatadamente.
ex aequo *Lat.* "com igualdade". Segundo os princípios da equidade.
ex animo *Lat.* Sinceramente; do coração.
ex ante *Lat.* Relativo aos planos ou desejos dos agentes econômicos.

> Em economia, o termo ex ante indica o que os agentes econômicos desejam ou esperam fazer, e o termo ex post, aquilo que efetivamente fazem.

ex autoritate legis *Lat.* Por força da lei.
ex cathedra *Lat. 1.* De cátedra; em função do próprio cargo; em virtude da autoridade decorrente do título. *2. Irôn.* Em tom doutoral. Literalmente, a expressão significa "de cadeira".

> Aplica-se também ao Papa, quando fala como chefe da Igreja, bem como ao professor quando fala dogmaticamente.

ex causa *Lat. Jur.* Diz-se de causas pagas pelo requerente em processos que não admitem defesa, assim como naqueles de jurisdição graciosa, *i.e.*, livre de ônus.
ex corde *Lat.* Do coração.
ex jure *Lat.* Segundo o direito.
ex lege *Lat.* Segundo a lei.
ex libris *Lat.* Equivale a dizer: "da biblioteca de".

> Ao se mencionar a expressão quer se identificar o autor de publicação citada, quase sempre acompanhada de desenho reproduzindo a capa dessa publicação.

ex nunc *Lat.* De agora em diante; sem efeito retroativo.
ex officio *Lat.* Por lei; oficialmente; em virtude do próprio cargo.
ex post *Lat. Econ.* Relativo ao que foi de fato praticado pelos agentes econômicos (em distinção a seus desejos ou planos prévios). V. "*ex ante*".
ex professo *Lat.* Como professor, magistralmente, com toda a perfeição; como quem conhece a fundo a matéria.
ex totus corde De coração; do fundo do coração; sinceramente.
ex vi *Lat.* Por força; por efeito; por determinação expressa.
ex vi legis *Lat.* Por força da lei.
ex vi verborum *Lat.* Por força de expressão.
ex voto *Lat.* Caracteriza objetos como quadros, imagens, inscrições, placas, partes do corpo humano em cera ou madeira etc., que são oferecidos, numa igreja ou capela, em cumprimento a promessa cumprida.
exalar o último suspiro Morrer.
exame de consciência Revista mental dos próprios pecados para deles se penitenciar, confessando-os.
exames de madureza Provas ao final do ano de madureza.

> Exame de madureza = Aferição do aproveitamento escolar nos ciclos básico e médio, exigido para ingresso em curso superior.

exatamente assim Tal qual.
exceptis excipiendis Lat. Exceto o que deve ser excetuado.
Excusez du peu Fr. É pouquinha coisa! Diz-se ironicamente para exprimir que se acha exagerada, excessiva, alguma coisa.
exempli gratia Lat. Por exemplo (abrevia-se *e.g.*).
exercício aeróbico Aquele que exige grande consumo de oxigênio, como, p.ex. a corrida, a natação e, de um modo geral, todos os exercícios rápidos e ritmados; ginástica aeróbica. (O inverso, ou seja, exercício que exige pouco ou quase nenhum consumo extra de oxigênio, chama-se *anaeróbico*.)
exercícios espirituais Prática de devoção religiosa.
exílio voluntário Ato ou circunstância de deixar a pátria voluntariamente para ir viver em outro país.
experto credite Lat. Acredite em quem tem experiência.
expiação suprema A pena capital.
explicar mas não convencer Oferecer motivos que impediram o atendimento de compromissos ou algum erro cometido, sem que o interlocutor neles acredite.
explosão de cólera Manifestação violenta de sentimentos, de paixão, de raiva, de impaciência. *Var.* "explosão de raiva".
explosão demográfica Crescimento grande e rápido da população.
exposição de motivos Relatório que se faz (geralmente no âmbito da administração pública) sobre o andamento ou a averiguação de determinado assunto, projeto, inquérito, justificativa de investimentos etc.
expressão corporal Movimentos do corpo (ou da face) que revelam o que a pessoa sente, pensa ou quer expressar.

expressão da verdade A pura verdade.
expressão idiomática Sequência de palavras que funcionam como uma unidade; idiomatismo; idiotismo, frase feita; locução estereotipada; grupo fraseológico.
extensão rural Sistema de assistência ao produtor rural e a suas famílias, inaugurado no Brasil pela ACAR – *A*ssistência de *C*rédito e *A*ssistência *R*ural, na década de 50 do século XX.
extrair todo o suco Aproveitar a boa vontade ou a ingenuidade e subserviência de alguém, explorando-o; sobrecarregar alguém de tarefas (sobretudo subalternos).
extrato de conta Demonstrativo do movimento (entrada e saída) de valores na conta-corrente bancária, incluindo o saldo existente na ocasião.
♦ **extrema-direita** Parcela da direita conservadora política que defende com intransigência e às vezes de maneira exacerbada, o capitalismo e privilégios das elites abastadas. Há correntes com conotações de natureza religiosa, racista, chauvinista, fascista etc.
♦ **extrema-esquerda** Esquerda radical (política) que emprega métodos radicais de luta para tentar alcançar os seus objetivos (o poder).
Extremo Oriente *1.* Conjunto das regiões que abrangem a China, o Japão, as Coreias, a Mandchúria, a Mongólia e a Sibéria Oriental. *2.* Conjunto de regiões que abrangem os países que margeiam o Pacífico, na Ásia, inclusive a Indonésia e as Filipinas. *3.* Denominação atribuída aos países do Leste e Sul da Ásia e que inclui os do subcontinente da Índia, o Tibete, a península e o arquipélago malaio, China, Japão, Coreias, Mandchúria, Mongólia e o leste da Sibéria.

F

fabricação em série Produção em larga escala, automatizada; linha de montagem.

> *A linha de montagem praticamente viabilizou a fabricação de bens de consumo em larga escala, especialmente a partir da primeira metade do séc. XX. Trata-se de um processo em que esteiras ou pontes rolantes transportam os objetos, seguidamente, até os operários-montadores. Hoje, muitas linhas de montagem são totalmente automatizadas e o trabalho é realizado por robôs.*

fac totum Lat. O que faz tudo; pessoa que assume ou é encarregada de todas ou quase todas as tarefas de outra(s). Usa-se a forma aportuguesada *factótum*. V. também "braço direito".

faca de dois gumes *1.* Faca afiada nos dois lados da lâmina. *2.* Diz-se de coisas que podem ser boas e más, favoráveis e desfavoráveis ao mesmo tempo ou conforme o uso, as circunstâncias etc. V. também "ter prós e contras". *Var.* "arma de dois gumes" (*V.*).

faça o favor *1.* Expressão com a qual se pede, cortesmente, que alguém ajude, apoie, observe ou realize algo. Diz-se, também: "por favor". *2.* Usa-se como expressão enfática de reprovação, de discordância, de revolta com palavras ou atitudes de alguém.

face a face *1.* Cara a cara; em frente um do outro; pessoalmente, em interação direta: *Ex.: Estavam face a face mas permaneceram em silêncio.* *2.* Defronte; perante (algo, uma situação, ameaça etc.). (Usa-se geralmente acompanhado da preposição *com*: *Ex.: face a face com o perigo*.

face-lift Ing. Um *face-lift* é qualquer operação para melhorar ou renovar a aparência de alguém ou de algo.

> *Ultimamente, o termo tem sido empregado de modo mais extenso (e, às vezes, irônico) com referência a qualquer melhora superficial em um produto. Literalmente, trata-se de uma cirurgia plástica realizada na pele do paciente a fim de estendê-la, conferindo-lhe uma aparência mais jovem.*

fácil como água Muito fácil.
fácil, fácil Muito facilmente, sem muito esforço: *Ex.: Ultrapassou-o fácil, fácil, logo na primeira curva.; As despesas vão chegar fácil, fácil a 500 reais.*
facilitar o pagamento Parcelar o valor a ser pago por uma compra ou por um empréstimo.
Faço das suas as minhas palavras./Faço minhas as suas palavras. Fórmula com a qual se corrobora aquilo que foi dito por outra pessoa ou se exprime concordância integral com a opinião dela.
fade in (out) Ing. Aparecimento (*in*) ou desaparecimento (*out*) gradual da imagem numa tela (de computador, de cinema etc.); aumento ou diminuição gradual do volume do áudio.
fair play Ing. Atitude ou comportamento corretos, segundo as regras, sem recurso a faltas ou a trapaças; capacidade ou disposição de reagir com elegância a resultados adversos, em alguma competição. Usa-se também, com sentido semelhante, "espírito esportivo".
fait accompli Fr. Fato consumado, algo que já aconteceu ou que já foi feito, e não pode ser mudado.
faixa de domínio Área de terreno necessária à construção e operação de uma estrada, e que se incorpora ao domínio público, no caso de uma rodovia, ou ao patrimônio da empresa, no caso de uma ferrovia.
faixa de pedestres Nas vias públicas e estradas, local para travessia mais segura de transeuntes, assinalado por listas brancas e paralelas, pintadas no pavimento. *Var.* "faixa zebrada".
faixa preta Praticante de judô, ou de outras artes marciais orientais, que alcançou o

mais alto grau de aperfeiçoamento e habilidade.
faixa zebrada O *m.q.* "faixa de pedestres".
fala sério Confirme o que está dizendo; deixe de brincadeira.
falar abertamente Falar ou expressar-se sem rodeios nem fingimentos e com absoluta clareza e sinceridade.
falar alto Falar com autoridade, impositivamente. *Var.* "falar mais alto".
falar ao coração Comover, emocionar, tocar; especialmente, causar viva alegria, satisfação.
falar ao vento Não receber atenção de ninguém; não ser compreendido.
falar aos peixes Vomitar, *esp.* por enjoo, ao viajar em embarcação.
falar bem de Falar favoravelmente de; elogiar.
falar claro Falar ou expressar-se com franqueza e clareza, para esclarecer uma situação; ser explícito. V. também "falar abertamente".
falar com as paredes Falar sem que ninguém ouça ou dê atenção, ou sem que haja ninguém presente. *Var.* "falar para as paredes" e "falar com uma porta".
falar com o coração nas mãos Falar com sinceridade, ou movido pelos sentimentos e afetos; falar do coração.
falar com os olhos Revelar na expressão do olhar os sentimentos, os pensamentos, as emoções.
falar com (os) seus botões Falar consigo mesmo; resmungar; pensar, refletir (como se em diálogo consigo mesmo), matutar, consultar-se.
falar como papagaio Falar demais, ininterruptamente; tagarelar. *Var.* "falar como uma matraca". V. *tb.* "falar pelos cotovelos".
falar como um livro Usar de vocabulário culto, escolhido, esmerado.
falar como uma matraca O *m.q.* "falar pelos cotovelos"; "falar como papagaio".
falar consigo mesmo *1.* Falar sem se dirigir a ninguém, enquanto se está pensando. *2.* Matutar; refletir. *Var.* "falar com (os) seus botões".
falar da boca para fora Falar sem convicção, sem sinceridade; falar de modo irrefletido; afirmar algo sem compromisso com a verdade. V. também "falar por falar".
falar da mãe de Ofender (alguém) com alusões desrespeitosas ou obscenas à mãe.
falar de *1.* Falar sobre, a respeito de (alguém, algum assunto). *2.* Falar mal de (alguém); criticar; difamar: *Falam de mim, mas eu não ligo.*

falar de barriga cheia *1.* Dar conselho a outros sobre algo do qual já se desfruta e/ou já conseguiu, às vezes de modo mais fácil. *2.* Reclamar ou mostrar insatisfação, estando em melhor situação do que outras pessoas.
falar de cadeira Saber bem o que diz; ter perfeito conhecimento daquilo sobre o que diz, por ter experiência ou por se tratar de assunto de sua competência e especialidade.
falar de coração Falar com sinceridade, carinho e interesse.
falar de frente Expressar, expor na presença de outrem, ou diretamente, sem intermediários e sem rodeios, *esp.* críticas ou acusações.
falar de outra coisa Mudar de assunto.
falar de papo cheio O *m.q.* "falar de barriga cheia".
falar de poleiro O *m.q.* "falar de cadeira".
falar difícil Falar empoladamente, em estilo pretensioso.
falar disso e daquilo Falar sobre vários assuntos; conversar casualmente; jogar conversa fora.
falar do alto da burra Falar com arrogância.
falar do Norte/Sul Variedade linguística do modo de falar dos habitantes do Norte/Sul do País.
falar em línguas Aplica-se a expressão, hoje em dia, a uma situação em que alguém, em transe, expressa-se de forma ininteligível, enrolando a língua.

> *Na Bíblia, esta expressão significa "falar sobre as Escrituras sagradas de tal modo que todos bem as compreendam".*

falar entre dentes *1.* Falar sem articular bem as palavras; cochichar; sussurrar; resmungar. *2.* Falar com zanga ou com raiva, com os dentes cerrados, as mandíbulas tensas.
falar francamente Falar de modo sincero; falar o que se pensa, sem avaliar ou sem se importar com as consequências.
falar francês Estar em muito boa situação financeira.
falar grosso Falar com altivez, com autoridade; mostrar-se duro, mandão, valente.
falar mais alto Ter maior influência; impor-se; ser preponderante, decisivo: *Ex.: Apesar do bom nível das outras propostas, sua experiência falou mais alto, e seu projeto foi o escolhido.*
falar mais que a boca Falar muito, demasiado, sem parar; tagarelar.

falar mal *1.* Maldizer, blasfemar. *2.* Ser um mau orador. *3.* Demonstrar que não tem bons conhecimentos do vernáculo, ou cometendo erros, solecismos.
falar na mãe de *V.* falar da mãe de.
falar no burro, apontaram as orelhas Expressão usada quando alguém ausente, mencionado em uma conversa, se aproxima ou se junta àqueles que conversavam. (Pode ter conotação depreciativa, em relação a alguém indesejado, ou ser usada de modo jocoso, brincalhão.) Também se diz, equivalentemente: "falar/falando no diabo, olha quem aparece".
falar no deserto Não ser escutado ou entendido por ninguém; formular doutrina, crítica, previsão etc. a que as pessoas não dão importância, ou cujo significado não é reconhecido.
falar para a velhinha surda da última fila *Teat.* Projetar a voz com articulação e volume adequados, de modo que todos possam escutar e entender as palavras com absoluta nitidez.
falar para as paredes Falar sem que ninguém dê atenção ou importância ao que se está dizendo. *V. tb.* "falar com as paredes".
falar para dentro Falar baixo, em tom de voz quase inaudível.
falar para si mesmo Pensar, refletir. *V. tb.* "falar consigo mesmo".
falar pela boca de um anjo Falar algo de bom sobre algo ou alguém.
falar pelas costas Falar mal de alguém em sua ausência.
falar pelas tripas do Guedes Falar demais, sofregamente. *V.* "falar pelos cotovelos".
falar pelo nariz Nasalar, ter a voz muito nasal; falar fanhoso.
falar pelos cotovelos Falar demais, sem parar ou por muito tempo. *Var.* "falar como uma matraca".
falar por falar Falar sem refletir muito no significado, na relevância ou nas consequências do que diz, ou sem ter a pretensão de ser levado a sério. *Var.* "falar da boca para fora".
falar por monossílabos Expressar-se laconicamente.
falar português claro Dizer as coisas como realmente são ou aconteceram, francamente, objetivamente.
falar pouco e bem Dizer o que se tem a dizer em poucas palavras, sem rodeios, diretamente, com objetividade.
falar rasgado Falar com desassombro.
falar sem rodeios Falar ou expressar-se direta e francamente, sem alusões ou subentendidos.
falência fraudulenta A que resulta de atos dolosos visando claramente a prejudicar os credores.
falsa gravidez Gravidez imaginária ou psicológica; a mulher apresenta sinais e sintomas da gravidez, embora não esteja, de fato, grávida; pseudociese.
falsidade ideológica Ação e consequência, delito de omitir ou adulterar declarações e informações de documento (público ou privado) ou neles inserir dados falsos com o intuito de alterar a verdade acerca de fato juridicamente relevante. Falsidade intelectual.
falso como Judas Diz-se de alguém (ou, por vezes, de algo) extremamente falso, enganador, traiçoeiro.
falso moralismo Falsidade manifesta do comportamento e/ou atitude de alguém que simula aderir ou defender quaisquer valores morais.
falso testemunho Testemunho que, intencionalmente, distorce a verdade.
falta de ar Dispneia; dificuldade para respirar (por cansaço, nervosismo, doença etc.). *Var.* "falta de fôlego".
falta de educação *1.* Falta de polidez, comportamento rude. *2.* Incivilidade; grosseria; rudeza.
falta de fôlego O *m.q.* "falta de ar".
falta de jeito Inabilidade, falta de destreza, dificuldade de aprender ou realizar certa atividade; inaptidão.
falta de objetivo Desmotivação; falta de estímulo, de propósito.
falta de palavra Descumprimento de acordo, atitude e circunstância de não se cumprir o prometido ou o combinado.
falta de sorte Circunstância desfavorável, conjunto de fatores desfavoráveis que ocorrem de uma vez só, e que põem a perder ou ameaçam algum plano, atividade etc., ou um jogo, um lance, uma aposta, um processo.
falta de tato Ofensa ao melindre dos outros; indelicadeza; grosseria; desrespeito ou insensibilidade desrespeitosa às convenções da cortesia.
falta máxima *Fut.* Pênalti; penalidade máxima.
falta técnica Em alguns esportes, infração disciplinar cometida pelo jogador, pelo técnico e até mesmo pelos "reservas" e pela torcida, punida a critério do juiz e de acordo com os regulamentos do esporte.
faltar à aula no dia em que ensinaram *V.*

"ter faltado à aula no dia em que ensinaram".
faltar à verdade Mentir; enganar; dissimular.
faltar ao respeito Ser descortês ou inconveniente para com alguém.
faltar clima Não ser o momento adequado, propício (*esp.* quanto às expectativas ou às reações das pessoas).
faltar com o respeito Desrespeitar.
faltar pernas *1.* Faltar resistência ou condicionamento físico a alguém para conseguir completar um percurso (de corrida, caminhada etc.) ou para manter um bom desempenho (*ger.* numa atividade esportiva). *Ex.*: *No segundo tempo da partida, faltaram pernas à equipe e o adversário empatou.* *2. P.ext.* Faltar ânimo, disposição, capacidade de atuação.

> No Brasil, é comum, no registro informal, o uso no singular, e também o emprego do pl. *pernas com valor de singular ("fôlego, resistência") na concordância com o verbo: "faltou pernas"*.

faltar pouco para Estar a ponto de; estar (algo) na iminência de acontecer: *Ex.*: *Estávamos muito desanimados, faltou pouco para desistirmos.*
faltar terra nos pés Não ter situação firme, estável; não dispor de meios; ficar abalado, inseguro, sem estabilidade mental ou emocional; sucumbir, desmoronar (*fig.*).
Faltava-me mais essa! O *m.q.* "Era só o que faltava!".
fama volat Lat. "A fama voa". Palavras de Virgílio (70-19 a.C.), poeta latino, para caracterizar a rapidez com que as notícias se difundem.
fantasia de Adão Nudez.
farinha de pau *N.E.* Farinha de mandioca.
farinha de rosca Pão torrado e moído, usado na culinária. *Var.* "farinha de pão".
farinha do mesmo saco *1.* Duas coisas iguais ou pessoas de mesma tendência, de mesmas ideias. *2.* Ter os mesmos defeitos de caráter. O *m.q.* "da mesma laia". *V.* "*ejusdem farinae*".
farrapo humano Pessoa maltrapilha, desvalida, miserável, de mau aspecto físico; pessoa decrépita; pessoa que perdeu a dignidade, a autoestima. *Var.* "trapo humano". *V.* "pobre coitado".
fato consumado Ação finalizada, sem possibilidade de emenda.
fatos e não palavras O *m.q.* "*res non verba*".

fatura consular Aquela que arrola mercadorias expedidas de um país a outro e que deve ser visada pelo consulado do país ao qual se destina.
faturar um troco Ganhar algum dinheiro, *esp.* aproveitando alguma oportunidade ocasional. *Var.* "faturar uns trocados".
fauno dos bosques O macaco.
faux pas Fr. Passo em falso. É um embaraço ou contratempo ocasionado por um engano cometido em público.
favas contadas Fato sobre o qual não resta a menor dúvida de que acontecerá, que já pode ser considerado como efetivo. *Loc.* usada na frase: "são favas contadas".
favorecimento pessoal *Jur.* Qualquer auxílio a criminoso visando livrá-lo de sanção penal.
favorecimento real *Jur.* Ajuda prestada na ocultação de produto de crime, fora dos casos de coautoria ou receptação, tencionando legitimá-lo.
faz de conta *1.* Fantasia; imaginação. *2. RS* Diz-se de marido enganado pela mulher.
faz pouco Há pouco (tempo): *Saiu de casa faz pouco.*
fazedor de anjos Aquele que faz abortos.
fazenda pública O fisco; o erário público; as finanças públicas; o conjunto de instituições e órgãos públicos que gerenciam os recursos.
fazer *V.* expressões sem este verbo.
fazer (não fazer) boa ausência de Falar bem (mal) de (alguém) na sua ausência.
fazer a América Expressão que se usava para designar o objetivo de imigrantes (sobretudo europeus) que almejavam alcançar sucesso, enriquecer, indo trabalhar no Novo Continente.
fazer a cabeça de Exercer influência preponderante em, ou modificar, o modo de pensar ou as convicções de (alguém).
fazer a cama (para alguém) Elogiar uma pessoa, preparando para ela uma situação favorável junto a outrem ou algo para proveito dessa outra pessoa; dar boas informações acerca de; cooperar; ajudar com empenho.
fazer a caveira de Indispor alguém com outrem; falar mal de alguém a outrem; difamar, preparar mau sucesso para alguém; atrapalhar alguém em seus propósitos.
fazer a sesta Repousar logo após o almoço.
fazer a coisa certa Agir corretamente (sem se deixar confundir, intimidar, ou sem se resignar etc.).
fazer a corte a Namorar; galantear, cortejar; procurar conquistar os amores de alguém.

fazer a diferença Entrar num negócio, numa disputa, e contribuir para sua decisão, devido aos seus especiais méritos; influir decisivamente para a solução de um assunto.
fazer a festa e soltar os foguetes Aplaudir ou enaltecer os próprios atos.
fazer a lição de casa Cumprir suas mínimas ou rotineiras obrigações; realizar aquilo para o qual se tem (ou deveria ter) competência, preparo, sem necessidade de grande esforço. *Var.* "fazer o dever de casa".
fazer a limpa Tirar ou roubar, levando tudo.
fazer a mala Fazer um bom negócio; ganhar muito dinheiro. *Cf.* "fazer as malas".
fazer a mão Ter as mãos manicuradas; fazer as unhas. *Var.* "fazer as mãos".
fazer a parte do leão Realizar a maior parte, a mais difícil ou a mais penosa de um trabalho.
fazer a pista Ir-se embora; sair; fugir.
fazer a poda de Falar mal de; tosar na pele de; criticar.
fazer a praça Visitar (um vendedor) os fregueses de um determinado lugar (cidade).
fazer a quadra Acertar quatro números na loteria de números ou em algum outro tipo de jogo de aposta.
fazer a quina Acertar cinco números na loteria de números ou em algum outro tipo de jogo de aposta.
fazer a roda a Cortejar (alguém).
fazer a sena Acertar seis números na loteria de números ou em algum outro tipo de jogo de aposta.
fazer a trouxa Ir-se embora. O *m.q.* "arrumar a trouxa" e "pegar a trouxa".
fazer a última viagem Morrer, ou ser levado até a sepultura e enterrado.
fazer a Via-Sacra *1.* Percorrer igreja, parando para orar e meditar diante de cada um dos quadros que representam a paixão de Cristo. *2.* Ir à casa de todos os amigos e conhecidos para conseguir sua ajuda ou simplesmente para visitá-los.
fazer a vida Exercer o meretrício.
fazer a zona Andar pela região de meretrício à busca de aventuras sexuais.
fazer ablativo de viagem *1.* Partir inesperadamente, sem se despedir. *2.* Desaparecer.
fazer água *1.* Ser (uma embarcação) invadida pela água. *2.* Começar algo e não poder terminar. *3.* Vazar água por aberturas acidentais.
fazer alarde de Exibir-se com ostentação; jactanciar-se; anunciar (algo de seu interesse) com exageros.

fazer (algo) a galope Agir depressa.
fazer algo com a melhor das intenções Praticar com bons propósitos determinada ação que, no entanto, fracassa ou traz consequências danosas.
fazer algo por Ajudar, auxiliar alguém ou alguma causa.
fazer algo pros cocos Fazer as coisas descuidadamente, apressadamente, insatisfatoriamente, sem capricho. *Var.* "fazer por fazer".
fazer alguém de capacho Levar ou pretender levar vantagem sobre alguém explorando-o, humilhando-o, escarnecendo-o, explícita ou implicitamente; tripudiar.
fazer algum trabalho sujo Praticar ato ilícito ou prejudicial a outrem.
fazer amor Ter relações sexuais; copular.
fazer análise Submeter-se a tratamento psicanalítico.
fazer anos Aniversariar.
fazer arte(s) Traquinar; fazer travessuras; agir de modo imprudente, inconsequente ou irresponsável.
fazer as coisas pela(s) metade(s) Fazer tudo de modo incompleto, descuidadamente ou sem interesse.
fazer as contas *1.* Realizar os procedimentos necessários para a dispensa de um empregado. *2.* Acertar ou ajustar as contas com alguém ou numa conciliação.
fazer as delícias (de) Agradar, provocar satisfação, sentimento agradável (em alguém).
fazer as honras da casa Recepcionar e dar atenção especial a convidados e visitas.
fazer as malas O *m.q.* "arrumar as malas".
fazer as mãos *V.* "fazer a mão".
fazer as pazes Reconciliar-se.
fazer as pazes com a vitória Conquistar algo após muitas frustradas tentativas; nos esportes, diz-se de um grupo que alcança uma vitória após muitas e seguidas derrotas.
fazer as suas O *m.q.* "fazer das suas".
fazer as unhas Aparar as unhas ou ter as unhas aparadas por manicure. O *m.q.* "fazer as mãos".
fazer as vezes de Substituir, desempenhar funções que a outros competiria.
fazer as vontades de Condescender com os gostos ou caprichos de.
fazer ato de presença Comparecer a uma cerimônia sem se demorar, só para que seja notada a sua presença.
fazer avião Ser intermediário na compra/venda de tóxicos.
fazer *backup* (ou *back up*) Copiar eletronicamente informações arquivadas em um

computador para outro local ou para suporte separado, como medida preventiva de segurança contra perda por inutilização dos dados originais.

> A expressão inglesa "back up" significa, literalmente, "sustentar, encorajar".

fazer barba, cabelo e bigode *1. Fut.* Vencer três jogos em sucessão contra o mesmo adversário, ou ser campeão em três categorias diferentes, em jogos próximos uns dos outros. *2.* Ser bem-sucedido em três ou mais empreendimentos, campanhas, competições.
fazer barriga Apresentar saliência convexa, abaulada, no abdômen; *p.ext.* apresentar convexidade, ter parte da superfície com aspecto de barriga.
fazer barulho Fazer bagunça, confusão, estardalhaço; provocar, insultar; tumultuar.
fazer beiço *1.* Projetar para diante o lábio inferior. *2. Fig.* Experimentar ou demonstrar aborrecimento; agastar-se; ficar enciumado ou com ar de pouco caso; amuar-se. *Var.* "fazer beicinho".
fazer bem em Agir corretamente (ao tomar certa atitude ou ter certo comportamento, especificados); fazer aquilo que deve ou precisa ser feito; acertar. Usa-se *ger.* para falar da adequação de um comportamento ou uma ação às circunstâncias.
fazer bicos Realizar trabalhos extras, fora de seu horário normal de trabalho, sob remuneração.
fazer biquinho O *m.q.* "fazer beiço".
fazer birra Chorar ou demonstrar tristeza e irritação, de modo forçado, manhoso, por teima, desejos não satisfeitos etc. (Usa-se *esp.* em relação a crianças.)
fazer biscate Realizar tarefas de pouca monta, complementares de outra(s) ou por falta de oportunidade de trabalho mais rendoso.
fazer boa figura Sair-se bem; ser bem-sucedido; causar boa impressão.
fazer bobagem Fazer algo errado, inconsequente, irresponsável.
fazer boca de pito Beber ou comer algo antes de fumar.
fazer boca de siri Calar-se; silenciar-se sobre um assunto; manter em segredo aquilo que ouviu em confiança.
fazer bochechas Desdenhar; provocar.
fazer bonito Ter êxito ou um belo desempenho em algo; sobressair positivamente. *Ant.* "fazer feio".
fazer boquinha *1.* Franzir os lábios denotando contrariedade. *2. V.* "fazer uma boca".

fazer brincando Realizar uma tarefa com a maior facilidade, sem esforço.
fazer *brushing* Em inglês *brushing* corresponde a escovação. A expressão corresponde ao tratamento e penteado dos cabelos com escova simultaneamente com o secador elétrico.
fazer cada uma... Fazer ou dizer coisas estranhas, surpreendentes, fora do normal, difíceis de compreender, ou que causam admiração, espanto.

> Pode ser empregada em conotação de aprovação ou de reprovação, e não raro expressa ambiguidade por parte de quem fala.

fazer caixa Realizar vendas e/ou operações financeiras para reforço da disponibilidade de reservas monetárias.
fazer câmbio Trocar moedas de diferentes países.
fazer cara feia Manifestar desagrado por meio de caretas; demonstrar insatisfação, contrariedade; fechar a cara.
fazer carga contra Fazer pressão moral sobre (alguém, ou seus atos e opiniões); acusar, censurar. *Var.* "fazer carga cerrada contra" e "fazer carga".
fazer caridade Ser caritativo; demonstrar comiseração, com ações que buscam diminuir o sofrimento alheio.
fazer caridade com chapéu alheio Conceder benefícios com os recursos de outrem, sem nenhum sacrifício ou nenhuma doação.
fazer carreira Ser bem-sucedido em uma atividade, alcançando prestígio, cargos mais importantes, melhor remuneração.
fazer cartaz *1.* Exaltar, falar bem, propagandear. *2.* Criar fama; fazer-se conhecido. *V.* "fazer o cartaz de".
fazer caso de Dar importância a; dar atenção a; ter em apreço.
fazer castelos no ar Fazer projetos vãos, sem fundamento, mirabolantes, fantasiosos, impossíveis ou muito difíceis de serem realizados; raciocinar sem fundamentos.
fazer cena Dar escândalos; chamar a atenção para si. *Var.* "fazer cenas".
fazer cera *1.* Fingir que trabalha; trabalhar sem diligência, negligentemente. *2.* Fazer atrasar um evento propositadamente, para disso tirar vantagens. *3. Esp.* Atrasar o jogo, através de vários artifícios, visando a fazer o tempo passar diante de uma situação que lhe é favorável naquele momento.

fazer cerca-lourenço *N.E.* Fugir, escapar, fazendo fintas ou usando de subterfúgios; desviar-se.

fazer cerimônia Manter-se embaraçado ou acanhado, comportando-se de modo retraído.

fazer chacota Escarnecer, ridicularizar, zombar de alguém com palavras e risos.

fazer charme *1.* Procurar agradar, cativar, valendo-se de seus encantos; ser dengosa(o). *2.* Afetar indiferença; fazer-se difícil, mas interessado. *Var.* "fazer charminho".

fazer charqueada *RS* Derrotar o adversário no jogo, deixando-o completamente sem dinheiro.

fazer cocô Defecar.

fazer colher de pau e bordar o cabo Ter tempo de sobra, disponível para realizar coisas demoradas e não essenciais.

fazer com as mãos e desmanchar com os pés Realizar um feito digno de elogios seguido por outro, reprovável.

fazer com que *1.* Empenhar-se, esforçar-se por (ou para) alguma coisa. *2.* Determinar, ser a causa de (algum acontecimento ou situação).

fazer comércio com o próprio corpo Prostituir-se.

fazer como gente grande Agir como se fosse adulto, com maturidade ou segurança etc. *Cf.* "como gente grande".

fazer como se não fosse com ele Ficar alheio aos acontecimentos ao seu redor; mostrar-se indiferente; não se envolver ou não reagir.

fazer companhia a *1.* Estar com uma pessoa, junto a ela, para que ela não se sinta só; acompanhar. *2.* Estar na mesma situação que (outra pessoa ou grupo).

fazer conta de Levar em conta; considerar.

fazer contato Estabelecer comunicação com alguém; encontrar-se com alguém, depois de tê-lo procurado.

fazer coro Aprovar o que os outros aprovam; concordar com os outros; manifestar as mesmas opiniões ou ter as mesmas reações que outros.

fazer coro com alguém Juntar-se a ele no que ele diz ou faz; estar de acordo.

fazer corpo mole *1.* Fugir ou tentar fugir de um pedido, de um serviço, de uma obrigação, manhosamente. *2.* Dar desculpas inconsistentes para deixar de fazer algo. *3.* Ter preguiça.

fazer cortesia com chapéu alheio Distinguir-se, promover admiração ou gratidão à sua pessoa à custa de outrem; mostrar-se generoso ou pródigo à custa dos outros.

fazer cruz na boca *1.* Não ter o que comer; estar passando fome. *2. Rel. Catol.* Persignar-se.

fazer cruzes Esconjurar.

fazer cu-doce *Ch.* Fingir não aceitar alguma coisa, quando intimamente muito a deseja.

fazer da necessidade uma virtude Resignar-se, com boa vontade, a fazer uma coisa desagradável, mas que tem de ser feita.

fazer da noite dia Passar a noite inteira em claro, trabalhando ou se divertindo, e dormir de dia.

fazer das fraquezas força Cobrar ânimo, enfeixar energias; ir além do que parecia ser o limite de suas capacidades.

fazer das suas Fazer bagunça, tropelias, traquinagens; proceder mal; pintar o sete.

fazer das tripas coração Realizar grande esforço para enfrentar uma situação, realizar uma empreitada etc.

fazer de alguém um cristo Maltratar, martirizar.

fazer de conta *1.* Fingir; supor; simular. *2.* Imaginar; fantasiar.

fazer de gato e sapato Abusar de alguém que, subserviente, é dominado e humilhado, obedecendo e fazendo tudo o que lhe mandam.

fazer de tudo *1.* Ser encarregado de muitas coisas. *2.* Ser versátil, habilidoso. *3.* Esforçar-se muito, ou com persistência (para conseguir um objetivo).

fazer *démarche* Trata-se de ação realizada com empenho e diligência, esforço e providência.

fazer diferença *1.* Ser fator que influi numa situação, ou mesmo a modifica, para melhor ou para pior. *2.* Ser essencial, indispensável, importante, como causador ou como caracterizador de uma condição ou situação. *3.* Conceder abatimento no preço pedido ou indicado.

fazer diferença entre *1.* Distinguir, perceber ou considerar duas ou mais coisas como desiguais. *2.* Discriminar; ser parcial; julgar, considerar ou tratar desigualmente, a favor de uns ou contra outros.

fazer dinheiro *1.* Ganhar muito dinheiro. *2.* Por meios ilegais, fraudar as autoridades monetárias, através de documentação forjada, na tentativa de regularizar dinheiro ganho ilicitamente.

fazer distinção *1.* Distinguir, perceber ou avaliar diferenças quantitativas ou qualitativas (entre duas ou mais coisas). *2.* Tratar ou considerar desigualmente, ou com parcialidade.

fazer distinção a Mencionar (alguém) elogiosamente ou tratá-lo com especial respeito, deferência etc.
fazer do limão uma limonada Reverter uma situação adversa em uma oportunidade.
fazer e acontecer Fazer o que bem entender, de modo arbitrário; proceder livremente; alardear, chamar atenção para os próprios atos, ou para si. V. "pintar e bordar". O m.q. "fazer e desfazer".
fazer e desfazer Mandar e desmandar.
fazer efeito 1. Produzir resultado; ser eficaz. 2. O m.q. "fazer sensação".
fazer em pedaços Estilhaçar; despedaçar; fragmentar; estraçalhar; quebrar, destruir. Var. "fazer em picadinhos", "fazer pedaços".
fazer em postas 1. Cortar em postas ou fatias. 2. Derrotar; aplicar uma lição a (alguém); castigar.
fazer embaixada Fut. Manter a bola dominada por algum tempo (cabeceando-a, chutando-a ou aparando-a com o peito ou coxas, sucessivamente) sem deixá-la tocar no solo.
fazer época 1. Distinguir-se; sobressair; ter se tornado famoso; ter sido notável por conduta extraordinária, inovadora ou extravagante; tornar-se notável. 2. Ser lembrado com saudades ou reconhecimento. Var. "marcar época".
fazer escala Numa viagem, fazer paradas intermediárias antes de chegar ao destino.
fazer escola Assentar princípios e fazer adeptos; ser imitado e seguido; servir de exemplo.
fazer escova Alisar, modelar, desembaraçar os cabelos com utilização de escovas apropriadas, como preparação para o penteado.
fazer espécie O m.q. "causar espécie".
fazer espírito Ser espirituoso, engraçado; contar anedotas.
fazer estardalhaço 1. Comportar-se de modo muito ruidoso, expressar-se em altos brados e nervosamente. 2. Chamar atenção para algo ou alguém, provocando muitas reações, comentários etc.
fazer face a 1. Encarar. 2. Opor-se a; arcar com; enfrentar; arrostar; resistir. 3. Custear; suprir. 4. Preparar-se para.
fazer farol Contar vantagens; exibir ou anunciar suas (reais ou exageradas) riquezas, ações ou qualidades.
fazer favor Servir, obsequiar; ser amável.
fazer faxina Promover profundas alterações em uma empresa ou instituição, inclusive governamental, esp. através da eliminação dos colaboradores que não estejam compatíveis com seus objetivos, políticas e/ou diretrizes.
fazer fé 1. Dar com autoridade reconhecida ou de modo formal testemunho autêntico de alguma coisa. 2. Ser digno de crédito; merecer confiança.
fazer fé em Acreditar em (alguém, suas qualidades, suas possibilidades de sucesso); ter confiança de que (algo bom) de fato ocorrerá.
fazer feio Decepcionar; fazer má figura; fracassar. Ant. "fazer bonito".
fazer feira Adquirir produtos na feira (ger. de hortifrutigranjeiros).
fazer festas Acariciar, afagar; procurar agradar alguém, mimar.
fazer fiasco Ter mau sucesso; fazer feio; dar um fora; cometer uma gafe; fazer má figura.
fazer fiau Zombar, troçar, vaiar, censurar, exprimir menosprezo divertido ou jocoso, com gestos típicos. Var. "dar ou dizer (um) fiau".

> O fiau consiste, tipicamente, num gesto feito com o polegar apoiado na ponta do nariz, a mão espalmada e abanando. Às vezes, juntam-se as mãos com o polegar da outra mão apoiado no dedo mindinho da primeira, ambas abanando.

fazer figa Fechar a mão, deixando a ponta do polegar entre o dedo indicador e o médio, esp. atribuindo a esse gesto a eficácia mágica de amuleto para afastar o azar ou esconjurar alguém.

> A figa, como amuleto, é muito antiga, sendo representação do ato sexual, e como tal é considerada em vários países. Em muitos lugares são a ela conferidos vários outros atributos.

fazer figura 1. Dar na vista, ser notado pelo seu talento, beleza, riqueza, porte ou outros quaisquer atributos morais ou físicos. 2. Aparecer; mostrar-se, atrair para a sua pessoa a atenção alheia.
fazer finca-pé 1. Fazer cerimônia. 2. Teimar, insistir, obstinar-se.
fazer firulas Fut. Dominar com habilidade a bola nos pés, como que enfeitando a jogada. Var. "fazer floreios".
fazer fita 1. Agir sem espontaneidade, por convenção; fazer cerimônia. 2. Fazer encenação; simular, fingir; fazer teatro.
fazer fogo 1. Causar combustão de material, fazendo aparecerem chamas. 2. Atirar

fazer força

com arma de fogo (revólver, pistola, fuzil, canhão etc.).
fazer força Esforçar-se, diligenciar; empenhar-se na solução de um assunto.
fazer *forfait* Faltar a um compromisso ou a uma obrigação.

> *Em francês, "forfait" significa multa que o proprietário de um cavalo deve pagar caso este não venha a participar da corrida para a qual se achava previamente inscrito.*

fazer fortuna Enriquecer consideravelmente.
fazer frases Falar ou escrever engrolado, com frases sonoras de efeito, mas vazias de sentido.
fazer frente Ficar diante; defrontar, enfrentar.
fazer furor Causar entusiasmo; agitar; estar na moda.
fazer gaiola *MA/PE* Ser pederasta passivo.
fazer gato-sapato de *1.* Fazer de joguete (a alguém); abusar de alguém. *2.* Tratar (alguém) com desprezo e humilhação.

> *Alguns dicionários registram a locução "Fazer gato e sapato de" (V.), com o mesmo significado.*

fazer gazeta Faltar à aula ou ao trabalho; vadiar.
fazer gênero Fingir ser o que de verdade não é, adotando um padrão de estilo, caracterizado.
fazer gosto Aprovar.
fazer gosto em *1.* Desejar que (um fato) aconteça. *2.* Apoiar e aprovar (ideias, conduta, ação de alguém). *Var.* "fazer gosto por".
fazer graça *1.* Chamar a atenção para si através de momices. *2.* Divertir, provocar (com atos ou palavras) o riso dos presentes; fazer palhaçada. *Var.*, nesta acepção, "fazer gracinhas".
fazer guerra a Opor-se com veemência e obstinadamente aos objetivos de (alguém); combater, tentar anular ou destruir (uma situação, uma ideia etc.).
fazer história Fazer algo notável, importante, excepcional, que mereça registro.
fazer honra a Mostrar o apreço que se tem por alguém; honrar.
fazer hora Ocupar-se em algo, enquanto espera o momento de realizar o que antes se intencionava.
fazer hora com *1.* Zombar de (alguém). *2.* Abusar da paciência de (alguém).

fazer ideia Compreender; imaginar, ter noção.
fazer jeito Vir a propósito; vir a calhar; convir.
fazer jogo duplo *1.* Aderir ou mostrar adesão a dois lados opostos, dois grupos rivais; servir a dois senhores. *2.* Falar ou agir com falsidade, sem sinceridade, escondendo os reais pensamentos, propósitos etc.
fazer jus a Merecer.
fazer justiça *1.* Aplicar a pena cominada; julgar e perdoar ou castigar segundo princípios. *2.* Reconhecer uma qualidade, uma virtude, um mérito, em alguém ou em algo; manifestar esse reconhecimento.
fazer justiça pelas próprias mãos Vingar-se ou buscar reparação de algum mal sofrido, tomando a si o encargo de julgar e de aplicar a pena. *Var.* "tomar as leis nas próprias mãos".
fazer luxo Negar por cerimônia ou afetação.
fazer má figura Sair-se mal; ser malsucedido; fazer fiasco, falhar. *Cf.* "fazer boa figura".
fazer mal *1.* Proceder mal; incorrer em falta; agir de modo considerado inadequado, injusto, danoso etc. *2.* Realizar algo desajeitadamente, com falhas, defeitos.
fazer mal a *1.* Causar dano a; prejudicar. *2.* Deflorar, seduzir; abusar de outrem sexualmente; desonrar, violentar.
fazer malbarato de si Menosprezar-se.
fazer mão baixa Surripiar; furtar.
fazer mão de gato Roubar, furtar.
fazer maravilhas Realizar prodígios, coisas admiráveis, sensacionais; executar as coisas magistralmente.
fazer mea-culpa Reconhecer erro cometido, confessando-o ou responsabilizando-se por ele.
fazer média Procurar agradar a alguém com o intuito de tirar proveito para si.
fazer meia-volta *1.* Voltar pelo mesmo caminho que veio; retornar. *2. Fig.* Adotar outro comportamento, procedimento, oposto ou muito diferente. *3.* Arrepender-se, mudar de atitude, de opinião. *Var.* "dar meia-volta".
fazer melhor se Ser preferível ou aconselhável que alguém faça (algo que é em seguida especificado).
fazer menção de *1.* Fazer referência a. *2.* Ameaçar; mostrar sinais de que se vai agir de determinado modo. *3.* Dispor-se (para executar alguma coisa).
fazer merda *Tabu.* Fazer qualquer coisa malfeita; causar muitos problemas, por cometer erros.

fazer meuã Fazer careta, para intimidar.
fazer milagre Realizar algo que parecia impossível ou um ato extraordinário, inusitado, sensacional.
fazer misérias Fazer extraordinárias proezas ou feitos. *V.* "fazer o diabo".
fazer mistério Ocultar algum fato, mas insinuando algo a respeito; manter segredo para atiçar a curiosidade.
fazer muito barulho por nada Alardear, contar um fato ou lamentar-se por coisas banais.

> *Alusão à peça teatral* Much Ado About Nothing *(no original em inglês), de autoria de William Shakespeare – uma comédia sobre confusões envolvendo um casal de namorados às vésperas de seu casamento.*

fazer nana (naná/nanã) Acalentar, ninar (*esp.* uma criança).
fazer nas coxas *Ch.* Fazer malfeito, apressadamente.
fazer necessidade Urinar ou defecar.
fazer neném *Ch.* Praticar o ato sexual.
fazer nicas *1.* Escarnecer. *2.* Melindrar-se com exagero.
fazer noitada *1.* Trabalhar durante a noite. *2.* Farrear, folgar durante grande parte da noite ou de toda ela.
fazer número Estar presente (em atividade, evento etc.) apenas como figurante, sem ter destaque ou participação mais efetiva.
fazer o bem Praticar atos bons; ser caridoso, prestativo, bondoso.
fazer o cabelo Cortar, aparar, ou lavar e pentear o cabelo de alguém; deixar que o cabelo seja lavado, penteado ou cortado por alguém.
fazer o cartaz de Alardear as qualidades de alguém; elogiar alguém de modo enfático. *V.* "fazer cartaz".
fazer (o) check-in Apresentar-se a balcão de empresa aérea para identificar-se e receber o cartão de embarque, ou a balcão de hotel, ao hospedar-se. Para procedimento semelhante, à saída, usa-se: "*checkout*".

> *Do verbo* "to check", *inglês, que significa* 'conferir'.

fazer (o) corta-luz *Fut.* Fazer que vai participar de uma jogada, mas negacear, permitindo que um companheiro, em melhores condições de jogo, participe do lance, enganando o adversário.
fazer o diabo O *m.q.* "fazer misérias".

fazer o diabo a quatro Exceder-se; fazer coisas extraordinárias; fazer balbúrdia, confusão.
fazer o gosto de Satisfazer o desejo, a vontade de alguém.
fazer o impossível Fazer tudo que pode ser feito, até com grandes sacrifícios, enfrentando toda sorte de dificuldades, indo mesmo além das aparentes limitações. *V.* "fazer o possível".
fazer o jeito Fazer a vontade; prestar o auxílio pedido.
fazer o jogo (de alguém) Agir em atendimento aos interesses de outrem, deliberadamente ou não.
fazer o parto Dar assistência a mulher grávida nos momentos que antecedem o nascimento de uma criança, e dar a esta os primeiros cuidados.
fazer o possível Tentar realizar tudo o que puder, dentro das limitações impostas pelas circunstâncias. *V.* "fazer o impossível".
fazer o que bem entender Fazer tudo quanto quer, satisfazer todos os seus caprichos. *Var.* "fazer o que lhe vier às ventas", "fazer o que der na cabeça" e "fazer o que quiser".
fazer o quilo Dormir ou andar após as refeições, para fazer boa digestão. *Var.* "fazer a sesta".
fazer o seu jogo Pôr em prática um plano oculto; trabalhar disfarçadamente para um fim não revelado.
fazer o terno Acertar três dos cinco números sorteados em loteria ou em outros jogos de números.
fazer o *trottoir* Aliciar clientes visando prostituir-se; exibir-se com tal objetivo.

> *Em francês* trottoir *corresponde a calçada, passeio de rua. A expressão alude ao fato de que nas grandes cidades, as pessoas que se prostituem distribuem-se pelas calçadas de ruas e avenidas movimentadas, buscando seus potenciais clientes.*

fazer obra Defecar.
fazer onda *1.* Provocar agitação ou tumulto; propalar boatos. *2.* Bisbilhotar; andar em mexericos; causar confusão. *3.* Agir de modo autossuficiente, arrogante.
fazer opinião Angariar a adesão de outros à sua opinião; tornar-se respeitado e digno de ser ouvido e/ou seguido.
fazer ou morrer Fazer de todo jeito; fazer, apesar de todas as dificuldades, ou por não haver alternativa. *Var.* "é fazer ou morrer".

fazer ouvidos de mercador Fingir que não ouve; fazer-se de desentendido; ignorar.
fazer ouvidos moucos Fazer-se de surdo; fingir que não ouve, ou que está alheio a algo.
fazer ovo Fazer segredo; esconder.
fazer panelinha Associar-se, combinando com alguns para fins de pouca seriedade ou para intrigar; não irradiar seus favores e benefícios, mantendo-os exclusivamente dentro de um grupo restrito.
fazer pantim Dar ou divulgar notícias falsas ou alarmantes; contar boatos.
fazer pão grande Viver na indolência, na ociosidade.
fazer papel de bobo Agir, em determinadas circunstâncias, de forma tola ou ridícula; bancar o palhaço; ser ludibriado; ter, de boa-fé, confiado em alguém e por este ser enganado ou utilizado para realizar papel ridículo. *Var.* "fazer papel de besta".
fazer par *1.* Estar junto a alguém. *2.* Juntar coisas semelhantes, equivalentes ou idênticas. *3.* Combinar; corresponder a outra coisa ou pessoa, formando um conjunto harmônico.
fazer parede *1.* Fazer greve. *2.* Unirem-se as pessoas para reivindicações ou realização de objetivos comuns.
fazer parelha Ser igual, equivalente; formar par; emparelhar.
fazer parte de Entrar na composição de; participar.
fazer parte do jogo Ser (algo desfavorável ou desagradável) condição ou consequência normal e esperada de uma ação, de um processo, e por isso, aceitável; não ser motivo para revolta, recriminação, desistência.
fazer passagem Morrer.
fazer pé atrás *1.* Retroceder para se firmar. *2. Fig.* Dispor-se a resistir.
fazer pé firme Demonstrar firmeza em suas convicções; sustentar seus argumentos ou posições.
fazer pião em Girar apoiando-se em determinado objeto ou determinado ponto, ou tomando-o como referência.
fazer pipi Fazer xixi; urinar.
fazer piruetas *1.* Dar saltos acrobáticos, com ou sem aparelhos. *2.* Dirigir um veículo, inclusive aviões, com manobras perigosas que exigem extrema perícia. *V.* "fazer firulas".
fazer poeira Provocar tumulto, agitação, bagunça.
fazer política *1.* Participar de movimentos ou campanhas políticas; exercer mandatos públicos. *2.* Envolver-se nas negociações e nos interesses relativos à organização e administração de determinada atividade: *Fazer política na universidade, no sindicato, na empresa.*
fazer pontaria Visar o alvo cuidadosamente.
fazer ponto em *1.* Permanecer em ou frequentar habitualmente determinado lugar. *2.* Estar regularmente em determinado lugar, para poder ser encontrado facilmente (diz-se *ger.* de profissionais que prestam serviços, *esp.* motoristas de táxi).
fazer por fazer Fazer algo sem convicção, ou considerando sua ação desnecessária, inútil. *V.* "fazer pros cocos".
fazer por merecer Tornar-se digno de; ter a recompensa ou castigo correspondente às ações praticadas. *Var.* "fazer por elas".
fazer por onde *1.* Dar motivo a (algo, algum fato); provocar certo acontecimento. *2.* Fazer jus a uma recompensa; merecer.
fazer pose Dar ao corpo postura ou movimento afetados, que causem boa impressão, *esp.* em fotografia, vídeo etc.
fazer poucas e boas Traquinar; causar distúrbios, desconforto, confusões.
fazer pouco caso de *V.* "fazer pouco de".
fazer pouco de *1.* Desprezar ou menosprezar alguém; não dar a atenção que outra pessoa julga merecer ou a assunto que lhe é proposto. *2.* Escarnecer; zombar. *Var.* "fazer pouco caso de".
fazer progressos Progredir; adiantar-se, avançar em determinado processo, carreira etc.
fazer pros cocos Fazer (algo) sem cuidados ou sem esmero. *V.* "fazer por fazer".
fazer quarto a Ficar durante uma parte da noite ao lado de (um enfermo).
fazer que Fingir; aparentar, simular.
fazer queixa de Fazer, a quem tem autoridade para repreender ou punir, reclamação formal contra o procedimento de (alguém).
fazer questão de *1.* Exigir de si mesmo ou de outrem; empenhar-se com insistência ou intransigência para obter ou fazer algo. *2.* Ligar importância a que algo se dê, a que uma condição seja satisfeita. *Var.* (enfática) "fazer questão absoluta de", "fazer questão fechada de".
fazer química *1.* Nas repartições públicas, empregar uma verba em fins diversos dos determinados pela lei, embora em benefício do serviço. *2.* Arranjar as coisas e situações de modo a levá-las ao ponto desejado.
fazer renda *N.E.* Tomar chá de cadeira; esperar sentado por muito tempo.

fazer render o peixe Prolongar uma situação, *ger.* em proveito próprio.
fazer reserva Inscrever o nome de uma pessoa numa lista, para assegurar determinado serviço ou benefício futuro (uso de quarto de hotel, de meios de transporte, entrada em espetáculo, restaurante etc.).
fazer retórica Falar ou escrever em estilo empolado e com grande opulência de forma.
fazer rosto a *1.* Estar defronte de. *2.* Resistir a; fazer face a.
fazer saber Divulgar; dar a conhecer; avisar, notificar.
fazer sala *1.* Receber e entreter visitas. (*Ger.* usado conotando obrigação de cortesia, sem intimidade.) *2.* Dar atenção a alguém, demonstrar solicitude.
fazer salamaleques Fazer mesuras exageradas, reverências, *ger.* com o objetivo de conseguir alguma coisa ou de bajular.

> *Salamaleque = Aportuguesamento da saudação árabe "As-salam'alaik", que significa: "A paz esteja contigo!" (cumprimento que se faz acompanhado de gesto característico).*

fazer saltar os miolos Matar ou suicidar-se com um tiro na cabeça. *V.* "fazer voar os miolos".
fazer sensação Ter sucesso; causar impacto pela sua arte, pelas suas qualidades; empolgar.
fazer sentido Ser lógico, inteligível, compreensível.
fazer serão Trabalhar à noite ou além do horário usual.
fazer sexo Ter relações sexuais.
fazer sinal de Exprimir por gestos convencionados determinada intenção.
fazer soar bem alto Exagerar; engrandecer; fazer valer.
fazer sombra Obscurecer o merecimento dos outros com seu próprio merecimento; empanar o brilho (de alguém).
fazer suar Dar grande trabalho; exigir esforço. *Var.* "fazer o bom suor".
fazer suar o topete Molestar, incomodar, preocupar.
fazer tábua rasa *1.* Desfazer tudo para substituir por coisas novas. *2.* Não fazer caso de; desprezar, ignorar. Usa-se também "fazer tábula rasa" (do latim *tabula rasa*).
fazer teatro de Dramatizar suas palavras e/ou atitudes com o fito de comover ou de suscitar interesse nas pessoas. *Var.* "fazer um drama".

fazer tempestade em copo-d'água Aumentar descabidamente a importância de assuntos irrelevantes ou irritar-se desproporcionalmente, por incidentes banais.
fazer tempo O *m.q.* "haver tempo".
fazer tenção Tencionar, planejar, pretender.
fazer terra Ligar um circuito elétrico ao solo, visando a evitar choques elétricos ou como precaução contra descargas elétricas em temporais.
fazer testa a Resistir, opor-se a; fazer face a.
fazer toalete Vestir-se apuradamente, para uma festa.
fazer tragédia de Dar aspecto exageradamente dramático ou trágico a um fato ou acontecimento mais ou menos corriqueiro ou insignificante.
fazer triste figura Desempenhar papel vergonhoso ou ridículo.
fazer tromba Fazer cara feia; mostrar desagrado, aborrecimento, *esp.* com expressão facial tensa.
fazer tudo o que dá na telha O *m.q.* "fazer o que bem entender". *Var.* "fazer o que dá na veneta".
fazer um apanhado Fazer um resumo, uma sinopse.
fazer um barulhão Reclamar em altos brados ou chamando a atenção de todos; alvoroçar. O *m.q.* "aprontar (fazer) um escarcéu".

> *Barulhão = Este vocábulo não consta nos dicionários ou no Vocabulário Ortográfico, mas é ouvido com frequência, com o mesmo sentido de "barulhaço", este sim, com registros oficiais.*

fazer um bonito Praticar ação generosa, nobre, heroica.
fazer um carnaval Comemorar algo ruidosamente; provocar confusão, desordem.
fazer um cavalo de batalha Criar ou imaginar muitas dificuldades na realização de algo; achar que tudo é difícil; complicar ou tornar mais complicado do que é a realidade.
fazer um despacho Ofertar algo a alguma entidade sobrenatural, para que esta interceda a favor do ofertante; fazer macumba, praticar magia ou feitiçaria.
fazer um drama Exagerar a gravidade de um fato ao referir-se ou reagir a ele. *Var.* "fazer drama".
fazer um escarcéu O *m.q.* "fazer um esparrame" (acepção *2*).
fazer um esparrame *1.* Deixar-se lograr; cair no logro; ir na onda. *2.* Dar importância exagerada a coisas de somenos; reagir

com estardalhaço diante de algo não muito grave.
fazer um serviço Assassinar alguém por empreitada.
fazer um tempão Ter decorrido muito tempo (horas, dias, meses, anos, dependendo do contexto) desde certo momento ou acontecimento.
fazer uma arte Provocar confusão, pequenos acidentes, ou desastre, por imprudência ou imperícia.
fazer uma boa *1*. Pregar uma peça (em alguém); desconsiderar alguém. *2*. Induzir outrem a fazer algo vergonhoso, ridículo.
fazer uma boca Fazer uma refeição leve; comer um pouco, antes da refeição propriamente dita. *Var.* "fazer uma boquinha".
fazer uma boquinha *V.* "fazer boca".
fazer uma coisa brincando Realizar algo, ou solucionar um problema, com muita facilidade, por ter experiência ou habilidade.
fazer uma cruzada *1*. Realizar uma campanha de cunho beneficente, caritativo, político etc., visando a angariar fundos, sensibilizar governo/povo para sua causa ou simplesmente fazer proselitismo. *Var.* "fazer uma corrente". *2*. Participar de uma cruzada.
fazer uma fé em *1*. Acreditar em alguém ou em algo. *2*. Apostar determinada soma de dinheiro em loteria ou algum outro jogo. *V.* "fazer uma fezinha".
fazer uma fezinha Arriscar pequena soma de dinheiro no jogo, sobretudo na loteria.
fazer uma figuração Dar na vista pelos seus modos elegantes ou extravagantes ou pelas gafes que comete.
fazer uma necessidade Urinar ou defecar.
fazer uma ponta Ter participação de pouco destaque numa filmagem, numa peça teatral, num espetáculo.
fazer uma ponte Fazer uma ligação (entre duas pessoas ou grupo de pessoas); intermediar.
fazer uma precisão Urinar ou defecar; fazer uma necessidade.
fazer uma salada Misturar desordenadamente as coisas, tornando-as confusas.
fazer uma simpatia Realizar algum ato supersticioso, considerado magicamente eficaz, para obter algo determinado.
fazer uma trela *N.E.* Comportar-se mal, fazer malcriação.
fazer uma vaca Fazer coleta entre amigos para a compra de alguma coisa ou pagamento de despesa comum, ou para ajudar uma pessoa necessitada. *Var.* "fazer uma vaquinha".

fazer ver Expor à vista, mostrar, explicar ou esclarecer; chamar atenção para.
fazer vibrar Comover, entusiasmar; infundir ou transmitir forte impressão ou emoção.
fazer vida de casados Viver maritalmente (quem não se casou oficialmente).
fazer visagem Exibir-se, procurando atrair atenções para si.
fazer vista Fazer figura; atrair a atenção.
fazer vista grossa a Ver e fingir que não vê; deixar passar; não se incomodar com ou omitir-se em relação a certo ato ou situação irregular; tolerar, aceitar (por conivência ou por falta de alternativa).
fazer voar os miolos O *m.q.* "fazer saltar os miolos".
fazer votos *1*. Manifestar desejo de que (algo especificado na frase) aconteça. (Usa-se *ger.* em fórmulas ou em expressões formais de bons (ou maus) sentimentos em relação àquele com quem se fala ou para quem se escreve: *Faço votos de muita felicidade para a noiva e o noivo*. *2*. Comprometer-se formalmente a seguir as regras de vida de uma comunidade religiosa.
fazer xixi Urinar.
fazer zigue-zagues Fazer movimento, ou trajeto, ou desenho, tortuoso, que não tem direção fixa, que não segue linha reta, inclinando-se para a direita e depois para a esquerda (ou para cima e para baixo) alternadamente.
fazer zumbaias (a alguém) Bajular ou adular essa pessoa com o intuito de conseguir dela alguma coisa.
fazer-se à vela O *m.q.* "fazer-se ao mar".
fazer-se ao largo *1*. Navegar para o largo, *i.e.*, afastando-se do litoral. *2*. Mudar de lugar; sair (de um lugar fechado).
fazer-se ao mar Sair (embarcação, ou os que nela estão) de um porto, principiando a navegar.
fazer-se de anjinho Exibir ares de inocência (relativamente a uma situação ou circunstância).
fazer-se de besta Simular estupidez ou deixar-se enganar de propósito; fingir ignorância. *V.* "fazer-se de tolo".
fazer-se de burro para conseguir capim *1*. Fazer-se de desentendido de ofensas e sofrimentos, com o intuito de viver em paz com alguém. *2*. Simular ingenuidade ou ignorância para evitar problemas ou obter alguma vantagem.
fazer-se de desentendido Fingir que não entende; não fazer caso de alguma coisa que se lhe diz; agir dissimuladamente,

fingindo distração, ingenuidade, falta de informação.
fazer-se de morto *1.* Simular estar morto, *esp.* para escapar da atenção de um predador, inimigo etc. *2.* Evitar comprometer-se, fingindo alheamento, ou calando, ou procurando passar despercebido.
fazer-se de rogado Gostar que lhe peçam algo com insistência antes de atender; fingir-se desdenhoso; não ceder senão com adulação, insistências, elogios, vantagens etc.
fazer-se de tolo Fingir-se de ingênuo com segundas intenções. O *m.q.* "fazer-se de besta".
fazer-se difícil *1.* Agir como quem procura marcar superioridade ou valor, tornando-se pouco acessível a outras pessoas. *2.* Demorar ou resistir em aceitar chamados, pedidos, convites, explicações de outras pessoas.
fazer-se em copas V. "fechar-se em copas".
fazer-se em pedaços Rachar-se, partir-se, espatifar-se.
fazer-se esquerdo Esquivar-se, mostrar relutância.
fazer-se mártir Exagerar o próprio sofrimento ou propositadamente assumir riscos com a finalidade de impressionar outras pessoas.
fazer-se mister Ser conveniente, necessário.
fazer-se por si mesmo Progredir, ter sucesso, sem a ajuda de outros.
fazer-se premente Tornar-se urgente, inadiável.
fé conjugal Fidelidade conjugal.
fé de ofício Documento contendo relato pormenorizado da carreira de um servidor público.
fé implícita A que se tem em alguma coisa sem exame prévio. *Var.* "crença implícita".
fé pública Implícita autenticidade legal de documentos ou atos de autoridades públicas investidas de tais poderes que lhes são conferidos pelos cargos que exercem.
fechado como uma ostra Absolutamente fechado em si, *i.e.*, calado, hermético, introspectivo, retraído; não participativo.
fechado para balanço *1.* Expressão *us.* para avisar que uma loja ou outro estabelecimento está temporariamente sem atender ao público enquanto organiza a contabilidade e a administração dos negócios. *2.* Também se usa aplicando irônica e figuradamente a expressão quando uma pessoa evita conhecer novas pessoas ou estabelecer novos relacionamentos afetivos.

fechar a boca *1.* Não comer, ou diminuir a quantidade de alimentos que se ingere; comer moderadamente, fazer dieta. *2.* Calar-se, ficar em silêncio.
fechar a boca de (alguém) O *m.q.* "tapar a boca de (alguém)".
fechar a cara Tornar-se sério ou zangado; amuar-se.
fechar a janela na cara de alguém Ser descortês; desfeitear; desconsiderar essa pessoa. *Var.* "fechar a porta na cara de alguém".
fechar a lata *1. Us.* como intimação a alguém para parar de falar. *2.* Parar de dar palpites, de interferir na conversa, de dizer besteiras.
fechar a matraca Calar-se ou fazer calar; silenciar.
fechar a prova Responder corretamente a todas as questões formuladas numa prova ou teste; gabaritar.
fechar a raia Vir no último lugar (o cavalo), numa corrida.
fechar a sete chaves *1.* Trancar bem-trancado, com segurança, para impedir que seja roubado. *2. Fig.* Esconder ou guardar muito bem; impedir totalmente o acesso dos outros a algo.
fechar a taramela Calar a boca; calar-se; parar de falar.
fechar a tronqueira Defumar e aspergir aguardente nos quatro cantos do local da sessão, para evitar perturbações dos espíritos importunos, garantindo tranquilidade nos trabalhos de umbanda.
fechar as portas *1.* Encerrar os negócios. *2.* Não se dispor a receber ninguém. *3.* Negar-se à reconciliação, à conversa, ao entendimento.
fechar com Comprometer-se com; acertar um acordo com; agir em concordância com quem tem objetivos ou ideias semelhantes.
fechar com chave de ouro Encerrar com muito sucesso um espetáculo ou um evento qualquer.
fechar com sete chaves V. "fechar a sete chaves".
fechar o câmbio Fechar contrato de câmbio para troca de moeda local pela de outro país, imediatamente ou em data futura.
fechar o corpo Realizar ritual religioso ou mágico, ou proferir rezas, fazer despachos etc., para tornar o corpo invulnerável a agressões e ações maléficas de outrem. *V.* "corpo fechado".
fechar o gol *Fut.* Praticar (o goleiro) várias defesas difíceis, impedindo que a bola entre na meta.

fechar o paletó Morrer. *Var.* "abotoar o paletó".
fechar o paletó de Matar.
fechar o parêntese *1.* Pôr na escrita o sinal convencionado – ")" – para marcar o fim de uma palavra ou frase que foi acrescentada como informação suplementar. *2.* Concluir a digressão feita no decorrer de uma fala, de um discurso, de uma narrativa. *3.* Encerrar ação, processo ou trecho secundários, ou que haviam interrompido algo anterior, e voltar ao que se fazia anteriormente, ou ao que é principal.
fechar o tempo *1.* Nublar-se o céu com nuvens escuras, ameaçando mau tempo. *2.* Acirrarem-se os ânimos, ficar acalorada uma discussão, a ponto de poder iniciar-se uma briga. *Var.* "fechar-se o tempo".
fechar os olhos Morrer. *V. tb.* "fechar os olhos de (alguém)".
fechar os olhos a (ou para) *1.* Fingir que não vê ou que não percebe. *2.* Perdoar ou desculpar; relevar; não dar importância a. *V.* "fazer vista grossa a".
fechar os olhos de (alguém) Assistir à morte de; ajudar (alguém) a morrer.
fechar os ouvidos Tapar os ouvidos; recusar-se a ouvir, a dar atenção (*esp.* a um chamado, a um pedido, a um conselho).
fechar-se em copas Não dizer nada; ficar em silêncio, calar-se; trancar-se; fazer-se em copas; acautelar-se; precaver-se; amuar; guardar segredo.
fechar-se o tempo *1.* Escurecer o céu, com nuvens, ameaçando chuva. *2. Fig.* Ter início um motim, uma desordem, uma briga. *Var.* "fechar o tempo".
fecho ecler (Do *Fr.* "*éclair*") Fecho muito usado em roupas, bolsas e vários artefatos etc., no qual dois cadarços, em cujas bordas se alinham dentes plásticos ou metálicos, podem ser unidos por encaixe ou desunidos, movendo-se para isso um cursor.
fecundação *in vitro* Fecundação de óvulo fora do organismo de uma mulher, para implante posterior (inclusive em outra mulher).

> *A expressão de origem latina "in vitro" corresponde ao processo biológico que se realiza fora do organismo vivo, em laboratório especializado. Originalmente, esses processos laboratoriais sempre ocorriam em recipientes de vidro, daí a origem do termo.*

feder a defunto Prognosticar assassinato (diz-se de situação em que há conflito).

feijão bispado Feijão que se deixou queimar ao ser cozido.
feijão com arroz *1.* O corriqueiro; o que se faz todo dia; o comum; o cotidiano, o trivial. *2.* Aquilo que se pode fazer sem habilidade ou brilhantismo especiais.
feijão dormido A feijoada que sobrou da véspera.
feijão de tropeiro *MG* Prato típico baseado em feijão preparado com temperos, misturado com farinha e guarnecido com pedaços de linguiça e torresmo. *Tb.* se diz "feijão-tropeiro".
feio de meter medo Muito feio; horroroso. *Var.* "feio como o pecado", "feio como a fome", "feio como a peste", "feio como filhote de urubu", "feio como o mapa do inferno", "feio como trombada de penicos", "feio de doer".
feio e forte Com muito empenho e decisão; duramente.
feira livre Feira, na rua, onde se vendem, principalmente, hortaliças e frutas.
feirão de ofertas Queima, liquidação de estoques; promoção de vendas.
feitiço contra o feiticeiro Diz-se quando alguém sofre mal idêntico ou semelhante ao que desejava para outra pessoa, ou quando as ações mal-intencionadas de alguém acabam por prejudicar a ele próprio. *Us.* mais na expressão "virar o feitiço contra o feiticeiro".
feito de pedra e cal Construído com material de muito boa qualidade; firme; resistente; sólido.
feito em casa Diz-se de qualquer produto (objeto, alimento etc.) preparado artesanalmente em casas particulares e, por suposição, com esmero, capricho.
feito na mesma forma (ô) Diz-se de pessoas ou coisas extremamente parecidas umas com as outras.
feito por mão de mestre Bem feito; feito com arte e competência. *Var.* "feito com mão de mestre".
feito sob encomenda Diz-se daquilo que parece se adequar perfeitamente ao necessitado, requisitado ou pretendido. *V.* "sob encomenda".
feito sob medida Diz-se daquilo que parece se encaixar, servir perfeitamente ao uso pretendido. *V.* "sob medida".
feixe de nervos Diz-se de pessoa muito nervosa, ansiosa, irritadiça, excitada.
feixe de ossos Diz-se de pessoa muito magra ou emagrecida.
fê-la limpa e asseada Expressão irônica *us.* com referência a alguém que praticou

ficar à vontade

alguma ação inconveniente e da qual pode resultar algum malefício ou dano.
felicidade eterna Salvação eterna (estar junto de Deus).
felix culpa *Lat.* Culpa feliz; falta que acarreta um bem, alguma consequência benigna.

> *Palavras de Santo Agostinho referentes à queda do primeiro casal (Adão e Eva), que nos valeu a redenção, por Jesus Cristo.*

feliz coincidência Acontecimento imprevisto que ocorre em momento favorável e oportuno.
feliz da vida Muito contente, felicíssimo, muito satisfeito.
ferida ruim Lesão infetada pelo germe do tétano; gangrena.

> *Gangrena = Morte, em extensão variável, de tecido ou de órgão, e devida à perda de suprimento sanguíneo seguida, ou não, de invasão bacteriana.*

ferir o coração Magoar, ofender.
ferir o ponto Tocar na questão principal.
ferir os ouvidos Ser desagradável de se escutar.
ferir os sentimentos de alguém Tornar alguém infeliz, triste, magoado, *esp.* diante de observações rudes e contundentes.
ferrado dos quatro pés Diz-se de indivíduo grosseiro, intratável, bruto, sem educação.
ferrar no sono Adormecer rápida e profundamente. *Var.* "agarrar no sono" e "ferrar a dormir".
ferver em pouca água Estimular-se; excitar-se por coisa insignificante.
ferver o sangue nas veias Impacientar-se ou impacientar com alguém; ficar em estado de extrema irritação, indignação ou raiva.
festa da cumeeira Festa com que se comemora o momento em que uma construção chega ao topo, à cobertura.
festa de arromba Festança; festa memorável, grandiosa e animada, com muitos convidados, muita bebida e comida, música, dança etc.
festas móveis As que se celebram a cada ano em dias diferentes na ordem do calendário civil internacional; aquelas que, no calendário litúrgico da Igreja Católica, dependem do dia em que se celebrar a Páscoa.

> *Eventos e comemorações que ocorrem em datas irregulares: algumas festas religiosas tais como as católicas Pentecostes, Páscoa, Corpus Christi, Cinzas; as muçulmanas e judaicas (baseadas em calendários lunares); ou outras, como o carnaval.*

festina lente *Lat.* Literalmente, significa "apresse-se devagar", e é usada como admoestação, significando que quando alguém está apressado é preciso agir com prudência e calma.
fiado, só amanhã Dito jocoso, *ger.* usado em cartazes de estabelecimentos comerciais, advertindo que não se vende senão à vista.
fiar fino Ser ou tornar-se assunto, situação ou negócio delicado, complexo, a exigir tratamento cauteloso, competente. *Var.* "fiar mais fino".
fiat lux Expressão latina que significa: "faça-se a luz".

> *Na narrativa da criação, constante do livro do "Gênese", seriam as palavras de Deus ao criar a luz. (Cf. Gn 1,6)*

fiat voluntas tua *Lat.* Frase latina do Pai Nosso, correspondente a: "Seja feita a tua vontade".
ficar *V.* também "estar" e expressões sem estes verbos.
ficar à disposição *1.* Ficar às ordens, pronto a atender ao que lhe mandarem ou pedirem. (Diz-se de pessoas.) *2.* Ficar reservado ou separado para uso de alguém, quando lhe convier. (Diz-se de coisas.)
ficar à mostra Ficar a descoberto, ficar evidente ou explícito.
ficar a ver navios *1.* Não conseguir alcançar o objetivo; ficar logrado. *2.* Não ser aquinhoado com o que esperava. *3.* Perder a oportunidade; ficar para trás.

> *Alguns atribuem a origem dessa expressão ao estado em que ficou o general francês incumbido de capturar os principais dirigentes do governo português, por ocasião do domínio napoleônico, por ter chegado a tempo apenas de contemplar a frota portuguesa, com a corte, já no Tejo, ganhando o oceano rumo ao Brasil.*

ficar à vontade Instalar-se confortavelmente; relaxar o corpo, às vezes com o uso de roupas íntimas, caseiras; não se preocupar em seguir convenções ou formalidades de comportamento.

ficar à ucha Ficar na penúria; sem nada.
ficar ao dispor de O *m.q.* "ficar à disposição de".
ficar apertado O *m.q.* "estar apertado".
ficar arrasado Sentir-se frustrado, desanimado, derrotado; sentir-se humilhado.
ficar arrepiado Ter um sobressalto, uma emoção forte (como diante de algo belo, triste etc.), ou pavor, medo (acompanhados ou não de arrepio).
ficar atrás de Ter uma qualidade qualquer em grau inferior em relação a (outra coisa ou pessoa); não alcançar o grau de conhecimento ou de habilidade de (alguém).
ficar babando por O *m.q.* "babar-se por alguém".
ficar bem *1.* Ser conveniente ou decente; assentar. *2.* Servir como uma luva.
ficar bem na fita Realizar ação, desempenhar papel ou assumir atitude aprovada pelas outras pessoas. *Ant.* "ficar mal na fita".

> *A fita a que se refere a expressão corresponde aos antigos filmes de cinema, registrados na forma de uma película em fita, com fotogramas em sequência. Um bom ator ou atriz, cujo desempenho em um dado filme agradasse à audiência, ficava, portanto, "bem na fita".*

ficar branco como a cera Empalidecer, por motivos vários, como, *p.ex.*, de medo.
ficar buzina Irritar-se; irar-se, encolerizar-se; ficar zangado, com raiva, furioso. *Var.* "ficar buzina da vida".
ficar caído por (alguém) Enamorar-se perdidamente; ficar apaixonado. *Var.* "ficar caído de amores por".
ficar cheio de si Ficar muito satisfeito, contente consigo mesmo, orgulhoso e confiante.
ficar chocado *1.* Ficar em estado de choque; ficar mentalmente abalado. *2.* Ficar estupefato.
ficar cobra Ficar furioso.
ficar com a camisa do corpo Ficar na miséria, perder tudo que possuía. *Var.* "ficar só com as roupas do corpo".
ficar como a mãe de São Pedro Não ter onde ficar.
ficar com a mesma cara *1.* Não se alterar, não ficar abalado. *2.* Ter atitude cínica, não demonstrando constrangimento.
ficar com a orelha em pé *V.* "ficar de orelhas em pé".
ficar com a parte do leão *1.* Ficar responsável pelas tarefas mais árduas, perigosas e onerosas. *2.* Receber a parte principal, ou maior, ou mais importante.
ficar com as sobras Sofrer imerecidamente punição, admoestação ou repreensão, *esp.* quando a falta teria sido de outra pessoa.
ficar com cara de cachorro que quebrou panela Mostrar-se ressabiado por ter feito o que não devia.
ficar com cara de pau Ficar desapontado, desiludido, frustrado. *Var.* "ficar com cara de tacho", "ficar com cara de bundão" e "ficar com cara de asno".
ficar com Deus Ficar sob a proteção de Deus. Usa-se como benção e como despedida.
ficar com o pau duro *Ch.* Ficar sexualmente excitado.
ficar com os que vão Ir embora. (*Us.* como um modo jocoso de se despedir.)
ficar como carrapato na lama Ficar enrascado, sem poder se desvencilhar.
ficar como cobra que perdeu o veneno Ficar furioso e, ainda por cima, sem a capacidade de agir eficazmente.
ficar como um crivo Receber muitos tiros (de instrumento de fogo).

> *Crivo = Espécie de peneira utilizada para separar materiais fragmentados.*

ficar como um prego Ficar paralisado, inerte.
ficar de Comprometer-se na realização de ou participação em (algo, ação, tarefa, providência etc.); ajustar.
ficar de beiço caído Admirar-se; ficar perplexo; ficar enamorado ou apaixonado.
ficar de boca aberta Ficar pasmado pelo que vê; admirar-se extraordinariamente; ficar surpreso; espantar-se.
ficar de bode *V.* "amarrar o bode".
ficar de cabeça inchada Ficar descontente com um insucesso.
ficar de cabelos brancos *1.* Envelhecer, ou apresentar sinais de envelhecimento. *2.* Estar confuso, ou desgastar-se, diante dos problemas que enfrenta.
ficar de calças curtas Ficar desprevenido.
ficar de calças na mão Ficar em situação difícil, *esp.* sendo surpreendido em condição embaraçosa.
ficar de cama Estar deitado, por doença. *V.* "estar de cama".
ficar de cara *1.* Defrontar-se, estar diante. *2.* Espantar-se; admirar-se.
ficar de fora Não entrar; ser excluído; não ser contemplado; deixar de ser escolhido.
ficar de mal Acabar uma amizade, por desentendimento.

ficar de nariz comprido *1.* Não conseguir o que desejava. *2.* Mentir.
ficar de nariz torcido Zangar-se ou demonstrar contrariedade.
ficar de nhenhenhém Falar coisas pouco relevantes, em tom de lamúria, e de modo irritante, monótono; resmungar, rezingar.
ficar de olho em Vigiar (alguém); manter (algo, alguém) sob as vistas, sob observação; ficar atento a.
ficar de olhos abertos Ficar atento; observar bem.
ficar de orelhas baixas Ficar humilhado. O *m.q.* "murchar as orelhas".
ficar de orelhas em pé Ficar atento, desconfiado, prevenido, ou na expectativa de algum acontecimento pressentido.
ficar de papo para o ar Não se importar, não se afligir, mandriar, preguiçar, não trabalhar, ficar no ócio.
ficar de pé Não cair, não sucumbir, não ser abatido ou destruído; subsistir, resistir; prevalecer.
ficar de quatro *1.* Assumir posição corporal em que as mãos e os joelhos se apoiam no chão, lembrando a postura dos quadrúpedes. *2. Fig.* Ficar humilhado. *Var.* "cair de quatro" (esta *tb.* com o sentido de ficar embasbacado, ou submisso, ou perdidamente apaixonado).
ficar de quatro por (algo ou alguém) Gostar muito de, admirar (de modo humilde, submisso); ser inteiramente cativado por. *Var.* "cair de quatro".
ficar de queixo caído Quedar admirado, pasmado, boquiaberto, estupefato.
ficar de queixo na mão Ficar admirado, estonteado, estupefato.
ficar de reserva Ser (algo ou alguém) escolhido ou separado para servir como substituto, em caso de necessidade.
ficar de rolo *1.* Ligar-se íntima e estavelmente com uma mesma pessoa, sem exigir fidelidade. *2.* Enrolar, ficar inativo ou disperso; não sair de um lugar ou de uma situação.
ficar de tanga Perder tudo; ficar arruinado.
ficar de tromba Ficar zangado, enfezado, amuado.
ficar de vela Acompanhar um casal de namorados. *Var.* "segurar a vela".
ficar de venta inchada *N.E.* Amuar-se, zangar-se.
ficar deste tamanhinho (tamaninho) *1.* Ficar com medo (de algo); amedrontar-se. *2.* Sentir-se humilhado, diminuído, desvalorizado ao extremo.

ficar em branco Não perceber ou compreender nada do que foi dito, ou do que ocorreu.
ficar em casa *Fig.* Não perder nem ganhar num jogo.
ficar em cima do muro Ficar indeciso; não tomar partido; não assumir uma posição.
ficar em jejum *Fig. 1.* Ficar em completa ignorância de uma coisa; não perceber. *2.* Não conseguir durante certo tempo obter os resultados visados (vencer um campeonato, passar num concurso etc.).
ficar em paz Ficar sossegado, tranquilo.
ficar encostado *1.* Ficar sem uso (diz-se de coisa). *2.* Ficar sem nada que fazer; aposentar-se (e não ocupar-se de nada em especial).
ficar engasgado *1.* Nada conseguir dizer, por desorientação, inibição, emoção, nervosismo etc. *2.* Ficar à beira do choro, angustiado; ficar com (ou sentir) um nó na garganta.
ficar entalado *1.* Ficar logrado; cair em aperto, ficar em apuros, em situação difícil. *2.* Permanecer contido, reprimido, sem oportunidade de ser exteriorizado (diz-se de manifestação, *esp.* pela voz): *Com a derrota, o grito de "campeão" ficou entalado (na garganta da torcida).*
ficar esquentado Ficar agitado, ansioso, excitado.
ficar falando sozinho *1.* Ser desprezado, abandonado, sem a convivência de pessoa querida. *2.* Não ser objeto de atenção e apreço. *3.* Não ser levado em conta; não ser ouvido.
ficar feito bobo *V.* "estar feito bobo".
ficar fulo Enraivecer-se; encolerizar-se.
ficar limpo *1.* Ficar sem nenhum dinheiro (por tê-lo perdido ou gastado). *2.* Saldar todos os seus compromissos com os credores. *3.* Recuperar-se de acusações.
ficar mal Não ser próprio ou digno de; ser desabonador para.
ficar mal com Tornar-se em desarmonia com.
ficar mal na fita Desempenhar papel que não agrada às pessoas; realizar ação desaprovada, condenada. *Ant.* "ficar bem na fita". *V.* comentário em "ficar bem na fita".
ficar na arquibancada Não participar ativamente de algo; participar como mero espectador.
ficar na banha *N.E.* Empobrecer-se.
ficar na chuva *1.* Embebedar-se. *2.* Ficar ao desamparo, sem abrigo. *3.* Perder uma oportunidade ou um lugar, um emprego etc.

ficar na mão *1.* Ser logrado, ludibriado, preterido, enganado, esquecido. *2.* Perder uma oportunidade.
ficar na mesma *1.* Não conseguir ser esclarecido; não entender. *2.* Não obter nem ter prejuízo; não ter nem levar vantagens. *3.* Não chegar a uma conclusão: *Debatemos muito, mas ficamos na mesma. 4.* Não se modificar, não se alterar (uma situação).
ficar na minha *1.* Permanecer (a pessoa que fala) com a sua opinião, seu modo de pensar; não mudar de atitude diante de um fato etc. *2.* Não se envolver (a pessoa que fala), não interferir ou não se manifestar. *Var.* "estar na minha". Conforme as circunstâncias, usar-se-á: "ficar na tua", "ficar na dele", "ficar na dela" etc.
ficar na moita *1.* Ficar escondido ou retrair-se sem dar sinal de presença; não expressar opinião, aguardando que os demais exponham as deles. *2.* Não revelar algo que sabe, mesmo quando a circunstância favorece ou exige essa revelação.
ficar na peça Conservar-se solteira; ficar para tia.

Para a palavra peça a acepção que combina com o sentido da locução é a que corresponde à peça de tecido, como ela costuma vir da fábrica ao revendedor. A parte que resta na peça, talvez devido às suas dimensões (retalho), é difícil de ser vendida.

ficar na pior Ficar em má situação; ter prejuízo.
ficar na poeira Ser superado; ficar para trás.
ficar na rabeira Ficar por último, em último lugar.
ficar na rua Não ter onde ficar, onde morar.
ficar na saudade *1.* Perder de vista alguém; perder o contato com alguém, sem voltar a ter notícias dele. *2.* Ficar para trás, ser superado, ultrapassado, preterido.
ficar no ar Ficar sem entender o que falam, ordenam, sugerem.
ficar no barricão *N.E.* O *m.q.* "ficar para tia (titia) ou tio (titio)".
ficar no caritó *N.E.* Ficar solteiro(a), não se casar.
ficar no choco *1.* Ficar em casa, sem sair. *2.* Diz-se, também, da galinha em estado propício à incubação. *V.* "estar no choco".
ficar no mato sem cachorro Ficar perdido, sem rumo, sem saber o que fazer. *Var.* "ficar num mato sem cachorro".
ficar no ora veja Ficar sem conseguir o que queria; ser preterido diante de uma expectativa certa.
ficar no papel Não se realizar (diz-se de plano, projeto etc.).
ficar no pé de Insistir com alguém, aborrecendo, importunando, sempre de forma impertinente. *V.* "pegar no pé".
ficar no porco Ver-se em situação vexatória; envergonhar-se; encabular-se.
ficar no seco Privar-se de alguma coisa.
ficar no sereno Permanecer ao relento (*esp.* à noite); apreciar festa do lado de fora.
ficar no tinteiro Ficar por dizer, por fazer, por realizar.
ficar numa boa *1.* Encontrar ou alcançar boa posição e ficar aguardando confortavelmente o desenrolar dos acontecimentos. *Var.* "estar na dele (na minha)". *2.* Ficar tranquilo, em estado de contentamento ou satisfação.
ficar para contar a história *1.* Ser o único a sobreviver de um acidente, cataclismo etc. *Var.* "viver para contar a história". *2.* Permanecer, sobrar, resistir; não ir embora ou não desaparecer.
ficar para semente *1.* Viver muito além da média comum de vida. *2.* Ser reservado para reprodução (diz-se de animais).
ficar para tia (titia) ou tio (titio) Não casar; permanecer solteira ou solteiro. *Var.* "ficar para galo de São Roque", "ficar solteirão(ona)", "ficar encalhado(a)".
ficar para trás *V.* "ficar a ver navios".
ficar pelo beicinho *V.* "estar pelo beicinho".
ficar pinel Ficar louco; enlouquecer; perder a razão.
ficar plantado Ficar imóvel, sem sair do lugar, durante algum tempo
ficar por aí Não ir mais longe ou além do que já foi; não ter (um fato, um processo) desenvolvimento ulterior, ou outras consequências; não continuar (alguém) uma ação iniciada.
ficar por cima *1.* Ficar em posição vantajosa, em posição de superioridade, de vantagem, de comando. *2.* Vencer, levar vantagem. *Ant.* "ficar por baixo".
ficar por conta *V.* acepção *1* de "por conta".
ficar por conta de Ficar sob a responsabilidade de: *O aniversariante ofereceu o bolo e os doces, mas as bebidas ficaram por conta dos convidados.*
ficar por fora Não ser informado (a respeito de um assunto).
ficar por isso mesmo *1.* Não ter continuação ou consequências (certo acontecimento, certa situação). *2.* Não ter o desfecho ou o desenvolvimento esperados; *esp.* não

haver solução ou punição para um crime, uma falta etc.
ficar pronto Ficar sem dinheiro; o *m.q.* "ficar limpo".
ficar puto *Ch.* Ter muita raiva ou irritação; zangar-se; irar-se.
ficar queimado (com) *1.* Ficar zangado, ofendido. (Quando aparentemente sem razão ou por motivo irrelevante, diz-se: "ficar queimado à toa".) *2.* Perder a confiança ou a boa opinião das pessoas, ou de alguém.
ficar reduzido à miséria Perder tudo o que possuía. *Var.* "ficar reduzido a zero".
ficar refém de *1.* Ficar preso a alguém sob ameaças de extorsão ou violência, ou por algum motivo ficar submetido às imposições de (outrem). *2.* Ficar muito restrito, limitado, na capacidade de agir; estar sujeito a fortes restrições determinadas por algo exterior: *Ele queria se desligar do emprego, mas tinha ficado refém da situação.*
ficar sem a boia *1.* Ficar sem ter o que comer. *2.* Ficar sem proteção.
ficar sem camisa Perder tudo, todo o dinheiro, todas as posses.
ficar sem cor Empalidecer-se de súbito por efeito de emoção ou doença. *Var.* "perder a cor".
ficar sem graça Ficar constrangido, desconcertar-se; perder a graça; incomodar-se.
ficar sem mel nem cabaça Ter duplo prejuízo; não conseguir nenhuma das coisas esperadas; arriscar uma coisa para ganhar outra e ficar sem as duas.
ficar sem sangue nas veias Ficar transido de medo, de pavor, de susto.
ficar só em palavras Não pôr em prática o que diz ou promete.
ficar sobrando *1.* Ser relegado a uma posição de menor importância, ser esquecido, sobrar. *2.* Não ser procurado ou atendido; ser preterido; não ser alvo de atenção.
ficar sujo na praça Ser avaliado por outras pessoas ou instituições como mal pagador.
ficar sujo com alguém Ficar malvisto por alguém.
ficar teso Perder todo o dinheiro que tinha.
ficar um pinto Ficar todo molhado, ensopado.
ficar uma onça Ficar bravo, zangado. *V.* "estar uma arara". *Var.* "virar onça".
ficar uma pilha Ficar extremamente nervoso, tenso. *V.* "pilha de nervos".
ficar varado Ficar estupefato, atônito, perturbado, ansioso.
ficar vendido Ficar contrariado ou desapontado ou sem possibilidade de reação diante de acontecimento inesperado, insólito.

ficar vidrado em Estar obcecado por algo ou por alguém; concentrar todas as suas atenções em um determinado objetivo.
ficção científica *1.* Obra ficcional (literária, cinematográfica etc.) cujo enredo está centrado em temas científicos, ou que se baseia no desenvolvimento científico e tecnológico e na imaginação de situações sociais ou individuais dele decorrentes. *2. Fig.* Algo impossível, improvável.
ficha limpa *1.* Currículo de pessoa que não tem nenhuma restrição registrada nos cartórios, na polícia ou órgãos de cadastro empresariais. *2. P.ext.* Pessoa confiável e merecedora de crédito.
ficha suja *Ant.* de "ficha limpa". (*V.*)
fidus Achates *Lat.* "o fiel Acates". Amigo íntimo e fiel.

> Alusão a personagem da Eneida [de Virgílio (70-19 a.C.), poeta latino], fiel amigo de Eneias.

fiel da balança *1.* Haste situada no meio da travessa que sustenta os pratos de uma balança (mecânica) e que mostra seu ponto de equilíbrio perfeito (onde se verifica a exatidão do peso). *2.* Tudo o que serve de guia ou de referência para a tomada de decisões, por ser confiável, preciso, objetivo.
figura de proa *1.* Figura que orna a proa dos navios e dos barcos. *V.* "carranca de proa". *2.* Pessoa eminente, famosa, influente, importante, destacada no meio em que vive ou milita. *Var.* "figura de destaque".
figura decorativa Pessoa que aparece oficialmente como dirigente, mas que, de fato, detém pouco ou nenhum poder; aquele que não desempenha nenhuma função, mas participa do grupo.
figura fácil Pessoa que costuma frequentar ou estar presente em muitos eventos, encontradiça.
figurinha difícil *1.* Pessoa que gosta de bancar o difícil. *2.* Pessoa que pouco aparece; que se faz de rogada. *3.* Pessoa antipática, cheia de melindres. *4.* Pessoa que se veste ou se comporta de modo um tanto inusitado. *Var.* "figura difícil".

> A expressão advém das coleções de figuras vendidas em bancas de jornal, nas quais há sempre uma ou mais figuras raras, difíceis de serem encontradas.

fila brasileiro Cão de fila, de raça originária do Brasil.

fila de espera

fila de espera Relação de nomes de pessoas pretendentes de vagas em eventos, vagas, cursos, determinados voos ou viagens etc., tendo já se esgotado prazos ou lugares disponíveis e que, por isso, ficam na aguarda de oportunidades.

fila do gargarejo A primeira fila de espectadores num teatro, num cinema, numa plateia, na qual têm de ficar olhando para o alto, esticando o pescoço para poder ver melhor os que se apresentam, dada a proximidade do palco.

fila indiana A que é formada por pessoas uma atrás da outra.

> Assim denominada, devido ao fato de os índios terem o costume de andar enfileirados pelas trilhas da floresta.

filé de borboleta Pessoa extremamente magra.

filha da vovozinha A mãe (de quem fala, ou da pessoa de quem se fala).

filha de Maria Mulher pertencente à Pia União das Filhas de Maria, associação de mulheres cristãs que cultuam Maria, mãe de Jesus.

filhas de Eva As mulheres, em geral; o sexo feminino.

filhinho/a da mamãe Filho/a excessivamente protegido/a pela mãe, apegado/a e dela dependente.

filhinho de papai Filho de pai rico c ou influente. Também: "filhinha de(do) papai".

filho adotivo Filho de outrem tomado espontaneamente como próprio, mediante adoção.

filho adulterino Filho gerado de relação extraconjugal, sendo pelo menos um dos pais casado quando da concepção.

filho bastardo Filho ilegítimo; o que é gerado e nascido fora do matrimônio ou que não provém de núpcias legais.

filho da puta *Ch.* Expressão chula usada como injúria grosseira. *Var.* (eufemística, e não raro *us.* com caráter menos ofensivo) "filho da mãe".

filho de Deus *1.* No cristianismo, Jesus Cristo. *2. P.ext.* Segundo a doutrina católica, todo ser humano, criatura de Deus.

filho de fora Filho natural, aquele nascido de pais não casados.

filho de leite A criança em relação à mulher que o amamentou e que não era sua mãe de sangue.

filho de meu pai A pessoa que fala; eu.

filho de peixe Assim se diz para explicar que as qualidades (ou os defeitos) de uma pessoa são herdadas dos pais, de idênticas índoles.

filho de vidraceiro *Us.* jocosamente para se referir alguém que está à frente de outra e obstruindo-lhe a visão.

filho do Homem Jesus Cristo. Filho de Deus.

> O termo é encontrado no Antigo Testamento e em outras fontes semíticas antigas, mas a origem e os significados de seu uso como designação ou título de Jesus são controversos.

filho do Sol e neto da Lua Aquele que se julga descendente de estirpe muito ilustre.

filho incestuoso Filho de pessoas cujo parentesco entre si os impede legalmente de casar.

filho legítimo O que provém de matrimônio legal e nascido na vigência dessa união.

filho natural Filho legítimo, mas havido de pais solteiros que, ao tempo da concepção, não tinham impedimento legal para se casarem.

filho pródigo Aquele que depois de gastar uma fortuna do pai fora de casa, retorna lamentando seu comportamento.

> Cf. o Evangelho (Lc 15,11-32), onde se relata a parábola conhecida como "Do filho pródigo", hoje citada na Igreja Católica como "Parábola do pai misericordioso".

filho sacrílego Filho de sacerdote e/ou de quem tenha feito voto de castidade.

filho único de mãe viúva Coisa preciosa, muito rara.

filho(a) de santo *Rel.* Nas religiões afro-brasileiras, pessoa dedicada ao culto de um orixá, e que já passou pelos ritos de iniciação correspondentes.

filhos da Candinha *1.* O vulgo; o povo, as pessoas. *2.* Os maldizentes ou maliciosos; as más línguas.

filhos de Deus Todas as pessoas, homens e mulheres; a humanidade.

filhos de Eva Filhos de Deus; os seres humanos.

filme "B" Filme comercial produzido com baixo orçamento ou com recursos técnicos mais limitados, *ger.* em conformidade com fórmulas próprias a determinado gênero já consagrado, mas podendo às vezes ter reconhecimento de uma parcela do público (que se diverte ou se identifica com suas características) ou da crítica (que pode reconhecer certas inovações). *V. tb.* "filme *trash*".

Os fãs deste tipo de filme têm plena consciência das limitações artísticas das obras, mas se divertem justamente com a falta de qualidade, que às vezes chega a ser absurda. O mais famoso cineasta de "filmes B" foi o norte-americano Ed Wood, que entre as décadas de 1950 e 1970 dirigiu aqueles que foram considerados alguns dos piores filmes já produzidos. Seus "clássicos" incluem Glen ou Glenda, A noiva do monstro *e* Plano 9 do espaço sideral *este, sim, considerado pelos críticos o pior filme de todos os tempos.*

filme de bangue-bangue Filme que conta histórias passadas no Oeste norte-americano, sobretudo durante o século XIX, no período de expansão dos Estados Unidos.

filme de horror Filme (ou gênero de filme) que narra aventuras horrorizantes, macabras, com várias cenas especialmente assustadoras, apavorantes. *Var.* "filme de terror".

Usa-se também a locução em frases do tipo: "Isso é como um "filme de horror", quando se quer dizer que o que se vê ou se ouve é tão assustador e/ou inverossímil como um filme no qual, ger., são exageradas as situações de pavor e medo que retratam.

filme *trash* Do *Ing.* "*Trash movie*". Filme "B" (*V.*) de qualidade muito baixa.

filosofia da vida Doutrinas, visão ou enfoque filosófico quanto à natureza, ao propósito da vida ou ao modo como se deve viver.

Entre os filósofos que se ocuparam deste tema citam-se Bergson e Nietzsche.

filtro solar Substância ou loção capaz de absorver raios ultravioleta da luz solar, e que se aplica sobre a pele para protegê-la dos efeitos nocivos desse tipo de radiação.

fim de linha *1.* A estação ou localidade mais distante a que chega uma ferrovia; a última parada em um trajeto ou viagem. *2.* Ponto até onde se pode chegar em qualquer ação ou intento. *3.* Fim de carreira, de atividade etc.

fim de mundo Lugar distante, quase inacessível, afastado de tudo; limite de viagem; os confins da Terra. *Var.* "fim do mundo".

fim de papo *1. Us.* para encerrar uma conversa ou manifestar desejo de pôr um fim a uma discussão etc., ou mudar de assunto. *2. Us.* para indicar o término (abrupto ou não) de algo que vinha se desenrolando.

fim de semana Tempo que vai da noite do último dia útil da semana (*ger.* sexta-feira) até a manhã do primeiro dia útil da semana seguinte (*ger.* segunda-feira), e que se pode aproveitar para descanso e lazer.

fim do espinhaço O ânus.

fina flor Elite, escol; o melhor; o que tem mais qualidade, que é mais refinado.

fina flor da sociedade O que há de melhor na sociedade.

final feliz Desenlace favorável de um enredo ou de situações reais da vida.

finanças públicas Tudo que se relaciona com despesas, receitas, orçamento, operações de crédito de um Estado e de seus órgãos.

fincar as aspas *RS* Cair de cabeça para baixo.

fincar as aspas no inferno Expressão que se usa para dizer que alguém mau ou malquisto morreu.

fincar os pés Insistir em não sair do seu lugar, de sua posição, de modificar sua opinião; teimar; obstinar-se.

fincar raízes Estabelecer-se em determinado lugar.

fingir que não viu (ouviu) *1.* Omitir-se. *2.* Dissimular; enganar.

fingir-se de Simular certa qualidade ou condição.

fingir-se de bobo O *m.q.* "fazer-se de tolo".

fingir-se de morto *V.* "fazer-se de morto".

fingir-se de santo Aparentar ser uma boa pessoa, mas, de fato, não ser.

fio a fio Cuidadosamente; meticulosamente; pormenorizadamente.

fio condutor *1.* Numa estória ou narrativa, fato ou conflito que desencadeia a sucessão dos eventos narrados; elemento ou conjunto de elementos presentes ao longo de uma narrativa, e aos quais se ligam os demais. *2.* Numa investigação (principalmente policial), uma informação ou um fato que pode levar à elucidação de um mistério. *V.* "fio da meada". *V. tb.* "fio de Ariadne".

fio da história O encadeamento do tema; a trama.

fio da meada O início de algo ou o instrumento ou caminho certo para que um assunto seja resolvido ou desvendado. *V.* "fio condutor".

fio da vela O cordel que serve de pavio nas velas.

fio de Ariadne Metaforicamente, designa o indício ou meio que serve de guia das dificuldades, de um problema.

fio dental

> *Ariadne, filha de Minos, rei de Creta, segundo a mitologia grega, deu a Teseu, a quem amava, um rolo de fio para que ele pudesse encontrar a saída do labirinto no qual resolvera entrar para enfrentar o Minotauro. Teseu matou o Minotauro e, seguindo o fio, saiu do labirinto.*

fio dental *1.* Fio de náilon ou outro material, usado para retirar resíduos do espaço entre dentes contíguos. *2.* Peça inferior de biquíni, ou calcinha, de largura muito reduzida, na forma de simples tira ou fio que mal deixa as nádegas cobertas.
fio nu Fio condutor de eletricidade sem cobertura isolante ou de qualquer revestimento.
fio puxado Em uma porção de tecido, lugar em que um fio se rompe ou é tirado da trama, ficando com ponta solta ou deixando marca ou lacuna.
fio terra Diz-se do fio neutro numa instalação elétrica.
fios de ovos Doce em forma de fios, feito de gemas de ovos com açúcar, cozidos em calda de açúcar; também: "fios-d'ovos".
Fique frio! Diz-se a alguém para tranquilizá-lo.
firmar o passo *V.* "apertar o passo".
firme como um prego na areia Sem firmeza alguma; completamente bambo, solto, frouxo.

> *Outras expressões análogas podem ter o mesmo sentido irônico de não firmeza: "firme como pudim/gelatina".*

firme como uma rocha Muito firme; inabalável. *Var.* "firme como o Pão de Açúcar"; "firme nos arreios".
fita azul *1.* Distinção conferida ao primeiro colocado em competições; *fig.* vitória, título de vencedor. *2.* O vencedor de um torneio, de uma competição.
fita de chegada A fita estendida transversalmente no fim do percurso de uma corrida pedestre, e cujo rompimento ou desate, pelo primeiro colocado, marca a sua vitória. *V.* "linha de chegada".
five o'clock tea *Ing.* Literalmente: chá das cinco. Costume inglês de se tomar chá por volta das 17 horas (5 p.m.), acompanhado de biscoitos e salgados.
fixar residência Estabelecer sua residência em determinado local.
flagelo de Deus Aquilo ou aquele que tem ação violenta, destruidora, causadora de sofrimentos. (Originalmente, *us.* como antonomásia de Átila, rei dos hunos.)

> *Átila, depois de ter conquistado vastos territórios na Europa, foi batido pelo meroveu Aécio e o visigodo Teodorico. Em 452, lançou-se sobre a Itália e sitiou Roma por algum tempo, até que o Papa Leão, o Grande, conseguiu negociar sua retirada, mediante o pagamento de tributo. Morreu em 453 e, com ele, desmoronou-se seu Império.*

flagrante delito Delito em que alguém é flagrado no momento em que o está cometendo; qualquer delito constatado com tal evidência que dispensa investigação a respeito de sua autoria.
flecha de Cupido O amor, o sentimento de estar enamorado, apaixonado de modo súbito e como que conquistado ou ferido por uma força benigna.

> *Cupido é o deus romano do amor; corresponde a Eros, na mitologia grega. Filho de Mercúrio e Vênus, perdeu-se de amores por Psique, com quem, depois de superar muitas dificuldades, casou-se. Representado como um belo menino desnudo e alado, portando arco e flechas de ouro (para o amor) e chumbo (para o ódio e o desprezo).*

flor da idade A mocidade. *Var.* "flor dos anos".
florear o estilo Escrever com graça e elegância, ou com requinte no uso das palavras.
fluxo da maré Movimento de subida das águas, que antecede a preamar; maré montante.
fluxo de caixa Registro, controle e análise das entradas e saídas de recursos financeiros de uma empresa ou entidade. Em inglês se diz *cash-flow*.
fluxo e refluxo da sorte As vicissitudes e os caprichos da sorte, da fortuna.
fodido e mal pago *Ch. 1.* Perdido; sem saída. *2.* Em precária situação financeira. *3.* O *m.q.* "em maus lençóis".
fogo amigo *1.* Disparo(s) que pessoa ou grupo faz, equivocadamente, contra os próprios companheiros ou aliados. *2. Fig.* Crítica ou outra ação prejudicial a alguém, feita (equivocada ou inabilmente) por um aliado ou companheiro.
fogo cruzado Tiroteio vindo de várias direções.
fogo da paixão Libido, desejo, excitação, ímpeto sexual.
fogo de morro acima, água de morro abaixo

V. "como água de morro abaixo e fogo de morro acima".
fogo de palha Aquilo que surge, cresce ou se espalha com rapidez, com energia, mas logo se exaure ou arrefece; entusiasmo que não perdura; disposição efêmera.
fogo de santelmo Efeito da eletricidade que se manifesta em chamas azuladas nos mastros dos navios, *esp.* quando há tempestade.
fogo do céu Raio, corisco (descarga de eletricidade com grande centelha).
fogo eterno *Rel. Crist.* Aquele a que estariam condenadas as almas pecadoras; o inferno; danação; a ausência de Deus da vida de uma pessoa.
fogo na canjica Exclamação de incitamento. *Var.* "é fogo na canjica".
fogo sagrado *1.* Fogo mantido continuamente aceso por motivação religiosa, *p.ex.* em templos. *2. Fig.* Motivação interior que inspira a grandes realizações.
fogos de artifício *1.* Peças pirotécnicas que, ao queimarem, produzem vistosos arranjos de luzes coloridas, ou sons fortes, e que são *ger.* usadas em comemorações várias; foguetes. *2.* Aquilo que é vistoso, que impressiona pelo brilho ou que é feito com grande alarde, mas sem valor permanente, sem substância.
foi aí que Usa-se, em narrativas, para marcar, destacar o momento, ocasião ou situação em que algo se deu.
foi aquela água Foi fácil.
foi assim que Napoleão perdeu a guerra Usa-se como comentário jocoso ou crítico sobre postura corporal ou atitude ridícula ou insustentável, incompatível com a situação.
foi, não foi *V.* "vai, não vai".
fôlego de gato Grande resistência, grande capacidade de sair de dificuldades, escapar de perigos; *fig.* versatilidade para enfrentar diversas situações.
fôlego vivo O ser humano.
folha corrida Certidão mandada passar pelo juiz, na qual todos os cartórios atestam se a pessoa está isenta ou não de culpas ali registradas.
folha de oliveira Um dos símbolos da paz.
folia de Reis ou do Divino *Folc.* Congado. Música e dança folclóricas, com fundo religioso. Praticado em vários estados brasileiros, sobretudo em *MG, MA, PE, GO*, por ocasião do Natal, do Dia de Reis e também nas festas de Pentecostes e de Nossa Senhora do Rosário.
fome canina *V.* "fome de leão".

fome danada *V.* "fome de leão".
fome de Vontade ou necessidade impulsivas, desejo intenso, avidez por (algo); gana. Esta *loc.* é muito *us.* seguida de um substantivo que indica a natureza daquilo que se quer: *fome de bola* (= 'vontade de jogar bola'); *fome de amor* (= 'vontade/necessidade de amar/ser amado') etc.
fome de leão Fome intensa, impulsiva; grande avidez. *Var.* "fome canina", "fome danada", fome de lobo" e "fome voraz".
fonte limpa *V.* "de fonte limpa".
fonte segura *V.* "de fonte segura".
fora da lei Quem comete ou cometeu crime ou praticou algum delito; bandido; delinquente.
fora da razão Diz-se do que não é razoável, lógico, coerente etc.
fora da realidade *1.* Sem percepção ou compreensão da situação, dos fatos reais, *esp.* dos aspectos práticos. *2.* Fantasioso (ou fantasiosamente); descontextualizado (ou descontextualizadamente): *planos fora da realidade*. *3.* Sem compatibilidade ou concordância com os fatos, as condições reais, concretas; distorcido; excessivamente aumentado ou diminuído (em relação ao que é comum, praticado etc.): *salários fora da realidade*.
Fora daqui! *Us.* como comando para expulsar, afastar.
fora das regras Sem concordância ou adequação ao que é comum, usual, regular, ou ao que está formalmente estabelecido como correto.
fora de Afora, exceto.
fora de ação Sem capacidade ou possibilidade de agir, de funcionar, de exercer alguma atividade ou função; *us.* em relação a equipamento com defeito ou a pessoa com algum ferimento, ou combalida: *A falha mecânica deixou o veículo fora de ação*; *O atacante titular ficará fora de ação por dois meses*.
fora de alcance *1.* Além dos limites alcançados ou alcançáveis (pelo corpo, por algum instrumento); muito longe. *2.* Além dos recursos, capacidades etc.; impossível de realizar, de obter.
fora de brincadeira *1.* Usa-se para dar ideia de que se está falando algo seriamente, dizendo a verdade. *2.* Usa-se para enfatizar ou dar relevância ao que se diz.
fora de combate Em estado de não poder continuar.
fora de controle *1.* Em estado ou funcionamento muito irregular, alterado ou imprevisível (diz-se de coisa, equipamento,

situação). *2.* Impossível de ser contido ou reprimido em suas ações ou reações (diz-se *ger.* de pessoa ou grupo de pessoas).
fora de dúvida *1.* Exprime certeza, segurança, por parte de quem fala; certamente; com certeza; por certo. *2.* Diz-se daquilo que é ou está evidente ou que não é questionado por ninguém.
fora de estação *1.* Em época do ano ou momento diferentes do usual, natural etc.; em ocasião não propícia. *2.* Período que não corresponde à safra de determinado produto agrícola, *esp.* em referência a frutas.
fora de forma Sem condições ideais de saúde; sem preparo físico (força muscular, capacidade respiratória e cardíaca etc.) adequado.
fora de hora *1.* Adiantadamente ou em atraso, em relação à hora estipulada. *2.* Em ocasião ou horário inconveniente.
fora de jogo *Esp. 1.* Diz-se de bola que atravessa a linha que demarca os limites do campo ou da quadra e não mais está, por isso, em jogo. *2. Fut.* Em impedimento. *3.* Expulso, excluído ou retirado do jogo.
fora de mão Fora do alcance; em lugar de difícil acesso ou fora do caminho, do trajeto usual.
fora de mim (si) *V.* "estar fora de (mim) si".
fora de moda Em desuso; que já não é do gosto ou da preferência das pessoas.
fora de órbita Sem noção da realidade; avoado, desorientado, atordoado (ou avoadamente, atordoadamente, desorientadamente).
fora de ordem Sem ordenação estabelecida e aceita, ou em desrespeito ao que é considerado bem-ordenado.
fora de propósito *1.* Impróprio para a ocasião; inconveniente; inoportuno; intempestivo. *2.* Sem relação com o assunto de que se está tratando. *V.* "não ter nada a ver".
fora de questão Usa-se em relação ao que não se pode admitir ou não se deve de modo algum considerar ou permitir. *V.* "é fora de questão".
fora de série *1.* Diz-se de artefato produzido com características diferentes (*ger.* melhores), fora dos padrões adotados na produção em série. *2.* Fora do comum; incomum; excepcional.
fora de serviço Diz-se de equipamento que não pode ser utilizado (por estar defeituoso, ou em manutenção etc.).
fora de si Desvairado, exaltado; desnorteado; descontrolado, desatinado; possesso.
fora de tempo Temporão; extemporâneo; defasado; sem ritmo ou com ritmo diferente.

fora do ar *V.* "estar fora do ar".
fora do comum Extraordinário, inusitado, excepcional.
fora do lugar Deslocado; em lugar ou situação inadequada, incompatível, desconfortável.
fora do natural Diferente (em aspecto ou comportamento) daquilo que é considerado normal; que se desvia das expectativas habituais.
fora dos eixos Sem a ordem ou o funcionamento considerados regulares, previsíveis, normais.
fora dos limites Excessivo em relação ao que é comumente aceito, tolerado, convencionado; exorbitante; exagerado.
fora os (anos em) que mamou Usa-se como comentário irônico, significando que a idade de alguém é ou parece maior do que a informada.
fora parte Exclusive, exceto.
força bruta A que se pratica com ações violentas; arbitrariedade; despotismo; ação cuja eficácia pretendida depende da energia ou violência empregadas, e não da inteligência, do entendimento.
força de lei A autoridade e legitimidade que a lei determina. *V.* "*ex autoritate legis*".
força da natureza Fenômeno natural de grande escala (para os padrões da vida humana), *esp.* quando afeta de modo extremo, ou destrutivo, áreas extensas ou as condições de vida.

> *Entre os transtornos causados pela manifestação violenta da natureza, alinham-se os terremotos e maremotos, as erupções vulcânicas, as nevascas, as chuvas torrenciais, as inundações, as secas, os furacões etc.*

força das circunstâncias Usa-se para indicar que determinado fato ou determinada ação decorrem de fatos ou condições que não dependem estritamente da vontade das pessoas envolvidas.
força de ânimo Energia, disposição; eficácia.
força de expressão Palavra, locução ou frase, às vezes irônica, em que se exagera nas palavras ao descrever ou qualificar algo ou alguém.
força de trabalho *Econ. 1.* Capacidade dos trabalhadores de produzir bens e serviços. *2.* Total de pessoas (em um país, em uma região, em um setor etc.) exercendo ou capazes de exercer atividades produtivas; população economicamente ativa.

> *Segundo o economista e filósofo revolucionário alemão Karl Heinrich Marx (1818-1883), fundador da doutrina comunista moderna, a força de trabalho de cada operário e, em geral, de cada trabalhador, é como uma mercadoria a ser negociada com o empregador.*

força de vontade Perseverança; entusiasmo; pertinácia.
força do hábito Usa-se para explicar ou justificar uma ação realizada impensadamente e sem muita atenção, sem outro motivo ou razão além do fato de ser costumeira, habitual.
força hercúlea A que ultrapassa os limites da força comum e opera prodígios.

> *Hércules era um dos semideuses da mitologia greco-romana, filho de Zeus com uma mortal, Alcmena. Sempre retratado pelos artistas como possuidor de um corpo viril, era um bravo guerreiro que, segundo a lenda, salvou a humanidade. São famosos os "Doze trabalhos de Hércules" – um conjunto de narrativas heroicas sobre a grande força do personagem no enfrentamento de monstros e outros desafios, provavelmente originado em um poema épico escrito por Peisandro de Rodes, denominado "Heracleia".*

força maior Fator ou fatores (como acontecimento fortuito) não sujeitos ao controle ou às decisões de alguém, e que interferem numa situação, impedindo a realização de algo que havia sido planejado.
força pública Denominação dada à Polícia Militar estadual, encarregada da manutenção da ordem pública.
força vital A vitalidade de um organismo (animal ou vegetal), considerada como resultado de uma força especial presente na matéria viva.
forçar a barra *1.* Ir além dos limites impostos ou convencionados ou ir além do que é razoável, aconselhável ou sensato. *2.* Forçar uma situação; tentar solucionar um assunto usando métodos drásticos, ou inadequados. *3.* Exigir ou impor com determinação, com insistência.
forças armadas São as três instituições militares de um país: Exército, Marinha e Aeronáutica.
forde de bigode Famoso automóvel da marca Ford, modelo T, fabricado a partir de 1911, nos Estados Unidos da América.
formal de partilha Título oficial expedido por autoridade judiciária aos herdeiros, enumerando os bens da herança.
formato internacional Sistema de padronização de formatos de papel que tem por base o formato A0 ("A" zero), igual a um retângulo de 1 m², com 841 mm x 1.189 mm, do qual derivam os formatos A1, A2, A3, A4 etc., por meio de sucessivas dobras no meio da folha original e de cada uma das que resultarem das dobras.
formiga faz bem à vista Dito de quem bebeu ou comeu, inadvertidamente ou por falta de atenção, algo em que havia formigas.

> *De um modo geral, os insetos são ricos em sódio, potássio, zinco, fósforo, manganês, magnésio, ferro, cobre e cálcio. Também são fonte de proteínas e de vitaminas, como as A e D. Vários povos no mundo incluem insetos em sua alimentação cotidiana e seu consumo vem sendo estimulado como uma alternativa nutritiva. Antes de incluir insetos em uma refeição, no entanto, há que se buscar orientação de especialistas, pois alguns deles contêm glândulas venenosas e/ou são hospedeiros de fungos e bactérias.*

formigueiro humano *1.* Área de forte densidade demográfica. *2.* Local em que há muitas pessoas que se movimentam em intensa atividade.
forminha de papel Forma de papel, de variados formatos, mas pequenas, para conter docinhos e salgadinhos a serem oferecidos a convidados em festas e recepções.
fórmula mágica *1.* Palavras ou frases cuja recitação tem, supostamente, poder de modificar a realidade. *2. Fig.* Série de procedimentos a que se recorre como uma receita inquestionavelmente eficaz.
forno de micro-ondas Forno onde se cozinha, aquece ou descongela rapidamente alimentos, sob radiação de ondas eletromagnéticas de hiperfrequência.
forrar o estômago Ingerir pequenas porções de alimentos enquanto se espera a hora certa da refeição.
forrar o poncho Fazer bom negócio; ganhar muito dinheiro; arranjar-se.
forte como Hércules *V.* "força hercúlea".
forte e suave Expressão usada para indicar que a pessoa deve agir com firmeza e decisão, mas sem humilhar nem ofender. *Há equivalente em latim:* "fortiter et suaviter".
fósforo apagado Pessoa que perdeu a importância, que não se destaca. *Var.* "fósforo queimado".

fossa séptica Aparelho sanitário no qual o trabalho de microrganismos transforma, por fermentação, a matéria orgânica em substâncias minerais.
fosse como fosse De qualquer maneira que acontecesse; como quer que fosse.
fosso de orquestra Espaço situado adiante e em nível inferior ao do proscênio e que se destina aos músicos num teatro.
fraca figura Indivíduo de aspecto acanhado ou insignificante.
fração de segundos Tempo curtíssimo; instante; momento breve.
fração do pão *Rel. Catol.* A Missa; a Comunhão (Eucaristia).
fraco da cabeça *1.* Pouco inteligente; que tem dificuldade de aprender ou memorizar. *2.* Mentalmente confuso; desmiolado; atarantado; doido.
fraco do peito Que tem tuberculose ou propensão a essa doença. *V.* "doente do peito".
frade menor *Rel. Catol.* Religioso da Ordem Primeira fundada por São Francisco de Assis (1182-1226); frade franciscano.
fralda do mar Praia (de mar).
fralda geriátrica Tipo de fralda de tamanho grande, *us.* por enfermos e idosos, devido a incontinência urinária ou por estarem presos ao leito; fraldão.
franco de pagamento Isento de pagamento.
frango ao molho pardo Frango ensopado que leva um molho preparado com o próprio sangue da ave, dissolvido em vinagre. *V.* "galinha ao molho pardo" e "galinha de cabidela".
franquia postal Isenção do pagamento de taxas postais concedida pelos Correios a certas entidades e empresas, sob contrato.
franzir a testa Demonstrar contrariedade, descontentamento, estupefação. *Var.* "franzir as sobrancelhas (ou o sobrolho)"; "enrugar a testa (ou o sobrolho)".
franzir as sobrancelhas Demonstrar ou revelar (tipicamente, com movimento de aproximação das sobrancelhas) constrangimento, aborrecimento. *Var.* "Semblante cerrado".
fraqueza do peito *Pop.* Tuberculose, ou predisposição para essa doença.
frase de efeito *1.* Frase que fica gravada na mente das pessoas, pela emoção que desperta ou pela mensagem que transmite. *2.* Frase elaborada, dita ou escrita com intenção retórica. (Nesta acepção, usa-se frequentemente com valor depreciativo.)
frase feita Locução, combinação de palavras que adquire unidade e autonomia de significado em decorrência do uso repetido e disseminado.

fratura exposta Fratura em que o osso fraturado rompe músculo e pele e fica exposto.
frecheiro cego Cupido. *V.* "flecha de cupido".
free shop *Ing.* Loja em aeroportos e portos, de acesso restrito a passageiros de em viagem internacional, cujas mercadorias são isentas de impostos alfandegários.
freguês de caderno *Fut.* No meio futebolístico, diz-se de time frequentemente derrotado por determinado adversário.
freio de arrumação *Joc.* Qualquer medida drástica a que se recorre para organizar algo que está em desordem.

> *No jargão popular é quando o motorista de um ônibus lotado pisa o freio repentinamente para amontoar os passageiros na frente e abrir espaço para a entrada de mais pessoas pela porta de trás.*

freio de mão Dispositivo mecânico de frenagem de veículo, acionado manualmente para auxiliar na desaceleração ou para manter um veículo automóvel freado quando parado ou estacionado. *Fig.* 'puxar o freio de mão' é conter o ímpeto, diminuir a velocidade de um processo, projeto; sustar o desenvolvimento de uma situação.
frente a frente Face a face; em frente um do outro.
frente de batalha *1.* Local onde inimigos se enfrentam em luta aberta. *2. Fig.* Campo de atividades em que se dá o embate entre adversários ou entre tendências antagônicas em disputa: *As leis ambientais a serem votadas no Congresso são uma nova frente de batalha entre ecologistas e ruralistas. Var.* "linha de frente".
frente de trabalho Empreendimento que dá oportunidade de emprego a muitas pessoas, *ger.* originário de obras estatais especialmente criadas para absorver mão de obra ociosa localmente.
frente fria *Met.* Zona de transição onde uma massa de ar frio (originada da região polar, e deslocando-se na direção do equador) está a substituir uma massa de ar mais quente e úmido (tropical, movendo-se para o polo).
frente quente *V.* "frente fria".
frevo de rua *PE* Tipo de frevo instrumental que acompanha a improvisação dos passistas (dançantes).
frieza de ânimo Sangue-frio; intrepidez; atitude ou temperamento de quem não se deixa levar pelas emoções.
fringe benefits *Ing.* Adicional aos salários (a executivos ou funcionários com funções

full time

especiais) destinado a suprir-lhes de recursos para o suporte de custos de função.
frio como mármore Muito frio (também *fig.*).
frio cortante Tempo muito frio (que provoca sensação dolorosa na pele), geralmente ventoso.
frio de espanto Aterrorizado; entorpecido de medo; imóvel, inerte, assombrado.
frio de rachar Muito frio (*adj.*); tempo muito frio.
frio na espinha Sensação corporal que é reflexo de susto ou medo (tipicamente, arrepios nas costas e na nuca); *p.ext.* a própria sensação de medo, susto, terror. A *Var.* "frio na barriga" tem significado semelhante, e se refere a sensações na região dos órgãos abdominais.
fronteira agrícola Limite da área utilizada pela agricultura numa região.
frouxo de riso Diz-se do estado de quem riu muito, a mais não poder.
fruto proibido *Fig.* Aquilo em que não se deve tocar, ou de que não se deve fazer uso, e que excita a imaginação e o desejo, ou aquilo que é tentador, apesar de desaconselhado ou reprovável; prazer ilícito.

Segundo a Bíblia, é o fruto da árvore da ciência do bem e do mal, comido no Paraíso por Adão e Eva, contra as prescrições de Deus.

frutos da terra Tudo que se obtém ou se colhe da terra se oferece para uso humano, sobretudo comestíveis.
frutos de estação Os frutos que, no seu ciclo natural, amadurecem e podem ser colhidos e consumidos na estação do ano em que se está.
frutos do Espírito Santo *Rel. Crist.* Perfeições que o Espírito Santo modela nas pessoas como primícias da glória eterna.

São doze os Frutos do Espírito Santo: Caridade, Alegria, Paz, Paciência, Longanimidade, Bondade, Benignidade, Mansidão, Fidelidade, Modéstia, Continência e Castidade. V. *Gal 5, 22-23.*

frutos do mar Animais marinhos (com exceção de peixes) usados na alimentação (como mariscos, crustáceos etc.).
frutos passados Frutos secos ao sol, ou desidratados de outro modo, para conservação.
frutos pendentes Frutos, grãos ou quaisquer outros produtos do setor agrícola, que ainda não foram colhidos, que ainda não estão sendo industrializados, distribuídos etc.
fubá mimoso Tipo de fubá (milho moído) mais fino; creme de milho.
fuga para a frente *1.* Nos meios políticos, diplomáticos e econômico-financeiros, transferência para o futuro das soluções dos problemas atuais, motivada por razões estratégicas de natureza política, administrativa ou econômica. *2.* Atitude de não reconhecer uma situação como problemática, e com isso causar o acirramento do mesmo problema no futuro.

Esta expressão é frequentemente usada como eufemismo de adiamento ou procrastinação.

fugir a luz dos olhos Diz-se quando há perda ou diminuição da visão, da capacidade de enxergar.
fugir com o rabo entre as pernas Fugir vergonhosamente; retirar-se de uma briga, disputa ou confronto derrotado e humilhado.

Entre cães, o rabo entre as pernas, ao correr, sinaliza interrupção da postura agressiva.

fugir da raia Abandonar a luta; desistir de algo diante das dificuldades que se apresentam, deixando de alcançar o objetivo que se tinha em vista; evitar de enfrentar; escapar de situação adversa; acomodar-se; tirar o corpo fora.
fugir de alguém como o diabo da cruz Evitar o encontro com essa pessoa por ser odioso, impertinente, importuno etc.
Fui claro? Expressão com que se finaliza uma explicação ou transmissão de ordens, a respeito das quais não se quer deixar dúvidas.
fulano de tal Expressão que se usa em substituição ao nome e sobrenome de uma pessoa, quando não se sabe, ou se esqueceu, ou não é relevante. Quando a alusão é a mais de uma pessoa, usam-se, em lugar de fulano de tal: "sicrano" (para a segunda pessoa) e "beltrano" (para a terceira). *Var.* "fulano dos anzóis carapuça".
fulano dos anzóis carapuça V. "fulano de tal".
full hand *Ing.* No jogo de pôquer, uma trinca e um par, ganhando quem tiver a trinca mais alta.
full time *Ing.* Tempo integral.

fundo de reserva Provisão que se faz (*esp.* em empresas, condomínios, entidades várias) de recursos destinados a cobrir despesas eventuais ou para finalidades específicas (como investimentos).

fundo do poço Diz-se de situação precária sob vários aspectos, de solução difícil, devido a vicissitudes, tida como a pior possível; o limite negativo a que se pode chegar.

fulminar com os olhos Olhar para alguém demonstrando profunda reprovação, contrariedade ou raiva, sem pronunciar palavra. *Var.* fuzilar com o olhar/com os olhos.

fulo da vida Zangado; extremamente irritado, raivoso, furioso. *Var.* "fulo de raiva".

fumante passivo Aquele que, sem ser fumante, inala passiva e involuntariamente a fumaça dos cigarros de fumantes próximos, podendo, como consequência, vir a sofrer distúrbios respiratórios, circulatórios etc., típicos do fumante.

fumar como uma chaminé Ser fumante inveterado, fumar quase ininterruptamente; fumar um cigarro após o outro.

> Também se usam outras comparações jocosas, do tipo "fumar como uma maria-fumaça" ou "como locomotiva a vapor".

fumar o cachimbo da paz Reconciliar-se; entrar em acordo, principalmente de forma solene e conjunta, celebrando fim de conflito e desavença entre aqueles que eram desafetos ou antagonistas.

fumar se-me-dão Fumar à custa alheia; ser inveterado filante de cigarros.

fumo de rolo Tabaco de folhas enroladas e torcidas em forma de corda, de vários calibres.

funcionário público Aquele que exerce emprego, cargo ou função pública (ou autárquica), ainda que seja em caráter transitório ou sem remuneração.

fundar torres no vento Ter planos ou fantasias irrealizáveis. *Var.* "construir castelos no ar".

fundir a cuca Confundir-se, ficar desorientado ou desequilibrado por excesso de informações, preocupações, pensamentos.

fundo de comércio Conjunto de direitos e bens (freguesia, nome comercial, patentes, marcas de fábrica, mercadorias, ponto comercial etc.) pertencentes ao comerciante e que lhe permitem efetuar suas operações mercantis.

fundo do baú O lugar (imaginado) onde são mantidas coisas antigas, já sem uso ou importância, porém de valor sentimental, ou as lembranças de fatos passados e esquecidos por quase todos: *Para a festa de família, trouxe fotografias muito velhas, tiradas do fundo do baú.*

fundo do tacho 1. O que restou de uma iguaria que havia numa vasilha. 2. Diz-se do caçula de uma família; último rebento. *Var.* "raspa do tacho".

> Com a expressão "raspar o fundo do tacho", quer se transmitir a ideia de que se procurou a última oportunidade, a última coisa disponível.

fundo musical 1. Músicas ou trechos musicais escolhidos ou compostos para acompanhar e complementar cena de filme, peça teatral etc., ou determinada atividade. 2. Música suave ou não, adequada ao ambiente, *p.ex.*, em um restaurante ou em uma festa; música de fundo.

fundos públicos As disponibilidades financeiras ou orçamentárias do poder público.

funicular aéreo Teleférico. Veículo suspenso por cabos, tracionado por motores fixos, *us.* para transporte de cargas ou pessoas de um ponto baixo para um alto, e vice-versa.

furar a chapa Não votar em pessoas inscritas numa mesma chapa de um partido político.

furar a fila Entrar numa fila em outra ordem que não no último lugar ou no lugar originalmente ocupado (se tiver dela se ausentado momentaneamente); não respeitar a ordem convencionada de espera (para entrar, para ser atendido etc.), passando à frente de outras pessoas.

furar o tímpano Ensurdecer, ser ensurdecedor; estar (som) em volume muito alto; também: falar, cantar ou colocar o volume do som muito alto. *Var.* "de arrebentar os tímpanos".

furar os olhos de Ludibriar; enganar. *V.* "passar a perna".

furar uma greve Não aderir à greve; trabalhar ao invés de dela participar.

furo de reportagem Notícia em primeira mão; matéria jornalística que divulga com exclusividade, ou antecipadamente, certos fatos, declarações etc. *V.* "dar um furo".

furor cego Exaltação descomedida; raiva incontrolável, com ações impulsivas, irrefletidas, sem nenhuma atenção às circunstâncias ou às consequências.

furor uterino Insaciabilidade sexual de mulher, ninfomania.

furtar-se a Evitar, escapar de (determina-

fuzilar com o olhar/com os olhos

da ação ou tarefa difíceis, embaraçosas); omitir-se.

fuso horário Cada uma das 24 divisões longitudinais de 15° cada, nas quais foi dividido o globo terrestre para o estabelecimento de uma sequência regular da hora legal.

> O fuso zero passa a 7,5° de cada lado do meridiano de Greenwich, na Inglaterra. À hora legal desse fuso, acrescenta-se 1 hora para cada fuso em direção a leste e subtrai-se 1 hora na direção oeste.

futebol (de campo) *Esp.* Disputado por dois times de onze jogadores cada em campo retangular (no máximo com 120 m e mínimo de 90 m e comprimento e largura máxima de 90 m e mínima de 45 m), jogado com os pés, exceto pelo goleiro ou nas cobranças de laterais. O objetivo é o de alcançar a transposição pela bola da linha de gol.

futebol americano *Esp.* Esporte constituído de duas equipes de onze jogadores, com uma bola oval, jogado com as mãos, marcando pontos quando um jogador de uma equipe alcança a área extrema do campo adversário, ou por chutes por sobre e entre as traves do gol.

futebol de areia *Esp.* O *m.q.* "futebol de praia".

futebol de botão (mesa) *Esp.* Praticado sobre uma mesa com botões representando os jogadores, e baseado no futebol.

futebol de praia *Esp.* Com regras bem semelhantes às do futebol, é jogado na areia com cinco jogadores descalços de cada lado.

futebol de salão (futsal) *Esp.* Deriva do futebol, com regras próprias, praticado em quadra de piso artificial, de dimensões menores, entre equipes de cinco jogadores.

fuzileiro naval Membro da infantaria da Marinha de Guerra.

fuzilar com o olhar/com os olhos Olhar com muita severidade, com ares de reprovação, ou com agressividade. *V.* também "fulminar com os olhos".

G

gabinete de leitura Biblioteca.
gado chucro O que não foi domesticado e vive à solta no campo, e por isso, com pouco contato com homens, se mostra bravio, esquivo.

O dicionário Novo Aurélio – séc. XXI recomenda grafar chucro, embora registre-a com "x". O Aulete, embora registre as duas grafias, cita como uma possível origem etimológica para o termo a palavra hispânica "chúcaro", do quíchua "chukru", o que justificaria a grafia tal como figura no Vocabulário Ortográfico da Língua Portuguesa, 5ª ed., 2009, que também registra as duas formas.

gado de abate O m.q. "gado de corte".
gado de cabeceira As melhores reses do rebanho; rês boa de raça e tipo em si mesma.
gado de corte Rês destinada ao abate. Var. "gado de abate".
gado de curral As vacas de leite e suas crias.
gado miúdo Os suínos, os caprinos e os ovinos ou ovelhuns.
gaiola de ouro Apelido dado pelo povo à Câmara de Vereadores da cidade do Rio de Janeiro, em alusão aos salários altos de seus membros e seus elevados gastos correntes.
gaita de boca Instrumento de sopro provido de palhetas de metal de variados tamanhos que geram cada uma, o som correspondente a uma nota da escala, ao receber o sopro diretamente de uma abertura própria no bocal do instrumento.
gaita de foles Instrumento musical formado por um tubo melódico e um insuflador (de ar), ambos ligados a um saco (fole) de couro que contém o ar nele introduzido.

Nos dias atuais, a gaita de foles é reconhecida como o instrumento musical típico da Escócia. Entretanto, em suas várias versões, está presente em praticamente toda a Europa, de Portugal à Bulgária, da Irlanda à Itália. Sua origem é controversa, mas admite-se que surgiu antes do advento do Império Romano, em algum lugar entre o Mediterrâneo e o Oriente Próximo. A gaita popularizou-se de fato a partir da Idade Média, assumindo uma forma mais sofisticada apenas no período barroco. Em seguida, sua popularidade declinou, chegando a quase desaparecer. A exceção fica por conta da gaita das Highlands, utilizada pelos britânicos como um instrumento de guerra. Essa versão da gaita de foles é a mais próxima da que conhecemos. No início do século XX, sua popularidade voltou a crescer.

galeto *al primo canto* Expressão italiana para o frango novo, que, assado, constitui apreciada iguaria.
galinha ao molho pardo O m.q. "frango ao molho pardo" (V.).
galinha caipira Galinha criada à solta ou com alimentação que inclui ração especial, rica em cereais (esp. milho).
♦ **galinha-choca** 1. Pessoa irrequieta; pessoa medrosa, imprestável, nervosa, irritadiça. 2. Galinha pronta para incubar ovos.
galinha de cabidela O m.q. "frango/galinha ao molho pardo", preparado com o mesmo tipo de molho (V.).
galinha dos ovos de ouro Diz-se de algo que se consegue sem maiores esforços.

Alusão a conhecido conto infantil com esse título.

galinha garnisé Espécie de galináceo de pequeno porte.
♦ **galinha-morta** 1. Coisa fácil de fazer. 2. Pessoa sem ânimo, preguiçosa.
galo carijó Antonomásia do Clube Atlético Mineiro, de Belo Horizonte (MG), cujas cores oficiais, ostentadas no seu escudo e nos

uniformes de seus atletas, são o preto e o branco.

Carijó = Diz-se do galo ou da galinha de penas salpicadas de branco e preto; pedrês.

galo cego Indivíduo desconfiado.
galo de briga *1. Fig.* Indivíduo brigão, rixoso. *2.* Galo de raça especial, destinado às lutas de rinha. *Var.* "galo de rinha".
galo garnisé Diz-se dum galináceo pequeno, de certa raça originária da ilha de Guernsey (Grã-Bretanha).
ganhar a dianteira Passar para diante de outro em caminho ou corrida; adiantar-se aos demais; liderar um empreendimento. *Var.* "tomar a dianteira".
ganhar a palma Alcançar a vitória; levar a palma.
ganhar a partida *1.* Ter a vantagem no jogo; sair vencedor. *2.* Lucrar em algum negócio ou empresa.
ganhar a vida Adquirir, trabalhando, os meios de subsistência.
ganhar altura Elevar-se, ascender durante um voo.
ganhar ânimo Animar-se; recobrar força; perder o medo; reanimar-se.
ganhar corpo Aumentar; crescer. O *m.q.* "tomar corpo".
ganhar juízo Deixar de ser leviano; tornar-se sério, comedido, adulto.
ganhar no apito Ganhar um jogo como fruto de má arbitragem.
ganhar no grito *1. Fut.* Coagir, por gritos e xingatório em altos brados, os adversários e/ou o árbitro, intimidando-os. *2. P.ext.* Vencer uma disputa qualquer por imposição de autoridade, agressividade, determinação etc.
ganhar o dia Refere-se a dia muito proveitoso e feliz, por ter trazido vantagens, alegrias ou benefícios.
ganhar o mato Fugir.
ganhar o mundo Partir; ir-se embora.
ganhar o pão de cada dia Trabalhar; labutar.
ganhar o tirão *RS* Chegar em primeiro lugar; antecipar-se para obter alguma vantagem.
ganhar pé Firmar-se ou estar de pé dentro d'água.
ganhar pela porta traseira Ganhar, fraudando ou burlando.
ganhar tempo Procrastinar a solução de um assunto, com a finalidade de estudá-lo melhor ou de evitar decisão precipitada.

ganhar terreno Avançar em projeto ou intento, logrando resolver parte dele; conquistar vantagens; espalhar-se, difundir-se (uma ideia, um hábito etc.); sobrepujar.
ganhar, mas não levar *1.* Alcançar o prêmio ou a vitória, numa disputa ou pretensão, mas sem vir a usufruir os louros e/ou vantagens consequentes. *2.* Ter vantagem apenas aparente.
ganho de capital Ganhos (lucros) obtidos com a venda de bens próprios, móveis ou imóveis.
ganho de causa Vitória em demanda judicial.
garantias constitucionais Direitos e/ou privilégios que a Constituição de um país confere aos seus cidadãos.
gargalhada homérica Gargalhada muitíssimo ruidosa.
garimpar votos Ir, um candidato a cargo eletivo, à cata de votos, de pessoa em pessoa, de casa em casa, de cidade em cidade.
garota de programa Mulher que se entrega à prostituição, geralmente marcando encontros antecipadamente.
garrafa térmica Vaso de vidro ou metal, recoberto de material térmico, que conserva o líquido nele depositado por algum tempo, na temperatura em que lá foi colocado, ou retardando o retorno à temperatura normal.
gás liquefeito de petróleo Gás derivado do petróleo e obtido por craqueamento constituído principalmente de butano, embalado em botijões e tanques apropriados, sob pressão e *us.* para uso doméstico ou industrial. Conhecido pela sigla: GLP.
gastar a língua *V.* "língua de palmo e meio".
gastar a rodo Esbanjar. O *m.q.* "jogar dinheiro fora", "gastar à toa" e "gastar mundos e fundos".
gastar a sola do sapato Andar muito; percorrer longas distâncias a pé, à procura de algo.
gastar cera com defunto barato (ou ruim) Fazer esforços, benefícios ou sacrifícios em favor de alguém que não merece ou que a eles não corresponda.
gastar o que tem e o que não tem Não ter controle nas próprias finanças; gastar de modo compulsivo.
gastar o seu latim Perder tempo com alguém que não entende ou não quer entender o que se lhe diz.
gastar o tempo Fazer passar o tempo fazendo algo como distração; ocupar-se de algo enquanto espera alguma coisa mais importante ou urgente.

gastar palavras Falar inutilmente.
gastar saliva à toa Falar insistentemente com alguém, aconselhando ou tentando convencê-lo de algo, sem sucesso, muitas vezes por desinteresse daquela pessoa.
gastar sola de sapato V. "gastar a sola do sapato".
gata borralheira Mulher cuja condição é depreciada, *esp.* por ser encarregada e sobrecarregada de serviços domésticos; cinderela.

> *Borralheira deriva de borralho que significa lareira, cinzas quentes ou braseiro quase apagado ou, ainda, fuligem que se impregna nas chaminés.*

gato de botas *P.ext.* Pessoa que exagera muito, mas que costuma esperto e leal aos amigos.

> *Gato de Botas é um conto de fadas muito conhecido, do escritor francês Charles Perrault, publicado em 1697.*

gato escaldado Pessoa já calejada, experiente, que não se deixa lograr facilmente.
gato escondido com o rabo de fora Coisa que se pretende ocultar, mas da qual inadvertidamente se dão indícios.
gato mestre V. "dar uma de gato mestre".
gato morto Pessoa sem personalidade, que se submete servilmente a outrem.
gato por lebre Logro, engano.
♦ **gatos-pingados** Poucas pessoas presentes num acontecimento.
gaveta de sapateiro Confusão de objetos, desarrumados, dispersos, sem ordem.
geada branca Acúmulo de gelo cristalino, formado como o orvalho, observado *ger.* pela manhã quando ocorrem temperaturas muito baixas, próximas de zero grau centígrado.
gelar o sangue nas veias Ser tomado por um grande pavor.
geleia real Secreção de glândulas de abelhas que se destinam a alimentar a rainha e as crias nas colmeias, rica em proteínas, vitaminas e sais minerais e *us.* como medicamento para variados fins terapêuticos.
gema de ovo Diz-se da cor que é similar (próxima) à da gema do ovo.
gênero de vida Conjunto de atividades habituais provenientes de tradição, mercê das quais o homem assegura sua existência, adaptando a natureza em seu proveito.
gênero humano A espécie humana.

gêneros alimentícios As substâncias que servem para a alimentação.
gênio das trevas O Diabo. *Var.* "gênio do mal".
gênio forte Facilidade em se irritar; aspereza; rispidez no trato; pessoa de natureza impositiva.
gente à toa A ralé.
gente baixa *1.* Ralé. *2.* Pessoa de baixa estatura.
gente bem Pessoa da alta classe social, em situação de vida privilegiada.
gente boa V. "minha gente".
gente de casa Pessoa da intimidade de uma família, de uma casa; amigo.
gente de cor Pessoa da raça negra; afrodescendentes.
gente de fora não ronca Observação que se faz a quem dá palpites ou interfere em questões que não lhe dizem respeito.
gente fina Pessoa educada, cortês, amável, prestativa, plena de boas qualidades. Registre-se a expressão "gente fina é outra coisa", que se emprega para exaltar as qualidades de alguém ou como ironia para expressar o contrário.
gente grande Pessoa adulta, responsável.
geração espontânea Suposto modo de produção de organismos vivos a partir de matéria inanimada; abiogênese.
gerar polêmica Suscitar desencontros ou opinar sobre tema controverso, causando discussões intermináveis e estéreis. *Tb.* se diz "causar polêmica".
gerar um monstro Criar algo cujo alcance ou consequências são imprevisíveis ou indesejados. *Var.* "Criar um monstro".
gesto impudico Obscenidade expressa por gestos.
gigante dos mares A baleia.
ginástica aeróbica O *m.q.* "exercício aeróbico".
ginástica rítmica A realizada com diversos aparelhos, ao som de música e que visa à harmonia de movimentos; é modalidade olímpica.
ginástica sueca Método tradicional de ginástica criado nos países nórdicos da Europa no começo do século XIX e que se baseia nos movimentos conjugados, ou não, dos membros, do tronco e do pescoço.
girar em torno de Ter como assunto central, motivo, razão ou referencial.
globo ocular A estrutura inteira do olho, de forma aproximadamente esférica, que se aloja em cada uma das cavidades (órbitas) existentes na cabeça dos seres humanos e dos vertebrados em geral.

gloria victis Lat. "glória aos vencidos". Antítese da expressão *"Vae victis"*. V. "Ai dos vencidos!"

goela abaixo V. "enfiar goela abaixo".

goela de pato Diz-se de quem é capaz de engolir grandes bocados de uma vez.

gogó da ema Fut. Expressão usada por locutores esportivos na transmissão de lances para indicar qualquer um dos cantos superiores do gol, *i.e.*, as junções das traves com o travessão, espaços nos quais o goleiro tem maior dificuldade de interceptar a bola.

> *Gogó da Ema é o nome de uma comunidade de baixa renda localizada em Belford Roxo, na Baixada Fluminense. Um de seus filhos famosos é o ator, cantor e compositor Seu Jorge, nascido em São Gonçalo (RJ) mas criado na localidade.*

gol contra *1.* Qualquer ação ou medida de algo ou alguém que contraria seus próprios planos ou interesses. *2. Fut.* Gol feito por um jogador contra sua própria meta.

gol de honra Fut. O único gol marcado por uma equipe que sofreu uma derrota.

gol de placa Fut. Golaço; gol memorável; gol de bonita feitura. A expressão faria alusão àquele tipo de gol que "mereça" uma placa comemorativa.

> *Atribui-se ao jornalista Joelmir Betting a autoria do termo, quando o utilizou para decantar o gol feito por Pelé num jogo entre o Santos e o Fluminense, no Maracanã, em 05/03/1961.*

gol espírita Fut. Gol quase impossível, mais fruto do acaso que da habilidade de quem o fez.

gol olímpico Fut. Gol feito de uma cobrança de escanteio sem que qualquer outro jogador toque na bola.

golpe baixo *1.* No boxe, golpe proibido, aplicado abaixo da cintura do adversário. *2.* Diz-se, também, referindo-se a um torpe e enganoso artifício que alguém aplica procurando alijar o contendor, o sócio, o companheiro, do negócio em que ambos estavam empenhados.

golpe de ar Súbita corrente de ar frio a que se atribuem certas doenças, como resfriados e espasmos faciais. *Var.* "golpe de vento".

golpe de direção Virada repentina e rápida do volante de um veículo, procurando livrar-se de obstáculos na pista ou de colisão.

golpe de Estado Subversão da ordem constitucional.

golpe de mestre Diz-se de ação que alguém realiza de forma inventiva, inteligente, perspicaz, de um modo geral buscando ludibriar alguém.

> *Em francês diz-se:* "coup de maître".

golpe de misericórdia *1.* Golpe final e frequentemente fatal destinado a aliviar o sofrimento de combalido. *2.* Ação destinada a provocar o desfecho de uma situação de difícil sustentação.

golpe de sorte Acontecimento ou circunstância casual feliz e que pode resultar em êxito num empreendimento, numa disputa etc.

golpe de vista Relance; capacidade de observar e avaliar com rapidez e precisão uma situação, a trajetória ou o movimento de algo etc.

golpe do baú Casamento meramente por interesse financeiro.

golpe do joão-sem-braço Ato de se fazer de tolo, ingênuo, para lograr os outros; engodo, enganação.

golpe manjado Vigarice de quem, em suas tentativas de trapacear, usa métodos por demais conhecidos e que, por isso, são rechaçados, sem lograrem sucesso.

golpe pelas costas Traição; covardia.

golpe sujo V. "golpe baixo".

goma de mascar Pastilha feita com goma de certas plantas, envolvida por uma camada de açúcar com sabores variados, e que não se dissolve com a mastigação; chicle; chiclete.

gosto amargo na boca V. "um gosto amargo na boca".

gosto de cabo de guarda-chuva na boca Mal-estar causado por excessos no beber ou no comer, por noite insone etc.

gosto de quero mais Expressão que se usa a propósito de algo que agradou muito, como uma iguaria, um espetáculo etc. *Var.* "gostinho de quero mais".

gosto duvidoso Mau gosto, segundo a opinião de quem o julga.

gota a gota Aos pinguinhos; aos pouquinhos.

♦ **gota-d'água** V. "ser a gota-d'água" e "a gota-d'água".

gota-d'água no oceano Quase nada; muito pouco.

graça atual *Rel. Catol.* O conjunto das inspirações e noções divinas transitórias para que as pessoas façam o bem e evitem pecar.

graça habitual *Rel. Catol.* Estado de estima, afeto, honra e paz com Deus.

graça original *Rel. Catol.* Estado de graça em que o primeiro homem foi criado.

graças a Por mérito de, por causa de; com o auxílio de; devido a.

graças a Deus *1.* Exclamação de alívio ao sair de uma dificuldade, de uma doença, de um perigo. *2.* Louvor a Deus por benefícios recebidos.

> *A locução correspondente em latim é:* "Deo gratia".

grade de programação Nos meios de comunicação (rádio, televisão), o esquema da programação diária, semanal ou mensal, que se propõe veicular.

gramar a pé *1.* Andar a pé por não dispor de outro meio de ir a algum lugar. *2.* Realizar ou suportar, sozinho, sem ajuda, uma tarefa ou situação difícil.

grampear telefone Colocar grampo (interceptor-gravador de ligações telefônicas), violando o sigilo de conversa particular ao telefone.

grampo telefônico *V.* "grampear telefone".

grand écart Expressão francesa que, literalmente, significa "grande afastamento ou separação".

> *É expressão empregada sobretudo no balé, definindo uma posição do(a) bailarino(a) em que as pernas se abrem da frente para trás ou lateralmente, até tocar com as coxas no solo.*

grand monde Expressão francesa que alguns cronistas sociais atribuem, à guisa de refinamento, aos que compõem grupo social abastado, frequentador de reuniões festivas e acontecimentos de cunho mundano. O *m.q.* "alta sociedade". Em inglês: "*high society*".

grande área *Fut.* A área maior junto à meta, delimitada por um retângulo e dentro do qual as faltas cometidas por jogador do time que a defende são punidas com penalidade máxima.

grande arquiteto do Universo É como os maçons costumam se referir a Deus.

grande cabeça Pessoa inteligente.

Grande coisa! Reação de desdém a algo que nos é contado.

grande coração Diz-se de pessoa caridosa, magnânima, solidária.

grande maioria Diz-se de um percentual significativo de manifestantes em relação à totalidade deles. *Cf.* "maioria simples" e "maioria absoluta".

grande Oriente Nome que os maçons dão à loja principal da sede ou ordem nos países onde têm um grão-mestre.

grande prêmio Cada páreo importante disputado anualmente nos hipódromos, quando competem os melhores cavalos e os melhores jóqueis concorrendo a importantes prêmios.

grande tacada Lance de sorte, de perícia ou de experiência, do qual resultou êxito retumbante. *Var.* "grande jogada".

Grande vantagem! Diz-se, em tom irônico ou debochado, a uma pessoa que se gaba de algum feito que julga extraordinário e que não nos parece assim tão importante.

grandeza de ânimo Magnanimidade, generosidade, fortaleza. *Var.* "grandeza de alma (ou de coração)".

gravado na pedra Duradouro, permanente; indelével.

gravar na memória *1.* Memorizar; decorar. *2.* Registrar no computador.

green card *Ing. Lit.* "cartão verde" é um visto permanente e irrestrito de imigração concedido pelas autoridades norte-americanas, ambicionado por todos os imigrantes.

> *Oficialmente, designa-se por United States Permanent Residence Card (Carta de residência permanente nos Estados Unidos).*

gregos e troianos Pessoas pertencentes a dois grupos ou partidos antagônicos.

greve branca Paralisação de atividades por trabalhadores, sem violências e/ou represálias de parte a parte.

greve de braços cruzados Paralisação durante a qual os grevistas permanecem no recinto de trabalho sem realizar seu trabalho.

greve de fome Ato voluntário de abster-se de alimentação, em atitude de protesto ou de reivindicação de algo pessoal ou de interesse coletivo, ou, simplesmente, para atrair a atenção sobre a sua pessoa ou sobre seus objetivos.

greve geral Greve que arregimenta trabalhadores de segmentos profissionais, com abrangência nacional.

grid **de largada** Expressão usada nas competições esportivas (automobilismo etc.) para indicar as posições de cada contendor no momento da partida.

> *A palavra "grid", da língua inglesa, pode ser traduzida como "grade".*

gritar aos quatro cantos (do mundo) O *m.q.* "botar a boca no mundo"; alardear.
grito de carnaval Baile ou evento que marca o início do carnaval.
grito de guerra Qualquer fórmula para excitar os guerreiros numa luta.
grito do Ipiranga O brado "Independência ou morte!", que o príncipe regente D. Pedro, mais tarde imperador D. Pedro I, soltou às margens do rio Ipiranga no dia 7 de setembro de 1822.
grosso modo It. Lat. Por alto, resumidamente; de modo grosseiro, impreciso; aproximadamente; de modo geral.

> *A expressão "a grosso modo" é incorreta.*

grupo de pressão Diz-se do conjunto de indivíduos (lobistas) que procuram influenciar e/ou interferir em assuntos de interesses privados dependentes de decisões do poder público.
grupo escolar Estabelecimento de ensino fundamental.
grupo social Forma básica da associação humana: agregado social organizado e distinto, constituído de pessoas com interesses, crenças, culturas comuns e que se interagem harmonicamente.
grupo sanguíneo Qualquer dos tipos ou categorias em que se classifica o sangue humano: A, B, O.
guard rail Ing. Guardas metálicas instaladas em pontes e rodovias para proteger os veículos, evitando que caiam em ribanceira ou rios.

> *Em português, expressões equivalentes seriam "guarda-corpo" ou "guardas de ponte" (V.).*

guarda avançada 1. Destacamento militar de segurança e patrulha que precede a tropa num campo de batalha; vanguarda. 2. Fig. O que precede algo com o fim de protegê-lo.
Guarda Civil Corporação policial não pertencente às forças militares.

> *guarda-civil membro da Guarda Civil.*

guarda de honra Força militar armada, designada para prestar honras militares em solenidades que exigem tal representação.
guarda pretoriana 1. A força armada a serviço pessoal dos imperadores romanos, formada por tropas de elite. 2. Fig. Qualquer parte da força pública (militar) posta a sustentar a tirania, o despotismo.
guardar a sete chaves O *m.q.* "fechar com sete chaves".
guardar as costas Andar junto de uma pessoa para defendê-la de eventuais perigos ou para resguardá-la de ameaças.
guardar as distâncias Não se familiarizar; guardar o respeito (em relação às pessoas, umas às outras, sobretudo quanto a posição social, dignidade do cargo que exercem etc.). (*Tb.* pode denotar discriminação, elitismo etc.)
guardar distância Manter conveniente distância de algo (conforme as circunstâncias). V. "manter distância".
guardar luto Respeitar o período do luto, de acordo com os costumes da sociedade em que se vive.
guardar na caixinha Manter, guardar segredo e discrição.
guardar o leito Estar de cama, por doença.

> *Alguns puristas da língua portuguesa tacham a expressão de galicismo, recomendando estas outras: "ficar de cama"; "estar de cama"; "estar acamado".*

guardar para amanhã Adiar; procrastinar o que se podia fazer de imediato. *Var.* "deixar para amanhã".
guardar para si Não dizer a ninguém; tomar conhecimento de algo ou saber de algo e não o revelar a ninguém.
guardar segredo Não revelar (alguém) algo que (ele) sabe.
guardar silêncio Calar-se.
guardas de ponte (via) Peitoris de um e outro lado da ponte ou nos lugares mais perigosos das vias. *Var.* "guarda-corpo".

> *É bem comum no Brasil o uso da expressão inglesa correspondente: "guard rail" (V.).*

guerra aberta Guerra declarada.
guerra civil A que se trava entre cidadãos de um mesmo país, em virtude de conflito econômico, social, religioso etc. *Var.* "guerra intestina".
guerra de nervos 1. Estratégia política e/ou militar usada para infundir receios e preocupações quanto à segurança de um país. 2. Meios usados por alguém para levar preocupação ou simplesmente para irritar outrem. 3. Uso de propaganda hostil ou subversiva, com o propósito de minar o moral de alguém, de um grupo, de um povo.

guerra é guerra Expressão com que se quer mostrar determinação num confronto, na defesa de uma posição em torno de uma ideia etc., afirmando a intenção de ir até o fim e de usar todos os meios para atingir o objetivo.

guerra fria Hostilidade, todavia sem luta aberta ou desforço militar, originalmente entre os países do bloco soviético e os países ocidentais, iniciada logo após o término da Segunda Guerra Mundial e que se estendeu até novembro de 1990.

guerra intestina O *m.q.* "guerra civil".

guerra santa Nome que se dá a guerra que se declara ou que ocorre por motivos religiosos.

guerra sem quartel Luta sem tréguas; perseguição inclemente; peleja incessante em prol de uma causa, de um objetivo.

guerras púnicas As guerras que os romanos sustentaram contra os cartagineses nos séculos III e II a.C.

guerrilha rural/urbana Guerrilha cujos princípios gerais foram devidamente adaptados à luta no meio rural/urbano.

H

há de vir Prenúncio, prognóstico, suposição de acontecimento futuro.
Há gente para tudo. Emprega-se esta locução sobretudo quando se quer criticar ato ou atitude inconveniente de alguém. *Var.* "Tem gente para tudo.".
Há gosto para tudo. É manifestação de quem se admira do gosto demonstrado por alguém, não coincidente com o seu próprio. Tb. se usa em sentido irônico, como crítica ao gosto alheio. *Var.* "Tem gosto para tudo.".

Há o provérbio: "Gosto não se discute."

Há limites para tudo. Expressão que se emprega como advertência a abusos que se cometem. *Var.* "Tem limites para tudo.".
há muito Faz muito tempo; de muito; passar-se. *Var.* "há tempo"; "há séculos"; "há uma eternidade".
há nada Ainda agora; recentemente.
há pouco Não passou muito tempo. V. "há muito".
há quanto tempo O *m.q.* "há tempo".
há que tempos O *m.q.* "há tempo".
há séculos Há muito tempo; já se passou uma eternidade!
há tempo Desde muito tempo. V. "há muito".
há um porém Diz-se concordando com algo proposto, mas com a ressalva que se vai apresentar.
habeas corpus *Lat. Jur.* Ação judicial que objetiva proteger o direito de locomoção lesado ou ameaçado por ato abusivo de autoridade.
habeas data *Lat. Jur.* Expressão usada para indicar o direito do cidadão de acessar informações sobre a sua própria pessoa, constante de arquivos oficiais públicos.
habemus papam *Lat. Lit.* Temos papa. São as palavras que anunciam a escolha de um novo papa.
há de vir Prenúncio, prognóstico; suposição de acontecimento futuro.

haja em vista *1.* Tenha-se em vista. *2.* O *m.q.* "haja vista".
haja o que houver Aconteça o que acontecer; não importa o que acontecer; custe o que custar.
haja vista Que se oferece à vista; veja-se; tendo em vista; aí está; como; a saber; por exemplo; leve-se em conta; considere-se.
happy end (ending) *Ing. Lit.* Final feliz. *1.* Final feliz de qualquer episódio da vida real. *2.* Epílogo feliz de enredos de filmes, peças teatrais, novelas etc.
happy hour *Ing.* Momento (hora) de felicidade. Diz-se de período do dia, no fim da tarde, após o trabalho, em que companheiros e amigos se reúnem em bares e restaurantes para confraternizar.
hare Krishna *Ing.*, do hindi, *Lit.* "Ó Senhor Krishna" (vocativo). *1.* Palavras de abertura de um verso sagrado frequentemente cantado em público pelos adeptos do movimento de mesmo nome. *2. Rel.* Membro de uma seita hinduísta ("Consciência de Krishna"), baseada na adoração do deus Krishna, fundada nos Estados Unidos em 1966, cujos princípios incluem vegetarianismo, abstenção de sexo fora do casamento e completa abstinência de drogas e jogos de azar.
hasta pública Venda de bens em público pregão, efetuada por leiloeiros públicos ou por porteiro de auditório do foro, a quem oferecer maior lance oferecido acima do preço da estimativa judicial.
hastear a bandeira Elevar uma bandeira ao topo do mastro.
haut monde *Fr.* Alta sociedade. O *m.q.* "*high society*". *Var.* "*grand monde*".
haveis de ver esse dia Expressão usada para advertir alguém quanto à possibilidade de acontecer algo que ele teme, ou, ao contrário, espera ansiosamente.
haver à mão Estar (algo) ao alcance, disponível.
haver mister Haver necessidade, obrigação de algo.

haver por bem

haver por bem Assentar; dignar-se a; resolver.
haver sempre um mas Surgir em tudo um fato que dificulta, impede ou contraria.
haver tempo Ter decorrido algum ou muito tempo; fazer tempo. Também se diz: "haver tempos".
herdeiro presuntivo da coroa Tratamento que se dava, no Império, conforme a Constituição Brasileira de 1824, àquele a quem se delegava o direito sucessório; tratamento também dado ao príncipe herdeiro do trono em regimes monárquicos da Espanha e de Portugal, principalmente.
herói de romance Indivíduo que vivencia aventuras ou fatos tão inusitados que parecem provir da imaginação de um romancista.
herói de teatro Sujeito que, sem comprovar com fatos, apregoa exageradamente seus feitos, considerados por ele mesmo extraordinários.
heroína de dois mundos Antonomásia de Anita Garibaldi (1821-1849).

> *Anita lutou na Revolução Farroupilha e pela unificação da península Itálica.*

hic et nunc *Lat.* Aqui; nestas circunstâncias.
hic et ubique *Lat. Jur.* "aqui e em toda parte." Expressão usada em processos e pareceres jurídicos.
hic jacet *Lat.* Inscrição (epitáfio comum) em lápide sepulcral. Significa: "Aqui jaz."
hidra de Lerna *Fig.* Fonte de perigos, ameaças e malefícios à ordem social.

> *Hidra de Lerna = Serpente mitológica de sete cabeças que renasciam assim que cortadas; teria sido morta por Hércules num de seus 12 trabalhos.*

high fidelity *Ing.* Alta-fidelidade.

> *Alta-fidelidade = Conjunto de técnicas eletrônicas pelas quais se reproduz e amplifica sem distorção um impulso sonoro.*

high society *V.* "alta sociedade". Em francês se diz: "*grand monde*" ou "*haut monde*".
higiene mental Procedimentos que envolvem a prevenção e o tratamento de transtornos mentais.
hino ambrosiano O te-déum.
hino nacional Hino que simboliza uma nação.

Hino Nacional Brasileiro O hino oficial que foi composto por Francisco Manuel da Silva para a nação brasileira.

> *O hino oficial do Brasil tem letra de Joaquim Osório Duque Estrada (1870-1927) e música de Francisco Manuel da Silva (1795-1865), tem sua execução regulamentada em lei (5.700, de 01/09/1971) e seu ensino foi tornado obrigatório em escolas públicas a partir de 22/09/2009.*

Hip, hip, hurrah! *Ing.* Exclamação de alegria, ânimo e vitória; viva!

> *A origem desta expressão, também encontrada em outras línguas, é incerta. Entretanto, sabe-se que é antiga. Uma das explicações é que a sigla "HEP"(hip) deriva de "Hierosolyma est perdita", ou "Jerusalém está perdida!", uma entoação de comemoração de vitória dos soldados romanos diante do fim do levante de Jerusalém, em 70 d.C., e que era respondida com um "Hurra!". Outras explicações buscam caracterizar a expressão como antissemita (improvável) ou, simplesmente, como um chamado utilizado por pastores para reunir seu rebanho de ovelhas.*

história da carochinha Diz-se de coisas inverossímeis, mirabolantes, fantásticas, imaginosas, especialmente para distrair as crianças e aguçar-lhes a imaginação. *Var.* "história de trancoso"; "história do arco-da-velha".

> *Carochinha é o diminutivo de "carocha", que é uma espécie de carapuça que se colocava nos condenados para o suplício. Entretanto, é também designativo de "bruxa", "feiticeira", que está mais condizente com o sentido da locução.*

história da vaca Vitória Expressão familiar usada como comentário irônico a uma história sem fim ou desfecho.

> *O comentário é feito com esta expressão: "É igual à história da vaca Vitória: a vaca morreu, finita a história."*

história de capa É a reportagem principal de uma revista ou a manchete de um jornal, destacada na capa desses veículos de comunicação. *Var.* "assunto de capa".
história de sucesso Trajetória de vida de

uma pessoa cujos empreendimentos são exitosos.
história de trancoso O *m.q.* "história da carochinha".
história do arco-da-velha História espantosa, inverossímil, extraordinária. *V.* "história da carochinha".
história malcontada Diz-se de um relato quando se suspeita que alguém não revelou todo e o verdadeiro conteúdo do caso e que está, portanto, escondendo algo, alterando ou distorcendo os fatos reais.
história para (pra) boi dormir Conversa mole; conversa fiada; lábia ou engodo. *Var.* "história para menino dormir".
histórias em quadrinhos Narração de uma história por meio de desenhos e legendas mostrados sequencialmente, no ritmo do enredo da história. *V.* "tira de quadrinhos".
hit parade Ing. *V.* "parada de sucessos".
HIV (vírus da imunodeficiência humana) Designação de tipos de vírus (HIV 1 e HIV 2) do gênero *Lentivirus*, da família dos retrovírus, responsáveis pela AIDS.

> *A AIDS (Acquired Immune Deficiency Syndrom, ou Síndrome de Deficiência Imunológica Adquirida – SIDA) é uma virose transmissível, ger. através de relações sexuais sem proteção, compartilhamento de seringas contaminadas, transfusões; etc., que mina as defesas naturais do organismo, muitas vezes levando ao óbito.*

hoje em dia Atualmente; nos tempos de agora; por agora.
home banking Ing. Int. Acesso por clientes, pela rede da internet, a serviços bancários.
homem (pessoa) de palavra Indivíduo que cumpre o que diz ou promete.
homem apagado Diz-se de pessoa de pouca inteligência.
homem da capa preta Pessoa difícil de distinguir entre as demais, encarregada de missão sigilosa, de um ardil.
homem da lei Magistrado; advogado; jurisconsulto.
homem da rua Homem do povo.
homem das arábias Indivíduo excêntrico; homem que não pode ser tomado a sério.
homem de ação Indivíduo enérgico, ativo, diligente, operoso.
homem (pessoa) de bem Indivíduo honesto, honrado, de procedimento correto.
homem de conta, peso e medida Pessoa especialmente meticulosa, honesta em suas ações e negócios.

homem de cor Homem preto ou mulato. *Var.* "mulher de cor".
Homem de Deus Homem piedoso, santo.
homem de duas caras Pessoa de atitudes ambíguas, falsas; pessoa sem palavra.
homem de empresa Empresário.
homem de espírito Indivíduo de grande inteligência, espirituoso, sagaz, perspicaz.
homem de Estado Estadista; homem público, que se destaca no exercício de cargos públicos.
homem de ferro Homem forte e resistente.
homem de gelo Pessoa insensível, indiferente.
homem de letras Indivíduo letrado, intelectual; escritor, literato; pessoa versada em línguas e literatura.
homem de maus-bofes Pessoa perversa, irritadiça, nervosa, intratável.
homem de Nazaré Antonomásia de Jesus Cristo, por ter vivido em Nazaré (Judeia) a maior parte de sua vida.
homem de negócios O *m.q.* "homem de empresa".
homem de palha *1.* Indivíduo fraco e sem valor. *2.* Pessoa que não existe, mas é virtualmente criada com a finalidade de acobertar atos ilícitos.

> *Diz-se 'falácia do homem de palha ou do espantalho' como referência à criação e atribuição de uma falsa argumentação ao adversário, distraindo-o, enquanto sua real posição deixa de ser o centro da discussão.*

homem de poucas palavras Homem sério, circunspecto.
homem de prol *1.* Homem nobre. *2.* Intelectual ou artista.
homem de pulso Homem enérgico, que demonstra grande firmeza nos seus atos, sobretudo nos que requerem comando, direção.
homem de tono e tombo Homem robusto, hercúleo.
homem do leme Timoneiro.
homem do mar Marinheiro; pessoa afeita às lides do mar.
homem do mundo .Homem de curso internacional muito considerado em todo o mundo, pelo seu valor.
homem do povo O homem comum, geralmente pertencente às classes populares (menos favorecidas).
homem (do tempo) das cavernas *1.* O antepassado remoto do homem. *2. Fig.* Indivíduo que, por seu comportamento, critérios,

homem dos sete instrumentos

preferências etc. não acompanhou o progresso cultural ou tecnológico dos tempos modernos.
homem dos sete instrumentos Pessoa que se ocupa ou realiza vários trabalhos ao mesmo tempo; pessoa dotada de muitas habilidades.
♦ **homem-feito** Adulto.
homem marcado Aquele que está em perigo, procurado por alguém que intenta lhe fazer algum mal.
homem perdido Homem arruinado ou de maus costumes.
homem público Indivíduo que se consagra à vida pública, ou que está a ela ligado de alguma forma.
homem qualquer Qualquer pessoa; pessoa sem qualificação especial.
homo sapiens Lat. Pal. Gênero de primatas simiformes, hominídeos, ao qual pertence o homem.
homus bi tahine Ár. Ou simplesmente homos, é apreciada iguaria árabe feita de grão-de-bico com óleo de gergelim e temperos.
Honni soit qui mal y pense. Fr. Significa: "Maldito seja quem nisso põe malícia." É a divisa da ordem inglesa da jarreteira.

> Da Ordem da Jarreteira, ou Jarretiera, é uma Ordem de Cavalaria instituída pelo rei Eduardo III da Inglaterra (1312-1377), em 1348, cujo emblema é uma liga (dispositivo elástico para prender meias). Sobre jarrete, v. "afrouxar o garrão".

honoris causa Lat. Literalmente, "para honra". Diz-se dos títulos universitários conferidos sem exame ou concurso, a título de homenagem: V. "doutor *in honoris causa.*"
honra e glória O número 29 no jogo de víspora.
honras fúnebres Homenagens que se prestam a um morto; exéquias. *Var.* "honras supremas".
honras militares Homenagem que se faz a certas pessoas que ocupam lugar proeminente na hierarquia política e militar, inclusive estrangeiras, *ger.* através da apresentação da guarda em uniforme de gala, que é passada em revista pelo homenageado.
hora amarga Hora de sofrimento; momento de decepção.
hora cheia Diz-se quando é exatamente 1 hora ou 2, 3 etc., *i.e.*, sem a consideração ou a indicação da fração; hora certa. *Cf.* "em ponto".

hora civil de Greenwich Corresponde à "hora universal", que é o instante, na escala de tempo, definido como tempo médio local do meridiano de Greenwich.

> O "Greenwich Mean Time (GMT)" (hora média de Greenwich), é o marcador oficial de tempo, que não muda conforme as estações do ano, como ocorre em vários países. Assim, é referência permanente para se aferir a hora em cada longitude (meridiano) em relação ao meridiano de Greenwich (0°).

hora da boia Momento de pausa para o almoço ou outra refeição.
hora da onça beber água Momento de perigo, crítico, difícil, decisivo para se tomar uma decisão.
hora da sesta Em determinadas regiões e países, período reservado ao descanso logo após o almoço, em que todas as atividades se encerram para serem retomadas mais tarde.

> Na Espanha, na maioria dos países hispânicos da América e em outros países, há esse costume. Nesses lugares, as atividades são interrompidas às 12 horas e retomadas às 14 ou 15 horas.

hora da verdade Momento em que se impõe dizer a verdade; momento de sinceridade.
hora de tempo universal Também dita "Hora de Tempo Universal Coordenado" (Universal Time Coordinated, ou UTC), é baseada em padrões atômicos em vez de na rotação da Terra. A UTC é o padrão internacional de tempo usado atualmente e mantido pelo Bureau Internacional de Pesos e Medidas. Zero hora UTC corresponde, aproximadamente, a meia-noite no meridiano de Greenwich, Inglaterra. V. "fuso horário".
hora de verão Tempo civil adiantado em horas, a fim de se aproveitar melhor a claridade do dia, sobretudo no verão.

> Sua adoção é também justificada pela consequente poupança de energia.

hora do *rush* Hora em que, na cidade, ocorre congestionamento do tráfego em virtude do grande número de veículos em circulação, motivado pelo início ou término do horário de trabalho.

> Rush é palavra da língua inglesa que significa ímpeto, pressa, investida, fúria.

hora do aperto Hora de decisão.
hora do pega pra capar O momento crucial, decisivo; o *m.q.* "hora H".
hora do vamos ver Ocasião da decisão, do perigo, que exige ação enérgica e corajosa. *Var.* "hora H" e "hora do pega pra capar".
hora extra Período que excede as horas normais diárias ou semanais da jornada máxima de trabalho permitida por lei.
hora extrema Momento da morte; últimos momentos de pessoa que agoniza. *Var.* "hora da morte".
hora H *1.* Hora referencial para determinada ação conjunta ou isolada. *2.* Momento certo, adequado, combinado. *3.* Hora decisiva.
hora legal Hora estipulada para cada região do globo terrestre, de conformidade com os fusos horários e com a "Hora de Tempo Universal". (*V.*). *Var.* "hora oficial".
hora local A hora correspondente ao meridiano do lugar a que se alude.
hora santa *Rel. Catol.* Momento de oração que se faz individualmente ou em grupos, sobretudo diante do Santíssimo Sacramento, nas igrejas, com duração de/ou aproximadamente uma hora.
hora universal *V.* "Hora do Tempo Universal".
horário de verão O *m.q.* "hora de verão".
horário nobre As horas em que o maior número de pessoas está assistindo à televisão.
horas a fio Durante muito tempo, por muitas horas. *Var.* "horas e horas".
horas canônicas *Rel. Catol.* Na liturgia da Igreja, são as partes do ofício ou breviário que os religiosos recitam a cada dia, assim denominadas: matinas, laudes, vésperas, prima, terça, sexta, noa e completas.
horas de pico *1.* São aqueles momentos em que, no tráfego urbano, é mais intenso o movimento. *Var.* "hora do *rush*". *2.* Hora de maior consumo de energia elétrica.
horas e horas Durante muito tempo; longo lapso de tempo; muito tempo. *Var.* "horas perdidas".

horas mortas Na madrugada, quando tudo está quieto, em silêncio. *V.* "a horas mortas".
horas vagas Locução usada para indicar momentos em que não se tem compromisso, momentos de folga, de ócio, de diversão, e que podem ser usados em trabalhos realizados fora do horário das ocupações principais.
horribile dictu *Lat.* Horrível de se dizer, de ser referido. *Obs.* Sempre é *us.* interjetivamente.
horror ao vácuo Síndrome que se caracteriza pela repulsa e temor que causa em alguém a ideia da ausência do ar, do vazio, do nada.

> *Supunha-se que a vacuidade absoluta era incompatível com a natureza, atribuindo-se-lhe muitos fenômenos inexplicáveis. Porém, esclarecidos os efeitos da pressão atmosférica, as dúvidas assinaladas puderam ser explicadas.*

horto florestal Estabelecimento onde se estudam e se multiplicam espécies florestais; reserva florestal.
hot dog *Ing.* Cachorro-quente (sanduíche de pão com salsicha e molhos variados, *esp.* à base de tomate).
hot money *Ing.* Recursos financeiros que transitam a curtíssimo prazo atraídos pelas diferenças de taxas de juros e variações cambiais.
hotel de alta rotatividade Bordel; hotel que aluga quartos para encontros amorosos; motel.
house organ *Ing.* Designa publicações editadas por empresas públicas ou privadas dirigidas ao público interno ou a segmentos do público externo; jornal de empresa.
humanamente possível (ou impossível) Diz-se de algo que está (ou não está) nos limites da capacidade de realização humana.
humor de cão Muito mau humor.
humor negro Humor que choca pelo emprego de elementos mórbidos e/ou macabros em situações cômicas ou vice-versa.

I

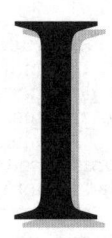

i grego A letra "Y" (ípsilon).
i latino A letra "I" propriamente dita.
içar vela Estender a vela da embarcação para captar o vento que a faz navegar.
id est *Lat.* "isto é". Abreviadamente, "*i.e.*".
ida e volta *1.* Ação e efeito de ir a um lugar e dele regressar. *2.* Assim se denomina o bilhete de transporte que inclui a ida e o retorno.
idade da pedra Tempos remotos; atraso.
idade da pedra lascada *1. Geol.* Período paleolítico, *i.e.*, divisão de cada uma das eras que designam a divisão básica do tempo geológico. *2.* Emprega-se quando se quer referir a algo muito antigo, acontecido há muito tempo.
idade da razão A idade em que, devido à experiência de vida e aos conhecimentos acumulados, supostamente uma pessoa tem mais condições de agir com a razão, sem os impulsos característicos da juventude.
idade de Cristo Idade de 33 anos.

> *Rel. Catol.* Trinta e três anos é considerada a "idade de Cristo" porque foi com essa idade que, segundo os Evangelhos, Ele foi crucificado e ressuscitou.

idade de ouro Período muito feliz e próspero.
Idade do Bronze Período da civilização em que ocorreu o desenvolvimento dessa liga metálica (mistura de cobre com estanho), ocorrida em torno de 3300 a.C., em seguida ao período do neolítico (da pedra polida) e seguida pela idade do ferro.
idade do gelo *Geol.* Intervalo de tempo em que se observa um declínio da temperatura global, com ampliação do manto de gelo sobre mares e continentes. *Var.* "era do gelo".

> As idades (ou eras) do gelo são mais comuns do que se pensa. Intercalados por intervalos "quentes" relativamente curtos, de cerca de 10 mil anos, os períodos extremamente frios na Terra costumam durar bem mais, ou seja, algumas dezenas de milhares de anos. Considerando que a última idade do gelo atingiu o auge há cerca de 20 mil anos, pelo menos estatisticamente, estaríamos às portas de uma nova era de glaciação. Segundo os cientistas, esse início pode estar sendo postergado em função do aquecimento global que a civilização provoca no planeta.

idade do lobo/da loba *1.* Idade em que as pessoas têm muita disposição, muita vitalidade e são mais experientes *2.* Fase de transição (meia-idade) por que passam os homens e mulheres e que os impele a buscarem um novo rumo para suas vidas, exacerbando, às vezes, seus sentimentos e procedimentos.

> A meia-idade é o período da vida das pessoas entre os 40 e os 50/60 anos.

idade geológica Divisão de uma época (falando da evolução da espécie humana) na escala de tempo geológico.

> Idades geológicas: idade da pedra polida; da pedra lascada, do bronze, do cobre, do ferro.

Idade Média Período histórico que vai desde a divisão do Império Romano (395 d.C.) até a tomada de Constantinopla (1343 d.C.).
idade varonil Designação referente à idade de pessoa do sexo masculino que já alcançou a maioridade. O *m.q.* "idade viril".
idas e vindas Diz-se a respeito de situações de indecisão; expressa falta de firmeza.
ideia fervilhante Ideia que nos parece boa, na qual pensamos constantemente e que queremos colocar em ação.

imagem de roca

Fervilhante = Cheio, movimentado. Obs. Dos quatro mais importantes dicionários – Novo Aurélio, Houaiss, Aulete e Michaelis – somente esses dois últimos registram este adjetivo. Os outros registram apenas "fervente".

ideia fixa Obsessão; uma ideia que domina a mente de uma pessoa.
ideia luminosa Ideia inovadora; ideia brilhante, oportuna, prática; uma boa ideia.
ideia preconcebida Conceito premeditado de algo, sem fundamento sério ou erroneamente arraigado na mente da pessoa, que dele se vale na tentativa de fazer prevalecer sua opinião.
ideias avançadas As que preconizam sistemas políticos, culturais, sociológicos etc. de caráter inovador, eventualmente extremista; teorias ousadas, revolucionárias, às vezes subversivas, fora do seu tempo.
identidade visual *1.* Personalidade visual de empresa, através de imagens que procuram fixar sua lembrança e marca junto ao público, fornecedores e clientes. *2.* Conjunto de elementos gráfico-visuais padronizados (logotipo, uniformes, embalagens, papéis de correspondência etc.) que estabelece essa personalidade.
identificador de chamadas Dispositivo eletrônico que identifica e exibe o número de origem de uma chamada telefônica.

Criado pelo técnico em telecomunicações mineiro Nélio José Nicolai, alcançou todos os sistemas de telecomunicações mundiais.

ídolo de pés de barro Pessoa ou coisa cuja resistência ou fortaleza é apenas aparente e que se revela tal qual é.
idoneidade financeira Condição das pessoas adimplentes, ou seja, capazes de cumprir fielmente os contratos que assinam.
idoneidade moral Qualidade das pessoas de boa reputação no meio em que militam tanto quanto à moral como aos costumes, à honradez etc.
Igreja Católica Apostólica Romana *Rel. Catol.* Denominação oficial da Igreja Católica.

Assim chamada porque é universal (católica), apostólica (por ter sido fundada sobre os Apóstolos de Cristo e até hoje comandada por pessoas que são seus sucessores, fiéis à doutrina que eles transmitiram) e romana (por ter em Roma sua sede, onde reside o Papa, chefe do colégio dos Bispos e pastor de toda a Igreja).

Igreja Grega Igreja cristã de fé ortodoxa e rito bizantino.
igreja matriz *Rel. Catol.* A que tem jurisdição sobre outras igrejas ou capelas de uma dada circunscrição; igreja principal de uma cidade.
Igreja militante *Rel. Catol.* A comunhão dos fiéis.

Igreja triunfante, em oposição, é a constituída pelos santos que já gozam da salvação eterna.

Igreja Oriental Igrejas cristãs originalmente ligadas ao Império Romano no Oriente, com identidades de ritos e sacramentos com o catolicismo.
Igreja Ortodoxa Igrejas que englobam as gregas e as orientais.
Igreja primitiva *Rel. Crist.* A Igreja dos primeiros tempos do cristianismo.
ilha de mato Capão (de mato); capoeira; pequena mata no meio de outro tipo de vegetação.
ilusão de óptica *1.* Imagem virtual vista através de instrumentos ópticos refratores ou de efeitos especiais, que a fazem distorcida ou alterada, fazendo com que o observador tenha uma impressão visual diferente daquela que a imagem estritamente reproduz. *2.* Fenômeno no qual uma figura é apresentada de tal maneira que pode ser interpretada como algo diferente daquilo que realmente representa.
ilustração divina Inspiração.
ilustre desconhecido Pessoa cuja importância política, intelectual, científica, técnica etc. até dado momento é ignorada, mas que em função de determinadas circunstâncias, ainda que transitoriamente, adquire notoriedade e admiração de parte de todos.
Imaculada Conceição Segundo a fé cristã, referência ao modo como Jesus Cristo foi concebido e nasceu, pela ação do Espírito Santo, *i.e.*, só pela intervenção divina. É o nome que, por isso, se dá à Virgem Maria, mãe de Jesus, que concebeu isenta da mácula do pecado original.
imagem de roca A que tem a descoberto somente o busto ou meio-corpo e os braços, sendo o resto formado por um disco de madeira assentado em uma estrutura, também de madeira. Toda ela é encoberta com vestimentas de tecido.

imaginação criadora Capacidade de formular novas ideias.
imbecil convicto Pessoa considerada imbecil que também se considera como tal.
imitação barata Cópia malfeita de uma obra de arte ou de qualquer outro trabalho de terceiros. V. "pálida imitação".
imortalidade da alma Qualidade que se atribui à alma humana quanto à capacidade de sobreviver à morte física, conservando suas características individuais.
imperador do Divino *Folc. Rel.* Pessoa que coordena as festas do Divino Espírito Santo, que acontecem em muitas localidades do interior brasileiro.
imperativo categórico *Fil.* Proposição que expressa um comando peremptório, *i.e.*, uma ordem a ser cumprida incondicionalmente. *Ex.: Não matarás.*
imperativo hipotético *Fil.* Proposição que expressa um comando que está subordinado à consecução de um fim determinado. *Ex.: Estude, se quiseres ser aprovado.*
Império Celeste A China. Também se diz: "Celeste Império".
império de Plutão O inferno; morada do demônio. *Var.* "morada de Plutão".

Mit. Plutão é o nome latino da divindade grega Hades, a quem tocaram, na partilha do Império do Universo, as profundezas subterrâneas, ou seja, os infernos.

Império do Sol Nascente O Japão.

A bandeira japonesa é conhecida como "Disco Solar" (Hinomaru), por ter o astro estilizado, reconhecido primitivamente como a deusa Amaterasu, representado em vermelho sobre fundo branco. A versão utilizada pela Marinha daquele país, popularizada durante a Segunda Guerra Mundial, apresenta o sol descentralizado no retângulo, mas emitindo vigorosos raios que se expandem para as extremidades do pavilhão.

impor silêncio a Não permitir que falem; fazer calar; mandar que se cale.
importância vital Grande importância, condição do que é fundamental para certo fim, decisivo, ou quase.
imposição de mãos *Rel.* Ato de colocar as mãos sobre a cabeça de alguém, especialmente por um sacerdote, conferindo-lhe bênçãos.
impossibilidade física Condição de impossibilidade ditada pela ordem natural das coisas.
impossibilidade moral Condição de impossibilidade ditada pela ordem moral.
impossibilidade relativa A que resulta de certas condições e que cessa quando essas condições também cessam.
imprensa alternativa Aquela que busca para o leitor uma opção de linha editorial independente em relação não só às dos grandes grupos jornalísticos, como também em relação à política, à economia, à cultura etc.
imprensa marrom Imprensa que se caracteriza por falta de compromisso ético, pela ênfase que dá ao sensacionalismo, ao achaque a personalidades, à intriga, à calúnia, à crítica contundente por vezes infundada etc.
imprensar contra a parede Pressionar; intimidar; exigir uma atitude de. *Var.* "encostar na parede", "pôr a faca no peito de".
impressão digital Marcas das estrias das polpas dos dedos das mãos, usadas como meios de identificação pessoal por datiloscopia.
improbus administrator *Lat.* Administrador desonesto.
impulso natural O que é comandado pelo instinto.
imunidade parlamentar Direitos, privilégios ou vantagens pessoais de que gozam os parlamentares devido às prerrogativas de seus cargos.
in absentia *Lat.* Na ausência. *Jur.* Diz-se do julgamento a que o réu não se acha presente.
in aeternum *Lat.* Eternamente; para sempre. *Var. "in perpetuum".*
in albis *Lat.* "Em branco". *1.* Sem noção nenhuma daquilo que deveria saber; sem a menor sombra de conhecimentos: estar, ficar *in albis. 2. Rel. Catol.* É uma expressão antigamente, na liturgia da Igreja, se denominava o primeiro domingo depois da Páscoa: domingo *"in albis".*
in anima nobili *Lat.* Num ser nobre, *i.e.*, no homem (falando de experiências nele feitas).
in anima vili *Lat.* Num ser vil, *i.e.*, num animal (falando de experiências nele feitas).
in articulo mortis *Lat.* Em artigo de morte, *i.e.*, no momento de morrer.
In cha Allah! Expressão da língua árabe que significa "Se Deus quiser".
In dubio pro reo. *Lat.* Expressão latina que significa, literalmente, "Na dúvida, decide-se a favor do réu".

> *Este conceito reflete a concepção de que se deve dar mais importância à proteção do inocente do que à punição do culpado. Hoje em dia, as sentenças, quando diante de insuficiência de provas, baseiam-se nesse princípio.*

in extenso *Lat.* Na íntegra.
in extremis *Lat.* O *m.q.* "*in articulo mortis*".
in fine *Lat.* No fim.
in hoc signo vinces *Lat.* Com este sinal, vencerás.

> *Inscrição que circundava a cruz de fogo na visão de Constantino (270/288-337), imperador romano, quando marchava contra Maxêncio, em 312 d.C. A partir dessa visão, Constantino instituiu o cristianismo como religião oficial de Roma.*

in limine *Lat.* No limiar; no princípio.
in loco *Lat.* No lugar. O *m.q.* "*in situ*".
in memoriam *Lat.* Em lembrança de.
in natura *Lat.* No estado natural, *i.e.*, isento de processamento industrial.
in pace *Lat.* Expressão latina que significa, literalmente, "em paz".
in partibus infidelium *Lat.* 1. Circunlóquio que indica o caráter honorífico de um título de bispo. 2. *P.ext.* Indica o caráter honorífico, ou não efetivo, de algo.

> *Circunlóquio = Rodeio de palavras; circuito, circuito de palavras, circunlocução, perífrase.*

in perpetuum *Lat.* Para sempre; para perpetuar. *V.* "*in aeternum*".
in petto *Lat.* No coração; na mente; intimamente, secretamente. *Lit.* No peito.

> *Aplica-se a nomeações resolvidas pelo Papa, mas ainda não divulgadas.*

in saecula saeculorum *Lat.* Nos séculos dos séculos; eternamente.
in se *Lat.* Em si; à maneira de; como.
in situ *Lat.* O *m.q.* "*in loco*".
in statu quo ante *Lat.* No estado em que se encontrava anteriormente. *V.* "*status quo*".
in totum *Lat.* Em geral; no todo; totalmente.
in utrunque paratus *Lat.* Preparado para tudo.
in vino veritas *Lat.* No vinho, a verdade.
in vitro *Lat. Med.* Que ocorre, ou que se pode observar, dentro de um tubo de ensaio; em meio artificial.

incapaz de matar uma mosca Diz-se de pessoa boa, inofensiva.
incentivo fiscal Benefícios que os governos concedem renunciando a direitos fiscais em favor de empresas que se disponham a investir em atividades consideradas estratégicas ou essenciais.
inchar as bochechas 1. O *m.q.* "contar vantagem". 2. Irar-se; ter um acesso de raiva.
incitação ao crime Delito constituído de estímulo público a atos ilícitos penais; instigação ao crime.
inclinar-se a Mostrar preferências por; manifestar pendor por.
inclusão digital 1. Diz-se de processo (social, educacional e tecnológico) que, por meio da utilização de equipamentos e recursos adequados, permite o acesso à informática e capacita a utilizá-la. 2. Política que visa a tornar o uso da informática mais difundido em todos os níveis sociais, culturais etc.
incomodar os ouvidos Soar desagradavelmente.
incompatibilidade medicamentosa Oposição terapêutica entre dois ou mais fármacos.
Inconfidência Mineira *V.* "Conjuração Mineira".
incubação artificial Processo de se pôr a chocar ovos artificialmente, colocando-os numa estufa própria, chamada chocadeira, geralmente elétrica, sob temperatura adequada, até a eclosão.
inda agora O *m.q.* "ainda agora".
Índice de Massa Corpórea (IMC) Índice dado pela razão entre o peso corporal e a altura de uma pessoa.

> *Através da fórmula: IMC = Peso (em kg)/ altura² (em metros). Se o resultado for menor que 18,5 = abaixo do peso; se entre 18,5 e 25 = normal; entre 25 e 30 = acima do peso; entre 30 e 35 = obeso; acima de 35 = obeso mórbido.*

indulgência plenária *Rel.* Remição plena das penas temporais, *i.e*, de características humanas.
indústria de base Genericamente, diz-se das indústrias de bens de produção (capazes de produzir outros bens); indústria pesada.
indústria de transformação A que labora matérias-primas, transformando-as em produtos intermediários ou finais.
indústria de ponta Empresa ou setor industrial que se dedica à produção de bens de alta densidade tecnológica.

indústria sem chaminé

indústria sem chaminé O turismo.
Inês é morta. Dito que se refere a uma ação tardia, que já não pode mais surtir efeito algum; providência extemporânea, atrasada no tempo. Equivale às expressões: "não há mais jeito"; "é inexorável".

> *A expressão tem origem na história de Inês de Castro (1320-1355), que teve filhos com o príncipe D. Pedro (1320-1367), de Portugal, embora o romance dos dois fosse reprovado pela Casa Real; ela foi condenada à morte por decapitação, e muito depois de morta recebeu o título de rainha. A personagem é celebrada por Luís de Camões, no poema épico Os lusíadas.*

inferno em vida Vida de muito sofrimento, aflições, suplício, dores; grande tormento; verdadeira provação.
inferno verde Denominação literária da Amazônia; a floresta amazônica.

> *Hileia é como a selva amazônica foi denominada por Humboldt (Friedrich Heinrich Alexander, barão de Humboldt (1769-1859), geógrafo, naturalista e explorador alemão); inferno verde é como originalmente foi apelidada por Alberto (do Rego) Rangel (1871-1945), escritor pernambucano, em obra em que, no princípio do séc. XX, aborda e analisa a Amazônia narrando as desventuras de seu personagem-herói (Gabriel), envolvido pelo ambiente envolvente e hostil.*

inflação galopante Ocorrência incontrolável e em altos níveis do aumento de preço de bens e serviços.
informação privilegiada Aquela que é do conhecimento de poucos, que delas podem vir a se utilizar, eventualmente, para obter vantagens em negócios, sobretudo nas bolsas de valores e em operações de câmbio ou em outros segmentos de negócios.
inhor sim (/não) *Pop.* Sim (não), senhor. *Var.* "nhor sim". As expressões se equivalem no sentido.
inimigo alugado *CE* Pessoa a quem se mata por ordem ou encomenda de outrem.
inimigo jurado Inimigo declarado, notório.
inimigo público número um Criminoso notório, procurado pela polícia de todo o país.
injeção de ânimo Qualquer atitude ou ação que estimule, que dê disposição para a ação ou para superar dificuldades.
inocente útil Pessoa que inadvertidamente, ou por ingenuidade, boa-fé ou ignorância, serve aos interesses e objetivos de alguém ou de uma organização sem estar vinculada nem a um nem a outra, nem estar bem a par daqueles objetivos. Seu sentido guarda semelhança com "boi de piranha" (*V.*).
INRI *Lat.* Sigla da locução latina: *Iesus Nazarenus Rex Iudaeorum* (Jesus Nazareno Rei dos Judeus), inscrição que teria sido colocada no alto da cruz em que Jesus Cristo foi crucificado.
inscrição rupestre *Arqueol.* Arte rupestre, manifestada por habitantes primitivos da Terra em entalhes ou desenhos nas paredes de grutas e cavernas ou em rochedos.

> *Rupestre = Gravado ou traçado em rocha.*

insígnias reais Adornos emblemáticos ou heráldicos da realeza.
inspirar cuidados Merecer cuidados especiais por estar muito doente.
instinto de conservação Impulso instintivo que leva o indivíduo a reagir às ameaças e aos perigos para manter-se vivo.
instinto gregário Tendência a comportar-se ou pensar como todo mundo.
instrumento de cordas O que produz sons pelo toque de suas cordas vibráteis (lira, violão, violino, piano etc.).
instrumentos de assopro (ou sopro) Todos os que se tocam soprando, produzindo sons pela passagem do ar em tubos e modulados num bocal que pode conter uma palheta, como flauta, clarineta, saxofone, trompete, trombone, tuba etc.
integração racial Política voltada para integrar minorias raciais no seio de uma comunidade.
inteligência artificial *Inf.* Ramo da ciência da computação dedicado a desenvolver equivalentes computacionais de processos peculiares à cognição humana.
inteligência de peru novo Inteligência escassa, ou nenhuma.
inter alia *Lat.* Entre outras coisas.
interface gráfica Solução de *software* (programação) que estabelece uma interação visual entre o usuário e o sistema operacional de um computador, facilitando seu uso cotidiano.

> *Pode-se considerar que a iniciativa pioneira para a criação de uma interface gráfica para os computadores partiu da Xerox, em seu PARC (Palo Alto Research Center). Ali foram concebidos os primeiros sistemas com uma interface mais*

amigável para os humanos e que serviram de inspiração para o projeto LISA, da Apple, e depois o McIntosh.

interpretação simultânea Tradução simultânea de um para outro idioma, feita oralmente e transmitida a todas ou parte das pessoas presentes, através de equipamentos de som auriculares. Outra forma é a de interpretar cada frase do falante enquanto este pausa seu discurso.
intervenção cirúrgica Ação ou atividade de grande precisão, cujo objetivo é impactar apenas o foco sobre o qual se deseja interferir, sem colateralidade.
intriga da oposição Calúnia, mexerico, mentira.
intriga de bastidores Mexericos ou pequenas questões que ocorrem dentro de organizações e que revelam certo conflito entre os que deles participam.
invadir seara alheia Intrometer-se em assuntos e competências de outrem.

Seara = Fig. campo de atividade ou conhecimento.

inventar a roda Fazer algo que já foi feito antes ou que todo mundo faz e se jactar disso como se fosse novidade. *Var.* "descobrir a pólvora".
inventor do pé de moleque Pessoa que se jacta de algo que fez ou disse como se tivesse sido o primeiro a fazê-lo ou a dizê-lo.
inverno da vida Os anos de velhice.
inversão brasileira Período que vai de 1808 a 1821, quando a família real portuguesa se instalou no Brasil, invertendo a situação do país, que passou da condição de colônia à de metrópole.
inversão térmica *Met.* Na atmosfera, brusco aumento do gradiente vertical de temperatura, com inversão da posição da camada de ar frio de cima para baixo.

Gradiente termométrico vertical é o decréscimo da temperatura em consequência de diferenças de altitude (contada de 100 em 100 metros).

investidor institucional Investidor que mantém o nível de sua carteira de títulos e procura sustentar mais ou menos estável o fluxo de sua renda.
investir numa ideia Sustentar alguma ideia com ajuda financeira, acreditando no seu sucesso. *Var.* "investir numa pessoa"; nesse caso, quando se trata de ajudar alguém.

ipsis litteris Lat. Textualmente; pelas mesmas letras.
ipsis verbis Lat. Com as mesmas palavras, sem tirar nem pôr.
ipso facto Lat. Em virtude desse mesmo fato; pelo próprio fato; por isso mesmo; consequentemente, naturalmente.
ir *V.* expressões com este verbo.
ir a Indica deslocamento a determinado lugar sem o propósito de lá permanecer: "Ir a Curitiba". *Cf.* "Ir para".
ir à casinha Ir a instalação sanitária que faz as vezes de banheiro.
ir à cena Ser representado (falando-se de peça teatral).
ir à fonte Ir à origem; recorrer a quem pode dar corretas informações ou orientações.
ir à forra Desforrar-se, vingar-se.
ir a fundo Examinar com o máximo cuidado e empenho.
ir à garra Esforçar-se.
ir à luta Lutar para obter o que se deseja; decidir-se e partir para a ação.
ir à matroca Andar à toa; funcionar sem governo; ficar desleixado.
ir a nocaute Ser derrubado numa luta de boxe, em virtude de golpe que causou queda e impossibilidade de recuperação; estende-se para qualquer derrota sofrida.
ir a pique *1.* Afundar (a embarcação). *2.* Esgotar-se (uma pessoa) devido a muitas atribulações, trabalhos etc.
ir à praça Ser posto em leilão.
ir a Roma e não ver o papa *1.* Procurar uma coisa, encontrá-la e por ela não mais se interessar. *2.* Ir a um lugar com determinado objetivo e não poder alcançá-lo.
ir a vaca para o brejo Malograr, fracassar, frustrar-se; ir para o beleléu; ter insucesso.
ir à vida Ir à luta.
ir abaixo *1.* Cair, desmoronar; ser derrubado; descer da altura em que se encontrava. *2.* Deixar de vigorar.
ir adiante Prosseguir; ir para a frente; seguir, continuar.
ir além Avantajar-se, superar, estender-se (realizar algo além do que se esperava); explicar com abundância de informações.
ir amolar outro Aquilo que se manda outro fazer, manifestando aborrecimento diante de importunação ou chatice dessa pessoa. *Var.* "ir amolar o boi" (*sic*).
ir andando O *m.q.* indo.
ir ao ar Ser transmitido (som e/ou imagem) por meios eletrônicos.
ir ao céu O *m.q.* "ir às nuvens".
ir ao chão Cair.

ir ao encontro de Ir ter com; satisfazer; favorecer. *Cf.* "ir de encontro a".
ir ao extremo Ir até as últimas consequências, até o último momento; até mais não poder.
ir ao fundo *1.* Ir a pique. *2.* Aprofundar-se numa questão, problema, situação etc.
ir ao mato *Pop.* Ir defecar.
ir ao mato *MG/GO/N.E.* Ir defecar ou urinar (no meio rural).
ir ao ponto de Ter a capacidade de; chegar a assumir tal atitude.
ir ao que interessa Levar a conversa ou o trabalho ao ponto mais importante e decisivo; ir ao ponto. *Var.* "ir ao que importa"; "ir ao ponto".
ir ao sétimo céu Ir, figuradamente, para o paraíso, para um lugar aprazível, rodeado de prazeres e paz.
ir ao trono O *m.q.* "ir à casinha".
ir aonde levam os pés Andar aleatoriamente, sem determinação ou objetivo.
ir aos ares Exasperar-se; explodir; enfurecer-se.
ir aos pés *RS* Ir ao sanitário, para as necessidades; defecar.
ir às favas Ir para longe; afastar-se para não se importunar.
ir às fuças de Agredir fisicamente.
ir às nuvens Espantar-se; admirar-se; alegrar-se intensamente. *Var.* "ir ao céu".
ir às ruas Participar de manifestações de protesto ou reivindicações junto com grupos organizados; protestar.
ir às tabaqueiras Esbofetear; esmurrar.
ir às urnas Exercer o direito de votar; votar; ser candidato a cargo eletivo.
ir às vias de fato Brigar, tirar satisfação.
ir atrás de Acreditar, confiar; ir na conversa de.
ir avante Progredir; ir em frente; prosseguir.
ir bater em *V.* "ir ter a".
ir bugiar Ir para longe; deixar de importunar. O *m.q.* "ir às favas".
ir buscar lã e sair tosquiado Tentar lograr e ser logrado; pretender pregar uma peça e sair ridicularizado.
ir catar lata *V.* "catar lata".
ir chegando Ir-se embora; ir-se; partir.

> *O sentido desta expressão é estranho, porque literalmente relaciona-se mais à chegada do que à partida; no entanto é consagrado pelo costume do povo.*

ir com a cara de Simpatizar.
ir com a turba Seguir a posição do vulgo.

ir com a vista Ser entregue (um processo) a alguém para que sobre ele se pronuncie.
ir com Deus Retirar-se na santa paz do Senhor.
ir com muita sede ao pote Realizar algo com imprudência, sofreguidão, muita pressa; ser apressado, afobado.
ir com os que ficam Modo jocoso de anunciar a decisão de permanecer no lugar onde se encontra. Antagonicamente: "ir com os que vão".
ir com tudo Fazer algo com toda a vontade, com todo o ânimo; lançar mão, com ardor e disposição, de todos os elementos de que dispõe.
ir contra Ser contra; manifestar-se contrariamente.
ir contra a corrente Teimar contra a opinião geral ou contra as lições da experiência; não deixar de prosseguir num objetivo, apesar das dificuldades e dos obstáculos. *Var.* "ir contra a maré".
ir contra o vento e contra a maré Não desistir do intento, apesar de todos os obstáculos.
ir dar a Chegar até.
ir de cambulhada Enfrentar acontecimentos em meio a certa confusão que induzem a desatenção e falta de controle.
ir de choldra Ir em desordem, com maus companheiros.
ir de encontro a *1.* Estar em contradição com; opor-se a; contrariar. *2.* Chocar-se com. *Cf.* "ir ao encontro de".
ir de garupa Montar sobre a anca do cavalo, atrás do cavaleiro que vai na sela.
ir de mal a pior Piorar (de saúde ou nos negócios) cada vez mais.
ir de vento em popa Ser favorecido pelas circunstâncias; progredir; passar por período de seguidos sucessos.
ir descascar batatas Ir arranjar o que fazer; ir amolar outro; não aborrecer.
ir desta para melhor Morrer.
ir direto ao ponto Ser objetivo; falar sem rodeios.
ir direto/direitinho para o céu Assim se diz, às vezes ironicamente, sobre pessoa considerada muito boa e virtuosa.
ir e vir *1.* Incessante movimentação, de um lugar para outro. *2.* O livre trânsito das pessoas, a condição de livremente se movimentar, mudar de lugar, ir a certo lugar etc.
ir e vir num pé só Ir e voltar com muita rapidez. O *m.q.* "ir num pé e voltar no outro".
ir em frente *1.* Dar seguimento; prosseguir. O *m.q.* "ir adiante". *2.* Não se deixar frustrar; animar-se.

ir em pós Ir após.
ir embora Retirar-se; ausentar-se.
ir fundo Ir no âmago; até o fim; totalmente.
ir indo *1.* Ir passando ou vivendo mais ou menos bem, sem novidades. *2.* Não ter tido sucesso nem fracasso em suas atividades; estar tudo na mesma.
ir lamber sabão Não chatear. O *m.q.* "ir amolar outro". Diz-se, imperativamente: "Vá lamber sabão."
ir levando Ir indo.
ir longe Dar esperanças de grandes resultados; ter consequências que não se podem prever; prometer muito de si; ser resistente, ter grande fôlego; ter sucesso; triunfar.
ir, mandar ou mandar ir para o(os) caixa-pregos Ir, mandar ou mandar ir para longe, para sumir de minha vista.
ir muito longe Exceder-se. *Var.* "ir mais longe" e "ir longe demais".
ir na contramão *1.* Ir em sentido contrário à mão de direção do tráfego. *2. Fig.* Pensar ou agir de forma contrária à maioria.
ir na conversa de Dar crédito a; acreditar em.
ir na esteira de alguém Seguir-lhe os passos, o exemplo, as atitudes.
ir na onda Ir levado pelos outros; não ter opinião própria; ser enganado por ingenuidade. O *m.q.* "entrar na moda".
ir na rabeira Ir por último, atrás.
ir na soca *RJ* Ser arrastado por uma onda e lançado violentamente na praia na quebra da onda. O *m.q.* "levar uma soca".
ir na vanguarda Ir adiante, levar a dianteira.
ir nas águas de Concordar com; seguir a; aproveitar-se de uma oportunidade ou favor dado a outrem.
ir nas pegadas de (alguém) Seguir alguém, com vários objetivos, inclusive de espioná-lo, como é comum nas investigações policiais.
ir navegando Ir vivendo, ir levando a vida como Deus quer. O *m.q.* "ir indo".
ir no arrastão Deixar-se iludir ou enganar. *Var.* "ir no embrulho".
ir no embrulho Ir de roldão, coisa de importância secundária, acompanhando outras coisas, estas de algum valor.
ir no encalço de Seguir a pista de; perseguir.
ir no engano O *m.q.* "cair no engano".
ir no melhor dos mundos Estar tudo indo muitíssimo bem, excelentemente.
ir no pé-dois Ir a pé.
ir no vai da valsa O *m.q.* "ir levando".
ir num pé e voltar no outro Ir e voltar rapidamente. *Var.* "ir e vir num pé só", "ir num pé só" e "ir num pulo".
ir para Seguida de locativo, esta locução indica permanência longa ou definitiva: "ir para Minas Gerais".
ir para a cama Ir deitar-se.
ir para a cama com Ter relações sexuais com.
ir para a cidade dos pés juntos Morrer.
ir para a cucuia *1.* Morrer. *2.* Falhar, malograr. *3.* Sumir, desaparecer. *Var.* "ir para as cucuias" ou "ir pras cucuias". *V.* "ir para o beleléu". Também se diz "ir para a Cacuia."

> *Cacuia = Nome de um cemitério existente no bairro Ilha do Governador (RJ).*

ir para lama Decair; regredir; cair em desgraça.
ir para a prateleira *1.* Ficar esquecido. *2.* Ficar solteirona; ficar para titia.
ir para as cabeceiras Ir decididamente.
ir para bom lugar Morrer.
ir para cima Subir, ascender.
ir para cima de Avançar sobre (alguém).
ir para fora Sair, *esp.* da cidade ou do lugar onde se mora.
ir para o beleléu *1.* Morrer. *2.* Desaparecer; sumir(-se). *3. Fig.* Frustrar-se, malograr-se, fracassar. *V.* "ir para a cucuia". Também: "ir-se para o beleléu" e "ir pro beleléu".
ir para o brejo Perder; ser malsucedido, falhar, fracassar. *Var.* "ir pro brejo".
ir para o canto Ser desprezado, humilhado.
ir para o céu das formigas Ir para o inferno.
ir para o céu vestido e calçado Ter merecimento de sobra para alcançar o céu.

> *Usa-se esta locução geralmente em sentido irônico.*

ir para o chuveiro mais cedo *Fut.* Diz-se de um jogador que é expulso do jogo ou substituído por outro.
ir para o espaço Fracassar; perder; desvanecer.
ir para o outro mundo Morrer.
ir para o sacrifício Participar (o cavalo) de uma corrida apenas para ajudar outro a vencer.
ir para o vale dos lençóis Ir para a cama dormir.
ir para o vinagre *Fut.* Perder (um time) um jogo ou um campeonato.
ir para os quintos do inferno Ir para longe; deixar de aborrecer; morrer. *Var.* "mandar

para os quintos do inferno". *V.* "quintos dos infernos".
ir para trás Retroceder, regredir.
ir parar no cafundó do judas Ir para um lugar remoto.
ir pelo mesmo caminho Estar seguindo a mesma tendência ou comportamento (de alguém); repetir erros passados, próprios ou de outra pessoa, geralmente parente.
ir pelo seguro Agir com cautela.
ir pelos ares Ser destruído por qualquer fenômeno; estourar, explodir; ser lançado para o alto.
ir pentear macacos Ir às favas; ir amolar o outro; deixar de ser chato, importuno, aborrecido. Usa-se, sobretudo, na forma "vá pentear macacos".
ir plantar batatas Deixar de aborrecer alguém, como comandado por esse alguém. *Obs.*: Usa-se, sobretudo, na forma "vá plantar batatas", que é o *m.q.* "vá aborrecer/amolar outro" ou "vá às favas". *V.* "ir amolar outro" e "ir às favas".
ir por água abaixo Malograr; gorar; falhar; fracassar; não se realizar; frustrar. Também se diz: "ir por morro abaixo".
ir por partes Proceder com método.
ir pra (para a) frente Prosseguir, seguir adiante.
ir pra (para a) geladeira *1.* Ter adiado seu prosseguimento ou sua solução (assunto, problema, processo etc.). *2.* Ir para a prisão.
ir pra (para a) roça Passar a residir na área rural, desistindo de morar na cidade. Pode significar também ida apenas a passeio.
ir pregar em outra freguesia O que se manda que faça alguém que insiste em tentar interessar uma pessoa sobre assunto no qual esta não tem o mínimo interesse.
ir pro (para o) mato Ir para o interior, deixar a cidade grande.
ir remando Ir indo; ir mais ou menos bem de saúde; ir como Deus é servido.
ir ter a Chegar até; comunicar-se com; dirigir-se a.
ir ter com Ir ao encontro de.
ir vivendo O *m.q.* "ir indo".
irmã de caridade Religiosa que se dedica ao tratamento de enfermos; irmã hospitaleira.
irmã Paula Mulher extremamente caridosa; *p.ext.* qualquer pessoa caridosa em extremo.
irmão adotivo Pessoa que foi adotada pelos pais de alguém em relação a este.
irmão de opa Companheiro, *esp.* de comunidade religiosa; irmão de fé.

irmãos carnais O *m.q.* "irmãos germanos".
irmãos colaços *V.* "irmãos de leite".
irmãos de armas Camaradas de guerra.
irmãos de leite Os que foram amamentados por uma mesma mulher mas que não são irmãos de fato. O *m.q.* "irmãos colaços".
irmãos de pai Diz-se de irmãos apenas pelo lado paterno.
irmãos de sangue Irmãos de pai.
irmãos germanos Filhos de mesmo pai e mesma mãe. *V.* "irmãos carnais".
irmãos siameses Os que nascem ligados um ao outro fisiologicamente.
irmãos uterinos Filhos de mesma mãe, porém de pais diferentes.
ironia do destino Diz-se quando aquilo que evitávamos ou que jamais tornaríamos a encontrar acontece em circunstâncias um tanto embaraçosas, se não surpreendentes.
ir-se como um passarinho Morrer sem agonia, placidamente.
ir-se desta para a melhor Morrer.
ir-se em névoas Ter fim; dissipar-se; desfazer-se.
ir-se embora Ir embora; sair de um lugar.
isenção de ânimo Neutralidade, atitude mental de quem julga algo sem influência de terceiros nem movido por partidarismo pessoal.
isenção fiscal *Econ.* Dispensa do pagamento de um imposto, em casos determinados em lei.
isolar a bola *Esp.* Jogar a bola para bem longe, até mesmo para fora do campo/quadra, de forma a evitar que o adversário dela tome posse.
Isso/isto acontece. Diz-se para amenizar um malfeito de/a outrem.
isso/isto e aquilo Isso e mais aquela(s) outra(s) coisa(s).
Isso/isto é canja! Afirmação de que algo é fácil de realizar.
Isso/isto é fácil de dizer. Dito de censura que se faz a alguém que aconselha algo que não é capaz de fazer.
Isso/isto é grego (para mim). Afirmação de que algo é difícil de entender, complicado (para quem o afirma).
Isso/isto é música para os meus ouvidos. É ótimo saber disso; é com alegria que estou sabendo disso.
isso/isto é o de menos Isso não importa tanto.
Isso/isto é outra história. Diz-se quando algo que se conta é muito diferente daquilo a que estamos nos referindo, discutindo, conversando.

Isso/isto é papo. Expressão que define uma conversa-fiada; o *m.q.* "isso/isto é papo-furado".
Isso/isto já é demais! Consideração sobre algo que parece abusivo, demasiado ou que excede a tolerância.
isso/isto mesmo Expressão de aprovação total a algo que se diz ou se faz.
isso/isto não diz muito Diz-se de algo que não é prova suficiente, não esclarece muito.
Isso/isto não é comigo! Diz-se de assunto que não diz respeito a quem fala.

Usam-na frequentemente os preguiçosos e os acomodados, esquivando-se a fazer alguma coisa que lhes é pedida.

Isso/isto não é olho de santo. *V.* "olho de santo".
Isso/isto não está na cartilha. Diz-se de algo que não é costume, não foi recomendado ou é duvidoso.
Isso/isto não está no gibi. *Pop.* Diz-se em referência a algo extraordinário, inusitado.

Gibi = Publicação popular, em quadrinhos, para crianças e jovens.

Isso/isto não me cheira bem. O *m.q.* "aí tem coisa".
Isso/isto não tem cura. Expressão que equivale a: "É um disparate!"; "Não tem remédio!"; "Sem pé nem cabeça!".
isso/isto posto O *m.q.* "posto isso (isto)"; sendo assim; nestas circunstâncias.
Isso/isto são horas? Advertência a quem chega atrasado ou muito tarde.
isso/isto são outros quinhentos Diz-se a respeito de uma nova ideia colocada em discussão por outrem e que ou modifica, ou contraria ou não se relaciona diretamente com a anteriormente proferida.
isso/isto sim Aprovação ao que uma pessoa diz ou faz, após se ter desaprovado coisa anterior.
isso/isto tem dois vv (vês) Alerta de quem empresta a quem toma emprestado quanto ao compromisso de devolução. (Os dois "vês" significam: vai e volta.)
isto é *1.* Expressão com que se introduz uma explicação ou o desenvolvimento do que foi dito, ou uma enumeração; ou seja; a saber. *2.* Usada, também, para introduzir uma retificação: quer dizer; digo.
item por item Completamente; tim-tim por tim-tim; de cabo a rabo.

J

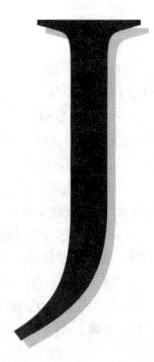

já agora Enfim; depois disso; como não há outro remédio.
já era Diz-se de algo que perdeu o valor ou a importância, o interesse ou a atualidade.
já não está mais aqui quem falou Expressão que significa: "retiro o que disse" ou "aceito a explicação". *Var.* "cá não está quem falou".
já não ser criança Já estar maduro para fazer certas coisas que são próprias de criança.

> *Esta expressão é usada principalmente por adulto de meia-idade ao rebater acusação, advertência ou recomendação para agir com sensatez e equilíbrio.*

já não ser sem tempo Já tardar; demorar a chegar algo que se esperava, mas que vem em hora ainda oportuna. É mais usada com o verbo no pretérito imperfeito (era).
já que Então; neste caso; desde que; visto que, ainda que; uma vez que; tendo em vista; sendo assim.
já ter dado o que tinha de dar Não valer para mais nada; ter esgotado seus recursos; estar cansado, não se aguentar mais.
já vai tarde Diz-se a alguém, em tom de desprezo, diante da ameaça de retirar-se do grupo em que se encontra.
já vi esse filme Diz-se quando se testemunha situação idêntica a outra já vista, vivida ou presenciada, não se constituindo, pois, em novidade e cujo desfecho, portanto, já é sabido.
já vi ontem Sobra da refeição do dia anterior, aproveitada para a feitura de novo prato.
já, já Imediatamente; sem demora, neste instante; logo, logo; agora mesmo; agorinha.
jamais entendu Fr. Nunca ouvido.
jamais vécu Fr. Nunca vivido.
jamais vu Fr. Nunca visto.
janela 10/40 Faixa de terra que se estende do oeste da África até a Ásia, delimitada pelos paralelos 10 e 40, formando um retângulo ao norte da linha do equador.

> *O termo foi cunhado pelo Ocidente, especialmente pelos cristãos, para definir uma área em que há difícil penetração do cristianismo. Ali se concentram os adeptos das três principais religiões não cristãs do mundo: islamismo, hinduísmo e budismo. O setor abriga também várias megalópoles e oito de cada dez pobres do planeta.*

janela de lançamento Nos lançamentos de mísseis ou espaçonaves, a ocasião propícia que se apresenta para sua execução.
jardim botânico Local no qual se cultivam e se expõem espécimes botânicos.
jardim de infância Estabelecimento dedicado à faixa etária até seis anos de idade, com sistemas educacionais apropriados.
jardim público Área ajardinada aberta ao público; praça.
jardim zoológico Espaço destinado à exposição permanente de espécimes mais ou menos raros de animais vivos. Também se diz apenas zoológico e zoo.
jazida arqueológica *V.* "sítio arqueológico".
jazida paleontológica *V.* "sítio arqueológico".
je ne sais pas Fr. Não sei.
je ne sais quoi Fr. Não sei o quê.
jeitinho brasileiro Modo hábil e astucioso de se conseguir algo, contornando dificuldades, que se diz ser típico do brasileiro.
jeito para Habilidades, competência ou destreza para fazer alguma coisa.
jet lag Ing. Desorientação fisiológica, e às vezes mental, decorrente da rápida mudança de fusos horários que ocorre em voos longos e rápidos (*esp.* no sentido longitudinal) ou em viagens espaciais.
jet set Ing. Grupo de pessoas ricas e que forma um estrato social mais ou menos fechado, com hábitos característicos.

jet ski *Ing.* Veículo aquático, espécie de motocicleta sobre esquis. Diz-se também do esporte praticado nesse tipo de veículo.
jeu d'esprit *Fr.* Comentário jocoso, espirituoso. O *m.q. "jeu de mots"*.
jeu de mots *Fr.* Trocadilho, calembur. Literalmente: jogo de palavras. V. "jogar com as palavras".
jeunesse dorée *Fr.* Juventude dourada. Aplica-se o termo hoje aos jovens de vida alegre, fácil e descomprometida e que gostam de seguir a moda.

> *O termo originalmente designava os jovens ricos que fielmente acompanhavam um grupo de contrarrevolucionários, após a deposição do líder da Revolução Francesa, Robespierre (Maximilien François Marie Isidore de Robespierre, 1758-1794).*

joão sem maria Homem sem mulher.
jogado às traças Abandonado, esquecido.
jogar a culpa em Acusar (alguém).
jogar a negra Jogar a última partida de desempate.
jogar a primeira pedra Ser o primeiro a acusar. V. "atirar a primeira pedra".
jogar a toalha Desistir; abandonar uma luta; dar-se por vencido.
jogar a última cartada Arriscar tudo o que resta; empregar o último recurso; fazer a última tentativa.
jogar água fria V. "derramar água fria".
jogar água na fervura V. "pôr água na fervura".
jogar areia em Atrapalhar os negócios ou objetivos de.
jogar as cristas Brigar; discutir acaloradamente.
jogar com a sorte Conseguir algo valendo-se apenas do acaso; arriscar. O *m.q.* "lançar a sorte".
jogar com as palavras 1. Dar às palavras o significado que se deseja; interpretá-las a seu modo e interesse, em geral com má-fé. 2. Tirar partido das ambiguidades que os homônimos e/ou as palavras polissêmicas podem criar nas frases para efeitos cômicos; fazer trocadilhos. *Var.* "jogo de palavras".

> *Palavras polissêmicas = Aquelas com mais de um significado.*

jogar com pau de dois bicos Mostrar-se adepto ora de uma ideia, ora de outra, cada uma oposta à outra.

jogar para escanteio

jogar com uma carta a menos Ter cautela, ser prevenido.
jogar confete Elogiar, de modo interesseiro e insincero.
jogar contra a parede Pressionar alguém ou levá-lo a confessar algo que fez e que não revelou. *Var.* "imprensar contra a parede".
jogar conversa fora Papear; conversar sobre assuntos banais, sem importância; passar o tempo falando à toa, futilidades.
jogar de bandido Agir, conscientemente ou não, contra (alguém ou algo.). O *m.q.* "trabalhar de bandido".
jogar de mão Num jogo de baralho, ser o jogador que o inicia.
jogar de salto alto *Fut.* Jogar menosprezando o valor do adversário e confiando demasiadamente nas suas próprias qualidades e superioridade.
jogar dinheiro fora Esbanjar; gastar a rodo. *Var.* "jogar dinheiro pela janela".
jogar fora Desfazer-se de; botar fora.
jogar lenha na fogueira Incentivar desavenças; dar palpites errados em momentos impróprios. V. "botar fogo na fogueira".
jogar limpo Disputar de forma honesta, sem truques ou tramoias.
jogar na baixa Especular na bolsa de valores em ocasiões de baixa do valor dos títulos e ações.
jogar na cara de Acusar ou denunciar alguém cara a cara.
jogar na certa Entrar somente em negócios absolutamente seguros, que não têm possibilidade de falhar.
jogar na lama Denegrir, caluniar, difamar.
jogar na retranca *Fut.* Adotar tática de jogo baseada em defender-se maciçamente dos ataques adversários, só avançando em contra-ataques, cuidadosamente. *Var.* "jogar defensivamente".
jogar nas costas (de alguém) Atribuir (a alguém) responsabilidades excessivas que seriam próprias ou de outras pessoas.
jogar no time de Simpatizar-se ou dar-se bem com (alguém); aderir a; colaborar com.
jogar o jogo Jogar segundo as regras do jogo; participar, observando todas as regras próprias e delas se aproveitando também.
jogar para a arquibancada Exibir-se exageradamente, com pouco proveito prático.
jogar para a plateia Exibir-se; mostrar-se; procurar aplausos.
jogar para escanteio Livrar-se de apuros; descartar-se de algo.

jogar pedra *1. Fut.* Jogar (jogador ou time) muito mal numa partida. *2.* Acusar (alguém).

jogar pedra na cruz Mais conhecida na forma "Até parece que eu joguei pedra na cruz.", é dita por alguém que se surpreende por ato que praticou e que vem sendo considerado reprovável ou condenável, parecendo-lhe por demais rigoroso o julgamento que lhe fazem.

jogar pérolas aos porcos Favorecer ou dar atenção/algo a quem não fez/faz por merecê-la, deixando de lhe dar o devido valor; dar explicação a quem não a pode entender. *Var.* "dar (deitar) pérolas aos porcos".

jogar poeira nos olhos de alguém Iludir, enganar, ludibriar; induzir a erro, levar a crer no que não é verdadeiro.

jogar por tabela *1.* Censurar ou injuriar alguém indiretamente. *2.* Valer-se de alguém para obter o que deseja de outrem.

jogar por terra Anular; lançar fora uma oportunidade.

jogar pra burro *Esp.* Jogar bem; esforçar-se muito.

jogar purpurina O *m.q.* "rasgar seda"; elogiar exageradamente.

jogar (seu) dinheiro pela janela Gastar desmedidamente; ser estroina.

jogar tudo Dar tudo para resolver um assunto; empenhar-se ao máximo.

jogar tudo para o ar Desistir de algo, com raiva ou impaciência.

jogar um bolaço *Fut.* Fazer uma excelente partida; ser um jogador talentoso, hábil. *Var.* "jogar um bolão".

jogar uma bola redonda Jogar muito bem, com habilidade e competência.

jogar uma carta Lançá-la sobre a mesa de jogo, participando de uma rodada.

jogar uma pessoa no buraco Pôr alguém em dificuldade. *Var.* "jogar uma pessoa na fogueira".

jogar verde para colher maduro Fazer perguntas tentando provocar a revelação de algum fato importante, disfarçando o grande interesse por ele. Também se diz "botar verde para pegar maduro". Ouve-se, com frequência, com o mesmo sentido, simplesmente "jogar verde".

jogar-se aos pés (de alguém) *1.* Submeter-se a, humilhar-se; *2.* Suplicar, rogar.

jogar-se nos braços de Aderir, confiar, aliar-se a alguém. *Var.* "lançar-se (jogar-se) nos braços de".

jogo americano Conjunto de pequenas toalhas de mesa individuais, sobre as quais se assentam o prato, talheres e copo.

jogo da velha Jogo que consiste num traçado de duas linhas horizontais, cortadas por outras duas verticais igualmente distanciadas entre si, formando, assim, nove casas. Nestas, cada jogador apõe um sinal convencionado, usualmente um xis e um zero, alternadamente com seu oponente. Ganha o jogo quem completar em primeiro lugar uma linha, uma coluna ou uma diagonal.

jogo da verdade Jogo de salão em que cada participante se propõe responder com sinceridade a tudo que lhe for perguntado.

jogo de azar Aquele que depende mais da sorte do que de cálculo, técnica, estratégia, treinamento etc. e cujo resultado é imprevisível ou manipulado.

jogo de bolsa Especulações sobre os títulos e ações que se negociam em bolsas de valores e de mercadorias.

jogo de cama Conjunto de lençóis e fronhas de um mesmo tipo.

jogo de cintura Versatilidade, adaptabilidade, flexibilidade; capacidade de adaptar-se a situações as mais diversas.

jogo de damas Jogo para duas pessoas, jogado num tabuleiro de 64 casas e 12 pedras para cada contendor.

> Sob regras especiais, o objetivo do jogo é o de eliminar as pedras do concorrente, tirando-as do tabuleiro e derrotando-o.

jogo de empurra Ato de alguém atribuir uma incumbência a outrem, que por sua vez a comete a um terceiro, e assim por diante; procrastinação da solução de um assunto sob a alegação de dificuldades mínimas e desarrazoadas.

jogo de ferramentas Qualquer conjunto de ferramentas ou objetos afins, apropriados para um determinado tipo de serviço: "jogo de chaves", "jogo de brocas", "jogo de pneus" etc.

jogo de forças Disputas entre poderosos.

jogo de palavras Trocadilhos, arranjos de palavras ou frases com conotação humorística ou sarcástica. *V.* "jogar com as palavras".

jogo de palitinhos Jogo em que os parceiros escondem na mão de um a três palitos de fósforo ou moedas (ou nenhum/a), para depois, cada um, sucessivamente, tentar adivinhar o número de objetos que um dos participantes tem na mão. O jogo é popularmente conhecido como "porrinha".

jogo de prendas Divertimento coletivo que consiste na entrega de um objeto qualquer

por aquele que erra ou não cumpre o que lhe competia, conforme previamente estabelecido.
jogo de salão Divertimento que se realiza em reuniões sociais, de conotação exclusivamente lúdica, como jogos de mímica, da verdade, de significados de palavras etc.
jogo de vida ou morte Disputa decisiva. V. "questão de vida ou morte".
jogo do bicho Tipo de loteria considerado ilegal no Brasil, mas que é tacitamente aceito pela falta de fiscalização e/ou imposição da lei. *Obs.* "jogar no bicho" significa fazer apostas nessa modalidade de jogo.

> *No jogo do bicho, aposta-se sobre os finais 0000 a 9999, cujas dezenas correspondem a 25 grupos, cada um com o nome de um animal, a saber: avestruz (1), águia (2), burro (3), borboleta (4), cachorro (5), cabra (6), carneiro (7), camelo (8), cobra (9), coelho (10), cavalo (11), elefante (12), galo (13), gato (14), jacaré (15), leão (16), macaco (17), porco (18), pavão (19), peru (20), touro (21), tigre (22), urso (23), veado (24), vaca (25).*

jogo duplo *Fig.* Ato de fingir estar a serviço de apenas uma pessoa, empresa ou órgão público, embora agindo também a serviço de seus antagonistas; servir a dois senhores.
jogo é jogado, lambari é pescado Expressão que se diz quando se quer enfatizar que o resultado de uma ação só se conhece quando ela finda.
jogo franco Coisas ditas como realmente são; ato de ser verdadeiro.
jogo limpo Jogo leal, respeitante às regras; disputa honesta, com lisura e transparência.
jogo proibido *1.* Jogo não permitido por disposições legais. *2.* Diz quem apregoa os números que se sorteiam no jogo de víspora, quando sai a pedra com o número 31.
jogo sujo *1.* Jogo desleal em que o jogador lança mão de estratagemas para ganhar do contendor. *2. Fig.* Ato ardiloso, desonesto, de má-fé; desonestidade; falsidade; traição.
Jogos Olímpicos *1.* Aqueles que de quatro em quatro anos se celebravam na Grécia antiga, em honra a Zeus. *2.* Competições esportivas internacionais que se realizam em geral de quatro em quatro anos, e em cidade previamente estabelecida por escolha do Comitê Olímpico Internacional.

> *Simultaneamente a tais jogos, realizam-se os "Jogos Paraolímpicos".*

Jogos Paraolímpicos Competição similar às olimpíadas em que disputam somente atletas portadores de limitações de suas capacidades físicas; paraolimpíada.
joia da coroa A parte mais importante ou preciosa de um conjunto.
joia rara Pessoa ou coisa muito preciosa e desejada, por suas qualidades e méritos.
joie de vivre *Fr.* Alegria de viver. Qualidade da pessoa que se sente feliz, em tudo encontrando prazer e alegria.
joint venture *Ing.* Associação de empresas, não definitiva, para explorar determinado(s) negócio(s), sem que nenhuma delas perca sua personalidade jurídica.
jornada contínua Diz-se daquela que não sofre interrupção.
jornada de trabalho Período habitual diário de prestação de serviço, cumprindo contrato de trabalho.
jornal da tela Telejornal; noticiário pela televisão.
jovem guarda *1.* A geração jovem. *2. Mús.* Movimento musical da década de 1960, com elementos do *rock'n'roll*. Nesse caso, grafa-se com iniciais maiúsculas.
jubileu de ouro Bodas de ouro; 50º aniversário, sobretudo de casamento, de algumas profissões, cidades ou instituições.
jubileu de diamante Bodas de diamante; o 60º aniversário de casamento e a festa respectiva.
jubileu de prata Bodas de prata; comemoração de 25 anos de aniversário.
judeu errante Pessoa que não para em lugar nenhum; pessoa que viaja muito; andarilho.
juiz de fora Magistrado brasileiro do tempo colonial.
juiz de linha *Esp.* Juiz auxiliar nos jogos coletivos, como no futebol, no vôlei, no tênis etc.; auxiliar de arbitragem; no futebol, é popularmente chamado de "bandeirinha".
juizado de menores A vara da infância e da juventude; órgão do poder judiciário que cuida da assistência, proteção e defesa, processo e julgamento de menores de 18 anos.
juízo de Salomão Aquele que se fundamenta mais no bom-senso que na letra da lei.
juízo de valor Aquele que emite uma apreciação sobre um fato e seu significado sem preocupação de neutralidade.
Juízo Final Aquele pelo qual Deus há de, no fim do mundo, julgar os bons e os maus. *Var.* "Juízo Universal".
julgar pela cara Julgar apenas pela aparência, sem conhecer o mérito.

julgar um livro pela capa Julgar pela aparência, sem considerar o conteúdo. V. "avaliar um livro pela sua capa".
junk food Ing. Comida rica em calorias e de baixo valor nutritivo.
junta comercial Órgão administrativo encarregado do registro público de firmas, contratos, documentos referentes a alterações contratuais, nomes de fantasia e funções correlatas.
junta de bois Parelha de bois usada na tração de carro, arado ou no arrasto de madeira etc.
juntar a trouxa Arrumar a mala ou os pertences para ir embora. Var. "juntar as trouxas".
juntar a vontade com o desejo Diz-se diante da ocorrência de uma coincidência.
juntar as coisas Transferir residência; mudar-se.
juntar os cacos Não tendo alcançado sucesso num empreendimento, conformar-se e reunir tudo o que restou para, talvez, lançar-se em outro; recuperar-se de um embate.
juntar os trapos Casar-se; ir-se embora.
juntar-se a fome com a vontade de comer *1.* Juntarem-se dois interessados em uma coisa e agirem de parceria. *2.* Utilizada também para referência a uma coisa que se esperava com ansiedade. *3.* Saudar algo que acontece e que se esperava há muito. *4.* Vir a calhar; acertar em cheio; matar dois coelhos com uma só cajadada.
junto a Ao lado ou perto de; próximo a; em companhia de.
juntos como trança em oito Diz-se de quem está em grande e permanente intimidade; inseparáveis.

juramento de Hipócrates Juramento que os médicos, ao se formarem, prestam antes de se iniciarem no exercício da profissão. Tal juramento é, em resumo, a ética médica descrita por Hipócrates. V. "a vida é breve".
juramento de sangue V. "pacto de sangue".
jurar de pés juntos Afirmar peremptoriamente; assumir inarredável compromisso.
jurar dedo com dedo Jurar pela cruz, que se faz cruzando os dedos indicadores.
jurar falso Sob juramento, ser falso.
jure et facto *Lat.* De direito e de fato.
juro de mora Aquele que é cobrado pelos dias de atraso havidos no pagamento de uma dívida; encargos consequentes a impontualidade. *Var.* "juros de mora".
jus agendi *Lat.* Direito de agir.
jus divinum *Lat.* Justiça divina.
jus eundi *Lat.* Direito de ir e vir.
jus sanguinis *Lat.* Direito de sangue. Princípio que só reconhece como nacional a pessoa nascida de pais nacionais.
jus soli *Jur.* Princípio que dispõe sobre a cidadania de alguém e pontificando que é ela determinada pelo país onde a pessoa nasceu.
justamente quando No exato momento.

> *Condenam os filólogos, por estrangeirismo, a forma "justo quando", aplicada com o mesmo sentido.*

justo como boca de bode Excessivamente estreito ou absolutamente ajustado (fisicamente).
justo preço Valor real ou razoável para determinada coisa ou ação, segundo avaliação de perito.

K

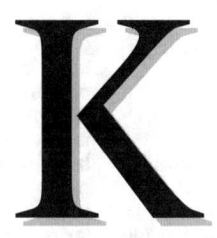

Kyrie eleison *Rel. Catol.* Locução em grego que significa: "Senhor, tende piedade de mim!".

Conclusão, na missa, se e quando rezada em latim, do ato penitencial, alternadamente com a expressão "Christe eleison".

kung fu *Chin.* Arte marcial chinesa, parecida com o caratê.

L

l'art pour l'art *Fr.* A arte pela arte. Em *ing.* "*Art for art's sake*". Conceito de que a arte não tem propriamente uma função, utilidade nem obrigatoriamente um significado, estando acima da moral, do prazer e de um sentido pedagógico – tudo em benefício da estética, que estaria em primeiro plano. V. "*ars gratia artis*".

O sistema de crenças que fundamenta a expressão remonta a Aristóteles, mas ganhou força no período neoclássico (c. 1750), quando o próprio conceito de "estética" foi criado por Alexander Baumgarten. A expressão em si é creditada a Théophile Gautier (1811-1872), como o primeiro que a adotou como um slogan, embora Henri-Benjamin Constant de Rebecque, Edgar Allan Poe e Victor Cousin já tivessem expressado ideias semelhantes em suas obras. O crítico e ensaísta alemão Walter Benjamin foi um dos críticos da ideia, considerando-a como fundamento dos fascistas do futurismo italiano, cujo mote era "Fiat ars – pereat mundus", ou seja, em uma tradução livre: "Faça-se a arte – e que o mundo se dane".

la belle époque *Fr.* "A bela época". Os primeiros anos do século XX, considerados uma época de vida agradável e fácil.

lã de cágado Coisa que não existe.

lá de cima

lá de cima *1.* Do céu; de Deus. *2.* Vindo do alto; vindo da ou pertencente à administração superior (pública ou privada).
lã de vidro Isolante térmico constituído de finas fibras de vidro, que se obtém com forte sopro de ar sobre vidro em fusão.
lá isso é Locução elíptica com que confirmamos o que alguém diz ou o que nós mesmos dizemos.
lá na China Expressão que denota grande quantidade ou incredulidade, usada geralmente no fim de frases como: "Vai ser bom assim lá na China". É também usada quando se quer referir a algo que esteja muito longe, quase inalcançável.
lá nas grimpas Lá no alto; bem acima.

> *Grimpa = A ponta, o cume de qualquer coisa.*

la Niña *Espn. Met.* É o fenômeno inverso do "*El Niño*" (*V.*), *i.e.*, quando as águas do oceano Pacífico se esfriam, também causando perturbações climáticas.
Lá se foi tudo quanto Marta fiou. *1.* O *m.q.* "Inês é morta!" A expressão, antiga, significa que se todos os recursos disponíveis se esgotaram ou falharam, então só resta ceder, concordar ou dar-se por vencido. *2.* Ruína ou perda total. *3.* Tudo se acabou.
Lá um dia a casa cai. Usada para dizer que, quando menos se espera, ocorre uma desgraça ou algo desagradável.

> *A expressão é usada como advertência pelos maus costumes de alguém, por ora impunes.*

lá uma vez perdida Muito raramente; quase nunca.
lá vai fumaça Expressão com que se indica uma quantidade que excede largamente um número redondo. *Ex.*: *duzentos e lá vai fumaça..* Indica, também, qualquer coisa que sucede sem menção explícita do que seja. *Var.* "lá vai coisa" e "lá vai pedrada".
la vie en rose *Fr.* A vida vista através de lentes cor-de-rosa, *i.e.*, em que tudo é certinho, sem problemas e preocupações.
laborar em erro Errar sem ter tido a intenção de tal; enganar-se.
laços de sangue Parentesco.
lacrima Christi *Lat. Lit.* "Lágrima de Cristo". Certo vinho moscatel proveniente das vinhas cultivadas nas faldas do Vesúvio, na Itália.
lado a lado Juntamente; em par; ombro a ombro; um ao lado do outro; um junto ao outro.
lado animal Diz-se de aspecto do comportamento humano que é comparável ao dos animais irracionais.
lado de montar O lado esquerdo do cavalo.
lado fraco *1.* O ponto vulnerável ou sensível numa coisa ou pessoa. *2. Fig.* Defeito habitual.
ladra mais do que morde Diz-se de uma pessoa dada a bravatas; bravateador.
ladrão de casaca Ladrão bem-vestido e bem-apessoado, ou membro ou frequentador da alta sociedade.
ladrão de galinha Gatuno; ladrão de coisas de pequeno valor.
ladrar à lua Proferir injúrias contra quem não está presente ou não pode ouvi-las, ou, ainda, que não se ofende com elas.
ladrilho hidráulico Ladrilho de cimento feito em prensa hidráulica, *ger.* decorado exibindo desenhos geométricos; ladrilho de cimento.

> *Os ladrilhos são peças quadradas, de cerâmica ou cimento, us. em pavimentações ou revestimento de paredes. Entre fins do séc. XIX e início do XX foram largamente utilizados no Brasil, até serem substituídos por revestimentos cerâmicos, ger. vitrificados. Na virada para o séc. XXI no entanto, o uso dos ladrilhos voltou à moda, desta vez com o apelo do "artesanal" e "exclusivo".*

lágrima de virgem Aguardente de cana; cachaça.
lágrima sabeia O incenso.
lágrimas da aurora O orvalho. Também se diz: "lágrimas da manhã".
lágrimas de crocodilo *1.* Metáfora para falsidade de sentimentos; as que não vêm da alma; as que não são sinceras. *2.* Diz-se que as verte pessoa que chora por algo que ela mesma procurou ou por algo que, de alguma forma, lhe agrade. *Obs.* Há a mesma expressão em francês: "larme de crocodile".

> *Os estudiosos sustentam que os crocodilos realmente lacrimejam enquanto devoram suas presas, embora isso não represente nenhuma emoção por parte desses imponentes predadores. Acredita-se que seria apenas o reflexo de um processo mecânico de estimulação dos canais lacrimais pela movimentação acentuada das mandíbulas.*

lares et penates

lamber a cria Tratar (alguém) com muito carinho um filho novo ou um trabalho recente de sua própria criação.
lamber a poeira Ir por terra; cair.
lamber as botas de Mostrar-se subserviente; bajular.
lamber as esporas de Adular; bajular; submeter-se a; ser submisso a.
lamber as unhas Ficar muito contente; regozijar-se.
lamber embira Estar na miséria; não ter o que comer; frustrar-se; ser passado para trás.
lamber os dedos Demonstrar agrado, satisfação, apetite. *Var.* "lamber os beiços".
lamber os pés de Bajular; adular; submeter-se servilmente a.
lâmpada de Aladim Um talismã que faz realizar todos os desejos de quem o tem ou é seu portador.

> *O personagem Aladim, das* Mil e uma noites – *famosa coletânea de contos árabes – portava uma lâmpada que, ao ser friccionada, liberava um "gênio" que era capaz de realizar todos os desejos que Aladim (ou seu eventual portador) manifestasse.*

lampeiro e fagueiro Alegre, bem-disposto. *Var.* "lépido e fagueiro" (*V.*).
lampião de esquina Indivíduo ocioso, vadio, inerte.
lançar à conta de Imputar a; atribuir a; registrar contabilmente a débito de.
lançar a isca Procurar atrair alguém, usando de subterfúgios, para obter informações; ludibriar.
lançar à margem *1.* Anotação suplementar ou adicional num registro cartorário. *2.* Abandonar.
lançar a sorte Pretender algo fiado no acaso; lançar os dados. *Var.* "jogar a sorte".
lançar água no mar Praticar ação inútil.
lançar âncoras *1.* Fundear (uma embarcação). *2.* Fixar-se, estabelecer-se (uma pessoa) em um lugar, ali passando a residir.
lançar contas Calcular.
lançar em face Exprobrar, censurar.
lançar em rosto a Acusar (alguém) de.
lançar ferros Fundear; ancorar (navio).
lançar fogo pelas ventas Ficar irado, raivoso, impaciente.
lançar fora Vomitar; descartar.
lançar luz sobre Esclarecer; elucidar, explicar.
lançar mão de Servir-se, utilizar-se, valer-se de; recorrer.

lançar o hábito às urtigas Abandonar o estado de sacerdote ou de religioso/a. *Var.* "lançar o hábito às ervas".
lançar os dados *1.* Lançar a sorte. *2.* Empreender algo que envolve muitos riscos e que não depende somente de si ou do que se dispõe.
lançar poeira aos olhos de Iludir com boas palavras, com bons modos; enganar; ludibriar.
lançar por terra Pôr abaixo; derrubar; arrasar, destruir. O *m.q.* "deitar por terra".
lançar raízes Arraigar-se, fixar-se; prender-se; fixar-se num determinado lugar.
lançar suas contas Calcular, fazer estimativa do que se pode gastar. *Var.* "lançar minhas contas".
lançar suspeita sobre Duvidar das boas intenções, da honestidade ou das qualidades de alguém.
lançar um véu sobre Esquecer; fazer esquecer.
lançar-se (jogar-se) aos pés de Implorar ajuda a; colocar-se sob a proteção de.
lançar-se nos braços de Entregar-se, por amor a; submeter-se a. *Var.* "jogar-se nos braços de".
lance de casas Sequência de casas contíguas ou alinhadas.
lance de olhos *1.* Relance. *2. Fig.* Análise superficial.
lance dramático *Teat.* Cena, situação ou passagem dramática de uma peça teatral ou filme.
lance extremo Momento de perigo em que se arrisca a vida ou a reputação; atitude extrema.
lance livre *Basq.* Arremesso livre da bola com o jogador posicionado na cabeça do garrafão.
lance por lance Visão das cenas de uma partida esportiva, selecionadas, às vezes, com o recurso da "câmera lenta", para análise e comentários.
lapso de linguagem Erro verbal, de menor importância, mas revelador de algo inconsciente. Engano de pequena gravidade; ato falho.

> *A locução correspondente em latim é:* "lapsus linguae".

lapso de memória Deslize de memória; esquecimento momentâneo.

> *A locução correspondente em latim é:* "lapsus memoriae".

lares et penates *Lat.* O lar.

largada abortada

> "Lares", *em latim, é o nome que se dava aos deuses protetores das casas, e* "penates", *aos que velavam pelos seus pertences. Daí a utilização da expressão com o significado conjunto de "lar, casa paterna, família".*

largada abortada Numa competição, a suspensão da largada por irregularidade na posição dos contendores no momento da partida.
largada anulada Numa corrida (atletismo, automobilismo etc.), a partida declarada inválida e que terá de ser repetida.
largar a casaca Morrer.
largar a casca *1*. Perder os modos ou hábitos de matuto; civilizar-se. *2*. Morrer.
largar a mão Esmurrar; bater usando as mãos.
largar a máscara Deixar de fingir.
largar a rédea Dar liberdade a.
largar de mão Abandonar; deixar em paz.
largar do pé Deixar de ser importuno.
largar mão de Abrir mão de.
largar o hábito Renunciar à vida eclesiástica.
largar o marido (ou a mulher) Abandonar o lar, separando-se um cônjuge do outro.
largar para/pra lá Desistir de algo; abandonar.
lascar a mão em O *m.q.* "descer o braço em".
last but not least *Ing*. O último, mas não o menos importante.
lata de lixo *1*. Qualquer recipiente destinado a servir de lixeira. *2*. Botequim, bar e similares de baixa categoria.
♦ **lata-velha** Diz-se de veículo muito usado, de modelo antigo.
lateral direito *Fut*. Jogador que atua na defesa, jogando especialmente junto à lateral direita do campo.
lateral esquerdo *Fut*. Jogador que atua na defesa, jogando especialmente junto à lateral esquerda do campo.
lato sensu *Lat*. Em sentido geral (o contrário de "*stricto sensu*").
laus Deo *Lat*. Literalmente, "louvado seja Deus". Expressão que alguns autores, em geral religiosos, põem, às vezes, no fim de um livro, em sinal de gratidão pela inspiração que tiveram.
lavagem a seco Processo de limpeza de roupas por meio de produtos químicos, sem uso de água.
lavagem cerebral Método segundo o qual, por meio de processos repetitivos, de agentes químicos, persuasão e doutrinação, se procura converter pessoas a uma ideia, um credo, que de outra forma não aceitariam.
lavagem de dinheiro Processo ilegal adotado por contraventores visando a legalizar dinheiro conseguido ilegal ou fraudulentamente.
lavar a alma Livrar-se (a pessoa) de algo que a atormenta ou incomoda.
lavar a égua *1*. *Fut*. Alcançar vitória por contagem elevada. *2*. Desfrutar ao máximo de uma situação vantajosa. *3*. Ganhar dinheiro com facilidade; fartar-se. *Var*. acepções *2* e *3* de "lavar a burra".
lavar a honra Vingar-se.
lavar a seco Processo de se lavar roupas usando produtos químicos, sem uso de água.
lavar as mãos Eximir-se de culpa; subtrair-se às consequências de; furtar-se à responsabilidade.

> *A expressão deriva da citação evangélica dessas palavras na boca de Pilatos ao eximir-se de culpa pela condenação de Jesus Cristo.*

lavar o peito *1*. Desabafar, desafogar-se. *2*. Desagravar-se, desforrar-se, vingar-se. *Var*. "lavar o coração"; "lavar a alma".
lavar roupa suja em público Ser indiscreto em relação a desentendimentos ou questões domésticas ou privadas.
lavar urubu Estar desempregado ou desocupado. O *m.q.* "escovar urubu".
lavar-se em água de rosas Regozijar-se com alguma coisa.
lavrar um tento Acertar; sair-se bem num empreendimento. *Var*. "marcar um tento".
lé com lé, cré com cré Cada qual com seu igual.
le grand monde Corresponde, em português, a "alta sociedade", enquanto em inglês é conhecida a locução "*high society*". V. "*grand monde*".
leão de chácara *1*. Porteiro de casa de jogo ou de prostituição. *2*. Cão de guarda. *3*. Capanga; guarda pessoal.
leão de São Marcos Leão alado, símbolo da antiga república de Veneza (Itália).
leão de treino *Fut*. Jogador cujo desempenho nos treinos é excelente mas medíocre nos jogos.
leão do Imposto de Renda Figura representativa da voracidade fiscal da Receita Federal brasileira. V. "Ficar com a parte do leão", por analogia.

> *Em 1979, a Receita Federal lançou uma campanha publicitária na qual um leão*

lei de Gérson

representava a ação fiscalizadora da entidade. O animal teria sido escolhido por razões específicas: em primeiro lugar, é conhecido como o "rei dos animais", mas não ataca sem avisar; além disso, é justo, leal e relativamente manso, apesar de não ser bobo. Ao longo dos anos, a verdadeira ideia por trás da campanha, a de intimidação dos contribuintes, funcionou bem, pois a amedrontadora imagem do bicho africano ficou permanentemente associada à cobrança do Imposto de Renda no Brasil.

Leão do Norte O estado de Pernambuco.
leão entre ovelhas Diz-se de pessoa valente entre fracos; fanfarrão.
ledo engano Aquele gerado sem malícia, de boa-fé; também se diz quando do engano ou erro resulta algo favorável ou auspicioso, embora não fosse essa a intenção.

Ledo = Alegre, contente, jubiloso.

legado a latere Catol. Enviado especial do papa (ger. um cardeal) para representá-lo em solenidades religiosas importantes.
legado apostólico Catol. Representante eclesiástico designado pelo papa para grupos católicos habitantes de Estado que não mantém relações diplomáticas com a Santa Sé. Delegado Apostólico.
legatário universal Indivíduo beneficiado exclusivo de herança deixada pelo falecido.
legião de fiéis O conjunto de pessoas que admiram alguém (artistas, políticos, prosélitos de uma crença etc.) ou a sua arte ou atuação.

No caso de artistas, diz-se, ger., "legião de fãs".

legião estrangeira Voluntários alistados nas forças armadas de um país, não naturais desse país, mandados lutar em um terceiro. São, geralmente, mercenários.
legítima defesa Diz-se da ação, supostamente justificada, que se pratica em revide a uma agressão; ato praticado por alguém alegando defesa própria.
légua de beiço Indicação imprecisa de distância, dada por pessoas do interior e acompanhada, ger., de gesto com o beiço estendido na direção que se indica. Var. "légua das antigas" e "légua de velho". V. "de légua e meia".
Lei Afonso Arinos A que proíbe a discriminação racial no Brasil.

A lei foi proposta pelo deputado federal Afonso Arinos de Melo Franco (1905-1990) e aprovada em 3 de julho de 1951.

Lei Áurea A de abolição da escravatura no Brasil, assinada em 13 de maio de 1888 pela princesa regente Isabel.
lei básica A lei fundamental; a Constituição de um Estado. O *m.q.* "lei magna" e "carta magna".
lei da natureza Os princípios que determinam e regem os fenômenos naturais.
lei da oferta e da procura *Econ.* O princípio (válido sob certas condições) de que o preço e a quantidade produzida de um bem são determinados não por ações deliberadas dos agentes econômicos, mas pela interação do conjunto de vendedores e compradores no mercado.
lei da rolha Lei de censura à imprensa.
lei da selva Cada um por si; ausência de lei.

Refere-se, especialmente, à solução de assuntos pela força ou prepotência, mais pelo poder do que pela justiça.

lei de circunstância Lei feita a propósito de algum acontecimento particular, episódico ou fortuito.
lei de exceção Lei que determina uma revogação ou modificação parcial nos fundamentos jurídicos vigentes num Estado, em situações emergenciais específicas.
lei de Gérson Bordão usado em referência a alguém que egoisticamente quer sempre levar vantagem no que faz ou no que participa.

Nos anos 1970, o tricampeão de futebol Gérson fazia comerciais de uma marca de cigarros, terminando a propaganda sempre com o bordão: "...porque eu gosto de levar vantagem em tudo, certo?" Essa afirmação poderia ser interpretada como inocente e legítima projeção de 'levar vantagem' numa jogada do futebol (pela chamada 'lei da vantagem'), ou seja, escolher o melhor a fazer e acertar em tudo. Mas a expressão foi aplicada com sentido diferente do intencionado pelos produtores do comercial e pelo jogador ao proferi-la. Situação semelhante aconteceu com a expressão constante da oração de São Francisco "É dando que se recebe". Se no original o significado sugere que quanto mais doarmos para nossos irmãos, mais dádivas receberemos, no Brasil chegou a ser deturpada ao ser atribuída como lema dos políticos corruptos, em alusão ao clientelismo.

lei de meios *1.* Lei que aprova o orçamento; lei orçamentária. *2.* O orçamento da República.
lei de Murphy Quaisquer das várias expressões aforísticas sobre coisas aparentemente absurdas, entre as quais a afirmativa de que "se houver uma possibilidade de algo dar errado, com certeza dará".

Edward A. Murphy, engenheiro da Força Aérea norte-americana, chefiava projeto que pesquisava a tolerância humana à aceleração, realizando milhares de testes, num dos quais se colocaram vários sensores no corpo de um piloto. Havia duas possibilidades de fazê-lo: a certa e a errada. Deu a errada. Daí a formulação da "lei": 1. Nada é tão fácil quanto parece; 2. Tudo exige muito mais tempo do que se pensa; 3. Se qualquer coisa pode sair errada, sai mesmo. Aforismo = Máxima ou sentença que, em poucas palavras, explicita regra ou princípio de alcance moral; apotegma, ditado, provérbio.

lei de talião Desforra igual à ofensa; vingança. *V.* "olho por olho e dente por dente".
lei divina *Rel.* Os preceitos estabelecidos ou impostos por Deus; revelação divina.
lei do funil A moral, a justiça ou as leis que se mostram liberais e amplas para uns e restrita e limitada para outros; injustiça; parcialidade; discriminação.
lei do mais forte Diz-se da imposição de força e poder tal que ninguém é capaz de vencê-la; lugar em que impera a força em vez do direito.
lei do menor esforço Pouca vontade de despender esforços ou trabalho na execução de uma tarefa, mesmo que disso resulte prejuízo para si; comodismo, preguiça.
lei do silêncio *1.* Disposições legais que impõem níveis de sons máximos a serem observados nos horários que arrola. *2.* Regra extraoficial ou abusiva imposta por um poder dominante, *ger.* ilegítimo, sobre seus dominados, de forma a coibir a livre manifestação destes.
Lei do Ventre Livre Lei pela qual foram declarados livres os filhos de escravos nascidos no Brasil a partir de 28 de setembro de 1871, data de sua assinatura.
lei fundamental A Constituição de um Estado. *V.* "lei básica".

lei magna O *m.q.* "lei básica".
lei marcial Lei militar instituída num país em ocasião de perigo ou de ameaça, e sob a qual fica suspensa a lei ordinária.
lei moral Aquela que se apoia nos princípios éticos e morais da prática do bem, como a nossa consciência percebe.
lei natural O direito natural, decorrente de conceitos filosófico-religiosos fundados na razão, na equidade, nos direitos e obrigações individuais, constituindo-se como base de uma sociedade cultural e socialmente desenvolvida.
lei nova A doutrina de Jesus Cristo, contida nos Evangelhos.
lei ordinária *V.* "lei marcial".
lei seca Denominação que se dá às leis que tratam da restrição à produção, ao comércio e ao consumo de bebidas alcoólicas.

Em muitos países foram editadas leis com objetivos semelhantes, com maior ou menor rigor, mas a que vigorou nos Estados Unidos da América entre janeiro de 1920 e dezembro de 1933 ficou famosa pelo fato de várias gangues mafiosas terem procurado burlá-la, usando métodos violentos. A imposição de uma "lei seca" pode ter vários propósitos, mas o principal parece ser a tentativa de evitar os males físicos e sociais provocados pelo abuso de bebidas alcoólicas.

leis de exceção Leis ou conjunto de leis que em certas ocasiões excepcionais são impostas aos cidadãos a pretexto de iminência de comoção social, subversão, desordem civil ou financeira. *V.* "lei de exceção".
leitmotiv *Al. V.* "motivo condutor".
leite e mel Abundância, conforto, prosperidade; vida mansa, tranquila, sem dificuldades.
leite pingado Leite ao qual se adiciona um pouco de café; café com leite.
leito de Procusto *P.ext.* Situação independente da vontade do indivíduo, na qual este peca e sofre as consequências, quer por excesso, quer por falta.

Mit. Segundo a mitologia grega, seria o leito de ferro onde Procusto, famigerado salteador, estendia numa cama aqueles que capturava, cortando-lhes os pés quando a ultrapassava e estirando-os quando não lhe alcançavam o tamanho.

leito de rosas Situação agradável e prazerosa sob a qual se vive. Na frase "A vida não é

sempre um leito de rosas", assinala-se que a vida é constituída de altos e baixos, momentos de tranquilidade e desassossego, bons e maus momentos.
leito do vento Direção em que o vento sopra.
leitura dinâmica Método de leitura que permite a apreensão rápida de um texto, não linearmente, mas por blocos; leitura rápida; leitura acelerada; leitura fotográfica.
lelé da cuca Pessoa que não está em seu perfeito juízo; pirado; meio louco.
lembrar-se como se tivesse sido ontem Ter na memória, bem vivamente, fato acontecido há muito tempo.
lençol de água Lençol freático; água existente a uma certa profundidade, passível de extração através da perfuração de poços, cisternas etc.
lençol freático Depósito de água em camadas superficiais do solo, a profundidades variáveis, dependente da conformação geológica do solo. *Var.* "lençol aquífero" e "lençol de água (subterrâneo)".
lençol petrolífero Jazida de petróleo acumulado em camadas geológicas mais ou menos extensas e a profundidades variáveis, inclusive no fundo dos mares.
lenho da cruz O *m.q.* "santo lenho".
lente de contato Pequena lente plástica rígida ou não, que se adapta diretamente ao olho, flutuando na lágrima sobre a córnea, para correção de deficiências visuais, em substituição aos óculos.
lento, lento Devagar; pouco e pouco; gradualmente. *Var.* "lento e lento".
lépido e fagueiro Diz-se de pessoa jovial e alegre, de bem com a vida.
leque de opções Série de alternativas de que se dispõe diante de uma situação.
ler a *buena-dicha* de Ler a sorte de.

Buena-dicha = *Sorte ou destino a que alguém está ligado.*

ler a sorte Predizer o que acontecerá com alguém no futuro.
ler nas entrelinhas Descobrir um significado ou um propósito subentendido num texto que não o diz explicitamente; captar sentidos ou alusões não explicitados num texto.
ler nas estrelas Tirar ou consultar a sorte pelo horóscopo.
ler no pensamento Pretender adivinhar o pensamento de outro. Também se diz: "ler no coração".
ler pela mesma cartilha Ter a mesma opinião; seguir as ideias de outrem. *Var.* "ler pelo mesmo breviário".
ler por cima Ler rapidamente, sem se aprofundar no texto.
lerdo como mula guaxa *RS* Diz-se de pessoa lenta, muito mole.
letra a letra Literalmente, palavra por palavra.
letra cursiva Letra manuscrita, *i.e.*, escrita a mão, cursiva. *Var.* "letra de mão".
letra de câmbio Título de crédito emitido contra pessoa/banco com ordem de pagar a soma nele inscrita ao favorecido nomeado.
letra de médico Letra difícil de ser lida e entendida; garrancho.
letra de moça Letra bem-feita, de fácil leitura.
letra morta Preceito escrito que não se cumpriu ou que já não tem autoridade nem valia; coisa inútil.
letras clássicas As línguas e as literaturas romana e grega.
letras garrafais Letras de formato muito grande.
letreiro na testa *V.* "não ter letreiro nas costa".
leva e traz Pessoa afeita a mexericos, intrigas, fofoqueira.
levado da breca Diz-se de quem é travesso, brincalhão, endiabrado, traquinas, inquieto. *Var.* "levado da casqueira".
levado da carepa O *m.q.* "levado da breca".
levado do diabo Diz-se de quem não tem disciplina e está sempre arranjando confusão. O *m.q.* "levado da breca".
levantar a bandeira 1. Suscitar, colocar em discussão, *ger.* defendendo uma causa. 2. Tomar iniciativa.
levantar a cabeça 1. Recuperar-se de uma adversidade. 2. Reconquistar a autoconfiança.
levantar a caça Fazer a caça sair de onde está com a ajuda de cães. *Fig.* Aventar negócio de que se aproveitará.
levantar a crista Mostrar-se arrogante, autossuficiente.
levantar a grimpa 1. Demonstrar soberbia ou insubmissão. 2. Reagir, protestar; altear a voz ou a atitude.
levantar a lebre Suscitar uma ideia que dá origem a largas discussões; iniciar debate.
levantar a luva Aceitar o repto; vingar a afronta recebida.
levantar a mão contra Ameaçar bater em; ameaçar.
levantar a voz Falar em voz alta; falar impositivamente.

levantar a voz para alguém Altercar a voz numa discussão, manifestando irritação, impaciência, protesto etc.
levantar acampamento Mudar-se (de lugar, de casa etc.) levando todos os seus pertences; ir-se embora; retirar-se.
levantar âncora Zarpar.
levantar as mãos Unir e elevar as mãos em atitude súplice. *Var.* "levantar as mãos aos céus".
levantar as mãos ao céu Agradecer a Deus um benefício, uma situação; dar-se por satisfeito com o que já alcançou.
levantar da lama Colocar em posição vantajosa; proteger; socorrer. *Var.* "levantar do pó".
levantar escudos Preparar as defesas diante de um ataque iminente.

> *O ato de levantar os escudos por soldados das antigas legiões armadas – como as romanas, por exemplo – representa a preparação para a defesa diante de um ataque inimigo. A expressão também ficou famosa em filmes de ficção científica, como* Star Trek *(Jornada nas estrelas), neste caso correspondendo ao acionamento dos escudos defletores das naves espaciais, que protegem do ataque de raios inimigos.*

levantar falso testemunho Caluniar; mentir em desabono de alguém.
levantar ferros Zarpar; içar a âncora do navio; iniciar uma viagem marítima. O mesmo que "levantar âncora".
levantar fervura Começar a ferver (o líquido).
levantar mão de Desistir de; renunciar a.
levantar o espírito Revigorar o ânimo.
levantar o estandarte Liderar um grupo (*ger.* político/reivindicatório).
levantar o estandarte da revolta Incitar à revolta; liderar movimento revolucionário; protestar.
levantar o tempo Deixar de chover (estiar); cessar a chuva, o temporal.
levantar os olhos ao céu Implorar o auxílio de Deus.
levantar os olhos de Cessar de olhar para.
levantar os olhos para Aspirar a; pretender algo (apesar da superioridade da condição da pessoa ou coisa pretendida).
levantar os ombros Encolhê-los. *Var.* "dar de ombros".

> *O gesto de levantar os ombros, no mais das vezes, denota indiferença.*

levantar poeira Fazer barulho, confusão; agitar, animar (dançando e cantando); participar de luta violenta; provocar desordem. *Var.* "fazer poeira".
levantar uma dúvida Não se convencer de um argumento apresentado, necessitando de outros esclarecimentos. Alguns críticos dessa locução perguntam, ironicamente: "Haveria 'despencar de uma certeza?'".
levantar uma ponta do véu Começar a desvendar um segredo; descobrir uma saída.
levantar voo *1.* Voar; desaparecer; fugir. *2.* Parar de jogar subitamente.
levantar-se com as estrelas Madrugar; levantar-se muito cedo.
levantar-se da mesa *1.* Concluir ou interromper a refeição, afastando-se da mesa. *2.* Encerrar uma negociação, deixando-a inconclusa.
levantar-se das cinzas Reaparecer depois de grande frustração, derrota, infortúnio; recuperar-se de perda substancial dos bens; renascer. *Var.* "renascer das cinzas".
levar *V.* "tomar".
levar à barra do tribunal Acionar judicialmente; processar.
levar a bem Considerar positivo o que alguém fala ou faz. *V.* "levar a mal".
levar a bom termo Conduzir algo até o fim, até o final; completar integralmente tarefa, missão ou incumbência.
levar a breca Morrer.
levar a cabo Terminar; completar.
levar à cena Fazer representar; exibir.
levar à conta de *1.* Imputar ou atribuir a. *2.* Considerar ou contar como.
levar a crédito Creditar (valores).
levar a cruz ao calvário Concluir resignadamente alguma coisa árdua; cumprir o próprio destino.
levar a débito Debitar (valores).
levar a efeito Realizar, pôr em prática.
levar a fio de espada Ser demasiadamente escrupuloso e severo.
levar à frente Persistir em. O *m.q.* "levar adiante".
levar a lata *1.* Ver repelidas as aspirações amorosas; sofrer uma oposição. *2.* Ser despedido do emprego; ser repudiado.
levar a mal Levar para o mau sentido; ressentir-se por algo que alguém tenha dito a seu respeito; melindrar-se ou ofender-se com; não consentir; reprovar. *V.* "levar a bem".
levar a mão a Tocar com a mão em; fazer menção de apreender.
levar a melhor Vencer, dominar, demonstrar que tem razão; sobrepujar.

levar à paciência Suportar; tolerar; admitir.
levar a palma 1. Vencer; alcançar vitória. 2. Distinguir-se, sobressair, sobrelevar-se.
levar a palma a Alcançar vitória sobre; avantajar-se a; sobrelevar.
levar à parede 1. Forçar alguém a confessar algo; pressionar. 2. Levar a melhor em uma discussão.
levar a pau Resolver as coisas a pancadas ou com violência.
levar a peito 1. Tocar um empreendimento, enfrentando com decisão os desafios que se lhe apresentarem. 2. Tomar a peito; levar a sério.
levar a pior Ser derrotado numa contenda; ser o mais prejudicado.
levar à praça Pôr em leilão.
levar a reboque Levar alguém, com o intuito de ajudar, sem que tenha sido antes combinado.
levar à sepultura Acompanhar um enterro até o sepultamento.
levar a sério 1. Encarar, considerar com responsabilidade as obrigações e compromissos. 2. Ligar, dar importância a. 3. Aceitar como verdade algo que foi contado; acreditar. *Var.* "tomar a sério".
levar a sua adiante Atingir seu objetivo; prosseguir no seu projeto, naquilo que vinha fazendo. *Var.* "levar a sua avante".
levar a sua cruz O *m.q.* "carregar a sua própria cruz".
levar a vida na flauta Viver sem compromissos, irresponsavelmente; ter uma vida ociosa.
levar a vida que pediu a Deus Viver sem compromissos e sem problemas.

Em italiano há uma expressão equivalente, bem conhecida: "Dolce far niente".

levar adiante Prosseguir com a execução do que vinha fazendo. *Var.* "levar avante".
levar (alguém) ao altar Casar com esse alguém.
levar alguém pelo nariz Dominar alguém e obrigá-lo a fazer o que se quiser.
levar ao altar Casar-se.
levar ao fim Prosseguir até o final. *Var.* "levar a cabo" e "levar a termo".
levar aos ouvidos de Declarar; cientificar, transmitir (a alguém) algo que se soube.
levar as lampas a Levar vantagem sobre; ficar superior a.

Lampas = Lâmpadas.

levar barriga No jargão do jornalismo, publicar notícia inverídica, falsa.
levar boa vida Viver à larga, sem cuidados, folgadamente, sem preocupações.
levar bola Aceitar suborno. O *m.q.* "comer bola".
levar bolo 1. Esperar em vão por alguém com quem se marcara encontro. 2. Ser repreendido.
levar buçal RS Ser enganado vergonhosamente. *Var.* "levar buçal de couro fresco".

Buçal = Cabresto curto ou o saquinho que se adapta ao focinho do animal e que contém alimento.

levar capote *Esp.* Sofrer derrota contundente. *V.* "dar capote".
levar chumbo 1. Fracassar; ser malsucedido em algo. 2. Levar um tiro; ser baleado. 3. Não lograr passar nas provas escolares. *Var.* "levar fumo" e "levar ferro".
levar com a porta na cara Não ter sucesso; ter recusada uma pretensão.
levar com a tábua no rabo Ser corrido, escorraçado, expulso.
levar couro e cabelo Cobrar muito caro; exigir demasiada recompensa por algum trabalho.
levar de birra Fazer de propósito; teimar por acinte, por obstinação.
levar de cambulhada *V.* "de cambulhada".
levar de vencida Perseguir o inimigo vencido; derrotar; destruir; superar, impor-se a algo ou a alguém.
levar Deus para si Morrer; deixar de existir.
levar dianteira Ir na frente; avantajar-se em distância.
levar em banho-maria Conduzir algo com vagar.

Sobre banho-maria, V. "cozinhar em banho-maria".

levar em consideração Dar importância ou atenção a alguém ou a alguma coisa; levar em conta; anotar; considerar. *Var.* "levar em conta" e "levar em linha de conta".
levar em conta Fazer conta de; considerar; não omitir.
levar embora Tomar e levar algo consigo para outro lugar.
levar fama sem proveito Levar culpa pelo que não fez.
levar fé Acreditar em (alguém ou algo).
levar ferro Ser malsucedido em alguma coisa.

levar gosto em Aprovar.
levar jeito para (alguma coisa) Ter jeito, aptidão, qualificação para.
levar lenha Ser reprovado em exame escolar. *Var.* "levar chumbo", "levar pau", "levar bomba".
levar longe demais *1.* Insistir em algo demoradamente, imprudentemente. *2.* Ir além da medida em uma atitude ou ação de confronto, vingança, risco etc.
levar manta Ser ludibriado em compra ou em troca, adquirindo o mau como bom. *Var.* "tomar uma manta".
levar mensagem a Garcia *1.* Desempenhar com êxito uma tarefa, ainda que dificultosa. *2.* Dizer o que pensa, custe o que custar.

> *Consta que a locução se originou da necessidade que tinha o presidente norte-americano William McKinley Jr., no curso da guerra com a Espanha, de enviar uma mensagem a Garcia. Para essa difícil missão, foi recomendado o chefe dos insurretos cubanos, Andrew Summers Rowan, que, apesar de ter enfrentado muitos obstáculos, desempenhou com presteza e eficiência a incumbência.*

levar na brincadeira Não ficar zangado com algo de mau gosto que lhe foi feito; não levar a sério.
levar na cabeça *1.* Receber pancadas; ficar vencido ou derrotado. *2.* Sofrer contratempos; sofrer uma desilusão; ter prejuízo; sair-se mal num negócio.
levar na conversa Conseguir algo com diálogo, com boa argumentação, com inteligência, às vezes ardilosamente. *Var.* "levar no bico" e "levar no papo".
levar na flauta Não levar a sério; levar na brincadeira ou irresponsavelmente.
levar nas bitáculas Levar bofetadas.

> *Bitáculas = Neste caso, significa ventas, cara, rosto.*

levar no cabresto Dominar; impor-se à própria vontade ou à de outrem.

> *Sobre cabresto, V. "eleitor de cabresto".*

levar no coco Não se dar bem em um empreendimento, em um negócio. *Var.* "levar na cabeça".
levar o diabo Perder-se; desaparecer; impacientar-se.
levar ou receber patada Ser desfeiteado grosseiramente; ser atendido com rispidez. *V.* "dar patada".
levar pau Ser reprovado em exame.
levar pelo beiço Induzir ou fazer de alguém o que se quer; convencer alguém pela conversa.
levar pelos ares Causar a explosão de; consumir inutilmente.
levar por terra Pôr por terra; perder; conduzir mal um negócio, uma tarefa; pôr a perder.
levar saudades Deixar pessoas ou lugares pesarosamente.
levar sumiço Desaparecer; perder-se; deixar de comparecer aonde costumava vir.
levar susto Experimentar (um) susto; assustar-se; tomar susto. *Var.* "levar um susto".
levar tábua Ser recusado (o homem) para dançar (pela mulher); ser logrado, rejeitado, expulso.
levar tinta *V.* "levar ferro".
levar tudo a fio de espada Acutilar a torto e a direito; ser violento.
levar tudo a pau Resolver habitualmente as divergências, as pendências etc. por meios violentos.
levar um apertão Ser pressionado, coagido. O *m.q.* "levar um aperto".
levar um aperto Ser pressionado, coagido.
levar um arrocho Sofrer pressão ou coação para fazer algo contra a vontade.
levar um carão *1.* Sofrer uma repreensão severa. *2.* Passar por grande vergonha.
levar um coice Sofrer uma ingratidão.
levar um fim Ter um propósito.
levar um fora Ter recusado um pedido, solicitação ou pretensão; ter recusada proposta de namoro.
levar um papo Bater um papo; prosear; conversar amenidades.
levar um pito Ser repreendido. *Var.* "levar um sabão", "levar uma bronca", "levar um puxão de orelhas".
levar um pontapé *1.* Sofrer ingratidão; ser rejeitado; ser despedido do emprego. *2.* Levar um chute.
levar um susto O *m.q.* "passar (por) um susto".
levar uma bandeira Receber uma recusa grosseira a um pedido ou pretensão. O *m.q.* "levar um fora".
levar uma dura Receber uma reprimenda, admoestação ou cobrança de ação, dedicação ou eficiência.
levar uma existência Levar muito tempo (para se realizar ou concretizar), ter (ação, processo, tarefa etc.) longuíssima duração.

limpar os bolsos

levar uma lavagem *Fut.* Diz-se do time de futebol que perde de outro por um escore muito dilatado.
levar uma rasteira Ser vítima de uma rasteira. *V.* "dar uma rasteira em".
levar uma soca Ser colhido e agitado (o banhista) por uma grande onda. *V.* "ir na soca".
levar vantagem Ganhar tempo; ter algo a mais do que o contendor, oponente ou concorrente; ser superior a; exceder; avantajar-se. *Var.* "tirar vantagem".
levar vida de cão Trabalhar muito; sofrer maus-tratos.
levar vida de marajá Ter uma vida de muito conforto e pouco trabalho. *Var.* "levar vida de rico", "levar vida de nababo".
levar-se do diabo Ficar extremamente zangado; dar por paus e por pedras; sair fora de si. *Var.* "levar-se da breca".
leve como pena Muito leve; quase sem peso. *Var.* "leve como pluma".
leve o tempo que levar Não importa o tempo que for gasto.
liberar geral Permitir, compactuar, participar de processo no qual a permissividade sobreleva os padrões de comportamento normalmente admitidos.
liberdade de expressão O direito de expressar as ideias livremente.
liberdade de imprensa A liberdade ou o direito de um órgão de imprensa emitir opiniões e pensamentos sem censura prévia, embora sob critérios éticos e sujeita a processos judiciais pertinentes.
liberdade de pensamento Direito assegurado a cada cidadão de expor suas ideias, opiniões, crenças etc.
Liberdade, igualdade, fraternidade. Lema da Revolução Francesa (1793): "*Liberté, égalité, fraternité*" (*Fr.*).

> *O lema da Revolução Francesa – e hoje também da própria França – é creditado ao filósofo, escritor e teórico político francês Jean-Jacques Rousseau (1712-1778). Sustenta-se que as três cores da bandeira da França, o azul, o branco e o vermelho, também representam as três palavras do lema, respectivamente, liberdade, igualdade e fraternidade.*

lição de moral Dar uma lição de moral é mostrar a alguém que seu modo de se comportar ou de agir não se conforma aos costumes, à decência e aos princípios da ética e da civilidade *ger.* aceitos.
licença poética Ligeiras concessões gramaticais de que se lança mão com a finalidade de alcançar determinados efeitos linguísticos exigidos pelo tema abordado.
ligar importância a Interessar-se por.
ligar os fatos Identificar as conexões que existem em fatos que ocorrem isoladamente.
ligar os pontos Perceber a situação como um conjunto, estabelecendo a relação entre dados que a princípio pareciam independentes.
ligar-se pelo sacramento Unir-se por matrimônio religioso; casar-se.
limpador de para-brisa Sistema de varetas com lâminas de borracha, adaptado ao para-brisa dos automóveis, ônibus e caminhões, que, executando um movimento ritmado, varre gotas líquidas do para-brisa e assegura visibilidade ao motorista em caso de chuva, névoa etc.
limpar a área *Fut.* Desfazer um ataque adversário, rebatendo a bola "do jeito que der", deixando de lado a técnica e a elegância do toque (a arte).
limpar a barra *1.* Resolver todos os assuntos que estavam pendentes. *2.* Reconciliar-se com outros; desfazer mal-entendidos ou má impressão a seu respeito. *3.* Procurar anular as restrições que pesam sobre si.
limpar a garganta Pigarrear.
limpar as algibeiras de Extorquir dinheiro a; roubar.

> *Algibeira = 1. Bolso interno do vestuário 2. Bolsa; sacola 3. Fig. Recursos financeiros*

limpar as botas de O *m.q.* "lamber as botas de".
limpar as mãos à parede Vangloriar-se por qualquer ato considerado inconveniente por outrem ou cujo resultado foi igualmente considerado mau.
limpar do pó Espanar.
limpar o nome Providenciar o cancelamento de restrições de natureza moral ou financeira que pesam sobre alguém.
limpar o prato Comer tudo que se pôs no prato.
limpar o salão Limpar o nariz com o dedo; meter o dedo no nariz.
limpar o terreno Preparar tudo a fim de facilitar a tarefa de quem for encarregado de realizá-la.
limpar o ventre Purgar-se com o uso de laxantes.
limpar os bolsos Gastar todo o dinheiro de que se dispunha.

limpeza de mãos Honradez, probidade e correção sinceras.
limpeza pública Serviço de coleta e remoção de lixo das residências e estabelecimentos comerciais e das vias públicas de uma cidade.
limpo de mãos Diz-se de pessoa honrada, íntegra, respeitável.
linda como os amores Lindíssima.
lindo(a) de morrer Muitíssimo bonito(a); reconhecidamente lindo(a).
língua afiada O *m.q.* "língua de palmo".
língua de badalo O *m.q.* "língua de palmo" e "língua de palmo e meio".
língua comprida Diz-se da língua do mexeriqueiro, do indiscreto, do maldizente; o próprio mexeriqueiro. *V.* "língua afiada".
língua de fogo Labareda, chama.
língua de gato Tipo de formato de confeitos de chocolate, em barras achatadas e arredondadas nas pontas.
língua de palmo Pessoa maldizente. *Var.* "língua comprida".
língua de palmo e meio Diz-se da língua do falador incorrigível.
língua de papagaio Diz-se de quem tem a boca seca, com pouca saliva; diz-se também da pessoa tagarela.
língua de prata O *m.q.* "língua de palmo".
língua de terra Porção estreita de terra entre dois mares ou rios; istmo.
língua de trapo O *m.q.* "língua comprida".
língua do pê (da letra "p") Tipo de linguagem empregada familiarmente.

> Resulta do acréscimo, a cada sílaba dos vocábulos, de uma nova sílaba iniciada por "p", seguida da vogal (ou ditongo decrescente) da sílaba anterior mais a parte restante dessa sílaba, se houver. Ex.: sílaba (sipi-lapá-bapá); caipora (cai-pai-popó-rapá).

língua irmã Idioma derivado de outro de um mesmo tronco linguístico, referindo-se à relação recíproca entre ambos. *Ex.:* línguas neolatinas (*V.*) (derivadas da língua latina: português, italiano, francês, espanhol e outras).

♦ **língua-mãe** Língua da qual outra(s) deriva(m), como as línguas neolatinas em relação ao latim; língua pátria.
língua materna A primeira língua que o indivíduo aprende, geralmente a de sua pátria. Diz-se também "língua nativa".
língua morta Idioma que não mais é falado por nenhuma nação ou povo, havendo apenas registros escritos.
língua pátria A língua falada no lugar onde a pessoa nasceu.
língua presa A da pessoa que tem dificuldades, por timidez ou problemas de natureza fisiológica, para exercitar a fala. O *m.q.* "anciloglossia".
língua solta Diz-se da língua de quem fala demais; diz-se de pessoa falastrona; maldizente.
língua suja Diz-se da língua do indivíduo obsceno em palavras; descomedido.
língua vernácula O vernáculo; a língua que se fala no próprio país.
língua viperina A língua malévola, venenosa, maldizente. O *m.q.* "língua solta".
língua viva A que é correntemente falada por um ou mais povos.
linguagem falada Sistema de comunicação oral por meio de palavras estruturadas, e a habilidade para expressá-lo.
linguagem impura A que é eivada de barbarismos (erros de grafia, de pronúncia, de forma gramatical ou de significação).
linguagem pedante Aquela em que a pessoa procura ostentar conhecimentos e erudição utilizando palavras pouco conhecidas ou construções incomuns de frases.
linguagem visual *Semiol.* Sistema de signos de natureza gráfica, objetal ou arquitetônica, *us.* para expressar e comunicar emoções, ideias, sentimentos etc.
línguas clássicas O latim e o grego.
línguas de fogo *1.* Labaredas, chamas. *2. Rel. Crist.* Cada uma das labaredas que baixaram sobre as cabeças dos Apóstolos de Cristo no dia de Pentecostes.
línguas neolatinas As línguas modernas, derivadas do latim.

> Tais línguas são: o catalão, o espanhol, o francês, o galego, o italiano, o português, o provençal, o rético, o romeno, o sardo e o valão.

linha aérea Serviço regular de transportes aéreos entre determinados pontos e com horários definidos.
linha burra *Fut.* No futebol, linha de zagueiros que, em jogada ensaiada, tenta avançar em conjunto para deixar o atacante contrário em posição de impedimento.
linha da/de pobreza Diz-se da renda pessoal abaixo da qual uma pessoa é considerada pobre, *i.e.*, sem dispor sequer do necessário para a subsistência.
linha da vida Na quiromancia, uma das linhas da palma da mão, usadas na arte ou pretensão de adivinhar o futuro com base

nessas linhas; esta seria a linha que supostamente representa o decorrer da vida de uma pessoa.
linha de ação Norma de conduta.
linha de frente Grupamento que se posta na frente de outros, disposto a abrir caminho ou proteger a retaguarda, *esp.* nas guerras e nos movimentos reivindicatórios. *Var.* "linha de fogo".
linha de fundo *Fut.* A linha de cada uma das extremidades de um campo de futebol, constituída pelo prolongamento da linha de gol desde os postes até os ângulos de escanteio. *Var.* "linha de gol".
linha de prumo Linha graduada ou não, atada numa ponta a um peso cilíndrico ou cônico e na outra ponta a um afastador, *us.* para verificar a verticalidade de um muro, de uma parede, sobretudo enquanto estão sendo construídos.
linha dianteira *Fut.* Diz-se dos jogadores que se colocam à frente do time e cuja principal missão é o ataque ao gol adversário.
linha do horizonte Linha virtual que define os limites do firmamento e da terra.
linha dura *1.* Política cuja linha de ação é radical e coercitiva, adotando medidas severas em relação aos opositores. *2.* Diz-se do conjunto dos partidários e simpatizantes dessa política; nesse caso, é grafado com hífen.

> *Posição severa e repressora, característica de regimes autoritários, p.ex. o que vigorou no Brasil durante o regime militar, a partir de 1964.*

linha férrea A via na qual transitam os trens (locomotivas e vagões); estrada de ferro; ferrovia.
linha justa Orientação ortodoxa do comunismo, que segue fielmente os conceitos do marxismo-leninismo.
linha média *Fut.* No futebol, linha virtual formada por jogadores que se posicionam entre os atacantes e os defensores e cuja função principal é fazer a ligação entre eles, além de realizarem o primeiro combate aos ataques adversários.
linha sinistra A linha da mão que pressagia desgraça, segundo a quiromancia.
linhas gerais Quando se deseja resumir uma ocorrência, um fato, sem muitos detalhes diz-se que, "em linhas gerais, foi o que aconteceu".
liquid crystal display *Ing.* Tipo de tela de vídeo constituída de uma película de cristal líquido que muda características óticas ao ser ligada a uma corrente elétrica. Sigla: LCD
liquidar a fatura *1.* Resolver (saldar) uma obrigação, um dever, um compromisso. *2.* Concluir uma tarefa, um negócio. *Var.* "liquidar o assunto".
líquido e certo Diz-se do que é absolutamente certo, sem margem de dúvida.
liso e sem babado *RS* Franco, honesto, singelo.
liso, leso e louco *N.E.* Diz-se de quem está em péssima situação financeira.
lista de assinantes Lista telefônica dos assinantes com os nomes respectivos organizados em ordem alfabética de nome ou sobrenome.
lista de espera Num aeroporto, a lista dos passageiros que pretendem viajar mas dependem de desistências ou do não comparecimento de passageiros confirmados nos voos. *Var.* "fila de espera".
lista negra *1.* Rol de pessoas ou firmas consideradas inidôneas ou suspeitas para negócios, ou quaisquer outras relações. *2. Fig.* Lista de pessoas ou coisas com as quais se pretende evitar o contato.
lista telefônica Lista (impressa e encadernada ou virtual) que contém a relação de assinantes de um sistema telefônico, classificados sob vários critérios: alfabético, de endereços, negócios etc. *V.* "páginas amarelas".
literatura de cordel *N.E.* Romanceiro popular nordestino impresso em pequeno formato e de maneira simples e que são expostos à venda pendurados em um cordel.
literatura de ficção Ou "obra de ficção", é o romance, o conto, a novela; diz-se de toda e qualquer prosa literária de um autor, de uma época, de um país.
liturgia da missa *Rel. Catol.* Culto público e oficial, instituído pela Igreja Católica para a missa.

> *Consta de ritos iniciais (Saudação, Ato Penitencial, Kyrie e Glória); Liturgia da Palavra (duas Leituras, uma do Antigo e outra do Novo Testamento, Salmo Responsorial, Aclamação ao Evangelho, Evangelho, Homilia, Credo e Profissão de fé), Liturgia Eucarística (Oferendas, Prefácio, Santo, Cânon, Consagração), Rito da Comunhão (Pai-Nosso, Agnus Dei, Comunhão) e Ritos Finais (Oração e Bênção Final).*

liturgia das horas *Rel.* Rito de orações de louvor a Deus e pedido pela salvação do

livramento condicional

mundo, que a Igreja Católica e algumas outras cristãs recomendam aos fiéis (clérigos, religiosos e leigos), dando curso a antiga tradição. *Var.* "horas canônicas".

A Igreja Católica, por decreto da Sagrada Congregação para o Culto Divino, de 11/04/1971, estabeleceu os ritos próprios da celebração que abrangem: Oração da Manhã, das Nove Horas, das Doze Horas, das Quinze Horas e da Tarde (ao final da tarde).

livramento condicional Soltura antecipada de condenados, sob certas condições, cujo comportamento, a critério do juiz, justifique o benefício e conforme a lei dispõe.
livrar a cara Livrar(-se) de situação embaraçosa ou comprometedora.
livrar-se das garras de Livrar-se da prepotência, do poder, da influência de; libertar-se.
livrar-se de uma boa Escapar de um acidente ou de uma situação desagradável.
livre como o ar Completamente livre.
livre como um pássaro Sem controle, sem restrições; livre.
livre curso Diz-se do que é franqueado ou tem circulação irrestrita.
livre e desembaraçado Condição de pessoa ou coisa isenta de dívida ou encargo que a possa onerar ou embaraçar. *Var.* "livre e desimpedido".
livre, leve e solto Inteiramente livre, despreocupado, relaxado.
♦ **livre-arbítrio** Poder de não se determinar sobre outra regra senão a da própria vontade e entendimento. O *m.q.* "livre-alvedrio".
livro aberto Diz-se de quem ou do que não tem segredos; de pessoa franca e confiada ou ingênua.
livro das horas *V.* "horas canônicas".
livro de bolso Livro em formato compacto, *ger.* em edição mais econômica. *Ing. pocket book.*
livro de ouro *1.* Livro onde se inscrevem nomes ilustres, de benfeitores de determinada obra social, cultural ou religiosa. *2.* É onde se escrevem elogios a alguém ou a alguma instituição, ao visitá-los.
livro de quarenta folhas Baralho de cartas sem as figuras ou sem as cartas de números 8, 9 e 10.
livro de tombo Livro onde se registram, nas paróquias católicas, os fatos mais significativos da vida paroquial.

Também este era o nome sob o qual se lançavam, antigamente, os fatos históricos relativos a um país. No Brasil, em particular no período colonial, era o livro em que se inventariavam os terrenos de uma vila ou cidade.

livro de visitas Livro em branco, deixado em locais de grande afluxo de público (*p.ex.: museus, exposições artísticas, velórios*), para que os visitantes deixem registrado seu comparecimento, apondo a assinatura.
livro didático Aquele que se destina a apoiar o ensino das matérias que compõem os currículos escolares.
livro dos mortos Obra da Antiguidade egípcia que objetivava guiar os mortos para o além, mediante preces e exorcismos.
livros da Bíblia *Rel. Crist. Jud.* Os livros que compõem a Bíblia.

São eles o Pentateuco, Históricos, Proféticos e Sapienciais, do Antigo Testamento, e Evangelhos e Cartas, do Novo Testamento.

Livros do Pentateuco *Rel. Crist. Jud.* Os primeiros cinco livros do Antigo Testamento, chamados coletivamente "Pentateuco". É palavra de origem grega que significa "cinco livros".

São também chamados "Torá" (= Lei), porque contêm a lei da Antiga Aliança. São eles: Gênese, Êxodo, Levítico, Números e Deuteronômio.

Livros Históricos *Rel. Crist. Jud.* São 16 livros do Antigo Testamento que narram histórias do povo judeu ou de seus líderes.

São eles: Josué, Juízes, Rute, Samuel I, Samuel II, Reis I, Reis II, Crônicas I, Crônicas II, Esdras, Neemias, Tobias, Judite, Ester, Macabeus I e Macabeus II.

Livros Proféticos *Rel. Crist. Jud.* São 18 livros do Antigo Testamento que contêm a vida e a mensagem dos Profetas.

São eles: Isaías, Jeremias, Lamentações, Baruc, Ezequiel, Daniel, Oseias, Joel, Amós, Abdias, Jonas, Miqueias, Naum, Habacuc, Sofonias, Ageu, Zacarias e Malaquias.

Livros Sapienciais *Rel. Crist. Jud.* São sete livros do Antigo Testamento em que se encontra a expressão da sabedoria e dos sentimentos do povo judeu (ditados, frases, poesias, cantos, orações etc.).

> São eles: Livro de Jó, Salmos, Provérbios, Eclesiastes, Cântico dos Cânticos, Livro da Sabedoria e Eclesiástico.

lixa de água Lixa finíssima, própria para trabalhos delicados.
lixo atômico Os detritos resultantes da fusão nuclear promovida nas usinas nucleares.

> Duas formas de reações nucleares são conhecidas: na fissão nuclear, o núcleo atômico é subdividido em duas ou mais partículas, enquanto na fusão nuclear um novo núcleo é formado a partir da união de pelo menos outros dois. Nas usinas de energia nuclear existentes no início do século XXI, a forma utilizada para a produção de energia elétrica é a da fissão nuclear, embora o recurso à fusão nuclear seja uma tendência para o futuro.

lobo do mar Homem com larga experiência em atividades no mar, *esp.* na navegação.
lobo na pele de cordeiro Pessoa com intenções malévolas que se esconde sob a aparência de gentil e amiga.
loco citato *Lat.* Literalmente: "no trecho citado". Remissão, num livro, a um trecho mencionado anteriormente. Abreviadamente: *loc. cit.*
locução estereotipada Expressão idiomática. (*V.*).
locução (frase) remendada A que tem vocábulo(s) estrangeiro(s); a que tem termos desiguais ou que apresenta modos de dizer contrários ao plano ou índole da obra.
locução prepositiva Expressão composta por duas preposições; preposição composta.
locutor esportivo O que relata o desenrolar de um evento esportivo.
logo a seguir Em seguida; imediatamente após; muito perto; logo após.
logo abaixo Em categoria imediatamente inferior.
logo ali Pertinho.
logo cedo Logo que amanhecer; de manhã.
logo, logo A toda pressa; sem perda de tempo; com a maior urgência; imediatamente. *Var.* "logo e logo".
logo mais Daqui a pouco; dentro de pouco tempo; mais tarde.

logo que Assim que; no momento em que.
logradouro público Qualquer espaço livre e aberto, destinado ao uso comum de todos, trânsito de veículos etc. (Ruas, avenidas, praças, jardins etc.).
loja de conveniência Lojas *esp.* as instaladas em postos de gasolina, que comercializam produtos de consumo imediato e alguns pequenos objetos de uso.
loja de departamentos Grande loja comercial com diferentes seções e variado estoque; de um modo geral, não vende produtos alimentícios, ou, quando o faz, é em pequena escala.
loja maçônica Grupo local de membros da maçonaria, espécie de célula organizacional, e também o lugar no qual esse grupo se reúne

> É chamado de "maçom" o membro da maçonaria (sociedade secreta ou reservada cujo declarado objetivo é desenvolver princípios de fraternidade e filantropia).

longa-vida Diz-se de um tipo de embalagem que preserva a qualidade dos alimentos por tempo mais longo.
longe de Distante de; de modo nenhum; nem por sombra.
longe de mim Eu seria incapaz de; sem a menor possibilidade.
longe disso *V.* "pelo contrário".
longe em longe O *m.q.* "de longe em longe".
longe pra diabo Muito longe.
longo(s) braço(s) da lei Alusão ao poder da lei e ao seu amplo alcance.
longos minutos Muito tempo.
loteria da vida A vida encarada como um jogo; determinismo.
loteria esportiva Loteria oficial em que os ganhadores são aqueles que mais acertam os resultados de certos jogos de futebol previamente selecionados pelo órgão controlador. No Brasil, cada teste reúne 13 jogos realizados em âmbito nacional.
loteria instantânea A que permite a quem arrisca saber logo o resultado de seu palpite.
louça sanitária Aparelho sanitário, tais como vaso, bidê, pia, existentes em instalações próprias de um prédio.
louco da vida Zangado.
louco manso Diz-se de pessoa que não regula bem da cabeça, mas que é inofensiva, não sendo dada a violências e agressões. *Var.* "doido manso".
louco varrido Diz-se de pessoa que perdeu completamente o juízo.

louvar-se em Aceitar a opinião de alguém; aprovar a opinião de alguém.
louvar-se em alguém Aceitar ou fazer sua a opinião de outrem; manifestar confiança.
lua artificial Satélite artificial.
lua cheia *1.* Fase na qual a Terra se encontra entre o Sol e a Lua e esta se mostra com sua face totalmente clara, iluminada; plenilúnio. *2.* Diz-se de pessoa cujo rosto apresenta o formato arredondado.
lua crescente (minguante) O aspecto da Lua, visto da Terra, quando a parte visível da Lua vai gradativamente aumentando (diminuindo).
lua de mel *1.* Os primeiros dias que se seguem ao casamento. *2.* Viagem que os nubentes costumam fazer por ocasião do casamento.
lua nova Fase da Lua na qual esta se encontra entre o Sol e a Terra, quando, então, vemos sua face obscurecida.
lua velha O quarto minguante.
lugar ao sol Posição social favorável.
lugar santo Templo, santuário; local de grande devoção (peregrinação) religiosa. *Var.* "lugar sagrado".
lugar sem volta Situação irreversível em que alguém se encontra, da qual não é possível retroceder.
luta de classes Antagonismo de interesses que se estabelece entre as classes sociais e que culmina com conflitos em que uns defendem os privilégios de que gozam e outros os contestam ou igualmente os querem.

> No marxismo, categoria que expressa a relação de contradição entre as classes em uma sociedade dividida em exploradores e explorados – estes particularmente identificados como a sociedade capitalista – e que é a força motriz que deveria conduzir ao socialismo.

luta inglória Peleja para alcançar algo cuja concretização é sabidamente difícil ou impossível de alcançar.
luta livre Luta de regras flexíveis, permitindo todos os golpes e chaves exceto uns poucos, sendo declarado vencedor o que tiver acumulado mais pontos ou o que derrubar o adversário sem que ele consiga levantar-se ou que o imobilize ou, ainda, que esteja prestes a estrangulá-lo.

luta pela vida É a labuta diária que decorre do fato de se estar vivo: o trabalho, os cuidados pessoais, as preocupações etc.
lutar até o fim Não esmorecer enquanto não alcançar o objetivo.
lutar como um leão Pelejar, insistir, enfrentar sem esmorecer, com denodo.
lutar contra moinhos de vento Locução hoje usada em sentido metafórico, designando a ação de combater adversário imaginário, inexistente.

> Provém de famoso episódio da igualmente famosa obra Dom Quixote, *de Miguel de Cervantes Saavedra, notabilíssimo escritor espanhol, no qual o protagonista entra em combate com alguns moinhos de vento que acreditava se tratar de gigantes.*

lutar contra o tempo Esforçar-se para concluir um trabalho no prazo necessário ou ajustado.
lutar pela vida *1.* Fazer esforço para sobreviver. O *m.q.* "cavar a vida". Em inglês se diz: "*struggle for life*".

> A frase foi divulgada por Darwin (Charles Robert [1809-1882]), naturalista inglês, ao se referir à seleção das espécies animais, na qual só os mais fortes e aptos seriam capazes de sobreviver.

luvas de pelica *1. Fig.* Modos refinados, educados; delicadeza, finura. *2.* Qualidade de quem evita perigos e inconveniências; cautela; precaução; prudência.
luz amarela Sinal de alerta, de que algo pode mudar. *V.* "sinal de tráfego".
luz da fé Conhecimento dos princípios consagrados pela religião.
luz da vida A existência; a vida. Deus.
luz de Deus Os dons de Deus; a proteção de Deus.
luz no fim do túnel Diz-se de uma esperada e alvissareira notícia que pode pôr fim a um longo período adverso.
luz verde Sinal de caminho livre para se tomar alguma iniciativa, avançar num projeto etc. *V.* "sinal de tráfego".
luz vermelha Sinal de alerta que detém o início ou a continuação de uma iniciativa, um projeto etc. *V.* "sinal de tráfego".

M

má cor Diz-se que tem má cor a pessoa cujas faces são pálidas.
má estrela Má sorte.
má fama V. "malfalado".
má nota Gafe. Praticar ação ou dizer algo impróprio diante das circunstâncias ou da ocasião.
♦ **má-pinta** Pessoa de má aparência, mau aspecto e que não inspira confiança. V. "boa-pinta".
má política Maneira inábil ou desastrada de agir, conduzir ou concluir uma questão.
má sorte *1.* Desgraça, revés. *2.* Falta de sorte; azar.
má vida O *m.q.* "vida fácil".
má vontade Disposição desfavorável.
maçã do peito Corte de carne bovina que fica logo abaixo do pescoço.
maçã do rosto A parte mais saliente da face, abaixo dos olhos e sobre o osso malar.
macaca de auditório Diz-se de mulher que manifesta de modo ruidoso, exagerado, ou até mesmo histérico, a sua admiração por artistas, sobretudo em suas apresentações ao vivo.
macaco em loja de louça Diz-se de pessoa desastrada.
macaco velho Sujeito ladino, astuto, experiente, escolado, finório, sabido, que não se deixa enganar.
Macacos me mordam! Expressão que denota dúvida ou espanto: "Não acredito!"; "Não é possível!".
macarronada sem queijo Algo sem graça, sem charme.
machado sem cabo Diz-se da pessoa que não sabe nadar.
macho e fêmea Tipo de encaixe de uma peça a outra, em que a(s) saliência(s) em uma delas corresponde(m) à(s) reentrância(s) da outra, perfeitamente adaptada(s) uma(s) à(s) outra(s).
madalena arrependida Diz-se da pessoa que, após agir mal, busca expressar seu arrependimento, *ger.* de maneira muito enfática.
madeira de lei *1.* Espécies vegetais consideradas nobres para fins de uso na movelaria e na construção civil etc. *2. Fig.* O que é bom, durável, resistente.
mãe de aluguel Mulher que aceita que se lhe implante no útero um óvulo fecundado de outra mulher e, assim, poder dar à luz uma criança que é filha biológica dessa última, a quem a entrega após o parto.
mãe de Deus Nossa Senhora; Maria, mãe de Jesus.
mãe de família Mulher casada e com filho(s) e que deles e da casa se ocupa.
mãe de santo *Bras.* Mulher responsável pela direção espiritual e administração de um terreiro de candomblé, xangô e umbanda.
mãe do Céu Mãe de Deus; Nossa Mãe; Nossa Senhora; Maria, mãe de Jesus.
mãe dolorosa Refere-se a Nossa Senhora aos pés da cruz. Em latim: *"mater dolorosa"*.
mãe (pai) adotiva(o) Pessoa que adotou outra como filho(a).
mãe (pai) coruja Mãe (pai) que se orgulha do filho, cerca-o de extremos cuidados e gosta de fazer e ouvir elogios a ele.
♦ **mãe-pátria** Pátria; terra natal.
mãe solteira Mulher que se tornou mãe sem ter contraído o matrimônio.
♦ **má-fé** Falsidade; dolo; fraude.
magia negra Magia praticada com maus propósitos.
Magister Artium Lat. Mestre das Artes. Grau que se confere nas universidades a quem defendeu tese específica no campo das artes. Abreviadamente, MA.
Magister dixit. Lat. "O mestre disse."
Magister Doctor Lat. Mestre (Doutor) em medicina. Grau que se confere nas universidades a quem defendeu tese específica no campo das ciências médicas. Abreviadamente, MD.

Magna Carta

Magna Carta Carta magna; Carta Constitucional.

Diz-se, esp. ao se referir à Carta concedida em 1215 pelo rei João Sem Terra aos ingleses, e que seria a primeira Constituição de um país em toda a história da humanidade.

magro como um espeto Diz-se de quem é muito magro. *Var.* "magro como um palito" e "magro como bacalhau em porta de venda".
maior de idade Pessoa que atingiu a maioridade legal.
maior de todos Denominação do dedo médio da mão.
maior e vacinado Diz-se da pessoa que já não tem de dar satisfação a ninguém relativamente aos seus atos; diz-se de quem é independente, adulto, responsável; senhor de si.
maioria absoluta *1. Nas votações, esp.* nas Casas Legislativas, quando os votantes favoráveis ou desfavoráveis a uma proposição compõem um conjunto igual ou superior a □ dos votantes. *V.* "grande maioria". *2.* Maioria que reúne, no mínimo, 50% dos votos mais um ou mais uma fração.
maioria relativa Maioria que reúne número de votos superior ao dos outros concorrentes, mas inferior a 50% dos votos totais válidos. *Var.* "maioria simples".
maioria silenciosa Diz-se de grande número de pessoas que, embora tenham opinião e posições políticas definidas, não se manifestam publicamente, mas influem decisivamente, sobretudo nos pleitos eleitorais.
maioridade civil (penal/política) Estado em que a pessoa é considerada apta/responsável civilmente (21 anos de idade); penalmente (18 anos); politicamente (16 anos).
mais ainda Além do que fez, existe ou fala.
Mais amor e menos confiança. Diz-se quando se quer alertar outra pessoa quanto às intimidades inaceitáveis que esta tende a tomar no relacionamento entre elas.
mais bem Melhor, mais esmerado, como na expressão: "mais bem-feito". Usa-se sempre com particípio, em formas como "A pessoa mais bem-vestida" ou "O clube mais bem-colocado no campeonato". *V.* "mais mal".
mais bem e **mais mal** Usam-se em duas situações: *1.* Antes de particípio, *p.ex.*, trabalho mais bem-escrito; mulheres mais malvestidas; casa mais bem-decorada; livro mais mal-ilustrado. *2.* Em comparações como estas: "trabalha mais bem do que mal"; "fala mais mal do que bem".

O advérbio bem *geralmente é seguido de hífen em formações como bem-vindo, bem-vestido etc. O advérbio* mal *geralmente se aglutina quando o termo seguinte começa por consoante (*malvisto, malvestido*) e tem hífen quando o termo seguinte começa com vogal ou* h *(*mal-acostumado, mal-humorado*).*

mais cedo do que se pensa Percepção de que o que se espera poderá acontecer brevemente.
mais cedo ou mais tarde Inevitavelmente; que com certeza vai ocorrer, antes ou depois de uma determinada marca de tempo, dentro de pouco ou de muito tempo.
mais de mil vezes Usa-se para enfatizar uma ação repetidamente realizada a ponto de nos entediar ou aborrecer ter de repeti-la por parecer-nos que de nada adiantará fazê-lo.
mais dia, menos dia Quando menos se espera; em futuro próximo. Ger. no sentido de advertência quanto a algo que certamente ocorrerá em consequência de uma atitude ou circunstância negativas. *V.* "mais cedo ou mais tarde".
mais difícil do que parece Diz-se de algo mais trabalhoso ou penoso do que a princípio se acreditava.
mais do que bastante Diz-se do que é suficiente ou, em alguns casos, demasiado ou mais do que o necessário.
mais e mais Cada vez mais.
mais essa Diz-se em tom de desânimo, quando se traz ao nosso conhecimento mais um problema a ser solucionado e que se junta aos que já temos.
mais grande Maior.

*Esta locução é de aplicação restrita aos casos em que o comparativo sintético (*maior*) não for aplicável ou não expuser com precisão a ideia.Ex. Mais grande do que pequeno.*

mais hoje, mais amanhã Em breve; sem tardar; dentro em pouco; em futuro próximo; proximamente; a qualquer momento; entre hoje e amanhã. *V.* "mais dia, menos dia".
mais mal Pior. Emprega-se antes de particípio, com hífen se seguido de vogal ou *h*, aglutinando-se se seguido de consoante: "mais malvestido", "mais mal-humorado". *V.* "mais bem".
mais morto do que vivo Muito maltratado, ferido, cansado, alquebrado; doente.

mais ou menos De modo indefinido, sem poder precisar-se bem; em maior ou menor quantidade; nem lá nem cá.
mais pequeno Menor. V. "mais grande".
mais perdido que cego em tiroteio Diz-se de quem está completamente atordoado, desorientado, ou diante de um impasse.
mais por fora que umbigo de vedete Sem ter a menor noção de um fato ou assunto; sem saber absolutamente nada do que se trata.

> *Alusão ao traje típico das vedetes de teatro de revista, que ger. deixa o umbigo à mostra.*

mais pra cá do que pra lá Resposta evasiva, reticente, que se dá quando se é perguntado pela saúde ou sobre o andamento de um negócio, de um assunto.
mais pra lá (cá) Além (aquém); mais longe (perto).
mais pra lá do que pra cá Prestes a morrer; ainda não totalmente curado.
mais que depressa Imediatamente, rapidamente.
mais que muito No mais alto grau; extraordinariamente.
mais que tudo Principalmente, em primeiro lugar; sobretudo; de preferência.
mais realista que o rei Muito rigoroso, exigente (mais do que o razoavelmente necessário) em relação a comportamento, pessoas ou situações.
mais tarde Depois, em outra ocasião.
mais velho/a que meu (minha) avô (avó) Diz-se de quem é muitíssimo velho/a, idoso/a.
mais vermelho que tomate maduro Diz-se de quem se apresenta com a face ruborizada, por medo, vergonha, emoção ou doença.
mal das pernas Diz-se de quem está mal de saúde, doente.
mal de São Lázaro A hanseníase (lepra).
mal de saúde Doente.
mal e porcamente De qualquer jeito; muito malfeito; mal conduzido ou realizado; sem perícia ou zelo; muito mal.
Mal haja! Locução imprecatória, que expressa o desejo de que tudo corra da pior maneira possível.
mal por mal A escolher entre dois males; situação sem saída, uma vez que todas as opções que se oferecem são más.
mal(es) que vem (vêm) para o bem Diz-se de algo que foi bom, apesar da expectativa de não o ser.
mal sem remédio O que não tem conserto; o que é inexorável, fatal.

mala direta Envio, pelo correio, de folhetos contendo propaganda, catálogos etc., com o objetivo de promoção de vendas ou, mesmo, de vendas diretas ao consumidor.
mala sem alça Diz-se de algo ou alguém difícil de suportar; estorvo; dificuldade; empecilho.
malha fina Fiscalização ou inspeção rigorosa.
malha rodoviária (ferroviária) O complexo de rodovias (ferrovias) existentes em determinada região, estado ou país, com suas ramificações, entroncamentos etc.
malha urbana V. "tecido urbano".
malhar em ferro frio Perder tempo insistindo com pessoa intransigente ou muito ignorante; não ser de nenhum proveito o conselho que se dá ou a insistência com que se adverte alguém a respeito de algo.
malhar em ferro quente Agir enquanto favorável a situação.
mama na égua CE Indivíduo tolo, ingênuo, incompetente, incapaz.
mamar em onça Ser muito corajoso ou capaz de realizar perigosas façanhas.
mamar em todas as tetas Aproveitar todas as oportunidades que se lhe apresentam.
maná do céu 1. O alimento que segundo *Ex* 15, Deus fez cair do céu para satisfazer a fome do povo judeu que atravessava o deserto a caminho de Canaã, a Terra Prometida. 2. *Fig.* Algo agradável e surpreendente que acontece quando a pessoa está passando por dificuldades.
manchar a farda O *m.q.* "enlamear a farda".
manchar a honra Denegrir; difamar. *Var.* "manchar a reputação".
manchar as mãos com Praticar ação abominável, vergonhosa, horrível.
manchar as mãos de sangue Cometer assassinato.
mandado de busca Instrumento judicial que habilita a polícia a proceder à busca de pessoas ou objetos em recintos particulares.
mandado de segurança Ação que se move para garantir direito ameaçado por ato ilegal ou inconstitucional de autoridade; ordem judicial para suspender ou revogar um ato.
mandado de soltura Ordem judicial ou policial para pôr em liberdade um preso.
mandar *V.* expressões sem este verbo.
mandar (alguém) desta para melhor Matar; assassinar.
mandar (alguém) para o diabo Mandar que a pessoa deixe de amolar, importunar. *Var.* "mandar (alguém) para o diabo que o carregue".

mandar ao diabo Livrar-se ou desistir de alguma coisa que incomoda.
mandar às cordas *1.* Livrar-se, mandar para longe. *2.* No boxe, vencer por nocaute.
mandar às favas *1.* Instar, com veemência, a uma pessoa a deixar de ser importuna. *2.* Demonstrar pouco apreço a (alguém ou algo). *3.* Livrar-se de um serviço que aborrece. *Var.* "mandar pentear macacos", "mandar embora" e "mandar à fava". Também: "mandar catar coquinhos", "mandar catar lata", "mandar lamber sabão", "mandar passear", mandar ver se está na esquina" e "mandar chupar prego".
mandar bala *1.* Pôr mãos à obra; iniciar o serviço com disposição. *2.* Atirar (apertar o gatilho de uma arma de fogo). *Var.* "meter bala".
mandar bater a outra porta Mandar procurar outra pessoa (porque não se está disposto a atender). *Var.* "mandar bater em outra freguesia".
mandar bem *Gír.* Ter sucesso, eficácia em uma empreitada.
mandar botar o feijão no fogo Dar ordens para ou providenciar refeição para novos comensais.
mandar brasa Agir com firme disposição; criticar corajosamente. O *m.q.* acepção *2* de "mandar bala".
mandar cabrito vigiar horta Cometer um erro por inadvertência ou burrice, tal a evidência de que o que se faz ou se manda fazer redundará em fracasso.
mandar de Herodes a Pilatos Diz-se comumente quando alguém, por leviandade ou má vontade, ou ainda por outro motivo, procura livrar-se de um trabalho ou de uma pessoa transmitindo a outrem a responsabilidade.

A origem da frase faz-nos recordar os últimos e dolorosos dias da vida de Jesus. O Sinédrio não tinha poderes ilimitados; por exemplo, não podia sentenciar à morte, e por isso mandou Jesus a Pilatos, governador romano da Judeia. Pilatos, porém, devido a ser Jesus natural da Galileia, mandou-o a Herodes (73-74 a.C.), rei da Galileia, que se encontrava em Jerusalém, devido à Páscoa. Herodes, uma vez que Jesus às suas perguntas opunha um desdenhoso silêncio, devolveu-o a Pilatos, que, como se sabe, não quis manchar suas mãos do sangue daquele justo e devolveu o julgamento ao povo, que quis a condenação a todo custo.

mandar desta para pior Matar.
mandar e desmandar Exercer poderes totais, absolutos.
mandar embora Despedir do emprego; determinar a saída (de alguém); dispensar os serviços (de alguém).
mandar lembranças a alguém Recomendar-se a alguém.
mandar longe Colocar algo fora do alcance, tornando difícil ou trabalhosa sua recuperação.
mandar para a outra vida Matar.
mandar para aquele lugar Xingar.
mandar para o beleléu *1.* Fazer desaparecer. *2.* Tirar a vida a; matar. *Var.* mandar para as cucuias.
mandar para o chuveiro *Fut.* Expulsar (o árbitro) o jogador por indisciplina ou por lhe ter aplicado o segundo cartão amarelo.
mandar para o outro mundo Matar; assassinar.
mandar para os quintos do(s) inferno(s) Mandar para bem longe. *Var.* "ir para os quintos do inferno". *V.* "quintos dos infernos".
mandar passear Mandar, com rudeza, que uma pessoa saia de sua vista, de sua presença.
mandar pastar *V.* "mandar passear", embora com conotação mais rude.
mandar pentear macacos *V.* "ir pentear macacos". *V.* "mandar às favas".
mandar plantar batatas *V.* "ir plantar batatas".
mandar pras cucuias Mandar às favas; irritar-se.
mandar pro diabo Abandonar o que estava fazendo ou planejando fazer. *Var.* "perder a paciência".
mandar repicar o sino Palavras de alegria ao receber visita de pessoa que há muito não se via.
mandar ver Dar início imediato e entusiasmado a uma atividade; conferir.
mandar voltar para a escola Em tom irônico, admoestar alguém que demonstra ignorância sobre as matérias mais fundamentais.
maneira de falar *1.* Falares e dialetos característicos das regiões de um mesmo país ou província; regionalismos. *2.* Modo particular de uma pessoa ao falar.
manga de colete Nada; coisa nenhuma; pouco; muito escasso, raro.
manga japonesa Manga de veste que não tem costura na cava.
manjar dos deuses Diz-se de uma iguaria muito apetitosa.

mão de vaca

mano a mano Familiarmente; com intimidade; de igual para igual; pau a pau. V. "de mano a mano".
mansão celeste *Rel.* O céu; o paraíso; Deus; a Providência divina.
mansão da morte O cemitério.
manso como um cordeiro Diz-se de quem é muito manso, calmo, tranquilo.
manso de em pelo *RS* Diz-se da cavalgadura que se deixa montar sem a sela ou arreios.
manta de toucinho Toucinho da metade inteira de um porco.
manteiga de cacau Substância extraída das sementes do cacaueiro, branco-amarelada, de pouca consistência, *us.* em confeitaria e em especialidades farmacêuticas.
manteiga derretida Pessoa que chora por qualquer motivo ou se melindra à toa, frequentemente; chorão.
manteiga em focinho de cachorro Coisa que não dura; sem firmeza. *Var.* "manteiga em focinho de gato".
manter a calma Dominar-se; não se irritar ou se desesperar.
manter a forma Conservar-se em bom estado físico e/ou com boa aparência.
manter a linha *1.* Procurar manter-se em boa forma física e cuidar da estética do corpo. *2.* Manter comportamento correto, mesmo em condições ou situações adversas.
manter a palavra Sustentar o que disse.
manter a pose Procurar aparentar estar na mesma situação, embora, na realidade, esteja passando por um período de frustração pessoal e profissional.
manter aceso Cuidar, manter, zelar pela continuidade de uma situação desejada.
manter as aparências Dar demonstração externa de decoro, decência, correção, bondade, amizade.
manter as distâncias V. "manter distância".
manter distância *1.* Guardar (o motorista) distância razoável de seu veículo com o que segue à sua frente, a fim de evitar abalroamento. *2.* Não se aproximar; afastar-se de (alguém) (tanto em sentido espacial quanto em sentido social, de relações humanas).
manter vivo Reforçar, promover, cuidar.
manter-se aceso Permanecer atento, acordado.
manto da noite Trevas.
Manto Sagrado O que envolveu Jesus na sepultura. *Var.* "Santo Sudário".

Na Palestina da Antiguidade, era prática comum envolver os corpos dos mortos em tecido antes de sepultá-los nas covas cuja entrada era posteriormente obstruída por grande laje de pedra. Os católicos acreditam que o tecido guardado e venerado na Catedral de Turim, Itália, é o mesmo que teria embalado o corpo de Jesus Cristo após sua crucificação. Por algum efeito ou fenômeno ainda não explicado de maneira convincente pela ciência, independentemente da veracidade histórica, está estampada neste manto a imagem de corpo inteiro de um homem com características muito semelhantes àquelas que a tradição credita a Cristo.

manu militari *Lat.* Por força militar; recurso à força militar; de modo coercivo.
mão amiga Pessoa que protege, que socorre; benfeitora.
♦ **mão-boba** A de quem, fingindo-se descuidado, vai pegando ou apalpando onde não deveria.
♦ **mão-cheia** *1.* Boa qualidade; excelência. *2.* Muito; grande quantidade.
mão de direção Numa via, direção em que um veículo, ou qualquer coisa em movimento, deve nela transitar; sentido obrigatório do tráfego.
mão de ferro *1.* Rigor, energia, determinação na imposição de medidas, regras, controle etc. *2.* Pessoa disciplinadora; dura; exigente; tirania; despotismo; opressão.
mão de ferro em luvas de seda (ou pelica, ou veludo) Firmeza e inflexibilidade expressas com boas maneiras e tato.
mão de obra *1.* Conjunto global de trabalhadores de um país, ou então de segmentos econômicos específicos. *2.* Esforço; trabalho demandado em uma empreitada. *Ex.: Deu uma mão de obra conseguir aquele empréstimo. 3.* A componente necessária para a realização de um produto ou serviço (que também pode corresponder a um valor), relativa ao trabalho humano, *esp.* o manual. *Ex.: Deixa muito a desejar a mão de obra dos trabalhadores sem qualificação.*
mão de pilão Peça de madeira com que se esmagam (moem, trituram, maceram) os grãos ou outra qualquer substância.

Pilão = Peça de madeira dotada de uma cavidade em forma de cone invertido, onde se colocam os alimentos a serem triturados ou macerados.

mão de vaca Diz-se de alguém sovina, pão-duro. *Var.* "mão-fechada".

mão de veludo Mão macia muito bem-cuidada e que não lida com trabalhos pesados.

mão dupla Nas vias, regime que admite o trânsito de veículos em duas mãos de direção, com sentidos opostos.

♦ **mão-furada** *1.* Diz-se de quem é pródigo, esbanjador, gastador; imprevidente. *2.* Pessoa cuja renda é pequena e tudo quanto ganha é logo gasto. Também se diz: "bolsos furados".

mão leve *1.* Aquela que está sempre pronta para bater. *2.* Diz-se, também, do batedor de carteira (e de sua mão), hábil ao meter a mão na algibeira da vítima sem que esta perceba; gatuno, ladrão. *Obs.* Nesta acepção, é grafada com hífen.

mão na roda Algo fácil, que vem a propósito, vantajoso.

mão pesada A que molesta ao mais leve contato; bruta; desajeitada.

mão por baixo, mão por cima Cautelosamente; com o máximo cuidado e atenção.

mão por mão O *m.q.* "mano a mano".

mão única Via de sentido único obrigatório, para todos os veículos que nela transitarem.

Mãos à obra! Convite à execução de uma tarefa. "Ao trabalho!", "Avante!"

Mãos ao alto! Comando de alguém a outrem para que este se entregue preso ou pare de resistir.

> *Geralmente essa ordem é dada com a ameaça de uma arma.*

mãos de fada Mãos delicadas, cuidadosas, suaves, hábeis, *ger.* em referência a trabalhos manuais.

mãos limpas Honradez.

mãos postas Mãos juntas, em atitude de oração, de súplica.

mapa da mina Caminho por onde as coisas se tornam mais fáceis; o caminho das pedras.

máquina de fazer dinheiro Diz-se de pessoa rica, que tem facilidade de realizar bons negócios e que explora ramo florescente e altamente rentável.

mar alto *1.* Extensão do mar além das águas territoriais. *2.* O ponto do mar de onde não se avista terra. Também se diz "alto-mar".

mar de lama Ambiente, situação ou estado de grande degradação moral.

mar de leite Mar de rosas.

mar de rosas *1.* Mar sereno, bonançoso. *2.* Período de grande felicidade e tranquilidade.

mar territorial Faixa de domínio de águas marítimas declarado por um país, de modo geral com 12 milhas marítimas (*m.m.*) de largura a partir da costa, aceito internacionalmente.

> *Milha marítima = O* m.q. *milha náutica, equivalente a 1.852 m.* Obs. *O Brasil declarou unilateralmente suas próprias faixas de domínio, confirmadas pela Lei 8.617, de 4 de janeiro de 1993. Nesse documento, o país confirma sua soberania absoluta sobre a faixa de 12 m.m., mas também define em mais 24 m.m. além desse limite, a "Zona Contígua", na qual pode exercer sua soberania de forma a garantir, inclusive preventivamente, a segurança de seu mar territorial. O mais importante é que nessa mesma lei o Brasil estabelece a "Zona Econômica Exclusiva" até o limite de 200 m.m. da sua costa, reservando-se todos os direitos de exploração econômica e de proteção da fauna e flora marítimas. A aceitação dessa zona econômica é particularmente importante para a exploração brasileira de petróleo na camada denominada pré-sal, como no campo de Tupi, localizado a aprox. 134 m.m. da costa.*

maravilhosamente bem É assim que muitos respondem a uma saudação ou pergunta do tipo "Como vai?", demonstrando intensa satisfação com sua vida atual. *Cf.* "se melhorar, estraga".

marca barbante De baixa qualidade; inferior, subalterno, primário. O *m.q.* "marca roscofe" (*V.*).

> *Segundo alguns, a expressão se origina na antiga prática de se arrolhar a garrafa de cerveja, amarrando a rolha com barbante, para evitar que ela saltasse com a fermentação da bebida, que, evidentemente, era de baixa qualidade.*

marca de Caim Estigma de um assassino; sinal de infâmia.

marca registrada *1.* Nome de empresa e/ou produto, símbolo, logotipo etc., devidamente registrado nos órgãos oficiais competentes. *2.* Aquilo que mais caracteriza uma pessoa.

> *A marca registrada fica legalmente protegida, sendo de uso exclusivo de quem a registrou.*

marca roscofe De má qualidade, ruim. O *m.q.* "marca barbante".

Roscofe = Do antropônimo G.F. Roskopf (?-1889), relojoeiro suíço que deu nome a uma antiga marca de relógio de baixa qualidade.

marcação cerrada *1. Fut. Esp.* Marcação rigorosa que um time exerce sobre o adversário, visando a dificultar ao máximo a posse da bola e a realização de passes. *2.* Também se diz, genericamente, de qualquer vigilância estreita que se estabelece sobre o que alguém faz ou sobre o comportamento de algo.

marcação homem a homem *Esp.* Em alguns esportes, marcação em que um jogador (ou mais de um) é instruído para acompanhar de perto as ações *esp.* de um determinado adversário.

marcação por zona Aquela marcação em que cada jogador é destacado para vigiar uma determinada região do campo ou da quadra.

marcar a ferro Marcar animais com um ferro quente, imprimindo no seu couro um sinal particular.

marcar bobeira Deixar-se enganar. O *m.q.* "dormir de touca" ou "dar uma bobeada".

marcar data Aprazar.

marcar época Um fato, um acontecimento, "marca época" quando, por sua importância, ficou na lembrança de muitos e passou a fazer parte da história de uma família, cidade, país.

marcar passo *1.* Não se adiantar; andar devagar. *2.* Reter um processo por tempo além do necessário. *3.* Não progredir, ou progredir muito lentamente.

marcar presença *1.* Ser ou estar presente, fazendo-se notar. *2.* Comparecer apenas por obrigação ou conveniência. *3.* Chamar sobre si a atenção dos presentes; mostrar-se; exibir-se.

marcar sob pressão *Fut. Esp.* Técnica que consiste em procurar reter o adversário no seu próprio campo, não permitindo que as suas jogadas prossigam e avancem em direção ao gol.

marcar um tento O *m.q.* "lavrar um tento".

marcas viárias Sinalização de trânsito feita no pavimento de ruas ou estradas, pintadas no chão ou em tabuletas afixadas nas laterais ou em painéis suspensos.

marcha a ré Processo pelo qual se faz com que um veículo seja movimentado para trás.

marcha forçada Marcha acelerada, sem descanso.

marcha fúnebre Marcha (música) apropriada aos momentos fúnebres, *ger.* composta com essa finalidade.

marcha militar Marcha musical que marca o passo dos soldados em desfile, comumente executada em solenidades públicas.

marchar com os cobres Pagar, sobretudo assumir despesas de outros e comuns.

marco quilométrico Tabuleta que se coloca em rodovia indicando a posição quilométrica do local em relação a um marco zero convencionado.

maré baixa (alta) *1.* Tempo em que as ondas do mar estão no seu mais baixo (alto) nível. *2.* Estado de mau (bom) humor. *Var.* "baixa-mar" e "maré vazia"; "maré cheia" e "preamar".

maré de sorte *1.* Situação, sucessão de fatos favoráveis, que faz com que as coisas corram maravilhosamente bem. *2.* Em sentido contrário, *i.e.*, quando tudo vem dando errado, dir-se-á "maré de azar".

maré me leva, maré me traz Pessoa fraca, indecisa, sem vontade e/ou convicção.

Marechal de Ferro Antonomásia de Floriano Peixoto (1830-1895), ex-presidente da República.

margem de erro Numa estimativa, numa pesquisa de opinião, a possibilidade, ainda que prevista e estimada, da ocorrência de pequenas diferenças *ger.* admitidas até um determinado percentual.

margem de segurança Qualquer acréscimo (em cálculo ou previsão de quantidade, no tempo ou espaço) que se faz visando a assegurar o pleno alcance do objetivo, evitando ser surpreendido com a falta de alguma coisa ou evento desfavorável.

maria vai com as outras Diz-se de alguém que imita o que outros fazem, sem formar sua própria opinião, em atitude de subserviência ou falta de personalidade.

marido corneado Marido traído.

marido de professora Indivíduo sem independência financeira e, geralmente, dominado pela mulher.

marinheiro de primeira viagem Indivíduo que fez uma coisa pela primeira vez, sobretudo viagens; pessoa sem experiência.

market share Ing. Quinhão de mercado. Grau de participação de um produto nas vendas de todos os produtos similares.

marketing **institucional** *Ing.* Conjunto de ações visando ao fortalecimento da imagem de uma empresa, de um órgão do governo, de uma cidade, de uma organização qualquer, em que se ressaltam suas ações de um modo geral, sem alusão a uma determinada coisa, fato de que seja protagonista.

marketing político

marketing político *Ing.* Técnicas de *marketing* aplicadas na esfera política no sentido de divulgar e assinalar os benefícios e qualidades de governos e membros do poder.
martelar nos ouvidos de alguém Teimar, insistir.
más falas Notícia ruim; más notícias.
mas que pena! Expressão que denota sincero lamento por algo acontecido a si mesmo ou a outrem.
mas também Reforço do sentido de "também", em correlação a "não só" ou "não somente"; e ainda.
mascar as palavras Repeti-las, repisá-las ou não as pronunciar distintamente.
mass media *Ing.* Meios de comunicação de massa. Pronuncia-se "mas-mídia" ou "mésmídia" [mæs mijdiǝ].
massa cinzenta O cérebro; a inteligência.
massa corrida Revestimento fino nas paredes com massa apropriada e aplicada, como acabamento, com espátulas e lixas.
massa falida A relação de todos os bens, direitos, ações e obrigações do devedor falido.
massa podre Tipo de massa de farinha de trigo e ovos que fica quebradiça ou "esfarinhenta" depois de assada, com a qual se fazem tortas, empadas, pastéis etc.
massagear o ego Elogiar alguém ou ser elogiado, com visível agrado de quem recebe a menção.
mastigar o freio Mostrar-se impaciente.
mastigar uma resposta (ou um assunto) Demorar a dá-la(o); evitar em dá-la(o).
masturbação mental Esforço intelectual, artístico ou moral sem resultado, *ger.* sobre detalhes de menor importância; insistência nos mesmos temas, nos mesmos assuntos.
mata virgem Floresta natural e primitiva, ainda não explorada.
matar a charada *1.* Resolver um problema considerado difícil; desfazer uma dúvida; desvendar um enigma. *2.* Decifrar uma charada.

Charada, na acepção 2, é uma espécie de enigma cuja solução consiste em compor uma palavra através de chaves apresentadas juntamente com um conceito que expressa, claramente ou não, a palavra desejada, cujo número de sílabas é indicado.

matar a cobra e mostrar o pau Afirmar algo e prová-lo.
matar a curiosidade Satisfazer a curiosidade.

matar a fome Alimentar-se ao sentir os efeitos da fome.
matar a fome de Dar de comer a uma pessoa faminta.
matar a galinha dos ovos de ouro Trocar por benefícios e vantagens imediatas e passageiras, outras duradouras.
matar a jogada *Fut.* Interromper a jogada de contra-ataque de uma equipe, geralmente mediante falta.
matar a pau *1.* Trabalhar com afinco; agir com grande eficiência. *2.* Gastar as próprias riquezas desordenadamente; esbanjar; pôr a perder. *3.* Existir em grande quantidade, abundância.
matar a sangue-frio Assassinar premeditadamente.
matar a sede Saciá-la.
matar aula Faltar à aula; gazetear.
matar cachorro a grito *1.* Encontrar-se em situação aflitiva e/ou desesperadora. *2.* Estar sem dinheiro, em difícil situação financeira, dispondo-se a fazer qualquer coisa para dela sair.
matar de amores Inspirar grande paixão.
matar de inveja Causar grande inveja a; ser invejado; fazer-se invejado.
matar defunto Contar história já sabida.
matar dois coelhos com uma só cajadada Ao procurar resolver um assunto, resolver mais um outro. *Var.* "com uma só cajadada, matar dois coelhos".
matar no peito *Fut.* Interceptar a trajetória da bola usando o peito para apará-la.
matar o bicho Tomar uma dose de bebida alcoólica. *Var.* "acender a lanterna" e "acender a lamparina".

Antenor Nascentes (V. ref.) relata a origem da expressão: Numa autópsia os médicos encontraram no coração do cadáver um verme que não sobreviveu imerso em álcool. Daí a prática de tomar um gole para "matar o bicho".

matar o problema Resolvê-lo.
matar o sono Dormir um pouco ou ingerir medicamento para evitá-lo.
matar o tempo Arranjar o que fazer para vencer o tédio ou ocupar horas vagas; entreter-se.
match point Em alguns jogos como no tênis e no vôlei, o ponto com o qual se decide a competição.
♦ **mate-chimarrão** O que se toma sem açúcar, quente, sorvido por meio de um canudo apropriado provido de um coador numa de suas extremidades e de um bocal na outra.

> *O chimarrão é consumido principalmente no Sul do Brasil, Argentina, Uruguai e Paraguai, além de algumas regiões do Centro-Oeste, da Bolívia e do Chile. Herança das culturas indígenas, o consumo dessa bebida tem um forte viés cultural. Apesar de alguns o consumirem a sós, é tradicionalmente bebido socialmente, sendo um elemento agregador de grupos e comunidades.*

matéria plástica Substância sintética macrocelular, maleável, utilizada na fabricação de vários objetos, desde fios, tecidos a sapatos, peças para veículos e uma infinidade de outros; plástico.
material refratário O que resiste à ação do fogo sem se alterar na sua forma e/ou composição.
material rodante Todos os vagões ferroviários, bem como todas as locomotivas.

> *Diz-se, também, dos veículos rodoviários, sobretudo de carga.*

Mateus, primeiro aos teus. Expressão que quer sugerir a uma pessoa que vá cuidar de seus afazeres ou de suas coisas antes de vir importunar ou aborrecer outrem.

> *O nome próprio Mateus aqui aparece apenas para rimar com teus.*

mato grosso Selva, floresta, mata.
matriz e filial Refere-se à casa da amante (a filial) e à casa da esposa (mulher legítima), ou seja, à condição de infidelidade de um homem.
mau caminho Má conduta; comportamento irresponsável.
mau cheiro Fedor, catinga, morrinha.
mau elemento Pessoa má, de má conduta, não confiável.
mau gosto *1.* Gosto duvidoso; critério estético que contradiz o padrão aceitável pela média das pessoas (em relação a qualquer aspecto, como vestimenta, decoração, obras de arte etc.). *2.* Sabor desagradável.
mau humor Irritação; impaciência.
mau jeito *1.* Maneira de se postar, de levantar um peso ou fazer um movimento qualquer que, forçando músculos, tendões etc., provoca dores musculares ou articulares persistentes. *2. Fig.* Forma desastrada de tratar algum problema, causando constrangimento a outrem.
♦ **mau-olhado** Feitiço ou quebranto que a crendice popular atribui ao modo de olhar de algumas pessoas.
mau passo Procedimento incorreto ou desastroso. *V.* "dar um mau passo".
mau pedaço Maus momentos; transe aflitivo. *Var.* "maus bocados".
mau perdedor Alguém que se comporta mal diante de um insucesso, de um fracasso.
mau sinal Prenúncio de algo mau.
mau sucesso Aborto.
maus bocados Maus momentos.
maus fígados Diz-se que os tem, ou que é de maus fígados, pessoa geniosa, irritadiça, grosseira.
maus lençóis Dificuldades, problemas, enrascada.
Me deixe em paz! O *m.q.* "Deixe-me em paz!".

> *Gramaticalmente, condena-se iniciar a frase com o pronome.*

mea culpa Expressão latina de admissão da própria culpa ou responsabilidade em um erro.

> *É uma expressão contida na oração penitencial rezada em latim, na liturgia da Igreja Católica. Lit. Significa "minha culpa".*

medalha de ouro Prêmio por ter alcançado o primeiro lugar numa competição.

> *A medalha de prata é o prêmio para o segundo lugar, a medalha de bronze, para o terceiro.*

medicamento genérico Medicamento sob o nome técnico do seu princípio ativo (e não um nome-fantasia criado pelo laboratório que o fabrica), estampado em destaque na embalagem, acima da marca comercial.

> *Tal medicamento, desvinculado de parte dos direitos da patente, é encontrado nas farmácias a preços módicos.*

medicamento similar Ou 'substituto', seria aquele que se assemelha a outro na ação que promete realizar.
medida cautelar Ato jurídico garantidor ou preventivo para que seja mantido um ato, um direito etc. enquanto o acórdão definitivo não é exarado.
medida extrema A atitude ou providência mais radical possível.

medida provisória Ato com força de lei, originado do presidente da República para casos urgentes e relevantes, com vigência imediata, mas provisória, submetida ao Congresso Nacional para sua conversão em lei, se por este aprovada.
médio direito (esquerdo) *Fut.* Antiga designação de jogador que atua no meio de campo, numa das laterais, função hoje exercida por 'volante' ou por 'meia'.
medir (alguém) de alto a baixo Observar "dos pés à cabeça" (*V.*), detidamente, mas com ar um tanto desdenhoso ou em atitude provocadora.
medir as palavras Sopesar o que se fala; falar com prudência, cuidado, responsabilidade.
medir chão Andar muito; andar à toa. *Var.* "medir rua". *V.* "bater pernas".
medir com o olhar Deter-se a examinar com o olhar pessoas ou coisas com o objetivo de as avaliar ou de melhor as identificar.
medir o tempo *1.* Mensurar as várias manifestações atmosféricas por meio de instrumentos apropriados. *2.* Marcar o tempo por intermédio de cronômetros ou relógios.
medir os passos Calcular a distância através dos passos que se contam entre dois lugares.
medir pela mesma bitola Aplicar mesmos critérios ou avaliações sem fazer distinção de pessoas ou de situações.
medir pela sua bitola Julgar exclusivamente segundo critérios pessoais, próprios, ou por comparação consigo mesmo, sem levar em conta outros aspectos.
medir rua *V.* "bater perna(s)".
medo louco Muito medo.
meia ciência Saber incompleto ou superficial.
♦ **meia-confecção** Roupa fabricada em série, em tamanhos padronizados, para ajustamento posterior no corpo de quem irá usá-la.
meia dúzia *1.* Seis unidades. *2.* Pouca quantidade; pouco; pouquíssimo.
meia dúzia de gatos-pingados Quase ninguém.
meia dúzia de um e seis do outro Em partes iguais; sem conclusão; sem tomar partido.
meia elástica A que se destina a conter a dilatação das varizes.
meia porção *1.* A metade de uma determinada quantidade. *2.* Diz-se de pessoa de baixa estatura.
♦ **meia(o)-irmã(o)** Irmã ou irmão por parte só da mãe ou só do pai.

meia verdade Versão de um fato com algum grau de incorreção.
♦ **meia-volta** Movimento de giro do corpo em 180°, ou de retorno à direção de onde se veio.
meias medidas Soluções ou medidas que não atendem completa e satisfatoriamente o objetivo, constituindo mero paliativo.
meias palavras Palavras duvidosas ou pouco expressivas, que não dizem tudo.
meio a meio *1.* Em duas partes iguais; pela metade. *2.* Forma de partilha ou de participação em partes iguais.
meio alto Bêbado, mas em grau moderado. *Var.* "de pileque".
meio ambiente Conjunto de condições da natureza considerado na sua interação com os seres vivos em geral e com o homem em particular.
meio cá, meio lá Expressão que denota indecisão; incerteza; dúvida. Diz-se também, para referir-se ao próprio estado de saúde, quando não é nem muito bom nem muito mau. *V.* "meio lá, meio cá".
meio caminho andado Dificuldade, tarefa, questão, trabalho ou etapa parcialmente vencidos, completados, superados.
meio circulante Montante de dinheiro que circula em um país em um dado momento.
meio de vida *1.* Forma de subsistência. *2.* Trabalhos e afazeres que asseguram a sobrevivência.
meio de mundo Lugar ermo, longínquo; cafundó; meio do mundo.
meio do mundo Lugar ermo, afastado. O *m.q.* "fim de mundo".
meio lá, meio cá O *m.q.* "meio cá, meio lá".
meio louco Referência a pessoa que demonstra atitudes e comportamentos um tanto estranhos e fora do normal. *Var.* "meio pancada".
meio mundo Diz-se quando se quer indicar a presença de um grande número de pessoas; muita gente. *Ex.*: *Meio mundo estava na festa*, ou seja, na festa havia muita gente presente.
meio-dia e meia Meio-dia mais meia hora (30 minutos).
meios de comunicação Modernamente, dá-se o nome de 'mídia' ao conjunto dos meios de comunicação, incluindo, indistintamente, diferentes veículos, recursos e técnicas. *V.* "veículo de mídia".
melé de cuia Aguardente de cana; cachaça; melé.
melhor amigo do homem Diz-se do cão.
melhor de três No esporte, forma de disputa entre dois times na qual o vencedor soma

o maior número de pontos numa série de três partidas; caso um dos disputantes seja vitorioso em duas delas, não haverá uma terceira partida.
melhor do melhor Excelente, insuperável.
melhor do que Comparativo de qualidade; preferentemente.
melhor, só inventando Diz-se de uma coisa ou situação tão boa e favorável que dificilmente haverá melhor.
melhorar a fachada Maquiar-se ou submeter-se a cirurgias corretivas, com o objetivo de embelezar-se ou de eliminar defeitos do rosto. *Var.* "melhorar o visual".
melhores dias A espera, ou votos de 'melhores dias', traz implícita mensagem de esperança de que o futuro seja melhor do que o presente.
membro inferior Cada perna de uma pessoa, compreendendo o conjunto de coxa, perna e pé, com suas articulações no joelho e no tornozelo.
membros superiores Os braços, os antebraços e as mãos.
memento mori Expressão latina que, literalmente, significa "Lembra-te de que és mortal" e que denota advertência sobre a inevitabilidade da morte física.
memória curta Diz-se de pessoa que se esquece muito facilmente de tudo. *Var.* "memória fraca"; "memória vaga", "memória de gato" e "memória de galinha".
memória de elefante Diz-se da memória prodigiosa de certas pessoas.

> Advém do fato de se atribuir boa memória ao elefante. Embora não haja prova disso nem estudos sérios a respeito, sabe-se que esses animais têm grande capacidade de receber, guardar e compreender vários comandos proferidos pelas pessoas que os usam no trabalho e em espetáculos circenses.

memória fotográfica Capacidade de lembrar com minúcias o que se viu ou leu.
memória ingrata Memória infiel; aquela que tem dificuldade de reter o que se lhe confia.
memória nacional O que é considerado parte do acervo histórico e cultural de uma nação.
memorial do Senhor *Rel. Catol.* Eucaristia.
ménage à trois Fr. *1.* Relacionamento amoroso entre três pessoas: *ger.* um casal e o/a amante de um dos que formam o casal. *2. P.ext.* Qualquer relação sexual a três.
menção honrosa *1.* Distinção conferida a uma obra não premiada, porém merecedora de citação. *2.* Distinção concedida a uma pessoa ou obra que se classifica imediatamente depois daquelas que obtiveram prêmios. *3.* Homenagem ou distinção outorgada a quem sobressai em evento, trabalho, atividade (*p.ex.*, num concurso).
menina do olho A pupila dos olhos.
menina dos olhos Pessoa a quem muito se quer, muito estimada.
menina de cinco olhos Palmada corretiva que se aplica nas crianças.
menino/a de ouro *1.* Menino/a mimado/a; criança muito amada. *2.* Pessoa de bom caráter, bem-comportada, muito querida, muito ajuizada.
menino/a de peito Criancinha que ainda é amamentada.
menino de rua Criança que vive nas ruas, *ger.* sem apoio ou vínculo de sua família, e que, quando o tem, é por ela explorado.
♦ **menino-prodígio** Criança excepcionalmente inteligente e portadora de dotes precoces.
menor de idade Pessoa que ainda não atingiu a maioridade.
menor dos males A menos prejudicial das opções à escolha; a alternativa que traz as consequências menos desastrosas ou prejudiciais. *Var.* "dos males, o menor".
menos mal Sofrivelmente; não mal; mal, mas suportável.
menos que nada Absolutamente nada.
menos que nunca Jamais; em tempo algum.
mens sana in corpore sano Lat. "Mente sã em corpo são."
mensageiro do apocalipse Pessoa que supostamente traz consigo ou apregoa catástrofes, perigos etc.

> Apocalipse é tradução de palavra grega que significa 'revelação'. Nos escritos bíblicos, os apocalipses são revelações trazidas pelos profetas de Deus aos homens, sobre coisas só por Ele sabidas. O livro mais conhecido é o de São João, no Novo Testamento, que os exegetas interpretam, entretanto, como destinado a robustecer a fé dos cristãos, animando-os com mensagens de esperança.

mensageiro dos deuses Epíteto do deus Hermes ou Mercúrio.

> Hermes – deus grego (mit.) filho de Zeus e de Maia, deus da fertilidade, patrono dos comerciantes, dos diplomatas, da elo-

mensagem a Garcia

> *quência e de outros vários. Com o domínio romano, seus atributos eram os mesmos de Mercúrio (*mit. romana*).*

mensagem a Garcia *V.* "levar a mensagem a Garcia".
mensagem eletrônica Mensagem através do correio eletrônico; *e-mail*; torpedo.
mente suja Pessoa que só pensa em pornografia e coisas desrespeitosas.
mentir com a maior cara de pau Mentir descaradamente.
mentir com todos os dentes que tem na boca Faltar à verdade de modo absoluto; mentir com contumácia.
mentir pela gorja Mentir descaradamente.
mentira de grosso calibre Mentira muito grande, exagerada.
mentira de rabo e cabeça Mentira grande, exagerada.
mentira descabelada Mentira muito exagerada. *Var.* "mentira deslavada".
mentira deslavada O *m.q.* "mentira descabelada".
mentira inocente A que é dita sem intenção de causar mal. *Var.* "mentirinha inocente" e "mentirinha".
mercado comum Associação de países visando a estabelecer entre si regime de livre comércio e uma mesma política tributária.

> *O Mercado Comum Europeu adotou, inclusive, uma moeda comum e vai evoluindo, objetivando alcançar outras conquistas além das puramente econômicas, integrando-se cada vez mais na União Europeia. O Mercado Comum do Sul, ou Mercosul, por sua vez, reúne países latino-americanos. Tendo sido fundado por Brasil, Argentina, Paraguai e Uruguai, esse bloco econômico ainda está engatinhando em comparação com o congênere europeu, mas já estabeleceu alguma conquistas.*

mercado de balcão Mercado de ações no qual os negócios são feitos pelos meios de comunicação, entre instituições financeiras, com ações de empresas não registradas nas bolsas.
mercado negro Prática do comércio ilegal de mercadorias ou moedas; lugar onde se efetua tal prática.

> *De modo geral, os produtos negociados nesse mercado são os escassos na região, seja por racionamento, por fraqueza da moeda local ou por elevada tarifa de importação, devido à política comercial do país.*

mercê de Graças a; em virtude de.
mercê de Deus Fruto da misericórdia de Deus.
mercê de graças a Em virtude dos benefícios e da ajuda recebida de; graças a Deus.
merda pra você *Teat.* Expressão usual entre artistas para desejar sucesso na representação prestes a se realizar.
merecer uma medalha Ter feito algo extraordinário que faz jus a um prêmio, a uma menção honrosa. *Var.* "merecer os louros".
merenda escolar A refeição das crianças quando estão na escola; refere-se *esp.* à que é servida gratuitamente nas escolas públicas.
mergulho subaquático O *m.q.* "mergulho submarino"; empregado especialmente quando a incursão não se dá em águas marinhas.
mergulho submarino Ida ao fundo do mar com equipamento apropriado, com finalidades profissionais ou esportivas ou, simplesmente, amadoras, nesse caso, para contemplação da flora e fauna marinhas.
meridiana clareza Inteligibilidade absoluta, clareza total.
meridiano de data *V.* "fuso horário".
mês corrente O mês em que se está.
mês das noivas O mês de maio.
mês de Jesus *Bras. BA* O mês de junho.
mês de Maria O mês de maio.
mês de Sant'Ana *Bras.* O mês de julho.
mês do Rosário *Rel. Catol.* O mês de outubro, dedicado a Nossa Senhora do Rosário.
mês legal O período de 30 dias contados pela lei para qualquer fim jurídico.
mês solar Tempo que o Sol aparentemente gasta para percorrer cada um dos signos do zodíaco.
mesa de cabeceira Pequeno móvel que se usa ao lado da cabeceira da cama; criado-mudo.
mesa de pé de galo Mesa com um só pé que se alarga na base.
mesa franca Distribuição gratuita de comida.
♦ **mesa-redonda** *1.* Diz-se de reunião em que todos estão no mesmo nível de importância, em pé de igualdade quanto ao poder de cada um ou de sua posição na sociedade. *2.* Painel (*ger.* público, presencial ou transmitido) de debate de algum assunto, composto por várias pessoas que trocam informações e opiniões.
mesmo assim Apesar de tudo; apesar disso; ainda assim.

mesmo quando Ainda quando; apesar de.
mesmo que Ainda que; apesar de; embora; conquanto.
mestre de cerimônias Pessoa que anuncia cada fase dos eventos em uma festa ou reunião formais, apresenta pessoas e artistas, dá orientações etc., visando a que a reunião transcorra organizadamente.
mestre de obras Operário que coordena uma obra de construção civil, sob orientação de engenheiros e/ou arquitetos.
mestre em *1*. Pessoa que professa o magistério ou que se pós-graduou em nível de mestrado em (determinada disciplina). *2*. Dado a; pessoa que demonstra ter grande facilidade para realizar determinadas tarefas; perito.
metal sonante Dinheiro vivo; dinheiro em espécie.
meter a boca Maldizer. O *m.q.* "meter a lenha".
meter a cabeça Ir adiante em uma iniciativa; aventurar-se.
meter a cara *1*. Entrar em algum lugar sem hesitação; atrever-se; intrometer-se; abusar. O *m.q.* "enfiar a cara". *2*. Empenhar-se, trabalhar com afinco.
meter a colher Imiscuir-se ou intrometer-se em assuntos alheios; meter-se onde não é chamado. *Var.* "botar a colher".
meter a colher torta Intrometer-se.
meter a espada na bainha Desistir de um intento.
meter a faca em *1*. Cortar; suprimir; perfurar; amputar. *2*. Pedir dinheiro emprestado. *V.* "dar uma facada".
meter a ferros Algemar; prender.
meter a foice em seara alheia Intrometer-se em atribuições ou assuntos de outrem, que não lhe dizem respeito.
meter a lenha em *1*. Surrar, espancar. *2*. Dizer mal de; criticar, malhar.
meter a língua Falar mal; criticar.
meter a mão *1*. Tirar; roubar. *2*. Desviar recursos públicos ou privados. *3*. Cobrar caro.
meter a mão em *1*. Bater; espancar. Esbofetear. *2*. Apoderar-se de. *Var.* "meter a mão na cara de".
meter a mão em buraco de tatu Procurar encrenca, ação temerária; meter-se em dificuldades.
meter a mão na lata Esbofetear; dar tapa.
meter a marreta Meter o pau; atacar; falar mal (de alguém).
meter a pata *RS 1*. Cometer gafe. *2*. Estragar uma situação.
meter a ripa em Falar mal de. *Var.* "meter a lenha em", "meter a taca em" e "meter a tesoura em".
meter a sua colherada Intrometer-se em questões que pouco ou nada lhe dizem respeito.
meter a taca em Bater; espancar.
meter a unha O *m.q.* "meter a mão".
meter bronca Empenhar-se na execução da tarefa que lhe cabe.
meter conversa Puxar conversa com.
meter em brios Estimular alguém a agir da melhor maneira possível; incentivar a desdobrar-se ao esforço na consecução de algo.
meter em ferro Encarcerar.
meter/enfiar o pé na tábua Acelerar o veículo que está dirigindo. *Var.* "pisar fundo".
meter/enfiar uma rolha na boca de Fazer calar; calar-se.
meter ficha Mandar brasa; ir em frente. *Var.* "tacar ficha".
meter medo a Atemorizar; assustar.
meter na cabeça *1*. Aprender, decorar; guardar na memória. *2*. Convencer (alguém, inclusive a si mesmo).
meter na cabeça de Insinuar, influir, sugerir ideia a alguém, inclusive a si mesmo.
meter na chave Prender; encarcerar; passar na chave.
meter na dança Envolver alguém numa discussão, questão ou empreendimento. *Var.* "meter na roda".
meter na embira Amarrar ou recolher preso (o criminoso).
meter na maca Enganar.
meter no chinelo O *m.q.* "botar (pôr) no chinelo". Sobrepujar alguém em concursos, em desafios e competições etc.
meter no coração Admitir à sua estima e amizade.
meter no fundo Meter a pique.
meter o bacalhau em Falar mal de (alguém). O *m.q.*"assentar o pau em", "meter o pau em", "meter a ripa em".
meter o bedelho em Intrometer-se em assunto que não lhe diz respeito; dar palpite quando não é convidado a fazê-lo. O *m.q.* "meter o nariz em" e "meter a cara".

Bedelho = Pequena tranca; ferrolho de porta.

meter o bico Ser intrometido; imiscuir-se em assuntos que não lhe dizem respeito.
meter o braço em Descer o braço em; brigar, bater, surrar. *V.* "descer o braço".
meter o cacete (em) O *m.q.* "meter o bacalhau em".

meter o chinelo Disciplinar crianças travessas aplicando-lhes chineladas.
meter o dedo Intrometer-se; ser abelhudo, intrometido, enxerido. Também existe: "meter o dedo em tudo".
meter o focinho Ingerir-se (em alguma coisa ou lugar) sem ter sido convidado; intrometer-se.
meter o malho em Falar mal de.
meter o nariz em Intrometer-se; meter o bedelho em; meter a cara.
meter o nariz onde não é chamado Intrometer-se.
meter o pau *1.* Trabalhar com afinco. *2.* Externar veementes críticas a algo ou a alguém (quase sempre ausente). *Var.* "baixar o pau". *3.* Copular.
meter o pau em *1.* Falar mal de, criticar. *2.* Surrar. O *m.q.* acepção *2* de "meter a lenha em".
meter o pau nos cobres Dar cabo do dinheiro; esbanjar; gastar perdulariamente.
meter o pé em Chutar.
meter o pé no atoleiro Arruinar-se. O *m.q.* "dar com os burros n'água". *Var.* "meter o pé no lodo".
meter o pé no estribo Montar a cavalo.
meter o pé no mundo Correr; viajar.
meter os cornos Atacar uma tarefa com vontade e disposição.
meter os dedos Intrometer-se; imiscuir-se.
meter os dedos pelos olhos Obrigar alguém a ver e a julgar de certa maneira.
meter os peitos Atirar-se a um empreendimento com decisão e coragem.
meter os pés em Desprezar, humilhar, recusar de modo grosseiro.
meter os pés pelas mãos *1.* Atrapalhar-se; confundir-se. *2.* Praticar inconveniências, cometer disparates.
meter os tampos Dar cabeçadas.
meter pelos olhos adentro *1.* Explicar da maneira mais clara possível. *2.* Obrigar a fazer algo por insistência impertinente.
meter/pôr a mão em cumbuca Cair em cilada; cair em esparrela; deixar-se ludibriar; envolver-se com o que ou com quem não deveria; expor-se.
meter/pôr a mão na consciência Examinar bem os próprios atos ou sentimentos; refletir; julgar os próprios atos, sopesando-os quanto aos seus princípios morais/religiosos.
meter/pôr a mão no fogo *1.* Imiscuir-se em assuntos que resultam em problemas para si ou nos quais se vislumbra possam eles ocorrer. *2.* Garantir, assumir responsabilidade pela integridade ou idoneidade ou capacidade de alguém.

meter/pôr a pique Fazer submergir (embarcação).
meter/pôr a viola no saco Calar-se; embatucar; não insistir com seus argumentos; dar-se por vencido; baixar o topete.
meter/pôr a(s) mão(s) na massa Enfrentar o serviço; aplicar-se no trabalho.
meter/pôr atrás das grades Prender; aprisionar; pôr na cadeia.
meter/pôr mãos à obra Atirar-se com afinco ao trabalho.
meter/pôr no mesmo saco Botar (colocar) no mesmo saco.
meter/pôr numa redoma Proteger; colocar a salvo dos perigos, da curiosidade; esconder.

Redoma = Campânula de vidro us. para proteger certos objetos mais frágeis, como imagens sacras.

meter/pôr o rabo entre as pernas Dar-se por vencido; humilhar-se; retirar-se sem alcançar o que queria; encolher-se, calar-se, com medo ou por não ter razão.
meter uma bucha *1.* Contar mentira. *2.* Entravar ou impedir alguém de realizar algo. *3.* Frustrar a expectativa de alguém.
meter uma lança em África Realizar empresa dificílima; conseguir grande vantagem.
meter-se a besta *V. "fazer-se de besta".*
meter-se a fogueteiro Aventurar-se a fazer alguma coisa que não entende e sair-se mal.
meter-se a gato mestre *V.* "dar uma de gato mestre".
meter-se a sebo *1.* Fazer-se de engraçado ou impertinente; encher a paciência de alguém. *2.* Presumir-se importante.
meter-se com a sua vida Diz-se à pessoa que abusivamente quer interferir nos negócios ou assuntos particulares de outrem. *Var.* "meter-se com o que é seu".
meter-se consigo Tratar de si; não se importar com a vida alheia.
meter-se em altas cavalarias Envolver-se em aventuras arriscadas; pretender fazer o que é superior às suas forças.
meter-se em apuros Estar em dificuldades sérias.
meter-se em boa Enrascar-se.
meter-se em camisa de onze varas Encarregar-se de trabalhos superiores às suas forças ou capacidades.
meter-se em casa Viver retirado; não frequentar a sociedade; não gostar da vida social ou ao convívio com outras pessoas.

meter-se em fria O *m.q.* "entrar numa fria".
meter-se em maus lençóis Meter-se em negócios arriscados ou difíceis e, em consequência, viver situação de dificuldade.
meter-se em redoma Proteger-se. Acautelar-se excessivamente. *V.* "meter numa redoma".
meter-se em torre de marfim *1.* Isolar-se em refúgio inacessível; ficar longe do convívio com as pessoas. *2.* Afastar-se das coisas práticas, do cotidiano, ficando centrado em coisas abstratas, idealizações etc.
meter-se entre quatro paredes Encerrar-se em casa e dela não sair para nada.
meter-se na concha Encolher-se; retrair-se; retirar-se; calar-se; deixar de dar palpites; deixar de participar.
meter-se onde não é chamado Intrometer-se.
meter-se terra adentro *1.* Devassar terras; meter-se no mato. *2.* Arriscar-se.
metido(a) a Diz-se de pessoa petulante, intrometida, pedante, vaidosa, que se julga importante, enfatuada, presunçosa ou pretensiosa. *Var.* "metido a sebo (besta/sabichão)".
metido a rabequista Pessoa intrometida, metida a ser o que não é; enganador.
metido com (em) Dedicado a; envolvido com.
metro cúbico Unidade fundamental das medidas de volume no sistema métrico; cubo cujas arestas têm um metro de comprimento.
metro por segundo Unidade de medida de velocidade (m/s) de acordo com o Sistema Internacional de Unidades.
metro quadrado Unidade fundamental das medidas de superfície no sistema métrico; quadrado cujos lados têm um metro de comprimento.
metteur en scène *Fr. Teat.* O dirigente de uma produção artística, responsável pela atuação dos artistas e pela coordenação geral da equipe.
meu algum Dinheiro, como neste exemplo: "Meu algum é nenhum", *i.e.*, "Não tenho dinheiro."
meu amigo Meu chapa; meu caro. Saudação amistosa.
meu bem Tratamento carinhoso e amistoso entre pessoas com as quais se tem intimidade ou de pessoas mais velhas com as mais novas. Meu/minha amado/a, querido/a.
meu bichinho Tratamento carinhoso. Equivale a "meu amor".
meu bico Na expressão "não é para o meu bico" o falante diz que determinada coisa a que se está referindo não está ao seu alcance ou está fora de suas possibilidades.
meu chapa Meu amigo; meu camarada. Tratamento amistoso.
meu dedo mindinho me contou Modo de escusar-se para não manifestar a fonte da notícia que se transmite, guardando segredo dela.
meu Deus! O *m.q.* "santo Deus". *Var.* "Meu Deus do Céu!".
meu filho Expressão com que nos dirigimos a alguém, ora com carinho, ora com ironia, falando-lhe sobre assunto circunstancial.
meu negro Tratamento íntimo, carinhoso, às vezes com conotação irônica. Equivale a "meu amigo", "meu caro". Popularmente se diz: "meu nego".
Meu pirão primeiro! Exclamação de afoitos e que se arrogam privilégios, reclamando atendimento prioritário.
meu velho *1.* Tratamento de intimidade, de amizade. *2.* Tratamento que às vezes se costuma dar ao próprio pai.
mexer com os nervos (de alguém) Exasperar alguém.
mexer em casa de marimbondo Mexer em coisa perigosa ou que pode trazer consequências desagradáveis. O *m.q.* "bulir em casa de marimbondo".
mexer em time que está ganhando Alterar, modificar algo sem justificativa bastante; dar-se mal na mudança de algo que vinha dando certo. *Cfe.* as circunstâncias, usa-se: "não mexer em time que está ganhando". *Var.* "mexer com o cão que está dormindo".
mexer feito charuto em boca de bêbado Agir desordenadamente, atabalhoadamente.
mexer nos bolsos Pagar as contas; gastar dinheiro.
mexer os pauzinhos Empregar todos os meios, maneirosamente, para a concretização de um negócio, obter um favor etc., sobretudo junto a autoridades públicas. *Var.* "mexer com os pauzinhos".
mico de circo *V.* "ser mico de circo".
mijar fora do penico Cometer um engano, um erro grave; não cumprir à risca um dever, uma obrigação; sair da linha. *Var.* "mijar fora da pichorra".

> *Pichorra é palavra us. em Portugal para designar vaso de louça branco, provido de bico. Na expressão, conclui-se que tal vaso corresponde a urinol.*

mijar para trás *1.* Faltar com a palavra dada. *2.* Desistir, na última hora, de um negócio já acertado.

mijo de padre *AL* Diz-se, em regiões do estado de Alagoas, do café muito ralo. Na Paraíba usa-se, com o mesmo sentido, a *Var.* "mijo de rato".
mil desculpas *V.* "com mil desculpas".
mil e um(a) Grande quantidade; muitos(as); numerosos(as).
mil vidas Diz-se que "tem mil vidas" a pessoa que escapou ilesa de muitos perigos.
milhares e milhares Incontável número; muitos e muitos.
milícia celeste Os habitantes do céu (anjos e santos).
milionário do ar Aquele que já viajou de avião uma distância superior a 1.000.000 km. O piloto ou tripulante que já voou essa quilometragem.
mina de ouro Negócio extremamente rendoso, muito lucrativo e que parece inesgotável.
mineiro de (com) botas Iguaria feita com ovo, banana e queijo, fritos em manteiga e salpicados com açúcar e canela.
minguante da maré O refluxo, do mar; a vazante da maré.
minha avó tem uma bicicleta Expressão usada para enfatizar a dificuldade de se dar resposta a uma determinada questão. *V.* "Qual o tamanho de um pedaço de corda?"
minha boca está fechada *1.* Diz-se para afirmar que nada do que se ouviu será revelado. *2.* A expressão se aplica, também, para transmitir a ideia de frugalidade da alimentação para fins de dieta.
minha cara-metade Minha esposa.
minha flor Expressão carinhosa que equivale a "minha amada", "minha querida". *Var.* "minha florzinha".
minha gente Forma amistosa de tratamento; equivale a meu amigo, meu chapa, meu camarada. *V.* "gente boa".
minha joia Expressão de carinho; demonstração de apreço.
minha melhor metade O(a) meu(minha) esposo(a).
Minha nossa! Expressão de surpresa, de piedade, de admiração. *Var.* "Minha Nossa Senhora!"
minha paixão *1.* Expressão amorosa; jura de amor. *2.* Menção àquilo de que mais gosta ou aspira.
minha terra Lugar de nascimento (de quem usa a expressão); terra natal; torrão natal.
minhoca na cabeça *V.* "ter minhoca na cabeça".
minima de malis Lat. Dos males, o(s) menor(es).

> *Trata-se de um ditado tirado das fábulas de Fedro (Phaedrus, 30/15 a.C - 44/50 d.C.), fabulista romano.*

ministério do altar O sacerdócio.
Ministério Público *Jur.* Magistratura especial ou órgão constitucional representante da sociedade na administração da justiça, incumbido, sobretudo, de exercer a ação penal, de defender os interesses das pessoas e instituições às quais a lei concede assistência e tutela especiais e de fiscalizar a execução da lei.
ministério sagrado *Rel. Crist.* Trabalho ou função de serviço na Igreja, exercido pelos que têm ordens.
ministro sem pasta Ministro a quem não se designa para nenhum ministério, mas que tem o *status* do cargo, assessorando o presidente.
minuano claro (limpo) *RS* Vento forte, característico da região gaúcha, mas que não traz consigo umidade ou chuva.
minuto de silêncio Momento destinado a honrar acontecimentos ou pessoas, no qual se pede aos circunstantes que se mantenham em silêncio.
miolo de pote *N.E.* Sem importância; tolice; bobagem.
miolo mole *V.* "de miolo mole".
mirabile visu (dicto) Lat. Interjeição que significa "Admirável de se ver (dizer)".
mirar o infinito *1.* Observar o céu, o firmamento. *2.* Olhar para longe.
miséria pouca é bobagem É expressão de pessoa destemida que enfrenta as dificuldades com galhardia.
misericórdia divina *Rel. Crist.* É a imensa bondade de Deus, que O leva a conceder graça aos homens e perdoar os pecados por eles cometidos.
missa campal *Rel. Catol.* A que é celebrada em altar armado ao ar livre.
missa cantada *Rel. Catol.* A que é celebrada com solenidade e canto próprio.
missa das almas *Rel. Catol.* Aquela que se diz pelos defuntos.
missa de corpo presente *Rel. Catol.* A que se diz em presença do cadáver.
missa de réquiem *Rel. Catol.* Missa solene por alma de um morto.
missa de sétimo dia *Catol.* Missa de lembrança e orações pelos mortos no sétimo dia após sua morte.
Missa do Galo *Rel. Catol.* A primeira missa do Natal, que se celebra na noite de véspera.
missa nova *Rel. Catol.* A primeira missa

que um sacerdote preside, logo após sua ordenação.
missa pontifical *Rel. Catol.* A que se diz com as cerimônias usuais nas missas solenes dos papas.
missal quotidiano *Rel. Catol.* Livro religioso que contém o ordinário das missas de todos os dias do ano, segundo a liturgia.
missão cumprida Diz alguém quando completa um trabalho, tarefa ou providência da qual foi encarregado.
missão rebelde Incumbência ou tarefa difícil, escabrosa.
misturar alhos com bugalhos Confundir coisas dessemelhantes.
mito da caverna Alegoria metafórica que figura o processo de passagem da alma da ignorância à verdade.

> *O "Mito da caverna" foi criado por Platão, filósofo grego (428/7 a.C.-348/7 a.C.), no começo do livro sétimo da República. Através de um fictício diálogo entre Sócrates, Glauco e Adimanto, Platão apresenta as vantagens de abandonarmos a aceitação do conhecimento, passando à investigação. Na história, seres humanos que cresceram e sempre viveram em uma caverna apenas vendo sombras do mundo exterior acreditam que essas sombras sejam a realidade, até que, por seu próprio esforço, saiam desse cativeiro e observem a realidade como ela de fato é.*

mitra diocesana *Catol.* A administração de uma diocese; a diocese.
mobiliar a sala de visitas Colocar dentadura postiça.
mobiliário urbano Tudo o que tem natureza utilitária, urbanística, paisagística, existente ou implantado nos logradouros públicos.
moça de família Mulher jovem, bem-educada, de vida correta.
moça velha Mulher de meia-idade que nunca se casou; solteirona.
moda de viola Canção rural a duas vozes, em terças, acompanhada de viola.
modelo fotográfico Jovens (mais comumente) que se deixam fotografar profissionalmente, portando vestes, sapatos, adornos, cosméticos, joias, bolsas, para fins publicitários.
modéstia à parte Deixando de lado a modéstia, apesar de não querer aparecer ou de demonstrar o próprio saber.
modo de dizer Referência, como atenuante ou justificativa, a algo que se disse e que foi mal-interpretado.
modus faciendi *Lat.* Maneira de agir.
modus operandi *Lat.* Modo de fazer as coisas ou pelo qual são feitas.
modus vivendi *Lat.* Literalmente, "modo de vida"; denota, *esp.*, o entendimento entre as partes em disputa, que concordam conviver sob certas condições.
moeda corrente V. "moeda manual".
moeda divisionária As moedas ou cédulas de pequeno valor (*ger.* representando fração do valor da unidade monetária) e que servem para pequenas compras ou/e principalmente, para troco.
moeda escritural ou bancária São os depósitos em conta corrente, disponíveis nos estabelecimentos bancários.
moeda forte A que é facilmente conversível em outras moedas e, por isso francamente aceita no mercado internacional, sobretudo por não registrar grandes oscilações de seu valor no mercado.
moeda manual Moeda corrente; moeda não escritural; moeda que se pode portar. *Var.* "moeda sonante".
moente e corrente Pronto para qualquer aplicação ou serviço.
moer a pancadas Sovar; bater com violência.
moer os ossos Dar uma surra.
mofar na prateleira Continuar em estoque mercadoria que não se vende ou que demora muito para ser vendida.
moinho de vento Engenho dotado de grandes pás impulsionadas pelo vento e que é utilizado para diversos fins: bombeamento de água, moenda de grãos, ossos etc. e para outros misteres. *Var.* "cata-vento".
mole, mole *1.* Sem fazer muito esforço; fácil, fácil. *2.* Pouco a pouco; devagar.
moléstia de encomenda Leve incômodo que sobrévém justamente quando se deseja evitar um compromisso; moléstia fingida, simulada.
molhado como um pinto Inteiramente molhado.
molhar a cama Urinar na cama, acidentalmente, enquanto dormindo.
molhar a camisa V. "suar a camisa".
molhar a garganta Ingerir bebida alcoólica; tomar um gole. *Var.* "molhar a goela" e "molhar a palavra".
molhar a goela O *m.q.* "molhar a garganta".
molhar a mão de Gratificar; dar gorjeta a; aliciar; subornar.
molhar a palavra Tomar um gole de bebida alcoólica; molhar o bico; matar o bicho; tomar um trago. V. "molhar a garganta".

molhar as calças de tanto rir Rir a mais não poder, desbragadamente.

> *Às vezes se diz: "molhar as calças", com a mesma acepção, embora possa também assumir o significado de "ficar apavorado".*

molhar o bico O *m.q.* "molhar a palavra", "molhar a garganta", "molhar a goela" ou "molhar o peito".
molhar o biscoito Copular.
molho inglês Molho picante, preparado industrialmente com base no vinagre, ao qual se adicionam gengibre, salsa, louro, noz-moscada, pimenta-do-reino, sal, cravo etc., usado como tempero culinário.
molho pardo Molho preparado com o sangue da própria ave, ao qual se adiciona vinagre para que não coagule.
molho picante Molho feito de alguns legumes e condimentos especiais que o tornam apimentado ou muito aromático.
momento oportuno Momento adequado e propício; às vezes, pode significar "adiamento" ou, mesmo, "nunca".
momento psicológico A ocasião em que as condições se mostram mais favoráveis para uma ação.
monstro sagrado *1.* Artista excepcional, de grande talento. *2. P.ext.* Pessoa de renome e prestígio que, por ser louvada ao extremo, se tornou incriticável; intocável, mítica.
montado na ema *Bras. N.E.* Embriagado.
montagem fotográfica Alterações feitas numa foto original através de recursos digitais.
montar banca Querer impor-se pela força, pela astúcia, pelo prestígio etc.
montar em osso Montar sem arreios (sela); montar diretamente no dorso do animal. *Var.* "montar em pelo".
montar guarda Estar em serviço de guarda, a postos; estabelecer vigilância permanente.
montar no porco Cometer uma gafe, dar um fora e ficar envergonhado ou encabulado. *Var.* "montar um porco".
montar no tigre Demonstrar coragem; ter decisão.
monte de merda Diz-se de algo ou de alguém que não presta para nada.
monte de Vênus Proeminência existente no púbis feminino. *Var.* "monte pubiano".
montinho artilheiro *Fut.* Pequena saliência no gramado que provoca desvio na trajetória da bola, enganando o goleiro e redundando em gol.

monumento natural Obra da natureza, de feição notável, rara ou de grande beleza cênica e que é objeto de preservação, por interesse científico, cultural ou paisagístico.
morada celeste O céu.
moral da história Conclusão ou lição moral decorrente de fato narrado.
morar debaixo da ponte Ir morar debaixo da ponte é ser extremamente pobre e não ter nem onde morar.
morar na jogada Entender, compreender uma situação.
morar num assunto Compreender o que se está discutindo ou expondo.
morar parede-meia com Morar em casa geminada, contígua com outra.
morar porta a porta com alguém Ser vizinho de alguém.
morde aqui Diz isso quem manifesta incredulidade diante do que presencia ou ouve, algo tão inusitado e tão difícil de acreditar que só se sentindo vivo (sentindo a mordida) poderá vir a aceitar.
morde e assopra Diz-se da maneira de agir de pessoa falsa e hipócrita no seu relacionamento com os outros, ora criticando, ora elogiando ou relevando o que criticou.
morder a isca Cair no logro; ser apanhado em truques ou em ardis; deixar-se enganar, seduzir ou lograr. O *m.q.* "cair no anzol".
morder a língua Deixar de dizer algo inconveniente num certo momento.
morder o pé Cair morto, vencido; perder a luta.
morder o pó *1.* Não ser bem-sucedido. *2.* Ser vencido numa luta e cair por terra. *3.* Cair morto. *Var.* "morder a poeira" e "morder o chão".
morder os beiços Mostrar-se despeitado, enciumado.
morder os lábios Conter-se, ficando calado.
morder-se de inveja Ter enorme inveja.
mordido de cobra Doido, raivoso. *Ex.: Fulano parece mordido de cobra*, i.e., a pessoa de quem se fala parece estar muito irritada com algo que a atingiu profundamente.
morrer à míngua Morrer de inanição.
morrer com cheiro de santidade Morrer com fama de santo, por ter tido uma vida correta e de fé.
morrer como passarinho Morrer sem sofrimento físico, sem dores, tranquilamente.
morrer como um cão Morrer abandonado, desprezado, desamparado.
morrer de alegria Estar muitíssimo alegre; exultar.
morrer de amor Estar intensamente apaixonado.

mostrar com quantos paus se faz uma cangalha (canoa)

morrer de amores por Ter grande estima ou paixão por.
morrer de fome Não ter os meios com que ocorrer às suas necessidades básicas de vida.
morrer de frio Sentir frio extremo.
morrer de inveja Não se conformar com o bem ou o sucesso de outrem.
morrer de medo Ter muito medo.
morrer de morte matada Morrer assassinado.
morrer de morte morrida Morrer naturalmente.
morrer de morte natural Falecer de doença ou de velhice.
morrer de rir Rir de forma impetuosa e irrefreável; arrebentar de rir; gargalhar. V. "rir a bandeiras despregadas".
morrer de saudades Desejar muito estar novamente com alguém ou em algum lugar especificamente.
morrer de sono Estar tomado pelo sono; não se aguentar mais acordado.
morrer de susto Passar por momentos de surpresa e temor.
morrer de tédio Estar aborrecido com tudo à sua volta.
morrer de vontade de Ter ou estar com muita vontade de alguma coisa.
morrer em vida Experimentar profundo desgosto ou grande desgraça.
morrer na casca Não vingar (um plano, um negócio).
morrer na praia 1. Não conseguir realizar o objetivo, atingir a meta, depois de grande esforço e muito trabalho, e de quase chegar lá. 2. Após uma campanha excelente, vencendo dificuldades, não se sagrar por fim (equipe esportiva) campeã.
morrer na véspera Sofrer por antecipação.
morrer para o mundo Isolar-se alguém do convívio mundano, como os que se retiram para a vida monástica, voltada exclusivamente para o espiritual.
morrer por Ter grande afeição por; desejar ardentemente.
morrer sem dizer "ai Jesus" Ter morte repentina.
morrer um atrás do outro Morrer em grande número.
Morreu o rei; viva o rei! Anúncio pelo qual o arauto da corte anunciava ao povo a morte do rei e a ascensão ao trono de um novo rei. Var. "O rei está morto, viva o rei!".

Hoje também se costuma usar a expressão nas ocasiões de sucessão dos governantes.

morro de chapéu Morro, pico de montanha cujo formato no seu perfil ou no todo, lembra o de um chapéu.
morro pelado Aquele coberto por vegetação rala.
morte matada Morte não natural; assassinato.
morte morrida Morte natural.
morto de Com fortíssima sensação ou sentimento de.
morto de sede Com muito desejo de saciar a sede; sedento.
morto de vontade Com veemente desejo por alguma coisa.
morto e enterrado Esquecido completamente; assunto encerrado definitivamente.
♦ **morto-vivo** 1. Pessoa que está muito mais próxima da morte do que da vida; prestes a morrer. 2. Indivíduo inerte, desprovido de ânimo, de ação. 3. Zumbi, fantasma constituído pelo corpo, e não pela alma, de quem já morreu.
mortus est pintus in casca Fórmula jocosa (lembrando vocábulos latinos) que significa o *m.q.* "tarde piaste".

A frase é escrita em forma latinizada, como "versão" de "O pinto morreu dentro da casca do ovo", i.e., não nasceu.

mosca na sopa Algo que vem atrapalhar os planos ou que nos priva de prazeres esperados. *Var.* "mosquito na sopa".
mostrar a cara Aparecer; chegar-se.
mostrar a porta a alguém Convidar (impositivamente) alguém a se retirar.
mostrar as armas Exibir seus órgãos genitais.
mostrar as cartas V. pôr as cartas na mesa.
mostrar as costas Fugir.
mostrar as ferraduras Fugir.

Na fuga, a pessoa dá as costas e exibe o solado do calçado pelo movimento natural das pernas que se dobram na corrida (como as ferraduras de um cavalo a galope).

mostrar as garras O *m.q.* "mostrar as unhas".
mostrar as unhas Tirar a máscara; revelar-se; deixar de fingimento. *Var.* "mostrar as garras" e "mostrar os dentes".
mostrar boa ou má cara Receber bem ou mal, dar bom ou mau acolhimento a uma pessoa.
mostrar com quantos paus se faz uma cangalha (canoa) Infligir uma séria lição; apli-

car um corretivo ou castigo em alguém; demonstrar o próprio valor. *Var.* "mostrar com quantos paus se faz uma canoa".

Cangalha = Artefato de madeira ou ferro que se põe no lombo de animais para transporte e onde se dependura a carga.

mostrar com quantos pontos se cose um jereba Mostrar o próprio valor, dizendo a expressão em tom de desafio ou de ameaça.

Jereba = A acepção para esse termo nesta frase é: arreios.

mostrar o que sabe Demonstrar do que é capaz.
mostrar os dentes *1.* Ameaçar (alguém); demonstrar agressividade. *2.* Rir. *3. Fig.* Demonstrar que está preparado para um confronto, ou para uma tarefa, para um desafio.
mostrar serviço Demonstrar (alguém) as habilidades e competência no desempenho das tarefas que lhe foram confiadas.
motivo condutor Expressão que provém da forma alemã *Leitmotiv*, que significa "motivo forte, dominante, principal", empregada para denotar aquele motivo que estimula uma ação.
motivo de força maior Motivo relevante; razão muito forte.
motorista de fim de semana Motorista com pouca prática, que atrapalha o trânsito. *Fr. chauffeur du dimanche.*
móvel do crime O motivo do crime, situação ou fato ou sentimento que deu a ele origem.
mover céus e terra Fazer tudo que está ao alcance para obter o que se deseja, para alcançar o objetivo; empregar todo o esforço possível. *Var.* "mover montanhas".
muda de roupa Roupa limpa para se trocar.
mudança de lua A passagem de uma fase lunar para outra, especialmente da "minguante" para a "nova".
mudar a pele Tornar-se (alguém) repentinamente diferente, mudado, irreconhecível; trocar de partido; mudar de gosto, de critérios.
mudar a pena Estar na muda. (Relativamente às aves, quando perdem as penas para virem outras.)
mudar cebola Fazer trabalhos inúteis, que não levam a nada; perder o tempo.
mudar da água para o vinho Transformar-se para melhor, passando de um extremo ao outro em relação a qualidade, comportamento, postura etc.
mudar de ares Mudar de um lugar para outro, buscando melhor ambiente, boas condições para a saúde, tranquilidade etc.
mudar de cara Transformar-se; mudar de opinião, de comportamento.
mudar de conversa Mudar de assunto para desviar a atenção.
mudar de cor Tornar-se pálido, lívido ou rosado, corado, ruborizado, *ger.* devido a emoções.
mudar de estado Casar-se ou enviuvar-se. *Var.* Acepção *1* de "tomar estado".
mudar de figura Adquirir outro aspecto; tornar-se diferente; variar, tomar outro aspecto, outro rumo.
mudar de ideia Reformular opinião a respeito de um assunto, assumindo novo entendimento a respeito. *Var.* "mudar de opinião".
mudar de lado Passar para a facção oposta em uma disputa.
mudar de mãos Passar pela posse de diferentes pessoas, sucessivamente.
mudar de pato para ganso Mudar de assunto.
mudar de time Mudar de uma posição política, esportiva ou de comportamento para outra.
mudar de tom Falar de outra maneira, com outra linguagem, com outra veemência ou mansidão.
mudar de vida Adotar novos e diferentes hábitos; variar de costumes.
mudar o disco Mudar de assunto; não ficar se repetindo. *Var.* "virar o disco".
mudar o tom Numa discussão, alterar a voz, abrandando-a ou alteando-a.
mudo como um peixe Completamente calado.
Mudou por quê; por que mudou? Expressão que se costuma empregar quando se quer criticar uma mudança qualquer ocorrida, da qual só agora se toma conhecimento ou que ironicamente se quer contestar.
muita abelha e pouco mel Referência a situação na qual muitos trabalham, mas sem um rendimento correspondente ao esforço feito; muito trabalho, pouca produção.
muita areia para o caminhão de (alguém) V. "muita carne para o churrasco de (alguém)".
muita armação e pouco jogo Diz-se de comportamento, ou da pessoa que o tem, que é muito agradável mas que se revela incapaz de mostrar-se útil.

mulher pública

muita carne para o churrasco de (alguém) *1.* Diz-se de algo muito bom, bonito, agradável, muito além das expectativas ou do merecimento (de alguém). *2.* Diz-se do que está além do alcance de; que não é para o bico de. *3.* Há outra expressão equivalente: "muita areia para o caminhão de (alguém)".
muita galinha e pouco ovo Resposta jocosa e rimada à pergunta "Que há de novo?".
muita vez Às vezes; muitas vezes; não raro; com frequência.
muitas coisas em poucas palavras Expressão que se usa para recomendar a necessária brevidade e concisão.
muitas vezes Frequentemente; também se diz "muita vez".
muito "dado" Assim se diz de pessoa muito gentil, atenciosa.
muito barulho por nada Importância exagerada atribuída a coisas simples, inexpressivas.
muito batido Expressão que significa "muito repetido", corriqueiro, repetitivo, comum.
Muito bonito! Exprime desagrado e reprovação diante de algo que, na realidade, se acha feio, inconveniente ou ruim.

> *Esta é uma expressão que também pode significar "lindo", dependendo, contudo, da entonação que a ela se der.*

muito chão pela frente Longo caminho a percorrer.
muito de No início de; logo.
muito e muito Muitíssimo.
muito embora Apesar de; não obstante; se bem que.
muito meu Diz-se de pessoa a quem nos ligam laços de amizade muito fortes.
muito obrigado(a) Expressão de agradecimento a quem prestou um obséquio ou serviu alguém.
muito pouco Pouquíssimo.
muito rodado *1.* Diz-se de veículo que já percorreu milhares de quilômetros. *2.* Diz-se de qualquer coisa muito usada; pejorativamente, de alguém que já teve relações amorosas com muitas pessoas.
muito superior Expressão que alguns gramáticos condenam, por pleonástica, embora seu uso seja generalizado.
muitos e muitos Muitíssimo; grande número.
mula sem cabeça *Pop. Bras.* Ente imaginário de contos populares folclóricos. Teria hábitos noturnos e se apresentaria na forma de uma mula que, apesar de sem cabeça, solta fogo pelas ventas, a perambular pelas cidades e campos aterrorizando as pessoas.
mulher à toa Meretriz. *Var.* "mulher da rua", "mulher da vida", "mulher da zona", "mulher de comédia", "mulher de má nota", "mulher de ponta de rua", "mulher do amor", "mulher do fado", "mulher do fandango", "mulher do mundo", "mulher errada", "mulher vadia" etc.

> *Todas essas expressões que envolvem 'mulher', assim como muitas que se seguem, têm caráter pejorativo e podem denotar preconceito.*

mulher de César Pessoa acima de qualquer suspeita; pessoa injustiçada por falsas acusações. (Diz-se que não basta à mulher ser honesta; é preciso que ela pareça honesta.)

> *Alusão ao episódio acontecido com Júlio César (imperador romano), conforme a tradição oral, que se divorciou de sua mulher sob infundadas acusações de infidelidade.*

mulher de faca e calhau Mulher de mau gênio e da qual se pode esperar agressões, xingamentos e grosserias.
mulher de rua Meretriz.
mulher de sociedade Diz-se da mulher que frequenta as altas rodas da sociedade.
mulher de vida fácil Meretriz.
mulher do mundo Designa pessoa do sexo feminino de tal importância pelo seu valor ou ações que todo mundo a reconhece como insigne.
mulher do piolho Pessoa que não desiste facilmente das coisas; pessoa insistente nas suas reivindicações e desejos e que não deixa de reivindicar enquanto não se satisfaz; mulher muito teimosa.
mulher do povo Mulher pertencente às classes populares.
mulher fatal Mulher particularmente sensual e sedutora, que provoca ou é capaz de provocar tragédias.
♦ **mulher-objeto** Mulher tratada sem respeito nem dignidade, explorada na sua beleza, na sua sensualidade, na sua docilidade etc.
mulher perdida *1.* Mulher de maus costumes. *2.* Meretriz.
mulher pública *1.* Diz-se da prostituta. *2.* Mulher que se dedica à política, a atividades do serviço público. É de uso recente.

múltipla escolha

múltipla escolha Sistema de provas escolares ou concursos, que apresentam questões já com múltiplas e prévias respostas para que se assinale a que seja adequada a cada pergunta.
multiplicar a espécie Proliferar; gerar novos seres da mesma espécie.
múmia paralítica *Pej.* Diz-se de pessoa velha e feia, sem ação, caquética.
mundão de terra Grande extensão de terra; diz-se também de uma propriedade muito extensa.
mundo aberto sem porteira Diz-se quando se quer destacar que há neste mundo uma grande extensão territorial e que ele abriga uma gama infindável de pessoas, de coisas, de situações. O sentido é semelhante ao de "mundão de terra". Também é comum ouvir-se: "Eta, mundo velho sem porteira!".
♦ **mundo-d'água** *1.* Chuva torrencial. *2.* Diz-se em referência ao mar ou a qualquer acúmulo de água.
mundo inteiro Todos.
mundos e fundos Quantia vultosa; fortuna; riqueza; sobejamente; demasiado. Prometer "mundos e fundos" é fazer promessas mirabolantes.
munheca de samambaia Diz-se de pessoa avara; excessivamente apegada ao dinheiro e/ou à riqueza.

> *Munheca = Designação comum às folhas dos fetos ou samambaias quando principiam a desenvolver-se, tendo a forma de báculo.*

munição de boca Víveres para a tropa ou para uma excursão.
murchar as orelhas Ficar humilhado. *Var.* "ficar de orelhas baixas".
Muro das Lamentações Parte de muro que circundava o Templo de Herodes, em Jerusalém, considerado o lugar mais santo do judaísmo. Diante dele os judeus oravam e lamentavam a destruição do Templo, do qual o muro é o único resquício. Hoje é lugar de orações e cerimônias religiosas.
muro de arrimo Muro que se levanta para sustentar taludes de terra passíveis de escorrimento ou desmoronamento, através de barricadas de pedras, cimento armado etc.
murro em ponta de faca Esforço inútil, contraproducente, improdutivo.
musas gregas *Mit.* Cada uma das nove deusas que presidiam as artes liberais.

> *São elas Calíope, da poesia épica; Clio, da história; Érato, da poesia lírica; Euterpe, da música; Melpômene, da tragédia; Polímnia, do canto; Tália, da comédia; Terpsícore, da dança; Urânia, da astronomia.*

música absoluta A que se impõe pela própria concepção, estrutura e efeito harmônico.
música clássica Aquela que é escrita por compositores que se caracterizam pelo classicismo; música fina; música erudita, não popular.
música coral A que se destina a ser executada por um coro de vozes.
música de câmara Qualquer música solista ou para pequenos grupos de solistas.
música eletrônica Música que se compõe e se ouve por meios eletromagnéticos.
música erudita Música clássica.
música instrumental Aquela que é composta para ser executada só por instrumentos.
música para meus ouvidos Expressão com que se afirma que algo acontecido vem ao encontro dos próprios interesses, embora aos outros assim possa não parecer.

> *As expressões mais comuns se apresentam nas seguintes formas: "É música para..." ou "Soa como música para...".*

música profana Aquela que não se destina a culto religioso.
música sacra ou sagrada Qualquer composição que tem por assunto a missa, as orações, preces e mais ofícios de culto religioso e que geralmente se executa nos templos ou em ocasiões especiais, recitais etc.
música vocal Música escrita para ser cantada.
mutatis mutandis *Lat.* Mudar o que deve e precisa ser mudado; realização das mudanças necessárias.
mútuo consenso Acordo recíproco entre as partes sobre os termos de um negócio legalmente reconhecido; mútuo consentimento.

N

n, a, o, til (Pronuncia-se: ene-a-o-til) Diz-se, familiarmente, quando se quer dar ênfase a uma recusa, a uma negativa.
na acepção da palavra Em toda a extensão da palavra; em toda a significação da palavra; em sentido literal.
na água Bêbado; embriagado.
na aguarda de À espera de. *Var.* "no aguardo".
na alegria e na tristeza Declaração de fidelidade e compromisso de mútua ajuda e solidariedade que assumem os nubentes em cerimônia religiosa de casamento.
na bacia das almas Demasiadamente barato; pouco; conseguido a custo ou penosamente.

A ideia de pouco, que a expressão quer transmitir, segundo alguns, advém das espórtulas de muito pequeno valor que se costumava oferecer, nas igrejas, como retribuição de graças alcançadas.

na banguela Com o câmbio no ponto morto; veículo conduzido num declive.
na base de À base de.
na batata Precisamente; com certeza.
na berlinda *V.* "estar na berlinda".
na boa Numa situação confortável, vantajosa, feliz.
na boca de Na opinião de; segundo; no dizer de.
na bucha *1.* Incontinênti; em cima do acontecimento. Certinho; na hora certa; sem demora; imediatamente; na batata. *2.* Diz-se, também, de um acerto pleno.
na cagada *Ch.* Na dependência da sorte; por sorte.
na calada da noite De madrugada.
na cara Na presença.
na certa Sem dúvida, certamente; decerto.

Muitos gramáticos e filólogos condenam o uso dessa locução como sinônima do advérbio "certo/certamente", recomendando substituí-la simplesmente por certo/a.

na chincha *O m.q.* "sem rodeios".
na conformidade de Segundo as disposições de; em cumprimento a/de.
na corda bamba Em posição instável, insegura, perigosa, desconfortável.
na crista da onda No auge da fama, do prestígio; no topo da sociedade; em situação eminente; vivendo fase de sucessos.
na dependura Em dificuldade financeira; na dependência. *Var.* "na pendura".
na envolta No meio de; em meio a.
na essência No fundo, na verdade, no íntimo.
na estratosfera Diz-se de quem está no mundo da Lua, devaneando, vivendo em fantasias; alheio, distraído, avoado.
na expectativa Na aguarda; à espera de (algo).
na extensão da palavra *O m.q.* "em toda a extensão da palavra".
na ficha À vista; a dinheiro.
na flauta Sem seriedade, responsabilidade ou empenho. *V.* "levar a vida na flauta".
na fossa Em estado de intensa depressão moral, de angústia; na pior.
na frente de Antes de; anteriormente a.
na fritada dos ovos No fim; no final das contas; depois de tudo. *Var.* "no frigir dos ovos".
na hora No exato momento; agora; neste momento.
na hora da onça beber água *I.e.*, no momento do perigo; no instante decisivo. *Var.* "na hora do pega pra capar". *V.* "hora da onça beber água".
na hora H No momento certo; no último momento. *Var.* "na hora agá".
na íntegra Integralmente; fielmente ao texto.
na lata Sem rodeios, inopinadamente; imediatamente.
na linha *1.* Em ordem; no alinhamento. *2.* Trajado a contento, elegantemente.
na linha de frente *1.* Diz-se que nela está quem enfrenta os problemas logo que aparecem. *2.*

na lista negra

Na liderança ou fazendo parte de um grupo que lidera a ação. *3.* Na frente de batalha.
na lista negra *V.* "lista negra".
na lona Sem dinheiro nenhum; em petição de miséria. *Var.* "na última lona".
na lua O *m.q.* "no mundo da lua".
na maciota No macio; sem esforço; sem se alterar; calmamente; sem complicações ou dificuldades; em paz.
na maior *1.* Ótimo; belo; intenso. *Ex.: na maior alegria, na maior festa* etc.). *2.* Sem se abalar; sem qualquer cerimônia. Nesta acepção, *Var.* "na maior cara de pau".
na maior boa-fé Sinceramente, sem maldade; com a melhor das intenções; confiantemente.
na mão Sob controle.
na marca do pênalti Diz-se do que está pronto; prestes a acontecer.
na marra *1.* À força; a qualquer preço. *2.* Com coragem, brio ou atrevimento.
na medida *1.* Na mesma proporção (de algo, ou em que algo acontece). *2. Fut.* A expressão "passe na medida" indica que um passe (lançamento da bola por um jogador em direção a outro) foi perfeito, permitindo a conclusão da jogada com êxito. *3.* No ponto certo; a calhar; conveniente.
na medida do possível Enquanto e até quando determinada coisa puder ser realizada.
na medida em que Desde. Na mesma proporção em que. *V.* "à medida que".
na mesma toada No mesmo ritmo; da mesma forma; sem novidades.
na mira Diz-se que nela está quem está sendo observado, vigiado, visado.
na moda Em moda. Designa aquilo que se está usando no momento, especialmente com referência a vestuário e objetos de uso pessoal, decoração etc. *Var.* "em voga".
na moita À espera, escondido. *V.* "à espreita".
na moleza No mole; levar na moleza; não precisar se esforçar muito.
na mosca Bem no alvo; com precisão; com acerto.
na onça Sem dinheiro; na miséria. *P.ex.: andar na onça.*
na onda Na moda; algo que está em uso generalizado, *esp. ref.* a costumes.
na oportunidade de Por ocasião de; no ensejo de; quando de.
na ordem do dia Em maré de fama, de celebridade; muito falado; na moda.
na pendura O *m.q.* "na pindaíba".
na pindaíba Sem dinheiro; a nenhum; a zero; duro. *Var.* "na pendura".
na pinga Embriagado.
na pinta Pontualmente, certeiramente, no momento preciso.
na pior Na fossa; em má situação.
na pior das hipóteses Na alternativa menos favorável; em último caso. Inversamente, diz-se: "na melhor das hipóteses".
na ponta da língua *1.* Diz-se de algo que está muito bem-estudado, pensado, aprendido. *2.* Diz-se que nela está uma resposta sempre pronta, imediata. *3.* Ter na ponta da língua é estar a ponto de se lembrar (de uma palavra ou de algo que se queria dizer e que momentaneamente se lhe foge da lembrança).
na ponta da unha Com rapidez.
na ponta do lápis Anotado, registrado. *Var.* "na ponta da pena".
na ponta dos dedos Diz-se de algo que está sendo feito com muito zelo e desvelo.
na ponta dos pés Sem fazer barulho.
na prática Praticamente; vivendo o que se prega; na realidade; de fato; com aplicação da teoria ao quotidiano.
na presença de Diante de. *Var.* "em presença de".
na primeira página dos jornais Aquilo que os jornais estampam na primeira página são as notícias consideradas mais importantes, e a mais importante de todas é chamada de manchete, e figura em letras maiores. Assim, estar na primeira página dos jornais é ser importante, digno de nota.
na qualidade de Com as funções de; na atribuição de; no cargo de; no mister de.
na raça À força; corajosamente; com determinação.
na raça e na coragem O *m.q.* "na raça", porém mais enfaticamente.
na reta final No fim ou quase no fim; prestes a terminar.
na roda-viva Nela está quem está azafamado, assoberbado pelos muitos afazeres e responsabilidades.
na sarjeta Sem domicílio, sem emprego; sem dinheiro.
na sombra *1.* De maneira oculta; às escondidas. *2.* Sem aparecer; sem se identificar; anonimamente; na surdina.
na sua *V.* "estar na sua".
na surdina Sem barulho; na calada; à socapa; silenciosamente. *Var.* "pela surdina". O *m.q.* "em surdina".
na tábua da beirada Em posição periclitante, instável, perigosa.
na tábua da venta Na presença de; nas bochechas; caso a caso.

não acabado

na tora À força bruta; na marra; na violência.
na última hora No último momento possível. *Var.* "na undécima hora".
na última lona *1.* Sem recurso nenhum, em petição de miséria; na lona. *2.* Em péssimo estado; quase de todo imprestável.
na última moda Elegantemente trajado. Usa-se muito apenas "na moda".
na verdade Verdadeiramente; de fato; realmente; certamente.
na virada de Na passagem do calendário: do mês, do ano, do século, do milênio.
nações latinas Aquelas nas quais a língua falada provém do latim. *V.* "línguas neolatinas".
nada a ver Diz-se de determinado assunto que não guarda relação com outro. *Ex.: Não tem nada a ver uma coisa com a outra.*

> Ant.: "Tudo a ver." *É interessante notar que há um equivalente em inglês desta locução ("Nothing to do with"), mas empregando o verbo "fazer" (to do) em vez de "ver".*

nada cai do céu Alerta a propósito da necessidade de empenho, de trabalho, para conseguir o que se deseja.
nada como um dia depois do outro Expressão que alude a que o futuro pode trazer situações diferentes da de hoje, seja para melhor, seja para pior.
nada consta *Jur.* Expressão utilizada em certificados, emitidos por instituições oficiais, atestando que uma pessoa física ou jurídica não tem impedimentos ou restrições a elas referentes.
nada de Não se deve; não é conveniente.
nada de mais Corriqueiro; normal; banal; sem importância.
nada de nada Absolutamente nada; coisa nenhuma.
nada de novo Sem novidades; sem resultados. *Var.* "nada há de novo debaixo do sol", que se encontra em *Ecl* 1,9. Em latim: *"Nil novi sub sole."*
nada demais Algo sem tanta importância ou que não é tão extraordinário; não ter (algo) o valor que se lhe atribuem. Em latim: *"Ne quid nimis."*
nada disso De forma nenhuma; de jeito nenhum.
nada feito Usada diante de uma tentativa fracassada ou quando não se chegou a uma solução ou a um acordo.
nada igual Inigualável; único.
nada mais! Basta!

nada mais, nada menos Exatamente. *V.* "sem tirar nem pôr".

> *Esta locução tanto se usa como comparação quanto confirmação, na forma "Nada mais, nada menos do que".*

nada mau! Locução com que se expressa a satisfação por algo acontecido.
nada na terra Expressão que denota firmeza de posição: "Nada na terra me fará voltar atrás."
nada obstante Não obstante; apesar de; apesar disso; no entanto; contudo; mas; porém.
nada pescar do assunto (do ofício) Não entender do assunto, não ser qualificado para o ofício.
nadar como um peixe Nadar muito bem.
nadar como um prego Não saber nadar; ir ao fundo.
nadar contra a corrente Fazer esforços em sentido oposto ao em que caminha a maioria. Ter opiniões contrárias às da maioria das pessoas. Trabalhar ou fazer esforço em vão. *Var.* "nadar contra a maré".
nadar em delícias Gozar grandes prazeres. *Var.* "nadar em rosas".
nadar em dinheiro Ser riquíssimo. *Var.* "nadar em ouro".
nadar em mar de rosas O *m.q.* "nadar em delícias".
nadar em ouro Ser riquíssimo.
nadar em sangue Haver ou ter havido grande morticínio.
nadar em (no) seco Perder tempo; não prosperar.
nadar na maionese Fazer esforços inúteis; esforçar-se para nada, sem proveito.
nadar, nadar e vir morrer na praia Esforçar-se muito, realizar bem todas as tarefas mas não alcançar o objetivo, embora tendo estado prestes a consegui-lo. Esforçar-se muito para nada. *V.* "morrer na praia".
nadica de nada O *m.q.* "nada de nada".
naipes pretos No baralho, as cartas de paus e as de espadas.
naipes vermelhos No baralho, as cartas de ouros e de copas.
namorar as vitrinas Olhar as vitrinas das lojas sem o objetivo imediato de compra.
não abrir a boca Ficar calado; não se manifestar. *V.* "abrir a boca".
não abrir mão (de) Não ceder ou dispensar; não renunciar a um direito ou a uma situação de que se desfruta.
não acabado Diz-se de fato ou ação inconclusos.

não acertar uma Sistematicamente não ser bem-sucedido.
não achar vau *1.* Não achar lugar por onde possa atravessar um curso-d'água a pé. *2.* Não encontrar meios de conseguir realizar algum intento; não ter sucesso. *V.* "não dar vau".
não acreditar em nem uma palavra do que diz Expressão de absoluta incredulidade quanto ao que uma pessoa fala.
não acreditar nos próprios olhos Não acreditar que o que se vê possa ser real; algo inacreditável.
não adianta chiar Queira ou não queira.
Não adianta chorar sobre leite derramado. Depois do acontecimento, de nada vale lamentar-se.
não agressão Termo *us.* como conceito de empenho ou compromisso de se abster de tomar qualquer iniciativa de hostilidades (*ger.* entre países).
não aguentar um(a) gato(a) pelo rabo Estar muito fraco, debilitado ao extremo.
não alinhado Que se compromete (país) com ou adere à neutralidade em determinados assuntos ou interesses de natureza internacional.
não alterar nem uma vírgula Ser exatíssimo no que relata; copiar textualmente; confirmar.
Não amola! Expressão que denota irritação e impaciência diante da presença ou da intervenção de alguém. *Var.* "Sai pra lá!" e "Não aborreça!"
Não apoiado! Expressão de discordância.
não arredar pé Não sair do lugar sob nenhum pretexto; permanecer no lugar; não se afastar do lugar.
não atacar nada Não ser capaz.
não atar nem desatar Não dar solução a um assunto; não decidir; ficar num impasse; não resolver; mostrar-se indeciso.
não aumentar a aflição do aflito Não concorrer para afligir quem já está sendo afligido.
não bater bem Diz-se de quem tem algum problema mental; desequilibrado mentalmente; ser ruim da bola.
não bater certo O *m.q.* "não bater bem".
não bater prego sem estopa Não dar ponto sem nó; não agir senão por seus interesses; procurar sempre levar vantagem.
não beber nem desocupar o copo O *m.q.* "não atar nem desatar".
não beligerância Atitude, conceito, política etc. de quem se recusa a assumir atitudes hostis ou entrar em luta armada.
não brincar em serviço Cumprir bem as próprias obrigações.

não caber em si Na expressão "não caber em si de contente", significa estar a pessoa extremamente satisfeita e contente consigo mesma ou com acontecimentos que lhe dizem respeito.
não caber na bainha Acreditar em si mais do que deveria; vangloriar-se.
não caber na cabeça de ninguém Diz-se do que é uma insensatez.
não caber no buraco de um dente Ser pouco, muito escasso. *Var.* "não caber nem uma cabeça de alfinete" e "não caber na cova de um dente".
não caber no mundo Ser ambicioso.
não caberem dois proveitos num só saco Ser impossível auferir duas vantagens ao mesmo tempo.
não cair de cavalo magro Ter experiência.
não cair em saco roto Ficar de reserva para ocasião oportuna.
não cair nessa Estar atento aos ludíbrios, aos convites enganosos, de tal forma que não mais se deixa levar por eles.
não cair noutra Não se deixar lograr de novo.
não chegar aos calcanhares de Ser muito inferior a. *V.* "não chegar aos pés de".
não chegar aos pés de Não poder ser comparado com; não ombrear em sabedoria, em beleza, em inteligência, em capacidade, em habilidade etc. com. *Var.* "não chegar aos calcanhares de".
não chegar para as encomendas Ser muito disputado.
não cheirar bem Despertar (situação, proposta, processo etc.) alguma desconfiança; dar indício de erros e fracassos.
não colar Não vingar; não se impor; não ter sucesso; dar em nada.
não comprar bonde Não ser tolo, explorável, simplório.
não compreender patavina O *m.q.* "não ver um palmo adiante do nariz". *Var.* "não entender patavina" e "não entender bulhufas".
não conformismo Atitude de quem rejeita alinhar-se a valores e normas vigentes em dado momento e/ou num determinado meio social.
não confundir Zé Germano com gênero humano Expressão com que se critica a ignorância de alguém; admoestação a alguém para que distinga bem as coisas entre si.
não conhecer limites Extrapolar, ultrapassar o que se julga razoável.
não conhecer o abc Não conhecer os fundamentos de uma arte, ciência ou profissão.

não conhecer o seu lugar Não ser capaz de reconhecer sua posição inferior em relação a outrem ou a algo; não se enxergar.
não criar mofo Não parar, estar sempre em movimento.
não dar a mínima Não dar importância alguma.
não dar acordo de si Estar privado do uso dos sentidos; desmaiado.
não dar em árvores Não ser tão fácil de obter quanto se poderia imaginar. Diz-se de forma irônica advertindo alguém quanto à dificuldade de se obter o que deseja, por.
não dar em nada Não lograr resultados; não ir em frente (um empreendimento); fracassar. *V.* "acabar em *pizza*".
não dar nem mais um passo *1.* Parar onde está. *2. Fig.* Paralisar ação em que se empenhava.
não dar nem para a saída Não ser o suficiente para determinado fim; irrisório. *Var.* "não dar para a saída".
não dar nem para o leite das crianças *Var.* "não dar nem para o gasto".
não dar nem para tapar um buraco do dente Ser insuficiente; migalha; coisa pequeníssima. O *m.q.* "não dar nem para a saída", "não caber na cova de um dente".
não dar nem para um cachorro Diz-se de algo que, de tão ruim, não serve nem para animais.

Às vezes os animais se alimentam de comida deteriorada ou não saudável para os humanos.

não dar o braço a torcer Não ceder na própria opinião; obstinar-se em sua posição. *V.* "dar o braço a torcer".
não dar outra Acontecer precisamente o que se tinha previsto.
não dar ouvidos Não ligar importância ao que ouve ou ao que lhe falam; não dar atenção.
não dar para acreditar Ser difícil de se acreditar.
não dar pela coisa Não ter observado; passar despercebido.
não dar pelota Não ligar importância.
não dar ponto sem nó *1.* Fazer o serviço de modo completo e cabal. *2.* Não se deixar lograr. *3.* Nada fazer sem que seja no seu próprio interesse ou visando a alguma vantagem pessoal. *V.* "não bater prego sem estopa".
não dar trégua Não poupar; tratar com o máximo rigor; não deixar em paz; não dar um momento sequer de descanso. *Var.* "não dar quartel".

não dar um pio Emudecer por completo; não se manifestar; conformar-se.
não dar uma dentro Não acertar em nada; ser infeliz nas intervenções que faz; errar todas.
não dar uma palavra Ficar calado. *Var.* "não dar um pio".
não dar vau Ter (rio, curso-d'água, lago etc.) uma profundidade que impede que se o atravesse a pé.
não dar vaza *1.* Não ceder no jogo ao(s) outro(s) jogador(es). *2. P.ext.* Não dar ensejo; não dar oportunidade; não deixar espaço para.
não deixar a peteca cair Não permitir que o entusiasmo arrefeça, um assunto seja esquecido ou não vá adiante, não prospere, vingue.
não deixar nada a desejar Satisfazer plenamente; ser realizado com absoluta precisão e cuidado.
não deixar pedra sobre pedra Arrasar; destruir tudo.
não deixar que a grama cresça sob os pés Não ficar parado; mexer-se; ser ativo.
não diga mais nada hoje É o que se pede a quem proferiu inesperado chiste ou acertada opinião.
não dizer a nem b Nada dizer; ficar calado.

Encontra-se, também, nos dicionários: "Não dizer nem á nem bê."

não dizer a/ao que veio Não se mostrar interessado; não dar conta de uma incumbência; não justificar (por falta de mérito, importância etc.) sua presença ou participação. *Var.* "não dizer para que veio".
não dizer bolacha O *m.q.* "não tugir nem mugir". *Var.* "não dizer bulhufas".
não dizer coisa com coisa Ser incoerente ou pouco claro em sua exposição; não dizer nada com acerto; falar sem nexo, disparatadamente. *Var.* "não fazer coisa com coisa".
não dizer nem sim nem não Demonstrar indecisão, hesitação, ou ambiguidade.
não dizer uste nem aste Abster-se de falar; não dar uma só palavra; calar-se.
não é besta para... Não é tolo a ponto de...
não é brinquedo não *Pop.* Forma de manifestar ao ouvinte a seriedade do assunto de que se está tratando.
não é de hoje Há muito tempo. *Var.* "não é de agora".
Não é de sua conta! Não se intrometa! Não é assunto seu!
não é do meu feitio Não é de meu costume fazer isso. O *m.q.* "não faz meu gênero".

não é mais besta porque é um só Diz-se de alguém demasiadamente tolo ou ignorante.
Não é mole! É difícil! *Var.* "Não é moleza!".
Não é nada! Não se preocupe; não se incomode.

Quase sempre a locução é empregada em resposta a quem conosco se desculpa por algo que fez ou falou.

não é o fim do mundo Nem tudo está perdido; vamos sair para outra; tentemos novamente; não nos desanimemos.
não é o meu (dele) dia Diz-se quando tudo está transcorrendo fora do planejado ou intencionado.
não é para os seus beiços Diz-se quando se adverte alguém de que não conseguirá o seu intento ou que dele não é merecedor. *Var.* "não é para o seu bico".
Não é possível! *1.* Exclamação de incredulidade, curiosidade, admiração. *2.* Forma interjetiva que exprime aborrecimento, revolta, raiva, espanto.
não é pra já Não é para ser resolvido ou acontecer neste exato momento.
não é toda a história Diz-se quando a informação disponível não está completa e, muito menos, retrata fielmente a realidade do fato ou ação.
Não é? Frase usada como marcador de conversa, em que se pede concordância do ouvinte para o que se está dizendo.
não economizar elogios Tecer elogios exagerados a alguém.
não embarcar nessa canoa *V.* "não ir nessa canoa".
não encontrar eco Não achar apoio (ideia, empresa, iniciativa).
não engolir Não suportar ou aceitar; não se deixar ludibriar.
não enjeitar parada Aceitar quaisquer tarefas ou desafios, realizando-as com disposição e presteza.
não entrar em dividida Em futebol, evitar disputar a bola de modo mais decisivo, com receio de se contundir. *P.ext.* evitar disputas mais acirradas, com muita competição ou concorrência.
não entrar na cabeça Difícil de se entender ou de compreender.
não enxergar um palmo adiante do nariz Ser muito ignorante e/ou muito curto de inteligência.
não esquentar o banco Não se demorar em nenhum lugar. *Var.* "não esquentar o lugar" e "ter bicho-carpinteiro (no corpo)".

não estar à altura de Não ter competência para, ou não ter tanta competência como (alguém).
não estar bem Não estar em boa forma física; estar doente; não estar com bom desempenho. *Var.* "não estar nada bem".
não estar com nada *1.* Não ter sentido; nada significar. *2.* Ser uma pessoa destituída de qualidades, de vontade, de ânimo.
não estar com saco para Não estar com paciência ou disposição para algo.
não estar em seu juízo perfeito Comportar-se de forma incoerente, denotando desequilíbrio ou alienação.
não estar nem aí Não se importar com o que acontece; ficar alheio a. O *m.q.* "não dar a mínima".
não estar no *script* Não estar previsto ou planejado; não ter sido combinado.

Script = Palavra inglesa que significa texto de peça teatral.

não estar no gibi Ser fora do comum, extraordinário, inusitado, inacreditável.

Gibi era o nome de uma revista de quadrinhos, dirigida ao público infantojuvenil, atraído pelas histórias fantasiosas e aventurescas que se constituíam como sua característica.

não estar no mapa Ser extraordinário, espantoso.
não estar para Não estar disposto a (receber, aceitar, tolerar etc.): *Não estar para ninguém; não estar para tolerar; não estar para brincadeiras* etc."
não estar pelos ajustes Não querer saber deles.
não existir Quem diz *que tal coisa "não existe"* exprime: 1. sua admiração, como se dissesse: excelente; boníssimo; extraordinário. 2. sua perplexidade diante de fato ou dito inesperado, contundente, estranho.
não falar a mesma língua (ou linguagem) Não se entender com uma outra pessoa; pensar diferentemente dela ou ter diferentes interesses, sem possibilidade de conciliação.
não falar noutra coisa Ficar obcecado por uma ideia, uma aspiração.
não faltava mais nada *V.* "Era só o que faltava!".
não faz mal Não tem importância; não importa.
não faz meu gênero Não combina com meu caráter, com meus modos, meus gostos, minhas ideias.

não fazer caso de Não dar importância a, manifestar indiferença ou descaso para com (algo, situação etc.). *V.* "dar importância a".
não fazer farinha Não concordar.
não fazer feio Esta expressão tem quase o mesmo sentido de "fazer bonito" (*V.*), embora contenha certa justificativa ou desculpa por não se ter alcançado o sucesso esperado.
não fazer mal *1.* Não interessar ou importar; não se incomodar. *2.* Ser inofensivo (referindo-se a qualquer coisa que se tenha ingerido).
não fazer mal a uma mosca Ser incapaz de prejudicar quem quer que seja.
não fazer o gênero de Não ser do agrado ou do gosto de (alguém).
não fazer por menos *1.* Agir resolutamente e sem perda de tempo, sem questionar. *2.* Revidar rápida e decididamente.
não fazer senão Não fazer outra coisa além de; só fazer. *Ex.*: *Não fazer senão quando conveniente.*
não fez nem "mu" nem "mé" Expressão que indica o completo mutismo de uma pessoa em determinada circunstância.
Não fica assim. Diz-se, após uma fala, em tom um tanto irritado, não concordando com as conclusões, diante da promessa de proceder a modificações. *Var.* "Não vai ficar assim.".
não ficar atrás Não valer menos, não ser inferior a.
não ficar para trás Acompanhar o progresso, a evolução dos costumes ou dos acontecimentos; não se tornar retrógrado, desinformado.
não foi nada Modo de responder, educadamente, a quem pede desculpas por algo que cometeu e que nos atingiu.
não fumante Pessoa que não é tabagista.
não girar bem Não ter juízo.
não há como Não tem jeito; não é possível.
não há cristão que agüente Diz-se diante de pessoa ou situação insuportável.
não há de quê É como retruca quem prestou um favor, um obséquio a alguém que, por isso, lhe agradece com um "muito obrigado". *Var.* "não há por quê" e "de nada".
não há erro Está absolutamente certo.
não há gato nem cachorro que não saiba Usa-se em relação a fato de amplo domínio de todos.
Não há tal! Expressão para negar ou desmentir: isso não é assim, não é exato; não sucedeu assim.
Não há tatu que agüente. Diz-se de algo insuportável! (Locução que expressa aborrecimento intenso.)
não haver como *1.* Não existir pessoa ou coisa com tal qualidade ou capacidade; ninguém como (alguém); nada como (coisa). *2.* Não haver possibilidade de (realizar algo).
não haver mãos a medir O *m.q.* "não ter mãos a medir".
não haver vivalma Estar (lugar) deserto; sem a presença de pessoas.
não intervenção Fundamento de tratados celebrados entre países que se comprometem a não intervirem em assuntos de política interna ou externa um do outro.
não ir à missa com Não simpatizar com.
não ir atrás de Não seguir o exemplo de; não procurar por.
não ir com a cara de Não simpatizar com; não gostar de; implicar com. *Var.* "não ir com".
não ir lá das pernas Não dar conta dos encargos e responsabilidades que assumiu; não estar bem de saúde ou nos negócios.
não ir nessa canoa Não se deixar enganar. *Var.* "não embarcar nessa canoa" e "não embarcar em canoa furada".
não largar do pé de Acompanhar, demandar ou interagir com outra pessoa de maneira insistente, a ponto de incomodá-la.
não levantar mais a cabeça Nunca mais sair ou melhorar de situação difícil.
não levantar um dedo Não ajudar; não fazer nenhum esforço nem menção de agir; não colaborar.
não levantar uma palha *1.* Não fazer nada; ser indolente, preguiçoso. *2.* Não auxiliar ninguém; ser imprestável. *Var.* "não mexer uma palha".
não levar a mal Não atribuir má intenção ao procedimento de alguém; desculpar ou relevar alguma ofensa recebida.
não levar a sério Tratar um assunto sem a responsabilidade ou sem o cuidado e a atenção necessários.
não levar desaforo para casa Não se conformar em ser aviltado, vilipendiado, sem revidar ou tomar satisfações com o ofensor.
não lhe caber o coração no peito Exultar de alegria ou de emoção.
não ligar o desconfiômetro *V.* "não ter desconfiômetro".
não livrar a cara de Não poupar (alguém) de crítica, restrições ou penalidades.
não mais Nunca mais; nunca.
não mandar para o vigário Não enjeitar nada.
não me cheira bem Equivale a "não me agrada". Esta expressão denota, quase sempre, suspeição, desconfiança.

não me faça falar

não me faça falar Expressão com que se ameaça alguém de dizer coisas desagradáveis ou comprometedoras, que o podem afetar.
Não me faltava mais nada! O *m.q.* "Era só o que faltava!".
não me toques Diz-se de pessoa cheia de melindres, de nove-horas, de frescuras.
não medir as palavras Falar o que vem à mente, em quaisquer circunstâncias.
não medir esforços Fazer tudo que for possível para atingir o objetivo que se tem em vista; esforçar-se ao máximo.
não menos Igualmente; da mesma forma; no mínimo, igual.
não merecer o pão que come Ser (pessoa) ociosa, ineficiente, preguiçosa.
não mesmo Negativa enfática.
não mexer em time que está ganhando Não mudar algo, por ser satisfatório como está.
não morrer de amores por Não gostar ou gostar pouco de alguém ou de alguma coisa.
não (nem) lhe conto Preste atenção no que vou lhe contar (é uma novidade).
não vai morrer este ano Diz-se a uma pessoa que chega logo após ter se falado nela.
não mover um dedo sequer Não ajudar ou colaborar; não demonstrar solidariedade; não se preocupar com as atribuições alheias; ignorar. *V.* "não levantar um dedo".
não mover uma palha Não fazer nenhum esforço/trabalho; não tomar as providências que lhe competem; não se mexer; não ajudar; não fazer nada; ter má vontade em colaborar com outra pessoa. *Var.* "não levantar uma palha".
não muito O bastante; o razoável; mais ou menos.
não ligar a mínima a Não dar a menor importância a; ignorar completamente.
não obstante Nada obstante; apesar de; todavia; contudo; porém.
não olhar a despesas Gastar sem preocupação; ser perdulário.
não olhar para trás Não dar importância ao que ocorreu anteriormente e seguir em frente no seu objetivo. *V.* "sem olhar para trás".
Não ouço, não vejo, não falo. Expressão com que se afirma a mais irrestrita cumplicidade, ou anuência, ou indiferença.
não passar de Ser apenas; não ser senão; ser o limite de.
não passar pela garganta Ser inaceitável, intolerável.
não passarem os anos por Mostrar-se (alguém ou algo) bem-conservado e disposto – levando em conta sua idade real –, sem os vestígios do fluir do tempo.
não pegar Fracassar; dar em nada; não cair no gosto das pessoas; não colar.
não pensar duas vezes Agir imediatamente, sem pestanejar.
não pensar nem por sombra Não ter tido a menor ideia (de tal).
não perder por esperar Expressão com que se adverte alguém sobre as possíveis consequências de uma atitude impensada, ofensiva ou prejudicial a outrem.
não pescar nada Nada entender do que se está falando, ou de certo assunto, disciplina, atividade etc.
não pisar em ramo verde Ser cauteloso.
não pode ser Frase de recusa e negativa, de dúvida, de incredulidade.
não poder com uma gata pelo rabo Ser ou estar muito fraco. *Var.* "cair pelas tabelas".
não poder nem piar Estar proibido de sequer abrir a boca para falar.
não poder tragar alguém Ter-lhe aversão; achá-lo intragável.
não poder ver defunto sem chorar Querer (alguém) participar de tudo, nunca sendo observador passivo do que acontece.
não pôr as patas Expressão rude mandando que alguém não se intrometa, que não interfira em algo que está sendo feito.
não por isso O *m.q.* "de nada".
não pôr nem tirar Não alterar; não se decidir; ficar na mesma; não importar. *Var.* "nem tirar nem pôr".
não pôr os dedos em Não desejar interferir; não participar de algo.
não pôr os pés em Recusar-se categoricamente a ir a determinado lugar, seja quando for.
não posso me queixar Resposta a alguém que nos pergunta sobre nosso estado, mostrando-nos conformados ou satisfeitos no momento.
não poupar ninguém Falar mal de ou fazer mal a todos.
não poupar sexo nem idade Não dispensar ninguém; envolver a todos indistintamente.
não precisar dizer duas vezes Ser logo atendido, entendido, obedecido.
não pregar olho Não dormir; ficar vigilante.
não pregar prego em estopa *V.* "não dar ponto sem nó".
não prestar para nada Ser inútil; imprestável, sem utilidade.
não pus um dedo em Expressão de alguém

que se isenta de responsabilidade por (algo).

não querendo, mas querendo Denotando indecisão ou constrangimento em aceitar (algo).

não querer estar na pele de (alguém) Não desejar ser tal pessoa por causa das dificuldades por que ela passa ou que se avizinham.

não querer nada com Não desejar amizade de/com; não se interessar por. *Var.* "não querer negócio com".

não querer nem saber Não aceitar (algo) de modo nenhum; recusar-se a tomar conhecimento de algo; não ter interesse em. *Var.* "não querer nem pensar".

não querer outra vida Estar muito satisfeito com o estado em que se encontra.

não querer saber de Não ter interesse em ou por.

não querer ver nem pintado *1.* Repelir; não querer ter qualquer contato com, nem estar na presença de. *2.* Não querer ter sob os olhos, à vista.

não raro Com certa frequência; de vez em quando.

não regular bem Ser amalucado, mentalmente desequilibrado, confuso.

não respirar o mesmo ar que alguém Não tolerar conviver ou estar junto dessa pessoa.

não responder por Não se responsabilizar por.

não saber a quantas anda *1.* Atrapalhar-se; estar por fora de um assunto. *2.* Não saber com exatidão qual o estado ou as condições de seu próprio negócio ou de uma situação em que se acha envolvido.

não saber brincar Não tolerar brincadeiras.

não saber da missa a metade Ignorar o assunto. Não estar bem a par do assunto. *Var.* "estar por fora".

não saber de nada Não ter nenhuma informação para dar a respeito de um determinado assunto.

não saber de si Estar confuso, por problemas psicológicos ou por acúmulo de serviço, tarefas, afazeres; andar desnorteado, desorientado.

não saber nada Ser ignorante.

não saber nem a nem b Não saber ler; ser analfabeto.

> *Também há registro, nos dicionários, de: "Não saber 'a' nem 'bê'" e "Não saber o bê-á-bá".*

não saber o que diz Falar inconsequentemente, sem conhecimento do assunto ou dos fatos; dizer coisas incoerentes.

não saber o que é bom Frase com que se pondera sobre algo que outra pessoa não conhece ou nunca experimentou.

não saber o que tem *1.* Ser muito rico. *2.* Ter muitos bens ou qualidades, mas não as valorizar, embora os outros as percebam claramente. *Var.* "não saber o que possui".

não saber onde meter a cara Sentir-se extremamente envergonhado.

não saber onde meter as mãos Atrapalhar-se; desnortear-se; ter gestos acanhados.

não saber onde tem (tinha) a cabeça Diz-se de quem está confuso ou incorrendo em grave inadvertência, ou denotando distração ou preocupação.

não saber para que lado ir Ficar indeciso; estar desnorteado, confuso.

não saber qual é a sua mão direita Ser extremamente ignorante.

não saber que dois e dois são quatro Ser despreparado, não ter qualquer instrução.

não saber que letra é o a Ser ignorante; analfabeto; nada saber sobre um assunto.

não sair (algo) da cabeça Ter uma ideia fixa; estar impressionado ou obcecado com algo.

não salvar nem a alma Morrer de morte violenta.

Não se aproveita nem a alma para fazer sabão. Diz-se de quem sofreu acidente mortal.

não se coçar *1.* Não fazer menção de tirar dinheiro para pagar uma despesa, dando ensejo a que outrem pague; dar uma de pão-duro. *2.* Não mostrar nenhuma intenção de ajudar alguém em quaisquer circunstâncias, com total alheamento quanto às dificuldades ou aos problemas dos outros.

não se conhecer Achar-se mudado, diferente; surpreender-se consigo mesmo.

não se dar por achado Agir com indiferença ou descaso; não se tocar; fingir que não ouve, que não se trata de si a pessoa de quem se fala; fazer de conta de que o assunto não é consigo; aparentar ignorância de fatos que conhece.

não se dar por entendido Mostrar que não entendeu o verdadeiro alcance ou sentido oculto do que se disse ou praticou.

não se dar por vencido Não se entregar; não dar o braço a torcer.

não se descoser de (alguém) Estar sempre junto de alguém.

não se discute É evidente.

não se enxergar Não conhecer o próprio lugar; não ter autocrítica. *Var.* "não se mancar".

não se passar para Não assumir certa atitude por julgar que ela não condiz com seu nome, situação, princípios etc.

não se passaram os anos por/para Estar (alguém) muito bem-conservado, quase não apresentando os vestígios do passar do tempo.

não se pode elogiar... Diz-se quando alguém a quem elogiamos por algo comete um deslize ou um ato incoerente com os elogios que merecera.

não se pode ser juiz com tais mordomos Anexim que se aplica quando numa questão ninguém se resolve a vir a um acordo.

não se tocar *1.* Não se dar por achado (*V.*). *2.* Não se sensibilizar, não dar importância; não demonstrar constrangimento; não perceber o próprio erro.

não sei quê Locução usada para mostrar um estado indefinido de espírito ou qualquer coisa indefinível.

Não sei, não quero saber e tenho raiva de quem sabe. Expressão com que se repelem informações sobre as quais não se está absolutamente interessado.

Não seja por isso! Não precisa de agradecer; não há de quê.

não sem Com.

não ser bem isso Não se tratar exatamente disso.

não ser brincadeira *1.* Ser difícil de encontrar. *2.* Ser sério, grave. *Var.* "não ser brincadeira de criança".

não ser burro de carga Não estar disposto a aguentar com o próprio serviço e mais que lhe queiram cometer.

não ser caju que nasce com a castanha para baixo *N.E.* Não ser tolo.

não ser capaz de arranhar uma mosca Ser tímido, pacífico, modesto, cordato.

não ser capaz de dizer nem três palavras Não saber conversar; só dizer bobagens ou coisas insensatas; ser ignorante. *Var.* "não ser capaz de juntar nem três palavras".

> *Crítica à ignorância de alguém, sobretudo quanto à língua ou à gramática.*

não ser capaz de fritar um ovo Não ter habilidade ou disposição (culinária, mas extensivo a outro tipo de habilidade ou atividade).

não ser certo da bola Ser meio amalucado. *V.* "não bater bem".

não ser coisa que se diga Expressão usada quando alguém diz coisas destemperadas, absurdas, maldosas, merecedoras de nossa estranheza. *Var.* "não ser coisa que se faça" (que se aplica, obviamente, ao que se está fazendo, e não dizendo).

não ser da mesma laia Ser completamente diferente (usualmente melhor) do que (alguém).

não ser da Terra Ter qualidades e inteligência excepcionais.

não ser de brincadeira Ser assunto sério, importante.

não ser de caixas encontradas Não gostar de segredinhos, misteriozinhos.

não ser de ferro *1.* Diz-se de pessoa já cheia de trabalhos, muito atarefada, como explicação por recusar outro(s). *2.* Diz assim a pessoa que se justifica por ceder ou estar prestes a sucumbir a uma tentação.

não ser de garupa *1.* Não aceitar (cavalo) pessoa na sua garupa. *2. Fig.* Não aceitar intimidades.

não ser de graças Ser sério, austero; não suportar brincadeiras. *Var.* "não ser de gracinhas".

não ser de jogar fora *1.* Ser ainda aproveitável, utilizável, aceitável. *2.* Ser, apesar da idade, ou de não ser um modelo de beleza, ainda apresentável, de boa aparência etc.

não ser de meias medidas Não ser tímido; ser decidido e realizar as coisas de modo completo.

não ser de muita graça Ser sério, austero, sisudo; não gostar de brincadeiras e frivolidades.

não ser de nada Expressão que traduz inúmeras ideias depreciativas sobre a atitude ou a qualificação de alguém, como ser incapaz, impotente, inapto, covarde, indeciso etc.

não ser de sua conta Não lhe dizer respeito; não ser de seu interesse.

não ser de tal laia Não ser dessa classe de gente (expressão sempre pejorativa).

não ser deste mundo Não existir; estranho; extraordinário.

não ser do número dos vivos Ter morrido.

não ser flor que se cheire Ser desonesto, suspeito, que deve ser tratado com desconfiança.

não ser grande coisa Não ser de admirar, de entusiasmar; coisa de somenos importância.

não ser lá grande coisa Não ser da melhor qualidade; não agradar tanto; não ser como se esperava. *Var.* "não ser lá essas coisas".

não ser lá o (para) que digamos Não ser tão bom, tão extraordinário e admirável como se esperava ou como a sua fama autorizava a imaginar.

não ser mole Não ser fácil.

não ter desconfiômetro

não ser nem sombra do que foi Estar muito mudado, para pior, decadente.
não ser nenhum bicho de sete cabeças Não ser de assustar; diz-se quando a dificuldade é menor do que se imagina.
não ser nenhum peixe podre Não merecer desprezo; ter o seu valor, o seu merecimento.
não ser o caso de Não ser por aí; não ser bem isso.
não ser olho de santo Não ser coisa tão importante que mereça maior atenção, cuidado ou esmero.
não ser osso para andar na boca de cachorro Ser (alguém) melhor do que seus detratores.
não ser ouvido nem cheirado Não ser consultado.
não ser pai de pançudo(s) Não ter obrigação nem disposição de ser obsequioso ou de sustentar quem é preguiçoso.
não ser pano de amostra Não ser coisa que todos vejam ou peguem ou que possa ir passando de mão em mão.
não ser para graças Não gostar de brincadeiras; ser valente; sério.
não ser para menos Ser esperado ou compreensível; ser natural ou normal.
não ser para o seu (ou meu) beiço Diz-se quando se quer admitir, advertir ou insinuar a sua/minha incapacidade de assumir, usufruir, obter ou realizar determinada coisa. *Var.* "não ser para o seu (ou meu) bico".
não ser para os dias de alguém Modo de indicar que não se espera ver a realização do fato em pauta.
não ser páreo para (alguém) Não concorrer com; não se lhe poder comparar.
não ser peixe nem carne Diz-se de pessoa que não assume compromissos nem se identifica claramente com algo, que é indecisa, sem personalidade, fraca de caráter. *V.* "em cima do muro".
não ser por aí Não ser este o caminho; não se tratar disso; não ser bem isso.
não ser relógio de repetição Não se dispor a repetir o que outro não ouviu bem; recusar-se a dar recados ou a divulgar algo.
não ser sangria desatada Não haver urgência para; não carecer de pressa. *V.* "sangria desatada".
não ser santo da devoção de *1.* Não ter a mesma maneira de ser, de comportar-se, que (alguém). *2.* Não gozar das simpatias de (alguém).
não ser senão Ser apenas; não passar de.
não ser tão preto quanto pintam Ser melhor do que dizem.

não ser trigo limpo *Sul 1.* Não ser boa pessoa. *2.* Ser pouco escrupuloso, ou ser valente, de gênio irascível.
não ser unha de santo Não ser coisa que deva ou precise ser feita com muito capricho ou perfeição.
não significar nada Não vir ao caso; não ter importância.
não somente Não apenas; além disso.
não tão já Não neste instante.
não tardar com (alguém) Chegar ao lugar combinado na hora marcada.
não tem (há) de quê Resposta que se dá a quem nos formula um agradecimento.
não tem café coado Não tem desculpa, tergiversação, alternativa, apelação. O *m.q.* "não tem meu pé me dói" e "Não tem remédio!"
não tem nada a ver Não se trata disso; não é nada disso.
não tem outro jeito Não há alternativa; é a única possibilidade.
Não tem remédio! É inexorável. O *m.q.* "Inês é morta!". *V.* "não tem café coado".
não tem talvez Com certeza.
não temer Deus nem o diabo Ser requintadamente amoral; não ser capaz de sentir remorsos.
não ter a menor ideia Ignorar; não ter noção do assunto; não estar a par. *Var.* "não ter a mais remota ideia".
não ter alisado banco de escola Não ter tido instrução, não ter preparo.
não ter altura Não ter limite ou propósito.
não ter bandeira Agir livremente; não respeitar os princípios ou os direitos dos outros.
não ter cabimento Ser um despropósito, um absurdo; impróprio; inaceitável.
não ter cara para Ser envergonhado, reservado ou educado, incapaz de fazer algo proibido ou reservado; não deixar de observar os padrões normais de comportamento; não ser cara de pau. (Pode se referir a uma determinada ação ou circunstância, ou ter um sentido mais genérico.)
não ter clima para Não haver condições, devido às circunstâncias, de intervir ou adotar alguma medida eficaz e adequada ao momento.
não ter colhões *Ch.* Não ter coragem, constância, força; não ser macho.
não ter coração Ser cruel, impiedoso; sem caridade ou amizade.
não ter desconfiômetro Não se dar conta de estar sendo ridículo, inconveniente, inoportuno, grosseiro, maçante. *Var.* "não ligar o desconfiômetro"; "não tomar semancol".

> *Desconfiômetro* = Suposto aparelho que daria a capacidade de perceber quando se está sendo inconveniente ou maçante. *Semancol* = Remédio ou chá fictício que proveria, a quem o ingerisse, as mesmas faculdades propiciadas pelo desconfiômetro.

não ter eira nem beira Ser extremamente pobre. V. "sem eira nem beira".
não ter envergadura para Não ter capacidade para assumir ou ser encarregado de algo.
não ter estômago para Não conseguir aturar, suportar (alguém) ou fazer algo que repugna.
não ter freio na língua Falar demais; falar em hora imprópria; ter língua solta; ser inconveniente ou descomedido no falar.
não ter freio nos dentes *1.* Não se deixar conduzir (o cavalo); não obedecer às rédeas. *2. Fig.* Deixar-se levar pelo entusiasmo dos primeiros momentos.
não ter futuro Não ser promissor, ter pouca ou nenhuma possibilidade de evoluir, de dar certo, de ter sucesso.
não ter grilo Não haver problemas, ser tranquilo, sem confusões.
não ter igual Ser único, singular; não ter quem se lhe compare. O *m.q.* "sem igual".
não ter jeito Não ter conserto; não ter remédio; ser desajeitado. Há, com o mesmo sentido, a expressão "Não tem santo que dê jeito".
não ter letreiro na testa Impossibilidade de adivinhar a identidade ou uma característica de uma pessoa, por não conhecê-la.
não ter mão de si Não se conter.
não ter mãos a medir Não se conter; esbanjar, distribuir sem critério.
não ter mas nem meio mas Não aceitar uma recusa ou justificativa.
não ter medo de cara feia Não recear ameaças. *Var.* "não ter medo de caretas".
não ter meia(s) medida(s) Não ter comedimento ou moderação; ser radical.
não ter modos Comportar-se inconvenientemente e/ou deseducadamente.
não ter nada a desejar Julgar-se inteiramente feliz; ter realizado inteiramente tudo quanto ambicionava.
não ter nada a perder Poder enfrentar um desafio, uma situação de risco, sem arriscar o que de qualquer maneira não tem.
não ter nada a ver Não vir ao caso; não ter relação com o caso.
não ter nada a ver com o peixe Não ser assunto seu; não ter participação no assunto;

ser alheio à contenda, à decisão, ao caso em questão. *Var.* "não ter nada com o peixe".
não ter nada de Não ser ou parecer.
não ter nada de mais *1.* Ser normal, simples, sem nada de extraordinário. *2.* Ser aceitável, não ser condenável ou restringível por algum detalhe desabonador.
não ter nascido ontem Não ser tolo ou ingênuo; ser vivo, esperto.
não ter nem um para remédio Não ter ou dispor de absolutamente nenhum.
não ter nenhum porém Não ter objeções.
não ter o que dizer Não ter opinião a respeito; não saber o que dizer.
não ter ombros para Não ter o vigor ou a aptidão necessários para algo.
não ter onde cair morto Estar em sérias dificuldades financeiras.
não ter onde pôr a cabeça Não ter lugar para descansar.
não ter osso nem espinha Não apresentar (questão, assunto, problema) dificuldade nenhuma para ser solucionado.
não ter palavra Ser falso; descumprir promessas ou recomendações ou manifestas intenções.
não ter pano para mangas Não ser suficiente para o que se tem em vista.
não ter papas na língua Falar com franqueza, sem rodeios ou reservas, sem segredos.
não ter paralelo Sem igual; incomparável.
não ter peito para Não ter disposição, capacidade ou coragem para enfrentar uma situação, tocar um negócio etc.
não ter pernas O *m.q.* "faltar pernas".
não ter preço *1.* Não valer nada ou ser de valor extremamente baixo. *2.* Ser de difícil avaliação; inestimável.
não ter que ver *N.E.* Não ter relação (com outra coisa, ideia ou contexto). *Var.* "não ter (nada) a ver".
não ter rebuço *1.* Não ter escrúpulo. *2.* Não usar de meio-termo; expressar-se de modo franco, sem rodeios.
não ter relho nem trambelho Não ter jeito; proceder desordenadamente.
não ter saída Estar em situação de extrema dificuldade; ser (impasse, situação, problema) sem solução.
não ter sangue nas veias Não ter energia nem coragem; ser frio; não se emocionar; não reagir a ofensas. *Ant.* "ter sangue nas veias".
não ter senão a noite e o dia Ser extremamente pobre; só ter de seu o dia e a noite.
não ter senão uma palavra Ser coerente; ater-se ao combinado.
não ter sido ouvido nem cheirado Não ter

sido consultado ou convidado a dar opinião sobre um determinado assunto.

não ter talho nem maravalho Ser (objeto, projeto etc.) mal-acabado, malfeito, tosco.

não ter tempo Estar muito atarefado. *Var.* "não ter tempo nem para se coçar" e "não ter tempo nem de dizer ai" ou "não ter tempo nem para respirar".

não ter tomado chá em pequeno Não ter educação; ser mal-educado.

não ter um momento sequer de seu Estar inteiramente ocupado com alguma coisa; não ter folga; não poder dispor de tempo.

não ter um pingo de vergonha na cara Ser cínico, desavergonhado, desabusado.

não ter um real Não ter nenhum dinheiro.

> *Real era o milésimo da unidade monetária (R$. 1$000) brasileira que vigorou até 1942, quando foi substituída pelo "cruzeiro". Em 1994, a nova unidade monetária nacional (equivalente a 100 centavos) também foi denominada "real", mantendo integralmente o sentido original da locução, já que, com a inflação, um real vale pouco.*

não ter vez Não ter oportunidade, chance.

não ter visto uma coisa nem pintada Ter ou manifestar absoluta falta de conhecimento sobre o que se trata.

não ter voz ativa Não ter papel importante; não ser respeitado; não ter poderes de mando.

não tirar da cabeça Ter ideia fixa, obsessiva; não pensar senão num assunto.

não tirar os olhos de *1.* Olhar fixamente para. *2.* Estar fascinado por.

não tirar pedaço Expressão jocosa para animar alguém a fazer, comer, praticar etc. alguma coisa que a ele não conhece ainda, ao afirmar que essa coisa 'não vai lhe tirar pedaço'.

não tomar partido Ficar neutro.

não tomar semancol Não se dar conta de estar sendo ridículo, inconveniente, inoportuno, grosseiro, maçante. *Var.* "não ter desconfiômetro".

não tugir nem mugir Não reclamar; aceitar todas as imposições; não reagir.

não vai dar certo Expressão de desânimo ou pessimismo quanto a uma atitude ou ação prestes a acontecer e da qual é partícipe.

não valer a pena Não ser digno de ser levado em conta.

não valer de nada Ser inútil, fraco, sem valor. *Var.* "não valer nada". *V.* "não ter preço".

não valer dois caracóis Não ter valor ou ter muito pouco valor. *Var.* "não valer um alfinete", "não valer um vintém furado", "não valer um sabugo" e "não valer nada".

não valer o feijão (pão) que come Ser muito fraco física ou moralmente, sem nenhum merecimento. *Var.* "não valer o pão que come".

não valer o papel em que está escrito Não ter valor algum o que está escrito no papel.

não valer um alfinete Não ter valor nenhum. *Var.* "não valer dois caracóis".

não valer um caracol *V.* "não valer um tostão furado".

não valer um tostão furado Nada valer; não ter valor algum. *V.* "não valer um alfinete". *Var.* "não valer um vintém furado" e "não valer um caracol".

> *No Brasil, o padrão monetário vigente até 1942 era "1.000 réis". Um vintém equivalia a 20 réis, e um tostão correspondia à moeda de 100 réis.*

não valer um vintém (furado) *V.* "não valer um tostão furado".

não vejo, não ouço, não falo *V.* "não ouço, não vejo, não falo".

não vem que não tem O *m.q.* "Sem essa!".

não ver a cor do dinheiro Não conseguir que alguém lhe pague uma dívida; trabalhar para alguém e não receber o salário ou o pagamento devido.

não ver jeito Não ver alternativa.

não ver um palmo adiante do nariz Não compreender nada; não saber patavina; ser obtuso; de difícil compreensão.

não vir ao caso Não vir a propósito. Assunto que nada tem a ver com o que se está tratando no momento.

naquele entretanto Nesse meio-tempo; naquele ínterim; entretanto.

naquele tempo *1.* Em tempos idos; antigamente. *2.* Nas citações de trechos isolados do Evangelho, costuma-se usar esta expressão abrindo a citação, localizando a narrativa no tempo de Cristo.

nariz empinado Estar de nariz empinado significa estar em atitude altiva, orgulhosa, desafiadora.

nas águas No tempo das águas; na época das chuvas.

nas asas da imaginação Diz-se que nelas se está quando se está sonhando acordado, deixando correr livre o fluxo dos pensamentos.

nas asas do vento Veloz e suavemente.

nas barbas de (alguém)

nas barbas de (alguém) Diante de; na presença de; na vista de (alguém).
nas bochechas de Na presença de (alguém); na cara de. *Var.* "nas barbas de" e "nas ventas de".
nas cercanias de Por perto de.
nas coxas Expressão que se emprega para designar algo feito às pressas ou malfeito, sem o devido esmero ou cuidado.
nas entrelinhas De modo indireto, sutil.
nas malhas da lei Em poder da justiça ou da polícia; envolvido em processos na justiça.
nas mãos de À mercê de; na dependência de.
nas nuvens Alheio ao que se passa à volta; distraído; absorto.
nas pontas dos pés Pé ante pé.
nas ruas Em público; já sob o domínio público.
nas trevas Ocultamente; na completa escuridão.
nas últimas 1. Em extrema miséria. 2. Em agonia; à morte.
nas unhas Na posse de; na mão; sob domínio.
nas ventas de O *m.q.* "nas bochechas de".
nascer agora O *m.q.* "nascer de novo".
nascer com a bunda para a lua Ter muita sorte. *Var.* "nascer com uma estrela na testa".
nascer com os pés para trás Ser muito infeliz.
nascer de novo Escapar de um grande perigo; renascer. *Var.* "nascer outra vez".
nascer empelicado Ser pessoa de muita sorte ou bafejada pela fortuna desde o nascimento.

> *Empelicado = Criança que nasce com a cabeça envolta na bolsa âmnica, por isso, crê-se, virá a ter boa sorte na vida.*

nascer feito Vir ao mundo (nascer) com qualidades inatas, como talento e dons, assim como no seio de família abastada.
nascer hoje O *m.q.* "nascer de novo".
nascer ontem *V.* "ter nascido ontem".
nascer outra vez Escapar vivo de grande perigo ou de grave acidente.
nascer virado para a lua Ter muita sorte.
Nasceu hoje! Exclama-se em referência a alguém que escapou de um perigo, sobreviveu a um grave acidente etc. *V.tb.* "nascer outra vez". *Var.* "Nasceu hoje, de novo!".
nascido em berço de ouro Diz-se de pessoa que é e sempre foi rica, abastada.
nascido para comer grãos Expressão usada para se referir a pessoas apegadas apenas a bens materiais e desprovidas de ideal, numa implícita crítica à miséria da natureza humana.
nata da terra Terra boa, fértil.
natureza humana Conjunto de traços psicológicos e espirituais próprios do ser humano e que o caracterizam.
nau catarineta *Folc.* Bailado popular brasileiro, também chamado marujada, chegança; dramatização das lutas de conquistas do mar vividas pelos portugueses.

> *A expressão deriva de narrativa popular portuguesa referente a uma travessia do Atlântico em circunstâncias trágicas. "A nau Catarineta" é um poema anônimo da língua, extensamente estudado.*

nave espacial Nave tripulada usada em viagens pelo cosmo; astronave; cosmonave; espaçonave.
navegar na rede *Inf.* Explorar os recursos da rede internacional de computação, conhecida como internet, interligando-se às fontes disponíveis de informação e/ou de entretenimento.
navegar de conserva *Mar.* Navegar acompanhando (acompanhado de) outro navio.
navegar em duas águas Participar simultaneamente de duas coisas muito diferentes e diametralmente opostas.
navegar nas mesmas águas Ter as mesmas ideias.
navio do deserto O camelo.
ne quid nimis *Lat.* V. "nada demais".
ne varietur *Lat.* Literalmente, significa: "para que nada seja mudado".

> *Locução usada para indicar reprodução muito fiel, como na edição de uma obra cujo texto foi, pelo autor, considerado definitivamente estabelecido; edição original, edição "ne varietur".*

nec/non plus ultra Expressão latina que significa, literalmente, "nada além" e que se emprega quando se quer denotar a mais alta qualidade ou o ponto mais alto a que alguém pode chegar.
necessidade imperiosa Diz-se do que é urgente, impreterível, absoluto.
necessidades fisiológicas As funções fisiológicas de defecação e de micção.
néctar dos deuses 1. Na Grécia antiga era assim denominada uma bebida dos deuses do Olimpo que, segundo a lenda, eternizava a vida. 2. *Fig.* Diz-se de tudo que causa sensação de encantamento; delícia.

nem lá, nem cá

Néctar = Solução açucarada de origem vegetal, que atrai os animais polinizadores e a partir da qual as abelhas produzem o mel. *Olimpo* = Lugar onde habitam as divindades greco-romanas.

negar de pés juntos Insistir na negativa; negar veementemente. *Var.* "negar a pés juntos".
negar fogo *1.* Falhar, esmorecer. *2.* Broxar.
negar o corpo Esquivar-se.
negar o estribo *1.* Negar auxílio, apoio, ajuda. *2.* Esquivar-se. *3.* Faltar a compromisso. *4.* Negar-se (o cavalo) a permitir que se lhe monte, afastando-se do cavaleiro que tenta pôr o pé no estribo para montar.
negócio arrastado Aquele que demora a ser concluído.
negócio da China Negócio que deixa grande lucro.
negócio de água arriba Negócio de difícil conclusão.
negócio de arromba Negócio muito vantajoso ou vultoso.
negócio de comadres Mexerico, intriga.
negócio de compadres Aquele em que o favor sobreleva a justiça, e no qual se estipulam condições muito favoráveis de parte a parte.
negócio de Estado Assuntos exclusivos de governo, sobretudo aqueles que envolvem dois ou mais países.
negócio de ocasião Um bom negócio; uma boa oferta; boa oportunidade.
negócio de orelha Troca de animal ou de objeto por outro, sem volta em dinheiro ou bens complementares; elas por elas.
negócio de pai para filho Negócio no qual se oferecem vantagens extraordinárias. *V.* "de pai para filho".
negócio embrulhado Diz-se de algo dificultoso, complicado.
negócio engatilhado Negócio encaminhado e com boas perspectivas de ser concretizado. Também "negócio engatinhando".
negócio furado Aquele que contrariou as expectativas; aquele que não deu certo.
negócio limpo Diz-se daquele sem falcatruas, sem trapaças, honesto, correto.
negrinho do Pastoreio *Folc. RS* Ente fantástico, anjo bondoso dos pampas.
negro spiritual *Ing.* Canto religioso dos negros norte-americanos, de raízes musicais africanas e inspiração cristã.
negro preto *N.E.* Pessoa de pele muito negra.
negro velho Tratamento familiar, carinhoso.

nem a gancho Difícil; quase impossível.
nem à mão de Deus Padre De forma nenhuma, apesar de tudo; nem com a maior insistência.
nem a muque Nem à força; de jeito nenhum.
nem a pau Nunca; de modo algum; de jeito nenhum; em nenhuma circunstância. O *m.q.* "nem amarrado".
nem ao menos Nem mesmo.
nem assim, nem assado Nem desse nem de nenhum outro modo.
nem bem Assim que; logo que; mal.
nem brincando Expressão de repulsa a alguma coisa que nos dizem ou propõem, em virtude de a julgarmos muito inconveniente.
nem carne nem peixe *V.* "nem peixe nem carne".
nem chegar, já ir embora Não se demorar; fazer visita ou ter uma estada rápidas.
nem chiou Não reclamou de nada; ficou caladinho.
nem chique nem mique Coisa nenhuma; nada; nem uma coisa nem outra.
nem chus nem bus Nada; coisa nenhuma; nem mais nada. O *m.q.* "nem tus nem bus".

Existe também a expressão "não dizer chus nem bus", significando: não dizer nada nem retrucar; calar-se.

nem coberto de ouro De modo algum, de nenhum modo.
nem com açúcar Em nenhuma hipótese; de jeito nenhum.
nem de brincadeira De jeito nenhum.
nem de longe Forma de minimizar ou negar uma influência, uma relação, uma semelhança ou equivalência, uma importância etc.: "Isso nem de longe me atingiu." "Como ator, ele nem de longe se compara ao irmão".
nem dito, nem feito Expressão antônima de "dito e feito".
nem é bom falar Diz-se de algo de que não gostamos, por várias razões, de relembrar.
nem é preciso dizer Por tão evidente e bem esclarecido, não há mais nada a acrescentar.
nem em um milhão de anos Nunca; de modo nenhum.
nem fede nem cheira Tanto faz; é indiferente; tanto uma coisa quanto outra; insignificante; sem características marcantes.
nem lá, nem cá Em parte nenhuma; em nenhum lugar.

nem mais nem menos Exatamente; na quantidade (ou medida) certa.
nem mas nem meio mas Diz-se quando não se admitem desculpas.
Nem me fale! Expressão que denota surpresa a propósito de fato que está sendo naquele momento levado ao conhecimento.
nem meio Nenhum; absolutamente nada.
nem mesmo Nem sequer; com exclusão também de (o quê ou quem parecia estar incluído).
nem morto Sob nenhum pretexto; de modo nenhum.
nem nunca Jamais; definitivamente não; de nenhum modo. (É negativa peremptória.)
nem o próprio diabo lembraria É muito difícil de ser lembrado. *Var.* "nem ao próprio diabo ocorreria".
nem oito nem oitenta Nem tanto nem tão pouco; nem tanto ao mar nem tanto à terra; no meio-termo.
nem para o céu Modo de indicar a firme resolução de jamais acompanhar a pessoa a que se alude.
nem para remédio Nada; absolutamente nada.
nem pau nem pedra O *m.q.* "nem oito nem oitenta".
nem peixe nem carne *1.* Diz-se de pessoa de caráter indeciso, que não tem opiniões definidas. *2.* Coisa insípida. *3.* Nem uma coisa nem outra. *Var.* "nem carne nem peixe".
nem pensar Recusa peremptória de fazer ou considerar algo, de aceitar proposta etc.
nem pintado Diz-se para negar veementemente a aceitação de algo; de maneira nenhuma; de modo nenhum.
nem piou Não ousou dizer palavra; não ousou reclamar; aceitou sem pestanejar.
nem por decreto De modo nenhum; nem se for obrigado.
nem por fas nem por nefas *Lat.* "*Per fas et nefas*". De modo nenhum; nem por bem nem por mal. *V.* "por fas ou por nefas".

Fas = Aquilo que é justo, lícito; nefas = O que é injusto, ilícito, ilegítimo.

nem por isso Nem tanto como se fala ou afirma; nem assim.
nem por sombras De modo nenhum; absolutamente não; absolutamente; sem nenhuma possibilidade. *Var.* "nem por sombra" e/ou "nem por (em) sonhos".
nem por todo (o) ouro do mundo De nenhuma maneira; nunca.
nem por um decreto De maneira nenhuma.

nem que Nunca; apesar de; nem mesmo quando; como se; ainda que.
nem que a vaca tussa Jamais; nunca. *Var.* "nem que a galinha crie dentes".
nem que chovam canivetes Aconteça o que acontecer; haja o que houver; de qualquer maneira.
nem que o diabo toque rebeca Em hipótese nenhuma; de jeito nenhum.

Rebeca (ou rebeque, ou rabeca) = No sentido desta expressão, rebeca é um instrumento semelhante ao violino, porém rudimentar. Amplamente utilizado em todo o interior brasileiro, ganhou notoriedade ao ser adotado por bandas nordestinas, tendo sido inclusive o primeiro instrumento adotado pelo forró, antes mesmo da sanfona. Com um timbre mais baixo que seu irmão mais nobre, apresenta quatro cordas feitas em tripa, com afinação por quintas (sol; ré; lá; mi).

nem que se vire pelo avesso De modo nenhum.
nem que sim nem que não Sem responder claramente, explicitamente; sem decisão, com dubiedade.
nem se pergunta É certo, indiscutível, evidente, e não cabe indagação nenhuma a respeito.
nem sequer Nem ao menos; nem mesmo.
nem tanto Não é bem assim; menos do que isso.
nem tanto ao mar nem tanto à terra Sem exageros; seguir o meio-termo; o *m.q.* "nem oito nem oitenta".
nem tanto assim Diz-se quando se quer afirmar que há um certo exagero no que se disse.
nem tanto nem tão pouco Nem em excesso nem com falta; num meio-termo.
nem tique nem taque Nenhuma palavra.
nem todo dia é dia santo Nem sempre acontece o que desejamos.
Nem triscou! Nem se importou; nem se alterou.
nem tudo são flores A vida não é só de alegrias e felicidade; há também momentos de dor e tristeza. *Var.* "nem tudo são rosas". Também: "nem tudo são espinhos" significando que, se a vida é difícil, há, em compensação, momentos de felicidade e alegria.
nem tus nem bus O *m.q.* "nem chus nem bus".
nem um nem outro Nenhum dos dois; nenhum dentre dois.

ninho de ratos

nem um pingo Absolutamente nada; nem um pouco. *Var.* "nem uma vírgula" e "nem uma letra".
Nem um pio! Fique calado! Silêncio!
nem um pouquinho Absolutamente nada. *Var.* "neres de neres".
nem um único Nem um sequer: *Ex.*: *No seu bolso, não tinha nem um único tostão. Cf.* nenhum: contrário de "algum".
nem uma coisa nem outra Nenhuma das duas.
Nem uma palavra. Não diga nada; não fale.
nemine contradicente Lat. Por unanimidade; sem discordâncias. *Var. "nemine discrepante".*
nemine discretante Lat. "Sem a divergência de ninguém"; unanimemente.
nenhum momento a perder A oportunidade que se nos apresenta não deve ser desprezada.
neres de neres Absolutamente nada; *V.* "neres de pitibiriba".
neres de pitibiriba Absolutamente nada. *Var.* "neca(s) de pitibiriba".

> *Pitibiriba = Não há registro nos compêndios da língua, mas a palavra e seu significado são bem conhecidos em muitas partes do Brasil e têm sido motivo de comentários e pesquisa em blogs, com participação difusa por todo o país, prova de ser de uso bem conhecido.*

nervos de aço Têm-nos pessoa que não se altera por pouca coisa, que suporta grandes traumas ou sofrimentos; frieza; falta de sensibilidade, de emoção.
nesse/neste entremeio Nesse/neste entretempo, ínterim ou intervalo de tempo.
nesse/neste) entretanto *1.* Nesse/neste intervalo de tempo. *2.* Entretanto; no entanto; o *m.q.* "no entretanto".
nesse/neste entretempo Nesse/neste entretempo, ínterim ou intervalo de tempo.
nesse/neste ínterim Nesse/neste entretempo ou intervalo de tempo.
nesse/neste meio-tempo Nesse/neste entretempo, ínterim ou intervalo de tempo.
nesta altura Na atual fase (ou estágio) de desenvolvimento das coisas; na situação ou circunstância atual.
nesta altura dos acontecimentos Neste ponto a que chegamos; agora; presentemente; neste estágio.
nesta conformidade Conforme ajustado; conforme o que está escrito.
nesta toada Neste tom, neste sentido; neste ritmo; desta maneira; a continuar assim.

nestas circunstâncias Assim; sendo as coisas como são...
neste caso Assim; assim sendo; nestas circunstâncias.
neste comenos Nesta ocasião; neste ínterim.
neste entremeio Entretanto, neste ínterim; entrementes; neste meio-tempo. *Var.* "neste entrementes".
neste entretanto No entanto.
neste minuto Agora mesmo; neste instante; já.
neurose de guerra Transtorno emocional que ocorre a combatentes ou a ex-combatentes.
neves perpétuas As que cobrem os pincaros das montanhas mais elevadas e nunca chegam a derreter-se.
névoa seca Bruma; neblina, nevoeiro.
nhor não Forma antiga de se dizer "não, senhor". *Var.* "inhor não".
nhor sim Forma antiga de se dizer "sim, senhor". *Var.* "inhor sim".
nihil obstat Lat. Sem objeção. Expressão com que as autoridades eclesiásticas católicas aprovam os textos que lhes são submetidos.

> *"Nihil obstat quonimus imprimatur" é a expressão completa.*

nil novi sub sole V. "nada de novo".
ninguém menos que Fulano em pessoa (citando a surpreendente presença ou participação de alguém em lugar ou processo nos quais não era esperado).
ninguém sabe, ninguém viu Ninguém vai ficar sabendo (ou soube) de nada.
ninguém vai te morder Diz-se de modo irônico ao incentivar alguém a experimentar ou participar de algo.
ninho de amor O local onde, sossegadamente, os que se amam trocam carícias e se declaram um ao outro.
ninho de cobras Lugar onde há pessoas más, de má índole, malfeitoras, traiçoeiras.
ninho de gatos Lugar em absoluta desordem, confuso.
ninho de metralhadora Local no qual se assenta uma metralhadora, em posição estratégica em relação ao campo de luta, devidamente camuflado e protegido.
ninho de ratos *1.* Lugar onde os ratos habitam. *2. Fig.* Lugar em que as coisas estão em desordem total, desarrumadas, fora de seus lugares. Gaveta ou móvel mal-arrumado, bagunçado. *Var.* "ninho de víboras".

ninho de xexéu *1.* Cabelo crespo e revolto. *2.* Diz-se, também, de qualquer coisa desarrumada, barulhenta, assanhada.

Alusão ao pássaro xexéu, que é irrequieto, muito ativo, e cujo ninho está sempre desordenado, desarrumado, muitas vezes exalando odores fétidos devido a tantas coisas que ele ali deposita.

nível de vida *1.* Média da capacidade e da possibilidade material de (alguém, grupo, classe social etc.) usufruir os valores, bens e confortos oferecidos numa sociedade. *2.* Parâmetro comparativo das condições de existência (econômicas, sociais etc.) de um indivíduo, um grupo ou uma região ou país, que se mede através de variáveis econômicas e sociais e por variados métodos.
nível social Posição em relação a cada uma das categorias sociais constituídas por indivíduos que possuem o mesmo gênero de vida, os mesmos recursos materiais e as mesmas aspirações, além de outras afinidades nos campos cultural e econômico.
nivelar por baixo Igualar coisas e/ou pessoas ao nível mais baixo do conjunto; considerar o menos qualificado a característica do conjunto.
no aço Irritado, indignado.
no alto Num lugar elevado.
no ar *1.* Imperfeitamente combinado ou assentado; diz-se que nele está assunto não de todo esclarecido. Incerto; indefinido; inacabado. *2.* Diz-se, também, da condição de um programa radiofônico ou televisivo, no momento em que está sendo transmitido.
no bagaço Desgastado pelo uso, pela idade ou pelo cansaço, pela doença; em péssimo estado; em petição de miséria.
no banco dos réus Estado ou situação de pessoa sujeita a processo e que está sendo julgada.
no beiço Na conversa. Conseguir algo com uma boa conversa. *V.* "levar na conversa". O *m.q.* "de beiço".
no bolso do colete Diz-se que nele está uma resposta sempre pronta para várias ocasiões.
no braço Com o uso do braço.
no calor do momento Sem tranquilidade para pensar e ponderar, devido a vigorosa ação que se desenvolve na ocasião.
no capricho Muito bem-feito; caprichado.
no caso de Ocorrendo a hipótese de; se acontecer que.
nó cego *1.* O nó que não se pode ou é difícil desatar. *V.* "nó górdio". *2.* Diz-se de pessoas que costumam fazer emperrar uma ação, um negócio.
no chicote Com o uso do chicote: *Expulsei-o no chicote.*
no chute Por acaso; por sorte.
no claro *RS* À vista; a dinheiro.
no começo Iniciado há pouco; no início; no princípio.
no compasso Na cadência; no ritmo; em consonância.
no costado Na consciência, *i.e.*, pesando nela, como se fosse um incômodo peso às costas ou no costado. *2.* O *m.q.* "às costas".
no cu do judas Muito longe.
nó da questão O ponto principal; dificuldade; embaraço.
nó de porco Laço muito apertado.
no devido tempo No momento certo, adequado, oportuno.
no dizer de Segundo (alguém); de acordo com.
No duro! Sem apelação nem agravo; com rigor; com certeza; de verdade.
nó em pingo-d'água *1.* Extrema dificuldade, desafio impossível, inexequível, que só pode ser resolvido por pessoa capaz dessa proeza, ou seja, pessoa de grande habilidade *2.* Diz-se que "dá nó em pingo-d'água" alguém que procede com astúcia, habilidade. ardilosamente.
no ensejo Na ocasião de; na oportunidade de.

Não se diz "ao ensejo de".

no entanto Neste meio-tempo; no entretanto; entretanto; entanto.
no entretanto *V.* "no entanto".
no escuro *1.* Às escuras; sem enxergar. *2.* Às escondidas. *3.* Sem indicações ou informações corretas ou precisas; às cegas.
no esquadro Em ângulo reto; na perpendicular em relação a um plano.
no estado Nas condições em que algo se encontra.
no fim da minha corda No meu limite, além do qual não posso continuar.
no fim das contas Afinal de contas; ao final de tudo; tudo considerado. *Var.* "no final das contas".
no fim de Ao final; ao término.
no fim do mundo Num lugar longínquo. *Var.* "onde Judas perdeu as botas".

Antes da Antiguidade, acreditava-se que o mundo realmente tinha um fim, além do qual não se poderia ir. No período greco-romano surgiu o conceito correto de que a

Terra teria a forma de um globo, de uma esfera, e não o de uma plataforma plana, que terminava em um abismo, conforme se chegou a propagar. Alguns povos, como os chineses, demoraram mais para abraçar o conceito da "Terra redonda", o que veio a acontecer somente no século XVII. Ainda hoje, povos culturalmente mais atrasados, em locais remoto,s mantêm a crença da Terra plana.

no final das contas Enfim; para concluir.
no fio da navalha Diz-se de momento decisivo, angustioso, perigoso, difícil de atravessar.
no frigir dos ovos Afinal de contas; no fim das contas; no fritar dos ovos; no fim de tudo. O *m.q.* "ao frigir dos ovos". Também se diz: "no fritar dos ovos".
no fundo 1. Na base de um recipiente ou de um lugar fechado qualquer. 2. Na realidade.
no fundo do poço 1. Sem vintém; em penúria financeira; na pior situação; com os recursos esgotados. 2. Extremamente deprimido, quase sem forças para animar-se, reagir, ter atitude positiva.
no geral Geralmente.
nó górdio Nó impossível de ser desatado; séria dificuldade; busílis. *Var.* "nó cego". Em latim: "*gordio nodus*".
no grito Por meios violentos; à força; com intimidação.
no horário À hora; diz-se de algo que acontece ou que deverá acontecer exatamente na hora marcada.
no interior de Dentro de.
no jeito Preparado; pronto para utilização.
no limiar No começo; no princípio.

Alguns filólogos condenam o uso desta expressão, preferindo: "Ao limiar".

no limite da sobrevivência Sem dispor de recursos além daqueles que mal dão para se manter vivo.
no limite extremo Expressão pleonástica que, embora encontradiça popularmente, não deve ser usada.
no limpo 1. Em lugar limpo. 2. Sem vegetação. 3. Lugar pronto para o plantio.
no macio Na maciota.
no maior corre-corre Com pressa.
no mais Expressão que se usa como anúncio de finalização do discurso, da fala.
no mais alto grau Com excelência, com alta qualidade ou valor. *Var.* "de ou do mais alto grau".

no mais das vezes O *m.q.* "as mais das vezes".
no mais tardar Diz-se quando se quer marcar (promete) um prazo para o cumprimento de algo.
no man's land Ing. Terra de ninguém, literalmente.

O termo teve origem na Primeira Guerra Mundial, designando a área entre as trincheiras de duas forças beligerantes.

no manso O *m.q.* "de mansinho".
no mato sem cachorro Em situação embaraçosa, difícil. *Var.* "num mato sem cachorro" e "na várzea sem cachorro".
no máximo Com a maior quantidade ou intensidade possível.
no meio de 1. A igual distância das extremidades ou bordas; na metade. 2. No interior de um grupo de coisas ou pessoas; nas condições de meio-termo.
no meio de lugar nenhum 1. Em lugar ermo, isolado, distante, ou que não se sabe onde fica. 2. Diz-se que lá está algo que, iniciado, não se completa, frustrando-se. (Há, também, "no meio do nada".)
no melhor da festa 1. No auge da festa, quando a festa está mais animada. 2. Quando tudo estava correndo o melhor possível, no melhor momento (de um evento, de um processo, de um encontro etc.).
no mesmo ato Simultaneamente; conjuntamente; na mesma ocasião.
no mesmo barco Com os mesmos projetos, mesmos propósitos e aspirações; enfrentando juntos os mesmos riscos.
no mesmo instante Logo; imediatamente; agora mesmo.
no mesmo nível No mesmo patamar. V. "a nível de" (valem, também no caso desta expressão, as restrições ao uso de "no nível de". Assim, o melhor seria dizermos "ao mesmo nível").
no mesmo pé Diz-se de um assunto, ou um processo, cujo encaminhamento não teve progressos, *i.e.*, está parado.
no meu (ou seu) pensar No meu (ou seu) juízo.
no meu cantinho Fico ou estou "no meu cantinho" quando não quero ou não devo participar de uma discussão, de uma confusão.
no meu entender Segundo penso. Também: "no seu entender".
no meu tempo De um modo geral, a referência é ao tempo de juventude ou, pelo menos, a tempos passados, que valem a pena recordar. Também: "no seu tempo".

no mínimo

no mínimo No menor limite provável; pelo menos; quando nada.
no mole Na moleza.
no mundo da lua Está nele quem é alheio à realidade, ao que se passa ao redor; muito distraído; que sonha; vive de fantasias.
nó na garganta Sensação de aperto na garganta, causada por grande comoção; diz-se de quem está tomado de emoção.
nó nas tripas *Pop.* Dor produzida por diferentes infecções do intestino. Diz-se, também e popularmente, de diversas doenças, mal identificadas, na região abdominal.
no nível Nivelado. *V.* "a nível de".
nó no estômago *Pop. 1.* Sensação física de enjoo. *2.* Sensação entre física e psicológica na região do estômago como reflexo de ansiedade, repulsa, ou, simplesmente, emoção.
no olhômetro Segundo estimativas visuais.

Olhômetro é um regionalismo que significa considerar a visão como um instrumento de medição, embora sujeito às naturais limitações devidas à acuidade visual.

no osso *1.* Estado de veículo com os pneus, furados ou não, totalmente vazios. O *m.q.* "em osso". *2.* Diz-se que está 'no osso', qualquer coisa reduzida a sua estrutura básica, sem implementos, suplementos, acessórios etc.
no ovo No início; muito no início.
no pau Sem troco; troca sem volta ou vantagem para as partes.
no pé do ouvido Na região do ouvido.
no peito e na raça Com vigor, com energia, sem temor; de qualquer modo; a todo custo; com ênfase. O *m.q.* "na raça" e "na marra". Ou simplesmente "no peito".
no ponto *1.* Diz-se de tudo o que está pronto para ser usado. *2.* No cozimento ideal.
no porrete Na bruta, à força, com violência.
no prelo Diz-se da obra que já foi entregue à editora e que se acha em processo de impressão.
no que Logo que; quando; na ocasião em que.
no que concerne a O *m.q.* "com relação a".
no que diz respeito a No que se refere a. *V.* "com relação a".
no que me toca Naquilo que ficou a meu cargo; naquilo que me afeta; quanto ao meu interesse. O *m.q.* "no que me diz respeito".
no que tange a O *m.q.* "com relação a".
no rastro de Ao encalço de; em busca de; à procura de.
no segundo pau *Fut.* Objetivo ou consequência do lançamento de uma bola em direção à meta (*ger.* da linha de fundo) de modo a descair na altura da trave do gol mais afastada do ponto de lançamento.
no seio de Na intimidade de; junto a; muito próximo a (de).
no sétimo céu Em estado de extrema felicidade e relaxamento (descontração, despreocupação).
no seu elemento Na sua especialidade, profissão, técnica, competência; na atividade que conhece bem.
no soflagrante Em flagrante; no exato momento, no instante; imediatamente.
no sufoco Em dificuldades; sob pressão.
no superlativo Extremamente; em alto ou extremo grau.
no supremo grau No mais alto ponto.
no taco Firme, constante.
no tipiti Em aperto, em apuros; em situação difícil, periclitante.
no tocante a Quanto a; no que respeita a; referentemente a; a propósito de.
no toco De maneira firme, constante.
no todo No conjunto; em sua totalidade.
no último furo Em situação extrema; sem alternativa.
no último minuto No derradeiro momento; no final.
no vermelho Em débito; sem dinheiro; com a conta bancária estourada.
noblesse oblige Expressão francesa que, literalmente, significa "nobreza obriga", empregada quando se quer observar que a nobreza goza de privilégios, mas impõe responsabilidades e restrições.
nobreza de alma Altivez, brio.
nocaute técnico No boxe, situação em que o lutador, embora não indo ao chão, é considerado perdedor diante de suas precárias condições físicas, a critério do árbitro.

A palavra nocaute provém do inglês "knockout" (eliminar), designado abreviadamente por K.O.

noite alta Hora avançada da noite; alta noite; madrugada.
noite após noite Noites seguidas.
noite cerrada Noite escura e sem luar.
Noite das Garrafadas Designação ao conjunto e cada uma das noites de 12 a 14 de março de 1831, quando, no Rio de Janeiro, ocorreram conflitos de rua entre brasileiros hostis a d. Pedro I e portugueses naturalizados que, apoiando o Imperador, pretendiam recebê-lo festivamente de volta de sua viagem a Minas Gerais.

Nota dez

noite de breu O *m.q.* "noite cerrada".
Noite de São Bartolomeu Hecatombe.

A noite de 24 de agosto de 1572, quando, por inspiração de Catarina de Médici (1519-1589), foram assassinados milhares de huguenotes em Paris, França. A Igreja Católica honra, nesse dia, o apóstolo São Bartolomeu.

noite eterna Estado de quem está morto.
noite fechada O *m.q.* "noite cerrada".
noite e dia Em todos os momentos; em todas as horas, ininterruptamente; incessantemente, sem parar. Também: "dia e noite".
nolens, volens Lat. Não querendo, mas querendo.
nome de batismo O prenome.
nome de família O sobrenome.
nome de guerra *1.* Pseudônimo ou apelido pelo qual alguém se torna mais conhecido em determinadas esferas de atividade, *esp.* as relacionadas ao entretenimento, à contravenção e à prostituição.
nome do padre (pai) *Rel.* O sinal da cruz (cristianismo).
nome feio Palavrão; obscenidade; palavra obscena ou atentatória aos bons costumes.
non compos mentis Lat. Falta de habilidade para pensar com clareza e, especialmente, de ser responsável pelos próprios atos.
non dominus Lat. "Não senhor". *Jur.* Diz-se de quem não tem a propriedade da coisa de que se trata.
Non ducor duco. Lat. Não sou conduzido, conduzo. Divisa da cidade de São Paulo (SP).
Non nova, sed nove. Lat. Lit. Não é nova, mas é nova. Dita por atores teatrais, quer dizer que o que estão representando pode não ser uma novidade quanto ao enredo, mas confiam que o seja quanto à representação.
non plus ultra Lat. O *m.q.* "nec plus ultra".
nos bastidores Fora das vistas das pessoas; em separado, em segredo. *V.* acepção 2 de "atrás dos bastidores".

Bastidores = A parte encoberta, oculta, atuante no interior de certas organizações, que ficam, como no teatro, fora do alcance ou da vista das pessoas.

nos braços de Entregue a; abrigado por.
nos braços de Morfeu Dormindo. *V.* "estar nos braços de Morfeu". *Var.* "Cair nos braços de Morfeu".

nos calcanhares de Atrás e muito próximo de (alguém ou algo que se tenta alcançar).
nos cafundós Num lugar muito distante, ermo, longínquo.
nos conformes Dentro dos conformes; de maneira conveniente, de acordo com as convenções; certo; de acordo.
nos dias de hoje O *m.q.* "hoje em dia".
nos nossos dias Atualmente.
"nós" deu o diabo nas tripas Expressão usada por quem quer se excluir de algo a que outrem alude ao iniciar o relato com: "Nós... etc.". *Obs.* É um jogo de palavras com os termos nós (substantivo) e nós (pronome).
nós outros Forma enfática de "nós", *ger.* utilizada para ressaltar que determinado grupo de pessoas é diferente de outro.

Em espanhol, o pronome pessoal da primeira pessoa do plural é nosotros.

nos séculos dos séculos Expressão usada na liturgia latina da Igreja Católica que lembra que as preces se projetam numa dimensão extratemporal.
nos trinques Muito bem-trajado.
Nosce te ipsum. Lat. V. "Conhece-te a ti mesmo.".
nossa amizade Meu amigo, meu camarada, meu chapa.
Nossa Mãe *Rel. Catol.* Nossa Senhora, Mãe de Deus.
Nossa mãe! Locução interjetiva que denota espanto, admiração, temor, surpresa. Muitas vezes a expressão é abreviada para "Nossa!" e até mesmo simplesmente "Nó!"

A expressão deriva, claramente, de apelo que se faz a Nossa Senhora, pedindo-lhe proteção.

Nossa Senhora *Rel. Catol.* A Virgem Maria, mãe de Jesus.
Nossa Senhora! *Rel. Catol.* Invocação que se faz pedindo a proteção de Maria, Mãe de Jesus.
nosso semelhante O próximo; o homem, referido por nós.
Nosso Senhor *Rel. Crist.* Jesus Cristo.
nota bene Lat. "Observa bem; note bem." Serve para, num texto, chamar a atenção para o que segue. Abreviadamente: *NB*.
nota de rodapé Nota que se coloca ao pé de uma página esclarecendo ou acrescentando dados e informações sobre o ponto indicado no texto.
Nota dez! Excelente! Muito bom!

nota firme Grande soma de dinheiro. *Var.* "nota preta".
nota fria Documento fiscal falso, não revestido das características legais e não respaldado com o recolhimento correspondente dos tributos devidos pela transação a que se refere.
nota preta Grande soma de dinheiro; uma bolada.
notação musical Conjunto dos sinais convencionais que representam os sons e seus encadeamentos em uma obra musical.
notícia oficiosa Notícia colhida, principalmente de órgão de governo, sem confirmação da parte de quem é competente para dá-la.
nouveau riche Fr. "novo-rico".

> O novo-rico geralmente tem origem em camadas mais pobres da população, tendo uma formação cultural igualmente limitada. Ao tornar-se rico, adota comportamento de ostentação, descomedido, exagerado, de mau gosto, não raro estranho e repudiado pelo meio em que passa a frequentar.

novas sete maravilhas do mundo Em 2007, de forma a atualizar a lista das "Sete maravilhas do mundo antigo" (*V.*), uma votação popular internacional elegeu, com mais de 100 milhões de votos, as novas "sete maravilhas" do mundo. São as obras humanas consideradas mais grandiosas e belas, após Cristo.

> São elas: 1. Cristo Redentor, no Rio de Janeiro; 2. Pirâmides de Chichen Itzá, no México; 3. Coliseu, em Roma; 4. Taj Mahal, na Índia; 5. Grande Muralha da China; 6. Cidade de Petra, na Jordânia; e 7. Machu Picchu, no Peru.

noves fora No desenvolvimento da "prova dos noves" (*V.*), expressão que se emprega sempre que a soma chega a nove ou passa de nove.
novíssimo continente A Oceania.
novo continente As Américas.
novo em folha Ainda não usado ou servido.
Novo Mundo As Américas.
Novo Testamento Nome dado à coletânea de 27 livros inspirados da nova aliança entre Deus e os homens, estabelecida por Jesus Cristo.

> Compõe-se de Evangelhos (4 Livros), Atos dos Apóstolos (1), Cartas de São Paulo (14), Epístolas Católicas (7) e Apocalipse (1). A expressão foi usada pela primeira vez por São Paulo (2 Cor 3, 6-14) para caracterizar as disposições novas e definitivas inauguradas por Cristo, que regem as relações entre Deus e Seu povo.

novos horizontes Novas oportunidades; perspectiva ou probabilidade de progresso, melhora.
nu artístico *1.* A arte de representar plasticamente pessoa(s) desnuda(s). *2.* Quadro ou escultura em que há essa representação.
nu de mão no bolso Completamente nu; totalmente desprovido de recursos.
nu e cru Em toda a sua rudeza; sem dissimulação ou disfarce; tal como é.
nu em pelo Completamente despido. *Var.* "em pelo".
num á Num instante.
num abrir e fechar de olhos Num instante; num piscar de olhos; num átimo; de repente; instantaneamente.
num ai Num instante; num abrir e fechar de olhos; num átimo.
num amém Num instante, num átimo.
num ápice *1.* No cume; no auge; no máximo da carreira, da fama, do prestígio. *2.* Num instante; num átimo.
num átimo Em curto espaço de tempo; num abrir e fechar de olhos (*V.*); num instante.
num cortado Numa roda-viva; em dificuldades; em perseguição constante.
num dia desses Em algum momento, não definido, do futuro (mencionado em promessa vagamente feita de realizar algo dentro em breve, mas sem fixar data). *Var.* "num desses dias".
num estalar de dedos Num instante; num átimo.
num instante Rapidamente; já, já; agora mesmo. *Var.* "num minuto".
num minuto O *m.q.* "num instante".
num momento Com pequeno intervalo; num instante; imediatamente; já, já; sem demora.
num passe de mágica Circunstância em que se dá uma mudança acentuada e repentina na ação ou ambiente, de modo aparentemente inexplicável ou incompreensível, *ger.* provocada por ilusionistas ou mágicos.
num pé só Sobre só um dos pés (referindo-se à postura em pé).
num piscar de olhos Num instante; num abrir e fechar de olhos.
num pulo Em muito pouco tempo; num instante. *Var.* "de um pulo".

num raio de Numa distância tal em torno de um ponto citado.
num relâmpago Num abrir e fechar de olhos; num átimo.
num relance De relance; rapidamente; num abrir e fechar de olhos.
num traço Em poucas palavras.
numa boa Numa situação excepcional, tranquila, vantajosa, privilegiada.

Ouve-se, sobretudo entre os jovens, influenciados pelo modismo dos termos em inglês, a expressão híbrida equivalente: "Numa nice". Nice, em inglês, significa belo, bom, bonito, agradável.

numa enrascada Numa dificuldade muito grande; num rolo; num emaranhado de problemas; envolvido em. *Var.* "numa fria".
numa palavra Em resumo. O *m.q.* "para encurtar a conversa".
numa roda-viva Azafamado; cheio de trabalhos; sem descanso; cheio de afazeres.
numa só palavra Em suma; finalmente. *Var.* "numa palavra".
numa tacada Sem parar.
numa toada só Num só ritmo; ininterruptamente; sem perder tempo; sem parar. *Var.* "numa só toada".
numa volta de mão Rapidamente.
numeração binária A que usa apenas dois símbolos ou algarismos (0 e 1), para a representação dos números. *Var.* "sistema binário".

A numeração binária é uma das muitas formas de numeração possíveis. O equivalente ao número "2" do sistema decimal, por exemplo, em binário, é "10". O número "3" seria "11", o número "4" seria "110", o "5" seria "111" e assim por diante. A numeração binária é essencial para a existência dos computadores, que só podem armazenar e processar informações previamente convertidas de nosso padrão de numeração decimal para o binário. Na prática, o computador transforma toda informação em sequências de "zeros" e "uns", eletronicamente processados como cargas elétricas de maior ou de menor intensidade.

numeração decimal A que usa apenas dez símbolos ou algarismos (0 a 9) para representar os números. *Var.* "sistema decimal".

Acredita-se que a numeração decimal tenha se popularizado na civilização pelo fato de abranger a mesma quantidade de algarismos que os dedos da mão humana. O conceito do algarismo "0" (zero) no entanto, é mais recente, com aceitação na Europa apenas a partir da Idade Média.

numeração romana Sistema de numeração que usa as letras I, V, X, L, C, D e M que correspondem respectivamente a 1, 5, 10, 50, 100, 500 e 1.000. De um a dez: I, II, III, IV, V, VI, VII. VIII, IX e X.
numeral cardinal O que expressa uma quantidade inteira, absoluta: seis, doze, vinte e oito, cem etc.
numeral fracionário O que designa quantidade fracionária: meio, terço, quarto etc.
numeral multiplicativo O que denota multiplicação: duplo, quádruplo, cêntuplo etc.
numeral ordinal Indica ordem ou série: primeiro, segundo, décimo, centésimo etc.
número da besta De acordo com o Apocalipse de São João, é 666. A besta é identificada como o Anticristo.
número ímpar Número que não é divisível por dois.
número inteiro Qualquer número inteiro positivo da série: $\infty..-3,-2,-1,0,1,2,3...\infty$.
número natural Qualquer número inteiro positivo.
número par O que é divisível por dois (2).
número primo Número inteiro não nulo que só é divisível por si mesmo ou pela unidade (1,3,5,7,11,13,17...).
número redondo Número não fracionário; número inteiro.

O arredondamento de um número (valor) é prática comum no comércio. Subtrai-se ou adiciona-se ao número apresentado uma fração tal que o torne um número inteiro. Ex.: $1,23 + 0,67 = 2$ ou $1,23 - 0,23 = 1$.

número um O mais importante; o principal; o melhor; o primeiro; aquele que sobressai.
nunca é tarde É sempre tempo (momento oportuno) para fazer algo.
nunca jamais Em tempo nenhum. *Var.* "nunca na vida".
nunca mais Em tempo nenhum futuro.
nunca pus os pés em Expressão de quem afirma jamais ter estado em determinado lugar.
nunca se sabe Diz-se quando se tem dúvidas quanto ao desfecho de algo.
nunca ter visto (alguém) mais gordo Ter total desconhecimento da pessoa de que se fala; nunca tê-la visto.

nunca vi, nem pintado(a) Expressão com que se declara taxativamente jamais ter visto determinada pessoa.

núncio apostólico Representante diplomático da Igreja Católica Apostólica Romana (Santa Sé/Vaticano). Também: Núncio (simplesmente).

nuvem derramadeira Aquela que traz chuva copiosa.

O

o astro da noite A Lua.

O Sol é chamado "astro do dia".

o autor de seus dias O pai ou a mãe em relação aos seus filhos.
o balanço do poder Equilíbrio das potências mundiais tal que não haja predomínio de nenhuma delas.
o belo sexo As mulheres; o sexo amável; o sexo fraco, o sexo frágil.
o bezerro de ouro O dinheiro.

Reminiscência bíblica narrada em Ex 32.

o bom geral O melhor de todos.
o bom livro A Bíblia.
o bom samaritano Pessoa que se destaca pela caridade, pela bondade de suas ações e presteza em ajudar os outros. Pessoa compassiva e solidária. *Cf. Lc* 10,30-37.
o buraco é mais embaixo *Ch.* Diz-se, de um modo um tanto grosseiro, para contestar algo.
o cabeça de O chefe de; o líder.
o cacete *Ch.* Expressão usada para indicar recusa, negação, reprovação.
o cair da noite O entardecer.
o cair das folhas (flores) O outono.
o cantar do galo O amanhecer.
o Carpinteiro de Nazaré Antonomásia de São José.
o céu é o limite Diz-se para o que não tem limite aparente; sem limite.
o céu na terra *1.* Grande felicidade. *2.* Diz-se de um lugar aprazível.
o Chanceler de Ferro Antonomásia de Otto von Bismarck (1815-1898).

Figura importante no cenário mundial do século XIX, Bismarck, quando primeiro-ministro do reino da Prússia (1862-1890), unificou a Alemanha, depois de uma série de guerras, tornando-se o primeiro chanceler (1871-1890) do Império Alemão. Exerceu o poder com autoritarismo.

o choro é livre Quem perde tem direito de se lastimar; não adianta reclamar; dito irônico de quem vence (ganha) uma disputa.
o clima está quente Diz-se a propósito de desavenças quando os contendores se altercam acaloradamente, prestes ao desforço pessoal ou ao rompimento total das negociações ou entendimentos.
o comum dos mortais As pessoas, de um modo geral, que não têm notoriedade.
o cúmulo *1.* O limite do que pode ser suportado ou tolerado; o fim. *2.* Na locução "é o cúmulo" (*V.*), expressa espanto, admiração.
ó (ô) de casa Palavras que se dizem, à porta de uma casa, geralmente batendo nela ou batendo palmas, chamando o morador e anunciando sua chegada.
o de menos O que menos importa; não ser o que, de fato, interessa.
o defunto era maior Diz-se, em tom irônico ou brincalhão, quando uma pessoa está usando uma roupa muitíssimo folgada no corpo.
o degas Eu; uma pessoa; a própria pessoa que fala.
o descanso eterno A morte.
o dever me chama Usada quando se deve interromper algo agradável para cumprir obrigações.
o dia "D" O dia combinado; o dia fatal; o dia decisivo.
o diabo a quatro Coisas espantosas; balbúrdia; desordem.
O diabo anda à solta! Diz-se comentando acontecimentos insólitos, problemáticos, desastrosos, quando se quer dizer que o mal está dominando.
O diabo que carregue. Expressão que exprime raiva, irritação, impaciência.
o discípulo amado Antonomásia de São João Evangelista.

o dito, dito O que disse, está dito para sempre; nada fará mudar de opinião.
o dobro de nada Absolutamente nada.
o escambau a quatro Muitas coisas incríveis; o diabo.
o eterno descanso A morte.
o eterno feminino A mulher como tema e preocupação dominantes.
o feitiço virar-se contra o feiticeiro V. "sair o tiro pela culatra".
o Filho Antonomásia de Jesus Cristo.
o filho é dele(a) Diz-se do autor(a) ou mentor(a) de uma ação, de um projeto, de uma obra.
o fim do arco-íris Qualquer lugar onde se encontra algo precioso que se procurava.
o fim supremo Final de algo além do qual nada é realmente importante; fim último. *Var.* "o fim do fim".
o fino A nata; o melhor; a melhor parte; o que há de melhor, com alto grau de sofisticação e/ou qualidade.
o gado é manso Diz o advertido por estar de braguilhas desabotoadas ou abertas.
O gato comeu sua língua? Pergunta dirigida a quem permanece calado durante muito tempo, sobretudo quando está participando de uma reunião, de um debate.
o Hexágono A França.

> *Por "l'Hexagone" costuma-se designar a França, cujo território representado nos mapas lembra essa figura geométrica. Para os franceses, assim se referindo à França, estão fazendo distinção entre o seu próprio território e os dos seus departamentos de além-mar, inclusive de suas ex-colônias.*

o homem do momento Aquele que é considerado, em determinada situação, o melhor, o mais importante, o mais famoso.
o jogo acabou Diz-se do plano ou ardil que fracassou ou falhou.
o joio e o trigo Separar o joio do trigo é distinguir o bem do mal, o bom do mau.

> *A expressão é, seguramente, calcada nos Evangelhos (Mt 13-24-30), no relato da parábola de mesmo nome.*

o José e a Maria Diz-se quando se quer referir a pessoas comuns, indeterminadas; o povo.
o lado esquerdo do peito O lado do corpo onde está o coração e (*Fig.*) de onde partem os bons sentimentos.
o macaco é outro Não sou tolo.
o maior pentelho Diz-se de pessoa chata, insuportável, maçante.
o mais comum dos mortais Diz-se de si próprio, num arroubo de humildade.
o mais das vezes A maior porção; o máximo; o maior número. O *m.q.* "as mais das vezes".
o mais possível O máximo.
o mais tardar No máximo de demora. *Var.* "no mais tardar".
o mal está feito Se o mal está feito não se pode voltar atrás, senão apenas remediá-lo.
O mar não está para (pra) peixe. Expressão com que se diz que a ocasião não está propícia para a realização do que se tem em vista.
o melhor da estória (história) O fato mais importante e/ou o mais curioso de uma estória (história).
o melhor de si O melhor que cada um pode realizar ou oferecer; as boas qualidades de cada um, postas à disposição de outrem ou manifestadas em atos. V. "dar o melhor de si".
o melhor dos mundos O melhor lugar, ou a melhor das situações ou circunstâncias.
o menos possível O mínimo.
o mesmo de sempre Tal como antes; rotineiramente.
o mesmo que Igual ou idêntico a; da mesma maneira que; tal como.
o mestre disse Expressão que se emprega quando se faz referência apoiada na qualificação de qualquer um a quem se atribui autoridade em determinada matéria. Em latim, "*Magister dixit*".
o mundo dá voltas As coisas acontecem, mas podem se repetir, ou não; elas se sucedem, às vezes se parecem, mas quase nunca são iguais.
o mundo é pequeno Diz-se quando se encontram pessoas conhecidas em lugares onde menos se imaginava encontrá-las.
O mundo gira como uma bola. Expressão que acentua o fato de que o caminhar do tempo é inexorável.
o mundo inteiro Todos; todo mundo.
o outro Outrem; alguém.

> *Us., em geral, com referência a afirmações anônimas, ou proverbiais, ou cuja autoria não se deseja assumir.*

o ovo ou a galinha Discussão ou questão estéril, sem solução, tal como aquela em que se quer determinar, entre o ovo e a galinha qual deles foi a origem e qual deles foi a consequência.

o Pai da Aviação Antonomásia do brasileiro Alberto Santos-Dumont (1873-1932).

> *Santos-Dumont foi o primeiro homem a alçar voo e voar, publicamente, num aparelho "mais pesado que o ar" (o 14-Bis), em Paris, França, em 23 de outubro de 1906. Os irmãos Wright o fizeram em 1903, mas num aparelho lançado do alto, e com fortes ventos ajudando na sustentação.*

o pai da criança *1*. Autor de ato, *ger.* infeliz, desastroso; o responsável por um acontecimento. *2*. O criador de uma ideia, de uma solução, de um artefato, de um projeto.
o pai da História Antonomásia de Heródoto (século V a.C.).

> *Geógrafo e historiador grego, Heródoto foi o primeiro a coletar, organizar sistematicamente e narrar acontecimentos históricos.*

o pai da ideia O autor da ideia.
o pai da mentira O Diabo.
o pai das queixas O delegado de polícia.
o pai do mal O Diabo.
o papai Eu; o degas. *Var*. "o papai aqui". *Ex.: O papai aqui não faz isso, não.*
o pau comeu Formou-se a confusão; houve briga, desentendimentos.
o pessoal *1*. Relativo a pessoa. *2*. Conjunto de pessoas de uma comunidade, de um setor de trabalho, de uma localidade, de uma família.
o Planalto O Palácio do Planalto, em Brasília, onde o presidente da República despacha. *Fig*. A palavra ou os atos da Presidência.
o Poeta Negro Antonomásia de Cruz e Souza, poeta brasileiro (1861-1898).
o precioso líquido A água.
o quanto Quanto; até que ponto.
o quanto possível Até quanto puder ser.
O que cair na rede é peixe. Tudo que se conseguir serve.
O que é que te deu? Diz-se diante de estranhamento ante a mudança do comportamento de uma pessoa. *V*. "O que que há?".
O que é, o que é...? Palavras que precedem adivinhação, ou uma pergunta.
O que está feito não pode ser desfeito. É tarde para mudar o que já aconteceu.
O que está feito, feito está. Diz-se quando, mesmo convencido de que o que se fez está incompleto ou incorreto, não se quer ou não se pode corrigir. *Var*. "o que está feito, está feito".

O que foi que eu fiz!? Expressão de arrependimento por algum ato/atitude.
O que há de novo? Pergunta-se a alguém com o objetivo de saber as novidades, as últimas notícias. *Var*. "Quais são as últimas?". *V*. "*Qui novi?*".
o que me toca Os meus interesses; minhas incumbências; o que me cabe (numa tarefa).
O que passou, passou. Diz-se para esquecer o que passou e seguir adiante.
O que que há? Indagação que denota curiosidade. O *m.q.* "O que está acontecendo por aqui (com você etc.)?". *Var*. "O que é que há?", "Que que há?"
o que quer que Alguma coisa que; qualquer coisa que (falando de modo duvidoso).
O que será, será. Expressão que denota um certo conformismo, significando aceitação do que vier a acontecer.

> *Há equivalentes em italiano ("Che sarà, sarà") e em inglês ("What will be, will be").*

O que vem de baixo não me atinge. Expressão de repulsa a observação de alguém e que contém viva manifestação de desprezo.
o que vier é lucro Esta expressão estará na boca de quem se conforma com resultados modestos no seu empreendimento, mas que não se surpreenderia se ocorressem melhores.
O quê!? Expressão de admiração a propósito de algo que é contado; ao mesmo tempo, pede-se confirmação ou maiores explicações. Há uma entonação peculiar ao se proferir esta locução.
o quebrar da barra As primeiras claridades da manhã.
o rabo abana o cão Diz-se quando se quer enfatizar que a coisa ou o fator subsidiário passou a ser o principal; que papéis, funções, atribuições etc. estão trocados.
o Redentor *Rel. Catol.* Cristo.

> *Com sua base instalada a 710 m de altitude, no topo do Morro do Corcovado, a imagem do Cristo Redentor é o símbolo da cidade do Rio de Janeiro. Desde sua inauguração, em 1931, o monumento, de 38 m de altura, já recebeu milhões de visitantes. Em uma eleição mundial através da internet, o "Cristo" foi eleito uma das "novas sete maravilhas do mundo" (V.).*

o rei do mundo O dinheiro.

o rei dos animais

o rei dos animais O leão.
o rei dos metais O ouro.
o reino das sombras O inferno.
o Reino de Deus *Rel. Crist.* A glória eterna. O Céu. *Var.* "o Reino dos Céus".
o reino de Éolo O ar.
o Santo Sepulcro *Rel. Catol.* Lugar onde Jesus Cristo foi sepultado.
o senhor Forma de tratamento dado à segunda pessoa ou a quem se dirige.
o Senhor *Rel. Crist.* Com inicial maiúscula, designa Deus ou, para os cristãos, Jesus Cristo.
o sexo forte Os seres humanos do sexo masculino.

Obs.: Às mulheres se atribuem os seguintes epítetos: "O sexo fraco ou frágil", "O sexo amável", "O belo sexo" etc.

o silêncio da lei Omissão da lei a respeito de qualquer circunstância não prevista ou regulamentada.
o soberano arquiteto Deus. *Var.* "o supremo arquiteto".
o tal *1.* O maior (mais importante, mais charmoso etc.). *2.* Diz-se do indivíduo procurado, muito falado, o esperado.
o tempo dirá Expressão que denota incerteza quanto ao desfecho de um assunto, de um caso, com a convicção de que só no decorrer de sua execução se saberá o resultado.
o tempo está louco É o que se diz quando o tempo muda constantemente, alternando calor e frio, secura e umidade, vento e calmaria etc., ou quando ocorrem variações numa estação do ano fora dos padrões normais.
o tempo fechou Expressão de quem se refere a um generalizado desentendimento entre pessoas.
o tempo todo Sempre; continuamente; sem cessar.
o tempo urge É urgente; não se pode perder tempo.
o tempo voa Diz-se do que decorre com rapidez.
O tempora, o mores! *Lat.* "Ó tempos, ó costumes", expressão com que se critica a decadência dos costumes ao longo do tempo.

Esta expressão foi usada com frequência por Cícero, filósofo, orador, escritor, advogado e político romano (106 a.C.-43 a.C.), nas suas Catilinárias, *para marcar sua indignação diante de situações escandalosas.*

o toque humano Qualidade da pessoa capaz de gestos e ações concretos de solidariedade, amabilidade, sobretudo para os que necessitam de tal tipo de apoio.
o último dos Aquele que põe fim ou termo a uma série.
o último dos moicanos O último de um grupo, que resta depois que os outros foram embora, ou que é o último de uma espécie, ou o último representante de uma classe, uma equipe etc.

A expressão é título de um filme baseado numa novela do escritor norte-americano James Fenimore Cooper (1789-1851). Ref. à história de uma das tribos indígenas norte-americanas, destruída pelos homens brancos conquistadores do seu território.

o Velho Mundo A Europa.
o Verbo Divino No cristianismo, a segunda pessoa da Trindade: o Filho de Deus, Jesus, que transmitiu a Palavra de Deus (Pai).
o vil metal O ouro e, *p.ext.*, o dinheiro.
o xis da questão O ponto de real interesse; o ponto principal da questão. *Var.* "a chave do enigma".
obediência passiva Completa submissão às ordens recebidas; obediência cega, sem raciocínio.
objeto de desejo Aquilo a que aspiramos possuir.
objeto de discussão O assunto que se constitui tema de um debate.
objeto voador não identificado (OVNI) *Var.* "disco voador" *(V.)*.

Tais "objetos" seriam possíveis naves interplanetárias que se acredita visitam a Terra, segundo o testemunho de alguns, embora não se tenha qualquer prova concreta de sua existência. Também se diz OVNI, abreviadamente.

óbolo de São Pedro Espórtula para as obras do Papa.
obra capital Obra-prima; a obra mais importante, que se destaca entre as demais.
obra de arte *1.* Obra em que com técnica especial o artista, valendo-se de materiais diversos, tenta comunicar sua visão pessoal de algo ou de um momento e suscita emoções estéticas em quem a aprecia. *2.* Obra primorosa, realizada com apurado gosto e esmero.
obra de carregação Aquela feita descuidadamente, mal-acabada, sem esmero. *Var.* "obra de fancaria".

obra de empreitada Obra que se faz por conta de outra pessoa, com o preço previamente ajustado.
obra de fachada Obra, *ger.* pública, feita mais para impressionar o povo do que para servir à administração e, em última análise, ao próprio povo; obra eleitoreira.
obra de fancaria O *m.q.* "obra de carregação".
obra de fôlego Aquela que demanda longo tempo e trabalho acurado para ser realizada; obra de vulto, de valor.
obra de misericórdia A que se faz visando ao conforto do próximo, material ou espiritualmente e, em especial, a pessoas mais carentes; ato de caridade; boa obra.
obra de paciência A que exige tempo, habilidade, muita disposição de espírito.
obra de Penélope O *m.q.* "teia de Penélope".
obra de pulso Obra de muita importância; obra grandiosa.
obra de referência Aquela a que se consulta e onde se podem obter informações a respeito do que se quer e que serve de modelo.
obra de talha Obra em relevo feita pelo entalhador em madeira ou marfim.
obra do capeta *1.* Coisa misteriosa, sem explicação. *2.* Arruaça, desordem. *3.* Qualquer coisa má ou que traz malefícios.
obra feita a machado Obra tosca, grosseira.
obra póstuma A publicada posteriormente à morte do autor.
obras de Santa Engrácia Coisa que leva muito tempo a ser feita e que parece não terminar nunca.
obras públicas As que são de interesse geral da população, executada pelo Estado ou à sua ordem.
obrigação moral Compromisso que se assume sem coerção, decorrente de princípios ou normas socialmente aceitas e referendadas, como da solidariedade, dos direitos e deveres da cidadania, dos relacionados com a honradez, lisura, comportamento etc.
óbvio ululante Mais que óbvio; evidente.

Expressão vulgarizada por Nelson Falcão Rodrigues (1912-1980), jornalista e escritor pernambucano.

ocasião imprópria Inoportuna.
ocaso da vida A velhice; a idade avançada.
ócio vil Falta de atividade; inércia; indiferença para tudo o que é elevado e nobre.

oco do mundo Terras distantes; lugares longínquos.
óculos do Pai eterno O número 88 no jogo de víspora.
ocupado como uma abelha (formiga) Diz-se de quem é muito ativo, trabalhador.
ódio figadal Ódio de morte; ódio intenso, aversão mortal.
odor de santidade *Rel. Catol.* Fragrância emanada dos corpos ou, mais *esp.*, dos estigmas das pessoas consideradas santas. *Var.* "cheiro de santidade".

Há relatos de vários santos famosos da Igreja Católica cujos corpos teriam emanado odores agradáveis, notadamente florais, no momento de sua morte ou mesmo anos após o falecimento. Alguns estudiosos afirmam que tais odores não derivam de sensações olfativas reais, enquanto outros as explicam como advindos da acetona e do ácido acetoacético produzidos pela cetose – uma condição provocada pela prática de jejum, habitual entre os religiosos.

oferecer a outra face Absorver uma ofensa, perdoá-la e, numa atitude de humildade, sujeitar-se novamente à agressão.
office boy *Ing.* Empregado que presta pequenos serviços em um escritório, como distribuir correspondência, cuidar de suprimentos, cumprir entregas etc.

Termo pouco usado ultimamente, o cargo correspondente em português, no Brasil, é o de "contínuo".

oficial reformado Militar aposentado.
ofício de defuntos *Rel. Catol.* Oração que se faz pelo descanso eterno das almas dos mortos.
ofício de notas Notariado; cartório civil, onde se registram documentos.
ofício divino *Rel. Catol.* A missa.
Oh, Deus! Expressão de lamento, tristeza ou piedade.
oitava de final Em torneios esportivos por eliminação, rodada de oito jogos entre 16 clubes que disputam entre a classificação para as quartas de final.
oitava maravilha *1.* Algo extraordinário, insuperável, maravilhoso, sem igual. *2.* Pessoa que presunçosamente se julga digna de figurar ao lado das sete maravilhas do mundo. *3.* Modo irônico de se referir a pessoa presunçosa, cheia de si, enfatuada.

oitava maravilha do mundo

oitava maravilha do mundo Uma coisa particularmente impressionante.
oito ou oitenta Tudo ou nada; alternativa extrema.
olhar com bons olhos Ver com benevolência, com satisfação.
olhar com o canto do olho Olhar de soslaio, com desconfiança. *Var.* "olhar pelo canto do olho".
olhar com o rabo do olho O *m.q.* "olhar com o canto do olho".
olhar de banda *V.* "olhar de través".
olhar de cima Ostentar superioridade sobre algo ou alguém; atitude de soberbia.
olhar de lado Olhar disfarçadamente, com acanhamento, embaraço; olhar com menosprezo ou desdém.
olhar de mormaço *V.* "olho de mormaço".
olhar de peixe morto Olhar do enfermo ou do apaixonado. *Var.* "olho de peixe morto".
olhar de soslaio Olhar de banda.
olhar de través Olhar de lado, em desaprovação ou enfado. *Var.* "olhar de soslaio", "olhar atravessado" e "olhar de banda".
olhar fixo Não tirar os olhos de algo por um determinado tempo; encarar.
olhar impuro Aquele que revela desejos impuros.
olhar longe Prever problemas futuros; antever.
olhar maroto Olhar maldoso, desconfiado, crítico, de ocultas intenções.
olhar oblíquo Olhar que não é dirigido diretamente, enviesado.
olhar para o dia de amanhã Ser precavido, prudente; prevenir-se para o futuro.
olhar para o próprio rabo Olhar para si mesmo.
olhar para o próprio umbigo Ser vaidoso, jactancioso, narcisista, orgulhoso.
olhar para ontem Estar distraído; distrair-se.
olhar por cima dos ombros Mostrar desprezo ou desdém.
olhar por si Acautelar-se.
olho clínico *1.* Capacidade, faculdade de acertar o diagnóstico de doenças com exames superficiais. *2. Fig.* Capacidade de pronta percepção de certas situações.
olho comprido Inveja; cobiça.
olho da rua Lugar indeterminado para onde se manda alguém, expulsando-o de seu convívio; meio da rua; rua.
olho de águia Olhar penetrante, perscrutador, afiado. O *m.q.* "olho de lince".
olho de boi *1.* O primeiro selo postal brasileiro, emitido em 1843 ilustrado com um desenho que lembra um olho. *2.* Claraboia.

O primeiro selo postal surgiu na Inglaterra em 6 de maio de 1840. Seu idealizador foi Sir Rowland Hill, membro do Parlamento. Em 1º de agosto de 1843 foi emitido o 3º selo do mundo, o "olho de boi", nos valores de 30, 60 e 90 réis.

olho de cabra Assim conhecidos cada um dos selos da terceira série de selos brasileiros (01/01/1850), com os valores em algarismos inclinados de 10, 20 30, 60, 90, 180, 300 e 600 réis.
olho de cabra morta Olhar triste, sem brilho, acabrunhado. *Var.* "olho de gata (peixe) morta(o)" e "olho de vaca laçada".
olho de gato *1.* Diz-se de elementos plásticos reflexivos que se colocam nos veículos, que servem para indicar, à noite, sua presença, posição etc. Tais elementos são também colocados nas vias públicas para melhor orientação dos motoristas. *2.* Cada um dos selos da quarta série emitida no Brasil, coloridos nos valores de 10 (azul claro), 30 (azul), 280 (vermelho) e 430 réis (amarelo).

Olho-de-gato é uma trepadeira típica do litoral brasileiro, ocorrendo de norte a sul do país.

olho de lince *V.* "olhos de lince".
olho de mormaço Olhar lânguido, dirigido através das pálpebras semicerradas.

Mormaço é temperatura ambiente quente, abafada, úmida.

olho de mosquito Algo de tamanho muitíssimo reduzido.
olho de peixe morto Olho sem vida, sem expressão; olhar triste.
olho de santo Expressão que se usa mais comumente na forma "Isso não é olho de santo", significando que o que se está fazendo não carece de ser perfeito, embora deva ser bem feito.
olho de sapo Olho que se projeta um tanto para fora da órbita craniana.
olho de seca pimenta *N.E.* Indivíduo de mau-olhado, aziago, de mau agouro.
olho de vaca laçada O de quem tem o costume de baixar os olhos, cabisbaixo.
olho do dono Há vários provérbios alertando sobre a contínua vigilância que o dono deve exercer sobre seus bens, e seus interesses, tais como estes: "O olho do dono engorda o cavalo." e "Olho do dono vê mais que os dez empregados.".
olho do furacão *1.* Ponto central de um fu-

oposição sistemática

racão. *2*. Ponto abstrato, em meio a grande confusão, tumulto, turbulência ou outra condição de instabilidade.
olho gordo Olho de quem tem inveja, cobiçoso. *Var.* "olho grande".
olho mágico Dispositivo dotado de lente que se instala nas portas, através da qual se pode ver o que e quem está do lado de fora, sem que o observador seja visto.
olho no olho Com franqueza, abertura, sem subterfúgios (diálogo, negociação, crítica etc.).
olho nu Olho não auxiliado por algum instrumento óptico.
olho por olho Elas por elas. Pagar com a mesma moeda.
Olho por olho, dente por dente. Revide. *V.* "pena de talião".
olho vivo *1*. Agudeza de espírito; esperteza. *2*. Como interjeição, significa: "Cuidado!"; "Observe bem!".
olhos de lince Olhos vivos, penetrantes, que veem longe. Vista agudíssima. *Var.* "olhos de coruja".

A expressão deriva do fato de ser o lince dotado de extraordinária acuidade visual. Os povos antigos acreditavam até que esse animal tinha capacidade de enxergar através das paredes ou de outros quaisquer obstáculos.

olhos de sapiranga Olhos avermelhados.
olhos rasgados Olhos grandes, bem-fendidos; olhos orientais.
olhos rasos de água Olhos que estão cheios de lágrimas.
olhos vagos Olhos que miram incertos e indecisos, sem se fixar.
ombro a ombro Lado a lado; juntos, em cooperação. *Var.* "ombro com ombro".
ombro amigo Diz-se daquela pessoa que nos ouve e nos consola *esp.* em situações de tristeza ou aflição, quando precisamos desabafar: *Em meio ao desespero, encontrei em Sílvia um ombro amigo.*
on line *Ing.* Literalmente, "em linha". Quando se diz que um equipamento (*p.ex.*, um computador) está "*on line*", significa que ele está conectado a uma rede ou sistema de comunicações.

Popularmente, "estar on line*" assumiu o sentido genérico de "estar conectado", "estar ligado", "estar ao vivo". O termo designa especialmente o internauta que está conectado à rede mundial e, portanto, disponível ou acessível a outros usuários.*

onda de calor Período em que o tempo se caracteriza por temperaturas elevadas.
onda de protestos Série continuada de manifestações do povo ou de segmentos da população contra determinadas leis, disposições ou ações de governos ou instituições que os estariam prejudicando ou cerceando seus direitos ou reivindicações.
onda do futuro As inevitáveis mudanças que irão acontecer com o passar do tempo, trazidas pelo progresso, pela ciência etc., e alterando hábitos, tendências.
onde a porca torce o rabo Problema ou ponto num processo cuja solução ou situação exige habilidade. *Var.* "aí é que a porca torce o rabo".
Onde está o busílis? Qual é a principal dificuldade do caso?.

Busílis = O ponto principal da dificuldade em resolver uma coisa; o xis da questão.

Onde já se viu! Expressão de admiração ou espanto diante de algo inusitado, surpreendente.
onde Judas perdeu as botas Diz-se de lugar longínquo, remoto ou que ninguém conhece.
onde o diabo perdeu as esporas Muito longe. *V.* "onde Judas perdeu as botas".
onde o vento faz a curva Lugar remoto, longínquo; lugar que só existe na imaginação.
onde quer que Em qualquer parte; seja onde for.
Onde você comprou esta camisa que está usando, tinha para homem? Expressão ofensiva e debochada que se dirige a alguém (do sexo masculino) só para irritá-lo.
Onde você está com a cabeça? Pergunta dirigida a alguém que age, em nossa opinião, de maneira estranha e inconsequente.
open market *Ing.* Mercado aberto. Mercado de compra e venda de títulos fora das bolsas de valores.
operação tartaruga Forma atenuada de greve que consiste na diminuição premeditada e organizada do ritmo e da eficiência do trabalho.
opere citato *Lat.* Na obra citada. Expressão usada em remissões bibliográficas.
opinião pública *Soc.* Juízo coletivo adotado e exteriorizado por um grupo ou, em sociedades diferenciadas e estratificadas, por diversos grupos ou camadas sociais.
oportunidade de ouro Oportunidade única; ocasião propícia.
oposição sistemática Aquela que se opõe a qualquer iniciativa ou proposição que par-

ta de adversários, ainda que tenha méritos ou oportunidade.
Ora bolas! Expressão que indica enfado, aborrecimento, falta de paciência, contrariedade. V. "Ora sebo!". Var. "Ora pílulas!".
Ora et labora. *Lat.* Ora (reza) e trabalha. Lema dos monges beneditinos.

> *Beneditinos são chamados os monges da Ordem de São Bento ou Ordem Beneditina (sigla OSB), que é uma ordem religiosa monástica católica fundada no século VI, que se baseia na observância dos preceitos destinados a regular a convivência comunitária, seguindo a Regra de São Bento.*

ora isso, ora aquilo Temperamento instável; mudança de opinião; indecisão.
ora pois À vista disso.
ora pipocas O *m.q.* "ora bolas".
ora pro nobis *1.* Expressão latina que significa: "Orai por nós!". *2.* Planta nativa da América intertropical cujas folhas são apreciadas como iguaria, *esp.* em *MG*. Os frutos também são comestíveis. (Nesta acepção, as palavras são ligadas por hífen e nóbis com acento.)
Ora sebo! Expressão que exprime impaciência, desagrado, aborrecimento, desprezo. O *m.q.* "Ora bolas!".
Ora, muito obrigado(a)! Locução irônica com que se responde a quem apresenta um alvitre inconveniente ou uma ideia disparatada ou, ainda, a quem deixa de atender a um pedido de ajuda.
Ora, ora! Expressão usada como advertência, repreensão.
Ora pílulas! O *m.q.* "Ora bolas!".
ora... ora Umas vezes ...outras vezes.
orador sacro Clérigo que faz sermões ou prédicas religiosas.
orbe terrestre A Terra.
ordem de pagamento Ordem (a um estabelecimento bancário) para que realize um pagamento em local e ao favorecido indicado.
ordem do dia *1.* A ordenação previamente determinada dos trabalhos do dia de uma sessão (legislativa, reunião etc.). *2.* As comunicações diárias que o comandante dá à tropa.
Ordem Primeira *Rel. Catol.* Ordem religiosa de São Francisco de Assis (franciscanos), constituída de frades professos.
ordem religiosa *Rel. Catol.* Instituto de confissões cristãs, *esp.* católicas, que designa várias formas de vida consagrada, isto é, em que os crentes professam votos (solenes ou evangélicos) de seguimento das Regras que cada ordem estabelece.
Ordem Segunda *Rel. Catol.* Ordem religiosa de São Francisco de Assis, constituída de irmãs clarissas (Santa Clara) professas.
Ordem Terceira *Rel. Catol.* Ordem religiosa de São Francisco de Assis, constituída de leigos e leigas professos.
ordenamento ambiental Planejamento do uso racional de recursos ambientais.
ordenamento jurídico O conjunto de leis vigentes num país.
ordens maiores *Rel. Catol.* Os três graus conferidos pela imposição de mãos de um bispo: bispo, presbítero e diácono.
ordens menores *Rel. Catol.* Os quatro graus de acesso às ordens menores: acolitato, exorcizado, leitorado e ostiariato.
ordens sagradas *Rel. Catol.* As três ordens maiores, a saber: o subdiaconato, o diaconato e o sacerdócio.
ordens são ordens Obrigação de realizar determinada coisa, ainda que contra a vontade, devido à autoridade de quem ordenou.
ordinário da missa As orações comuns a todas as missas.
orelha da sota O baralho; jogo de cartas; jogatina. V. "agarrar na orelha da sota".
orelha de abano Expressão que pretende definir o pavilhão auricular que se projeta quase perpendicularmente à têmpora.
orelha de macaco O número 3 no jogo de véspora.
orelha quente Diz-se que a orelha de alguém está queimando, *i.e.*, está quente, para insinuar que isso ocorre em virtude de estar alguém, neste momento, maldizendo dessa pessoa.
orelha seca *Bras. MG* Indivíduo pouco inteligente.
orelhar a sota *1.* Jogar cartas. *2.* Jogar cartas descobrindo uma delas aos pouquinhos, para ficar mais emocionante; filar.
organização não governamental Aquela cujas atividades ou campo de atuação são públicos ou de interesse público, mas que é institucional e financeiramente independente do governo ou das instituições ou empresas a ele ligadas. São bem conhecidas pela sua sigla ONG.
órgãos públicos Repartições, departamentos, institutos etc. que constituem o conjunto administrativo dos governos.
Oriente Médio Região que compreende a Turquia, os países do Sudeste da Ásia e do

Norte da África e que inclui, por vezes, o Afeganistão, o Irã e o Iraque; Oriente Próximo.
Oriente Próximo Oriente Médio.
os "comos" e os "porquês" Todos os esclarecimentos necessários; minuciosamente. O *m.q.* "tim-tim por tim-tim".
os bons tempos Os tempos antigos.

> *Quem se refere a tais épocas provavelmente se recorda dos seus tempos de juventude, quando tudo parecia correr às mil maravilhas.*

os cinco sentidos Os sentidos de visão, audição, olfato, paladar e tato.
os corredores do poder *Fig. 1*. Locais onde, nos mais altos níveis políticos da nação, são tomadas as decisões. *2*. Os entremeios do poder.
os dados estão lançados A resolução já está tomada e não há mais o que fazer para alterá-la.
os Dez Mandamentos Ou "Decálogo" (*Ex* 20, 1, 17). Relação de dez preceitos que Deus transmitiu a Moisés, no Monte Sinai, para observância do povo hebreu, caminhante em busca da Terra Prometida. Segundo a Bíblia, esses preceitos ou leis, *cf. Ex* 24,12-19, foram inscritos pelo próprio Deus em uma lápide (tábuas de pedra) e entregues a Moisés.

> *São eles: 1. Amar a Deus sobre todas as coisas; 2. Não tomar seu Santo Nome em vão; 3. Guardar os dias santificados; 4. Honrar pai e mãe; 5. Não matar; 6. Não pecar contra a castidade; 7. Não furtar; 8. Não levantar falso testemunho; 9. Não desejar a mulher do próximo; 10. Não cobiçar as coisas alheias.*

os dois Ambos.
os grandes *Fig.* São assim consideradas as pessoas importantes ou ricas.
os homens A humanidade; o homem (precisamente falando); todos os homens (inclusive as mulheres).
os ladrões festejam (fazem a festa) Locução cômica referente a quem rouba impunemente.
os meus A família, os amigos de quem fala.
os nossos Os de nossa família; a nossa família; aqueles com quem costumamos nos relacionar mais intimamente. *Var.* "os meus".
os pequenos *Fig.* Em contraposição à expressão "os grandes" (*V.*), são aquelas pessoas mais humildes, mais pobres; o povo, de um modo geral.
os pesos-pesados da política Os personagens mais influentes no meio político, que são ouvidos, respeitados e seguidos em suas posições.
Os porcos voam! Sarcástica expressão de incredulidade diante de algo que nos contam.
os quatro cantos do mundo Todas as partes do mundo.
os Quatro Cavaleiros do Apocalipse A guerra, a peste, a fome e a morte.

> *Interpretação do Apocalipse de São João (9,14).*

os quatro elementos *Hist. Fil.* Segundo Empédocles (483-430 a.C.), filósofo, poeta, taumaturgo, político grego, as substâncias primárias ou raízes (terra, água, fogo e ar), que não tiveram começo e não terão fim, que são imutáveis e devem dar conta de todas as qualidades das coisas percebidas no mundo.
os seus Os de sua família; a sua família.
os sins e os nãos Todos os detalhes ou repercussões de um assunto.
os tempos que correm Atualmente; hoje em dia.
os tesouros da terra O que ela dá, oferece ou proporciona em termos de vegetais e minerais.
os teus Os membros da família daquele com quem se fala; os companheiros, colegas e/ou subordinados do interlocutor.
os tubos Muito dinheiro.
os últimos centavos O que resta de dinheiro.
os vossos Os de vossa família; a vossa família.
osso duro de roer Algo cuja realização encontra obstáculos difíceis de serem superados; tarefa, missão ou atribuição complicadas, intricadas, difíceis de resolver.
ossos de borboleta Coisa nenhuma; nada; manga de colete. Bagatela, ninharia, coisa de nada.
ossos do ofício Os trabalhos, ainda que desagradáveis, que a profissão obriga a fazer (executar).
ou algo assim Se não é isso, é mais ou menos o que eu disse. *Var.* "ou algo que o valha".
ou antes Ou melhor, mais precisamente; aliás; quer dizer; melhor dizendo.
ou coisa que o valha Ou equivalente; algo assim; ou coisa parecida; mais ou menos isso.

ou eu não me chamo mais... É desafio que se lança quando se quer afirmar o propósito de realizar uma coisa ou de confirmar algo que tenha dito.
ou isto ou aquilo Modo de se referir a uma alternativa para o que se discute.
ou melhor Isto é.
Ou oito ou oitenta. Ou tudo ou nada.
ou por fas ou por nefas Com razão ou sem ela.

> *Fas = Aquilo que é justo, lícito; nefas = O que é injusto, ilícito, ilegítimo.*

ouro branco *1.* Diz-se de várias ligas de ouro contendo 75% de ouro e o restante de outros metais como níquel (17%), cobre (2,5%), zinco (5,5%) ou ouro com cobre e paládio. *2.* O algodão, como importante e valioso produto agrícola.
ou seja Ou melhor; isto é.
ou vai ou racha Expressão que designa algo que se quer levar até o fim, custe o que custar. *V.* "de um jeito ou de outro".
ouro de lei Muito valioso; precioso; legítimo.
ouro dos tolos Assim se denomina, popularmente, a pirita, que é confundida com o ouro pelo seu brilho e cor, sobretudo pelos que não conhecem o ouro tal como ocorre na natureza. *Var.* "ouro dos trouxas".

> *Pirita = Constitui-se, no Brasil, a única fonte de enxofre, ocorrendo com certa abundância na região de Ouro Preto, em Minas Gerais.*

ouro em pó Inestimável, precioso.
ouro negro O petróleo, por ser de cor escura e muito valorizado.
ouro sobre azul *1.* Coisa muito bela e excelente; maravilhoso; bom demais; vantajoso.
ouro verde *1.* O café, porque se constituía, no princípio do século XX, a principal riqueza do Brasil. *2.* Composição metálica de ouro, prata, níquel e cobre.
outro eu Indica uma pessoa tão perto de outra que com ela compartilha as mesmas ideias e os mesmos comportamentos. Em latim: *"Alter ego"*.
outro galo cantaria Seria diferente o caso; outra seria a história.
outro lado da moeda O ponto de vista oposto; os dois lados de uma questão.
outro mundo É o mundo espiritual, *i.e.*, aquele que os crentes esperam alcançar quando morrerem fisicamente.
outro que tal Outro igual.
outro tanto A mesma quantia ou quantidade, porção.
ouvidos de mercador Fá-los aquele que não ouve, que não dá atenção, que tem má vontade. *Var.* "ter cera nos ouvidos".
ouvir cantar o galo mas não saber onde Ter noção vaga de uma coisa; ficar por fora; não perceber com nitidez uma ideia ou fato e aparentar tê-lo compreendido.
ouvir umas verdades Ouvir repreendas e/ou algo que não se queria recordar.
ovelha desgarrada Diz-se de quem se desviou de uma determinada linha de conduta seguida pela família ou grupo.
ovelha negra Pessoa completamente diferente, em sentido negativo, das que lhe são familiares ou próximas e que se comporta de maneira considerada prejudicial ou a elas hostil. *V. tb.* "ser uma ovelha negra".
ovo de Colombo Coisa aparentemente difícil, mas na realidade muito fácil de se entender e fazer, sobretudo depois de vista fazer por outrem.

> *A expressão deriva de episódio que teria sido vivido por Cristóvão Colombo perante a corte espanhola, quando o desafiaram a colocar um ovo em pé, testando sua inteligência. Ele o pôs quebrando uma de suas pontas.*

ovo de Páscoa Ovo de chocolate, oco, podendo conter bombons, e que são objeto de presentes por ocasião da Páscoa.
ovo estalado Ovo frito sem ter sido batido. Também se pode dizer: "ovo frito", "ovo estralado" e "ovo estrelado".

P

pá carregadeira Máquina pesada, dotada de uma caçamba, capaz de escavar e remover terra ou entulhos e despejá-los noutro lugar ou dentro de caminhões.

paca tatu Brincadeira que consiste em pedir a uma pessoa que repita a frase "Paca tatu, cotia não". Repetindo-a, diz-se à pessoa que houve erro, pois o que se pediu foi que ela dissesse apenas 'paca tatu', mas *cotia* não.

paciência de Jó Diz-se de pessoa extremamente paciente, que nunca se aflige diante de uma dificuldade. *Cf.* "pobre como *Jó*". *Var.* "paciência de santo".

> *Jó é um personagem bíblico, servo fiel de Deus e que sofreu muito, suportando, porém, com paciência suas dores e atribulações e perseverando na sua fé.*

pacote de férias Viagem turística que é oferecida pelos agentes de turismo com pagamento antecipado ou financiado e que inclui estadia, alimentação e passeios.

pacote econômico Conjunto de medidas, decretos, normas e regulamentos emitidos pelo governo para tentar solucionar crises econômico-financeiras.

pacto de sangue Aquele em que os pactuantes se cortam – geralmente no pulso – e misturam o sangue uns dos outros, em penhor do pacto.

padrão de vida Base de comparação dos diversos níveis em que se qualifica o modo de vida do cidadão, sobretudo em relação ao que consome (alimentação, educação, moradia, transporte etc.) referenciado à sua renda pessoal.

pagar as custas Sofrer as consequências.

pagar caro *1.* Amargar severamente as consequências de um ato. *2.* Pagar preço alto por determinado objeto. *3.* Pagar com juros.

pagar com a mesma moeda O *m.q.* "pagar na mesma moeda".

pagar com juros *Fig.* Pagar caro por algo que tenha feito; ter de prestar contas futuras por algo mau que tenha cometido.

pagar com língua de palmo *1.* Pagar o que deve, ainda que com sacrifícios. *2.* Ser punido algum dia por má ação praticada.

pagar e não bufar Pagar sem reclamar.

pagar em espécie Efetuar pagamento em dinheiro, à vista.

pagar mico Fazer besteira; passar vergonha, por situação ridícula. *Var.* "pagar o maior mico".

pagar na mesma moeda Dar o troco; retribuir de igual maneira; vingar-se; retribuir o bem com o bem e o mal com o mal; revidar; dar o troco. *Var.* "pagar com a mesma moeda. *V.* "pena de talião".

pagar o justo pelo pecador Um inocente ser punido em lugar do verdadeiro culpado; pagar pelos outros; ser castigado ou repreendido por algo que erroneamente lhe imputam.

pagar o mal com o bem Fazer mal ou prejudicar alguém que o ajudou. *Ant.* "pagar o bem com o mal".

pagar o mico Sofrer as consequências de. *V.* "pagar o pato".

pagar o novo e o velho Ser castigado por culpas recentes e antigas.

pagar o pato Pagar pelo que outros fizeram; recair a punição em quem não é o culpado; pagar sozinho as despesas comuns de um grupo. *V.* "pagar o mico".

pagar o prejuízo Pagar a despesa num bar, num restaurante.

pagar os pecados Sofrer; redimir-se; arrepender-se.

pagar para ver Não acreditar numa ameaça ou na possibilidade de que algo venha a ocorrer.

> *Tem provável origem em jogo de cartas a dinheiro, quando, certo de que o adversário está blefando ao aumentar a aposta, um jogador 'paga para ver', isto é, equi-*

para a aposta o que os obriga a mostrar as cartas.
pagar pela língua Sofrer as consequências de ser linguarudo.
pagar por Padecer, ser castigado em lugar de (outrem).
pagar tributo à mocidade Fazer o que é próprio dela.
pagar tributo à velhice Ter seus achaques, seus problemas; passar pelo que é próprio da idade provecta.
pagar um alto preço Amargar severamente as consequências de um ato.
pagar um bom dinheiro Pagar caro para obter algo. *Var.* "pagar uma ficha" e "pagar uma fortuna".
pagar um mico Passar por momentos vexatórios diante de outras pessoas pela ação que tenha praticado ou palavras que tenha dito.
pagar uma visita Retribuí-la.
pagar vale *RS 1.* Desistir de aposta ou de ação; recuar. *2. Fig.* Ter medo; fraquejar, afrouxar.
página de rosto A página inicial de um livro, onde estão o título, o nome do autor e o do editor e alguma ilustração ou grafismo.
página virada Pessoa, coisa ou fato passado ao qual não mais se dá importância.
páginas amarelas Guia telefônico comercial. *V.* "lista telefônica".
pai de família Homem que tem mulher e filho(s), sujeito de responsabilidades perante os membros da família.
pai dos burros O *m.q.* "dicionário".
♦ **pai-nosso** *Rel. Crist.* Oração ensinada e recomendada pelo próprio Cristo, *cf.* textos evangélicos, e frequentemente recitada pelos fiéis cristãos. *Cf. Mt* 6,9-13 e *Lc* 11,2-4.
painel de instrumentos Conjunto de indicadores e botões de comando existentes nos veículos automotores (e em outros tipos de máquinas controladas por operador), destinados a orientar o motorista quanto ao seu funcionamento ou para o comando de diversas funções.
país de opereta País pequeno, insignificante.
país emergente Aquele cujo desenvolvimento econômico se mostra pujante, sustentado, firme e que se coloca cada vez mais próximo do grau alcançado pelos países plenamente desenvolvidos.
Países Baixos Holanda, Bélgica e Luxemburgo.

*Em sentido mais restrito, Países Baixos refere-se somente à Holanda, e é seu nome oficial (*Nederlands*)*

palam et publice *Lat.* Aberta e publicamente.
palavra cabeluda Palavra chula, obscena.
palavra de honra Afirmação ou promessa formal em que se empenha a honra.
palavra de rei Promessa que será fielmente cumprida.
palavra por palavra Com precisão minuciosa (referindo-se à menção de um texto, de uma fala etc., inclusive ao se traduzir, editar, analisar etc.)
palavra puxa palavra Referência ao fato, ou situação, em que uma conversa se entabula ou se estende à medida que as palavras são trocadas entre os participantes.
palavras ácidas Palavras duras, agressivas, raivosas.
palavras cruzadas Espécie de jogo ou passatempo feito de palavras.

Num desenho quadriculado, com casas numeradas, achando-se a palavra correspondente à definição dada, deve-se escrevê-la no lugar indicado, cada letra num dos quadros, dispostos vertical e horizontalmente, de tal sorte que as palavras vão se cruzando umas com as outras coerentemente e de conformidade com as definições dadas à parte.

palavras de ordem Ditos que se usam em comícios reivindicatórios, protestos coletivos etc., constituídos de *slogans*, mensagens curtas e de incentivo aos participantes.
palavras envenenadas Ditos ferinos, cheios de ódio, de rancor; palavras com que se proferem pragas.
palavras pesadas Palavras grosseiras, ofensivas.
palavras sacramentais *Rel. Catol.* As que se pronunciam na administração de um sacramento ou na consagração.
palco de batalha O local onde se deu ou ocorre uma disputa, uma luta.
paletó de madeira Urna funerária, caixão.
palha de aço Fios de aço enovelados entre si, em forma de esponja, e que se usam como abrasivo, para limpeza geral.
pálida imitação *1.* Cópia malfeita; imitação deficiente. *V.* "imitação barata". *2.* Situação, realidade ou pessoa de natureza falsa, inautêntica.
palmatória do mundo Pessoa que se arvo-

ra em moralista, em censor de tudo e de todos.
palmo a palmo Gradualmente.
palmo de terra *1.* Pequena extensão de terra. *2.* Referência à profundidade da cova numa sepultura, geralmente referida como "sete palmos de terra".
pancada de água Chuva súbita, copiosa e rápida. *Var.* "pancada de chuva".
pane seca Na aviação, a parada do motor ou turbina devido ao esgotamento do combustível.
panem et circenses *Lat.* Literalmente, "pão e circo" (*V.*).

Expressão de Juvenal (Decimus Junius Juvenalis [60 a.D.-140 a.D.]), poeta satírico latino que nas Satirae (Sátiras) se referia ao povo dizendo que ele só duas coisas ardentemente desejava: pão e os jogos do circo romano. Lato sensu, a locução é empregada para ressaltar a aspiração mais imediata e comodista do povo, de um modo geral, qual seja a de sempre dispor de alimento e lazer.

pano cru Tecido de algodão não alvejado (branqueado) nem tingido após a fabricação.
pano de boca *Teat.* Cortina que oculta o cenário aos espectadores, nos intervalos.
pano de chão Pano de algodão, absorvente, com que se limpa e/ou enxuga o chão.
pano de fundo *1.* No teatro, é o cenário que fica ao fundo do palco. *2. Fig.* É aquilo que, às vezes, sem estar evidente, constitui a base ou o motivo do que se fala ou faz.
pano de prato Pano usado na cozinha para enxugar louças, panelas, utensílios diversos.
pano lento *Teat.* Cortina lenta, que se fecha vagarosamente, encerrando uma das cenas ou atos do espetáculo. *V.* "pano rápido".
pano para mangas *1.* Consequências, controvérsias, desenvolvimentos previsíveis e imprevisíveis de uma situação, de um processo: "Isto ainda vai dar muito pano para mangas...". *2.* Motivação para conversas ou discussões; causa de desavenças.
pano rápido *Teat.* Cortina que se fecha rapidamente, conferindo à cena que se encerra um certo impacto. *Cf.* "pano lento".
pano sagrado *Rel. Catol.* O corporal, que é o pano sobre o qual, no altar, o sacerdote põe o cálice e a hóstia.
pano verde Mesa de jogo.
panos quentes Paliativos; medidas contemporizadoras.

pão ázimo Pão sem fermento que os judeus usam comer na Páscoa judaica (*Pessach*).
pão da alma *Catol.* A eucaristia.

A eucaristia é um dos sete sacramentos do catolicismo, no qual se acredita estar Jesus Cristo presente sob as aparências do pão e do vinho, com seu corpo, sangue, alma e divindade.

pão celeste *Rel. Catol.* A Eucaristia. *Var.* "pão da alma", "pão do céu" e "pão dos anjos".
pão com manteiga Coisa comum, corriqueira.
pão com manteiga dos dois lados Bom demais; de sobejo.
pão com rosca Marido e mulher.
pão da vida *Rel. Catol.* Jesus Cristo e seu Evangelho; a Eucaristia. *Var.* "pão da alma".
pão do espírito A instrução, a educação.
♦ **pão-duro** Sovina; avaro.
pão e circo Segundo conceito demagógico, comida e diversão, tidos, supostamente, como suficientes para suprir as necessidades do povo.

Esta expressão em latim é: "panem et circenses". (V.)

pão nosso de cada dia *1.* O que se faz ou acontece diariamente.

A expressão provém literalmente da oração do pai-nosso.

pão pão, queijo queijo Com clareza, sem rodeios, com franqueza; não há dúvida; certeza; firmeza; o *m.q.* "às claras".
papa de milho Iguaria de consistência cremosa, feita de milho verde ralado e leite; mingau de milho verde (MG).
papa negro Antonomásia do geral (superior) dos jesuítas.
p-a-pá Santa Justa (pronuncia-se pê-a-pá) Minuciosamente, tim-tim por tim-tim.
papagaio de pirata Indivíduo que se coloca junto de autoridades, artistas ou pessoas famosas com o intuito de ser visto ou de aparecer em fotografias ao lado delas.
Papai Noel *1.* Nome que vem do francês Père Noël, significando, literalmente, Pai Natal. *2.* Qualquer pessoa trajada com a veste típica de Papai Noel.

Personagem imaginária, representada por um velho de barbas brancas e lon-

> *gas, roupa vermelha, gorro da mesma cor na cabeça, que, na noite de Natal, sai pelas ruas distribuindo presentes, principalmente para as crianças. Embora o personagem da forma como o conhecemos hoje seja fictício, foi originalmente inspirado em São Nicolau, arcebispo de Mira, na Turquia. Nicolau Taumaturgo viveu no século IV e costumava ajudar anonimamente as pessoas necessitadas. Segundo reza a tradição, o bondoso bispo reunia moedas de ouro, colocando-as em um saco que arremessava pela chaminé da casa da família em dificuldades.*

papar mosca O *m.q.* "comer mosca".
papéis trocados Expressão usada para registrar a inversão de atribuições de pessoas, *i.e.*, quando uma delas desempenha o que era próprio ou incumbência de outra, e vice-versa. *V.* "o rabo abana o cão".
papel aceita tudo Diz-se em referência a se escrever o que não se fala, ou a que se pode escrever tudo que se quiser, mesmo sem relação com fatos ou intenções. *Var.* "papel aguenta tudo".
papel de folhinha De pouca duração; de vida efêmera.

> *A "folhinha" aqui mencionada é um tipo de calendário impresso constituído de uma folha ou de um maço de pequenas delas, destacáveis, contendo informações sobre cada dia do ano, podendo conter outras e variadas informações, inclusive no verso de cada folha.*

papel de seda Tipo de papel muito fino e de variadas cores, de várias utilidades.
papel higiênico Papel fino, macio e absorvente, para uso *esp.* após a evacuação, vendido em rolos.
papel machê Material com o qual se pode moldar objetos leves, feito de papel embebido em cola e óleo de linhaça.
papel principal *Teat.* A representação por um ator do principal personagem de uma trama, como protagonista.
papel queimado Homem casado.
papel timbrado Aquele em que vêm estampado o logotipo e/ou o nome, endereço e outros dados de uma pessoa ou empresa.
papo pro ar Ócio; à toa; boa vida.
par a par Lado a lado.
par de galhetas Casal ridículo.
par ou ímpar Jogo que se constitui da apresentação, por dois participantes, de uma das mãos exibindo nenhum, alguns ou todos os dedos. Somados os dedos mostrados de cada um, ganhará quem houver dito antes se par ou ímpar.
para cima de Na direção de; para o lado de.
para a frente Para adiante, avante; para a dianteira.
para a galera Para a galeria; para o povo presente.
para a galeria Diz-se de ato, palavras, atitudes, com que se visa a fazer efeito junto à assistência ou à opinião pública. *Var.* "para a galera".
para a vida e para a morte Para sempre; para o que der e vier.
para acolá Para um pouco mais à frente; para um pouco além.
para adiante Depois; em seguida; pela frente; para a frente.
para além de Mais longe (em tempo ou distância).
para ali Para aquele lugar indicado.
para aqui Para junto de mim (de nós); para o lugar onde estamos.
para aqui, para acolá Deste e daquele modo; desta ou daquela maneira.
para as calendas gregas Nunca. *V.* "calendas gregas".
para assim dizer Por assim dizer; quer dizer.
para baixo Para uma posição inferior.
para baixo todo(s) (os) santo(s) ajuda(m) *Fig.* Sentença com que se acentuam as facilidades das descidas em contraste com as dificuldades das subidas.

> *Há quem complemente a sentença com a expressão "pra cima é que as coisas mudam".*

para cá Para aqui.
para cima Para uma posição superior.
para cima de Na direção de; para o lado de.
para cima e para baixo 1 Andar atabalhoada ou nervosamente para lá e para cá, repetidas vezes. 2 Indicativo de direção no sentido vertical.
para começo de conversa Diz-se quando se quer dar ênfase à própria opinião, preparando a receptividade do(s) interlocutor(es) para a sua posição.
para dar e vender Transmite a ideia de abundância, enorme quantidade. *Pop.* "pra dar e vender".
para dentro Para o interior.
para desgraçar Em excesso; muito, demasiado. O *m.q.* "pra burro".
para diabo Muito, demasiado.
para diante Para a frente; seguindo; avante.

para dizer a verdade... Falando de um modo franco e sem meias palavras.
para encurtar a conversa Em resumo. O *m.q.* "numa palavra" e "para encerrar o assunto".
para fora *1.* Voltado para fora. *2.* Comando para que vá ou seja posto para fora.
para fora de Mais do que, superando a; além de; para mais de. *Cf.* "por fora de".
para inglês ver *1.* Só na aparência, querendo causar boa impressão, mas sem cuidar do conteúdo. *2.* Modo de fazer algo sem maiores cuidados na sua execução, seja por falta de necessidade ou só para cumprir uma exigência formal. Diz-se também "só para inglês ver". *3.* Para simular; para aparentar, para ocultar uma realidade não conveniente.

A expressão advém de fingidas providências tomadas pelo Governo imperial (1808) para fazer cessar o tráfico de africanos, depois de compromisso que sobre isso firmara com a Inglaterra.

para já Imediatamente; para agora.
para lá Para além dali.
para lá e para cá *V.* "de um lado para o outro".
para logo Sem demora; logo; imediatamente.
para ninguém botar (ou pôr) defeito Muito bom; excelente. *Var.* "para não se botar (ou pôr) defeito".
para o ar Para cima, para o alto.
para o bispo De graça; sem remuneração.
para o espaço Para longe.
para o que der e vier Pronto para tudo, não importam as consequências. *V.* "der e vier". *Var.* "para o melhor ou para o pior".
para ontem Com urgência.
para que A fim de que.
para que lado o vento soprar Para todas as direções; qualquer caminho; de qualquer modo.
para que lado sopra o vento Qual a opinião geral sobre um assunto, qual a tendência etc. (em verificação, antes de exarar própria opinião ou de assumir uma posição).
Para quem é, bacalhau basta. Qualquer coisa serve para quem não merece consideração.
para segurança Por cautela; para prevenção.
para sempre Perpetuamente; eternamente; indefinidamente.
para seu governo *1.* Palavras com que se aconselha alguém a se precaver ou a ficar alerta sobre algo. *2.* Para seu conhecimento.
para tanto Para tal; para isso acontecer.
para todo (o) sempre Infinitamente; eternamente; para sempre.
para todos os bolsos Expressão que se usa para indicar que a aquisição de certo(s) bem(ns) está ao alcance de todos, devido ao seu preço módico.
para todos os efeitos Para todos os fins e consequências.
para trás Em direção da parte posterior.
para valer O *m.q.* "pra valer".
para viagem Acondicionado para ser transportado.
parada cardíaca Repentina parada do batimento cardíaco.
parada de sucessos *Mús.* Seleção de músicas que alcançaram maior popularidade ou vendagem, em determinado período. Em *inglês se diz "hit parade"*.
parada federal Situação ou tarefa difícil, árdua, desagradável; parada difícil. O *m.q.* "parada indigesta".
paradoxo socrático Tese socrática que afirma: "Ninguém faz o mal voluntariamente, mas por ignorância, pois sabedoria e virtude são inseparáveis."
parafuso quadrado em rosca redonda Diz-se do que não é lógico; disparatado, incoerente.
parafuso solto Diz-se de algo errado ou que não funciona adequadamente.

Comumente se ouve dizer que "Fulano tem um parafuso solto", i.e., é portador de um transtorno mental, uma vez que faz coisas fora do senso comum.

paraíso fiscal Diz-se de pequenos estados nacionais ou regiões autônomas nos quais a tributação, inclusive e principalmente sobre negócios financeiros, é extremamente baixa, por isso atraindo empresas e pessoas para lá instalarem filiais, muitas vezes com o objetivo de sonegação nos seus países de origem.

Dentre os principais paraísos fiscais podem ser citados vários países da comunidade das Bahamas, além de Liechtenstein, Libéria, Mônaco, Seychelles, Andorra, Granada e até mesmo Paraguai, Uruguai, Holanda e Costa Rica.

parar com Não querer mais relações com, não mais suportar (alguém).

Pare com isso! Comando enfático para que alguém deixe imediatamente de falar ou fazer algo inconveniente, desagradável, ofensivo etc.
Parece piada! Expressão que comenta algo absurdo, inacreditável, difícil de se admitir.
parece que foi ontem Diz-se quando se tem na memória, ainda nitidamente, fato acontecido há muito tempo.
parecer não ser da terra O *m.q.* "não ser da terra".
parecer um sonho Ser difícil de acreditar; ser inimaginável (no bom sentido, ou seria "parecer um pesadelo").
parecer uma boneca *1.* Ser comparada a mulher muito bonita. *2.* Ser tida como mulher que se movimenta muito pouco, para não ficar desarrumada, despenteada etc.
parecer, mas não ser Ser ilusório; confundir; aparentar.
parecerem-se como duas gotas-d'água Serem muito semelhantes entre si.
parede de enchimento Parede de pau a pique ou taipa.
♦ **paredes-meias** Casas conjugadas, *i.e.*, ligadas uma à outra, tendo pelo menos uma das paredes em comum.

Os filólogos recomendam não usar a forma "parede meia".

parente afim *1.* Pessoa que se torna membro de uma família por casamento e não por consanguinidade. *2.* Indivíduo vinculado a outro por relação de afinidade. *Var.* "afim" e "parente por afinidade".
parente de ligação Numa genealogia, designação dada a qualquer parente que figura na cadeia de relações que liga dois determinados indivíduos.
parente por afinidade Parente afim.
parente por parte de Adão e Eva Parente muito distante ou de modo nenhum.
parente próximo Pessoas de uma mesma família com parentesco até o segundo grau.
parente uterino Indivíduo ligado a outro por parentesco uterino, ou seja, consanguíneo por parte de mãe.
pari passu Lat. A passo ou ritmo igual; simultaneamente.
parque de diversões Equipamentos de recreação montados em grandes áreas.
parque industrial Área urbanizada destinada à instalação e funcionamento de indústrias.
parque infantil Área na qual estão instalados equipamentos especiais para a recreação de crianças.

parque nacional Grande área demarcada, objeto de proteção pelo poder público, considerada como de interesse sob vários aspectos. Costuma ser aberto a visitação sob certas condições.
parte do leão A maior ou melhor parte numa divisão. *V.* "fazer a parte do leão".
partes pudendas Os órgãos genitais externos do ser humano. *Var.* "partes baixas" e "partes íntimas".
partir a cara Esbofetear, esmurrar.
partir como uma bala Ir depressa, com rapidez, precipitar-se. *Var.* "partir como uma flecha".
partir de um princípio Tomar como base uma ideia já formada, na qual se acredita piamente.
partir deste mundo Morrer.
partir do nada Começar ou recomeçar tudo de novo.
partir o coração Comover profundamente.
partir para a ignorância *1.* Tomar uma decisão a respeito de um assunto, enfrentando-o mesmo com o risco de insucesso, mas objetivando resolvê-lo de uma vez por todas, esgotada a paciência que até então perdurou. *2.* Adotar métodos violentos para resolver uma questão.
parti pris Fr. Opinião preconcebida; posição (de alguém) antecipadamente concebida.
participação nos lucros Sistema de repartição dos lucros de uma empresa entre capital e trabalho, mediante contratos específicos que estabelecem as condições sob as quais se dará a distribuição.
partidas dobradas Na escrituração contábil, são lançamentos feitos simultaneamente numa conta credora e noutra devedora (passiva e ativa).
parto da montanha Alusão a projetos grandiosos que nunca chegam a se concretizar, ou que, tendo sido iniciados, demoram a ser terminados.
parto difícil Algo difícil, trabalhoso de se realizar.
pas de deux Fr. Expressão *us.* no balé significando: dança a dois.
passado distante O que ocorreu há muito tempo; tempos imemoriais.
passado na tripa do macaco Experiente; muito velho.
passagem de nível Cruzamento de rodovia com uma ferrovia.
passante de Mais de; mais do que.
passar *V.* também expressões sem este verbo.
passar a bola *1.* No esporte, o ato de lançar a bola para um companheiro. *2.* Também se

diz, figuradamente, do cometimento a outrem da responsabilidade por um assunto, quase sempre de difícil solução.
passar a borracha Perdoar; esquecer. *Var.* "deixar pra lá". *V.* "passar uma esponja".
passar a chave em *V.* "meter na chave".
passar a conversa Engabelar; convencer maliciosamente.
passar a ferro Alisar panos (roupas de cama, mesa e vestir) com ferro de passar.
passar a fio de espada Matar à espada.
passar à frente Adiantar-se, ultrapassando; deixar para trás. *Cf.* "passar na frente".
passar à história Ser notório; algo muito importante; ser digno de que a história registre seus feitos.
passar a limpo *1.* Esclarecer. *2.* Reescrever um texto baseado num outro provisório.
passar a língua Lamber.
passar a linha Atravessar a linha do equador (equinocial).

> *Equinócio* = Astron. *No sentido da expressão, trata-se de qualquer das duas interseções do círculo da eclíptica com o círculo do equador celeste.*

passar a manta em Lograr alguém; enganar, sobretudo em negócios.
passar a mão em Lançar mão de; apoderar-se de; furtar.
passar a mão na cabeça (de) Perdoar; proteger, livrando de castigo; mimar. *Var.* "passar a mão pela cabeça (de)".
passar a noite com *1.* Velar, *i.e.*, cuidar de uma pessoa, *esp.* de doentes. *2.* Dormir com.
passar a noite em claro Não (conseguir) dormir, por motivos vários.
passar a palavra Conceder a outra pessoa o direito ou a oportunidade de falar.
passar a pão e água Alimentar-se mal ou pobremente, devido a variadas razões e circunstâncias.
passar a pasta Entregar o cargo; transmitir a responsabilidade.
passar a perna (em) Enganar, lograr, burlar, ludibriar; suplantar alguém usando de ardis.
passar à reserva Deixar (militar) sua carreira na ativa, tornando-se reservista.
passar a vez *1.* Perder a oportunidade que surgira, depois de muito esperada. *2.* Desistir de exercer sua opção (numa fila, num critério de escolha etc.) em benefício de outrem.
passar a vista por Ver de relance; examinar por alto.

passar adiante *1.* Ultrapassar. *2.* Transferir ou dispor de algo para outra pessoa.
passar ao largo Passar de longe ou ao longe.
passar aos finalmente Concluir.
passar apertado *1.* Passar de ano (o estudante), com a nota mínima ou próxima da mínima. *2.* Passar com dificuldade por um espaço limitado, estreito. *3.* Vivenciar uma situação difícil, de grande aflição. O *m.q.* "passar raspando".
passar as raias Exceder-se; abusar; ir além dos limites.
passar às vias de fato Brigar, medir forças físicas com alguém; combater. *Var.* "partir para a briga".
passar banha em Elogiar servil ou interesseiramente; adular, bajular.
passar batido Perder uma oportunidade; estar desatento.
passar bem *1.* Gozar de boa saúde. *2.* Alimentar-se com iguarias finas e abundantes. *3.* Expressão de despedida.
passar bom tempo *1.* Levar vida divertida ou agradável; passar por momentos agradáveis. *2.* Decorrer tempo relativamente longo entre uma ação e outra, entre um evento e outro.
passar bons momentos Desfrutar momentos agradáveis, prazerosos.
passar cola Entre estudantes em provas, transmitir uns aos outros, às escondidas, conhecimentos ou respostas às questões propostas.
passar como num sonho Desvanecerem-se depressa a felicidade ou os momentos agradáveis; coisa efêmera.
passar como o vento Ocorrer rapidamente, sem dar tempo para quase nada. *Var.* "passar como uma nuvem".
passar como uma sombra Ser de curta duração.
passar da bitola Exagerar; exceder-se.
passar da conta Exceder, superar, exorbitar. *Var.* "passar das medidas".
passar da idade Ser de idade superior àquela compatível com a ação que se pretende realizar.
passar da moda Estar (o uso de certos modelos, conceitos estéticos etc.) superado na preferência de usuários, estilistas etc. *Tb.* "cair de moda".
passar das marcas Ultrapassar os devidos limites; exagerar.
passar das medidas Ir além do suportável; exagerar. O *m.q.* "passar da conta".
passar de Ir além; ultrapassar; exceder.
passar de ano Ser aprovado (o aluno) para uma série escolar imediatamente superior.

passar de cavalo a burro Ficar em pior situação do que a que se encontrava; regredir; baixar de categoria ou posição.
passar de largo Passar a distância.
passar de passagem *1.* Passar de viagem. *2.* Nas ferrovias, a passagem de um trem pela estação sem parada. *2. Fut.* Passar (o jogador, controlando a bola) facilmente pelo seu marcador ou outro qualquer adversário.
passar de pato a ganso *1.* Elevar-se de posto; ser promovido *2.* Tomar posição ou atitude acima de seu valor ou nível.
passar de porco a porqueiro Melhorar de vida.
passar de um polo a outro Mudar de um assunto para outro muito diverso, no decurso de uma conversação. *Var.* "passar do branco ao preto".
passar de viagem Passar de passagem.
passar desta vida para melhor Morrer. Também se diz: "passar desta para melhor".
passar do ponto Passar (algo ou alguém) do estado ou do limite ideal, razoável ou adequado para o que se espera, do que está de acordo com os padrões etc.
passar dos limites Exceder-se; passar de; exagerar.
passar em branco Ignorar; esquecer.
passar em claro *1.* Não mencionar (falando ou escrevendo); saltar uma menção. *2.* Não reparar em algo; ser desatento. *3.* Deixar de ler parte do que estava escrito; saltar parte do texto na leitura. *4.* Não dormir numa determinada noite, por insônia ou outro motivo qualquer.
passar em julgado *1.Jur.* Passar (sentença) a ser irrecorrível, principalmente por decurso de prazo. *2.* Em sentido lato, dar por liquidado qualquer assunto, sobre o qual dúvida alguma resta.
passar em revista *1.* Examinar. *2.* Conferir a boa formação e o estado de uma tropa. Também se diz simplesmente "passar revista".
passar em silêncio Calar; não falar.
passar escritura Registrar em cartório contrato de compra e venda de um imóvel.
passar fogo *1.* Atirar. *2.* O *m.q.* "cuspir fogo".
passar fome Não ter o que comer por um determinado tempo; ficar um longo período sem comer com regularidade ou sem a quantidade suficiente.
passar lamba Passar vida amarga, dura, difícil; levar vida de cachorro. *Var.* "comer o pão que o diabo amassou" e "comer da banda cruz".

passar longe Ficar distante do objetivo que se tinha em vista ou não decifrar um enigma que se lhe é proposto.
passar manteiga em focinho de gato Dar conselhos ou fazer o bem a quem não sabe ouvir nem agradecer. Ouve-se também: "passar manteiga em focinho de cachorro".
passar na (numa) peneira Selecionar.
passar na cara (alguém) Ter relações sexuais com.
passar na chave *V.* "meter na chave".
passar na conversa *V.* "passar o beiço".
passar na frente Transitar diante de. *Cf.* "passar à frente".
passar na peneira *1.* Peneirar. *2.* Selecionar com rigor; averiguar minuciosamente. *Var.* "passar numa peneira".
passar na tangente Ser aprovado em provas com a nota mínima. *V.* "pela tangente"; "escapar pela tangente".
passar necessidade Não ter condições de suprir-se nem mesmo do que se constitui como básico para a sobrevivência.
passar no papo *1.* Comer o que encontra. *2.* Ficar com algo que alguém esqueceu. *3.* Seduzir, possuir sexualmente.
passar no quarto *CE* Enganar, lograr, burlar, embrulhar.
passar nos cobres Vender; negociar.
passar nos peitos *1.* Seduzir; possuir sexualmente. *2.* Tomar ou ficar com algo que não é seu.
passar num funil Passar por processo rigoroso de seleção; ser escolhido após muitos testes e provas.
passar o bastão Transmitir a outrem o comando de um negócio, de uma entidade, de uma sociedade, de uma organização.
passar o beiço *1.* Conseguir as coisas na conversa. O *m.q.* "passar na conversa". *2.* Faltar ao pagamento de uma dívida; calotear.
passar o bico Engabelar; convencer através de conversa enganosa.
passar o buçal em Enganar com astúcia. *Var.* "passar um buçal em". *V.* "levar buçal".

Parte do arreamento de cavalo, preso à cabeça e ao pescoço.

passar o chapéu Recolher donativos; pedir auxílio em dinheiro.
passar o diabo Sofrer sérios reveses ou privações.
passar o facão Despedir (alguém) do emprego.
passar o pé adiante da mão *1.* Passar dos limites; desmandar-se. *2.* Proceder com precipitação; agir mal e sob impulsos.

passar o pente-fino em *1.* Alisar os cabelos com tal tipo de pente. *2.* Submeter a crivo rigoroso; escolher, selecionar; fiscalizar com rigor; inspecionar. Diz-se também: "passar pente-fino".
passar o pires Recolher contribuições, esmolas, donativos.
passar o que o diabo enjeitou O *m.q.* "passar o diabo".
passar o rabo dos olhos por Passar discretamente os olhos por; passar a vista por.
passar o som Testar equipamentos de som, verificando equalização, volume, retorno etc.
passar o tempo Divertir-se; ocupar-se de tarefas ligeiras, como passatempo.
passar os cinco dedos Roubar; furtar.
passar os olhos por Ler de relance; examinar rapidamente. O *m.q.* "correr os olhos por".
passar para trás Enganar; lograr; preterir.
passar pela cabeça Acudir à mente; ter uma ideia; imaginar uma coisa, uma solução.
passar pela censura Ser (o texto, o espetáculo, a apresentação) liberado pelos órgãos encarregados de superintender as comunicações (publicações, emissão de noticiário).

Essa situação (a censura) é estranha aos regimes democráticos.

passar pela peneira V. "passar na peneira"; "passar pelo crivo".
passar pelo pau do canto Receber nota muito baixa em exame escolar ou em concurso.
passar por *1.* Ser tido ou considerado; ser submetido a; suportar. *2.* Vencer ou transpor um obstáculo ou uma prova.
passar por baixo do poncho *Sul* Passar às escondidas; contrabandear.
passar por cima (de) Não dar atenção (a); atropelar, transgredir (uma regra, uma lei, um regulamento); não respeitar; violar; não levar em consideração.
passar por cima do cadáver de V. "só se for sobre o meu cadáver".
passar por coisa pior V. "ter passado por coisa pior".
passar por poucas e boas Passar por dificuldades, embaraços; sofrer.
passar por um aperto Vivenciar situação difícil, de grande aflição.
passar por um mau pedaço Passar por perigo ou ameaças; enfrentar situação difícil. *Var.* "passar por um mau quarto de hora" e "passar por (um) mau(s) bocado(s)".

passar raspando *1.* Ser aprovado em exame ou concurso com a nota mínima ou próximo dela. *2.* Passar (projétil, algo atirado) rente a algo ou alguém.
passar recibo *1.* Confirmar (alguém); aprovar. *2.* Revidar, desforrar-se, vingar-se, dar o troco. *3.* Dar recibo. *4.* Comer toda a sobra de comida numa refeição ou consumir o que sobrou de uma das iguarias.
passar sebo nas canelas Fugir; correr.
passar susto em Assustar (deliberadamente) alguém.
passar trote Prática, sobretudo de alunos veteranos de uma escola de nível universitário, que consiste em submeter os alunos novatos a uma série de provas e brincadeiras, às vezes com excessos que as fazem humilhantes.
passar um calote Ludibriar, enganar, com prejuízos para a vítima da ação.
passar um mau quarto de hora Ficar passageiramente em situação difícil, angustiosa, periclitante; passar por apuros; passar por momentos desagradáveis, de aflição, embora de curta duração. V. "passar por um mau pedaço".
passar um pito Repreender. *Var.* "passar um sabão".
passar um susto *1.* Passar por uma situação de medo, apreensão, surpresa, sobressalto. V. "levar um susto". *2.* Assustar alguém.
passar um telegrama Ir defecar.
passar uma cantada Tentar uma conquista amorosa; assediar sexualmente.
passar uma conversa Engabelar; iludir; enganar; passar a perna.
passar uma descompostura V. "dar um sabão".
passar uma esponja Esquecer; perdoar; tirar da lembrança. V. "passar a (uma) borracha".
passar uma rasteira Derrubar; enganar; lograr; levar vantagem sobre. *Var.* "levar uma rasteira" e "dar uma rasteira".
passar-se com armas e bagagens para Fugir levando tudo que lhe pertence para aliciar-se a adversário ou pessoa do lado contrário ao em que estava.
passe bem Expressão que denota uma certa impaciência ou que externa desacordo, usada ao se despedir de alguém, interrompendo a conversa ou os entendimentos.
passe de mágica *1.* Gesto que por sua rapidez ou perícia torna possível aos prestidigitadores fazer aparecerem ou desaparecerem objetos ou mudá-los de lugar ou aspecto, iludindo, de maneira inexplicável, a

vigilância do espectador. *2.* Qualquer ação que pareça não ter explicação lógica.
passe livre *1.* Cartão ou documento que dá ao portador o direito de usar gratuitamente alguns meios de transporte ou de frequentar espetáculos. *2.* No futebol profissional, jogador que não está com contrato preso a clube.
passeio completo Traje constituído de terno e gravata para os homens e roupa elegante, mas convencional, para as mulheres.
passo a passo Lentamente.
passo de cágado Passo muito vagaroso.
passo de ganso Passo ou marcha (nos quais se elevam as pernas até quase a posição horizontal) adotados em paradas por alguns exércitos, como, *p.ex.*, o alemão, o chileno, o paraguaio e o argentino.
passo de urubu malandro Passo que parece o andar lento e balanceado de um urubu.
passo em falso Medida, atitude, providência inadequada à situação, ou em desacordo com convenções, ética, moral etc., e que pode trazer consequência funesta.
passo errante Vacilante; pouco firme.
pasta 007 Maleta de executivos, de formato retangular, semelhante à que usava o personagem principal dos filmes sobre o agente 007.

"007" é o código pelo qual é mais conhecido o fictício agente secreto James Bond, criado pelo escritor Sir Ian Lancaster Fleming (1908-1964) e protagonista de uma série de romances publicados entre as décadas de 1950 e 1960. Várias das aventuras do agente, sempre a trabalho para a MI-6, o serviço de espionagem britânico, foram transpostas para o cinema. As missões de Bond sempre estão marcadas pela utilização de surpreendentes artefatos tecnológicos, por vezes disfarçados em inocentes objetos do cotidiano, como maletas executivas.

pâté de foie gras *Fr.* Patê feito de fígado de ganso, muito apreciado.

O patê de foie gras é obtido a partir do fígado de ganso ou de pato, submetidos a superalimentação. Embora seja considerada uma refinada iguaria, nos últimos anos, algumas entidades de defesa dos animais têm questionado a ética do processo produtivo.

patim de rodas Aparelho que se adapta aos sapatos ou diretamente aos pés, dotado de rodas, para movimentar-se deslizando sobre superfície lisa e plana.
patinho feio Diz-se de alguém ou algo que se torna belo, bem-sucedido, embora antes fosse considerado feio e sem perspectivas de sucesso.

Esta história infantil, de autoria do escritor dinamarquês Hans Christian Andersen (1805-1875), como toda sua obra, parece conter elementos autobiográficos. Conta a saga de um patinho considerado feio e desajeitado por seres diferentes dele que o discriminavam. Entretanto, a partir do momento em que conhece animais semelhantes a ele, descobre-se lindo e talentoso.

Patriarca da Independência Antonomásia de José Bonifácio de Andrada e Silva (1763-1838), influente homem público brasileiro do tempo do Império, pela sua decisiva participação no processo político que culminou com a independência do Brasil.
pátrio poder O poder dos pais com relação aos filhos menores, que, individualmente, são representados ou assistidos legalmente por eles.
pau a pau Em pé de igualdade.
pau a pique Parede feita de ripas ou varas (de bambu) entrelaçadas e revestidas de barro. Taipa.
pau à toa Qualquer árvore de identificação difícil ou não, destituída de interesse devido a vários motivos; madeira não nobre.
pau com formiga *1. Bras. N.E.* Coisa difícil; situação embaraçosa; jogar com pau de dois bicos. *2.* Defender ora uma, ora outra de duas ideias opostas, com o fim de agradar às duas partes.
pau de amaciar carne Porrete; cassetete.
pau de amarrar égua Indivíduo à toa, que não inspira respeito e que se presta a qualquer ação, sem escrúpulos.
pau de arara *1.* Instrumento de tortura. *2.* Caminhão usado para transportar retirantes nordestinos.
pau de bandeira Mastro, *ger.* ligeiramente inclinado, no qual se hasteia uma bandeira.
pau de cabeleira Diz-se da pessoa que acompanha casais enamorados para servir-lhes de companhia; falsa sentinela; guarda simulada. *Var.* "segurar a vela".
pau de urubu Aguardente de cana; cachaça.
pau do nariz *N.E.* O septo nasal. *Var.* "pau da venta".
pau duro *Ch.* Pênis em estado de ereção.

pau ferrado A vara de ferrão usada pelos vaqueiros para conduzir o gado mais rebelde ou para dirigir, apressar ou forçar a marcha dos bois carreiros.
pau para toda obra Pessoa prestativa, sempre disposta a colaborar, a ajudar, em quaisquer situações.
pavilhão nacional A bandeira nacional.
pavio curto Irritabilidade, facilidade de se exasperar, de perder a paciência por qualquer coisa.
pax americana Diz-se da atual hegemonia dos Estados Unidos (superpotência) e de certas semelhanças de sua política externa com a *"pax romana"* (V.).
pax et bonum Lat. "Paz e bem." Saudação comum entre os franciscanos (pertencentes às ordens fundadas por São Francisco de Assis).
pax otaviana Paz duradoura que vigorou durante o império de Otaviano Augusto, na Roma antiga (63 a.C. a 14 d.C.).

> Trata-se de Caio Júlio César Otaviano, o primeiro dos imperadores romanos, que em 27 a.C. recebeu o título de Augusto.

pax romana Paz imposta pela força da nação mais forte sobre povos conquistados, como a que vigorou na maior parte da vigência do Império Romano (desde Otaviano – 27 a.C. – até o ano de 280 d.C.).
pax vobiscum Lat. A paz esteja convosco.
paz a qualquer preço Conceito de que a paz algo é tão intrinsecamente desejável que vale lutar com todas as forças por ela.
paz de espírito Ausência de preocupações ou perturbações, estado estável de tranquilidade, inerente à maneira de ser e às circunstâncias.
paz e bem (*Lat. "Pax et bonum"*; *It. "Pace e bene"*). É a habitual forma de saudação da ordem franciscana.

> Com muita probabilidade, esta saudação foi escolhida pelo próprio São Francisco.

paz podre Sossego profundo, desinteresse, indiferença, decorrente de reduzida atividade.
pé ante pé Devagarzinho, sem fazer barulho; sorrateiramente.
pé chato É aquele cuja região plantar toca inteira o solo (quando descalço) ou o fundo do calçado ao pisar, devido a queda do arco plantar.

pê da vida O *m.q.* "puto da vida".
pé de anjo Pé grande, de tamanho acima do normal.
pé de apoio Aquele sobre o qual se apoia o corpo num momento de esforço ou quando se está simplesmente de pé.
pé de atleta Moléstia típica da pele do(s) pé(s), causada por fungos, também conhecida como "tinha do pé".
pé de boi Trabalhador esforçado, disposto.
pé de cabra *1.* Espécie de alavanca com a extremidade ligeiramente curvada, como um pé de cabra, e que é usada para despregar tábuas e auxiliar em desmanches de um modo geral. *2.* É também instrumento usado por arrombadores, principalmente forçando portas trancadas.
pé de chinelo *1.* Indivíduo de pouca expressão, pobre, reles. *2.* Indivíduo marginal, mas desastrado em suas contravenções.
pé de chumbo *1.* Pessoa que anda muito devagar. *2.* Motorista que dirige sempre em alta velocidade.
pé de galinha Rugas que aparecem no canto externo dos olhos.
pé de guerra *V.* "em pé de guerra".
pé de moleque *1.* Guloseima feita com rapadura e amendoim torrado. *2.* Denominação de um tipo de calçamento de vias urbanas feito com pedaços irregulares de granito.
pé de ouvido Murro na região do ouvido.
pé de pato Artefato de borracha ou plástico que se adapta ao pé de nadadores e mergulhadores para facilitar os deslocamentos; espécie de nadadeira.
pé de pau *N.E.* Árvore.
pé de valsa Pessoa que gosta muito de dançar; dançarino.
pé de vento Redemoinho; furacão.
pé na bunda Demissão; rejeição, *ger.* inesperada.
pé na cova *1.* Pessoa doente, acabada, depauperada. *2.* Abono concedido pela previdência social àqueles que permanecem trabalhando após terem completado o tempo regulamentar de aposentadoria.
pé na tábua *1.* Expressão que se usa para estimular o motorista a acelerar ainda mais o veículo. *2.* Estímulo ao prosseguimento de uma ação.
pé no chão *1.* Atitude e procedimento realista, sem ilusões ou quimeras. *2.* Indivíduo que adota essa atitude, firme em suas ações e objetivos. *3.* Caipira, gente do campo orgulhosa de suas origens.
pé no saco Empecilho; importunação. O *m.q.* "dar no saco".

peça de resistência Item ou atração especial, num grupo, série, espetáculo, restaurante. Em francês "*pièce de resistance*".
peça de teatro Texto dramático para ser encenado e representado publicamente.
peça por peça Separadamente; cada coisa de *per si*.
peça rara *1*. Objeto do qual há pouco; raridade. *2. Fig.* Diz-se de alguém cujas características são únicas, destacando-o dos outros. *3.* Também se diz, ironicamente, de pessoa que nos pareça extravagante.
pecado capital Cada um dos sete vícios ou faltas graves capitulados pela Igreja da Idade Média e que fazem parte da tradição cristã.

> *São pecados capitais: 1. Avareza; 2. Gula; 3. Inveja; 4. Ira; 5. Luxúria; 6. Orgulho; 7. Preguiça.*

pecado da carne A luxúria.
pecar por excesso de Causar algum prejuízo ou insucesso por excesso de cuidados, zelo, proteção, repressão, ódio etc.
pedaço de asno Grande tolo; estúpido.
pedaço de mau caminho *1*. Mulher bonita e sensual. *2.* Mazela; dificuldades.
pede deferimento Expressão que se usa como fecho de petições e requerimentos a autoridades, sobretudo jurídicas. Às vezes, usam-se apenas as iniciais das palavras: *P.D.*
pedir a mão (de) Pedir em casamento.
pedir a palavra Solicitar permissão para fazer uso da palavra numa assembleia, reunião, congresso etc.
pedir arrego *1*. Ter medo e receios diante de ameaças ou de algo assustador. *2.* Entregar os pontos; dar-se por vencido. *Var.* "pedir água" e "pedir trégua".
pedir as contas Demitir-se.
pedir carona Pedir que alguém o leve, em seu veículo, gratuitamente, a algum lugar. *V.* "dar carona".
pedir este mundo e o outro Fazer pedidos demasiados, absurdos, de impossível atendimento.
pedir fogo Pedir a alguém que lhe acenda o cigarro ou que lhe empreste instrumento próprio para fazê-lo.
pedir o boné Manifestação de interesse de sair do (deixar o) emprego; desistir de algo; afastar-se; ir embora. *V.* "tirar o time de campo".
pedir passagem Solicitar espaço para passar.
pedir penico Dar-se por vencido; entregar-se; fugir da luta.

pedir pousada Solicitar abrigo para descanso e/ou hospedagem.
pedra angular *1*. A fundamental, que faz o ângulo de um edifício. *2. Fig.* A sustentação, a parte importante de algo; base sólida que legitima ou autoriza alguma coisa; fundamento.

> *As pedras angulares eram pedras maciças postas na esquina formada pela junção de duas paredes. Essa pedra contribuía para fortalecer os alicerces da estrutura, o mais importante elemento de uma construção.*

pedra de amolar Pedra própria para afiar instrumentos de corte: facas, foices, enxadas etc.
pedra de escândalo Pessoa ou coisa que é motivo de escândalo.
pedra de isqueiro Pederneira usada em isqueiro e que, friccionada por uma roda microdentada, emite uma fagulha que incendeia um pavio embebido em líquido inflamável.

> *Pederneira = Pedra muito dura, que produz faíscas quando ferida com um fragmento de aço; sílex, pedernal, pedra de fogo.*

pedra de moinho Peça de arenito muito duro de que são feitas as mós dos moinhos; a própria mó.
pedra de toque A que é utilizada para avaliar a pureza dos metais que nela se esfregam; *p.ext.* prova; verificação; aprovação.
pedra filosofal *1*. Segredo imaginário da conversão de metais em ouro. *2. Fig.* Coisa preciosa, mas impossível de se obter ou de realizar.
pedra fundamental A que se assenta no início de construções e nas bases delas, como marco histórico.

> *Caixa que encerra, de ordinário, informações sobre o edifício, data, moedas, jornais do dia etc. e que é colocada nas fundações (dentro de uma caixa), ao se iniciar a construção de um edifício, para que fique marcada a sua história.*

Pedra Lascada Nome que se dá à primeira parte da Idade da Pedra (Paleolítico). É comum ouvir-se "...do tempo da Pedra Lascada" quando se quer referir a algo antiquíssimo, fora de moda, arcaico.

pedra no meio do caminho Obstáculos que se encontram na execução de uma tarefa.
pedra no sapato Estorvo; qualquer coisa que incomoda, que atrapalha.
pedra polida Pedra que foi trabalhada no período Neolítico para a fabricação de utensílios diversos e armas.
pedra por pedra Aos poucos; de modo sistemático, continuado.
pedra portuguesa Pedrinhas de granito ou mármore, alisada numa das faces, us no revestimento de calçadas e pátios, compondo ou não desenhos.
pedra preciosa Nome dado aos minerais raros e belos pelo brilho, coloração e transparência, dureza e outros atributos, em geral compostos de alumina e sílica e corados por óxidos metálicos, utilizados em joias e ornamentos. Alguns deles (o diamante, *p.ex.*) se usam na indústria. *Var.* "gema".
pedra sepulcral A campa do túmulo.
pega pra capar *V.* "hora do pega para capar".
pegado a laço *1.* Pouco inteligente; estúpido. *2.* Sem prática ou experiência; recrutado no último momento, às pressas.
pegar (alguém) desprevenido Surpreender alguém com algo para o qual não estava preparado.
pegar (na) uma deixa *N.E.* Nas cantorias e desafios cantados, principiar um verso ou estrofe rimando com o último verso cantado pelo contendor.
pegar (um) bigu *N.E.* Pegar carona (conseguir passagem de graça num veículo).
pegar a boia Ir tomar a refeição.
pegar a trouxa Dar o fora.
pegar barriga Engravidar.
pegar bem Ser bem aceito ou recebido.
pegar carona em Inspirar-se em ideia ou atitude alheia em benefício próprio. *V.* "pegar uma carona".
pegar com a boca na botija Pegar alguém em flagrante fazendo algo às escondidas, quase sempre de modo ilícito. *Var.* "pegar com a mão na cumbuca".
pegar da banda podre Tomar o pior partido.
pegar de Segurar, empunhar.
pegar em armas *1.* Alistar-se para o serviço militar. *2.* Armar-se e partir para a luta (guerra).
pegar em flagrante Surpreender alguém fazendo coisas erradas ou ilícitas.
pegar em um rabo de foguete Assumir compromisso difícil de cumprir; responsabilizar-se por coisa complexa, perigosa; buscar o perigo. Também se diz: "pegar (n)um rabo de foguete".
pegar embalagem Acelerar o passo ou o automóvel.
pegar fogo *1.* Inflamar-se. *2.* Estar com febre alta. *3.* Entusiasmar-se. *4.* Irritar-se, zangar-se, acalorar-se uma discussão.
pegar jacaré Praticar o surfe deslizando na crista de uma onda (no mar) no sentido de seu deslocamento em direção à praia. *Var.* "pegar uma onda".
pegar leve Ir com calma; chamar a atenção de alguém de forma branda.
pegar mal Ser mal aceito ou recebido. *Cf.* "pegar bem".
pegar na enxada Trabalhar, de um modo geral, e, em particular, na lavoura, usando esse instrumento.
pegar na orelha da sota O *m.q.* "agarrar na orelha da sota".
pegar na palavra Exigir o cumprimento do que se prometeu.
pegar na pena Principiar a escrever.
pegar na perna (de) Perseguir; atanazar (outrem); *V.* "pegar no pé".
pegar na veia *1.* Acertar em cheio. *2. Fut.* Chutar a bola com violência e perfeição.
pegar no ar *1.* Compreender ou aprender facilmente. *2.* Ouvir, sem propósito, parte de conversas interessantes ou reveladoras e que lhe servirão.
pegar no alheio Furtar.
pegar no batente Ir trabalhar.
pegar no bico da chaleira Bajular, adular, sobretudo os poderosos e os superiores hierárquicos. *Var.* "pegar na chaleira".
pegar no embalo Voltar a funcionar (veículo a motor de explosão) ao se fazer o motor girar por ação do movimento que se imprime empurrando-o, ou fazendo com que desça ladeira abaixo.
pegar no pau-furado Pegar em armas.
pegar no pé *1.* Mostrar-se importuno, aborrecido; ser chato. *2.* Perseguir; cobrar atitudes e desempenho insistentemente. *V.* "trazer num cortado".
pegar no pé de alguém Perseguir ou incomodar insistentemente uma pessoa.
pegar no pesado Executar tarefas penosas.
pegar no pulo Surpreender alguém numa situação comprometedora ou contraditória.
pegar no rabo da macaca Deixar-se enganar.
pegar no rabo da tirana Trabalhar com a enxada.
pegar no sono Começar a dormir.

pegar no tranco Começar a funcionar (veículo motorizado) sem o auxílio do motor de arranque (por defeito deste), desembreando-o numa descida ou ao ser empurrado, soltando a embreagem intermitentemente até que funcione. Fazer "pegar no tranco".
pegar o (no) batente Ir trabalhar; ir enfrentar o serviço. *Var.* "enfrentar o batente".
pegar o angu Ir tomar uma refeição.
pegar o boi Conseguir êxito ou vantagens em algum empreendimento.
pegar o boi pelos chifres Enfrentar uma situação difícil.
pegar o bonde andando Assumir negócio ou tarefa iniciada por outrem; entrar em uma conversa sem saber o que estava sendo dito. *Var.* "tomar o bonde andando".
pegar o bonde errado *1*. Enganar-se quanto ao desfecho de um negócio em cujo bom êxito se confiava; frustrar-se; malograr-se. *2*. Tomar uma coisa por outra; equivocar-se em relação ao objeto de sua ação ou intenção.
pegar o feijão de *1*. Ir almoçar ou jantar na casa de (alguém). *2*. Diz-se quando não se quer revelar o local da refeição.
pegar o jeito Aprender ou começar a entender a maneira de fazer ou de tratar algo.
pegar o pião na unha Enfrentar a situação para dar-lhe uma solução.
pegar o serviço Ir trabalhar. Iniciar o serviço.
pegar o sol com as mãos Passar a noite insone.
pegar o tigre pelo rabo *V.* "pegar o touro à unha".
pegar o touro à unha Enfrentar com galhardia as dificuldades; não afinar; não ter medo de desafios. *Var.* "pegar o touro pelos chifres".
pegar para Judas Acusar alguém por mal que não teria feito; colocar a culpa em.
pegar pela língua Descobrir algo pelo que alguém falou.
pegar pelo pé Apanhar de surpresa; surpreender; flagrar.
pegar pesado Chamar a atenção de alguém de forma incisiva; fazer críticas ou tomar atitudes enérgicas, rudes.
pegar traíra Estar cochilando.
pegar uma boca Aproveitar a ocasião e conseguir alguma vantagem. *Var.* "tirar uma casquinha" e "tirar uma rebarba".
pegar uma carona *1*. Pessoa que entra de modo sub-repticio ou por favor em localidades de controle pago. *2*. Viajar de favor, sem pagar a passagem ou contribuir para as despesas da viagem. *V.* "pegar carona em".

pegar uma onda *1*. Deslizar sobre ela com uma prancha. *2*. O *m.q.* "pegar jacaré". Diz-se também: "pegar onda".
pegar uma ponta *N.E.* Atrair; chamar; namorar.
pegar uma praia Ir à praia.
pegar velocidade Alcançar velocidade maior; acelerar.
pegar-se a Valer-se de.
pegar-se com Implicar com (alguém).
pegar-se com os santos Implorar deles a proteção.
peito a peito O *m.q.* "braço a braço".
peito do pé A região dorsal do pé.
peixe fora d'água Alguém que se encontra constrangido, fora de seu ambiente.
peixe grande Na linguagem policial, diz-se referindo ao chefe de uma quadrilha ou ao principal mentor da contravenção.
Peixe grande em poço pequeno. Expressão usada para ressaltar que o ambiente é muito modesto para o fato (pessoa) considerado(a).
pela boa *1*. Em alguns jogos de cartas, situação (em que um jogador se encontra) tal que o jogador pode bater com o descarte do oponente. *2*. Também se diz quando falta apenas uma carta para vencer a partida.

> *Nesta última acepção, a expressão é também usual em outros jogos, como na véspora, no bingo etc., quando resta apenas uma pedra para completar a meta estipulada pela regra do jogo.*

pela bola sete *1*. No jogo de sinuca, diz-se quando se está prestes a ganhar uma partida, bastando apenas encestar a bola 7 (sete), que é a última. *2*. Prestes a conseguir algo.
pela calada Sub-repticiamente.
pela certa Na certa.
pela hora da morte Por preço exorbitante, extorsivo; caríssimo.
Pela madrugada! Expressão indicativa de espanto, estupefação, assombro, pasmo.
Pela madrugada afora Por toda a madrugada, possivelmente até o raiar do dia. *V.* "pela noite adentro".
pela manhã De manhã; logo cedo; cedo.
Pela noite adentro Até bem tarde da noite, quase alcançando a madrugada. *V.* "pela madrugada afora".

> *É interessante o fato de que o par de expressões "pela noite adentro" e "pela madrugada afora" expressam um mesmo sentido, de maneiras diferentes: enquanto a noite é um período de oclusão,*

de intimidade (adentra-se na noite), o dia é um período de libertação, de abertura (da madrugada vai-se afora, rumo à luz diurna).

pela raiz Indo à origem; rente.
pela rama Superficialmente.
pela surdina O *m.q.* "na surdina".
pela tangente A custo; dificilmente; quase. O *m.q.* "por pouco".
pela tardinha O *m.q.* "de tardinha".
pelar-se de medo Ter muito medo.
pelas costas Traiçoeiramente.
pelas metades Inconcluso; não preenchido totalmente.
pele e osso Diz-se de (estado de) pessoa ou animal muito magro; esquelético.
pelo amor à arte Desinteressadamente; gratuitamente.
pelo amor de Em atenção a; por causa de.
pelo amor de Deus *1.* Por caridade; por compaixão. *2.* Encarecimento de um pedido.
pelo avesso Com o lado de dentro para fora e vice-versa; virado ao contrário.
pelo claro De maneira clara; claramente.
pelo contrário Ao contrário; ao invés de; longe disso.
pelo jeito Expressa conclusão equivalente a "pelo que se está vendo" ou "pelo que as aparências fazem crer".
pelo meio O *m.q.* "pelas metades".
pelo menos Ao menos; no mínimo; ainda que seja somente isso.
pelo mundo afora Por todos os lugares.
pelo pescoço O *m.q.* "até o pescoço".
pelo próprio punho de Pela própria mão de.
pelo que me toca Quanto a mim; no que me diz respeito.
pelo seguro Seguramente.
pelo sim, pelo não Na alternativa; por causa das dúvidas; na dúvida... O *m.q.* "por via das dúvidas".
pelo tato Apalpando.
pelo visto Ao que parece; sendo assim.
pelos cabelos *1.* De má vontade. *2.* Com sacrifício. *3.* Com irritação; furioso; com raiva; amolado, aborrecido. *4.* Cheio de serviço; com pressa.
pelos meus/seus belos olhos Em consideração à minha (sua) pessoa; gratuitamente; sem pretender recompensas por algo que se fez a outrem. Circunstancialmente: "pelos seus belos olhos".
pelos modos Ao que parece.
pelos quatro cantos *V.* "os quatro cantos do mundo".
pelos séculos dos séculos Por séculos; eternamente.

pena capital Pena máxima; pena última; pena de morte.
pena de água A derivação da rede de água pública que leva água para uma residência.

O nome é alusão ao diâmetro dessa conexão, que não é maior do que o diâmetro do talo de uma pena.

pena de talião Pena pela qual se vingava a injúria ou o delito fazendo sofrer ao criminoso o mesmo dano ou mal que ele praticara; retaliação.

A "pena (ou lei) de talião" é a norma pela qual uma ofensa ou um delito devem ser reparados por ofensa ou delito equivalentes. Alguns historiadores, entre eles J.M. Roberts, citam-na como já inscrita no Código de Hamurabi, rei da Babilônia, datado do século XVIII a.C.

penalidade máxima *Fut.* Pena máxima; pênalti.

No jogo de futebol, consiste na cobrança de um tiro livre contra a meta adversária, de uma distância regulamentada (onze metros).

penca de chaves Chaveiro ou argola contendo várias chaves.
penca de filhos Grande número de filhos; prole numerosa.
pendão auriverde A bandeira brasileira.
pender de um fio Prestes a cair, a acontecer.
pendurar as chuteiras *1. Fut.* Deixar de jogar futebol como profissional. *2.* Deixar o emprego, por aposentadoria; não mais trabalhar.
penico do mundo Região onde chove muito.
pensamento positivo A prática de cultivar na mente os aspectos bons e construtivos de um assunto, de um fato, de uma pessoa, dos acontecimentos.
Pensando morreu um burro. Remoque à declaração de quem, confessando-se em erro, alega, à guisa de explicação, que pensava de tal ou qual modo.
pensar alto Raciocinar em voz alta.
pensar bem (mal) de Fazer bom (mau) conceito de.
pensar duas vezes Refletir; pensar com mais vagar; ponderar.
pensar na morte da bezerra Estar distraído ou absorto; estar pensativo; não estar atento ao que se passa.

pensar no dia de amanhã Ser previdente, cauteloso.
pensar que berimbau é gaita Crer, enganosamente, que certa coisa é fácil.

> *Berimbau = Aqui, é o berimbau de boca, uma espécie de assobio modulado pela configuração da boca ou da intensidade do sopro.*

pensar que cachaça é água Diz-se ao se referir a inveterado bebedor de bebida alcoólica.
pensar que gambá é raposa Estar muitíssimo enganado.
pensar que já tivesse visto tudo Diz-se diante de algo que espanta, por extraordinário, incrível.
pensar que o céu é perto Supor que uma coisa é facilmente alcançável.
pense bem Expressão que se usa para advertir alguém quanto ao que anuncia fazer, numa recomendação para que reflita melhor sobre a atitude a ser tomada.
pensei cá comigo Pensei sem ter consultado ninguém.
pentatlo moderno Conjunto de exercícios de competição atlética, constando de cinco modalidades: corrida, saldo, lançamento de dardo, arremesso de disco e luta.
pente de balas Peça onde se encaixam as balas das armas automáticas.
pequena área *Fut.* Área menor, retangular, mais próxima da meta e no interior da grande área. Também chamada de área do goleiro.
pequena fortuna Montante razoável de bens ou recursos financeiros.
pequenos homens verdes Entes imaginários de outros planetas; seres extraterrestres.
Per aspera ad astra. *Lat.* "Ao êxito, por difíceis caminhos", ou "por melhores êxitos", *i.e.*, o homem só chega a bons resultados com muito trabalho e esforço, superando muitos obstáculos, sem desanimar.
per capita *Lat.* "Por cabeça". Usada, sobretudo em estatística, para indicar que a quantidade ou o número indicado se refere a cada indivíduo: "consumo *per capita*"; "renda *per capita*"; etc.
per fas et per nefas *Lat.* Expressão latina que significa "a torto e a direito"; queira ou não queira; quer queira, quer não; por qualquer meio. *Obs.* Pronuncia-se "néfas".

> *Alguns dicionários apontam a tradução "pelo lícito e pelo ilícito", com o significado de "por todos os meios".*

per omnia secula seculorum *Lat.* Pelos séculos dos séculos; para sempre.

> *Jaculatória com que se encerra uma oração cristã.*

per se *Lat.* Por si. Por sua conta, sem ajuda ou intervenção de outrem.
perdas e danos Prejuízos causados por diminuição de patrimônio ou cessação de lucros advindos de aplicações financeiras ou patrimoniais.
perder a cabeça Desorientar-se; ficar fora de si; deixar-se arrebatar até a prática de um ato insano ou insensato.
perder a compostura O *m.q.* a acepção *1* de "perder a linha".
perder a consciência Desmaiar; perder os sentidos.
perder a cor Ficar sem cor, por transtornos fisiológicos ou emocionais.
perder a direção Perder a orientação, o rumo; perder (o motorista) o governo (de um veículo); desgovernar-se.
perder a esportiva Demonstrar inconformidade diante da derrota numa competição; perder a calma ao reagir a uma contrariedade; irritar-se, brigar. O *m.q.* "perder a linha" e "perder as estribeiras".
perder a fala Ficar mudo, impedido de falar por algum motivo, doença, medo ou susto; espantar-se.
perder a graça *1.* Atrapalhar-se; perturbar-se; decepcionar-se; desconcertar-se. *Var.* "perder a prosa". *2.* Deixar (situação, insistência em algo, anedota) de ser divertido por repetição ou cansaço, ou por ter se esgotado o assunto, ou por ter assumido caráter mais sério ou triste.
perder a língua Não falar; ficar em silêncio, mudo, sem participar da conversa; não responder a uma pergunta simples que seja.
perder a linha *1.* Desmandar-se; não ter boas maneiras; faltar à compostura. *2.* Engordar, perder a esbelteza. *V.* "perder a esportiva" e "perder as estribeiras".
perder a luz *1.* Ficar cego; cegar; sentir obscurecimento da visão. *2.* Perder os sentidos, esmorecer.
perder a luz da razão Perder a razão; enlouquecer.
perder a memória Deixar de ser capaz de se lembrar de fatos que ocorreram no passado ou que eram do próprio conhecimento.
perder a paciência Irritar-se; perder a calma, a tranquilidade, para com algo que não chega a um término ou diante de alguém

indeciso, impertinente e/ou importuno que até então se tolerava.
perder a partida Sair-se mal ou vencido de um jogo ou de um empreendimento.
perder a pista de alguém Não ter tido mais notícias de alguém; não mais saber onde se encontra.
perder a pose Mostrar-se mais humilde, ou menos exibido, presunçoso, após ter assumido atitudes ou ares egoístas ou arrogantes. *Ant.* "manter a pose".
perder a prosa *V.* "perder a graça".
perder a razão Endoidecer; perder o juízo.
perder a tramontana *1.* Ficar sem orientação, sem rumo; perder-se; atrapalhar-se; confundir-se. *2.* Enfrentar desafios sem avaliar os riscos a que se expõe. O *m.q.* "perder as estribeiras".

Tramontana = Para os italianos, é o norte.

perder a vez *1.* Perder a oportunidade. *2.* Estar falto de atenção.
perder a vida Morrer.
perder a vista Ficar cego.
perder a voz Não poder articular palavras em virtude de grande emoção ou por distúrbios fisiológicos.
perder altura Baixar, cair, descer.

Emprega-se, sobretudo, quando se refere a algo que voa: avião, pipa, ave, balão etc.

perder as estribeiras Praticar despropósitos; ter um comportamento inconveniente; perder o controle; desnortear-se em palavras e atos; rebelar-se, irritar-se, demonstrar impaciência e manifestar-se grosseira e descortesmente. O *m.q.* "perder os estribos". Irritar-se. O *m.q.* "perder a paciência" e "perder a tramontana".

Estribeira = Espécie de estribo, parte do arreamento do cavalo, que serve para o cavaleiro se firmar e para montar.

perder até as calças Perder tudo, *esp.* em jogos de azar.
perder boa ocasião de ficar calado Falar algo tolo, sem sentido, inoportunamente; falar algo ofensivo etc.; dar um fora.
perder de lavada Perder uma disputa esportiva por escore muito elevado.
perder de vista Deixar de ver algo ou alguma coisa que se acompanhava.
perder feio *Esp.* Diz-se que um time ou competidor "perdeu feio" para um adversário quando a supremacia deste último era evidente e/ou quando o placar da disputa foi dilatado.
perder no apito *Fut.* Ser derrotado num jogo devido a erros (má atuação, facciosidade) do árbitro.
perder o apetite Não mais sentir vontade de se alimentar.
perder o bonde (da história) *1.* Não aproveitar as oportunidades que se lhe oferecem. *2.* Não acompanhar o evoluir dos acontecimentos.
perder o cabaço Perder a condição de virgem; ser deflorada.
perder o chão Desequilibrar-se. *Var.* "faltar o chão".
perder o controle Descontrolar-se; não mais dominar a condução de algo.
perder o equilíbrio Desviar-se da posição de equilíbrio e cair.
perder o fio da meada Esquecer-se, na conversa, do assunto de que se tratava. *V.* "retomar o fio da meada".
perder o fôlego Sufocar-se; não conseguir mais respirar.
perder o galeio Tornar-se desajeitado; perder o jeito.
perder o jeito Ficar atrapalhado; não mais conseguir realizar o que antes era capaz.
perder o juízo Perder a razão; desorientar-se mentalmente; descontrolar-se.
perder o latim Esforçar-se inutilmente; frustrar-se na tentativa de convencer. *V.* "perder o tempo e o latim".
perder o leme Perder a direção, o comando, o rumo; ficar desnorteado. *Var.* "perder o norte".
perder o mel e a cabaça Perder tudo, o objeto ambicionado e as condições para obtê-lo.
perder o norte O *m.q.* "perder o leme".
perder o penacho Perder o motivo da vaidade, perder uma posição importante.
perder o prumo Perder a cabeça, transviar.
perder o tato *1.* Perder a sensibilidade tátil. *2.* Desorientar-se; perder o jeito de lidar com as pessoas.
perder o rebolado Perder a graça, o entusiasmo, o ânimo.
perder o ritmo Desabituar-se; ter certo desânimo; diminuir a intensidade das atividades.
perder o rumo *V.* "perder o leme".
perder o serviço *1.* Deixar de comparecer ao emprego; faltar a um dia de trabalho. *2.* Perder um trabalho realizado e talvez ter que refazê-lo em função de inadequação ou alteração de requisitos e objetivos. *3. Esp.* No tênis, perder o *game* como sacador.

perder o sono 1. Não poder ou conseguir dormir. 2. Ficar preocupado.
perder o tempo e o feitio Não ver resultado do trabalho ou das diligências empregadas para alcançar um objetivo.
perder o tempo e o latim Argumentar, explicar, aconselhar ou pedir, sem sucesso, ou fazer tudo isso para quem não quer ouvir ou que não se interessou. V. "perder o latim".
perder o tino Desorientar-se. O *m.q.* "perder o juízo".
perder os estribos O *m.q.* "perder as estribeiras".
perder os sentidos Desmaiar.
perder pé Encontrar-se imerso na água sem apoio, devido à profundidade do local.
perder tempo Ocupar-se de algo do qual não pode tirar proveito nenhum; empregar o tempo em ocupação inútil; trabalhar em vão.
perder terreno 1. Recuar ao invés de avançar. 2. Começar a ter insucesso em um empreendimento; ver reduzirem-se as vantagens de que desfrutava e o prestígio que granjeara.
perder vazas Jogar (o baralho) muito mal, perdendo os lances mais decisivos do jogo; perder oportunidades.
perder-se de amores Apaixonar-se.
perdidamente apaixonado Apaixonadíssimo. *Var.* "perdido de amor".
perdido de riso Que não pode conter ou controlar o riso.
perdido por dez, perdido por mil Expressão de quem, já considerando derrotado ou não tendo obtido nenhum êxito ou progresso em um empreendimento, deposita todo seu empenho e recursos numa última tentativa, arriscando-se, inclusive, a novo e pior revés.
perdoar e esquecer A rara e meritória ação ou atitude de superar completamente as ofensas, inclusive perdoando o ofensor.
perfeito imbecil Diz-se de pessoa muito idiota.
pergunta de algibeira Pergunta de resposta difícil, muitas vezes preparada de antemão, feita com o intuito de confundir o interpelado.
perguntar se macaco quer banana Indagar de alguém se aceita algo de que muito gosta; evidência; pergunta de óbvia resposta.
pergunte-me outra Expressão que significa não poder, não querer ou ser incapaz de responder à pergunta feita.
perigo amarelo Dizia-se a respeito da China, diante de sua imensa população e da potencialidade de sua economia, fatores que poderiam engendrar sua hegemonia no mundo.
permitir-se o luxo de Dar-se ao luxo de.
perna de pau 1. Aparelho ortopédico simples, de madeira, usado para substituição do membro amputado. 2. *Fut.* Jogador medíocre.
perna de saracura Diz-se de quem tem pernas longas e finas.
pernas de cambito Pernas finas.
pernas de cercar frango Pernas arqueadas para o lado.
pernas para o ar V. "de pernas para o ar".
Pernas, para que te quero? Expressão coloquial que indica a ação de fugir.

Notar o plural "pernas" e a forma pronominal "te". O solecismo (erro de sintaxe), assim caracterizado, está consagrado pelo uso.

pérolas aos porcos Algo precioso ou valioso posto à disposição de quem não o merece por não estar à altura de suas qualidades.
persona grata Lat. "Pessoa bem-vinda, bem aceita." 1. Na linguagem diplomática, indica que uma pessoa será recebida com prazer pelo governo junto ao qual foi despachada como representante diplomático. 2. *P.ext.*, pessoa recebida com simpatia, com agrado, por alguém ou por alguma entidade.

"Persona non grata" seria, ao contrário, a pessoa indesejada ou considerada inconveniente aos interesses do país ou, p.ext., de determinado grupo social.

perto de 1. A pequena distância. 2. Cerca de; aproximadamente. 3. A ponto de; quase; pouco menos de; para menos de; com pouca diferença. 4. Em comparação com; em confronto com.
peru de festa Frequentador, por gosto, assíduo, de festas. O *m.q.* "arroz de festa".
peru em círculo de giz V. "como peru em círculo de giz".
perversão sexual Qualquer anomalia no comportamento sexual.
pés de barro Diz-se que "tem pés de barro" uma empresa ou pessoa aparentemente forte, mas apoiada em estrutura e formação frágeis, inconsistentes; fraqueza fundamental de uma pessoa que parecia ou fazia crer que tinha grandes méritos.

Esta locução lembra episódio narrado pelo profeta Daniel (cap. 2), quanto ao so-

pessoa jurídica

nho de Nabucodonosor, rei da Babilônia, no qual vira uma estátua feita de ouro, prata e ferro, com os pés de argila e ferro, desmoronar totalmente, virando pó, apenas por lhe terem lançado pequena pedra.

pés de galinha Rugas que se formam em torno dos olhos.
pés e pelo A pé e descalço. Também se diz "pesepelo", palavra formada com a eliminação dos espaços da epígrafe.
Pés, para que te quero? Interrogação de quem trata de fugir a toda pressa. Diz-se também: "pernas, para que te quero?" (*V.*)
pesado de anos Idoso.
pesado de cuidados Cheio de cuidados.
pesar as palavras Falar com responsabilidade, de modo pensado. *V.* "medir as palavras".
pesar na balança Ponderar antes de tomar uma decisão.
pesar no bolso Ser muito dispendioso; estar acima da capacidade financeira da pessoa. *Var.* "sentir no bolso".
pesar sobre *1.* Fazer vergar com o peso. *2.* Estar a cargo de; lançar responsabilidade sobre; fazer carga a; recair em.
pesar uma tonelada Ser muito pesado.
pescadores de águas turvas Diz-se de quem se aproveita de situações confusas e delas tira vantagens para si próprio. *Var.* "pescar em águas turvas".
pescadores de homens Os apóstolos de Jesus.
pescaria de lambada A que se faz com linha e anzol, sem isca, aos pés de uma cachoeira, no poço que ali geralmente existe.
pescoço de cisne Pescoço fino e longo. *Var.* "pescoço de girafa".
peso bruto Peso total de algo, aí incluídos o invólucro (a tara) e/ou parte dele não aproveitável. *V.* "peso líquido".
peso de consciência Registro mental, lembrança recorrente de algo que (alguém) tenha feito anteriormente e do qual se arrepende ou que o incomoda no confronto com os seus princípios morais e/ou religiosos.
peso dos anos Perda de vigor físico de uma pessoa à medida que envelhece.
peso líquido Peso de algo sem sua embalagem ou tara. *V.* "peso bruto".
peso morto *1.* Peso da tara, *i.e.*, de um veículo ou recipiente sem carga (vazio). *2.* Aquilo que não tem utilidade e que, além disso, é dispendioso. *3. Fig.* Indivíduo que nada faz e vive à custa de outrem.

peso no estômago Sensação de saciedade e mal-estar no estômago.
pesquisa de campo Trabalho de pesquisa e coleta de materiais, realizado fora de laboratórios.
pesquisa de mercado Levantamento e análise de dados relativos às tendências dos consumidores, nível de demanda de produtos, para orientação dos fabricantes dos vários bens. *V.* "pesquisa de opinião".
pesquisa de opinião Consulta a um segmento da sociedade, escolhido sob critérios técnicos, a propósito de um assunto qualquer.

Usa-se a pesquisa, especialmente, para avaliar a aceitação de uma medida do governo, de um produto novo que se lança no mercado, de candidaturas a cargos públicos e em muitas outras circunstâncias em que se quer auscultar a opinião pública.

pessoa dada Pessoa cortês, afável, prestativa, comunicativa, com quem facilmente se trava relações ou se convive.
pessoa de água morna Pessoa de pouco valor, de pouca iniciativa; molenga.
pessoa de bem Pessoa correta, honesta, boa.
pessoa de boa-fé Pessoa crédula, simplória, sem maldade.
pessoa de cor Eufemismo designativo de pessoa de pele preta ou afrodescendente, como se diz atualmente.
pessoa de distinção Pessoa importante na sociedade, culta e correta, que, por isso, merece nossa consideração.
pessoa de estopim curto Pessoa que se enraivece facilmente; pessoa sem paciência.
pessoa de fibra Pessoa valente, disposta, que não esmorece por qualquer coisa.
pessoa de poucas palavras Pessoa comedida no falar.
pessoa de quatro costados Pessoa importante, de família tradicional, poderosa. *V.* "de quatro costados".
pessoa física Qualquer pessoa; pessoa natural.
pessoa intragável Pessoa antipática, aborrecida; impertinente, chata.
pessoa jurídica Reunião de pessoas físicas (indivíduos) no sentido de organizar atividades produtivas (comerciais, industriais etc.), sociais, recreativas (clubes, cinema etc.), religiosas etc.

Uma só pessoa física, registrando-se como firma comercial, constitui-se também como pessoa jurídica.

pessoa sem entranhas Aquela que é capaz de todas as maldades.
pessoa sem-vergonha A que não tem vergonha, pudor, brio.
pessoa socada Pessoa baixa, gorda, mas rija, atarracada.
pessoas divinas As três pessoas da Santíssima Trindade: o Pai, o Filho e o Espírito Santo.
Peter Pan Pessoa ou coisa que parece nunca crescer ou envelhecer.

> *O escritor escocês J.M. Barrie criou em 1904 o personagem que, na sua história infantil, nunca crescia. Na década de 1980, o dr. Dan Kiley batizou como "síndrome de Peter Pan" um comportamento de imaturidade identificado em adultos que supostamente se "recusariam a crescer". Embora essa síndrome não seja, pelo menos por enquanto, aceita como uma doença psicológica real, quase todos conhecemos pessoas que bem nela se enquadrariam. São pessoas que negam o envelhecimento, apresentando rasgos de rebeldia, acessos de cólera, dependência infantilizada, irresponsabilidade etc.*

pia batismal *Rel. Catol.* Grande vaso de pedra ou de outro material, às vezes decorado com motivos pertinentes, em que se verte a água utilizada na administração do batismo.
piada de mau gosto *1.* Piada inconveniente, grosseira, muito vulgar, chocante ou constrangedora, dita em momento, lugar ou circunstâncias impróprios. *2.* Qualquer coisa de má qualidade, medíocre, vulgar, de gosto duvidoso.
piada de salão Anedota que pode ser contada em qualquer ambiente para qualquer tipo de ouvinte, por não incluir palavrões ou descrições obscenas ou grosseiras.
piada infame Anedota muito sem graça.
piano solo Peças musicais compostas para sem executadas por piano desacompanhado.
piar fino Submeter-se; acovardar-se.
picado pela mosca azul Diz-se de quem se sente importante e empolga-se com essa perspectiva; enfatuado. *Var.* "mordido pela mosca azul".
picar a mula Partir, ir-se; fugir. O *m.q.* "dar no pé".
picar-se com as brincadeiras Sentir-se ofendido; melindrar-se.
pièce de résistance *Fr. 1.* O prato principal de uma refeição. *2.* Realização fora do comum, ou a principal realização de um conjunto, de um autor etc.
piedade filial Amor aos pais.
pilar da sociedade *1.* Pessoa considerada cidadã respeitável, sustentáculo da estrutura social. *2.* Instituição, conceito considerados modelares para os valores de uma sociedade.
pilha de nervos Diz-se que a é ou está uma pessoa que se apresenta irritadíssima, impaciente, angustiada, preocupadíssima.
piloto automático Dispositivo que permite o controle de uma aeronave (ou veículo automotivo) em voo sem intervenção de sua tripulação.
piloto de autorama Diz-se, pejorativamente, de pessoa de baixa estatura. *Var.* "pintor de rodapé".
piloto de fogão Cozinheiro.
piloto de provas Aquele que testa novos modelos de veículos ou aeronaves.
pingar os "is" e cortar os "tês" Fazer tudo plenamente de acordo com as exigências das normas, das leis, dos regulamentos; fazer bem feito e cabalmente.
pingo de gente Criança ou adulto de baixa estatura. *Var.* "pinguinho de gente".
pintar a saracura O *m.q.* "pintar o sete", "pintar o diabo" e "pintar o caneco".
pintar de preto Exagerar nos aspectos negativos ao se descrever uma situação.
pintar e bordar Comportar-se com irresponsabilidade; fazer brincadeiras inconvenientes; fazer artes. *Var.* "pintar o caneco", "pintar o diabo", "pintar a manta" e "pintar o sete".
pintar o diabo Fazer travessuras, armar confusão. O *m.q.* "pintar o bode" e "pintar o caneco".
pintar o caneco O *m.q.* "pintar o diabo", "pintar o sete" e "pintar a saracura".
pintar o sete *V.* "pintar e bordar" e "pintar o diabo".
pintar um quadro Pintar sobre uma tela; descrever uma situação.
pintar uma oportunidade Aparecer uma ocasião.
pinto saído do ovo Pessoa ainda muito jovem, muito criança, muito imatura.
pintor de rodapé Diz-se, pejorativamente, de pessoa de baixa estatura. *Var.* "piloto de autorama".
pior a emenda que o soneto Referência a medida que se tentou para dar solução a algo mas que resultou em situação pior, ou em erro maior. *V.* "sair pior a emenda que o soneto".

plataforma continental

pior que mulher de piolho Diz-se de pessoa teimosa, insistente.
piquete de greve Grupo de grevistas que se postam em pontos estratégicos, visando a impedir que trabalhadores vão trabalhar, "furando" o movimento reivindicatório.
pisar em brasa Viver situação difícil.
pisar em casca de banana Meter-se, por inadvertência, em situação confusa ou perigosa.
pisar em cena Ser dado ao teatro; representar, apresentar-se como ator/atriz.
pisar em falso Dar uma escorregadela; dar um fora; enganar-se na realização de uma tarefa, de uma missão.
pisar em ovos Proceder com extrema cautela; ir devagar com o assunto; conduzir-se com cautela, com habilidade.
pisar fora do rego Proceder mal; deixar de cumprir seus compromissos; sair da linha.
pisar fundo V. "meter o pé na tábua".
pisar na bola Cometer um engano, uma falha. O *m.q.* "dar (uma) mancada".
pisar na trouxa Zangar-se muito.
pisar nas tamancas Zangar-se; irritar-se; crescer nos cascos; trepar nas tamancas.
pisar no cangote (de) Humilhar (alguém).
pisar no pé (de) Provocar, desafiar.
pisar no pé da lei Descumprir deliberadamente lei ou regulamentos.
pisar no poncho de *RS* Ofender, provocar, desafiar.
pisar nos calos (de alguém) Ofender, provocar alguém.
piscina olímpica Piscina com 50 m de comprimento e, pelo menos, 21 m de largura, pouco profunda, usada em torneios de natação.
piso mínimo Expressão que é totalmente equivocada, por redundante, devendo ser evitada. V. "teto máximo".
piso salarial Nível salarial mínimo estipulado para uma determinada categoria de trabalhadores.
pista de pouso Pista onde as aeronaves decolam ou aterrissam. Diz-se também "campo de pouso", "campo de aviação" e "pista de aterragem".
pista de rolamento *1.* A pista de uma rodovia ou de uma rua sobre a qual os veículos circulam. *2.* Num aeroporto, via preparada para que nela os aviões taxiem, *i.e.*, se afastem ou se aproximem da estação de embarque/desembarque ao aterrissarem ou decolarem.
placas tectônicas Porções da litosfera existentes em toda terra, identificadas. É nos limites de umas com as outras onde se registra a maioria dos terremotos e erupções vulcânicas.

Atualmente, são conhecidas 52 placas: 14 principais e 38 menores.

planejamento familiar Controle ou limitação do número de filhos, por um casal, especialmente através do uso de meios contraceptivos, visando, com isso, a ter condições de proporcionar-lhes boas condições de vida, de acordo com os rendimentos disponíveis no momento, além de outros condicionantes.
planilha eletrônica Programa que organiza dados em forma de tabela que se interagem através de fórmulas lógicas/matemáticas.
plano de saúde Seguro de saúde gerido por empresas especializadas que disponibilizam assistência médica/hospitalar para o segurado e dependentes dele inscritos em seus planos.
plano inclinado *1. Fís.* Qualquer superfície plana e rígida em posição oblíqua ao plano horizontal. É uma das máquinas simples consideradas na mecânica. *2.* Rampa suavemente inclinada para acesso a andares de prédios, alternativos às escadarias.
plano piloto *1.* Plano básico. *2.* Diz-se, especialmente, referindo-se ao plano original básico de Brasília, concebido pelo arquiteto Lúcio Costa (1902-1998).
planos mirabolantes Planos ridiculamente grandiosos ou fantasiosos; sonhos, quimeras.
planta baixa Representação gráfica do corte horizontal de uma edificação, virtualmente correspondendo a um plano que passa pouco acima da altura do parapeito das janelas.
planta do pé Sola do pé. A parte inferior do pé humano, a qual assenta no chão.
planta dormente Aquela cujas flores e/ou folhas se fecham ou se enrolam durante a noite.
plantar bananeira Ficar de cabeça para baixo e de pernas para cima; de ponta-cabeça.
plantar batatas V. "vá plantar batatas".
plantar verde para colher maduro Estimular alguém, mediante perguntas hábeis, dissimuladas, a fazer uma declaração, contar ou revelar um fato etc.
plataforma continental Zona marítima imersa que declina suavemente, a começar da praia até o talude continental, e que, por convenção, se estende até 200 m de profundidade. *Var.* "banqueta continental", "plataforma submarina".

plebe ignara O povo comum; ralé; a camada mais baixa da sociedade. (Tem caráter pejorativo, preconceituoso).
pleito eleitoral Eleição.

> *Eleição = Escolha, por meio de sufrágios ou votos, de pessoa para ocupar um cargo ou desempenhar certas funções; pleito.*

pleno mar Alto-mar.
pleno emprego *Econ.* Diz-se quando os meios de produção (trabalho e capital) estão inteiramente utilizados.
plenos poderes Carta branca; comando e controle geral.
pneu sobressalente Pneu de reserva, que se traz no veículo, para emergências; estepe. Também se diz simplesmente 'sobressalente'.
pó de arroz Pó finíssimo usado como cosmético absorvente de gordura da pele, além de propiciar coloração à cútis.
pó de giz Cocaína.
pó de mico Revestimento pruriginoso da vagem do "pó-de-mico" (planta herbácea fabácea, da família das leguminosas), posto a secar.
pó de pedra Material de pedra britada (com diâmetros menores que 0,075 mm.), usadas para revestimento em mistura com a argamassa.
pó sutil Que escapa ao tato; impalpável.
pobre coitado O *m.q.* "pobre-diabo".
pobre como Jó Destituído de bens materiais e deles ser desapegado. Paupérrimo. *Cf.* "paciência de Jó".

> *Jó é o personagem principal do livro bíblico que leva seu nome, de autor desconhecido, que relata o caso de um justo sofredor. Dentro do contexto do livro, talvez fosse mais próprio referir-se ao seu sofrimento do que à sua pobreza, como sugere a locução em pauta, ou à paciência, como aquela outra locução. No livro, percebe-se, sobretudo, uma obstinada confiança na misericórdia de Deus.*

pobre de espírito *1.* Pessoa simplória, ingênua. *2. Rel.* Pessoa simples, sem maldade no coração, pura de sentimentos. Diz-se também "simples de espírito".

> *A expressão "pobres em espírito" (Mt 5, 1-12) é interpretada pelos exegetas como sendo a pobreza e a humildade que Jesus pregou, identificada com os pequeninos e os infelizes.*

pobre homem *1.* Homem inofensivo, incapaz de fazer mal a alguém. *2.* Pessoa sofredora, merecedora de comiseração.
pobre menina rica Moça rica cuja riqueza, porém, não lhe proporciona felicidade.
pobre soberbo Aquele que, embora nada possua, mostra soberbia, rejeitando a ajuda dos outros.
pobreza das faculdades Falta de inteligência.
pobreza de língua Vocabulário restrito, limitado.
pobreza evangélica Aquela que se interioriza na pessoa, convertendo-se em motivação eficaz para libertar-se do individualismo, pondo todas as coisas a serviço de Deus e da comunidade. Renúncia voluntária aos bens materiais; desapego; pobreza como regra de vida. *Var.* "pobreza franciscana".

> *O nome pobreza franciscana vem de São Francisco, ele próprio tendo vivido nesse estado.*

poço artesiano Perfuração feita no solo por onde se introduzem encanamentos até atingir um lençol de água que flui até a superfície sem necessidade de bombeamento.
poço de ciência Pessoa de grande saber, erudita, instruída. *Var.* "poço de saber" e "poço de sabedoria".
poço do elevador Num edifício, o espaço no qual é montado e se movimenta o elevador.
poço sem fundo Situação problemática que jamais se resolve e que não apresenta, aparentemente, nenhuma possibilidade de solução ou de compreensão definitiva.
pode ser Expressão que denota concordância, aquiescência, permissão, com alguma relutância. *V.* "pode ser que sim, pode ser que não".
pode ser que sim, pode ser que não Depende, talvez.
Pode tirar (ir tirando) o cavalinho da chuva. Expressão que equivale a dizer: "Pode desistir, pois você não conseguirá o que deseja."
poder andar com a cara descoberta Ter consciência limpa, não ter do que se envergonhar ou por que se esconder.
poder aquisitivo Capacidade de um indivíduo ou de um grupo social ou, ainda, de uma moeda, de adquirir bens e serviços; poder de compra.
poder contar nos dedos (de uma das mãos) Ser em pequeno número.
poder de fogo *1.* Capacidade destrutiva de uma arma de fogo ou de um conjunto de ar-

mas. 2. Capacidade belicosa de um indivíduo ou de um grupo armado.
poder econômico Aquele inerente a quem detém os meios de produção; opõe-se à força de trabalho.
Poder Executivo Aquele que, conforme a Constituição do Estado, tem a função de executar as leis, bem como de exercer o governo e promover a administração dos negócios públicos.
Poder Judiciário Aquele que, conforme a Constituição do Estado, deve determinar e assegurar a aplicação das leis que garantem os direitos de cada indivíduo.
Poder Legislativo Aquele que, conforme a Constituição do Estado, deve elaborar as leis que irão reger o país.
poder limpar as mãos à parede Ter cometido uma tolice ou praticado uma má ação.
poder político Aquele decorrente da administração do Estado.
poder público 1. O conjunto dos órgãos investidos de autoridade para realizar os fins do Estado. 2. Administração pública; o governo.
poderes constituídos Os poderes executivo, legislativo e judiciário, considerados como órgãos da soberania nacional.
podre de Em alto grau; muito; demasiado.
podre de rico Riquíssimo.
poema sinfônico Peça orquestral em um movimento, em que a música procura descrever uma obra literária ou uma situação.

> Um exemplo de poema sinfônico é a composição do alemão Richard Strauss (1864-1949) denominada "Assim falou Zaratustra", inspirada no livro de mesmo nome escrita pelo filólogo e filósofo também alemão Friedrich Wilhelm Nietzsche (1844-1900). A obra de Strauss, esp. a introdução (op. 30) ficou ainda mais conhecida após ser utilizada como tema do filme 2001: Uma odisseia no espaço, do diretor norte-americano Stanley Kubrick (1928-1999).

poeta bissexto Diz-se daquele que pouco ou excepcionalmente se dedica à literatura e, em particular, à poesia.
poeta de água doce O que faz maus versos.
Pois bem! Está bem; está certo.
Pois é! Tem razão; é isso mesmo; correto.
pois então Assim, sendo assim; nestas circunstâncias.
Pois não! 1. Exprime incredulidade ou recusa. 2. Cortesia, usada quando nos pedem alguma coisa e que desejamos atender ou não podemos deixar de fazê-lo. V. "Pois sim!".
pois que Assim como.
pois quê Expressão de espanto ou admiração.
Pois sim! 1. Expressão que denota assentimento. 2. Denota também certa dúvida ou reserva quanto ao que outrem afirme. V. "Pois não!"3. Contestação peremptória do que acabou de ser dito.

> A entonação que se dá à palavra muitas vezes pode significar o contrário, discordância ou sinal de descrença no que se está ouvindo.

♦ **pole-position** Ing. Situação ou posição vantajosa, de liderança; na frente.

> Numa competição, esp. no automobilismo, pole-position é a posição do participante que na fase classificatória alcançou o primeiro lugar, garantindo a partida na prova à frente de todos.

politicamente correto Característica de ação, projeto ou qualquer iniciativa que não denote preconceito, que não ofenda ou prejudique grupos sociais, relativamente a raça, classe, sexo ou orientação social, atitudes, necessidades especiais, cor da pele etc.
politicamente incorreto Ação contrária ao que é considerado politicamente correto (V.).
polo aquático Jogo entre duas equipes de sete jogadores, dentro de uma piscina, cujo objetivo é fazer entrar a bola no gol adversário, sob certas regras. Em inglês se diz "water polo".
poluição atmosférica Presença, no ar, de partículas em suspensão que representam, em certas proporções, algum prejuízo ou transtorno ambiental.
poluição das águas Presença, nas águas, de agentes tóxicos que as tornam impróprias para o consumo humano.
poluição sonora Efeito provocado pelo som em tal volume que causa desconforto às pessoas.
pomba sem fel Pessoa ingênua, sem maldade.
pomo de adão Proeminência laríngea, ou seja, saliência de cartilagem tireoide existente na parte frontal do pescoço, mais acentuada nos indivíduos do sexo masculino.
pomo de discórdia A razão principal do desentendimento; o fundamento da desavença.

poncho do pobre *RS* O Sol.
ponha anos nisso Diz-se a quem revela sua idade, porém mencionando menos do que realmente tem.
ponta de estoque Designação das sobras de um estoque de mercadorias que são colocadas à venda a preços menores do que os vigentes no mercado.
ponta de lança *Fut.* Jogador que fica ou se posiciona nos setores mais avançados do ataque.
ponta do *iceberg* A parte conhecida de uma situação, um processo, um problema etc., quando prevalece a ideia de que a complexidade ou extensão do assunto foi apenas ligeiramente abordada, havendo ainda muita coisa mais a ser revelada. Pode significar, ainda, que as dúvidas que se encerram na questão apenas começam a ser esclarecidas, apesar de indicarem essa possibilidade.

> Iceberg = *Grande massa de gelo que se desprende de uma geleira e flutua à deriva nos mares árticos e antárticos; geleira. [A parte submersa é, em média, sete vezes mais alta que a emersa.]* (Cf. Aulete.).

ponta dos trilhos Fim da linha; terminal de linha férrea.
pontapé inicial *Fut.* Primeiro chute ou toque na bola, que marca o início de uma partida.
ponte aérea Serviço aéreo especial entre cidades em que se registra tráfego intenso.
ponte de safena Designação de intervenção cirúrgica na qual se objetiva transpor um ou vários segmentos arteriais coronários obstruídos, mediante a colocação de enxertos com segmentos da veia safena interna, retirada do próprio paciente.
ponte levadiça Ponte que pode ser levantada por meios mecânicos, a fim de permitir o trânsito de navios ou, na entrada dos castelos medievais e sobre o fosso que o circunda, para defesa ou para obstar a passagem. *Var.* "ponte levante".
ponte pênsil O *m.q.* "ponte levadiça".
pontear uma viola *RS* Tocá-la.
Pontífice Romano O Papa; o Sumo Pontífice.
ponto alto 1 A parte saliente ou de maior interesse. 2 Certo ponto de crochê (tipo de tecido com fios trançados à mão).
ponto atrás Ponto (na costura) que se dá atrás do último dado.
ponto cardeal Cada uma das quatro direções principais da rosa dos ventos: norte, sul, leste e oeste.

ponto cego *1.* Num veículo automotor, área que não se pode avistar pelos retrovisores, devido ao posicionamento ou à largura das colunas traseiras. *2.* Ponto na retina no qual o nervo óptico se insere, não se formando nele imagem.
ponto crucial Assunto difícil ou principal.
ponto culminante *1.* O ponto do céu em que um astro atinge sua maior elevação sobre o horizonte; zênite. *2.* O mais alto grau; auge. *3.* Numa cadeia de montanhas ou numa região, o pico de maior altitude.
ponto de apoio *1.* Aquele sobre o qual se firma uma alavanca. *2. Fig.* Argumento de sustentação de uma tese, de uma opinião.
ponto de bala *1.* Mistura de ingredientes cozidos (*ger.* calda açucarada) com a consistência adequada para serem moldados em formato de bala. *2. Fig.* Estado, disposição, capacidade ótimos de uma pessoa, de um sistema, de um dispositivo para executar a tarefa a que é destinado.
ponto de cruz Tipo de bordado em que se dão pontos em forma de cruz, em várias cores, preenchendo um desenho preconcebido.
ponto de encontro Lugar onde as pessoas habitualmente se encontram.
ponto de honra *1.* Questão de dignidade, de melindre. *2.* Suscetibilidade, brio, pundonor.
ponto de luz Lugar apropriado para se conectar uma lâmpada à rede elétrica.
ponto de parada Lugar onde os veículos coletivos param para embarque e desembarque de passageiros nas vias públicas.
ponto de partida Princípio; causa, origem; fundamento; o local, fato ou momento em que se inicia algo.
ponto de referência Coisa, lugar, fato (ou, excepcionalmente, pessoa) que serve de orientação para se encontrar com mais facilidade o que se deseja.
ponto de venda Lugar onde se encontram vendedores e consumidores para realizar negócios variados.
ponto de vista *1.* Aquele que o pintor escolhe para pôr os objetos em perspectiva. *2.* Lugar elevado, de onde se descortina vasto horizonte. *3.* Modo de ver ou de considerar um assunto, uma questão; opinião
ponto e vírgula Diz-se, figurada e jocosamente, de duas pessoas que andam juntas, sendo uma delas alta e a outra baixa (alusão ao sinal de pontuação).
ponto facultativo Dia em que é facultado o trabalho nas repartições públicas.
ponto final *1.* Sinal de pontuação indicati-

vo de final de período. *2.* Termo, fim. *3.* Expressão usada para indicar que não se admite contestação ao que acabou de ser dito ou réplica a uma determinação. *4.* Última parada de um transporte coletivo.
ponto fraco *V.* "tocar no ponto fraco".
ponto morto *1.* Diz-se de posição neutra no engate das marchas do motor de um veículo, na qual não há transmissão do movimento do motor para as rodas. *2.* Diz-se, também, a propósito de um assunto, quando ele não tramita, não se desenvolve.
ponto pacífico Questão sobre a qual não há divergências.
ponto por ponto Minuciosamente, particularmente, detidamente; ao pé da letra.
ponto positivo Algo ou acontecimento favorável, producente.
pontualidade britânica Diz-se da que é precisa, rigorosa; pontualidade inglesa.

Os britânicos têm fama de observar rigorosamente a pontualidade.

populismo assistencial *Tb.* se diz "assistencialismo". Sistema de prática política que se baseia no aliciamento das classes menos favorecidas através de enfoque social, às vezes demagógico ou paternalista.
pôr *V.* também: "botar" e "colocar" e expressões sem os verbos.
pôr (alguém) à prova Testar; conferir a exatidão; testar a fidelidade de (alguém); conferir as qualidades ou habilidades de alguém.
pôr a andar Despedir; mandar embora.
pôr a boca no mundo Gritar; reclamar com veemência; revelar algum segredo ou algo não autorizado ou permitido. *Var.* "pôr a boca no trombone".
pôr a cabeça de alguém a prêmio Ameaçar a vida ou a integridade física de alguém.
pôr a casa abaixo Fazer um escarcéu, uma confusão tamanha que tumultua todo o ambiente, bem como a ação que ali se desenvolve..
pôr a casa em ordem Pôr tudo no devido lugar.
pôr a coberto Abrigar; defender; pôr em lugar ou situação de segurança, proteger.
pôr a descoberto Descobrir; manifestar; expor; publicar; pôr a nu.
pôr a escrita em dia *1.* Tirar o atraso nos afazeres habituais. *2.* Praticar ato sexual, como obrigação presumida em um relacionamento conjugal.
pôr a faca no peito de Tentar forçar alguém a uma atitude, a um compromisso, a uma confissão; constranger; pressionar psico-

logicamente. O *m.q.* "encostar na parede". *Var.* "pôr a faca na garganta de".
pôr a ferros Agrilhoar.
pôr a guitarra a funcionar Emitir papel-moeda, sobretudo sem o correspondente lastro ou respaldo e sem efetivo crescimento da economia.
pôr a limpo Esclarecer; dirimir todas as dúvidas.
por a mais b Sem dúvida, definitivamente; provadamente.

Há quem escreva: "Por á mais bê".

pôr a mão em *1.* Interferir; meter a mão; mexer; deitar a mão em. *2.* Alcançar, segurar. *Var.* "pôr as mãos em".
pôr a mão na consciência Examinar bem os próprios atos ou os próprios sentimentos para reconsiderá-los.
pôr a mão no arado Trabalhar.
pôr a mão no fogo (por alguém) Expressar confiança em; responsabilizar-se por alguém; recomendar bem alguém. Garantir a honestidade ou os bons propósitos de alguém. *Var.* "pôr (botar) as mãos no fogo (por alguém)".
pôr a mesa Arrumar a mesa para a refeição. *V.* "botar a mesa".
pôr à moda Adaptar ao uso corrente; modernizar.
pôr à mostra Mostrar; desvendar, revelar.
pôr a nu Revelar; descobrir; desvendar; desnudar.
pôr a par Informar alguém; atualizar; contar o que acontece ou tem acontecido; tornar (alguém) bem-informado.
pôr a pique *1.* Fazer naufragar (uma embarcação); *2.* Desfazer; destruir.
pôr a preço a cabeça de Contratar o assassinato de alguém. *Var.* "pôr a cabeça de alguém a prêmio".
pôr à prova Submeter a teste, a prova; colocar em prática algo novo ou inédito, para verificar se funciona a contento, como planejado.
pôr a salvo Pôr em segurança; salvar.
pôr a(s) mão(s) na massa *1.* Trabalhar; dar início ou enfrentar o serviço. *2.* Trabalhar em função de operação, realizando diretamente as tarefas, ao invés de apenas dirigi-las. *V.* "com a mão na massa".
por acaso Devido a acontecimentos e causas fortuitas; porventura.
por acidente *1.* Eventualmente, acidentalmente; em virtude de algo fortuito. *2. Fil.* Dependentemente das circunstâncias e não da natureza de um ser.

por aclamação Por meio de aplausos, vivas etc. (a escolha ou eleição de alguém ou algo), em substituição a escrutínios ou a votação individual.
por agora Por enquanto; por ora.
por água abaixo *1.* Diz-se da situação de um negócio que está se desfazendo; da situação em que se perde tudo o que se conseguiu construir ou juntar a custo. (Locução usada em "foi por água abaixo", que significa que tudo foi frustrado, ou perdido, ou destruído.)
pôr água na fervura Acalmar, moderar; arrefecer o entusiasmo, o ânimo, a excitação. *Var.* "jogar água na fervura".
por aí Exprime lugar indeterminado, mas próximo da pessoa que fala; pelo mundo afora; em lugar incerto e não sabido.
por aí além Por este mundo afora. *Var.* "por aí afora".
pôr alguém em sua sombra Colocar-se em posição mais elevada do que outra; sobrepujar.
pôr (alguém) nas estrelas Exaltar as qualidades de alguém; elogiar.
pôr alguém no seu lugar Desmistificar a pretensão de alguém exorbitar de sua capacitação, função ou autoridade, repreendendo-o e enquadrando-o.
pôr (alguém) nos cornos da Lua O *m.q.* "pôr (alguém) nas estrelas".
por ali Por aquele lugar.
por alto Superficialmente, sem esmiuçar; aproximadamente.

> *Diz-se também quando se quer atribuir/ prever o máximo de valor ou grandeza a que algo poderia atingir*: "Avaliou, por alto, que ele lucrara mais de cem mil reais."

por amor à arte Desinteressadamente; gratuitamente.
por amor de Por causa de; em atenção a.
por analogia Segundo as relações de semelhança existentes entre coisas ou fatos.
por antecipação Antes do tempo ou do prazo; antecipadamente. O *m.q.* "com antecipação".
pôr ao corrente Pôr a par; informar.
por aqui Por este lugar, caminho, lado; pouco menos de; para menos de; com pouca diferença. *Cf.* "estar por aqui!".
por aqui e ali Palavras que se pospõem ao título de uma obra citada para indicar que nela se encontrarão referências em vários trechos. Mais usada em latim: "*passim*".
por ares e ventos À toa, desatentamente; arrebatadamente.

por artes de berliques e berloques Milagrosamente; por arte mágica; inexplicavelmente.

> *Berliques e berloques = Colares, pingentes, penduricalhos que as pessoas usam como enfeites.*

por artes do diabo Por desgraça, por infelicidade; por razões inexplicáveis.
pôr as barbas de molho *1.* Dispor-se para sofrer o que outros estão sofrendo; preparar-se para uma dificuldade, um transe. *2.* Preocupar-se.
pôr as cartas na mesa *1.* Esclarecer uma questão sem nada omitir. *2.* Abrir o jogo; declarar francamente seus propósitos e mostrar sinceramente seus reais argumentos; agir às claras; revelar seus planos. *Var.* "mostrar as cartas"; *V.* "abrir o jogo".
pôr as coisas em seus lugares Restabelecer a ordem, a verdade.
pôr às costas Colocar nos ombros; sobrecarregar-se com.
pôr as mangas de fora Agir revelando qualidades, intenções ou fatos que ocultava. *Var.* "pôr as manguinhas de fora".
pôr as mãos Uni-las em atitude de oração.
pôr as mãos em Tocar, agarrar ou pegar em (alguém ou alguma coisa); aprisionar. *V.* "pôr a mão em".
por assim dizer Pouco mais ou menos; como que; aproximadamente; quase; como se fosse. *V.* "a bem dizer".
pôr atalho Pôr fim; terminar.
pôr azeite no fogo O *m.q.* "pôr lenha na fogueira".
por baixo *1.* Na parte inferior. *2.* A menos (*ref.* a quantidade). *3.* Desprestigiado, em inferioridade. *4.* Com diminuição em quantidade ou valor.
por baixo da cerca Às escondidas; de modo irregular.
por baixo da mão Às escondidas.
por baixo de *1.* Pela parte inferior de. *2.* Sujeito a.
por baixo do pano Às escondidas; de maneira oculta, sub-reptícia. *Var.* "por baixo dos panos", "por debaixo do(s) pano(s)" e "por baixo da mesa".
pôr banca Fazer-se de importante. *V.* "botar banca".
pôr barbicacho em Sujeitar, constranger; dominar; impor obediência.
por bem Por boas maneiras; por bons modos, com boa vontade, de modo educado e cortês. *V.* "por mal". *Var.* "a bem".

por bem ou por mal De boa ou de má vontade; de qualquer jeito (maneira); à força. V. "doa a quem doer".
por cabeça Para cada pessoa ou animal; um por um; cada um.
pôr cadeado na boca (de) Impedir (alguém) de falar ou de expressar-se.
por carambola Por tabela; indiretamente; por intermédio.

Deriva do jogo de bilhar.

por causa de Em virtude de.
por cautela Como medida de precaução; por cautela. *Var.* "à cautela".
por cento Por cada cem ou em cada cem; expressão usada para enunciar proporções, taxas etc., relacionadas a uma centena.
pôr cerco a Cercar.
por certo Decerto; seguramente; certamente; sem dúvida.
pôr chifres em Trair (o cônjuge); cornear. *Var.* "botar chifres em".
por cima *1.* Sobre algo ou a superfície de algo. *2.* Em posição superior (a); com poder e prestígio.
por cima da carne-seca Muito à vontade, com todos os trunfos na mão.
por cima de Sobre; em cima de; em posição superior (a); por sobre a superfície de.
por cima de paus e de pedras Seja como for; apesar de tudo.
pôr cinza nos olhos (de alguém) Procurar enganar.
pôr cobro Pôr termo (a algum ato); reprimir; pôr um fim a; extinguir, eliminar.
pôr (colocar) lenha na fogueira Atiçar a discussão, a discórdia; excitar os ressentimentos, as desavenças. *Var.* "pôr azeite (gasolina) no fogo".
por conseguinte Por consequência; assim, pois; sendo assim; consequentemente.
por consequência Por isso; por conseguinte, por essa razão; em decorrência de.
por conta *1.* Furioso, indignado. *2.* Como parte (diz-se de pagamento, adiantamento etc.) de um compromisso financeiro. *3.* À custa de.
por conta de Sob a responsabilidade de; à custa de.
por conta do à toa Sem o que fazer.
por conta do Bonifácio Por conta; indignado; furioso. *Var.* "por conta do cão"; "ficar buzina".
por conta e risco de Sob a total responsabilidade de.
por conta própria Independentemente; sem auxílio.

pôr contra a parede O *m.q.* "encostar na parede". *Var.* "pôr a faca no peito".
pôr corno em O *m.q.* "pôr chifres em".
por culpa de Por causa de; em virtude de.
por dá(dê) cá aquela palha Por ninharia, por coisas insignificantes; por motivo fútil, sem importância.
pôr de acordo Harmonizar.
pôr de banda Deixar de lado; não considerar; apartar da coleção; discriminar; abandonar temporariamente uma tarefa ou coisa.
pôr de lado Rejeitar; não levar em conta; desconsiderar; pôr de reserva; excluir, apartar; selecionar. *Var.* "pôr de parte".
pôr de molho Conservar; postergar, deixar na espera.
pôr de parte V. "pôr de lado".
pôr de pé Colocar algo em posição ereta, vertical.
pôr de permeio Colocar entre, entremear.
pôr de quarentena Adiar uma decisão para melhor exame; isolar.
pôr de sua algibeira Pagar à sua custa; arcar com os gastos que outros fizeram.
por debaixo da mesa Sub-repticiamente; às escondidas. *Var.* "por debaixo dos panos". *Cf.* "por baixo do pano".
por degraus De forma progressiva, aos poucos; gradualmente.
por demais Em excesso; em demasia; demasiado.
por demasiado Em quantidade ou em grau demasiado; em excesso; em demasia.
por dentro Interiormente.
por dentro e por fora Completamente; a fundo.
por derradeiro Por último; por fim; finalmente.
por desencargo de consciência Por dever, mas sem acreditar na eficácia do que se pratica. *Var.* "por descargo de consciência".
por despedida Por fim, em conclusão; ao final.
por detrás A coberto de; do outro lado; pela retaguarda. Em "por detrás da cortina" significa ocultamente, sem aparecer.
por dez réis de mel coado Por pouca coisa; a troco de nada ou de quase nada.

Sobre réis, V. "não valer um tostão furado".

por diante Depois, em seguida; para o futuro; para a frente.
por direito De forma legal, expressa ou implícita; devidamente autorizado.

pôr do bolso Gastar o seu dinheiro. *Cf.* "botar no bolso".
pôr do sol Crepúsculo vespertino; ocaso.
pôr e dispor Mandar, impor.
pôr em campo Fazer manobrar; pôr em ação.
pôr em cena Fazer representar (teatro).
pôr em circulação Fazer circular; emitir moeda.
pôr em debandada Fazer fugir; derrotar, dispersando.
pôr em dia Atualizar as anotações, a escrituração contábil, os negócios etc.
pôr em dúvida Duvidar de; levantar suspeita.
pôr em efeito O *m.q.* "levar a efeito".
pôr em evidência *1.* Demonstrar, patentear; ressaltar; colocar algo em posição de destaque. *2. Mat.* Numa operação matemática, separar coeficiente comum aos fatores ou parcelas.
pôr em forma Pôr algo ainda melhor do que antes; pôr algo em condição de realizar algo que se tem em vista.
pôr em fuga Afugentar; derrotar.
pôr em hasta pública Vender em leilão.
pôr em jogo Colocar sob risco; arriscar.
pôr em movimento Fazer funcionar; fazer caminhar; impelir; tirar da inação.
pôr em obra Realizar; executar.
pôr em ordem *1.* Acondicionar; ordenar; classificar. *2.* Pacificar.
pôr em paralelo Comparar.
pôr em perigo Fazer correr risco.
pôr em polvorosa Arruinar; colocar em pânico, em confusão; causar temor.
pôr em postas O *m.q.* "fazer em postas".
pôr em praça Colocar em licitação; leiloar. *Var.* "pôr em hasta pública".
pôr em prática Realizar, executar, aplicar; experimentar; fazer.
pôr em pratos limpos Esclarecer cabalmente; revelar a verdade dos fatos; dirimir todas as dúvidas.
pôr em relevo Evidenciar; salientar; enfatizar; enaltecer; destacar; realçar.
pôr em serviço Começar a usar.
pôr em sossego Acalmar; tranquilizar.
pôr em vigor Tornar efetivo; colocar em prática.
pôr em voga Tornar geralmente aceito; divulgar; propagar; vulgarizar.
pôr em xeque Pôr em dúvida uma informação ou a importância e/ou o mérito de alguém.
por enquanto Por ora; por agora; por hoje.
por entre No entremeio.
por escala Por turno de trabalho.

por escrito Registrado em texto, por oposição a 'verbalmente', 'oralmente'.
por/pelo espaço de Durante; no intervalo de.
por esporte De maneira amadorística; só para se divertir.
por essas Por causa de tais coisas. Também se diz, mais enfaticamente: "por essas e por outras".
por essência Por natureza, por definição.
por este mundo afora Resposta que se costuma ouvir de uma pessoa a quem perguntamos onde esteve/tem estado; a resposta é evasiva, de quem não quer revelar exatamente o lugar onde esteve.
por estranho que pareça Surpreendentemente; diz-se comentando algo em que é difícil acreditar. *Var.* "por mais estranho que pareça (ou que possa parecer)".
por excelência No grau mais alto; com primazia; acima de tudo; especialíssimo.
por exemplo Indica fato, acontecimento, palavra ou frase que se vai citar para confirmar, explicar ou ilustrar uma opinião; citação de caso análogo.
por extenso Sem abreviaturas; por inteiro.
por falta de O *m.q.* "à míngua de".
por fas ou por nefas Com razão ou sem ela, por bem ou por mal; a torto e a direito. *V. "per fas et per nefas"*.
por favor Por especial atenção pessoal; expressão que antecede quase que invariavelmente qualquer pedido.
por fazer Que ainda não se fez, diz-se de qualquer coisa que se tinha intenção de realizar e que ainda não se concretizou.
pôr fé em Acreditar em; confiar em.
por fim Finalmente, afinal.
pôr fim (a) Pôr um fim a, pôr termo; consumir; findar.
pôr fogo em *1.* Incendiar; causar o começo de uma queimada. *2.* Estimular alguém a fazer algo, incitar, provocar.
pôr fogo na canjica Apressar, atiçar, animar. *Var.* "tacar fogo na canjica" e "botar fogo na canjica".
pôr fogo nos dois lados da vela Diz-se de ação inusitada e sem sentido.
por fora *1.* Pelo exterior; do lado (parte) externo(a). *2.* Gratificação, doação não contabilizada, propina, suborno. *V.* "estar por fora".
pôr fora Lançar fora, eliminar, descartar, desperdiçar. *V.* "pôr para fora".
Por fora bela viola, por dentro pão bolorento. Diz-se das pessoas ou coisas em relação às quais se procura ocultar ou disfarçar suas condições miseráveis ou difíceis, em-

penhando-se em exteriorizar o contrário, agravando, com isso, sua situação. *Var.* "por fora corda de viola, por dentro pão bolorento".
por fora de Sem saber, não estar a par de; sem ter notícia ou conhecimento de; ignorar.
pôr fora de jogo Eliminar da competição por alguma razão.
por força Constrangidamente; fatalmente; em virtude de.
por força da idade Devido às condições próprias da idade.
por força das circunstâncias Por conveniência, com motivação poderosa ou devido a momento grave (referindo-se a circunstância que exige que ajamos ou nos manifestemos). *V.* "de circunstância".
por força de Em virtude de.
por força maior Por motivo relevante; devido a fatos supervenientes.
por formalidade Para ser fiel ao costume, às praxes.
pôr freio em Reprimir; conter. *Var.* "pôr um freio em".
por gosto De propósito; de bom grado.
por graça de Deus Por mercê de Deus.
por hábito Sem refletir; maquinalmente; devido ao costume.
por hipótese Baseado em suposição.
por hoje Por ora, por agora.
por honra da firma *1.* Para impedir que o nome do devedor sofra suspeita ou descrédito (como motivo de atitude, de ação). *2.* Sem maior interesse ou prazer; apenas para salvar as aparências. *3.* Por obrigações contratuais (como motivo de uma atitude ou ação).
por hora *1.* Expressa a ideia da frequência de determinada ação no espaço de uma hora, *p.ex.*: *O automóvel estava a 100 quilômetros por hora.* *2.* Diz-se de trabalho cuja remuneração é calculada em função das horas nele empregadas.
por igual Em igualdade; igualmente; sem distinção; de modo igual; homogêneo.
por informação oral De ouvido.
por instantes De tempos em tempos; por breve espaço de tempo.
por instinto Por natural impulso; sem reflexão ou raciocínio.
por intenção (de) Para proveito espiritual (de).
por intervalos De vez em quando, de espaço a espaço.
por isso/isto Em vista disso (disto); portanto.
por isso/isto que Devido a isso/isto; por essa razão.

por junto De uma vez; ao mesmo tempo.
por lá Estar nas redondezas ou perto de um lugar determinado.
por linhas transversas Indiretamente.
pôr luto Vestir-se de luto por alguém.
por maior Por alto; sem atenção.
por maiores êxitos *V. Lat.* "*per aspera ad astra*".
por mais que Mesmo sendo muitas as possibilidades, ou as circunstâncias positivas (para que algo se realize ou aconteça), como introdução à ideia de que mesmo assim nada adianta; será em vão. Esta locução quer enfatizar a tentativa de fazer algo sem, contudo, lograr o resultado esperado: *Ex.*: *Ele não tem tido sucesso, por mais que se esforce.*
por mal Com violência; descortesmente; com má intenção. Expressão de sentido oposto a "por bem".
por mal dos pecados O *m.q.* "ainda por cima", além disso, sempre com referência a algo desagradável que tenha vindo a agravar ainda mais uma situação já lamentável.
pôr mãos à obra Meter mãos à obra; iniciar um serviço, um trabalho; enfrentar o trabalho.
por mar Por via marítima.
por medida de Em razão de; por causa ou motivado por.
por meio de Através de; por intermédio de.
por meios e modos Usando todos os recursos disponíveis.
pôr mel em boca de asno Colocar ou dar algo muito valioso a quem não merece.
Por meus pecados! Para meu castigo (exclamação de lamento).
por milagre De modo extraordinário, inexplicável.
por mim Na minha opinião; no meu modo de pensar; de minha parte.
por miúdo Minuciosamente, circunstanciadamente; de miúdo, em miúdo, pelo miúdo.
por modo que De modo que.
por momentos Por instantes; por algum tempo.
por montes e vales Por todos os lugares; por toda parte.
por mor de *V.* "por causa de"; "por amor de"; "em virtude de".
pôr muito alto os olhos Desejar algo muito além de suas condições, capacidades, instrução etc.
por muito pouco Quase; o *m.q.* "por um triz".
por música Diz-se que faz algo "por música" a pessoa que realiza determinada coisa ou tarefa com enorme facilidade.

pôr na balança Avaliar os prós e os contras de uma determinada situação, decisão, escolha etc.; sopesar.
pôr na berlinda Colocar alguém em embaraço ou dificuldade, ou em evidência, alvo das atenções para o que vai fazer ou dizer. *V.* "estar na berlinda".

> *Berlinda = Espécie de jogo no qual uma pessoa é posta a fazer certas coisas; não as realizando, deve pagar uma prenda.*

pôr na boca de Atribuir a (alguém algo que supostamente tenha dito); fazer (alguém) dizer ou exprimir (algo que se lhe tenha sugerido, ou imposto).
pôr na cabeça Procurar entender ou compreender algo e fixando a ideia na memória.
pôr na conta Lançar uma compra a débito do comprador; vender/comprar fiado, a crédito.
pôr na gaveta *1.* Engavetar; guardar. *2.* Deixar sem solução um assunto de sua responsabilidade; postergar.
pôr na geladeira Esquecer; postergar.
pôr na lista Inscrever; anotar.
pôr na mesa Pôr sobre a mesa. *Cf.* "pôr a mesa".
pôr na mesma panela Misturar coisas; confundir as coisas, deliberadamente; nivelar; igualar; considerar por igual; não fazer acepção de coisas ou pessoas.
pôr na roda Pôr uma pessoa em situação na qual é forçada por outra ou outras a fazer certas revelações ou a realizar certas tarefas que, de certa forma, a constrangem. O *m.q.* "botar na roda".
pôr na rua *1.* Despedir do emprego; demitir. *2.* Despejar um locatário. *3.* Divulgar uma campanha publicitária, um anúncio.
por nada *1.* O *m.q.* "por um triz"; quase. *2.* Usada, também, como resposta a "muito obrigado". *V.* "de nada".
por nada desta vida Negativa enfática: de jeito nenhum; jamais. *Var.* "por nada deste mundo".
pôr nas alturas *1.* Endeusar, enaltecer com exagero, elevar. *2.* Tecer elogios abundantes a alguém. *3.* Idealizar alguém.
pôr nas mãos de Confiar ou entregar a.
pôr nas nuvens Exaltar muito calorosamente alguém ou alguma coisa ou fato.
por natureza Inato; natural; próprio; conforme a índole.
pôr no bolso *1.* Enfiar, guardar no bolso. *2.* Embolsar, *i.e.*, apropriar-se de coisas alheias. *3.* Superar (alguém) em qualidades.

pôr no chinelo *1.* Humilhar; vencer; subjugar de maneira absoluta. *2.* Ser (pessoa ou coisa) muito superior a (outra). *Var.* "meter no chinelo".
pôr no estaleiro Consertar ou mandar consertar.
pôr no formol Conservar.

> *Formol = Solução de aldeído fórmico em água, usada como antisséptico e bactericida.*

pôr no gelo Acionar (em relação a alguém) conspiração do silêncio; isolar (alguém) de nosso meio, deixando de se comunicar com ele. *Var.* "dar um gelo em". *V.* "conspiração do silêncio".
pôr no índex Arrolar como perigoso, inconveniente.

> *O termo em Lat. "index" era a designação de um catálogo de livros (índice) cuja leitura era proibida pela Igreja, tempos atrás.*

pôr no limbo Esquecer. *V.* "estar no limbo".
pôr no lixo Jogar fora; descartar; desprezar.
pôr no olho da rua Expulsar; demitir. *Var.* "pôr na rua".
pôr no papel Escrever; registrar; formalizar por escrito; preto no branco.
pôr no prego Dar como penhor um objeto de sua propriedade para conseguir dinheiro.
pôr no rol do esquecimento Simplesmente esquecer.
pôr no seguro Garantir-se por meio de um contrato de seguro.
por nome De nome.
pôr nome Dar nome; apelidar; denominar.
pôr nos cornos da lua Exaltar; gabar exageradamente. *Var.* "pôr nos chifres da lua". O *m.q.* "botar nos chifres da lua".
pôr nos eixos *1.* Pôr em ordem; endireitar; disciplinar, ordenar. *2.* Regular o andamento de um assunto, de um negócio, recolocando-o no caminho certo, em bom desenvolvimento. *Var.* "pôr nos trilhos".
pôr nos trilhos O *m.q.* "pôr nos eixos".
pôr num pedestal *V.* "pôr nas alturas".
pôr numa redoma Proteger; cercar de cuidados; exaltar as qualidades de algo ou de alguém.
pôr o carro adiante dos bois Cuidar de resolver um assunto antes de resolver outro que deve precedê-lo, e do qual às vezes até depende. Também se diz: "pôr a carroça adiante dos bois".

pôr o coração à larga Não se afligir ou preocupar-se.
pôr o dedo na ferida Indicar ou reconhecer o ponto vulnerável ou fraco de um argumento, de um projeto, de uma proposta etc. Mostrar, tocar o ponto fraco. O *m.q.* "tocar o dedo na ferida". *Var.* "pôr o dedo na chaga".
pôr o olho em Observar, avistar, vigiar (alguém).
pôr o orgulho de lado Tornar-se humilde; deixar de ter atitude arrogante.
pôr o pé no pescoço de Deprimir; humilhar.
pôr o preto no branco Passar a documento escrito qualquer declaração verbal; esclarecer.
pôr o rabo entre as pernas Desistir, fugir, dar-se por vencido; apequenar-se.
por obra e graça de Graças à ação, à ajuda, à colaboração de.
por ocasião de No tempo em que certo fato aconteceu ou que há de acontecer; no ensejo. *Var.* "na oportunidade de".
pôr óleo Embriagar.
pôr olho grande em Pôr mau-olhado.
pôr olhos compridos em Invejar; cobiçar; desejar ardentemente alguma coisa.
por onde Pelo qual lugar; pelo lugar em que.
por onde quer que Por qualquer aspecto que; onde quer que.
por ora Por agora; por enquanto.
por ordem À medida que ocorre; um após outro; na sequência estabelecida.
pôr ordem Disciplinar; impor ordem; organizar. O *m.q.* a acepção *1* de "pôr em ordem".
pôr os bofes pela boca afora Cansar-se; estar muito atarefado. O *m.q.* "deitar (botar) os bofes pela boca". *Var.* "pôr os bofes para fora".
pôr os cornos (no marido) Perpetrar adultério (a esposa).
pôr os dedos em Intrometer-se; tocar num ponto importante de um assunto. *Var.* "pôr a mão em".
pôr os olhos em *1.* Olhar, fitar. Atender, considerar. *2.* Tratar com bondade. Simpatizar. *3.* Tomar como exemplo.
pôr os pés à parede Teimar; resistir.
pôr os pés na estrada Partir, viajar.
pôr os pés para cima Ficar em posição de descanso, colocando os pés em plano superior.
pôr os pingos nos is Esclarecer cabalmente; resolver em definitivo. *Var.* "pôr os pontos nos is".

por outro lado Considerando o outro aspecto ou lado (de uma questão, de um assunto).
por ouvir dizer Por informação oral.

> Quando se usa esta expressão, quer se registrar que a informação carece de confirmação, não se tendo certeza de sua veracidade.

pôr ovos Desovar.
pôr palavras na boca de *1.* Atribuir a outrem suas próprias opiniões, com isso procurando justificá-las ou conferir-lhes maior autoridade. *2.* Atribuir a alguém palavras que não disse.
pôr panos quentes Adotar medidas para refrear os ânimos acirrados; atenuar as desavenças; acalmar os ânimos; abafar um acontecimento grave; encobrir uma situação de conflito.
pôr para correr Expulsar.
pôr para fora *1.* Lançar para fora; despejar. *2.* Despedir (alguém) do recinto; expulsar. *3.* Extravasar os sentimentos; abrir-se.
pôr para o lado Pôr de lado; não fazer caso; não considerar. *Var.* "pôr para um lado".
por parte de *V.* "da parte de".
por partes Assunto por assunto; caso por caso; aos poucos e sucessivamente.
pôr peito a Empreender; esforçar-se no trabalho ou na tarefa.
por pique O *m.q.* "de pique".
pôr ponto Terminar.
pôr por terra Fazer carga; derrubar. *Var.* "lançar por terra" e "deitar por terra".
pôr porta afora Mandar sair; expulsar.
por portas transversas Por meios indiretos, ocultos ou ilícitos.
por pouco Quase. O *m.q.* "por um triz".
por pouco mais de nada Por preço muito baixo; baratíssimo.
por pouco que seja Ainda que seja só um pouco.
pôr preço Marcar o preço de; dizer o preço de algo à venda.
por pura obrigação Expressão que retrata a motivação de alguém que cumpre um dever por força de seu compromisso para com quem comanda, mas sem convicção de sua conveniência ou adequação. *Ex.*: *José compareceu ao evento por pura obrigação.*
por qualquer ângulo De qualquer modo que se analise, se veja (um assunto, um objeto).
por que *1.* Locução interrogativa, usada sempre em perguntas diretas ou indiretas. *2.* Pronome relativo, quando usado em se-

Por que cargas-d'água

guida às palavras causa, razão ou motivo – que podem vir ou não explícitas na frase – passíveis de serem substituídas por "pelo(a) qual". *Cf.* "por quê".

> *"Porque" usa-se nas respostas ou nas indicações de causa.*

Por que cargas-d'água...? Emprega-se quando se quer dar ênfase à estranheza com que se ouve um argumento que se lhe é proposto. É como se dissesse, com mais ênfase, a expressão "Por que motivo?".
Por quê? Usada no fim de um período. *Ex.: Estava triste e não sabia por quê.*; *Você está triste, sabe me dizer por quê? Cf.* "por que".

> *Porquê: Empregado como substantivo, estará sempre precedido de artigo ou de pronome:* Não sabia o porquê de sua tristeza.

Por quem é! Fórmula usada para encarecer um pedido ou cobrar uma ação ou atitude de alguém. Também se usa a expressão com o verbo flexionado de acordo com as circunstâncias: "são, és, sois": Por quem sois!
por querer Voluntariamente; de propósito.
por quilo *V.* "a quilo".
pôr sebo nas canelas Correr; fugir, com pressa. *V.* "ensebar as canelas".
por séculos Eternamente. *Var.* "por séculos e séculos".
por segurança Por precaução.
por serdes vós quem sois Expressão jocosa que se diz quando se pede algo a alguém mais íntimo ou para chamar-lhe a atenção para algo que tenha feito ou dito e do qual divergimos.

> *A frase é parte de antiga oração (Ato de contrição) dos católicos, com sentido bem diferente do que popularmente lhe atribuem.*

pôr seu preço *1.* Atribuir preço a algo que se quer vender a um interessado. *2.* Impor condições.
por seu turno Por sua vez; alternativamente. O *m.q.* "por sua vez".
por si Espontaneamente; com sua própria opinião.
por si mesmo Pela própria pessoa, sem ajuda ou interferência de alguém.
por si só Sendo bastante (para certa consequência) a qualidade intrínseca do agente em questão, sem necessidade de interferência ou ação de outros fatores. *Ex.: A dedicação dele ao projeto, por si só, é uma garantia de sucesso.* No plural, a locução é: "por si sós".
por sinal Por oportuno; como prova; em aditamento; aliás; a propósito.
por sistema Sistematicamente; de caso pensado; por costume; segundo ideia preestabelecida.
por sobre Pela parte superior; por cima de.
por sorte Felizmente.
por sua alta recreação Por sua livre vontade; voluntariamente, espontaneamente; sem o aconselhamento de outrem.
por sua conta (e risco) Com sua responsabilidade (e risco); a suas expensas.
por sua vez Quando lhe coube ou lhe couber. O *m.q.* "por seu turno".
pôr suspensórios em cobra Realizar empreendimento difícil ou perigoso.
por tabela Indiretamente.
pôr tacha Culpar ou responsabilizar ou acentuar defeitos (em alguém).
pôr termo a Acabar; concluir; pôr fim a.
por terra Por via terrestre.
pôr terra nos olhos O *m.q.* "deitar terra nos olhos".
por toda a vida Permanentemente; sempre.
por toda parte Em todo lugar; em variados lugares; em grande número de lugares. *Var.* "por todos os cantos".
por todo o sempre Para sempre. *Var.* "por toda a vida".
Por todos os santos! Invocação à ajuda e proteção dos santos todos.
por todos os séculos dos séculos Eternamente; para sempre.
por trás O *m.q.* "às ocultas"; pelas costas; pela parte posterior.
por tudo o que é santo Expressão que se usa para exprimir a certeza que se tem sobre algo que se afirmou. Juramento. *Var.* "por tudo quanto é (mais) santo (sagrado)".
por tuta e meia Por quase nada; por preço vil; por pouco dinheiro, ninharia.

> *Da expressão "macuta e meia" (certa moeda africana), com síncope da primeira sílaba de macuta.*

por último Finalmente; enfim.
por um ápice Num abrir e fechar de olhos; num instante.
por um cabelinho Por um nadinha; por um triz.
por um és não és O *m.q.* "por um triz".
pôr um fim a Terminar ou dar por terminado algo.

por um fio Em grande risco. O *m.q.* "por um triz". *Var.* "por um fio de cabelo".
pôr um freio em Diminuir o ritmo, a velocidade de; fazer parar; interromper; conter.
por um instante Por um momento; durante um curto lapso de tempo.
por um lado... Por um aspecto; considerando por esse prisma...
pôr um paradeiro Não permitir que algo siga adiante; deter.
pôr um ponto final Concluir, encerrar, dar fim a alguma coisa.
pôr um punhal no peito de (alguém) Forçar (alguém) com ameaças; coagir; violentar. *Var.* "pôr uma faca no peito de (alguém)".
por um triz O *m.q.* "por pouco"; milagrosamente; quase. *Var.* "por um tudo-nada".
por um tudo-nada *V.* "por um triz".

Tudo-nada = Pequeníssima porção; quase nada; insignificância.

por uma bagatela Por um preço muito baixo.
pôr uma pá de cal Encerrar um assunto e não querer mais nem ouvir nem falar sobre ele; esquecer; dar por encerrado; deixar de falar a respeito.
pôr uma pedra em cima Abafar, encobrir, esquecer; encerrar definitivamente; não falar mais sobre. *Var.* "pôr uma pedra no assunto".
pôr uma pedra no sapato de *1.* Pôr um obstáculo no caminho, nas pretensões de alguém; atrapalhar os planos de alguém. *2.* Causar uma preocupação maior a alguém. *Var.* "pôr uma pulga atrás da orelha de".
por uma questão de princípios Levando em conta convicções quanto à moral, aos costumes.
pôr uma rolha na boca de Fazer alguém calar-se.
por vez De quando em quando.
por vezes O *m.q.* "às vezes".
por via das dúvidas Para prevenir enganos; por cautela; por segurança; na dúvida. O *m.q.* "pelo sim, pelo não".
por via de *1.* Por intermédio de; por meio de. *2.* Por causa de; por virtude de.
por via de regra Em regra; como de costume; normalmente.
por vias indiretas Por intermédio de terceiros, não diretamente envolvidos.
por volta de Aproximadamente; o *m.q.* "cerca de".
pôr-se (estar) em guarda Achar-se preparado, pronto, para as eventualidades. *Var.* "estar em guarda".

pôr-se a Começar.
pôr-se à cabeceira de Assumir a direção de; colocar-se ao lado de um enfermo.
pôr-se a caminho Iniciar a jornada.
pôr-se à mercê Pôr-se à disposição.
pôr-se à mesa Assentar-se para a refeição.
pôr-se a par Informar-se sobre (algo).
pôr-se a salvo Fugir de uma situação de perigo.
pôr-se ao fresco Safar-se; fugir; sair de casa; tomar ares; retirar-se.
pôr-se ao largo Navegar para mar alto; conservar-se a distância.
pôr-se de acordo Harmonizar; conciliar; concordar.
pôr-se de partida Iniciar uma jornada; partir.
pôr-se de pé *1.* Levantar-se; ficar de pé. *2.* Convalescer; sarar.
pôr-se diante de Apresentar-se a.
pôr-se em campo Averiguar; iniciar um trabalho.
pôr-se em dia Atualizar-se com os acontecimentos; pôr-se a par, ao corrente.
pôr-se em marcha *1.* Começar a andar; pôr-se a caminho. *2.* Pôr ou entrar em ação; ativar-se.
pôr-se na pele de *V.* "entrar na pele de".
pôr-se na ponta dos pés Levantar os calcanhares e apoiar-se nos artelhos.
pôr-se no fresco Fugir.
pôr-se no lugar de Imaginar como seria estar no lugar de outra pessoa, passando o que ela passa.
pôr-se no seu lugar Portar-se de acordo com sua posição social e os costumes dos lugares que frequenta.
porta a porta *1.* Viagem que se completa no destino. *2.* Sistema de entrega no qual a mercadoria sai da loja ou da fábrica diretamente para o destino. *3.* Sistema de vendas de produtos no qual o vendedor procura o possível comprador em seu domicílio.
porta da rua A porta principal de entrada de uma casa.
porta de marfim Na mitologia grega, a porta por onde passariam os sonhos.
porta e janela Casa pequenina (de uma só porta e uma só janela).
portas adentro Dentro de casa; no interior.
porte de arma Documento que habilita uma pessoa a portar uma arma de fogo, emitido por autoridade competente.
porte de rainha (rei) Porte elegante, refinado.
porteira aberta 1 Diz-se, jocosamente, de quem ostenta dentadura com falta de dentes, *esp.* na frente; banguela. 2 Diz-se de

algo descuidado, sem vigilância ou regras de utilização.
porteira fechada Diz-se de negócios de compra e venda de propriedades rurais (sítios, fazendas etc.) quando o negócio abrange tudo o que estiver dentro dos limites do imóvel.
porteiro do Céu São Pedro.
porteiro eletrônico Dispositivo eletrônico que permite comunicação verbal (ou, mesmo, visual) entre um visitante e um morador e que admite a este acionar comando elétrico de abertura da porta de entrada.
porto seco Local onde se desembarcam mercadorias, situado no interior do país e não à beira-mar, *ger.* dotado de facilidades, como o desembaraço aduaneiro.
português arcaico Fase do desenvolvimento da língua até surgirem os primeiros documentos escritos (início do *séc.* XIII) e termina em meados do *séc.* XVI.
português moderno Fase da língua portuguesa a partir da segunda metade do *séc.* XVI, com os "Lusíadas", de Luís de Camões e que se prolonga até os dias atuais.
pós-graduação *lato sensu* Cursos de pós-graduação que não são avaliados pelo MEC (Ministério da Educação) através da CAPES (Coordenação de Aperfeiçoamento de Pessoal de Nível Superior).

> Os cursos "lato sensu" não conferem títulos de mestre ou doutor, mas são muito valorizados no mercado de trabalho por oferecerem aprendizado objetivo sobre atividades profissionais específicas e demandadas pelo mercado.

pós-graduação *stricto sensu* Nível de pós graduação que confere ao estudante título de mestre ou/e de doutor.
posição de impedimento *V.* "em impedimento".
posição de sentido Nas Forças Armadas, posição na qual o militar fica de pé, imóvel, com as mãos estendidas e junto das pernas e os pés juntos. *Ant.* Posição de descansar.
post meridiem *Lat.* "Após o meio-dia". Indica-se abreviadamente: *p.m. V. "ante meridiem"*.

> As abreviações a.m. e p.m., ou, simplesmente, am e pm, são muito utilizadas nos Estados Unidos para designar se o horário corresponde a um momento antes ou depois do meio-dia. Nesse sistema, nove horas da manhã são representadas como "9:00 am" ou "9am", enquanto as três horas da tarde são registradas como "3:00 pm" ou "3pm". No Brasil, e em grande parte do mundo, esses mesmos horários seriam descritos como "9h" e "15h".

post mortem *Lat.* 1. Após a morte; posterior à morte; póstumo. 2. Relativo, referente a algo que se registra após o fim de algo; após a morte, posterior ao evento.
***post scriptum* (*P.S.*)** *Lat.* Escrito posteriormente. No final de um texto e após tê-lo assinado, coloca-se a sigla *P.S.* para acrescentar algo, ao invés de reescrevê-lo.
posto de gasolina Local próprio para o comércio de gasolina e de outros combustíveis e lubrificantes para motores de explosão.
posto isso/isto Além disso (disto); depois disso (disto); dito isso (isto).
posto que Ainda que; se bem que; uma vez que; embora; apesar de.

> Esta locução não deve ser tomada como sinônima de "porque".

postulado de Euclides *Geom.* Famoso postulado sobre ângulos que se formam quando uma secante é traçada em sentido transverso a duas retas coplanares, ou seja, a duas retas que pertencem a um mesmo plano.

> Euclides de Alexandria (360 a.C.-295 a.C.), matemático e professor grego, autor de "Elementos", uma das mais influentes da história da matemática e da geometria. Deu nome à "geometria euclidiana".

pot pourri *Fr.* Composição musical formada por uma miscelânea de vários trechos de uma ópera ou de óperas diferentes; sequência musical variada.
potestades celestes Os seres celestiais: o próprio Deus, os anjos e os santos.
potestades das trevas Os demônios.
pouca porcaria Pessoa ou coisa de certo valor e que não pode ser subestimada, *ger.* na forma "não é pouca porcaria".
pouca sombra Diz-se que a tem indivíduo de muito baixa estatura.
pouca vergonha Locução que designa ato indecoroso ou incivil, impróprio para a ocasião em que alguém o pratica ou praticou.
poucas e boas *V.* "dizer poucas e boas" e "passar poucas e boas".
pouco a pouco Devagar, aos poucos, gradativamente; um pouquinho de cada vez.

pouco caso Indiferença, desatenção, menosprezo a algo ou alguém, a que(m) não se dá a devida consideração ou atenção.
pouco mais Quantidade ligeiramente maior. *Ant.* "pouco menos".
pouco mais ou menos Aproximadamente.
pouco se lhe dá Não se importa (alguém) com as consequências de um ato ou de uma afirmação feita.
poupar o tempo Não perder tempo; fazer bom uso dele.
pour épater le bourgeois *Fr.* Literalmente, significa: para escandalizar (chocar) o burguês. Famosa expressão francesa (atribuída a Baudelaire) como lema de ações visando a uma alternativa à burguesia.
povo da Bíblia Os judeus e os cristãos. *Var.* "o povo do Livro".

> A Bíblia é um livro que revela a mensagem de Deus, contendo histórias e fatos vividos durante mais de dois séculos, transmitidos oralmente e depois escritos em diversos livros. Seus porta-vozes foram os profetas ao povo judeu e, para os cristãos, também os evangelistas, que registraram o que transmitiu Jesus Cristo aos apóstolos e estes aos seus seguidores. V. "povo de Deus" e "povo do Livro".

povo de Deus Diz-se do povo judeu, o povo escolhido, assim como também se consideram os cristãos, seguidores de Cristo, que o têm como Filho de Deus feito homem e que fundou sua Igreja a partir de uma pequena comunidade de apóstolos e discípulos. *V.* "povo da Bíblia" e "povo do Livro".
povo do Livro O *m.q.* "povo da Bíblia".
povo eleito Atributo do povo hebreu (judeu), que, segundo o texto da Bíblia hebraica, foi escolhido por Deus; o povo de Deus. *Var.* "povo escolhido".
pra burro *Pop.* Muito; à beça; em grande quantidade. *Var.* "pra cachorro".
pra cacete Muito, demais. V "pra burro". *Var.* "pra cachorro"; "pra lascar".
pra caralho *Ch.* Em grande quantidade; à beça.
pra chuchu Em grande quantidade; à beça; muitíssimo.
pra danar Muitíssimo.
pra encurtar a história Para ser breve; resumindo; enfim.
pra lá de Mais do que; além; muito mais.
pra lascar *V.* "pra cacete".
Pra mim chega! Expressão que equivale a "Perdi a paciência, não vou tolerar ou sustentar isso!" Denota irritação, impaciência.
Pra quem é, bacalhau basta! Fórmula com que se justifica a alguém o mau atendimento a outrem com quem não se simpatiza; expressão de desmerecimento.
pra riba Para cima.
pra valer A sério; a valer; definitivamente; decisivamente; realmente.
praça comercial Cidade cuja característica principal da economia é a atividade comercial.
praça de alimentação Espaço existente em *shopping centers* destinado à alimentação, com muitas mesas e variedade de casas especializadas.
praça de guerra Lugar fortificado, ocupado por força militar e dotado de depósito, veículos, armas, munição e todos os apetrechos para uma batalha.
praça de pedágio Lugar, nas rodovias, dotado de cabines em cada uma das pistas, onde é cobrada uma taxa de tráfego (pedágio).
praça de touros Lugar onde se realizam as touradas.
praetium aestimationis *Lat.* Valor estimativo; valor aproximado.
prancha a vela É a denominação que se dá, no Brasil, ao *windsurf*, modalidade olímpica de vela.

> A prancha é idêntica à do windsurf com uma vela de 2 a 5 m de altura.

prata da casa Valor (pessoa, produto, sistema etc.) desenvolvido no próprio ambiente em que atua ou é aproveitado; o que se tem de mais precioso; os recursos próprios disponíveis e com os quais se trabalha, se age, se vive.
prata de lei A que tem pureza em percentual definido em lei.
prato cheio Situação; condição ou conjunto de informações que subsidiam uma argumentação ou criam as precondições para determinada ação. *Ex.: O comportamento do ator na festa é um prato cheio para os fofoqueiros.*
prato de resistência *1.* Prato (alimento) muito substancial. *2.* Prato principal/melhor de uma refeição (principalmente em restaurantes).
prato feito *1.* Conjunto de elementos ou fatos como que preparados para determinado fim. *2.* Em alguns restaurantes populares, é a refeição oferecida já composta nos pratos, sem direito a escolha das iguarias.

prato raso

> *Popularmente é também chamado simplesmente de "PF", que são as iniciais da locução.*

prato raso Prato de pouca profundidade, em que se serve comida mais consistente.
prazer em conhecê-lo(a) Forma de uma pessoa cumprimentar outra, ao lhe ser apresentada.
preceito pascal *Rel. Catol.* Obrigação que têm os católicos de comungar pela Páscoa.
precipitação atmosférica É a transformação da nebulosidade atmosférica em água ou gelo, que se precipitam na terra na forma de orvalho, neve, granizo ou chuva.
preço cômodo Preço razoável.
preço de banana Baratíssimo; bom preço.
preço de capa O preço que vem estampado na capa das publicações; preço do livro ao consumidor final.
preço de custo O que se constitui da soma de todas as despesas decorrentes da fabricação e comercialização (inclusive tributos) de um produto ou serviço.
preço de ocasião Bom preço; barato.
preço salgado Preço alto; caro.
precursor de Cristo Título que se atribui a São João Batista.
preencher uma lacuna Providenciar exatamente aquilo que faltava para completar o que se fazia ou havia sido feito.
pregar aos peixes Perder tempo, aconselhando a quem não quer ouvir.
pregar no deserto Falar sem ser ouvido ou atendido pelas pessoas a quem se dirige.
pregar o Evangelho Proclamar, apregoar, pronunciar a Palavra de Deus, o Evangelho.
pregar olho Dormir. Também se diz: "pregar olhos".
pregar petas Mentir.
pregar rabo em nambu Dar importância a quem não a merece; responder a quem não é digno de resposta.
pregar um sermão *1.* Chamar a atenção de alguém para algo de errado que fez. *2.* Ensinar religião, comentar as Escrituras, especialmente durante as homilias que o sacerdote faz nas missas.
pregar uma partida *1.* Fazer uma pirraça. *2.* Fazer uma brincadeira de mau gosto. *Var.* "pregar uma peça".
pregar uma peça a alguém Enganar, fraudar, lograr.
preguiça chegou ali, fez casa de morada Modo de dizer que uma pessoa é extremamente preguiçosa. *Var.* "preguiça chegou ali, parou".

prêmio de consolação Aquele que se confere ao jogador ou qualquer atleta que perde uma competição, mas que teve bom desempenho, merecendo o reconhecimento, ainda que simbolicamente.
prêmio Nobel Prêmio distribuído anualmente pela Fundação Prêmio Nobel, de Estocolmo, Suécia.

> *O prêmio foi criado por Alfred Bernhard Nobel (1833-1896), químico sueco. Os prêmios são atribuídos aos que se destacam, em qualquer parte do mundo, nos campos da física, fisiologia ou medicina, literatura, economia, química e na promoção da paz.*

prendas domésticas Conhecimentos e habilidades necessárias para o desempenho dos trabalhos do lar.
prender a atenção para Atrair a atenção para; encantar (alguém para); seduzir.
prender o fôlego Reter a respiração; causar dispneia.
prender-se com teias de aranha Embaraçar-se por qualquer coisa, ainda que de menor importância.
prender-se nas redes de Cupido Enamorar-se. *V.* "flecha de cupido".
prenúncio de queda Agouro; mau presságio; sinal de que dada condição ou situação irá deteriorar. *Var.* "princípio do fim"; "começo do fim".
preparar o terreno Colocar tudo em ordem e tomar as providências necessárias antecipadamente à ocorrência de um evento.
preparo físico Conjunto de condições físicas adquiridas por treinamento.
presença de espírito *1.* Capacidade ou habilidade de dar resposta imediata, ou ter reação ágil, pronta, oportuna. *2.* Serenidade; em atitude imperturbável.
presente de grego Presente que prejudica ou surpreende quem o recebe.

> *Alusão ao conhecido episódio do gigantesco cavalo de madeira presenteado aos troianos como um gesto de boa vontade. Uma vez introduzido em Troia, os guerreiros gregos saíram de dentro do artefato, onde se escondiam, pegando o inimigo de surpresa, até enfim dominá-lo. V. "cavalo de Troia".*

presente dos céus Oportunidade ou acontecimento feliz. *Var.* "presente de Deus" ou "presente dos deuses".
presentes de Baco As uvas e o vinho.

> *Baco era o deus romano das vinhas e do vinho.*

presentes de Pomona Os frutos em geral.

> *Pomona = Ninfa da mitologia romana que guardava os frutos.*

preservação ambiental Manutenção (*ger.* por meio de medidas concretas, legislação etc.) das características e do equilíbrio natural de um ambiente; proteção ambiental.
presidência da República O poder executivo num país onde vige o regime presidencialista.
preso(a) pelo beiço Enamorado(a), apaixonado(a). *Var.* "preso(a) pelo olhar".
preso político Pessoa presa por razões de natureza simplesmente política, como subversão ao regime, oposição ao governo etc.
Preso por mil, preso por dois mil. Se tiver de ser preso, que seja por um roubo mais compensador. (Assim deve pensar o contraventor.)
Preso por ter cão, preso por não ter. Culpado por fazer uma coisa e também por não fazê-la; alusão a perseguição que busca o pretexto que a justifique.
prestação de contas Demonstração de relatórios sobre a situação financeira de alguém ou de uma empresa ou órgão, por pessoa que disso é a responsável.
prestar atenção Ficar atento, vigilante. *Var.* "prestar ouvido".
prestar contas *1.* Demonstrar os gastos realizados e a documentação correspondente. *2.* Informar o resultado de uma missão para a qual fora designado. *3.* Esclarecer junto a autoridades ou a chefes e superiores o desempenho de suas atribuições.
prestar ouvido a Ouvir (alguém) com toda a atenção; dar crédito a.
pretender a mão de Pretender pedir (alguém) em casamento.
pretensão e água benta *1.* Diz-se do estado de espírito de pessoa pretensiosa, que se jacta de suas qualidades e dons e se julga merecedora de encômios, de exaltação. *2.* Vaidade levada a extremos.

> *A expressão é usada em ditos vários: "Pretensão e água benta, cada um usa (serve-se) à vontade"; "Pretensão e água benta não fazem mal a ninguém"; "Pretensão e água benta, cada um tem quanto quer" etc.*

preto como breu Muito preto.
preto como carvão Muito preto; tonalidade de cor próxima ou igual à do carvão.
preto de alma branca Pessoa negra boa, generosa, nobre. (Esta locução denota preconceito, e deve ser evitada.)
preto no branco Com autenticidade, senso de realidade, firmeza, convicção.
pretty lies Ingl. Literalmente, "mentirinhas"; pequenas mentiras; desculpas ou argumentos falsos para encobrir fatos de menor importância ou gravidade.
previdência social Conceito e sistema que visam à proteção (assegurada por instituições públicas ou privadas) e ao provimento dos meios indispensáveis de manutenção a pessoas que já não se acham em condições de obtê-las por se acharem doentes, inválidas ou idosas ou por terem cumprido o tempo de trabalho legal previsto para se aposentarem.
prima facie Lat. *1.* Que se pode constatar de imediato, sem necessidade de melhor exame; claro; evidente. *2.* À primeira vista.
prima tonsura Cerimônia religiosa em que o prelado, conferindo ao ordinando o primeiro grau do clericato, lhe dá a tonsura.

> *Tonsura = Coroa dos clérigos: corte redondo dos cabelos no topo da cabeça; cercilho (Houaiss).*

◆ **prima(o)-irmã(o)** Filha(o) da(o) tia(o).
primavera da vida Metáfora de "juventude".
prime rate Ing. Taxa referencial para transações financeiras internacionais, baseada em taxa de juros que os bancos norte-americanos costumam cobrar de clientes preferenciais.
primeira classe Qualidade ou situação superior; de categoria superior.
primeira impressão O efeito ou reação que produz em nós um objeto ou pessoa que vimos pela primeira vez.
primeira infância Criança em tenra idade (de zero a três anos); bebê.
primeira linha Diz-se que é de primeira linha algo de ótima qualidade, escol.
primeira pedra O *m.q.* "pedra fundamental".
◆ **primeira-dama (de um país, de um estado, de um município)** Diz-se da esposa do chefe do governo de cada um dos níveis administrativos e políticos de um país, e, *p.ext.*, jocosamente, da mulher de presidente de instituição privada.
primeiras letras As noções básicas de conhecimento geral (ler, escrever, contar), que servem de base para ulterior processo de aprendizagem, estudo e aperfeiçoamento.

primeiro de abril Logro ou trote que, por brincadeira, se perpetra no dia 1º do mês de abril, que é chamado de Dia da Mentira.
primeiro e último *1.* O único. *2.* A última coisa que aconteceu ou que existe e que não mais deverá ocorrer ou existir, ou, ainda, que se espera não mais aconteça.
primeiro e único Sem igual; inigualável. V. "o primeiro sem segundo".
primeiro entre iguais Aquele que é reconhecido como líder em um grupo; aquele que se destaca num grupo.

Tradução literal do Lat. "primus inter pares".

primeiro mundo O mundo constituído pelos países ditos plenamente desenvolvidos, em que seus habitantes gozam de altíssimo padrão de vida.
primeiro plano Algo preferencial ou que está em lugar proeminente.
primeiro que Antes que.
primeiro sem segundo Diz-se de ou aquele que ocupa com vantagem o primeiro lugar sem possibilidade de ser alcançado ou superado.
primeiro sono O das primeiras horas que se seguem ao adormecimento.
primeiro time Grupo mais importante, principal, mais bem-preparado.
primeiros passos O prelúdio; o princípio; o começo; iniciação.
primo primeiro Filho de meu(minha) tio(a); primo em primeiro grau.
primus inter pares V. "primeiro entre iguais".
princesa real A filha mais velha do(a) monarca reinante.
principais atributos morais Justiça, prudência, temperança e fortaleza.
príncipe consorte O marido de uma rainha reinante.
príncipe da Escuridão Satã; o Demônio.
príncipe da Igreja Cardeal.
príncipe das Astúrias Herdeiro do trono da Espanha.
príncipe das trevas O Diabo.
príncipe de Gales Herdeiro do trono da Inglaterra.
príncipe do ar O Diabo.
príncipe do Grão-Pará Filho do príncipe herdeiro do trono brasileiro, no tempo do Império.
príncipe dos Apóstolos São Pedro.
príncipe dos demônios O Diabo.
príncipe encantado *1.* Jovem belo, nobre, rico e valente, que se casa com uma jovem pobre e sofredora, personagem de vários contos e histórias populares. *2. P.ext.* O homem ideal ou idealizado pelas mulheres; aquele que corresponde aos sonhos e desejos de uma mulher.
príncipe herdeiro O herdeiro de um trono, nas monarquias.
príncipe imperial Herdeiro do trono do Brasil imperial.
príncipes da Igreja Os 12 apóstolos.
princípio de Peter Princípio, formulado pelo educador e autor estadunidense Lawrence Johnston Peter, segundo o qual, numa hierarquia, cada membro vai galgando postos até que atinja um lugar para o qual não tem competência, lá permanecendo.
princípio do fim Diz-se do momento em que um empreendimento que ia bem começa a piorar ou quando uma pessoa que esteve no auge do prestígio vai perdendo popularidade. *Var.* "começo do fim"; "prenúncio de queda".
prisão de ventre Dificuldade de passagem das fezes pelos intestinos, paralisando a evacuação; intestino preso; constipação.
prisão domiciliar Tipo de detenção na qual se permite ao condenado ficar em seu domicílio mas dele não arredar sem ordem judicial expressa.
priscas eras Tempos remotos; tempo antigo; tempos passados; antigamente; há muito tempo.

Priscas = O adj. 'prisco' refere-se ao que pertence a tempos antigos, ao passado.

prisioneiro da consciência *1.* Aquele que sente remorso. *2.* Pessoa que nunca esquece um deslize ou um mal por ela mesma cometido. *3.* Pessoa pressionada ou inibida diante de suas convicções políticas ou religiosas. V. "peso de consciência".
prisioneiro de guerra Pessoa (militar ou civil) que tenha sido capturada e presa no decurso de uma guerra.
pro forma *Lat.* Expressão latina que significa: "por mera formalidade".
pro labore *Lat.* Remuneração que se cobra por trabalho realizado para outrem, por pessoa sem vínculo empregatício com essa outra. Também se diz da retirada que um sócio faz na firma, para sua manutenção, enquanto aguarda o resultado final das atividades e a estipulação de quanto efetivamente lhe cabe dos lucros auferidos.
pro domo sua *Lat.* Significa: 'pela sua casa', *i.e.*, em defesa de seus próprios interesses *abr. pro domo.*

pro rata *Lat.* "Em rateio"; "na proporção de".
pro rata tempore *Lat.* Em rateio, considerado o tempo decorrido e a ele proporcional.
pro tempore *Lat.* Somente para o tempo presente; para o presente apenas.
probidade administrativa Honestidade e integridade no trato com coisas públicas.
proceder bem Comportar-se de modo normal e aceitável, irrepreensível. *Ant.* "proceder mal".
processador de texto *Inf.* Aplicativo eletrônico para redação e edição de textos, sua impressão e formatação, seleção de fontes, cores e variados outros recursos relacionados.
processamento de dados *Inf.* Tratamento de dados num sistema computacional, objetivando ordená-los, classificá-los, arquivá-los ou armazená-los; cuida, também, da entrada e saída de dados, de sua transformação, agrupamento e na produção de relatórios de controle, administração, processos etc.
procurador de causas perdidas Indivíduo de pouco préstimo e que pouco faz, fazendo crer que faz muito.
procurar a quadratura do círculo Querer o impossível.
procurar agulha em (no) palheiro *1.* Procurar coisa extremamente difícil de encontrar; realizar tarefa difícil, árdua, quase impossível. *2.* Perder o tempo.
procurar cabelo em ovo *V.* "procurar pelo em ovo".
procurar chifre em cabeça de cavalo Preocupar-se com coisas de somenos importância; fazer observações despropositadas. *Var.* "procurar sarna para se coçar".
procurar encrenca Comportar-se de forma a causar dificuldades ou perigos para si mesmo ou incômodos a outras pessoas. *Var.* "procurar briga".
procurar marido Tratar (a mulher) de se casar.
procurar minhoca no asfalto Perder tempo; fazer algo cuja possibilidade de sucesso é mínima; procurar algo extremamente difícil de ser encontrado.
procurar mulher Tratar (o homem) de se casar.
procurar o caminho de volta Voltar para casa, após frustrada tentativa de obter algo; desistir.
procurar pelo em ovo Procurar algo onde absolutamente não existe; algo impossível de encontrar; perda de tempo. *Var.* "procurar cabelo em ovo".
procurar sarna para se coçar Procurar algo que de antemão se sabe ser de difícil solução e que pode trazer muitos contratempos e aborrecimentos.
produção em massa Produção em grande escala, típica das indústrias modernas, em que se objetiva o barateamento do produto para alcançar maior número de consumidores e, ao mesmo tempo, vencer a concorrência.
Produto Interno Bruto Soma de todos os bens e serviços finais produzidos num país durante um ano. Muitas vezes diz-se apenas a sigla: PIB.
Produto Nacional Bruto *Econ.* Total da produção de bens e serviços num país em determinado período (normalmente 1 ano), deduzidos os gastos de depreciação dos ativos. Sigla: PNB.
produto primário Produto em estado natural, pronto para uso (consumo) ou para a produção de outros; matéria prima.
professor titular O mais alto cargo na hierarquia docente das universidades brasileiras.
profissão de fé *1.* Declaração pública em que se afirma uma crença religiosa, uma convicção política etc. *2.* O Credo (católico).
profissão liberal Profissão de nível superior que faculta ao profissional trabalhar sem vínculo empregatício, de forma autônoma e por iniciativa própria (*Aulete*). São exemplos de profissões liberais a medicina, a advocacia, a odontologia, a arquitetura, entre outras.
profissional liberal Diz-se daquele que pratica uma profissão liberal (*V.*).
profundas do inferno O mais fundo do inferno; a mais terrível situação.
profundidade de campo Em fotografia, é o alcance focal *i.e.*, os limites (entre a maior e menor distância entre a lente e o objeto visado) em que haverá nitidez na imagem, para cada distância focada e abertura de lente selecionada.
programa de computador Conjunto de instruções concatenadas, expressas em uma linguagem de programação, que um computador é capaz de executar para alcançar um determinado objetivo; *software*.
programa de índio Diversão ou tarefa cheia de dificuldades, penosa ou aborrecida.
proh pudor Lat. Ó vergonha!.
projeto de gente Pessoa de pequena estatura; criança.
projeto de lei Texto discriminativo contendo normas que podem vir a se tornarem

documento de caráter jurídico se aprovado pelo poder legislativo e sancionado pelo executivo e não conflite com a Constituição de um país.
promessa de político *Joc.* Algo difícil de se concretizar ou que jamais se realiza.

> *Embora não se possa, evidentemente, generalizar, tais promessas, sobretudo em ocasiões de campanhas eleitorais, são tidas como quimeras, eleitoreiras, ainda que atrativas.*

prometer largo e dar estreito Fazer promessa de vulto e dar muito menos do que o prometido.
prometer mundos e fundos Oferecer coisas extraordinárias com o intuito de atrair pessoas para suas ideias ou empreendimentos. *Var.* "prometer a Lua".
prometer o troco Anunciar revide, vingança; ameaçar vindita. *V.* "dar o troco".
promotor público Membro do Ministério Público que atua em diversas esferas do Juízo, entre estaduais e federais (incluindo tribunais), representando a comunidade através do poder constituído.

> *É na defesa do regime democrático e do perfeito ordenamento jurídico que o promotor público, às vezes denominado "procurador público", tem um de seus principais objetivos. Ao mesmo tempo, deve cuidar dos interesses coletivos e dos interesses individuais identificados como indisponíveis, como o da própria vida, que englobam aqueles direitos que o cidadão não pode dispor.*

pronto para vestir Confecção feita em tamanhos padronizados e que pode ser usada imediatamente ou mediante pequenos ajustes. *Var.* "pronto para usar". Em francês, diz-se *"prêt-à-porter"*.
propaganda enganosa Mensagem publicitária com informações total ou parcialmente falsas sobre um determinado bem ou serviço que estiver oferecendo e que podem induzir quem deles se utiliza a prejuízos e insatisfações.
proposição temerária *Teol.* Aquela que leva a induções contrárias à verdadeira doutrina.
propriamente dito Que apresenta o sentido exato e restrito da palavra.
propriedade privada Bens de qualquer natureza que não sejam de uso público, mas apenas de um indivíduo ou de um grupo deles.
propriedades físicas Qualidades naturais, inerentes, dos corpos; características dos materiais.
próprios nacionais Bens sob o domínio da União.

> *São também designados "próprios" os bens imóveis de propriedade dos estados (próprios estaduais) e dos municípios (próprios municipais).*

pros cocos *V.* "fazer pros cocos".
prós e contras Os argumentos favoráveis e desfavoráveis que os dois lados de uma questão apresentam.
prosa poética Obra em prosa em que, no todo ou em partes, há a invasão do "eu" do autor, introduzindo um ponto de vista lírico na narrativa (*Houaiss*).
protetor solar Substância para filtragem da radiação ultravioleta (UV), que se usa sobre a pele.

> *Os protetores solares, sob a forma de cremes e loções, são hoje considerados indispensáveis àqueles que se expõem diretamente à luz solar, principalmente para quem tem a pele clara. Sua função é filtrar os raios maléficos para a pele, especialmente os "UV", ou ultra violeta, potenciais causadores de câncer e envelhecimento precoce. Para a proteção extrema, usa-se o "bloqueador solar".*

prova cabal Prova definitiva, irrefutável.
prova de fogo Grande dificuldade por que se tem de passar; a prova definitiva, cabal.
prova de revezamento Competição, *ger.* de atletismo ou de natação, em que cada um dos participantes executa um trecho dessa competição.
prova dos nove Prova aritmética das quatro operações fundamentais.

> *Na adição, p.ex., consiste em somar todos os algarismos que compõem cada uma das parcelas de uma adição, dividindo o resultado por nove. O resto apurado deverá ser igual ao do que resultar da adição dos algarismos da soma, também dividida por nove. Aplica-se, também, essa prova a qualquer das quatro operações fundamentais.*

prova oral Arguição realizada em escolas, em alguns concursos e defesas de tese, sobre a matéria objeto da prova.
provar por a mais b Provar cabalmente, com rigor matemático.

provar por absurdo Supor como falsa uma verdade e demonstrar que dessa prova resultaria consequência impossível.
provar que cobra é elefante Tentar provar o impossível.
prover um cargo Nomear ou designar alguém para ocupar um cargo em uma organização.
província eclesiástica Circunscrição eclesiástica formada pela arquidiocese, dioceses sufragâneas e prelazias.
Próxima de Centauro Estrela da Constelação de Centauro, a segunda mais próxima do Sol. *V.* "Alfa de Centauro".
próximo a (de) Perto de; ao pé de.
próximo futuro Imediatamente seguinte; sucessivo.
próximo passado Que é o imediatamente anterior; último.
próximo pretérito Próximo passado; imediatamente anterior; último passado.
próximo vindouro Próximo futuro; imediatamente seguinte.
pt, saudações É o que se diz quando se quer encerrar um assunto ou discussão, deixando a entender que dele não se quer mais tratar.
publicidade enganosa Aquela que declarada ou sutilmente induz o consumidor a falsas avaliações do que se anuncia.
público cativo Conjunto de pessoas fiéis a ideias, tendências, costumes ou a personalidades públicas.
público e notório Já por demais conhecido por todos ou por grande parte das pessoas.
público fiel *V.* "público cativo".
pula esta parte Recomenda-se a propósito de assunto inoportuno, sobejamente conhecido ou controvertido.
pular (o) cambão Cometer adultério (diz-se *esp.* de mulher).
pular a cerca Praticar sexo extraconjugal; trair o/a esposo/a; cometer adultério.
pular carniça Brincadeira de crianças que consiste em saltar sucessivamente uns sobre os outros, apoiando as mãos sobre o dorso curvado de um dos participantes ou de seus ombros.
pular de alegria Dar saltos, em manifestação de alegria.
pular de galho em galho Não parar num lugar; não ter estabilidade.
pular na garganta de Agredir uma pessoa que o tenha ofendido.
pular uma fogueira Superar um obstáculo; contornar situação difícil, embaraçosa.
pulo do gato Detalhe importante que *ger.* não se revela e que designa uma maneira exclusiva de enfrentar e sair de uma situação que aparenta ser extremamente difícil.
punctum saliens Lat. O ponto principal (de uma questão).
punhalada nas costas *V.* "apunhalar pelas costas".
punica fides Lat. "Fé púnica". Traição.
punir de morte Aplicar a pena capital ou de morte.
pura e simplesmente Da maneira mais simples e normal; sem restrição nem modificação; tal qual; só. *V.* "puro e simples".
Pura perda! Inutilmente; em vão; sem resultado.
pura verdade Verdade incontestável.
pureza de linguagem Vernaculidade; correção no escrever ou falar.
purgar a mora Conservar (o devedor inadimplente) direitos contratuais e evitar a aplicação de uma pena, pagando a prestação vencida, os juros e demais encargos resultantes da inadimplência.
purgar os pecados Apagar pela penitência as faltas cometidas.
purgatório em vida Vida trabalhosa, difícil, sofredora.
puro de Isento de.
puro de origem Diz-se, *esp.*, de animais de criação (notadamente bovinos) originários de raça pura, sem cruzamentos com outras. Para designá-los, usa-se, comumente, apenas a sigla "PO". *V.* "puro por cruza".
puro e simples Sem restrições nem modificações; da maneira mais chã, natural; sem rodeios; sinceramente. Diz-se também: "pura e simplesmente".
puro por cruza Designação que se dá a animais (bovinos) que, embora originários de cruzamentos sucessivos, *esp.* de duas raças, apresentam características muito próximas às de uma delas. São conhecidos pela sigla "PC". *V.* "puro de origem".
Puto da vida *Ch.* Zangado.
Puxa vida! Expressão de surpresa, de desapontamento.
puxação de saco Bajulação; adulação exagerada.
puxado à substância Correto, perfeito, elegante, substancioso, vigoroso, forte. *Var.* "puxado a sustância".

Sustância = Vigor, força, robustez.

puxador de samba Cantor solista de samba-enredo, que sustenta a melodia durante os desfiles das escolas de samba.

puxador de terço *Catol.* Pessoa que alterna com o grupo as orações do terço (rosário).
puxar a alguém Ter as características hereditárias de alguém: *Ex.: puxar ao avô nisso ou naquilo.*
puxar a brasa para sua sardinha Procurar suas conveniências; cuidar de seus interesses, antes de tudo.
puxar a corda Dar a decisão final; realizar o ato final; encerrar o assunto.
puxar a escada Atrapalhar a ação, o projeto de alguém. *Var.* "puxar o tapete".
puxar a trouxa Morrer.
puxar aos seus O *m.q.* "ter a quem puxar".
puxar as orelhas Passar uma reprimenda; dar um pito. *Var.* "pegar pelas orelhas".
puxar assunto O *m.q.* "puxar conversa".
puxar conversa Procurar manter ou entabular conversação com alguém, utilizando todos os meios ao alcance. *Var.* "puxar assunto".
puxar da bolsa Pagar despesas; despender dinheiro.
puxar da cachimônia Pensar muito; raciocinar; recorrer à inteligência para resolver um assunto, um problema.

Cachimônia = 1. Paciência; calma. 2. Cabeça, juízo.

puxar de uma perna Coxear; capengar.

puxar do bestunto Refletir, pensar; tentar lembrar-se.
puxar fogo Beber demasiadamente; embriagar-se; fumar drogas ilícitas.
puxar o freio de mão Diminuir o ímpeto, o ritmo das atividades ou do andamento de uma tarefa, de um projeto.
puxar fumo Fumar maconha e/ou outros entorpecentes.
puxar o pé *1.* Andar depressa. *2.* Dar o tombo, *i.e.*, causar o fracasso de outro. *Var.* "puxar a perna".
puxar o tapete Tirar de outrem as condições para prosseguir trabalhando em seu objetivo; atrapalhar a ação de alguém.
puxar os fios Manipular (como marionetes); manobrar.
puxar pela bolsa Despender, gastar; pagar uma conta.
puxar pela língua de Levar alguém a dizer ou a revelar algo que se deseja saber.
puxar pela memória Procurar lembrar-se de algo.
puxar pela orelha da sota Ser viciado no jogo de cartas.
puxar pelo pé Apressar a marcha.
puxar saco de (alguém) Bajular (alguém); adular servilmente. Neste caso, o bajulador é chamado de "puxa-saco".
puxar uma palha Dormir; cair no sono. *Var.* "puxar palha".

Q

quadra de ases No jogo de baralho (no pôquer, *p.ex.*), ter quatro ases na mão é um dos principais trunfos.
quadra do ano Quaisquer das quatro estações do ano.
quadra quadrada Medida agrária usada no *RN* equivalente a 17.424 m^2 e a 48.400 m^2 (alqueire mineiro) no *MA* e no *PI*.
quadra risonha da vida A mocidade.
quadrado mágico *V.* "ábaco mágico".
quadratura do círculo Construção de um quadrado igual em área à de um círculo dado.

> *Este é um problema de impossível solução pela via geométrica, usando apenas régua e compasso em um número finito de etapas.*

quadrilha de cães Matilha (de cães de caça).
quadrilha de ladrões Horda de salteadores liderados por um cabeça e cujo mister é o roubo e o latrocínio.
quadro vivo Representação de certas cenas históricas ou populares, de episódios ou alegorias, efetuada por pessoas nas atitudes ou posições que o assunto requer.
Quais são as últimas? O *m.q.* "O que há de novo?".
Qual é a sua? Pergunta que se dirige a uma pessoa indagando qual seria, de fato, sua opinião, sua posição a respeito de determinado assunto.
Qual é o babado? *Pop.* O que está acontecendo? O que aconteceu? O que você(s) está(ão) mexericando (fofocando, intrigando, enredando)?

> *Babado* = 1. *Mexerico; fofoca; fuxico.* 2. *Conversa-fiada.*

Qual é? Usada isoladamente, indica estranheza, surpresa.
Qual é o macete? Como, qual a estratégia, o recurso que se utiliza ou o truque que se usa para conseguir (tal) coisa?
Qual história! Exprime dúvida ou reprovação.
Qual história, qual nada! Expressão que denota incredulidade ou negação.
Qual nada! Qual história! Usa-se quando se contesta a afirmação feita por outrem e, de um modo geral, acrescentando algo, numa frase seguinte. *Var.* "Qual o quê!"
qual não foi... Exprime afirmação antes que negação. Diz-se, *p.ex.*: *Qual não foi meu espanto...*; quando se quer dizer: *Foi grande o meu espanto...*
Qual o tamanho de um pedaço de corda? Expressão usada para enfatizar a dificuldade de dar resposta a uma determinada questão. O *m.q.* "minha avó tem uma bicicleta".
qualidade de vida Equilíbrio nas condições sociais e ambientais (falando de seres vivos); padrão de vida satisfatório em face de parâmetros estabelecidos.
qualquer coisa *MG* No início de uma frase, utiliza-se a expressão para introduzir uma possível necessidade ou casualidade: *Ex.: Qualquer coisa eu ligo para você e lhe pergunto*.
qualquer dia desses Num dia futuro, não determinado, mas próximo.
qualquer dos dois Um ou outro dentre os dois; sem preferência; à escolha.
qualquer estudante sabe Expressão usada para desafiar ou humilhar alguém a quem se propôs uma questão.
qualquer que Seja este ou aquele; como quer que.
qualquer que seja Não importa qual; qualquer um; indiferente.
qualquer um Qualquer pessoa ou coisa, não importa qual; quem quer que; o que quer que.
quand même *Fr.* Apesar dos pesares; mesmo assim; em qualquer hipótese.

quando a poeira baixar Quando as coisas (ou pessoas) se acalmarem; dar tempo ao tempo.
quando acaba Além de tudo; além do mais; ainda por cima; em conclusão.
quando as galinhas criarem dentes Nunca, jamais.

> *Há expressões equivalentes em outros idiomas, como esta em inglês:* "When two Sundays come together".

quando de Por ocasião de.
quando em quando De quando em vez; de quando em quando.
quando for o caso Se tal acontecer.
quando menos Ao menos, pelo menos.
quando menos se espera De repente; inopinadamente; surpreendentemente. Diz-se também: "quando menos esperar".
quando muito Se tanto; na melhor das hipóteses.
quando nada No mínimo; na pior das hipóteses.
quando não Do contrário; em caso contrário; se não for assim.
quando quer que Em todo ou qualquer tempo que.
Quanta honra para um pobre marquês! Frase carinhosa e festiva com que agradecemos um favor insignificante ou uma visita inesperada.
quantia ridícula Irrisória; pequeníssima.
quantidade bastante Quantidade suficiente para algo. V. *"quantum satis"*.

> *O uso da expressão é comum nos receituários médicos ou na indicação dos componentes de um medicamento, sobretudo com relação ao veículo (inócuo) utilizado para compor a fórmula. Nesse caso, costuma-se abreviar a expressão:* "qs" *ou* "q.s.".

quantidades imaginárias Aquelas que não podem ser concebidas como realmente existentes.
quanto a Relativamente a; acerca de.
quanto antes Sem perda de tempo; o mais depressa (breve) possível; quanto mais cedo.
quanto antes melhor Quanto mais cedo melhor; quanto antes.
quanto baste Expressão usada abreviadamente em receitas médicas para indicar a dose necessária ou suficiente de determinados componentes complementares da fórmula do medicamento. *Abr.* q.b.
quanto mais Expressão que dá ideia de algo ser menos provável, possível e imaginável que outra referida. Pode ser substituída por "nem". *Var.* "que dirá".
quanto mais melhor Expressão usada quando a quantidade de alguma coisa ou a frequência com que ocorre são bem-vindas.
quanto pior melhor *1.* Diz-se quando se julga que as coisas, para terem solução, têm de piorar ao extremo. *2.* Diz-se com referência ao desejo de quem não é responsável por um processo, projeto, política etc. de que tudo vá mal, comprometendo, assim, o concorrente ou adversário que conduz o processo.
quantum satis *Lat.* O suficiente; o estritamente necessário. Diz-se, também: *"quantum sufficit"*. V. "quantidade bastante".

> *A expressão costuma ser empregada nas receitas médicas, abreviadamente:* QS *ou* qs.

quarta da ponta A junta de bois que vai perto da ponta do carro.
quarta de final *Esp.* Num torneio disputado por eliminação, etapa em que se realizam quatro jogos, com oito times buscando a classificação às semifinais.
quarta dimensão *Fís.* A dimensão tempo no complexo tetradimensional espaço-tempo (tempo, além de comprimento, largura e altura).
Quarta-feira de Cinzas O primeiro dia da Quaresma, imediatamente posterior à Terça-feira de carnaval (Terça-feira Gorda).
quarta-feira de trevas *Rel. Catol.* A quarta-feira da Semana Santa, em que o ofício divino prescreve a celebração do ofício de trevas. Também se diz apenas trevas.
quarto crescente Fase da Lua que sucede a lua nova e precede a lua cheia. Diz-se, também: "primeiro quarto".
quarto de despejo Cômodo onde se colocam coisas provisórias ou definitivamente inservíveis.
quarto e sala V. *"sala e quarto"*.
quarto minguante Fase da Lua que sucede à lua cheia e precede a lua nova.
Quarto Mundo *1.* O conjunto de países, nações e/ou Estados considerados presentemente pouco viáveis política, social e/ou economicamente. *2.* Conjunto da população de miseráveis dos países pobres.
quarto poder A imprensa de um modo geral (falada, escrita e televisionada), levando em conta quanto pode ela influir junto à opinião pública.

quase nada Próximo de nada ou muito próximo.
quase o mesmo Não muito diferente; praticamente igual.
quase que 1. Por assim dizer; verdadeiramente. 2. Na beira de; na iminência de; por um pouco não.
quase sempre As mais das vezes; na maioria dos casos; ordinariamente.
quase, quase O *m.q.* "por um triz"; num instante.
que a terra lhe seja leve Palavras que se dizem aludindo aos mortos, desejando-lhes a paz eterna.

> *Em latim se diz:* "Sit tibi terra levis!", *e a sigla STTL era usada em epitáfios. Também existe em francês:* "Qui la terre te soit legère!".

Que apito é que ele toca? Indagação que se faz – dirigindo-se a uma terceira pessoa – quando se quer saber a profissão de alguém a quem não se quer perguntar diretamente. *Var.* "Quem é ele?" "O que ele faz?".
Que ares o trouxeram? Expressão que designa surpresa e, ao mesmo tempo, satisfação pela presença de alguém que não se esperava e que se não via há algum tempo. *Var.* "Que bons ventos o trouxeram?".
Que azar! Lamento pela falta de sorte.
Que bagunça Indicativo de desordem; chamar a atenção pela desordem.
Que bicho te mordeu? Diz-se estranhando o comportamento de alguém que se mostra amuado ou irritado sem que se atine com a causa.
Que careta! Exclamação que se usa para criticar alguém por algo que tenha usado/feito, considerado fora de propósito, fora de hora.
Que chateação! Exclamação diante de algo que incomoda. *Var.* "Que maçada!".
que de Expressão de indefinição e/ou partição; quanto.
Que diabo é isso? Expressa espanto, surpresa.
que é bom Que seria uma boa solução; que seria recomendável (como na exclamação "Isso é que é bom!").
Que é de? Nesta expressão subentende-se a palavra "feito", "Que é feito de?", Onde está?, Aonde foi?, Cadê?. *Pop.* Quede?
Que é feito de você? Por onde você tem andado que há muito não o vejo?
Que é feito de? O que sucedeu a? Que destino teve?

Que é que há com o seu peru? *Pop.* Pergunta que se dirige a pessoa que está triste, acabrunhada, amuada, estranha, querendo saber o motivo.
Que é que há? Que sucede (sucedeu)?
Que esperança! Qual o quê! Qual nada! Nunca! Duvido!
Que fim levou? Expressão que indaga qual seria o paradeiro de determinada pessoa ou objeto que há muito não se vê ou que se procura.
Que hei de fazer? Resposta de quem se conforma de não poder alcançar algo ou que, isso manifestando, clama por sugestão ou ajuda.
Que ideia! Expressão de estranheza pela ideia manifestada por alguém.
que leve o diabo Exclamação de impaciência, desespero, desprezo, aversão.
Que mais? Mais alguma coisa?
Que milagre! Diz-se em tom de surpresa e com uma certa ironia ao perceber que alguém fez algo que não se esperava que fosse capaz.
Que nada! Contestação a uma afirmativa.
que não é (foi) vida Grande quantidade.
que nem Mais do que; tal como; tal qual.

> *Alguns filólogos condenam o uso dessa locução, embora de uso arraigado no Brasil.*

que ninguém nos ouça Expressão que traduz inconfidência entre pessoas que dizem algo sobre acontecimentos relacionados a outras.
Que o diabo o leve. Expressão de impaciência, desespero, desprezo, aversão.
Que os anjos digam amém. Oxalá isso aconteça!
Que papelão! Diz-se de uma pessoa que faz algo ridículo ou vergonhoso.
Que raio! Expressão enfática que denota certa irritação ou restrição: *Que raio de papel é este?*.
Que remédio! Que fazer? Conformidade diante da certeza de que não há alternativa.
Que saco! Expressão que enfatiza enfado; desconforto; irritação.
que se dane(m) 1. Exprime desânimo, descaso, repugnância. 2. Usada, também, para desejar mal a outro(s). *Var. Ch.* "que se foda(m)".
Que sei eu? *V.* "Eu sei lá?"
que só Como; que nem. *Ex.:* É sabido que só...
que só ele Como ele só; como ninguém mais. *Var.* "como ele só".

que se foda(m)

que se foda(m) *Ch.* O *m.q.* "que se dane(m)".
que tal (?) *1.* Da mesma espécie, forma, natureza etc. *2.* Expressão que se usa para pedir à(s) pessoa(s) com quem se fala opinião a respeito de algo. Diz-se no lugar de: "Gostaria de sugerir..."; "Gostas?"; "O que você acha?"; "Que lhe parece?" e "Como tem passado?".
Que vantagem Maria leva? É expressão com que se argui sobre a conveniência de proposta que nos fazem, cujos benefícios não pudemos ainda perceber ou nos pareceram insuficientes.
Que vergonha! Diz-se de ação ou fala vexatória.
quebra de milho Colheita manual das espigas de milho.
quebra de serviço Vitória obtida num *game* em que o serviço pertenceu ao adversário.

> Game = Série de pontos disputados numa partida de tênis. / Serviço = Em certos jogos, tais como tênis, pingue-pongue etc., o saque ou série de saques.

quebra de sigilo bancário Averiguação, feita por autoridade governamental especialmente autorizada pela Justiça, da movimentação financeira realizada por determinada pessoa na rede bancária.
quebra fraudulenta Falência na qual ocorreu algum tipo de fraude; quebra (insolvência) ilegítima.
quebra mas não verga Posição inflexível diante de uma situação; intransigência.
quebrada da tibieza Diz-se da água morna.
quebrar a banca Ganhar tanto dinheiro no jogo que o banqueiro não pode mais sustentar a banca, pagando as apostas. *Var.* "abafar a banca".
quebrar a cabeça Raciocinar, pelejando para solucionar um assunto intricado; refletir demoradamente; pesquisar detidamente.
quebrar a cabeça de Bater em alguém; surrar.
quebrar a cara *1.* Não alcançar o que esperava. *2.* Passar vergonha ou vexame. *3.* Socar a cara de alguém; esbofetear.
quebrar a castanha Impor derrota fragorosa, significativa.
quebrar a castanha de *N.E./S.* Tirar a fama a (alguém); humilhar, vencer.
quebrar a esquina Indo por uma rua, virar em direção a uma outra confluente.
quebrar a munheca Embriagar.

> Munheca = Parte da mão em que ela se liga ao braço; o punho. A expressão talvez derive do fato de o bêbado poder estar com as mãos trêmulas ou bambas por efeito do álcool.

quebrar a promessa Deixar de cumprir o que se prometeu; falhar no cumprimento de compromisso assumido.
quebrar a tigela Usar pela primeira vez uma roupa ou um objeto qualquer; quebrar a panela.
quebrar a tira Morrer.
quebrar lanças por Pugnar por, ajudar (alguém); lutar, esforçar-se.
quebrar o encanto Tirar-lhe o efeito. *Var.* "quebrar o encantamento".
quebrar o gelo Dissipar o acanhamento; fazer desaparecer a frieza no relacionamento entre as pessoas.
quebrar o jejum *1.* Interromper o jejum comendo ou bebendo. *2.* Tomar a primeira refeição do dia. *3.* Conseguir, afinal, algo que há tempos não conseguia. *Var.* "quebrar o torto".
quebrar o pau Discutir acirradamente; brigar com violência.
quebrar o pote Parir.
quebrar o tabu Romper com crendices consolidadas; demonstrar a inconsistência delas.
quebrar o torto Comer algo enquanto se aguarda a refeição principal. *Var.* "quebrar o jejum".
quebrar o/um galho Resolver uma situação difícil; achar solução transitória; resolver ou ajudar a resolver uma pequena dificuldade. *Var.* "quebrar um galho".
quebrar os grilhões Libertar-se; romper as cadeias.
quebrar promessa Não cumprir promessa.
queda de barreira Deslizamento de terra, geralmente ocasionado por fortes chuvas, que impede o trânsito nas estradas.
queda de braço *1.* Disputa que dois contendores fazem apoiando os cotovelos, com os braços dobrados, sobre uma mesa, dando-se as mãos. Vence quem conseguir encostar o antebraço do adversário na mesa. *2.* Briga.
queda livre *1.* Queda de um corpo no espaço sem ser dirigido ou controlado. *2.* Diz-se, também, quando uma moeda se desvaloriza rapidamente ou quando a inflação diminui acentuadamente etc. *3.* Diz-se de qualquer declínio acentuado e rápido.
quedo e quedo Devagar, pausadamente, mansamente.
queijo de Minas Tipo de queijo bem conhecido em todo Brasil, feito de leite de vaca,

de massa crua esbranquiçada, apresentado em forma cilíndrica; queijo canastra; queijo do Serro; queijo Minas.

queima de arquivo V. "queimar o arquivo".

queima de estoque Liquidação de estoque, ocasião em que se oferecem produtos com preços reduzidos.

queimar a largada Numa competição atlética, saída em falso ou não coincidente com o sinal de autorização.

queimar a língua Vilipendiar alguém e vir a ser desmentido em suas acusações e insinuações.

queimar a mufa Realizar extraordinário esforço (*esp.* mental) para alcançar algo.

> É chamada de mufa ou mufla a caixa onde ficam os interruptores gerais de instalações elétricas, inclusive nos postes de rua.

queimar as bruxas Eliminar o foco ou a pretensa fonte de um mal ou dificuldade.

queimar as pestanas Debruçar-se sobre os livros; estudar muito e aplicadamente; estudar um determinado assunto exaustivamente.

queimar campo Mentir muito.

queimar etapas Avançar nos procedimentos necessários para alcançar um objetivo.

queimar incenso a alguém Bajular; adular.

queimar no golpe Não ir na conversa; zangar-se.

queimar o arquivo Tirar a vida de alguém, principalmente de uma testemunha de crime, para evitar seu depoimento.

queimar o filme *1.* Ocasionar interrupção, fracasso ou desenlace de. *2.* Divulgar os erros e os enganos de outrem (pessoa, instituição etc.). *3.* Perder uma boa oportunidade ou deixar de cumprir um compromisso.

queimar o pavio Dar início a uma ação, a um trabalho.

queimar o último cartucho Fazer uma última tentativa visando a conseguir atingir determinado objetivo.

queimar pestanas Estudar muito. *Var.* "queimar as pestanas".

queimar rodinha Ser pederasta passivo.

queimar vela nas duas pontas Fazer algo absurdo, inusitado ou sem propósito. *Var.* "acender vela nas duas pontas".

queimar-se nos olhos de Enamorar-se de.

queira Deus Se assim Deus quiser. Diz-se, também: Deus queira! Tomara! Oxalá! Provera a Deus! Quem dera!

queira ou não queira De qualquer modo, mesmo contra a vontade; de um jeito ou de outro; quer queira, quer não.

A propósito, há os correspondentes em francês "bon gré mal gré" *e* "de gré ou de force", *em inglês,* "whether willing or not willing" *(i.e.,* "willy-nilly"*), e em latim,* "nolens, volens".

queixar-se ao bispo Locução tradicional com o significado, agora irônico, de menosprezar os queixumes de alguém ou de não ligar importância a eles; deixar de importunar. V. "vá amolar o boi".

queixo caído Embasbacamento; admiração; extrema surpresa. (Estar ou ficar de queixo caído é ficar pasmo, perplexo, admirado.)

queixo de vidro Diz-se a propósito de um lutador (boxe) que fica inconsciente facilmente quando lhe acertam o queixo.

quem de direito A pessoa investida de poder ou de autoridade.

Quem dera! Oxalá! Queira Deus! *Var.* "Quem me dera!"

Quem diria! Expressão de surpresa.

Quem está na chuva é pra se molhar. Diz-se quando, em plena atividade, a pessoa justifica a aceitação das dificuldades que advêm, diante de sua determinação em completar o trabalho.

Quem me dera! Locução que denota desejo: "Seria tão bom!".

quem quer que Alguém; seja quem for; não importa quem.

Quem quer uste, que lhe custe. Quem quiser benefício, esforce-se para obtê-lo.

Quem sabe...? Denota dúvida; talvez.

Quem sou eu! Locução mais exclamativa que interrogativa, cujo uso denota certa humildade de quem não aceita elogios ou estímulos por algo que fez ou que irá fazer, por julgar não os merecer ou por não ser capaz de realizá-los ou alcançá-los.

Quem te viu e quem te vê. Diz-se a respeito de quem não era nada e de uma hora para outra passou a ser importante ou de quem passou de uma situação ou posição inferior para uma (bem) melhor.

Quem vier atrás que feche a porta. Deixar que os sucessores se arranjem como puderem; demonstrar irresponsabilidade. *Var.* "quem sair por último apague a luz".

quer chova, quer faça sol Em qualquer situação ou circunstância.

quer dizer Forma popular de "querer dizer"; aliás; melhor dizendo. V. "isto é".

quer goste ou não Sem respeitar sua opinião; independentemente de sua opinião.

quer mais claro, ponha-lhe água Mais claro não pode existir. Trata-se de expressão irônica.

quer queira, quer não *V.* "queira ou não queira".
quer sim, quer não Pouco me importa; é-me indiferente.
querer a cabeça de Desejar que alguém seja condenado ou que venha a estar sob seu comando ou domínio a fim de lhe aplicar algum corretivo ou castigo, ou de simplesmente entregá-lo à Justiça.
querer abarcar o mundo com as pernas Ter ambição desmedida; querer fazer tudo sozinho; querer tudo ao mesmo tempo. *Var.* "querer abarcar o céu com as pernas".
querer aparecer É o que leva uma pessoa a procurar aproximar-se de pessoas em evidência ou de estar presente em acontecimentos importantes, para ser notada e, assim, angariar amizades e relacionar-se com as pessoas visando vantagens pessoais.
querer bem a Gostar de; ter afeição por.
querer chegar a Tencionar, pretender.
querer contar as estrelas Perder tempo; querer algo impossível.
querer crer Admitir, acreditar.
querer distância de Negar-se a tomar conhecimento de algo, aproximar-se ou travar relações com alguém.
querer dizer Ter a intenção de dizer; ser sinônimo de; significar; equivaler a.
querer engolir (alguém) Ter ganas de surrar ou de matar (alguém).
querer ensinar o pai-nosso ao vigário Pretender dar lições a quem delas não necessita por conhecê-las bem.
querer mal a Desejar que aconteçam males a; ter ódio a.
querer o céu e a terra Ter ambição ou desejo desmedido, além do razoável ou possível.
querer que um raio caia sobre (a)/ minha cabeça se... Usada quando acreditamos firmemente que determinada ação (que complementa a sentença) não acontecerá: "Quero que um raio caia sobre minha cabeça se ele vier."
querer saber de Discutir ou pesquisar em profundidade; examinar detidamente; interessar-se por.
querer ser mais pintado do que os outros Ser pretensioso, vaidoso; reivindicar privilégios sem merecê-los.
querer tapar o sol com a peneira Querer encobrir algo que todo mundo já sabe; querer remendar um malfeito com desculpas ou medidas modestas, inócuas.
querer tirar leite de pato Tentar fazer o impossível.
querer tirar o aço do espelho Passar muito tempo a mirar-se; ser muito vaidoso; narcisista.
querer uma no saco e outra no papo Desejar duas coisas ao mesmo tempo; ser ambicioso.
querer ver a caveira de alguém Desejar ver alguém morto ou fracassado, desprezado, humilhado.
quero que vá tudo pro inferno Expressão de raiva, impaciência ou desilusão.
questão aberta Problema, discussão ou assunto não encerrado e cuja participação é granjeada a todos os presentes.
questão de Cerca de; mais ou menos; aproximadamente; coisa de.
questão de consciência Aquilo que somente a própria consciência da pessoa pode decidir ou que só a ela afeta.
questão de Estado Assunto da competência do governo.
questão de família Desavenças domésticas.
questão de fato A que versa sobre a existência de um sucesso ou ação.
questão de forma Mera rotina.
questão de honra Situação que envolve a honorabilidade atingida.
questão de jeito Assunto que se resolve apenas com um jeito especial, dependente de certas habilidades e estratégias.
questão de lana-caprina Questão frívola, sem valor. *V.* "de lana-caprina".
questão de opinião Divergências que se não conciliam e que, mesmo assim, se encerram, mantendo cada qual sua própria opinião a respeito do assunto em pauta; algo que não está claramente comprovado e que passa a ser o julgamento de alguém.
questão de ordem Em assembleias deliberativas, aquela que regulamenta e encaminha os trabalhos, os debates, os agendamentos de intervenções e participações nas discussões regimentais.
questão de somenos Assunto de pouca ou nenhuma importância; ninharia.
questão de tempo A que só no futuro encontra solução.
questão de vida ou morte Questão crucial, de suma importância, urgente. *V.* "jogo de vida ou morte".
questão fechada A que já tem uma solução que não admite alteração.
questão vital Questão de vida ou morte; importantíssima; de que depende uma vida.
Qui novi? *Lat.* O que há de novo? Quais são as últimas? Quais as novidades? Em francês, "*Quoi de nouveau?*".
Quid inde? *Lat.* E daí? E então? Qual a consequência disso?

quid pro quo *Lat.* Expressão latina incorporada à língua portuguesa como "quiproquó"; significa "bate-boca", discussão, *ger.* motivada por equívoco ou erro de compreensão de uma palavra ou frase.
Quieta non movere. *Lat.* Não mexer no que está quieto.
quieto como um santo Muito sossegado.
quilômetro por hora *V.* "metro por segundo".
quinta-feira maior A quinta-feira da Semana Santa.
quinta roda do carro Coisa supérflua; coisa estranha.

> Obs. *Há quem designe assim o estepe, ou seja, o conjunto roda-pneu sobressalente.*

quintos dos infernos Lugar horrível, para onde se manda alguém, como xingamento.

> *Diz Napoleão Mendes de Almeida (Dicionário de Questões Vernáculas) que, segundo Bernardes, quatro eram os infernos. O xingador, querendo ser mais enfático ainda, criou o quinto.*

Quo vadis? *Lat.* "Aonde vais?".

> *Vem de uma pergunta que, segundo a lenda e a tradição cristãs, teria sido feita por Cristo a São Pedro, ao encontrá-lo saindo de Roma pela Via Ápia, em fuga da perseguição de Nero. São Pedro, diante da pergunta, teria caído em si e retornado a Roma para cumprir sua missão.*

quociente de inteligência *Psic.* Proporção entre a idade mental de um indivíduo, apurada segundo alguma medida e a inteligência média para sua idade. O valor assim apurado multiplica-se por 100; coeficiente de inteligência. Sigla: QI.

> *Considera-se, de modo geral, que a debilidade mental começa com o índice abaixo de 70 e a inteligência superior, com o QI acima de 130. O quociente de inteligência é questionado por muitos como método de medição. Para estas pessoas, a inteligência é mais complexa do que um teste matemático possa mensurar e não atesta, por exemplo, o que se denomina "inteligência emocional".*

quociente eleitoral Numa eleição proporcional, resultado da divisão do número de votos válidos pelo número de cadeiras em disputa.
Quod abundat non nocet. *Lat.* O que abunda não prejudica.
Quod dixi, dixi. *Lat.* O que eu disse, disse (está dito). Usa-se para indicar firmeza de decisão ou atitude.

> *Frase com que Pilatos responde aos sacerdotes que lhe pedem que altere os dizeres da inscrição sobre a cruz de Jesus, retirando a expressão "Rei dos Judeus".*

Quod erat demonstrandum. (QED) *Lat.* A questão foi ou está resolvida.

> *Em português, temos o equivalente: "como queríamos demonstrar (c.q.d.)" (V.)*

Quousque tandem? *Lat.* Até quando?

> *Palavras iniciais de discurso de Cícero contra Catilina no Senado romano, revelando sua impaciência.*

R

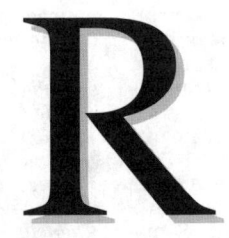

rabanada de vento Rajada de vento forte, súbita e de pouca duração.
rabo abanando o cachorro Diz-se da inversão da ordem natural; os fatos caminhando às avessas.
rabo de foguete Questão ou problema de difícil solução; dor de cabeça.
rabo de palha *1.* Restrições à honra, à reputação de alguém, *ger.* a partir do histórico da pessoa. *2.* Os fatos ou situações ou suspeitas que servem de base a essas restrições.
rabo de peixe Assim se denominavam alguns automóveis produzidos na década de 1950, cuja parte posterior se alongava à semelhança de um rabo de peixe.
rabo de saia Epíteto referente à mulher.
rabo entre as pernas Humilhado, acovardado, derrotado.
rabo preso Diz-se "estar com o rabo preso" em referência a alguém que se encontra em situação embaraçosa, preso a compromisso inarredável, ou envolvido com algo que lhe condiciona as ações e não lhe permite ação independente. *V.* "beco sem saída". *Var.* "rabo na cerca". *V.* "estar com o rabo preso".
raça irritadiça *Lat.* "*Genus irritabile*". Antonomásia dos poetas e escritores.

> *Expressão cunhada por Horácio (Quintus Horatius Flaccus [65-8 a.C.]), poeta latino, relativa aos poetas, usada, p.ext. em relação aos literatos em geral.*

rachar as despesas Repartir proporcionalmente entre os convivas as despesas feitas, especialmente num bar, num restaurante.
rachar de ganhar dinheiro Ter um negócio muito lucrativo.
radical chique Termo com que se identificam os que, gozando de padrão de vida elevado, abraçam causas político-sociais radicais, mas não se comprometem com elas.

> *Em 1970, o jornalista norte-americano Tom Wolfe criou o termo para descrever atitudes de membros da alta sociedade e celebridades que se apresentavam como partidários de movimentos político-sociais radicais, prestigiados por grande número de intelectuais durante as duas décadas anteriores. No entanto, esses novos adeptos, sem demonstrarem comprometimento real com tais movimentos, continuavam a frequentar com a mesma desenvoltura os ambientes mais refinados da alta sociedade, que, de certa formas os admirava devido a isso.*

raiar do dia A aurora; o nascer do dia.
rainha da cocada preta *V.* "rei da cocada preta".
rainha dos ares A águia.
raio de ação Distância em torno de um ponto que marca o limite de influência ou alcance de algo.
raio de eloquência Diz-se de orador veemente, que fulmina os contendores com o vigor de sua argumentação.
raio de esperança Numa situação difícil, o vislumbre de uma solução, ainda que não imediata.
Raios (que) o partam! Locução interjetiva que denota impaciência com alguém ou por alguma coisa.
ramo de oliveira Símbolo de paz ou de desejo de alcançá-la.
rampa de lançamento Plataforma inclinada, fixa ou móvel, destinada a lançar um barco do estaleiro ou foguetes, mísseis, sondas, espaçonaves etc.
rancho carnavalesco Bloco carnavalesco que outrora saía nas ruas do Rio de Janeiro, desfilando ao som de marchas próprias e acompanhando carros alegóricos.
rapar os pés à porta Não tornar a aparecer na casa onde se tinha entrado.
rápido e rasteiro De modo cabal, imediato, direto.

Raposa do Deserto Antonomásia do marechal de campo alemão Erwin Rommel (1891-1944), devido ao seu sucesso na campanha do norte da África, na Segunda Guerra Mundial (1939-1945).
raposa velha Diz-se da pessoa vivida, experiente, que não se deixa lograr.
raro em raro Raramente; de raro em raro; ocasionalmente.
rasgados elogios Elogios exagerados.
rasgar a fantasia Mostrar a verdadeira face de sua personalidade, depois de haver tentado dissimulá-la.
rasgar o jogo Jogar forte, com coragem.
rasgar o peito Cantar alto e forte.
rasgar o verbo Falar abertamente, com eloquência. V. "deitar fala".
rasgar o véu 1. Desvestir-se. 2. Apresentar-se sem disfarce; apresentar-se sem nada esconder.
rasgar seda Desmanchar-se em amabilidades, em elogios.
rasgo de eloquência Brilhantismo no discurso.
rasgo de generosidade Generosidade desmedida e às vezes surpreendente; momento, impulso de ajudar os outros à larga.
raspa do tacho 1. Diz-se do que restou no tacho após nele ter sido feita uma iguaria. 2. O caçula de uma família, transmitindo-se a ideia de que esse foi ou será o último filho.
raspar a garganta Pigarrear. Var. "raspar a goela".
raspar o fundo do tacho Utilizar o último recurso; dispor do último tostão.
rasteira em cobra Algo difícil ou impossível de acontecer.
rato de biblioteca Indivíduo maníaco por investigações bibliográficas em livrarias, bibliotecas e arquivos.
rato de cartório Rábula.
rato de feira Ladrão que age nas feiras livres.
rato de hotel Ladrão que atua nos hotéis.
rato de praia 1. Frequentador assíduo de praias. 2. Ladrão oportunista que age em praias, aproveitando-se da distração dos frequentadores.
rato de sacristia 1. Homem que anda sempre pelas sacristias e igrejas mas cuja moralidade é duvidosa; falso beato. 2. Pessoa assídua à igreja e que colabora ativamente com o pároco e com os movimentos pastorais.
rato pelado Indivíduo manhoso, finório, sabido.
rato sábio Indivíduo pedante, com pretensões a erudito; sabichão.

ratos do deserto Soldados da 7ª Divisão Blindada do Exército britânico na campanha no norte da África, na Segunda Guerra Mundial (1939-1945).
razão áurea Constante real algébrica irracional equivalente a 1,61803399.

> *Também conhecida como proporção áurea, razão de ouro, número de ouro ou divina proporção, entre outras denominações, pode ser obtida através de desenvolvimento matemático. O que, no entanto, torna esta constante tão famosa, e para alguns místicos até mágica ou de origem divina, é o fato de poder ser observada na própria natureza. A razão áurea é constatada, por exemplo, no DNA, no comportamento da refração da luz, nas vibrações sonoras, no crescimento das plantas, nas espirais das galáxias, nas ondas no oceano, no comportamento dos furacões e nas próprias proporções do corpo humano. A relação com o nosso corpo, a propósito, já era do conhecimento de artistas da Antiguidade, como comprovado na obra de Fídias (c.490-c.430 a.C.). Este arquiteto grego aplicou o número de ouro na definição das proporções do Parthenon, na acrópole de Atenas, no que foi seguido por incontáveis arquitetos e artistas ao longo da história, incluindo o multifacetado artista e inventor italiano Leonardo da Vinci.*

razão de Estado Consideração de interesse superior, que se invoca num Estado, quando se praticam certos atos opostos à lei, à justiça; motivo de interesse público.
razão de ser Justificativa da existência de alguma coisa; motivo para que assim seja ou aconteça. Us., p.ex., em "ter razão de ser".
razão eterna A justiça de Deus; a Providência divina.
razão pública A opinião geral.
razão social A forma como se designa uma sociedade comercial.
razões de cabo de esquadra Razões disparatadas; desculpa esfarrapada.
reajuste salarial Aumento salarial baseado no aumento dos índices de custo de vida.
realidade virtual Simulação de um ambiente real por meio de imagens de síntese tridimensionais e projeções.
realização de capital 1. Pagamento pelo acionista das novas ações que adquiriu de uma Sociedade Anônima. 2. Integralização do capital de uma empresa de capital aberto.

reatar o fio da conversa Voltar a conversar sobre um mesmo assunto (com alguém), após uma interrupção. *Var.* "reatar o fio da meada".
rebanho espiritual Os paroquianos em relação ao pároco.
rebate falso Sinal ou notícia falsa de um acontecimento inesperado; falso alerta.
rebenqueado da sorte *RS* Desenganado, desiludido.

> *Rebenqueado* = 1. *Açoitado com chicote.* 2. *Cansado, estafado.*

rebenqueado das saudades *RS* Diz-se de quem está a curtir a dor da saudade, da separação de alguém ou de algo.
rebentar de Fórmula *us.* quando se quer dar ideia de algo que se apresenta em grande quantidade ou intensidade.
rebentar de fome Ter muita fome; viver na miséria.
rebentar de gente Estar completamente cheio de gente; atulhado, muito frequentado.
rebentar de riso Rir muito. *V.* "rir a bandeiras despregadas"; morrer de rir. *Var.* "estourar de rir".
rebentou nas minhas mãos Diz-se de um negócio ou assunto intricado e trabalhoso que inesperadamente chega às mãos para ser resolvido.
rebimboca da parafuseta Expressão jocosa, às vezes irônica, a designar para um leigo uma peça ou defeito de máquina, veículo etc. a ser reparado/substituída.
rebojo de águas Movimento das águas (de rio ou mar) que ocorre por causa de obstáculos no leito ou nas margens, alterando seu curso normal e agitando-as.
recarregar as baterias Refazer-se; recuperar-se de fadiga; descansar. *Var.* "recarregar os cartuchos".
receber a tonsura Ordenar-se sacerdote católico.

> *Tonsura* = *Corte circular rente do cabelo na parte mais alta e posterior da cabeça, usado pelos clérigos.*

receber a visita da cegonha Dar à luz.
receber as águas batismais Ser batizado.
receber as ordens Ser ordenado sacerdote.
receber de bandeja *Fut.* Receber a bola para o arremate com o lado do pé. Diz-se, também, quando o jogador recebe um passe tão bom que lhe proporciona condição de completar com êxito o lance.
receber o batismo Ser batizado.
receber o troco Sofrer revide ou retaliação.
receber o último alento Assistir à morte de.
receber o último suspiro *V.* "receber o último alento".
receber ordem *Rel. Catol.* Receber ordens sacras (sagradas); ser ordenado com o sacramento da Ordem.
receber por esposa/o Casar-se.
receita culinária Informação minuciosa dos ingredientes e modo de preparo de uma iguaria.
receita pública Montante dos recursos monetários recebidos pelo Estado num dado período.
receptor universal Pessoa cujo tipo sanguíneo seja AB, apta a receber transfusão de quaisquer dos tipos sanguíneos; todavia, só poderá ser doador para quem for de seu próprio grupo sanguíneo.
recobrar a consciência Voltar a si de um estado de inconsciência, de um desmaio.
recolher-se aos bastidores Remeter-se ao silêncio; retirar-se da vida pública.
recolher-se com as galinhas Ir deitar-se muito cedo.
recompensa financeira Pagamento adicional em dinheiro por serviços extras ou prêmio por serviços relevantes.
reconhecer a firma Levar um documento ao cartório a fim de que o tabelião ateste a autenticidade de assinatura nele aposta, certificando-a mediante aposição de carimbo ou selo por ele assinado. O ato é o "reconhecimento de firma".
recurso extremo *V.* "em último recurso".
recursos humanos Conjunto de pessoas que trabalham numa empresa ou entidade ou que estão disponíveis para esse fim.
recursos naturais Fontes de riquezas materiais existentes na natureza, exploradas ou não: florestas, jazidas minerais, água, fauna, solo etc.
recusar-se à evidência Não querer convencer-se; obstinar-se numa posição; teimar.
rede alimentar Esquema de disposição de seres vivos num sistema em função de constituírem, em diversas camadas, alimento para outros seres vivos, recíproca ou sequencialmente, dependendo uns dos outros para sobreviver.
rédea curta Controle rigoroso, comando firme e atento na condução de um processo, uma tarefa, uma situação, procedimentos em geral.
redobrar os esforços Empreender um esforço, um cuidado adicional para que uma iniciativa seja bem-sucedida.

redondamente enganado Totalmente equivocado.
redondo como uma bola Bem redondo.
redução ao absurdo Expressão usada para o ato de levar um raciocínio até as últimas consequências, mesmo absurdas ou contraditórias, para demonstrar a falsidade das premissas de uma proposição.

Em latim a expressão correspondente é: "reductio ad absurdum". Esse tipo de raciocínio costuma ser usado com certa frequência em matemática.

reduzir a cinzas V. "reduzir a pó".
reduzir à expressão mais simples Reduzir (algo) ao menor volume ou ao estado mais miserável; tirar toda a importância a; rebaixar ao máximo; humilhar; aviltar (alguém); aniquilar, desprezar (alguém).
reduzir a pó Destruir completamente; extinguir; consumir; aniquilar. V. "reduzir a cinzas".
reduzir a pó de traque Desmoralizar, humilhar; vencer cabalmente; derrotar impiedosamente.
reduzir ao silêncio Obrigar a calar, impedir qualquer manifestação em relação a algo.
reembolso postal Tipo de comércio, realizado através dos Correios, no qual a entrega do objeto ao comprador só se dará mediante o prévio pagamento àquele intermediário.
refeição de assobio Café (ou café com leite) e pão com manteiga.
refeição rápida Refeição ligeira que se toma, geralmente, fora de casa; lanche; merenda. *Var.* "refeição ligeira".

A expressão correspondente em inglês e muito usada é "fast-food", que literalmente corresponde à locução em epígrafe.

refluxo da maré O *m.q.* vazante da maré; o movimento de volta da maré.
reforma agrária Modificação na estrutura fundiária de uma região ou país com o objetivo de melhor distribuir a posse da terra e para que ela possa vir a ser explorada mais racionalmente.

A eliminação dos latifúndios improdutivos costuma ser uma das motivações para promover a reforma. Seus objetivos são, pois, de natureza social (ao proporcionar acesso à terra e trabalho a um considerável número de trabalhadores) e econômica (ao dar condições para o aumento da produção e melhor aproveitamento das potencialidades da terra até então ociosa ou mal-aproveitada).

refrescar a cabeça Acalmar-se; tranquilizar-se.
refrescar a memória Avivar a memória; procurar lembrar-se de algo.
refugo da população Termo pejorativo e preconceituoso para se designar a camada mais pobre da população; ralé; populacho.
regalar a alma Satisfazer-se; encher-se de satisfação.
regar o pé (de alguém) Falar-lhe em coisas de seu agrado ou elogiosas; bajular.
região das trevas O inferno.
região do sepulcro A morte.
região metropolitana Região densamente urbanizada, constituída por municípios que, independentemente de sua vinculação administrativa, fazem parte de uma mesma comunidade socioeconômica, e cuja interdependência gera a necessidade de coordenação e realização de serviços de interesse comum.
região militar Região posta sob o comando de um oficial-general, onde se prepara, executa e mobiliza o serviço militar.
regime seco Abstinência de bebida alcoólica.
regimento interno Normas que regulam o funcionamento e o serviço interno das câmaras legislativas, dos tribunais, dos órgãos da administração pública e, por vezes, de instituições ou organizações particulares.
regiões etéreas Os espaços celestes.
regis ad exemplar Expressão latina que, literalmente, significa "a exemplo do rei", e que é citada quando se quer satirizar aqueles que pautam seus atos pelos do rei ou do chefe.
registro civil Anotação oficial em cartório de todos os dados relativos aos nascimentos, casamentos, óbitos de pessoas físicas e atos vários referentes às pessoas jurídicas.
registro geral Registro das pessoas físicas em órgão policial do Estado, que expede documento contendo dados pessoais, retrato e impressão digital da pessoa registrada. Sigla: RG.

Em alguns estados, tal documento é também denominado de "carteira de identidade".

rego do cabelo A linha que divide o penteado para um lado e para o outro da cabeça. *Var.* "risca do cabelo".

regra áurea Nome que antigamente se dava à "regra de três" (matemática).
regra de ouro Princípio básico que deve ser sempre observado.
regra geral De um modo geral; geralmente; quase sempre; por via de regra; como de costume.
regras do jogo As estabelecidas, em certas situações e ocasiões.
rei da cocada preta O bom; o melhor; o mais bonito; o maioral.. Às vezes, simplesmente: "rei da cocada". *Var.* "rainha da cocada preta".

A origem do termo pode estar na dificuldade de elaboração da cocada preta ("queimada"), uma vez que para obter o ponto certo de cozimento, é necessário um bom domínio a atividade. O rei da cocada preta seria, portanto, aquele que tem uma habilidade ou condição inigualadas. No uso popular, a referência a um rei (ou rainha) da cocada preta é feita com certa ironia, sugerindo que os atributos de referida pessoa estejam na verdade aquém daqueles que ela alardeia, p.ex.: Depois que venceu o concurso, ele se acha o rei da cocada preta.

rei da criação *V.* "rei da natureza".
rei da natureza O homem. *V.* "rei da criação".
rei do Universo O homem.
rei dos animais O leão.
rei dos ares A águia.
rei dos metais O ouro.
rei dos Reis Jesus Cristo.
rei Momo Personagem carnavalesco, *ger.* escolhido entre candidatos gordos, que se fantasia de rei para 'reinar' no carnaval, e cuja missão seria a de alegrar os eventos correlatos.
rei Profeta Antonomásia de Davi, que foi rei do povo judeu, assim chamado porque reuniu as duas qualificações.

Segundo a Bíblia, Davi nasceu em Belém, cidade da Judeia, em torno do ano 1.050 a.C. O formoso, porém frágil, Davi notabilizou-se pelo episódio bíblico que narra como venceu o gigante Golias, do exército filisteu que desafiara os israelitas. O garoto o derrotou usando apenas uma funda e algumas pedras. Um de seus arremessos acertou a testa do gigante, derrotando-o. Após sua integração ao exército, viveu um tempo no exílio, mas acabou sucedendo ao Rei Saul após a morte deste. Governou com sabedoria e foi um líder querido pelo povo.

rei Sol Luís XIV (1638-1715), rei da França.

Ao rei Luís XIV é atribuída a famosa frase: "L'État c'est moi", ou "O Estado sou eu", mas é possível que ele nunca a tenha proferido. Monarca absolutista, o rei francês tinha "Rei Sol" como uma autoimagem. Adotou o Sol como seu emblema, possivelmente por ver o grande astro como o provedor da vida, além de magnânimo símbolo de ordem e regularidade.

reina a paz em Varsóvia Alusão a paz duvidosa.
reino animal Conjunto de todos os seres animais.
reino das sombras A região dos mortos.
reino de Netuno As águas, as fontes e as tempestades.

Netuno é o nome latino de Poseidon, uma das divindades olímpicas (Grécia).

reino do céu *Teol.* A vida eterna.
reino mineral A totalidade dos corpos inorgânicos da natureza.
reino vegetal O conjunto de todos os vegetais encontrados na natureza.
reinventar a roda *1.* Ser forçado a recomeçar um trabalho já realizado. *2.* Ter ideia, criar soluções ou processos que na verdade já são utilizados e não constituem novidade.
Reis Magos Os magos do Oriente que foram a Belém adorar o Menino Jesus, recém-nascido, segundo relato no Evangelho escrito por Mateus (2,1-12).
relações estremecidas Relacionamento de pessoas ou de países a ponto de ruptura, desentendimento.
relações públicas Métodos e atividades empregados por um indivíduo ou uma organização a fim de promover relacionamento favorável com o público em geral.
relativamente a Em relação a; com referência a.
religião reformada O protestantismo, *esp.* o calvinismo.
relógio de ponto Equipamento destinado a registrar e/ou imprimir em cartão nele inserido a hora e a data da entrada e de saída de um empregado no recinto de trabalho. O equipamento moderno é eletrônico.
relógio de repetição Diz-se de quem fica repetindo ou imitando o que outros fazem ou falam.

res non verba

relógio de sol Aparelho colocado ao ar livre, em local em que o sol bate, dotado de uma escala e um mastro, e cuja sombra, projetada na escala, indica a hora do dia.
remar contra a maré *1.* Ir numa direção contrária à que a maioria vai. *2.* Enfrentar muitas dificuldades; dar murro em ponta de faca; trabalhar em vão contra forças superiores, perder tempo; esforçar-se inutilmente. *Var.* "remar contra a corrente".
remédio caseiro Diz-se do medicamento que se prepara em casa, sem técnicas farmacêuticas.
remédio heroico Remédio forte e que não se aplica senão em casos extremos.
remendo velho em pano novo Desculpa de última hora; desculpa esfarrapada. *Cf. Lc* 5,36.
remir um penhor Desempenhá-lo; livrar de ônus o objeto do penhor.
rempli de soi-même *Fr.* Cheio de si; convencido.
renascer das cinzas Reviver; ressuscitar; reaparecer; voltar a manifestar-se; recuperar-se; sair de situação difícil. *Var.* "levantar-se das cinzas".

A expressão lembra a Fênix, ave fabulosa, a qual, segundo uma das versões da mitologia, era a única da espécie. Para assegurar sua descendência, ao sentir próxima a sua morte, preparava um ninho com ervas e ateava-lhe fogo, nele se acomodando, deixando-se consumir. Das cinzas, surgia uma nova Fênix.

renda *per capita* *Econ.* A renda média dos habitantes de um país, resultado da renda nacional total dividida pelo número de seus habitantes.
renda vitalícia Pensão ou rendimentos que só cessam com a morte do beneficiário.
render a alma Morrer.
render a alma a Deus Morrer. *Var.* "render a alma ao Criador".
render as sentinelas Proceder à substituição das sentinelas umas pelas outras.
render graças a Declarar-se agradecido a.
render o espírito Morrer.
render obediência Obedecer.
render preito Homenagear; declarar preço, gratidão, respeito por alguém; louvar.
render que só mandioca de várzeas Não cessar; ser interminável; multiplicar-se.
render-se à evidência Aceitar a verdade dos fatos.
render-se ao sono Ser vencido pelo sono; não mais aguentar acordado.

rendição de serviço Revezamento de serviço; troca de turno.
renovar as feridas Reabri-las. *Fig.* Causar novas dores ou desgostos ou relembrar antigos sofrimentos e desavenças.
rente a Próximo de; ao longo de. *Var.* "rente de".
repartição pública Seção de serviço público.
répondez s'il vous plaît (RSVP) *Fr.* É fórmula usual em convites para solenidades que requerem do convidado confirmação de seu comparecimento. Literalmente: "Queira, por obséquio, responder (confirmar o comparecimento)".

A expressão é comumente expressa apenas pelas iniciais das palavras: "RSVP".

repousar no Senhor Adormecer no Senhor.
repouso eterno O estado que se segue à morte.
repouso semanal Folga semanal que o empregador é obrigado, por lei, a conceder ao empregado. Repouso semanal remunerado.
representação diplomática Representantes diplomáticos de um Estado em outro.
representante de venda Agentes comerciais que procuram os clientes para negócios em seu nome ou no de terceiros.
representar para as cadeiras *Teat.* Representar para uma plateia muito reduzida, para poucos espectadores.
República Nova O período republicano brasileiro compreendido entre a vitória da Revolução de 1930 e a implantação do Estado Novo, em 1937.
República Velha O período republicano brasileiro compreendido entre a proclamação da República, em 1889, e a Revolução de 1930.
Requiescant in pace. *Lat.* Descansa em paz.

Rel. Catol. É utilizada pela Igreja Católica em muitas orações de exéquias. A expressão é frequentemente encontrada inscrita em túmulos.

requinte de crueldade Ato de crueldade no qual o agente age de forma violenta e torturante.
requisito obrigatório Condições indispensáveis para se alcançar determinado objetivo.
rés do chão Pavimento de uma edificação no nível do solo ou da rua; andar térreo.
res non verba *Lat.* Literalmente: "fatos e não palavras". Costuma ser citada quando

se pleiteia a ação imediata e não simples promessas. *V.* "ação e não palavras".
res nullius *Lat. Lit.* Coisa de ninguém. *Jur.* Coisa do domínio público.
reserva de domínio Garantia constituída do próprio bem financiado que não pode ser alienado sem expressa anuência do financiador.
reserva de mercado *Econ.* Exclusividade concedida a certos produtores nacionais ou estrangeiros, para venderem determinados produtos no mercado do país concedente.
reserva florestal Gleba de floresta que se procura preservar.
reserva moral Diz-se de pessoa íntegra, de moral inatacável, exemplar em sua conduta e que serve de paradigma para todos.
reserva remunerada Situação dos militares (oficiais, suboficiais, subtenentes e sargentos) reformados e que podem vir a ser chamados de volta à ativa em certos casos de mobilização militar ou civil.
residência médica Curso que estudantes de medicina fazem em um hospital, assistidos por médicos, para prática e especialização.
resistência passiva Resistência sem revide ou provocação.
resolução heroica Resolução súbita e enérgica, tomada em último caso, para solucionar grandes e urgentes necessidades.
respectivamente a Com respeito a; relativamente a.
respeitar as conveniências Respeitar o decoro, a decência, as exigências do momento e das circunstâncias.
respeito a A respeito de.
respeito humano *1.* Consideração de respeito à opinião das pessoas. *2.* Vergonha de exibir as convicções políticas, religiosas etc.
respiração boca a boca Método de respiração artificial no qual uma pessoa sopra o ar diretamente na boca do paciente, procurando encher-lhe os pulmões, paralisados por algum motivo, estimulando-os a funcionar.
respirar aliviado Tomar conhecimento de algo que reduz ou elimina seu risco ou preocupação.
respirar ar fresco Sair de um ambiente fechado, opressivo.
respirar o mesmo ar Morar na mesma casa; conviver num mesmo local.
respirar saúde por todos os poros Mostrar, pela aparência, que goza de excelente saúde.
responder à altura Responder categoricamente, utilizando termos e tom equivalentes aos do questionamento feito.

responder ao pé da letra Retrucar no mesmo tom e no mesmo sentido estrito da pergunta.
responder com sete pedras na mão Responder com maus modos ou mau humor, agressivamente.
responder por Tomar a responsabilidade de.
responder por si Responsabilizar-se unicamente pelos seus próprios atos.
responder torto Manifestar falta de respeito ao responder; responder deseducadamente.
responsabilidade civil Obrigação que corresponde à prática de ato ilícito na esfera civil.
responsabilidade contratual Obrigações referentes aos encargos que se estipulam em contratos.
responsabilidade moral Obrigações do praticante de atos conscientes relativamente aos que pratica voluntariamente.
restos mortais Ossada; corpo morto de uma pessoa, ou aquilo que dele restou com a passagem do tempo; cinzas de uma pessoa.
resvés com Junto de; na mesma altura de.
reta final *1.* O fim de alguma coisa. *2.* A reta de chegada de competidores em corridas, desde que o percurso contenha essa reta.
retalho da mesma peça De mesma espécie; idêntico. *V.* "farinha do mesmo saco".
retardo mental Qualquer distúrbio no desenvolvimento mental que paralisa o desenvolvimento intelectual, desenvolvimento intelectual incompleto.
retirada estratégica *Mil.* Retirada da batalha diante do risco de grandes baixas ou para atrair o inimigo para local mais propício à luta ou, ainda, para se reforçar na retaguarda.
retirado dos negócios Pessoa que se afastou do trabalho ou dos negócios, temporária ou definitivamente; não se refere a aposentadoria.
retiro espiritual *Rel.* Prática piedosa de pessoas que se isolam do quotidiano de suas vidas, sozinhas ou em grupo, para dedicar um tempo para meditar, orar, refletir e rever vida.
retomar o fio da meada Voltar ao assunto principal de uma conversa. *V.* "perder o fio da meada".
retorcer o caminho Voltar para trás.
retrato falado Reconstituição dos traços fisionômicos e/ou de outras características físicas de uma pessoa desconhecida, geralmente suspeita de algum delito, por meio de informações de testemunhas, para facilitar sua identificação.

reunião de cúpula Reunião de personalidades, de dirigentes.
reverso da mão As costas da mão.
reverso da medalha *1. Fig.* A representação que se faz de uma pessoa ou coisa pelo lado desfavorável ou pelo lado oposto àquele a que primeiramente se aludiu. *2.* O lado mau; o ponto de vista desfavorável.
reveses da fortuna As alternativas que costumam suceder-se na vida. *Var.* "reveses da sorte".
reveses da vida Os percalços que a vida traz.
revestir-se de autoridade Fazer-se respeitado; mostrar autoridade.
revirar a casa Procurar alguma coisa perdida em todos os lugares possíveis da casa.
revirar-se no túmulo Diz-se de uma suposta reação de um falecido a respeito de quem se fazem desairosas referências.
Revolução Industrial Mudança ocorrida a partir dos fins do século XVIII na indústria, através do aperfeiçoamento das máquinas, concentração da produção, maior oferta de emprego urbano, ocasionando profundas transformações sociais e econômicas em todo o mundo; tal movimento ocorreu inicialmente na Inglaterra.
revolver céus e terra Empregar todos os esforços para conseguir determinado fim.
reza brava Imprecações; pedido de maldição para alguém.
rezar na conta benta Ser a quantidade de algo reservado para a realização de uma tarefa exatamente aquela necessária para fazê-lo, sem faltar nem sobrar. Expressão equivalente a "rezou na conta benta", ou "foi a conta".
rezar o terço *Rel. Catol.* Rezar uma terça parte do rosário, como prática religiosa.

Rosário = Enfiada constituída de 165 contas que correspondem, sucessivamente a, 15 pais-nossos e 150 ave-marias.

rezar pela mesma cartilha Compartilhar as mesmas convicções com outrem. *Var.* "rezar pelo mesmo breviário".
rezar por alma de uma dívida Perder a esperança de receber uma importância devida.
rico como Creso Riquíssimo. *Var.* "rico como um marajá".

Alusão a Creso, último rei da Lídia (560-546 a.C.), célebre pelas riquezas de seu reino.

ricos e pobres Todos, sem discriminação ou exceções.

rigor mortis Lat. Rigidez cadavérica; fenômeno que sucede à morte e que atinge seu auge após algumas horas da ocorrência, desaparecendo lentamente.
rijo de ânimo Intrépido, constante; que se não torce nem verga.
rio da unidade nacional O rio São Francisco, assim chamado por integrar, no seu curso, cinco estados, ligando o Sudeste ao Nordeste do País.
rio de sangue Morticínio; luta sangrenta; chacina impiedosa.
ripa na chulipa *1. Fut.* Chute na bola. *2. P.ext.* Soco, pancada em alguém. *Var.* "ripa na chulipa e pimba na gorduchinha".

Credita-se ao radialista Osmar Santos (1949-) a autoria desta frase, com a qual criou um dos bordões que identificavam seu estilo de narrar jogos de futebol.

riqueza de uma língua Abundância de locuções e de termos dessa língua.
rir(-se) o roto do esfarrapado O *m.q.* "rir-se o sujo do mal-lavado".
rir a bom rir Rir muito.
rir à custa de Alegrar-se com as dificuldades de outrem.
rir à farta Rir com exagero.
rir à socapa Rir disfarçadamente, sem que outros o percebam.
rir amarelo Rir de modo forçado, sem graça. *V.* "riso amarelo".
rir às bandeiras despregadas Desatar em gargalhadas; rir muito, sem se conter. *V.* "rir a bandeiras despregadas"; "morrer de rir"; "a bandeiras despregadas"; e "arrebentar de rir".
rir às gargalhadas Rir intensamente, com grande alarido.
rir até arrebentar as ilhargas Rir a mais não poder. O *m.q.* "arrebentar de rir".
rir como um doido Rir com exagero.
rir dos dentes para fora Rir de modo forçado e falsamente.
rir enquanto puder É o que costuma dizer o agourento a pessoa que se mostra alegre e feliz antevendo período infeliz no futuro.
rir na cara de Zombar de.
rir sem tom nem som Rir às bandeiras despregadas.
rir-se o sujo do mal-lavado Zombar alguém de outrem, embora tenha tantos defeitos ou maiores do que a pessoa criticada. *Var.* "rir-se o roto do esfarrapado".
risada homérica Acesso intenso, ruidoso, estrondoso, retumbante e irrefreável de riso.

riscar a cama no chão com giz Deitar-se no chão por não ter cama.
riscar da minha lista Esquecer, ignorar alguém; romper relações com alguém.
riscar do mapa Suprimir; eliminar; cancelar; excluir.
riscar largo e cortar estreito Prometer muito e pouco cumprir.
Riscou catre, saiu tamborete. Resultou (tarefa, processo, ação etc.) em frustração, mau resultado, por engano ou incompetência.

> *Expressão que deriva do malsucedido carpinteiro que preparou as peças para montar uma cama simples (catre) e, ao juntá-las, viu que o móvel não passava de um banquinho (tamborete).*

riso alvar Riso atoleimado, de idiota; riso sem motivo e graça.
riso amarelo Riso forçado, contrafeito, constrangido, sem graça, sem naturalidade.
riso idiota Riso que denota estupidez.
riso sardônico Riso sarcástico, forçado, denotando expressão semelhante a um arreganhar de dentes. *Var.* "riso canino".
riso seco Riso fingido ou sarcástico, irônico.
rocha viva Rocha visível na superfície da terra, aflorando.
rock and roll *Ing. Mús.* Música de origem norte-americana em compasso quaternário, surgida na década de 1950, tendo por base a música de *jazz* e a *country*, e tocada em guitarra elétrica, contrabaixo e bateria.
rock pesado *Rock* em que se usam distorção e muita amplificação do som dos instrumentos.
roda a roda De lado a lado; em todo o comprimento ou extensão.
roda da fortuna Os variados acidentes da fortuna; as vicissitudes e os reveses da vida; o destino.
roda dura *Bras. MG* Mau motorista; barbeiro.
roda hidráulica Roda movida pela água e que, ligada a um mecanismo, serve para bombear água ou para movimentar engenhos diversos. Também se diz: "roda-d'água".
rodar a baiana Reagir de modo intempestivo e com estardalhaço, dizendo tudo o que vem à mente; perder a paciência; irritar-se e reagir a ofensas ou a situações constrangedoras ou humilhantes; perder as estribeiras.
rodar a bolsa Fazer prostituição. *Var.* "rodar (a) bolsinha".

rodeado de cuidados Mimado; adulado; excessivamente protegido.
roer a corda Deixar de cumprir um compromisso assumido; desistir de um negócio ou um contrato.
roer as unhas dos pés Estar em situação difícil, aflitiva, desesperadora.
roer os ossos *1.* Ficar com o resto. *2.* Ter de trabalhar sem auferir nenhuma paga.
roer um corno Passar vida difícil; não ter o que comer.
rogar ao santo até passar o barranco Ser devoto apenas nos momentos de aflição ou de perigo.
rogar praga(s) a Lançar maldição sobre alguém; desejar malefícios a alguém.
rolar de rir Rir em demasia; gargalhar.
♦ **roleta-russa** Jogo, às vezes fatal, que consiste em deixar uma só bala no tambor de uma arma de fogo, rodá-lo a esmo e dar no gatilho contra si mesmo, por bravata ou na tentativa de suicídio. *P.ext.*, qualquer situação de desfecho imprevisível.
rolo compressor *1.* Algo assolador, contundente, impossível ou difícil de ser contido. *2.* Máquina de comprimir e compactar, montada sobre veículo. *3.* Alguém ou algo que atua com enorme energia e eficiência, desconhecendo dificuldades ou resistências: *Aquele time é um rolo compressor, não dá chance aos adversários.*
romance de capa e espada O que trata das aventuras de heróis cavalheirescos, que se batiam à espada.
Romano Pontífice O Papa.
romeu e julieta *RJ MG* Queijo com goiabada.
romper as algemas Romper as cadeias, libertar-se.
romper as baetas *PE* Revoltar-se; indispor-se com (alguém).
romper as baterias *1.* Dar início a uma campanha de hostilidade. *2.* Perder a calma.
romper as cadeias Escapar da prisão; libertar-se.
romper as hostilidades Entrar em guerra.
romper as tréguas Recomeçar a luta.
romper lanças Combater, guerrear, lidar, disputar.
romper o silêncio *1.* Falar depois de ter estado algum tempo calado. *2.* Ser o primeiro a falar entre pessoas que estavam caladas.
romper os ferros Romper as cadeias.
romper um segredo Revelá-lo.
rosa dos ventos Gráfico circular com 128 setores que indicam as direções: Norte, Sul, Leste e Oeste (pontos cardeais) e também suas subdivisões: pontos colaterais, meias-partidas e outros setores intermediários.

Rosh Hashana V. "dia de ano-novo judeu".
rosto a rosto Face a face.
rota batida *1.* Viagem direta, sem parar nem para descansar. *2.* Continuadamente; sem solução de continuidade.
rota aérea Espaço aéreo de 15 km de largura, de um ponto de partida a um ponto de chegada, dentro do qual os aviões devem manter-se em seu voo, evitando-se assim, teoricamente, possíveis colisões com outras aeronaves.
rota de colisão Previsão de conflito ou acidente se as coisas não mudarem
roubar a cena *1. Teat.* Num espetáculo, um ator desempenhar seu papel de maneira a sobressair entre os demais. *2. Fig.* Superar (outrem).

> *Aplica-se mais propriamente a expressão (acepção 1) aos atores secundários, uma vez que do ator principal se espera sempre brilhante desempenho.*

roubar e não poder carregar Cometer algum malfeito mas dele não tirar proveito.
roubar pirulito de criança Expressão que designa algo fácil de ser feito, mas de maneira covarde ou abusiva.
roupa branca A roupa íntima. *Var.* "roupa de baixo"; "roupa interior"; e "roupa íntima".
roupa de cama As peças que se usam para cobrir a cama e revestir os travesseiros.
roupa de ver a Deus Roupa nova, domingueira.
roupa íntima O *m.q.* "roupa branca".
roupa sovada A que é muito usada.
roupão de banho Roupa de tecido felpudo, própria para sair do banheiro após o banho.
roupas de baixo A(s) que se usa(m) por baixo da veste em cima da pele. *Var.* "roupas de baixo" e "roupas íntimas".
roxo de raiva Extremamente irritado.
rua da amargura *1.* O caminho que Jesus Cristo percorreu para o seu suplício; grande sofrimento. *2.* Sequência de padecimentos, humilhações, abandono, insucessos.
rua do lá vem um Rua pouco frequentada, de pouquíssimo movimento.
ruim da bola Que não está em seu juízo perfeito, que sofre da bola.
ruim de bola Diz-se de jogador (de esporte com bola) inábil.
ruim de cabeça Louco; esquecido.
ruim de corte Em má situação financeira ou em mau estado de saúde.
ruim de ideia *V.* "ruim de cabeça".
rumo a Em direção a; em direção de; para o lado de; em rumo de.

S

Sábado de Aleluia *Rel. Crist.* O sábado da Semana Santa; Sábado Santo.
sábado gordo O que precede o domingo de carnaval.
sabe Deus Modo de manifestar a insegurança ou ignorância quanto ao que se diz ou ao tempo em que o fato a que alude possa vir a realizar-se.
Sabe lá? *V.* "Eu sei lá?".
sabe o que mais? Frase que exprime aborrecimento, impaciência, agastamento ou desejo de que se cale a pessoa que nos importuna, seguida da expressão de seu pensamento sobre o assunto de que se trata. Denota, também, imposição de vontade.
sabedoria das nações *Pop.* Moral corrente expressa em provérbios. *Var.* "sabedoria popular".
saber a *1.* Ter o sabor de. *2.* Recordar; lembrar.
saber as linhas com que se cose Conhecer bem os meios de que se serve.
saber bem Agradar ao paladar.
saber da última Estar em dia com o noticiário; estar atualizado relativamente aos acontecimentos mais recentes.
saber dar nome aos bois *1.* Saber identificar corretamente uma situação e seus fatores. *2.* Não se deixar lograr. *3.* Saber bem o que faz.
saber das coisas Ser bem-informado ou sábio, sagaz; ser bom conselheiro.
saber de antemão Tomar conhecimento antecipado de um fato.
saber de cor Ter presente na memória e ser capaz de repetir (um texto, uma lista, instruções etc.).
saber de cor e salteado O *m.q.* "saber na ponta da língua".
saber de que lado sopra o vento Saber qual a opinião geral; saber qual a tendência da maioria das pessoas em relação a determinado assunto.
saber de seu ofício Ser competente na sua profissão.
saber entrar e sair Ter boas maneiras; ser bem-educado; ser previdente; ter percepção do momento em que se deve ou não estar presente.
saber levar Ser capaz de conduzir bem uma questão.
saber na ponta da língua Saber perfeitamente; ter (o assunto) sabido, estudado, compreendido. *V.* "saber de cor e salteado".
saber o terreno em que pisa Conhecer o terreno; conhecer bem o assunto ou a situação de que se trata.
saber onde lhe aperta o sapato Ter plena consciência de seus próprios problemas. *Var.* "saber onde lhe aperta o calo".
saber onde lhe dói o calo *1.* Conhecer a verdadeira noção da dor ou da extensão da dor por vivenciá-la. *2.* O *m.q.* "saber onde lhe aperta o sapato".
saber onde tem a cabeça Ter juízo, bom-senso, ser maduro; ter a cabeça no lugar.
saber onde tem as ventas Saber o que está fazendo.
saber onde tem o nariz *1.* Saber avaliar sua capacidade e competência; conhecer e reconhecer as próprias limitações. *2.* Saber avaliar a situação na qual se encontra.
saber quem é quem Saber quais pessoas são, de fato, importantes no contexto que se quer examinar.
saber se virar Ter iniciativa e versatilidade na solução dos problemas que se apresentam.
saber ser homem Mostrar, por fatos, suas qualidades humanas ou varonis.
saber vender o seu peixe Saber apresentar-se de modo favorável, valorizando o que é seu, o que faz; saber advogar seus próprios interesses.
saber viver *1.* Comportar-se conforme a ocasião e as circunstâncias. *2.* Saber tirar proveito de cada situação, contornar dificuldades, ver o lado bom de cada coisa.
sabe-se lá... *1.* Desconhecer-se. *2.* Não se tem certeza.

sair da concha

sabido como cobra Diz-se de quem é esperto.
sabores fundamentais São: o amargo, o doce, o salgado e o picante.
sacar a descoberto Sacar na conta bancária sem prévia disponibilidade.
saco de batata Diz-se de pessoa gorda e desajeitada.
saco de dormir Saco acolchoado, dotado de fecho ecler de alto a baixo, usado como cama e colchão em acampamentos.
saco de gatos Confusão, desordem.
saco de ossos Diz-se de quem é magérrimo; pessoa muito magra.
saco de pancadas Pessoa que é muito surrada ou é constante alvo de acusações, as mais das vezes infundadas.
saco de viagem Recipiente em forma de saco, feito de lona ou outro material resistente, usado em viagens, em vez de mala.
saco sem fundo *1*. Pessoa que é muito gastadora. *2*. Algo que nunca se esgota, que nunca termina.
sacramentos da iniciação cristã *Rel. Catol.* O Batismo, a Crisma e a Eucaristia.
sacrifício do altar *Rel. Catol.* A missa.
sacrifício incruento *Rel. Catol.* O "sacrifício da missa".
Sacro Colégio *Rel. Catol.* O Colégio dos Cardeais da Igreja Católica Apostólica Romana.
sacudir a poeira dos pés Afastar-se para sempre de um lugar do qual se sai desgostoso. *Var.* "sacudir o pó dos sapatos".
sacudir a poeira e dar a volta por cima Superar uma dificuldade, esquecer-se do que aconteceu e enfrentar confiante uma nova situação; superar-se; não desanimar com os fracassos ou insucessos.
sacudir as cadeiras Andar ou dançar movendo os quadris, rebolar.
sacudir o jugo Libertar-se de uma opressão; reconquistar a liberdade.
sacudir o poncho *Folc. RS* Ofender sem reação; desafiar.
sacudir os arreios Opor-se a alguma coisa; rebelar-se.
sacudir os ombros O *m.q.* "levantar os ombros"; dar de ombros.
safado da vida *V.* "danado da vida".
safar a onça Livrar-se de algo.
Sagrada Escritura *Rel.* A Bíblia.
Sagrada Face *Rel. Catol.* Representação do rosto de Cristo deixada no pano (sudário) com que o enxugaram na subida do Calvário.
Sagrada Família *Rel. Catol.* A família de Jesus.
sagradas espécies *Rel. Catol.* As aparências do pão e do vinho depois da transubstanciação; as hóstias consagradas.
Sagradas Letras *Rel. Catol.* A Bíblia.
Sagrado Lenho *Rel. Catol.* A cruz de Cristo. *Var.* "Santo Lenho".

> *Lenho = Pedaço ou peça robusta de madeira; tronco.*

sai de baixo Expressão que equivale a: "arreda daí!". *Var.* "saia do meu caminho".
sai não sai Indecisão ao sair; vai não vai (*V.*).
saia de baixo *1*. Anágua. *2*. Expressão que equivale a: "Arreda daí!" *Var.* "saia do meu caminho".
saia justa Situação embaraçosa, constrangedora, sem muitas alternativas para dela se safar.
saída de banho Roupão de tecido atoalhado, *us.* ao sair de banhos.
saída de praia Vestimenta leve que se usa sobre o maiô.
sair a campo Procurar alguma coisa em proveito próprio ou de terceiros. *Var.* "sair em campo".
sair à francesa Sair de fininho.
sair a lume Ser publicado ou editado; divulgar-se. *Var.* "sair à luz".
sair a porca mal capada Enganar-se nos cálculos; esperar uma coisa e sair outra.
sair à praça Aparecer em público.
sair ao encontro de Ir encontrar-se com.
sair bem na foto *1*. Ser considerado (alguém) bem representado numa fotografia, seja pela beleza, seja pela expressividade. *2*. Ser (alguém) bem considerado ou avaliado em uma situação, sair dela com imagem favorável, seja por mérito, seja pelas circunstâncias.
sair caro Custar muito.
sair chispando Sair correndo desabaladamente.
sair cinza Haver barulho, confusão, desentendimento.
sair com a sua Apresentar uma ideia, uma lembrança, em geral extravagante.
sair com o rabo entre as pernas Retirar-se, decepcionado, envergonhado, derrotado ou humilhado, sem reagir.
sair da casca *1*. Nascer (o filhote de um ovíparo). *2*. Ficar menos tímido, mais confiante em si mesmo. *3*. Manifestar-se quando antes era fechado em si mesmo.
sair da casca do ovo Tornar-se adulto.
sair da concha *1*. Abandonar o retraimento. *2*. Mostrar-se; dar o ar da graça. *3*. Mal estar saindo da infância.

sair da frigideira para o fogo

sair da frigideira para o fogo Passar de uma situação má para outra pior.
sair da ideia Perder a lembrança de alguém ou de alguma coisa; esquecer-se. *Var.* "sair da memória".
sair da lama e cair no atoleiro Superar uma situação difícil e se deparar com outra maior ainda.
sair da linha Comportar-se mal; pisar fora do rego; sair dos limites.
sair da reta Sair do caminho; não atrapalhar; não ficar no caminho diante da possibilidade de maléficas consequências.
sair da toca Dar as caras; aparecer.
sair da(/de) moda Deixar de ser preferido pelos consumidores ou criadores; cair de moda; ficar obsoleto.
sair de baixo Locução interjetiva com que se adverte alguém para não se expor a determinada coisa ou situação ou, ainda, para proteger-se da ação de algo que pode vir a lhe prejudicar.
sair de banda Escapulir, sair de fininho.
sair de casa *1.* Abandonar o lar. *2.* Deixar de residir na casa dos pais.
sair de cena *1. Teat.* Retirar-se do palco. *2. Fig.* Deixar de manifestar-se; afastar-se; deixar de existir, de participar.
sair de circulação *1.* Sumir, desaparecer; deixar de aparecer em público. *2.* Serem suspensas a edição e distribuição de um periódico.
sair de em pé *RS 1.* Desembaraçar-se (o cavaleiro), na rodada do cavalo, ficando em pé. *2. Fig.* Sair de reputação limpa em negócio.
sair de fininho Sair, procurando não ser notado, sorrateiramente, silenciosamente; sair à francesa.
sair de mano Retirar-se de um jogo (*esp.* de cartas) tal como entrou: sem perder nem ganhar.
sair de si Perder o controle sobre si mesmo; exceder-se; enganar-se. *Var.* "sair fora de si".
sair de uma fria Livrar-se de uma situação incômoda, delicada, comprometedora, suscetível de fracasso etc.
sair do ar *1.* Diz-se da emissora de rádio ou de televisão que para de transmitir por qualquer razão. *2. Fig.* Ficar absorto por alguns instantes (diz-se de pessoas).
sair do armário Revelar e/ou assumir a condição de homossexual.
sair do atoleiro Livrar-se de uma situação difícil ou perigosa.
sair do caminho *V.* "sair da reta".
sair do compasso Descomedir-se, exceder-se.

sair do leito Diz-se de um rio quando transborda devido a enchente.
sair do mapa Desaparecer, sumir.
sair do ordinário *1.* Mudar de hábito. *2.* Fazer despesas extraordinárias.
sair do prelo Ter terminado o processo de impressão de uma obra. *V.* "entrar no prelo".
sair do sério *1.* Rir, folgar. *2.* Tornar-se menos grave ou circunspecto. *3.* Praticar uma ação inabitual ou extraordinária. *Var.* "tirar (alguém) do sério".
sair do sufoco Superar uma situação ou fase angustiante, difícil, penosa.
sair do tom Desentoar; desafinar.
sair do vermelho Saldar as dívidas.
sair dos eixos *1.* Perder o domínio de si mesmo. *2.* Deixar de comportar-se de acordo com as normas.
sair dos trilhos *1.* Descarrilar (um trem). *2.* Desviar-se do objetivo ou do compromisso. *3.* Comportar-se fora dos padrões estabelecidos *Var.* "sair do trilho".
sair faísca *1.* Ser (discussão, litígio, confronto etc.) muito renhido, disputado, tendendo a briga. *2.* Ocorrer forte atração de cunho sexual entre duas pessoas.
sair feito uma bala Partir muito veloz e repentinamente.
sair fora O *m.q.* acepção *1* de "dar o fora".
sair fora de si Enfurecer-se; desorientar-se; perder o controle de si. *Var.* "sair de si".
sair fora dos eixos Descomedir-se; exceder-se; comportar-se fora dos padrões habituais.
sair limpo *1.* Perder no jogo todo o dinheiro que tinha. *2.* Retirar-se de um processo inocentado, sem imputação de alguma falta. *Var.* "sair liso".
sair no braço Brigar.
sair no tapa Agredir um desafeto após desentendimento.
sair pé ante pé Sair sem ninguém notar, sorrateiramente.
sair pela tangente Livrar-se de algo a custo ou se utilizando de astúcia; dificilmente, apertadamente.

Tangenciar = Estar/passar muito próximo a algo; roçar, tocar.

sair pelo ladrão Existir em grande quantidade, em abundância (usualmente dinheiro, bens).
sair perdendo Sofrer perda ou ficar em desvantagem em algum empreendimento ou negócio.
sair pior a emenda que o soneto Resultar a tentativa de melhora ou correção de algo em erro maior, ou piora da situação.

salvar o dia

sair porta afora Sair estabanadamente, afobadamente.
sair queimado Ao final de um processo, de uma situação, sair com o bom nome, o prestígio comprometidos.
sair vendendo arreios Sair (o cavalo) em liberdade, em disparada campo afora, quando encilhado, fugindo do cavaleiro e espalhando as peças do arreamento pelo chão.
sair ventando Sair contrariado, aborrecido.
sair-se bem ou mal Conseguir resultado favorável ou desfavorável.
sal amargo 1. Pessoa aborrecida, antipática, intragável. 2. Tipo de sal medicinal.
sal da terra *P.ext.* As pessoas boas, solidárias, piedosas, honestas. O melhor do melhor. V. Mt 5,13: "Vós sois o sal da terra...".

A expressão no Evangelho de Mateus refere-se aos homens, pois a eles compete fazer com que a terra venha a ser um lugar bom de se viver, seguindo os ensinamentos de Jesus. Trata-se de alusão ao sabor que o sal ressalta nos alimentos e que os torna mais apetitosos.

sal de cozinha Sal. (Cloreto de sódio, cristalino, branco, *us.* na alimentação.)
sal fino Sal moído e refinado para melhor utilização culinária.
sal grosso Sal não refinado, tal como sai das salinas.
sala e quarto Apartamento de área reduzida, mas que dispõe de uma sala e de um quarto separados.
sala de espera Saleta em escritórios ou consultórios destinada aos clientes que ali aguardam a vez de serem atendidos.
sala de estar Peça da casa onde se reúnem a família e os amigos mais chegados. Há equivalente em inglês, que frequentemente se ouve: "*living room*".
sala de jantar Peça de uma residência onde se tomam as refeições.
sala de visita A dependência, o cômodo de uma residência onde se recebem as visitas.
sala dos milagres Dependência de algumas igrejas católicas, destinada ao depósito e guarda dos ex-votos.
sala VIP Sala reservada para acomodar pessoas de prestígio, *esp.* em aeroportos.

O termo "VIP", que em inglês significa "Very Important Person", i.e., "Pessoa Muito Importante", foi cunhado no Ocidente em meados da primeira metade do séc. XX. Há indícios, porém, que desde a época dos czares Romanov, na Rússia, havia termo semelhante para designar autoridades e celebridades que mereciam um lugar especial ao serem recepcionadas.

salão de beleza Estabelecimento comercial onde se cuida do aspecto físico das pessoas (corte e penteado de cabelo, manicura, maquilagem, massagens etc.).
salário de fome Salário baixo, insuficiente até mesmo para a alimentação.
♦ **salário-mínimo** Remuneração mínima do trabalhador, fixada por lei.
saldar contas Liquidar dívidas.
saldo credor (devedor) Saldo positivo ou negativo apurado na soma algébrica de uma lista de valores positivos (entradas) e negativos (saídas).
salgar o galo Tomar, pela primeira vez no dia, qualquer bebida alcoólica.
saltar à vista V. "saltar aos olhos".
saltar ao pescoço Abraçar efusivamente.
saltar aos ares Sair fora de si; exasperar-se.
saltar aos olhos Ser evidente; dar na vista; carecer de maiores explicações. *Var.* "saltar à vista".
saltar pelos ares Explodir.
saltar por cima de tudo Não atender a razões; realizar o que pretendia sem medir as consequências, mesmo com prejuízo para outrem; atropelar os acontecimentos.
salto de pulga Distância muito curta.
♦ **salto-mortal** Modalidade de exercício atlético no qual a pessoa, ao saltar, dá volta(s) no ar sem tocar o chão.
salto no escuro Aventura; ato de enfrentar o que se desconhece ou que mal se conhece; ação de duvidoso sucesso.
salva de gargalhadas Explosão de riso.
salva de palmas Aclamação pública, aplausos unânimes, ovação.
salvação da lavoura Pessoa ou coisa que chega no momento propício e oportuno.
salvador do mundo Para os cristãos, Jesus Cristo.
salvar a pátria Resolver uma questão de grande importância para outras pessoas e que outros não foram capazes de resolver.
salvar a pele Livrar-se de castigo ou reprimenda; esquivar-se de responsabilidades em atos irregulares ou de más perspectivas.
salvar as aparências Proceder de modo a que não se dê a perceber uma situação embaraçosa, vergonhosa, penosa, difícil; dissimular.
salvar o dia Realizar algo relevante, importante, e que ninguém mais tenha conseguido fazer.

salvar o pescoço Safar-se de um perigo; salvar a vida.
salvar-se em águas de bacalhau Livrar-se a custo; escapar por um triz.
salvem as baleias *Slogan* dos ambientalistas diante da iminência do extermínio das baleias, devido à captura predatória.

> O movimento mundial para salvar as baleias de uma provável extinção resultou em uma moratória, em 1985, entre os países que a praticavam, regulamentando o assunto. Várias organizações ambientalistas importantes, como a Save the Whales e o Greenpeace, se mobilizaram e continuam atuando para proteger os cetáceos, pois há várias evidências de que as baleias – os maiores mamíferos da Terra – continuam sendo alvo de ação predatória dos seres humanos.

Salve-se quem puder! Expressão usada quando, diante de um perigo iminente, ninguém é capaz de ajudar a outrem.
salvo erro ou omissão Palavras usadas no final de cartas ou de relatórios, com que se procura justificar algum engano porventura nelas cometido ou as opiniões ali externadas.
salvo melhor juízo Advertência que se faz ao emitir uma opinião, considerando, elegantemente, a possibilidade de haver outras mais consistentes, mas desconhecidas. É muito usado na forma: *s.m.j.* ou *S.M.J.*, as iniciais da expressão.
salvo pelo gongo Salvo (de uma experiência desagradável, de uma situação delicada ou perigosa) no último momento.
salvo se A não ser que; afora.
salvo seja Deus não permita tal.
salvou-se uma alma Diz-se quando um indolente faz espontaneamente um serviço ou quando uma pessoa má pratica uma boa ação.
samba de breque Tipo de samba criado no início da década de 1930 e no qual o cantor (e o acompanhamento) dá paradas (breques) curtas e súbitas, encaixando nelas, às vezes, frases ou ditos humorísticos.

> *Breque deriva da palavra da língua inglesa "brake", que significa freio.*

samba de enredo Samba composto especialmente para ser cantado durante os desfiles das escolas de samba, no carnaval, cuja letra se refere ao enredo que a escola escolheu representar.

samba de partido-alto Dança de ritmo próximo ao batuque africano, marcada por palmas, chocalho e outros instrumentos de percussão e, às vezes, acompanhada de cavaquinho e violão.

> *Espécie de samba tradicional do Rio de Janeiro.*

samba do crioulo doido Algo confuso, cheio de incoerências e referências equivocadas.
samba no pé Samba dançado com agilidade e graça, com movimentos ágeis dos pés, requebros, volteios etc.; a habilidade para dançá-lo.
sanção presidencial Confirmação do presidente da República de um projeto de lei aprovado pelo Legislativo.
sanctum santorum Lat. V. "santo dos santos".
sanduíche aberto Aquele cujo conteúdo não foi colocado entre fatias de pão, mas servido em prato.
saneamento básico Saneamento essencial para o bem-estar de uma população, realizado, sobretudo, por meio da canalização dos esgotos urbanos e abastecimento de água.
sangria desatada *1.* Situação que está a ponto de sair do controle e que é grave e urgente. *2.* Diz-se "não ser sangria desatada" (*V.*) o assunto que não requer solução urgente.
sangue azul Nobreza, fidalguia.
sangue de barata Diz-se que o tem quem não reage a ofensas, ficando frio e impassível diante de agressões que lhe são dirigidas.
sangue de Cristo *Rel. Catol.* O vinho eucarístico.
sangue frio O sangue dos animais (peixes, répteis e invertebrados) cuja temperatura depende da do meio em que eles vivem.

> *Sangue-frio = Autocontrole, presença de espírito em momentos de crise, perigo etc. V. "matar a sangue-frio".*

sangue nas veias Diz-se que tem sangue nas veias quem não consegue se controlar diante de uma ofensa. V. "sangue quente (*1*)".
sangue quente *1.* Atribuído a pessoa nervosa, facilmente irritável, indócil, esquentada, brigona, briosa. *2.* O sangue dos mamíferos.
sangue ruim Diz-se de pessoa ruim, de má índole.

sangue, suor e lágrimas O máximo esforço que se pode fazer.

> Em sua versão moderna, a expressão é inspirada no primeiro discurso de Winston Churchill na Câmara dos Comuns, como primeiro-ministro britânico, em plena guerra com a Alemanha, afirmando que na busca da vitória não tinha a oferecer senão sangue, trabalho árduo, lágrimas e suor.

sans peur et sans reproche *Fr.* Sem medo e sem censura, *i.e.*, que não conhece medo e não dá motivo a nenhuma censura; com a consciência tranquila.
Santa Casa Instituição beneficente hospitalar, de caráter religioso, comum no Brasil, também chamada de Santa Casa de Misericórdia ou de Casa de Misericórdia.
Santa Ceia *Rel. Crist.* A derradeira refeição de Jesus com os seus apóstolos, na véspera de sua Paixão, ocasião em que instituiu a Eucaristia.
santa das causas impossíveis *Rel. Catol.* Qualidade atribuída a Santa Rita de Cássia, a quem os fiéis costumam recorrer pedindo ajuda na superação de situações dificílimas.
Santa Sé A Igreja Romana; o poder pontifício.
santa terrinha Portugal, como referido pelos portugueses que estão ou residem fora do país.
santas espécies *Teol.* Aparência do pão e do vinho após a transubstanciação. *Var.* "sagradas espécies".
Santas palavras! Exclamação diante de palavras (notícias) que se queria ouvir ou que se aguardavam ansiosamente.
Santíssimo Sacramento *Rel. Catol.* A Eucaristia.
Santo de casa não faz milagres. Referência ao fato de ser comum uma pessoa não ter seus méritos reconhecidos no próprio meio em que vive ou que não faz uso de sua especialidade em benefício próprio.
santo de roca Imagem religiosa de vestir, na qual somente o busto ou a cabeça são esculpidos ou moldados, apoiando-se em armação de madeira (chamada de roca), com braços articulados para facilitar a troca da veste.
santo Deus Invocação que expressa espanto, medo, entusiasmo, alegria e, naturalmente, a lembrança de Deus.
santo do pau oco *1.* Pessoa travessa, com aparência de quieta; indivíduo velhaco,

hipócrita. *2.* Pessoa que finge inocência e bom caráter.

> Alusão às imagens de santos, feitas de madeira, ocas, em cujas cavidades se transportavam, sobretudo em Minas Gerais na época colonial, ouro ou pedras preciosas, visando a contrabandeá-los ou a escapar da fiscalização e da tributação.

santo dos santos Algo considerado sacrossanto.

> Lugar interno do templo de Jerusalém, separado por um véu da câmara interna e cujo acesso era restrito aos sacerdotes do Templo. Em Lat. "sancta santorum" (V.)

santo e senha Palavras que o sentinela dirige a quem chega para saber se se trata de amigo ou inimigo.
santo horror Temor respeitoso em face de coisas religiosas.
Santo Império Aquele estabelecido por Carlos Magno (747-814), rei e imperador de vasta extensão do território europeu.
Santo Lenho *Rel. Catol.* A cruz de Cristo. *Var.* "Sagrado Lenho".
Santo Ofício *Rel. Catol.* A Inquisição ocorrida historicamente desde o século XII.

> Inquisição = Hist. Rel. Antigo tribunal eclesiástico instituído pela Igreja Católica, no começo do séc. XII, para julgar e punir severamente crimes contra a fé.

Santo Padre *Rel. Catol.* O Papa.
santo remédio Medida, ação ou fato que veio ou ocorreu em boa hora, no momento oportuno.
Santo Sacrifício *Rel. Catol.* O sacrifício da missa.
Santo Sepulcro *Rel. Crist.* Aquele em que Jesus foi sepultado.
Santo Sudário Lençol existente na Catedral de Turim (Itália), no qual se acredita teria sido envolto o corpo crucificado de Jesus. *V.* "manto sagrado".
santos óleos *Rel.* Os que se usam na Igreja Católica Romana para o Crisma, a Unção dos enfermos, o Batismo e outras cerimônias.
são da mesma panelinha Diz-se de pessoas que formam grupo fechado, que têm seus próprios segredos e/ou suas afinidades, e que só a custo admitem novos membros ou participantes. *Var.* "eles lá se entendem".

são e salvo *1.* Diz-se de quem sai ileso de um acidente. *2.* Diz-se de quem escapa de transtornos numa jornada perigosa.
são favas contadas É certíssimo; não há dúvidas.
são intrigas da oposição Diz-se do assunto que carece de fundamento, pois é fruto de desavenças devido a posições antagônicas.
são mais as vozes que as nozes A aparência é maior que a realidade.
são outros quinhentos Trata-se de outro assunto; isso é outra coisa, outra conversa.
São Tomé Pessoa incrédula; pessoa que sempre requer comprovação do que lhe dizem.

Alusão ao episódio narrado no Novo Testamento (Jo 20, 24-29), a propósito da incredulidade de Tomé quando os demais apóstolos a ele contaram sobre a ressurreição de Jesus, que lhes teria aparecido.

sapato de defunto Promessa ou esperança incerta ou demorada.
sapecar o pé Meter o pé. *Var.* "sapecar a mão".
saraivada de golpes Intensos e repetidos golpes.
sarça ardente Episódio relatado na Bíblia (*Ex* 3,1-6) em que a sarça (planta espinhosa, da família das fabáceas), enquanto se tornava ardente, inexplicavelmente não se consumia.

O episódio ressalta o Deus misterioso que age além da compreensão humana. No acontecimento bíblico ocorrido no alto do Monte Sinai, Deus conversa com Moisés deixando-se revelar como uma sarça que arde, mas não se consome.

sarna para se coçar *1.* O que causa aborrecimento, preocupação, cansaço ou sofrimento. *2.* Motivos para se contrariar. *3.* Assunto melindroso, de difícil condução e solução. *4.* A expressão "procurar sarna para se coçar" quer dizer que a pessoa está insistindo em algo dispensável que pode vir a lhe causar preocupações e trabalho sem necessidade.
satélite artificial Veículo ou artefato espacial colocado em órbita de um astro, geralmente utilizado em comunicações, pesquisas meteorológicas, espionagem, mapeamento etc.
saudação angélica *Rel. Catol.* O *m.q.* ave-maria.

saúde de ferro Diz-se que a tem aquele que goza de perfeita saúde.
saúde pública Arte e ciência que trata da prevenção, proteção e do melhoramento da saúde de uma comunidade.
save our souls (S.O.S.) *Ing. Lit.* Código de pedido de socorro, significa, literalmente, 'Salvem nossas almas'.

Pedido de socorro integrante do código internacional de sinais. É bem conhecido pela sigla S.O.S. (iniciais da expressão). Em virtude de tais sinais terem sido muito usados por navios, outra versão para a sigla é "save our ship", que significa "salvem nosso navio".

scanner **óptico** Aparelho eletrônico que, ligado a um computador, faz a "leitura" de um desenho, escrita etc., fazendo-os visíveis na tela, prontos para serem copiados ou processados.
se a memória não me falha Modo de fazer uma afirmativa com ressalvas quanto à sua exatidão. *Var.* "se não me falha a memória".
se bem o disse, melhor o fez Expressão que registra a firmeza de alguém que prometeu fazer algo e, de fato, cumpriu.
se bem que Ainda que; posto que; apesar de que; embora; de modo que; ainda bem que; conquanto; bem que.
Se cair, do chão não passa. Expressão que alguém diz desdenhando a advertência de outrem sobre a iminência de que ocorra sua queda ou de algo que carrega.
Se correr o bicho pega, se ficar o bicho come. A expressão denota impasse, falta de alternativa e/ou conformismo diante da inexistência de opções.

A expressão identifica uma peça teatral de mesmo nome, de autoria do dramaturgo, ator e diretor de teatro e televisão brasileiro Oduvaldo Vianna Filho (4/7/1936-16/7/1974), também conhecido como Vianinha.

se dá pra dois, dá pra três Expressão que muito se ouve relacionada com alimentação. *Var.* "onde comem dois, comem três".
Se Deus quiser! Locução interjetiva, exprime expectativa, aspiração, desejo. O *m.q.* "Deus queira!".
se eu contar, ninguém vai acreditar Referência a fato inusitado, relatado e testemunhado por alguém que confirma sua veracidade, apesar de achá-lo estranho.

se me dão Locução que significa: "só se oferecido gratuitamente", que os fumantes costumam usar em resposta à pergunta "Você fuma?". Também se usa a expressão em outras situações semelhantes, como, *p.ex.*, referência ao próprio cigarro (ou outra coisa) assim cedido.
se melhorar, estraga Com certo exagero, resposta que muitos dão à pergunta ou saudação "Como vai... (alguém ou alguma coisa)?". *V.* "maravilhosamente bem".
se não existisse, seria preciso inventar Assim nos referimos a algo excelente, que é importante para nós, de que não podemos prescindir.
se não gostou, gostasse Expressão que significa que uma situação terá de ser tolerada, aceitando-a ou não.
se não me falha a memória... Isto é, se me lembro bem...
se não se importa Fórmula de cortesia ao se pedir algo; por favor.
Se non è vero, è bene trovato. Expressão que vem do italiano e significa "se não for verdade, é bem concebido".

É locução muito frequentemente usada quando se quer admitir algo não por estar convencido de sua veracidade, mas simplesmente pela razoabilidade da proposição.

se o diabo der licença Se for possível.
se tanto Quando muito; no máximo.
Se um diz branco, o outro diz preto. Alusão a pessoas que vivem em constante contradição.
Sé vacante Assim se denomina o período entre o falecimento de um Papa e a eleição de outro, relativamente à Santa Sé (*V.*).
se vontade matasse Expressão que designa um ardente desejo por algo cujo alcance parece difícil ou impossível.
Se? Ora, se! Se minha avó não tivesse morrido, inda hoje estaria viva. Resposta/réplica a quem fala fazendo uso de condicionais.
sebe viva Cerca feita de plantas, cerca viva.
seco como língua de papagaio Muito seco.
seco como osso Completamente seco.
seco como palito Magérrimo.
seco na paçoca Pessoa valentona, brigona, abusada; desafiadora.
secos e molhados *1.* Sólidos e líquidos alimentares. *2.* Ramo de comércio que vende gêneros alimentícios, bebidas, utensílios e mercadorias diversas.

secretária eletrônica Aparelho eletrônico acoplado ao telefone ou dele integrante que grava mensagens recebidas quando o seu assinante está ausente ou impedido de atender.
secretário de Estado Título que nos Estados Unidos da América se dá ao ministro das Relações Exteriores (chanceler); é também como se denomina o cargo do cardeal que exerce essas mesmas funções no Vaticano.
século das luzes Período (séc. XVIII) em que as tendências intelectuais emergiam, como reação ao obscurantismo medieval e pós-medieval, para uma nova era iluminada pela razão, pela ciência e pelo respeito às relações humanas. Coincidentemente, foi época de grandes descobertas científicas, fomentando o movimento; iluminismo.
sede apostólica *Rel. Catol.* A Santa Sé; a Igreja de Roma.
Sede da Fé O conjunto das verdades reveladas. *Var.* "Sede da Revelação".
sede de água Porção de água suficiente para saciar a sede.
sede de riqueza Cobiça; avidez.
sede de sangue Impulso ou vontade de matar alguém.
sede gestatória Expressão que vem do latim: *"sedia gestatoria"*. Cadeira especial usada pelo Papa nas suas saídas na Praça do Vaticano, em solenidades especiais.
sede social O lugar onde a empresa tem sua base; matriz.
segredo de abelha Coisa misteriosa, oculta, difícil.
segredo de comédia O que muitos ouvem; segredo não levado em consideração ou a sério. *V.* "segredo de polichinelo".
segredo de Estado *1.* Assunto de interesse público cuja divulgação pode temporariamente prejudicar o Estado. *2.* Qualquer coisa cercada de grande mistério.
segredo de polichinelo Aquilo que se tornou conhecido de todos, embora se julgasse que fosse segredo. *V.* "segredo de comédia".
segredo do coração O que há de mais oculto e especial no íntimo de uma pessoa; segredo que se guarda a sete chaves; confidência; algo íntimo que não se destina a ser compartilhado.
segredo profissional Segredo que se torna conhecido apenas internamente numa empresa e sobre o qual se guarda sigilo em virtude de se tratar de estratégia administrativa.
segredo sacramental Sigilo obrigatório imposto aos sacerdotes sobre os fatos narrados por penitentes na confissão.

segredos do ofício As particularidades, especialidades e experiência de cada profissional.

segregação racial (social, religiosa etc.) Política, ou comportamento, que objetiva separar e/ou isolar no seio de uma sociedade as minorias ou grupos raciais, sociais, religiosas etc., restringindo, oficialmente ou na prática, seus direitos; discriminação (social, religiosa etc.).

seguir a esteira de Aderir a uma determinada causa; tomar como modelo. V. "ir na esteira de alguém".

seguir a onda Acompanhar a moda; ir atrás dos outros.

seguir à risca Seguir fielmente, rigorosamente dentro do estipulado.

seguir com os olhos Examinar a marcha ou o movimento de; não perder de vista.

seguir nas águas de Acompanhar; ir atrás.

seguir o bom caminho Proceder com honradez.

seguir o exemplo Imitar ou fazer o mesmo que outros fazem.

seguir os passos de *1.* Acompanhar os passos de; ir na pista ou no alcance de. *2.* Escolher para exemplo; imitar.

seguir seu próprio caminho Fazer o que bem entende, sem se importar com os interesses dos outros.

segunda chamada Oportunidade que se concede ao aluno de fazer provas após a data prevista.

segunda frente Expressão de uso corrente na Segunda Guerra Mundial, usada para designar a abertura de nova frente de operações militares.

> *Nome que se atribuía à Frente Ocidental, além da Frente Russa.*

segunda infância *1.* Período da infância entre os 3 e os 7 anos de idade. *2.* Diz-se de pessoas que se comportam como crianças ou porque estão ficando idosas ou confusas.

segunda intenção *1.* Ideia subentendida, dissimulada, oculta. *2.* Aquela que sugere propósitos sub-reptícios, enganosos e/ou malévolos. Também se diz: "segundas intenções".

segunda língua Língua muito utilizada pelo falante e que não é a sua língua materna.

segunda natureza Algo que se faz com grande habilidade e naturalidade e que não é exatamente a profissão ou principal ocupação.

segundas núpcias Casamento de pessoa que já tenha sido casada uma vez.

segundo Adão Jesus Cristo.

segundo clichê Parte da tiragem de um mesmo número de uma publicação, na qual se acrescentam notícias de última hora relativas a fatos ocorridos após o fechamento da edição normal.

segundo dizem Conforme se ouve dizer; conforme consta.

segundo escalão Numa hierarquia, segmento administrativo logo abaixo dos diretores, comandantes ou dos que estiverem no topo da chefia.

segundo mundo Conjunto de países, nações e/ou Estados socialistas.

segundo plano Pôr "em segundo plano" significa relegar a um lugar inferior na escala de prioridades ou de importância.

segundo sentido Subsentido (ideia ou intenção não declarada).

segurar a barra V. "segurar as pontas".

segurar a língua Manter-se calado; conter-se, não revelando o que pensa em determinada ocasião ou situação.

segurar a vela Fazer companhia a casal de namorados. O *m.q.* "ficar de vela" e "segurar o castiçal".

segurar as pontas *1.* Tomar cuidado. *2.* Sustentar sozinho um negócio ou uma situação diante do abandono dos demais envolvidos; aguentar o rojão. *Var.* "segurar a barra".

segurar o barco Enfrentar as situações difíceis.

segurar o diabo pelo rabo Vencer grande dificuldade.

segurar o leme Dirigir com firmeza um empreendimento, um mandato.

seguro de vida Contrato mediante o qual uma das partes (companhia de seguros) se obriga a pagar à outra (descendentes ou pessoas designadas pelo segurado) uma determinada quantia como indenização pela ocorrência de morte do segurado.

seguro obrigatório Seguro obrigatório de veículo, recolhido pelos Estados por meio de seus órgãos de arrecadação, para suprir fundo destinado a indenização de pessoas acidentadas nos ou pelos veículos.

Sei lá! V. "Eu sei lá?".

sei o que sei Não vou explicar mais; é isso aí!

seixo rolado Seixo sem arestas, arredondado pelo desgaste devido ao atrito constante, que se encontra à beira-mar ou no leito de cursos-d'água.

seja como for V. "seja lá como for".

seja feita a tua vontade *Rel. Crist.* Indica obediência resignada, de entrega total nas mãos de Deus, e figura no pai-nosso.

Em latim a locução correspondente é: "Fiat voluntas tua".

Seja homem! Expressão com que se manda alguém reagir ou suportar com coragem um acontecimento desagradável.
seja lá como for Como quer que seja; seja como for; aconteça o que acontecer; de qualquer modo; não obstante; apesar de tudo. *Var.* "seja lá o que for", "seja lá como Deus quiser" e "seja como for".
Seja lá que santo for, ora-pro-nóbis. Expressão que significa aceitar a pessoa o auxílio de quem quer que seja diante de suas prementes necessidades e das circunstâncias.
seja o que for Aconteça o que acontecer.
seja qual for Sem fazer questão de qualidade ou de espécie de coisa ou pessoa de que se está tratando.
seja quem for Quem quer que seja. *Var.* "seja lá quem for".
seja tudo por amor de Deus Exclamação com que se manifesta conformidade ou tolerância com o impróprio ou com o desagradável.
sejam como sou ou não sejam Aforismo que indica a firme resolução de não mudar; intransigência.
selar um acordo Dar um acordo como encerrado, aceitando todos os seus termos e assinando-o.
seleção canarinho *Fut.* A seleção brasileira (*esp.* de futebol), devido à cor da camisa de seu uniforme mais tradicional.
seleção natural Sobrevivência das variedades animais e vegetais mais adaptáveis, com o sacrifício das menos aptas, que terminam desaparecendo.

É o fundamento da teoria evolucionista de Charles Darwin.

self-made man *Ing.* Pessoa que se fez por si mesma, *i.e.*, que alcançou uma situação social superior graças ao próprio esforço. *Pl.*: *self-made men*.
selva de concreto A cidade moderna, com ênfase aos perigos e problemas por que passa quem nela vive.
sem apelação Definitivo; sem nenhuma possibilidade de modificação. *Var.* "sem agravo nem apelação".
sem apelo Irremediavelmente.
sem avesso nem direito Aquilo que por todos os lados é sempre o mesmo ou que em todas as ocasiões é igual. *Var.* "sem direito nem avesso".
sem base *1.* Sem apoio ou sustentação (ideia, teoria, proposta etc.). *2. Pop. MG* Muito; demais.
sem bulha nem matinada Silenciosamente, sem alarde.
sem cabimento Absurdo, inaceitável.
sem Ceres e Baco, Vênus vive fria *Fig.* Sem entusiasmo, sem incentivo, nada se pode realizar.

Mit. Esta expressão significa que o amor (Vênus) é fraco ou não perdura quando não há comida (Ceres) nem bebida (Baco); em suma, quando não há suficiência dos meios de subsistência ou a alegria que ao vinho se associa.

sem cerimônia À vontade; com desembaraço; sem constrangimento; com franqueza.
sem cessar Incessantemente.
sem classe *1.* Sem classificação. *2.* Sem educação; sem modos; casca-grossa.

Casca-grossa = Pessoa grosseira, mal-educada, rude, ordinária.

sem comentários Recusa a tecer considerações sobre determinado assunto, por julgá-las inócuas ou por acreditar que não serão levadas em conta.
sem comparação Inigualável.
sem condições Impossibilidade; absolutamente impossibilitado. *Var.* "sem condições para nada".
sem consistência Sem base; sem amparo.
sem conta *1.* Inumeravelmente; em grande quantidade; à vontade. *2.* Inúmeros; muitíssimos; demais da conta.
sem conta, nem peso, nem medida Sem prudência.
sem contar que Além disso.
sem contradição Incontestavelmente.
sem corpo De compleição franzina; diz-se de pessoa magra.
sem cruz nem cunho *V.* "sem eira nem beira".
sem demora Rapidamente; sem retardo.
sem descanso Continuamente, sem parar.
sem destino Ao acaso.
sem direção Sem rumo; sem orientação; sem controle; desgovernado; a esmo.
sem discrepância Unanimemente; de comum acordo.

sem dizer água vai Sem avisar; de repente; inopinadamente.
sem dó nem piedade De modo inexorável; sem favor.
sem dúvida Com certeza.
sem efeito Inócuo; sem valor; nulo.
sem eira nem beira Diz-se de pessoa simples, destituída de posses; muito pobre; sem recursos; na miséria. Alguns complementam: "sem eira nem beira nem ramo de figueira".

> *A expressão, segundo alguns, vem dos açorianos radicados em Santa Catarina, os quais construíam suas casas com beiral e pequeno pátio à frente (eira). Entretanto, alguns, mais pobres, construíam suas casas sem beiral e sem eira, então a casa deles era "sem eira nem beira", portanto, simples, mais pobre que as outras.*

sem embargo Não obstante; contudo.
sem embargo de Apesar de.
sem empurra-empurra De modo ordeiro, sem confusão ou ajuntamento de pessoas.
sem escapatória Sem poder omitir-se ou escapar; queira ou não queira; sem alternativa.
sem esforço Facilmente.
Sem essa! Não concordo! Não vem que não tem! Não brinca! Deixa disso!
sem exemplo Sem igual; sem que se repita; único; incomparável; nunca visto.
sem fala *1.* Silenciosamente. *2.* Sem poder falar; faltando-lhe a voz.
sem falar de Em adição; complementarmente.
sem falta Com toda a certeza; infalivelmente.
sem faltar um cabelo Sem faltar nada; ileso. *Var.* "sem faltar um só cabelo".
sem fé nem lei Sem religião nem consciência.
♦ **sem-fim** Interminavelmente.
sem fôlego *V.* "falta de ar".
sem freios Sem controle; desordenadamente.
sem fundo *1.* Muito fundo. *2.* Diz-se também do cheque para o qual não há suficiente cobertura na conta correspondente.
sem futuro Improdutivo, estéril, sem possibilidade de melhora ou progresso.
sem graça Sem interesse ou atrativos; tímido; insípido; insosso.
sem grilos *1.* Sem estrilo. *2.* Sem dificuldades, sem empecilhos.
sem horizontes Sem perspectivas de vida melhor; sem possibilidade de se desenvolver, de progredir.
sem igual Sem par; sem comparação; inigualável; único.
sem jeito Com embaraço ou acanhamento; contrafeito; encabulado; envergonhado; acanhado; inábil.
sem jeito para nada Completamente desajeitado, inábil; de pouca destreza.
sem lar Sem casa; sem lugar digno para viver.
sem lei nem grei Sem rumo, sem orientação. *V.* "sem lei nem rei".

> *Grei = Nação, povo.*

sem lei nem rei Sem rumo, por conta do acaso; ao sabor dos ventos; sem lei nem grei. *Var.* "sem lei nem roque" e "sem lei nem rei nem roque".
sem lenço nem documento Diz-se de quem se sente livre, sem amarras, vivendo sem ambições e sem compromissos a não ser consigo mesmo e com aqueles ou aquilo que o rodeiam.
sem linha Sem elegância, mal-educado; sem boas maneiras.
sem mais Fórmula de se encerrar uma carta, um assunto, uma ata.
sem mais aquela Sem cerimônia; sem acanhamento; inesperadamente; sem dar satisfação.
sem mais nem menos Sem motivo; sem razão; sem se explicar; repentinamente.
sem mais preâmbulos De pronto, sem demora, entrando logo no assunto; sem perda de tempo, sem mais delongas, imediatamente.
sem mais quê nem para quê *Sul* Sem quê nem para quê. O *m.q.* "sem mais nem menos".
sem mais tardar Sem mais demora; imediatamente.
sem medida Desregradamente; sem limite.
sem medo e sem censura Destemidamente.
sem método Sem obedecer a uma determinada ordenação, estrutura, metodologia etc.
sem mistura Perfeito, puro.
sem nenhum Na penúria; paupérrimo; sem dinheiro.
sem nexo Confuso; ininteligível.
sem noção *1.* Diz-se da pessoa ignorante, inconsequente, inconveniente, inoportuna, ingênua. *2.* Sem ideia ou qualquer conhecimento (sobre um assunto); desconhecimento completo (do assunto).

sem nome 1. Que não se pode nomear; indecoroso; revoltante. 2. Enorme, grandioso, inigualável, indescritível.
♦ **sem-número** Em número excessivo ou em grande quantidade; inúmeros; inumeráveis; muitos; grande número.
sem objetivo Sem motivação. V. "falta de objetivo".
sem ofício nem benefício Diz-se de pessoa sem ocupação, que nada tem a fazer; desocupado, vadio, irresponsável, indolente.
sem olhar para trás Sem considerar o passado; indo em frente com decisão. V. "não olhar para trás".
♦ **sem-par** Sem igual; inigualável.
sem paralelo V. "não ter paralelo".
sem pau nem pedra Sem o emprego de violência.
sem pensar Inconscientemente; inadvertidamente.
sem perda de tempo Imediatamente. Ouve-se também: "sem tempo a perder".
sem pé(s) nem cabeça Diz-se de discurso ou conversa sem sentido, incoerente, confuso, ilógico, sem nexo, disparatado; falta de senso; sem nexo. V. "não ter pés nem cabeça". Var. "sem pé nem cabeça".
sem peso nem medida Sem método.
sem pestanejar Imediatamente, sem pensar, sem hesitar.
sem pouso Sem ter onde se abrigar ou ficar; só.
sem precedente(s) Inédito; único.
sem preço Inestimável; não há nada que possa pagar; precioso, valioso.
sem preparo 1. Inapto; sem a necessária qualificação ou preparo. 2. De modo natural.
sem pressa Calmamente.
sem proveito Sem utilidade ou serventia.
sem quantia Impossível de contar; incontável; inumerável.
sem que Exclusão ou inexistência de alguma circunstância, condição ou exceção.
sem quê nem para (por) quê Sem razão aparente; de inopino; sem explicações; surpreendentemente. Var. "sem mais quê nem para quê".
sem querer Involuntariamente; impensadamente; sem intenção, não intencionalmente.
sem querer, querendo Atitude de quem se manifesta de modo indeciso, dúbio.
sem rebuço Com toda a sinceridade; francamente; sem nada a ocultar; sem rodeios, sem meias palavras.

A acepção para "rebuço" que corresponde ao sentido da locução é: disfarce, dissimulação.

sem receio Afoitamente.
sem redenção Irremediavelmente.
sem rei nem roque A toda, desorientadamente; sem rumo, desorientado; sem governo; sem chefe. Var. "sem lei nem grei".

Roque = 1. torre. 2. Movimento da torre em um jogo de xadrez, visando dar mais proteção ao rei. É possível que esta expressão tenha inspiração no jogo de xadrez: estando sem o rei, que é a peça principal do jogo, e sem roque, ou sem jogada que se possa fazer para proteger o governo, a situação é de total desorientação.

sem remédio Que não se pode evitar, ou corrigir; inevitável; irremediável.
sem remissão Impreterivelmente; inexoravelmente; sem tardança.
sem remorso Sem estar arrependido ou envergonhado por ato que tenha praticado.
sem reserva Sem segredo; que pode ser divulgado; abertamente.
sem rima nem razão Destituído de valor ou de méritos; sem graça, sem interesse.
sem rodeios Diretamente; francamente; sem meias palavras.
sem rumo Sem destino; à toa; a esmo.
sem sal Sem graça, sem sabor.
sem segundo Sem rival, sem competidor.
sem senão Sem restrições; sem defeito; perfeito; de acordo. Var. "sem um senão".
sem sentido Confuso; não expresso de maneira compreensível.
sem sentidos Desmaiado.
sem sobressalto Placidamente; com vagar; tranquilamente; sem pressa; sem susto; fleumaticamente; a sangue-frio.
sem solução de continuidade Sem interrupção; continuadamente.
sem sombra de dúvida Diz-se quando não há a mais leve dúvida; com certeza. O *m.q.* "fora de dúvida".
sem susto Sem medo; calmamente; tranquilamente.
sem tambor nem trompete Sem chamar atenção; discretamente.
sem tento Desatentamente.
sem tento nem propósito Sem razão nenhuma.
sem termo Sem fim; infindável.
sem teto Diz-se das condições atmosféricas desfavoráveis (visibilidade) para uma aeronave decolar ou pousar.
sem tino Descuidadamente.
sem tirar nem pôr Exatamente deste modo; assim mesmo; tal e qual.

sem tir-te nem guar-te

sem tir-te nem guar-te (com apócopes de "tirar-te" e de "guardar-te") Sem aviso prévio; sem cerimônia; repentinamente.
sem tocar um cabelinho Sem tocar ou mexer em nada; sem alterar ou interferir.
sem tom nem som Sem ordem nem harmonia; sem jeito nem maneiras; fora de propósito.
sem trelho nem trambelho Desordenadamente; sem jeito; imperfeitamente; à toa.

Trelho = Pá com que se bate o creme para a fabricação da manteiga; trambelho = Peça com que se retesa a lâmina da serra.

sem tugir nem mugir Sem dizer palavra; sem reagir.
sem um tostão Absolutamente sem dinheiro; muito pobre; quebrado.
semana furada Aquela em que há um ou mais dias feriados.
semana inglesa Aquela na qual o descanso semanal se estende pelo sábado ou pelo menos desde a metade do sábado.
Semana Santa *Rel. Crist.* A semana dedicada à comemoração da paixão, morte e ressurreição de Jesus Cristo.
semana solteira A que não tem dia santo de guarda; semana donzela.
semear em areia Trabalhar debalde, sem resultado ou proveito.
sempre que Todas as vezes que.
senão quando De repente; repentinamente; de súbito; eis que; neste ínterim.
senão que Mas antes, mas sim; mas ao contrário.
Senatus populusque romanus Expressão latina que significa "O Senado e o povo romano". Era a divisa da República Romana.

Também conhecida pelo dístico SPQR (iniciais das palavras da locução). Há uma hipótese de que a expressão tenha sido cunhada originalmente pelos sabinos, inimigos dos romanos, aos quais desafiaram com o lema "sabinis populis quis resistet?", ou "Quem resistirá ao povo sabino?". A resposta romana foi "Senatus populusque romanus", "O Senado e o povo romano". Com o advento do cristianismo, seus adeptos usaram as mesmas iniciais em sua bandeira, porém como uma súplica ao divino redentor: "Salva populum quem redemisti", ou seja, "Salva o povo que remiste".

sendo assim Por conseguinte; dessa forma; neste caso, nestas circunstâncias.
sendo que Uma vez que; desde que; visto que; porquanto; e; pois; mas.
senhor da Messe Jesus Cristo.
senhor da situação Alguém que tem os acontecimentos sob controle.
senhor de baraço e cutelo O que dispunha da vida de seus vassalos.

Baraço = Corda, cordel; cutelo = Lâmina presa a um cabo de madeira, outrora utilizado em decapitações.

senhor de engenho Dono de propriedade agrícola onde se cultiva e se industrializa a cana.
senhor de seu nariz Independente; livre, capaz, consciente; que sabe o que quer; que não aceita tutela; em perfeito juízo; tranquilo; controlado V. "senhor de si".
senhor de si V. "dono de seu nariz".
senhor Diretas Antonomásia conferida ao deputado Ulisses Silveira Guimarães (1916-1992), por ocasião da campanha pelas eleições diretas para presidente, devido à sua decisiva e entusiástica participação naquele episódio da política brasileira.

"Diretas Já" foi o nome pelo qual ficou conhecido o movimento civil reivindicatório de eleições presidenciais diretas no Brasil ocorrido em 1983-1984. A primeira consequência foi a eleição indireta (pelo Colégio Eleitoral), em 1985, de seu principal líder, Tancredo de Almeida Neves. Somente em 1990 a eleição direta para a Presidência foi definitivamente restabelecida.

senhor dos seres Deus.
senso comum Conjunto de ideias, opiniões, comportamento e modos de sentir que prevalecem em determinados contextos sociais, resultantes da tradição e/ou *ger.* aceitos sem maiores questionamentos; consenso. V. "bom-senso".
senso de direção Noção exata do caminho a tomar ou a seguir; pessoa dotada de boa orientação locacional.
senso íntimo A consciência.
senso moral Consciência do bem e do mal.
senso prático Diz-se que o tem aquele que é dotado de capacidade de tornar as coisas mais simples de serem utilizadas.
Senta a pua! Dístico inscrito nos aviões da Força Aérea Brasileira durante a Segunda Guerra Mundial, na Itália.

A expressão denota estímulo à luta.

sentado nas próprias mãos À toa, ocioso.
sentar a mão Assentar a mão.
sentar no banco *Fut.* Ficar na reserva.
sentar no cabresto *RS 1.* Diz-se do movimento brusco, repentino, do cavalo ao tentar livrar-se do cabresto. *2. Fig.* Resistir a algo com determinação.
sentar num formigueiro *1.* Desassossegar-se; inquietar-se. *2.* Estar num local ou numa situação que causa desassossego ou preocupações.
sentar o braço *V.* "meter o braço".
sentar o pau *1.* Dar início ou prosseguir com um projeto, uma obra, um trabalho, com afinco; pôr mãos à obra. *2.* Bater. *V.* "meter o pau". *Var.* "meter o braço".
sentar praça Alistar-se no serviço militar.
Sente e espere! Exclama-se como expressão de desconfiança quanto à possibilidade de que algo aconteça.
sentido anti-horário Movimento circular em direção contrária ao sentido em que caminham os ponteiros de um relógio.
sentido figurado Sentido metafórico de uma palavra, frase, parágrafo etc.
sentido horário Movimento circular na mesma direção em que se movimentam os ponteiros do relógio.
sentido restrito Interpretação que se cinge às palavras na sua acepção natural ou só ao caso de que se trata, sem se ampliar ou tornar extensivo a casos análogos.

> *Opõe-se a "sentido lato" ou a "sentido amplo".*

sentir gosto de chapéu de sol na boca Diz-se do mau gosto na boca no dia seguinte ao de exceder-se na comida ou na bebida; estar de ressaca. *Var.* "sentir gosto de guarda-chuva na boca".
sentir na pele Ressentir-se profundamente; passar por uma situação penosa.
sentir no bolso *V.* "pesar no bolso".
sentir o chão fugir dos pés Perceber falta de apoio de parte de alguém; sentir que seus projetos foram por água abaixo; ficar chocado, inseguro, perplexo.
sentir o clima Verificar o ambiente, especialmente para se certificar do estado de ânimo dos circunstantes; tomar o pulso de.
sentir-se como Imaginar-se numa determinada situação ou como se fosse outra pessoa.
sentir-se em casa Estar em determinado lugar sentindo-se tão bem quanto se estivesse em sua própria casa; estar à vontade.
sentir-se flutuando Experimentar estado de completo relaxamento e despreocupação.
sentir-se pequeno Humilhar-se; reconhecer-se menos culto ou sábio do que alguém ou menos capaz diante de algo que supere suas forças ou conhecimento.
separar algum Economizar; guardar (sobretudo dinheiro).
separar o joio do trigo Apartar os bons dos maus; separar o que é bom do que não serve. *Cf. Mt* 13,24-30.
sepulcro caiado Pessoa hipócrita, que se apresenta virtuosa mas é corrupta, falsa e má.
sepultar o talento Não o cultivar; deixá-lo esterilizado.
sepultar-se em vida Isolar-se do convívio das pessoas.
ser (alguém) uma sarna Ser pessoa aborrecida, importuna, maçante.
ser (fulano) outra vez Ser a cara de (alguém); parecer-se muito com alguém.
ser (uma) questão de Depender de; o assunto principal é.
ser a cara de Parecer-se muito com o pai, a mãe ou outra pessoa.
ser a conta Bastar; ser o suficiente; ser exatamente isso.
ser a coqueluche (de) *1.* Por estar na moda, ou em momento de sucesso, ser muito procurado (por [usuários, fãs, público em geral etc.]). *2.* Ser pessoa muito querida (da família, dos amigos etc.).
ser a expressão da verdade Ser a verdade indiscutível.
ser a fôrma para o pé de Ser muito conveniente, muito útil; servir perfeitamente.
ser a glória Ser maravilhoso, excelente, genial; excepcional, além de toda a expectativa.
ser a gota-d'água Ser aquilo que faz ultrapassar os limites de alguém ou de algo.
ser a gota-d'água que transborda o cálice *1.* Ser um pequeno acontecimento que provoca ou precipita um outro mais importante. *2.* Exceder o limite; passar da conta. Simplesmente, se diz: "ser a gota-d'água".
ser a negação de Não ter absolutamente certa qualidade, ou capacidade, para determinada atividade, função etc.
ser a segunda pessoa de Ser o substituto mais categorizado, o auxiliar mais importante, o braço direito de alguém.
ser a sombra de alguém Segui-lo por toda parte.
ser a última palavra em Ser o que existe de mais moderno; o último lançamento de um produto.

ser a verdade em pessoa Referência a um indivíduo que nunca mente, nunca falseia.
ser a vergonha de Referência a uma pessoa que causa vexame pela prática de atos indecorosos, ilegais, contravenções etc.
Ser Absoluto Antonomásia de Deus.
ser ainda melhor Ser melhor do que se esperava ou se imaginava.
ser algodão entre cristais Estar sempre buscando evitar atrito entre pessoas que se desentendem; pôr panos quentes.
ser alguém Ser de valia, importante, útil.
ser ali Ser encontrado em seu mais alto grau num indivíduo, num objeto, num lugar etc.
ser alinhado Ser elegante, vestir-se com esmero; ter bons modos; ser cortês.
ser alvo de riso *V.* "alvo de riso" e "ser alvo de chacota".
ser apelido Não ser da qualidade enunciada por alguém a respeito de outrem ou de alguma coisa; não ser a expressão inteira da verdade, estando a pessoa ou coisa muito acima do que foi dito, como em: "Que bonita moça!", à qual se responde: "Bonita é apelido!", ou seja, ela é linda, mais do que bonita.
ser apenas Não passar de; não ser senão.
ser apenas um número Não ter valor para a sociedade; não ser considerado.
ser aquela água Pôr-se a perder; ir por água abaixo; desenvolver-se de modo peculiar.
ser assim Diz-se de pessoas muito ligadas umas às outras, íntimas. *P.ex. Fulano é assim com beltrano.*

> *Ao se pronunciar esta expressão, costuma-se enfatizar a palavra "assim", e às vezes completar com um gesto que indica proximidade.*

ser babado por O *m.q.* "ficar babando por" e "babar-se por alguém".
ser bandeira *V.* "dar bandeira".
ser batata Não falhar.
ser bem Ser aceitável, ser justo, ser louvável.
ser bem (mal) aceito *1.* Ser admitido (ou não), ou bem recebido (ou não) num grupo ou por alguém. *2.* Lograr sucesso (ou não) na apresentação de um trabalho, de uma sugestão, de uma contribuição.
ser besta Ser (ou deixar de ser) iludido, enganado, ingênuo, tolo. *V.* "deixar de ser besta".

> *Esta expressão é também usada no sentido quase oposto: ser (deixar de ser) abusado, intrometido, maldoso, exaurido. Só o contexto é que poderá definir um ou outro sentido.*

ser boa a sua prosa Ter uma conversa inteligente, agradável, fascinante, que prende a atenção.
ser bom de (em) Ser muito apto, capaz, competente ou hábil em alguma coisa, como na profissão ou naquilo que se faz. *Var.* "ser bom em".
ser bom de copo *1.* Beber muito, sem se embebedar. *2.* Diz-se de quem é dado ao consumo de bebida alcoólica; ser bom bebedor.
ser bom para o fogo Não ter qualquer serventia; ser bom para jogar fora.
ser breve Demorar-se pouco; expor em poucas palavras.
ser canja Ser fácil.
ser capaz *1.* Ser apto ou suficientemente hábil ou decidido para realizar ou enfrentar uma tarefa. *2.* Ter petulância de, ou a má ideia de fazer algo errado, maldoso etc.). *3.* Dispor-se a fazer algo difícil, desafiador.
ser capaz de tudo Diz-se quando se está agoniado por um problema que nunca se soluciona e, já sem muita esperança, se manifesta com a intenção de tudo fazer para consegui-lo.
ser carne de pescoço *V.* "carne de pescoço".
ser carneiro de batalhão Ser disciplinado, ordeiro, obediente; seguir com os outros, sem discutir.
ser carta fora do baralho Diz-se de pessoa sem prestígio, definitivamente afastada de uma iniciativa, de um negócio.
ser caxias Embora hoje em desuso, ser caxias é ser extremamente dedicado a uma causa, ao estudo, ao trabalho etc.

> *A expressão refere-se a Caxias (Luís Alves de Lima e Silva – 1803-1880) barão, marquês, duque de Caxias. Militar brilhante e estadista no período imperial, herói da Guerra do Paraguai e tido como pacificador devido às intervenções que comandou, sempre com sucesso, para a unificação do País.*

ser chato Ser antipático, importuno, aborrecido, intragável, maçante.
ser chegado numa garrafa Ter o costume de consumir bebida alcoólica, quase sempre de modo exagerado.
ser cheio de dodóis Diz-se de cavalo com feridas por todo o corpo.
ser cobra Ser exímio em; ser bom em; ser competente.

ser com Dizer respeito a; concernir a.
ser como Locução que indica, com seus complementos, uma comparação: "ser como fulano", que estuda muito.
ser como um filme Ser sensacional, inverossímil, fantástico. *Var.* "ser um filme".
ser como um relógio Ser pontual; andar certinho; funcionar precisamente.
ser conta do meu rosário Ser de minha competência, de meu interesse (exclusivo), de minha responsabilidade.
ser corda e caçamba Diz-se de pessoas inseparáveis.
ser da cepa dos Pertencer, descender, provir da geração da família tal ou de um determinado e caracterizado grupo.
ser da conta de Estar sob a responsabilidade de; dizer respeito (ou interessar) a.
ser da lavra de Ser de fabricação, execução, autoria ou criação de.
ser da pele de Judas Ser inquieto, buliçoso, traquinas, endiabrado. *Var.* "ser da pele do diabo".
ser dado a Ter inclinações para.
ser daqui Ser muito gostoso, muito bonito, muito bom. *Var.* "ser da pontinha".

> *Costuma-se dizer essa expressão acompanhada do gesto de se pegar com os dedos a ponta da própria orelha.*

ser de Ter propensão ou inclinação para; ser dado a.
ser de boa paz Ser pacífico, ordeiro, de temperamento tranquilo.
ser de bom conselho Ser de bom alvitre; ser conveniente.
ser de cá Ser do espaço do grupo daquele que fala.
ser de carne e osso Ser sujeito às fraquezas do gênero humano, do homem.
ser de casa Ser familiar; não ser de cerimônia.
ser de circo Ser dotado de habilidades ou qualidades capazes de solucionar ou superar as mais difíceis situações.
ser de crer Ser crível; merecer fé.
ser de domínio público *1.* Ser conhecido por todos; ser mais do que sabido. *2.* Diz-se de obra, produto, marca etc. já não mais protegidos por patentes ou direitos autorais. *Var.* "cair no (em) domínio público".
ser de família Ser honesto, confiável, comportado. *Var.* "ser família".
ser de fé *1.* Dever ser aceito como dogma. *2.* Merecer crédito; não se poder duvidar.
ser de gelo Ser insensível, impassível, fleumático.

ser de jeito Ser possível; ser da maneira desejada.
ser de lama Não ter energia, ser fraco, pusilânime; não ter brio.
ser de lua Ser de comportamento instável; temperamental.
ser de morte Ser impossível e difícil de suportar; ser levado do diabo, desconcertante. *Var.* "ser de amargar".
ser de opinião Ter (e *ger.* emitir) um conceito; externar o que pensa. *Var.* "ser de parecer".
ser de praxe Ser praxe; estar integrado aos costumes; ser norma aceita.
ser de pedra Ser insensível, duro; inflexível.
ser de ver Merecer a atenção; ser digno de se ver. *Ex.:* Era de vê-lo a dançar, fagueiro.
ser de vidro Ser muito frágil.
ser Deus no céu e (fulano) na terra Referência a pessoa que, depois de Deus, é quem mais se preza.
ser diferente Não ser nem igual nem parecido.
ser do chifre-furado Ser cheio de astúcia, atrevimento e experiência.
ser do meio Pertencer ao ramo, à família, à classe, ao grupo etc.
ser dose Ser coisa que perturba, importuna ou causa amolação, aborrecimento.
ser dose para elefante Ser trabalho difícil, árduo. *Var.* "ser dose para leão".
ser duro da moleira Ser pouco inteligente; ser moroso na compreensão.
ser espaçoso Ser pessoa egoísta, que acintosamente ocupa lugares ou posições de outrem, sem manifestar nenhum pejo.
ser espada *Pop.* Ser indivíduo heterossexual do sexo masculino.
ser esquentado *V.* "sangue quente".
ser família Ser honesto, recatado; de comportamento comedido. *V.* "ser de família".
ser feito Ser como.
ser feito de trouxa Ser logrado, ser passado por idiota. *V.* "ser trouxa".

> *Pessoa trouxa é a que é fácil de ser enganada.*

ser feliz e não saber Não ter noção da fase favorável que, sob todos os aspectos, atravessa na vida.
ser fera em Ser competente em alguma matéria ou atividade; ser profundo conhecedor de algo.
ser fogo Ser difícil, complicado. *Var.* "ser fogo na roupa".
ser fogo na roupa Ser fogo (*V.*).

ser forçoso reconhecer Ser obrigatório concordar; ser levado ou convencido a reconhecer.
ser fôrma para o pé de Convir perfeitamente; ser útil, conveniente.
ser forte em Distinguir-se em; ser bom em.
ser galinha *1.* Ser medroso. *2.* Diz-se de pessoa (homem ou mulher) que está sempre mudando de parceiro em namoro, em relação sexual. *3.* Diz-se de pessoa que se oferece ou aceita facilmente proposta para relação sexual.
ser garganta Contar muita vantagem a respeito de si mesmo; ser prosa.
ser gente *1.* Chegar à idade adulta. *2.* Ser pessoa de importância, de valimento; ser alguém. *3.* Ter bons sentimentos, ser ético, íntegro etc.
ser grego em Nada saber a respeito de um assunto ou matéria. *Ex.: Isso é grego para mim.*
ser homem Ser corajoso, forte; suportar os reveses da vida.
ser isso aí Exprime concordância ou aprovação enfática (*ger.* na afirmação "é isso aí!").
ser joguete de Ser vítima de; ser dominado por; ser obrigado ou induzido a fazer o que outros querem ou mandam.
ser largo Expressão popular para designar a pessoa de muita sorte.
ser levado em conta Ser considerado.
ser ligado em Gostar muito de; interessar-se por.
ser luxo Ser coisa supérflua, dispensável.
ser maior e vacinado Não ter satisfações que dar dos próprios atos; ser independente.
ser mais fácil um burro voar que... Expressão com a qual se indica a impossibilidade de um fato.
ser mala Ser chato, impertinente, enjoado, aborrecido. *Var.* "ser mala sem alça".
ser mandado a (para) escanteio Ser expulso do grupo a que pertence; ficar de fora de um negócio; ser esquecido ou menosprezado.
ser mané Ser trouxa, bobo, ingênuo.
ser mato Diz-se de algo que existe em abundância.
ser mico de circo Esta locução expressa dúvida absoluta em reação a fato ou possibilidade (*Sou mico de circo se isso funcionar*), ou, mais propriamente, "querer ser mico de circo", expressa peremptória recusa ou negativa de assumir ou de realizar algo que esteja sendo proposto.
ser mister *1.* Ser necessário. *2.* Ser de bom alvitre.

ser morto e vivo Frequentar assiduamente um lugar; ir muitas vezes a ou ficar muito tempo em (um lugar).
ser muito saído Ser muito desembaraçado no agir; despachado; sem-cerimônia.
ser mulher de Ter capacidade (a mulher), ânimo, força, disposição ou condição para. *Var.* "Ser mulher para".
ser nada Ter pouco valor ou importância; não merecer atenção ou consideração; não ser nada.
ser nitroglicerina pura Diz-se de algo explosivo, perigoso; vespeiro.
ser notícia *1.* Destacar-se em um noticiário. *2.* Constituir-se novidade.
ser o cara Ser o tal; ser a pessoa de que se fala; ser especial.
ser o centro do universo Ser objeto de todas as atenções. (Diz-se em tom pejorativo.)
ser o cordão umbilical Ser aquilo que prende uma coisa a outra, sustentando-a.
ser o Cristo Ser motivo de humilhação ou ser a pessoa à qual sempre se atribui a culpa por alguma coisa. *Var.* "bancar o Cristo".
ser o diabo em figura de gente Ser pessoa muito inquieta, dada a travessuras e malfeitos.
ser o fim (da picada) Ser o fim (de uma situação, *ger.* um mau fim); estar tudo acabado; não ter mais jeito.
ser o inferno em vida Ser um grande tormento, um verdadeiro martírio.
ser o lanterna Ser o último. *Var.* "ser o lanterninha".
ser o maior Ser o maior de todos, o mais importante.
ser o mesmo Conservar as mesmas qualidades, os mesmos sentimentos, gostos e opiniões.
ser o segundo entre ninguém Não ser nada; não ter importância. *Var.* "zero à esquerda" e "ser o segundo numa lista de ninguém".
ser o sonho de Ser o anelo de; ser a maior aspiração de.
ser o tipo de Corresponder ao ideal de (em matéria amorosa ou sexual).
ser oco da cabeça Não ter juízo.
ser os pecados de alguém *1.* Diz-se de pessoas causadoras de muitas preocupações. *2.* Diz-se de pessoa muito atraente, que desperta desejos intensos em outrem.
ser ou não ser *V.* "to be or not to be".
ser ouro de lei Diz-se do que tem muito valor; inestimável; precioso.
ser ouro em pó Ser inestimável; perfeitíssimo.

ser outra vez Ser a cara de; ser fisionomicamente muito parecido com (alguém). *Ex.: Ele é o pai outra vez.*
ser outro homem Refere-se a pessoa que está mudada, seja na aparência ou no modo de ser, quase sempre para melhor.
ser pai de *1.* Ser pai de alguém. *2.* Ser o autor de uma ideia.
ser para Ser destinado a; servir para; ser idôneo para.
ser para-raios de encrenca Ser sempre chamado para acalmar os ânimos de pessoas em conflito.
ser passado para trás Ser preterido.
ser pato *1.* Ser facilmente enganado. *2.* Ser fraco adversário num esporte ou num jogo qualquer.
ser pau para toda obra *1.* Servir para tudo; prestar-se a tudo. *2.* Aplicar-se a muitas e diferentes coisas.
ser pele e osso Ser muito magro; esquelético, magricela.
ser pesado a alguém Diz-se de quem causa despesas e incômodos.
ser pinto *1.* Ser muito fácil; não constituir maior problema. *2.* Ser ou valer pouco ou quase nada.
ser por Ser favorável a; inclinar-se por (algo).
ser prosa Ser garganta (*V.*).
ser quando Locução usada para ligar o que se dizia com aquilo que se vai dizer, equivalente a "nesse momento" ou "nesse então".
ser quem dá as cartas Diz-se da pessoa que manda, que tudo regula.
ser questão fechada Ser matéria da qual não se abre mão.
ser retalho da mesma peça Ser "farinha do mesmo saco".
ser roda dura *MG* Ser mau motorista.
ser roxo por Gostar muito de; ansiar por.
ser ruim de Não ter habilidade em/ou capacidade de.
ser senhor do seu nariz Não ter de dar satisfações a ninguém; proceder como bem lhe parece.
ser sensível Impressionar-se; reagir com intensidade às emoções.
ser servido *1.* Haver por bem; querer; dignar-se. *2.* Dar-se por satisfeito (a uma mesa, em resposta ao oferecimento de mais iguarias).
ser sopa Ser fácil.
ser superior *1.* Não se deixar dominar por; resistir a. *2.* Não se deixar afetar ou não se sentir diminuído por (ofensas, calúnias etc.). *3.* Ser ótimo; de excelente qualidade.

Ser Supremo *Rel.* Ente Supremo; Deus.
ser tapado Ser burro, ignorante, néscio.
ser tarde *1.* Já não haver jeito ou solução. *2.* Vir fora do tempo. *3.* Já haver passado muito tempo.
ser tempo de Chegar o momento de; ser oportuno.
ser tiro e queda *1.* Ser certeira a pontaria. *2. Fig.* Produzir resultado seguro e imediato.
ser todo ouvidos Estar atento; prestar muita atenção; estar pronto para ouvir.
ser trouxa Ser tolo; deixar-se enganar facilmente. *V.* "ser feito de trouxa".
ser um Muitas das expressões a seguir, iniciadas com "ser um", também são ditas sem o artigo indefinido.
ser um achado Vir a propósito; vir a calhar; ser muito conveniente.
ser um armário Por ser *ger.* grande, diz-se de pessoas corpulentas; expressão bem comum no futebol em relação a atletas que atuam na zaga.
ser um bicho Ser sabido, instruído. *Var.* "ser um bichão".
ser um bicho do mato Diz-se de pessoa de pouco convívio social, inexperiente quanto às convenções da vida urbana.
ser um bom garfo Gostar de comer bem e/ou em quantidade.
ser um bom papo Ter conversa muito agradável.
ser um céu aberto *1.* Diz-se de lugar muito aprazível. *2.* Diz-se de grande ventura; momento encantador, surpreendente.
ser um colírio para os olhos Ser agradável de se ver.
ser um coração aberto Ser sincero, franco, compassivo.
ser um crânio Ser muito inteligente.
ser um desmancha-prazeres Diz-se de pessoa que sempre atua no sentido de atrapalhar a vida, os negócios, os interesses, as alegrias dos outros.
ser um dia cheio *V.* "dia cheio".
ser um diamante em bruto Ser pessoa suscetível de aperfeiçoamento, à qual falta alguma coisa para que desponte toda a sua capacidade latente.
ser um folgado Ser uma pessoa que, embora não se esforçando, e até mesmo não trabalhando, goza de uma vida boa, sem maiores problemas.
ser um galinha Ser poltrão, fraco, medroso. *V. tb.* "ser galinha".
ser um galo Ser capaz (o homem) de ter relações sexuais repetidas vezes em curto espaço de tempo.

ser um livro aberto Diz-se de pessoas que não têm segredos não reveláveis.
ser um luxo Diz-se em admiração pela beleza de um objeto, de uma vestimenta, do inusitado de uma situação.
ser um mata-borrão Ser um beberrão, dado ao vício da bebida.
ser um *nerd* O m.q. "ser um crânio".

> Nerd = *termo que descreve, de forma estereotipada, às vezes com conotação depreciativa, a pessoa de intensas atividades intelectuais, consideradas inadequadas para a idade, em detrimento de outras atividades. Por isso, um* nerd *é muitas vezes excluído de atividades físicas e considerado um solitário pelos seus pares. Pode descrever pessoa com dificuldades de integração social e atrapalhada, mas fascinada por conhecimento e tecnologia.*

ser um nó Ser um problema complexo, difícil de resolver; ser um abacaxi.
ser um número Ser desfrutável ou ingênuo ou muito engraçado.
ser um ovo Ser muito pequeno.
ser um passo para Estar prestes a.
ser um pobre-diabo Diz-se do indivíduo desprezado, pobre, mas inofensivo e até bonachão.
ser um poço de Ter (uma qualidade) em alto grau; ter (algo) como característica individual (qualidade, atitude etc.).
ser um saco furado Ser indiscreto; não guardar segredo; boquirroto. *Var.* "ser saco furado".
ser um traste Ser velhaco, de maus costumes; imprestável.
ser um túmulo Saber guardar segredo(s); ser muito discreto.
ser uma bênção Ser de grande ajuda, valia ou valor, como se fosse uma bênção dos céus.
ser uma besta Ser um tolo, um ignorante ou um intrometido.
ser uma boa Expressão de agrado, de aprovação, de apoio. *Ex.*: *Foi uma boa tal coisa acontecer.*
ser uma brincadeira para Ser muito fácil para (alguém) fazer.
ser uma carroça *1.* Andar muito devagar. *2.* Diz-se de veículo antigo, malcuidado.
ser uma casca de noz Diz-se de uma embarcação frágil, de pequenas dimensões.
ser uma cassandra Diz-se da pessoa que apregoa desgraças.

> Cassandra = Mit. *Figura da mitologia grega, recebeu do deus Apolo o privilégio da profecia, sob a promessa de unir-se a ele. Entretanto, o próprio Apolo castigou-a por não cumprir a promessa, retirando-lhe o dom da persuasão.*

ser uma chinfra Ser um barato; muito bom; espetacular.
ser uma dama Ser educada, cortês, gentil, respeitável.
ser uma enguia Ser escorregadio, difícil de pegar ou de apanhar, que escapa com facilidade e ligeireza.

> Enguia = *Peixe que habita o Atlântico ocidental, de corpo serpentiforme e difícil de ser agarrado, pois escapa facilmente das mãos do pescador.*

ser uma esponja Não se fartar de beber bebida alcoólica.
ser uma fera Ser muito bravo, enérgico, exigente, intratável, rude.
ser uma figueira-do-inferno Ser estéril (mulher).
ser uma figura Ter uma personalidade curiosa, interessante, fascinante; tornar-se diferente.
ser uma geladeira Ser frio, insensível.
ser uma grande cabeça Ser pessoa muito inteligente, de muita sabedoria.
ser uma mãe Pessoa que ajuda e protege os outros, bondosa, carinhosa, prestativa.
ser uma mão na roda Constituir ajuda grande e oportuna.
ser uma máquina Ser trabalhador, incansável.
ser uma moça Ser muito delicado, muito educado (homem).
ser uma negação Não ter absolutamente capacidade, aptidão ou qualidades para o desempenho do trabalho que lhe foi (ou for) confiado.
ser uma ovelha negra Ser pessoa de maus costumes, dissoluto, num meio completamente diferente.
ser uma pedra no sapato Ser um estorvo, um empecilho que incomoda e que perdura.
ser uma pena *1.* Pesar pouco; ser leve, muito leve. *2.* Ser de fazer dó; manifestar-se condoído, triste.
ser uma pilha (de nervos) Ser muito nervoso; ter os nervos à flor da pele.
ser uma pintura Ter bela aparência, ser agradável à vista.
ser uma piração Ser extraordinário; excelente; bom demais.
ser uma pouca-vergonha Ser um ato vergonhoso, imoral, condenável.

ser uma sombra do que foi Diz-se de quem perdeu qualidades ou dons que lhe eram característicos; estar em decadência.
ser uma sopa Ser fácil.
ser uma tábua Diz-se de mulheres que não têm seios ou nádegas salientes.
ser unha e carne Ser muito amigo de (alguém).
ser vaselina *1.* Diz-se de pessoa manhosa, dada a evasivas, subterfúgios. *2.* Ser bajulador, querer agradar com elogios, atenções, ou aceitando qualquer sugestão, situação etc.
ser vinho da mesma pipa Ser "farinha do mesmo saco" (*V.*).
Será possível? Exclamação que exprime, ao mesmo tempo, surpresa e desagrado.
Será quê? Expressão que se usa para iniciar uma indagação ou para externar uma suspeição.
serem a corda e a caçamba Serem inseparáveis (duas pessoas); andarem sempre juntas.
Seria possível? Forma delicada de pedir algo.
sério candidato Diz-se de pessoa que disputa ou aspira a algo com grandes possibilidades de consegui-lo.
Sermão da Montanha Exposição fundamental da parte ética da doutrina de Jesus Cristo, pronunciada numa colina da Galileia.
sermão do mandato *Rel. Catol.* O sermão que se prega por ocasião da cerimônia religiosa (católica) que se celebra na Quinta-feira de Endoenças, quando se lavam os pés a 12 pobres que representam os apóstolos, cujos pés Cristo lavou nas vésperas de sua morte, conferindo-lhes a missão de levar a todos a sua palavra. *Cf. Jo* 13,01-20.
sermão encomendado Procedimento, atitude ou palavras insinuadas por outrem.
serpente infernal Diabo. *Var.* "serpente maldita".
serrar de cima Estar em situação vantajosa.
sertão bruto Aquele que é inteiramente desabitado e inexplorado.
serva de Deus *Rel. Catol.* Freira; religiosa.
serviço de bordo O serviço prestado aos passageiros pelos comissários, durante viagem, em geral aérea.
serviço de carregação Diz-se do que é feito às pressas, malfeito.
serviço doméstico Serviço que se presta num lar.
serviço militar A obrigação imposta aos cidadãos para servir à pátria, servindo no Exército, Marinha ou Aeronáutica.

serviço porco Serviço malfeito, mal-executado.
serviço público A administração pública (federal, estadual ou municipal), compreendendo seus servidores e tudo o que se relaciona à condução dos serviços que a compõem.
serviço secreto Organização secreta encarregada de coletar informações e agir preventivamente em defesa do Estado, suas instituições, sua população.
serviço social Obras de assistência social, voltadas para oferecer ao povo melhores condições de vida.
servidor público Pessoa que exerce oficialmente cargo ou função pública, seja ou não pertencente ao quadro funcional efetivo.
servir a carapuça Caber, adequar-se a alguém a censura ou a sátira que se faz sem que, necessariamente, lhe tenha sido diretamente dirigida.

Neste caso, "carapuça" é: dito crítico; indireta.

servir a Deus Cumprir escrupulosamente todos os deveres religiosos.
servir como uma luva Servir perfeitamente.
servir de Estar apto a; substituir; valer; causar; motivar.
servir de capacho Ser subserviente; ser explorado e/ou humilhado.
servir de cobaia *1.* Ser o primeiro a testar ou a ser testado. *2.* Ser objeto de experiência científica.
servir de degrau Ajudar a subir na vida, a progredir; dar uma mão; apoiar.
servir de escudo Proteger; dar privacidade ou segurança a alguém.
servir de espelho Servir de exemplo.
servir de espetáculo Ser objeto de zombaria ou mofa; agir escandalosamente. *Var.* "dar espetáculo".
servir de exemplo Ser imitado ou digno de ser imitado. *Var.* "servir de modelo".
servir de lição Servir de correção, de emenda.
servir de pau de cabeleira a Acompanhar, servir de companhia a quem namora. *Var.* "segurar a vela".
servir de peteca Ser manejado, conduzido, explorado.
servir de ponte Prestar-se a contatos ou ações para facilitar a outrem certas vantagens.
servir-se de alguém Valer-se de alguém; aproveitar-se de alguém.

sessão espírita Encontro de pessoas que procuram se comunicar com outras já falecidas, por intermédio de médiuns.
seta de amor O *m.q.* "flecha de Cupido". *Var.* "seta de Cupido".
seta de Cupido Amor. *V.* "a flecha de Cupido".
sete colinas de Roma *V.* "cidade das sete colinas".
sete maravilhas do mundo antigo Uma lista bem conhecida há séculos, que inclui as obras consideradas as mais grandiosas e belas realizadas pelo homem, nos tempos antes de Cristo. Todas as obras estavam localizadas em torno do Mediterrâneo e constavam de guias para turistas helênicos na Antiguidade. *V.* também as "novas sete maravilhas do mundo".

> *Eis as sete maravilhas do mundo antigo: 1. As pirâmides do Egito; 2. Os jardins suspensos da Babilônia; 3. O mausoléu de Halicarnasso; 4. O templo de Ártemis (Diana, para os romanos), em Éfeso, na Ásia Menor; 5. O colosso de Rodes; 6. A estátua de marfim e ouro de Zeus, em Olímpia, no Peloponeso; e 7. O farol de Alexandria.*

sete mares Os oceanos Ártico, Antártico, Atlântico Sul, Atlântico Norte, Pacífico Sul, Pacífico Norte e Índico.
sete palmos Sepultura.
sete pecados capitais *Rel. Crist.* Os pecados que seriam a origem de todos os outros: soberba ou orgulho, avareza ou cobiça, luxúria, ira, gula, inveja e preguiça.
sete sacramentos *Rel. Catol.* Sinais visíveis de que Deus concede suas graças aos homens.

> *São eles: Batismo, Confirmação ou Crisma, Eucaristia, Penitência, Unção dos Enfermos, Ordem e Matrimônio.*

sete selos Selos que fecham o livro descrito no "Apocalipse" de São João Evangelista.
sétima arte O cinema.

> *Expressão inventada, após a Primeira Guerra Mundial (1914-1918), pelo crítico italiano Riccioto Canudo. As outras seis são: 1. Música; 2. Pintura; 3. Escultura; 4. Arquitetura; 5. Literatura e 6. Coreografia.*

seu dele É expressão que se aceita, apenas como forma de se esclarecer o sujeito da oração. Também, circunstancialmente, se diz: "Seu dela" ou "Seu de você".
seu ladrar é pior que sua mordida Diz-se de pessoa cujas ameaças a outra pessoa são mais sentidas que sua agressão física.
seu nariz Expressão usada quando se quer contestar alguém, acrescentando-a à observação pertinente.
seu nariz cresceu Diz-se de quem se desconfia ter mentido ou estar mentindo.
seu tanto de Um pouco de; uns laivos de.
seus dias estão contados É o que se diz em ameaça a um desafeto ou como alerta/advertência a um conhecido, sabedor das intenções de terceiro(s).
sexo forte Pessoa do sexo masculino.
sexo frágil As mulheres.
Sexta-feira da Paixão *Rel. Crist.* A sexta-feira da Semana Santa em que se comemora a morte de Cristo. Também se diz: "Sexta-feira Santa" ou "Sexta-feira Maior".
sexto sentido *1.* Sentido ideal, supostamente capaz de perceber o que a outros escapa. *2.* Intuição; capacidade excepcional de perceber ou de compreender intuitivamente.
shopping center *Ing.* Lugar, geralmente um grande prédio, onde se instalam muitas e diferentes lojas, cinemas, restaurantes, lanchonetes etc., e para onde aflui grande número de pessoas; centro de negócios de varejo, principalmente. Em português se diz: "centro comercial".
show business *Ing.* Indústria de espetáculos e entretenimentos.
sic standibus rebus *Lat.* *V.* "a permanecerem assim as coisas".
Sic transit gloria mundi. *Rel. Catol. Lat.* "assim passam as glórias do mundo".

> *Frase pronunciada por ocasião da coroação de um novo Papa, enquanto é ele incensado, lembrando-lhe a efemeridade da vida e das honras.*

sigilo sacramental *Rel. Catol.* O que alguém comunica ao confessor no ato de confessar-se e que é de dever deste não revelar a ninguém, seja qual for a circunstância.
signos do zodíaco *Astron.* Cada uma das 12 partes com 30° de longitude nas quais o zodíaco é dividido.

> *Zodíaco = Conjunto de constelações ao longo da eclíptica, que é o caminho aparente percorrido pelo Sol durante o ano. Obs.: Os signos receberam desde o século II a.C. o nome das constelações que neles se achavam na época. Cada período de*

Sinto muito, mas chorar não posso

aproximadamente 30 dias (ou um mês), a partir de 20 ou 21 de março, corresponde à presença do Sol em cada uma das constelações, na seguinte ordem: Áries ou Carneiro, Touro, Gêmeos, Câncer ou Caranguejo, Leão, Virgem, Libra ou Balança, Escorpião, Sagitário, Capricórnio, Aquário e Peixes. Desde o século II a.C., porém, tendo o equinócio retrocedido aproximadamente 30 dias, os signos avançaram uma ordem em relação à passagem do Sol por eles; assim, sob o signo de Carneiro, o Sol atravessa o de Peixes; sob o de Touro, o de Carneiro; e assim por diante.

silêncio mortal Silêncio completo, absoluto, total. *Var.* "silêncio cortante", "silêncio sepulcral".
sim e não Resposta evasiva que se dá quando não se concorda nem se aprova totalmente o que se propõe.
Sim senhor! Expressão de espanto, admiração, pasmo, *ger.* com ironia, em relação a algo que foi visto ou ouvido, ou de que se teve notícia.
Símbolo dos Apóstolos *Rel. Catol.* Fórmula do Credo cristão.
símbolos nacionais A bandeira, o hino e o escudo de armas ou selo oficial de cada nação.
Similia similibus curantur. *Med.* Expressão latina que significa: "Os semelhantes curam-se pelos semelhantes".

É o lema da homeopatia, que se opõe à alopatia, cujo princípio é: "Contraria contrariis curantur".

simples assim Muito simples, exatamente como aconteceu; como se viu.
simples de espírito O mesmo que "pobre(za) de espírito".
simples mortal Diz-se da pessoa comum.
simulador de voo Cabine dotada de todo o instrumental e comandos de uma aeronave/nave espacial e que serve para treinamento de pilotos.
sinais particulares Quaisquer modificações acidentais nas feições do corpo humano que distingam uma pessoa.
sinais vitais *V.* "sinal de vida".
sinal amarelo *V.* "sinal de tráfego".
sinal da cruz *Rel. Catol.* Gesto litúrgico em que se traça com o polegar uma cruz tocando a testa, no peito e em cada um dos ombros, pronunciando a oração: "Em nome do Pai, do Filho e do Espírito Santo"; nome do Pai.

sinal de nascença Marca que uma pessoa traz na pele desde o seu nascimento.
sinal de tráfego Semáforo (ou farol, como é de costume dizer-se em algumas regiões do País).

As cores utilizadas internacionalmente nos sinais são: verde, amarelo e vermelho. O verde, para indicar trânsito livre, passagem permitida; o amarelo, como intervalo da passagem do verde para o vermelho, recomendando atenção; e o vermelho, que indica ser proibida a passagem. Para os pedestres, o sinal verde costuma conter a palavra "SIGA"; para o amarelo, a palavra é "AGUARDE"; para o vermelho, "PARE".

sinal de vida Diz-se de pessoa, *esp.* depois de um acidente ou mal súbito, cujos órgãos ainda estão funcionando, sustentando-lhe a vida. *V.* "dar sinal de vida".
sinal dos tempos *1.* Acontecimento infausto ou ato repreensível, mas tolerado, indicando alteração dos costumes devido ao decorrer dos tempos. *2.* Refere-se, também, às vezes, ao fim do mundo (ou dos tempos), devido àquela alteração nos costumes que os subvertem e que escandaliza.
sinal verde *V.* "sinal de tráfego".
sinal vermelho *V.* "sinal de tráfego".
sine die *Lat.* "sem dia". *Us.* na expressão "adiar *sine die*", *i.e.*, sem se fixar data para o adiamento; data indeterminada.
sine ira et studio *Lat.* Sem cólera nem parcialidade.

Segundo Tácito, o modo pelo qual deve ser escrita a história. Publius Cornelius Tacitus, historiador romano (c. 55-c. 120 d.C.), opôs-se sistemática e incisivamente aos desmandos dos imperadores despóticos. Era republicano convicto e moralista.

sine nomine *Lat.* "sem nome"; sem a designação do nome.
sine qua non *Lat.* Expressão latina que, literalmente, significa: "sem o que não". Indica uma cláusula ou condição sem a qual não se fará certa coisa. *V.* "condição *sine qua non*".
sinto arrepios só de lembrar Indicativo da tentativa de obter atenção dos ouvintes ou de dramatizar uma narrativa. *Var.* "sinto arrepios só de contar (ou de ouvir)".
Sinto muito, mas chorar não posso. Expressão irônica de sentimento por sofrimento ou mal alheio.

sinuca de bico

sinuca de bico *Fig.* Situação difícil de ser superada, de ser contornada.

> *No jogo de sinuca, é a posição em que a bola jogadeira (branca) para à beira da caçapa, encostada no ângulo que esta forma com a tabela, ficando interrompida a reta que une a bola da vez à jogadeira, devendo o jogador usar toda a sua habilidade (quando possível) para superar a situação.*

sistema binário *1.* Sistema de escrita ou cálculo com números formados apenas por dois dígitos (0 e 1), utilizado em computação eletrônica. *2.* Qualquer sistema baseado em dois elementos.
sítio arqueológico Local em que se encontram materiais arqueológicos.
sítio histórico Local que tem valor histórico pela presença de elementos que lembram fatos e episódios ligados à história local, regional ou nacional e que, por isso, é objeto de preservação.
sítio paleontológico Área onde se pesquisa e colhe material paleontológico.

> *A paleontologia é a ciência que, a partir de fósseis, estuda e interpreta as formas de vida em períodos geológicos remotos. Os fósseis mais conhecidos são as ossadas de animais antigos, em geral já extintos, encontrados em várias partes do mundo. Também bastante populares como fósseis são as pedras sedimentares, que registram o contorno de animais e plantas mortos há milhares ou milhões de anos atrás.*

situação sem volta Momento da ação que não admite alternativa.
só de nome Resposta quando se pergunta se se conhece determinada pessoa. A resposta poderia também ser, com o mesmo sentido: "pessoalmente, não".
só Deus sabe É impossível dizer ou fazer acontecer.
só enxergar os dourados Ver somente o que é bonito, agradável, o lado bom das coisas e da vida.
Só falta falar! Diz-se de algo natural, muito bem feito, objeto de admiração geral.

> *A propósito, conta-se que Michelangelo (Michelangelo di Ludovico Buonarroti Simoni, 1475-1564), famoso escultor e pintor italiano, ao terminar de esculpir a estátua de Moisés, teria dito, diante da perfeição e beleza de sua obra: "Fala! Fala!", batendo-lhe com o cinzel.*

Só faltava isso! É o cúmulo! *Var.* "Só faltava essa!" e "Era só o que faltava.".
Só isso? Não há mais nada além disso?
só não beber chumbo derretido Beber toda e qualquer qualidade de bebidas.
só não chamar de santo Dirigir ofensas ou desaforos a alguém de modo mais ou menos contundente e rigoroso.
só não namora sapo por não saber qual seja a fêmea Diz-se de homem galanteador e/ou conquistador.
só não sabe jogar pedra em santo Diz-se de um jogador inveterado, que tudo sabe sobre jogos de azar.
só para variar Como de costume, com imperceptíveis modificações ou mudanças.
só pensar naquilo *1.* A expressão revela obsessão por determinado assunto. *2.* Hoje em dia, aplicada quase que exclusivamente em referência a pessoa obcecada por sexo.
Só por milagre! Diz-se quando já se perdeu a esperança de solucionar uma questão, de conseguir livrar-se de uma doença etc.
só por só Um por um.
só que Mas, porém.
Só se for sobre o meu cadáver. De jeito nenhum; absolutamente não concordo nem/ou permito. *Tb.* se diz "só por cima do meu cadáver".
só tem nome Diz-se de pessoa que goza de prestígio e ostenta qualidades que, de fato, não possui.
só ter de seu o dia e a noite Ser extremamente pobre.
só ter olhos para Estar obcecado por.
só um minuto É o que se diz a alguém para avisar que num instante o atenderá, rogando-lhe que espere.
Só vendo! Expressão de incredulidade.
soap opera Gênero de obras dramáticas norte-americanas, semelhante a novelas, mas de características muito particulares, de grande sucesso na televisão dos Estados Unidos da América.
soar a hora Chegar o momento; chegar a hora da ocorrência de determinado evento.
soar a última hora Soar a derradeira hora, a hora fatal; chegar o momento de morrer, de sofrer um grande desgosto.
soar bem Cair bem; ser agradável.
soar mal Cair mal; diz-se de atitude desagradável; inconveniente.
soar mal aos meus ouvidos Não agradar do que me dizem; desaprovar.

soar um rumor Ouvir a divulgação de certas notícias.
sob a condição de Contanto que; desde que.
sob as asas de Sob a proteção de.
sob condição Condicionalmente; na dependência de.
sob consideração Em exame; em análise, por merecimento.
sob controle Em funcionamento desejado; em ordem; sob domínio.
sob emenda Salvo emenda; com dependência de emenda (alterações ou correções).
sob encomenda Mediante (feitura, fabricação) prévio pedido do cliente e de acordo com suas especificações.
sob esse prisma Sob esse ponto de vista, enfoque; levando em conta esse aspecto; assim considerando.
sob exame Ainda em estudo; ainda não decidido.
sob fogo Sendo alvo de tiros. *Tb.* se diz: "sob fogo cruzado".
sob juramento *1.* Mediante juramento e com o compromisso que ele traz. *2.* Obrigação de submeter-se às questões judiciais.
sob medida *1.* Diz-se de roupa confeccionada estritamente de acordo com as medidas do corpo do cliente. *2.* Perfeitamente apropriado. *V.* "feito sob medida".
sob nenhuma circunstância De modo nenhum; em nenhuma hipótese.
sob o império de Sob o jugo, o mando, a influência de; sob a condição de.
sob o manto da caridade Sob disfarce; a pretexto.
sob o mesmo teto Compartilhando a mesma habitação; convivendo.
sob o signo de Sob a influência de.
sob o sol Na terra; no mundo; na vida.
sob os auspícios de Sob o patrocínio de; sob os cuidados de; com o apoio de.
sob os cobertores Já deitado na cama, para dormir ou já dormindo.
sob palavra Com a garantia de palavra empenhada.
sob pena de *1.* Sob ameaça de incorrer na pena de. *2.* Sujeito a alguma sanção, multa, reprimenda.
sob pressão *1.* Em estado ou situação de pressionado, intimidado; colocado contra a parede. *2.* Submetido (um gás, um material ou substância qualquer) a uma pressão, compressão ou aperto.
sob todas as reservas Sem garantia de autenticidade ou legitimidade.
sobe e desce Ação ou movimento repetido muitas vezes de subir e descer, de se elevar e baixar.
soberania popular Doutrina política que atribui ao povo o poder soberano. *Var.* "soberania do povo".
sobrar que nem jiló na janta *Coloq.* Diz-se de quem foi esquecido, menosprezado.
sobre meu cadáver Diz-se como advertência a quem ameaça praticar algo com o qual não se está de acordo e que se repele com determinação e veemência. *Tb.* se diz: "só sobre o meu cadáver".
sobre si Separadamente; independentemente.
socar canjica Andar a cavalo sem saber montar direito; cavalgar sem amortecer o choque do corpo na sela, devido ao trote do animal.

Para obter a canjica (milho quebrado; quirera), soca-se o milho.

sociedade afluente Sociedade rica, esbanjadora, que goza de alto padrão de vida, vivendo faustosamente.
sociedade anônima *Com.* Empresa com fins lucrativos que tem o capital dividido em ações, limitando-se a responsabilidade dos sócios (acionistas) ao valor de emissão das ações que detenham; companhia, sociedade por ações.
sociedade secreta A que se organiza e funciona fora das leis e do conhecimento público.
societas sceleris *Lat.* Quadrilha ou bando criminoso.
sócio remido O que paga de uma vez certa importância e não fica mais obrigado a contribuir mensalmente para a entidade a que pertence; sócio isento da contribuição mensal ou anual a que estão obrigados os associados comuns.
sofrer as injúrias do tempo Estar arruinado; sentir-se envelhecido, fraco, sem ânimo.
sofrer da bola Ser ruim da cabeça.
sofrer na própria carne Sentir, solidariamente, uma dor física ou moral, tanto quanto a própria pessoa atingida.
sofrer que nem sovaco de aleijado *N.E.* Sofrer muito.

Alusão ao aleijado que usa muletas, num exercício penoso.

sofrer que só pé de cego Sofrer muitíssimo.
sofrer um abalo Receber uma notícia desagradável e emocionar-se fortemente.

sofrer uma baixa *1.* Diminuir de valor, como acontece com as ações em bolsa. *2.* Perder um membro ou elemento de um conjunto.
sol a pino O sol do meio-dia; o sol no zênite.
sol e dó Melodia muito simples, corriqueira, banal, com acordes dominantes em sol e a tônica em dó.
sola de plataforma Sola de sapato muito grossa.
sola do pé A parte de baixo (sob) do pé. *Var.* "planta do pé".
soldado desconhecido Soldado anônimo, morto em combate, não identificado, enterrado *ger.* em sepulturas monumentais que se tornam lugar de reverência cívica nacional à memória de todos os que tombaram em defesa da pátria.
soldado do fogo O bombeiro militar.
soldado raso Militar sem graduação. *Var.* "soldado gregal".

> *Ensina o "Houaiss" que gregal é "relativo a grei", e acrescenta: gregális, "pertencente ao mesmo rebanho, a um bando, a uma manada; pertencente à multidão: comum, vulgar, trivial, ordinário".*

solidão a dois Estado de casados ou amantes que, embora vivam juntos, se diria viverem sós, por não mais haver entre eles nenhum entendimento.
s*olo Deus salus* Expressão latina cuja tradução literal é: "Só Deus é salvação".

> *Esta expressão não raro é indicada apenas pelas iniciais de suas palavras: S.D.S.*

soltar a franga *1.* Tornar-se desiludido; perder o acanhamento. *2.* Liberar o que estava retendo (coisa ou informação). *3.* Comportar-se (o homem) como homossexual, afeminado.
soltar a língua *1.* Falar sem titubear; falar muito; tagarelar. *2.* Revelar tudo o que sabe.
soltar a taramela Começar a falar; falar sem parar.
soltar a tirana Usar de maledicência.
soltar a trela a *1.* Dar liberdade a. *2.* Estimular alguém a falar.
soltar a voz Falar, cantar com vontade, com entusiasmo.
soltar as asas à imaginação Dar largas à imaginação; viver devaneando. *Tb.* se diz: "dar asas à imaginação".
soltar as rédeas Deixar à vontade.

soltar foguetes Fazer manifestações intensas de regozijo.
soltar o freio Dar ampla liberdade.
soltar o laço Livrar-se de perigo.
soltar o verbo *V.* "deitar fala" e "rasgar o verbo".
soltar os cachorros Mostrar-se hostil, agressivo; falar tudo o que sabe de ruim a respeito de uma pessoa, de um episódio etc.
soltar os cachorros em cima de *1.* Insultar (alguém). *2.* Altercar com.
soltar os foguetes antes da festa Antegozar coisa de realização duvidosa.
soltar suspiros Ansiar sobretudo por paixão, por angústia, por saudades.
soltar um Peidar; não conter a ventosidade.
soltar uma Falar algo engraçado, ridículo ou espantoso.
soltar uma risada Desatar a rir.
solstício de verão/inverno *Astron.* O de verão ocorre em junho no hemisfério Norte e em dezembro no hemisfério Sul, e o de inverno em dezembro no Norte e em junho no Sul.

> *Momento em que o Sol, pelo seu movimento aparente, atinge a maior declinação em latitude medida a partir da linha do equador.*

soltar fumaça pelas ventas Ficar raivoso, irado.
soltar traques *1.* Acender e lançar bombinhas sem intuito de atingir alguém. *2.* Liberar ventosidades; peidar.
solto de língua Maldizente; tagarela.
soltura de ventre Diarreia.
solução de continuidade *1.* Interrupção de um fato que, normalmente, deveria prolongar-se. *2.* Interrupção; não continuidade.
somar pontos Conquistar simpatia e admiração por sucesso na realização de atividade ou por atitude assumida.
sombra e água fresca *1.* Expressão que define uma situação de tranquilidade, de paz, de felicidade, sem preocupações. *2.* Ociosidade; o sumo conforto.
somente pele e ossos Magérrimo.
Somos todos da costela de Adão. Todos somos filhos de Deus; somos todos iguais perante Deus.

> *Expressão calcada no episódio bíblico referente à criação de Eva, usada quando se quer enfatizar que temos todos a mesma origem.*

sonda espacial *Astron.* Engenho lançado ao espaço para finalidades científicas.

sondagem de opinião Método de estudo de opinião pública ou do mercado que colhe informações mediante entrevista por amostragem representativa da população.
sondar o terreno Verificar a receptividade de alguém ou de um grupo para uma ideia ou uma ação; pesquisar se as condições locais são adequadas para a realização de algo.
sonhar acordado Fantasiar.
sonhar um sonho Ver ou imaginar alguma coisa durante o sonho; ter um sonho.
sonhos dourados Esperanças de felicidade, bem-estar, riqueza; a aspiração máxima.
sono de pedra Diz-se do sono muito profundo, muito pesado.
sono dos justos *1*. A bem-aventurança; grande felicidade; perfeita felicidade. *2. Teol.* A felicidade eterna a ser vivida no céu.
sono dos mortos O sono eterno; a morte.
sono eterno O último sono; a morte; o repouso eterno.
sono leve Sono fácil de ser interrompido, do qual se desperta ao menor estímulo.
sono pesado Sono profundo.
sono solto Sono sossegado; sono profundo e tranquilo.
sopa de cavalo cansado Pedaços de pão embebidos em vinho.
sopa no mel O bom no melhor; insuperável; oportunidade feliz; acontecimento extremamente favorável.
soprador de apito Mau árbitro de partidas esportivas; depreciativo aplicado em árbitro que se julga incompetente.
soprar a língua Manter-se calado ou parar de falar.
soprar e comer Não perder tempo.
soro da verdade Suposta substância, como por exemplo um barbitúrico, usada para obter o relaxamento, através do qual se extrai da pessoa informações que, de outra forma, seriam veladas.
soro fisiológico Solução isotônica composta de água destilada com 0,9 g de sal. Reidratante.
sorrir de lado Manifestar-se constrangido ou sem graça. *Var.* "sorrir enviesado".
sorriso amarelo Sorriso forçado, sem graça. *Var.* "riso amarelo".
sorriso impudico Riso lascivo.
sorriso largo Sorriso franco, não forçado, demonstrando conivência, satisfação.
sorriso matreiro Sorriso que revela astúcia, esperteza, matreirice.
sorriso rasgado Sorriso franco, aberto, sincero, simpático.

sorte grande O prêmio principal de um jogo, *esp.* de loteria, sorteios etc.
sós a sós Sem companhia; sem outros.
sossegar o pito Abaixar o facho, o topete; acalmar-se. *Var.* "sossegar o facho".
soul music *Ing.* Gênero musical norte-americano, derivado do *gospel* e que hoje é representado por vários subgêneros como o *"Soul de Memphis"*, *"Neo Soul"*, *"Quiet Storm"* e vários outros.

Originalmente, a música denominada "gospel" é tipicamente aquela produzida e executada pelos negros norte-americanos nos cultos evangélicos.

Soviete Supremo O mais alto órgão deliberativo e legislativo da antiga União Soviética (URSS), que funcionou entre 1938 e 1991.

O presidente do Soviete Supremo era também o de toda a URSS, que era um bloco político-administrativo liderado pela Rússia e funcionou entre 1938 e 1991. Mikhail Gorbachev, o articulador da Perestroika (Reestruturação), foi seu penúltimo representante antes da dissolução do bloco soviético. Apesar de seu grande poder, uma vez que também era responsável pela indicação dos representantes da Suprema Corte e do Conselho de Ministros, o Soviete Supremo seguia diretamente as determinações do Politburo – uma espécie de comitê central do Partido Comunista Soviético, o único então autorizado a funcionar e que determinava diretamente os rumos políticos da União Soviética.

sozinho e Deus Sem nenhuma companhia; absolutamente só, sem ninguém por perto.
sponte sua *Lat.* "por sua própria vontade"; espontaneamente.
Stabat Mater *Lat.* "A mãe estava de pé".

Canto litúrgico da Semana da Paixão e festa de Nossa Senhora das Dores, que descreve e lembra os sofrimentos de Maria Santíssima ante o martírio de Jesus Cristo, ao pé da cruz.

stand by *Ing.* Expressão inglesa mas muito usada em todo o mundo, que significa "à disposição; em estado de disponibilidade".

Usa-se esta expressão nos meios financeiros, referindo-se a créditos concedidos, disponibilizados ao tomador a qualquer momento. Em equipamentos eletrônicos, emprega-se quando eles ficam ligados mas sem estar funcionando, o que é indicado por um "LED" ("light emitting diode", ou "diodo emissor de luz") aceso, na cor vermelha. Basta tocar no botão correspondente para que o aparelho passe a funcionar.

starting gate Ing. Aparelho usado na largada dos páreos do turfe.
status quo Lat. "O mesmo estado em que se encontrava". Var. "status in quo".
stricto sensu Lat. "No sentido estrito da palavra"; em sentido restrito. V. "lato sensu".
Sua alma, sua palma. Escusa de responsabilidade; admoestação sobre ato que alguém quer ou anuncia. Equivale às expressões: "Faça-se-lhe a vontade, ainda que seja para seu mal" e "Já que é assim que quer, faça-o, mas eu avisei".
Sua batata está assando! Advertência sobre a aproximação de um desfecho desfavorável para o interlocutor.

Uma explicação plausível para esta expressão é que não se consegue manipular as batatas quando muito quentes. No caso, as batatas assando representam uma situação difícil com a qual se terá inevitavelmente que lidar.

Sua Santidade O Papa.
suar a camisa Trabalhar arduamente; fazer grande esforço; superar grandes dificuldades. Var. "molhar a camisa".
suar em bicas Suar muito. Var. "suar em bica".
suar frio Sentir medo, tensão, ansiedade ou mal-estar.
suar o topete Trabalhar intensamente; mourejar.
suar por todos os poros Suar em bicas; transpirar abundantemente.
suar sangue Cansar-se ao extremo; extenuar-se; exsudar gotas de suor sanguíneo em função de um fenômeno identificado na medicina como hematidrose.
sub judice Lat. Sob consideração de um juiz ou de uma corte de justiça; ainda não julgado.
subir à cabeça 1. Conturbar a razão ou a inteligência; excitar. 2. Fazer (ideia, projeto, qualquer coisa ou pessoa) alguém empolgar-se.
subir a mostarda ao nariz Perder ou fazer (alguém) irritar(-se). Var. "perder a paciência".

subir a rampa Assumir o poder.

Por alusão à rampa existente na entrada do Palácio do Planalto, em Brasília, por onde entra o presidente no dia da posse e onde ele recebe as pessoas mais ilustres. As rampas foram popularizadas como elemento arquitetônico da arquitetura moderna pelas mãos do mais renomado arquiteto brasileiro, Oscar Niemeyer. Ao longo de sua carreira, Niemeyer criou rampas com as mais criativas e inusitadas formas, todas contando com o simbolismo da "ascensão" e do "percurso" como importantes para a fruição do espaço arquitetônico e seu significado para a sociedade.

subir a serra Irritar-se. Diz-se também sobre o avançar da idade. Cf. "subir à serra".
subir à serra Ir até o alto do monte. Cf. "subir a serra".
subir ao altar 1. Aproximar-se do altar. 2. Casar-se.
subir ao céu Ir para o céu.
subir ao Parnaso Dedicar-se à poesia.

Do top. gr. Parnasós ou Parnassós, montanha da Fócida (Grécia antiga), consagrada a Apolo e às Musas, pelo latim Parnasu. Por isso, Parnaso é considerada a morada simbólica dos poetas, a própria poesia ou a classe dos poetas.

subir ao púlpito Pregar em púlpito.
subir ao sétimo céu Sentir as maiores delícias. (Alusão ao paraíso de Maomé, no Corão.)
subir ao trono 1. Ser (o príncipe ou sucessor, nas monarquias) guindado ao trono; assumir as funções de rei; começar a reinar. 2. Fig. Galgar ao posto mais elevado numa hierarquia. Var. "ascender ao trono".
subir como uma flecha Subir com muita rapidez.
subir de ponto Aumentar, crescer.
subir na vida Ter sucesso na vida profissional, na atividade exercida.
subir nos tamancos Irar-se; ficar irritado; expor irritação; perder a paciência. Var. "crescer nos cascos" e "trepar nos tamancos".

Há os que dizem "subir ou trepar nas tamancas".

subir o sangue à cabeça Ficar enfurecido, nervoso.

subir pelas paredes Estar muito irritado, nervoso ou impaciente.
subir um furo no conceito de alguém Angariar simpatia perante alguém por algum ato que a esse alguém agradou.
sucesso de bilheteria Espetáculo ou evento que atrai grande público, com venda total dos ingressos.
suco de parreira Vinho.
sufrágio universal Direito de voto a todos os cidadãos.

> *Sufrágio = Voto; votação.*

sufrágios dos santos *Teol.* As orações que os santos fazem a Deus em favor dos que os invocam.
sui generis Expressão latina que se refere a algo ou alguém diferente, especial, peculiar.
sujar a água que bebe Revelar-se mal-agradecido, ingrato. *V.* "cuspir no prato em que se comeu".
sujar a barra Criar problemas para si ou para outrem.
sujar as mãos Furtar; cometer uma ação baixa, vergonhosa, criminosa.
sujeito a chuvas e trovoadas Diz-se quando se quer advertir que algo pode ainda ocorrer, pois o que se fez ainda não estaria perfeito, podendo ter consequências adversas, provocar protestos, confusão, problemas etc., basicamente através da utilização de um tipo de programa de computador denominado "navegador".
sujo como pau de galinheiro Muito sujo.
sumir do mapa Desaparecer; não ser mais visto onde costumava sempre estar. *Var.* "sumir como fumaça" e "sumir de vista".
summa cum laude *Lat.* Expressão que se usa, nos colégios e universidades, como elogio e aprovação por um trabalho apresentado à consideração de uma banca examinadora. Significa: "aprovado, com as maiores honras".
Sumo Bem Deus.
sumo de cana Garapa; caldo de cana. *P.ext.* Aguardente de cana; cachaça.
sumo de parreira O *m.q.* "suco de parreira".
Sumo Pontífice Pontífice Romano; o Papa.
suor de alambique Aguardente de cana; cachaça.
suor do rosto *V.* "com o suor do rosto".
suor frio Suor que se manifesta em alguns casos particulares de doença e/ou de angústia ou aflição.
suplemento alimentar O que se acrescenta à alimentação para suprir a falta de sais minerais, vitaminas, proteínas etc.

suplício de Sísifo Algo que nos atormenta e não sai de nossa cabeça; tarefa desagradável e interminável.

> Mit. *Sísifo, rei de Corinto, enganou a morte diversas vezes, escapando astuciosamente a Tânatos, o deus da morte. Reza a lenda grega que Sísifo morreu bastante idoso, mas, ao entrar nos infernos, foi condenado a uma tarefa que o impedia de fugir novamente: devia rolar uma enorme rocha por uma escarpa. Cada vez que atingia o cume, a rocha caía, forçando-o a recomeçar incessantemente o trabalho.*

suplício de Tântalo O sofrimento de quem, desejando ardentemente alguma coisa, sempre a vê escapar quando prestes a alcançá-la.

> *Por alusão ao mito (conforme a* Odisseia, *de Homero) segundo o qual Tântalo foi precipitado no Hades, o inferno, onde era continuamente atormentado pela fome e pela sede, não podendo beber nem comer as finas iguarias e bebidas que estavam diante dele, mas sempre fora de seu alcance.*

suplícios eternos As penas do inferno.
suposição de pessoa Apresentação de uma pessoa por outra.
suposto isto Nesta hipótese.
suposto que Admitido que; aceito que; partindo de que.
supremo sacrifício Dar a própria vida por outra pessoa ou pela pátria; o sacrifício de Jesus.
surdo como um tiú (teiú) Muito surdo.
surdo como uma porta Completamente surdo. *Var.* "surdo como uma pedra".

> *Esta e outras locuções do tipo "burro como uma porta", "estúpido como uma porta" são ditas em críticas a alguma pessoa, e podem ter caráter pejorativo ou preconceituoso.*

surfar na internet Explorar os recursos da rede mundial de usuários do sistema internet.
surgir do nada Aparecer inexplicável ou misteriosamente.
surra de língua Descompostura.
sursum corda *Lat.* Corações ao alto! Oração que o sacerdote católico profere ao iniciar o prefácio da missa, convidando os fiéis a se prepararem para participarem da celebração do sacrifício.

surtir efeito *1.* Dar resultado, funcionar. *2.* Corresponder a uma expectativa.
sururu de capote O sururu que se vende ainda preso à valva.

> *Sururu = Molusco ou mexilhão muito apreciado, comum nas costas marítimas do Nordeste. Valva = Qualquer das peças sólidas que revestem o corpo de um molusco.*

suspender a feijoada que o porco está vivo Abortar uma ação por superação ou inexistência de motivo.
suspensão de ordens *Rel. Catol.* Pena de suspensão de ordens, temporária ou definitiva, de um sacerdote da Igreja Católica.
suspirar de Manifestar as emoções com suspiros.
suspirar por Desejar muito; ter anseios de; ter forte atração por; almejar ardentemente.
sustentar a voz Prolongá-la com a mesma intensidade.
sutil como um elefante Expressão irônica que indica pessoa desajeitada, corpulenta, estouvada, abrutalhada, bem como dotada de certa insensibilidade e/ou sem senso de oportunidade.
sutileza de espírito Perspicácia, capacidade de perceber coisas e situações sutis, insinuações, entrelinhas etc.

T

tábua de bater roupa *Bras. N.E.* Mulher, ger. magra, de seios muito pouco volumosos.
tábua de salvação Último expediente ou recurso extremo para resolver uma situação aflitiva.
tábua rasa Superfície plana preparada para receber uma inscrição; quadro ou tela antes de receber as tintas. Aquilo que ainda não foi modificado por ações, acontecimentos etc. (do *lat. tabula rasa*)
tábuas da Lei Duas tábuas de pedra que, segundo o relato bíblico, Deus deu a Moisés, e nas quais estavam gravados os Dez Mandamentos, princípios de comportamento ético em forma de comandos.
tabula rasa *Lat.* "tábua lisa". *V.* "tábua rasa"; fazer tábua rasa".

> *Aristóteles (384-322 a.C.), famoso pensador grego, admitia que o espírito humano era, antes de qualquer experiência, inteiramente vazio, como as tábuas revestidas de cera para a escrita, ainda não usadas (lisas, portanto).*

tacada de cego Forte pancada.
tacar ficha *V.* "meter ficha".
tacar fogo na canjica Precipitar um acontecimento. *Var.* "botar fogo na canjica" e "tocar fogo na canjica".

> *No caso presente, "canjica" é o curau: papa de milho-verde à qual se costuma acrescentar açúcar, leite, coco etc.*

tacar o pau *V.* "meter o pau".
tacho areado Indivíduo ruivo e de pele avermelhada.
taco a taco Igualdade de condições entre parceiros em jogo; sem diferença ou vantagem de parte a parte; equilibradamente; pau a pau. (*Us.* para indicar igualdade de condições entre adversários em jogo.)
taedium vitae *Lat.* Desgosto da vida.

taipa de mão Pau-a-pique. *Var.* "taipa de sebe".
tal como Assim como; igual(mente) ou semelhante(mente) a; do mesmo modo que.
tal e qual *1.* Idêntico; igual; muito semelhante. (Em uso adjetivo: *A cópia é tal e qual o original.* Por vezes, em uso contraído: *Cópia e original são tal e qual.*) *2.* De modo igual ou semelhante; da mesma maneira que: *Faça tudo tal e qual lhe ensinaram.* *Var.* "tal qual".
tal o quê *V.* "assim-assim"; razoável.
tal ou qual Este ou aquele; um ou outro. (*Ger. us.* com ideia de igualdade, equivalência.)
tal qual Exatamente o mesmo; do mesmo modo; idêntico.
tal que Bastante; correspondente; do mesmo modo; sem tirar nem pôr; como.
tálamo da aurora O oriente; o leste; a direção onde nasce o sol. *Var.* "tálamo do sol".
talhado para Diz-se de algo ou alguém perfeitamente compatível ou apto para realizar uma determinada tarefa.
talhar as despesas Distribuí-las pelos que delas participaram.
talho da vida Emprego; modo de vida; ocupação.
talvez... talvez Ora... ora (dando ideia de alternância ou alternatividade).
também não Usa-se para enfatizar uma negativa diante de uma opção ou alternativa.
também ser filho de Deus Expressão que se usa para lembrar os direitos ou aspirações de quem foi preterido sem razão aparente, ou porque foi discriminado, excluído, esquecido.
tanto assim que O fato é que; dessa forma, por isso é que. (*Us.* para acrescentar algo que é decorrência do que se disse anteriormente, ou para acrescentar argumento, exemplo, reforçando afirmação anterior.)
tanto como Assim como; do mesmo modo que.

tanto faz É indiferente; qualquer das possibilidades mencionadas; de uma maneira ou de outra; de qualquer jeito. *Var.* "tanto faz assim como assado" e "tanto faz dar na cabeça como na cabeça dar".
tanto mais quanto Tanto mais que; e ainda mais que; com maior razão. (*Us.* para acrescentar informação que reforça o anteriormente dito.) *Var.* "tanto mais que".
tanto melhor Ainda bem; felizmente; antes assim. *Ant.* "tanto pior".
tanto ou quanto Mais ou menos; medianamente. (Usa-se *tb.* "um tanto ou quanto".)
tanto pior Pior do que antes; infelizmente. (Pode expressar contrariedade resignada.) *Ant.*: "tanto melhor". O *m.q.* "Que se dane!".
tanto por tanto Em igualdade de circunstâncias; em equilíbrio, de modo proporcional.
tanto quanto Assim como; na mesma quantidade ou proporção; de modo quase igual ou semelhante.

> *É locução característica de comparativos: "Gosto tanto de laranja quanto de banana." ou "Gosto de laranja tanto quanto de banana."*

tanto que *1.* Assim que; logo que. *2.* O *m.q.* "tanto assim que".
tanto se me dá como se me deu A mim, é indiferente; tanto faz.
tão bom como tão bom Palavras que os escravos libertos pela lei de 13 de maio dirigiam aos antigos senhores e aos brancos, marcando sua condição de livre; *tb.* se usa conotando equivalência de valor, apreço etc.
tão cedo Expressão de demora, delonga, adiamento: *Ex.: Tão cedo esta crise não passará.*
tão certo como dois e dois são quatro Assim se diz para confirmar com veemência o que se afirma. *Var.* "tão certo como eu me chamar (fulano)".
tão logo Logo que; assim que; apenas; de imediato; em seguida.
tapado como uma anta Idiota; estúpido; ignorante.
tapar a boca de (alguém) Fazer com que (alguém) se veja obrigado a calar-se ou a cessar de criticar, acusar, injuriar etc., *esp.* com provas e evidências em contrário. O *m.q.* "fechar a boca de (alguém)".
tapar buraco *1.* Pagar dívida. *2.* Remediar uma situação (*ger.* precariamente). *3.* Substituir uma pessoa numa emergência, sem ter a mesma habilitação, só para constar. Suprir uma lacuna.
tapar o sol com a peneira Fugir à evidência; negar ou dissimular o evidente.
tapar os lábios a Tapar a boca a; impedir alguém de falar ou fazê-lo parar de falar, por imposição ou com argumentos.
tapar os ouvidos Não querer ouvir; recusar-se a prestar atenção. O *m.q.* "fechar os ouvidos".
tapete mágico Tapete mítico, referido nas lendas árabes, que seria capaz de transportar as pessoas para qualquer lugar, pelos ares. *Tb.* "tapete voador".
tapete verde Gramado muito bem cultivado; campo de futebol.
tapete vermelho Tratamento especial a alguém, *ger.* com respeito, reverência; mimo e cortesia.
tardar mas arrecadar Conseguir mais e melhor do que se esperava, depois de muita demora e várias tentativas.
tarde da noite Com a noite já muito adiantada, em hora noturna avançada.
tarde e a más horas Demasiadamente tarde; inoportuno, fora da ocasião propícia.
tarde ou nunca Dificilmente; com escassa possibilidade.
tarde piaste Diz-se quando alguém demora a reclamar ou a fazer alguma observação que já não é mais oportuna.
tatear no escuro Prosseguir na tentativa de resolver um assunto, mesmo sem ter as informações necessárias, ou acesso às técnicas requeridas.
tática de guerra Conjunto de medidas adotadas em caráter excepcional para o alcance ou a solução de um problema.
táxi aéreo Avião de aluguel.
tchau e bênção Expressão dita quando se quer dar por terminada uma questão. *V. tb.* "p.t., saudações".
te Deum *Lat.* Significa, literalmente, "A ti, Deus". *1.* Hino sacro de ação de graças. *2.* Cerimônia que acompanha a ação de graças. *3. P.ext.* Qualquer ato de louvação, agradecimento solenes (às vezes ironicamente).
teatro de arena Casa de espetáculos cujo palco fica no centro e ao nível da plateia circundante.
teatro de bolso Diz-se do teatro de pequenas dimensões, onde se encenam peças ligeiras.
teatro de guerra Lugar onde uma guerra ou uma batalha está ocorrendo; frente de batalha.
teatro rebolado Teatro-revista; espetáculo teatral variado, com músicas e danças.

tecer comentários Exarar opinião sobre algo.
tecer loas *1.* Adular. *2.* Bazofiar. (*Obs.* Note-se que a louvação exagerada pode ter conotação irônica.)
tecido urbano A cidade, considerada como um espaço de áreas construída no qual as vias, todo o sistema viário enfim, são comparados metaforicamente a uma malha, a um tecido.
tecnologia de ponta O *m.q.* "Alta tecnologia".
teia de Penélope Trabalho que não termina, que indefinidamente é recomeçado.

Alusão à lenda grega segundo a qual, Penélope, mulher de Ulisses, permaneceu-lhe fiel durante sua longa ausência, alegando aos pretendentes que não aceitaria casar-se novamente enquanto não terminasse de tecer uma grande mortalha para Laerte, pai de Ulisses. Ela, porém, a tecia durante o dia e a desmanchava à noite.

teias de aranha *Fig.* Crendices ou fantasias, ilusões, sonhos que, metaforicamente, se fixam nas mentes de certas pessoas.
teimoso como uma mula Muito teimoso; obstinado. *Var.* "Teimoso como a mulher do piolho".
tela de prata Diz-se do cinema (desusado). *Var.* "a tela grande".

A expressão vem da prática, originalmente, de fazerem as projeções em telas tratadas com pontos metálicos que produziam um efeito reflexivo bastante intenso, avivando a imagem, que adquiria uma tonalidade prateada.

telefone celular Telefone sem fio, portátil, que funciona à base de ondas de rádio com a energia de uma bateria recarregável, *us.* para transmissão e recepção de voz e dados.

Os aparelhos de telefonia celular, originalmente destinados apenas à comunicação móvel por voz, evoluíram muito através dos anos. Atualmente, em muitos países eles são mais utilizados para o envio de mensagens escritas do que para ligações telefônicas. Os assim denominados smartphones (telefones inteligentes) transformaram de vez o segmento. Esses equipamentos, recheados de recursos, seriam mais bem definidos como computadores de bolso voltados ao processamento dos mais diversos programas, de aplicativos de escritório a jogos, incluindo facilidades de conexão e comunicação, como o acesso em alta velocidade à internet, além de captura de imagens (fotos e vídeos), geolocalização (GPS) etc.

telefone sem fio Aquele que embora não necessite de cabo para ligá-lo à rede telefônica, não dispensa uma base que se liga à dita rede, nem uma bateria que o alimenta de energia, mas o conjunto do fone é independente da base e pode ser levado até a uma certa distância dela.
telégrafo Morse Sistema de transmissão de mensagens a longa distância que emprega, na transmissão de mensagens, um código formado por pontos e traços. *V.* "alfabeto Morse".

O telégrafo com fios, assim como o alfabeto(/código) Morse, é invenção do norte-americano Samuel Finley Breese Morse (1791-1872).

telegrama fonado Telegrama que se passa através de telefonema aos Correios, ditando o seu texto ao atendente.
televisão de cores Aparelho de televisão capaz de receber imagens coloridas. Diz-se, também, "televisão colorida".

Embora hoje tenha caído em desuso, pois não se comercializam mais televisores que não exibam imagens coloridas, a expressão foi muito útil no passado, quando havia no mercado televisores somente em "preto e branco". Na verdade, quando a televisão surgiu, entre as décadas de 1920 e 1930, só era capaz de transmitir imagens em "preto e branco". Somente na década de 1950, nos E.U.A. surgiu a tecnologia de exibição das cores, mas no Brasil, até a década de 1970, grande parte dos televisores ainda não era de cores.

telhado de vidro *1.* Característica ou aspecto reprováveis ou criticáveis (*ger.*, do ponto de vista moral), e que torna alguém vulnerável a acusações, ou lhe tira autoridade para acusar ou criticar os outros. *2.* Ponto fraco; má reputação. (Do provérbio: "Quem tem telhado de vidro não lança pedras no do vizinho.")
tem gente que... Alusão indireta a alguém a quem se refere.

Temos o Papa

Esta expressão às vezes é utilizada com uma certa ironia, quando quem a pronuncia a endereça a seu interlocutor, sem citá-lo diretamente. P.ex.: João, querendo fazer graça da inabilidade de seu amigo José para jogar futebol, diria para ele: "Tem gente que não consegue nem acertar a bola quando chuta."

Temos o Papa. *Rel. Catol.* Com esta fórmula, o Cardeal Decano do Vaticano anuncia para o público que se posta na praça da Catedral de São Pedro a eleição de um novo Papa. Em latim *"Habemus papam".*

Usado figurativamente, declara-se quando se chega finalmente a um resultado, uma decisão etc. depois de muito debate, idas e vindas.

temperar a garganta O *m.q.* "molhar a garganta".
temperar a língua Moderar as expressões; contê-las nos limites adequados às circunstâncias, à sensibilidade das pessoas; não ofender.
tempestade em copo-d'água Espalhafato por motivos banais. *Var.* "afogar-se em pingo-d'água".
templo de Deus O corpo de todo ser humano, considerado como habitado pela graça divina.
templo eterno A morada dos justos; o céu.
tempo carregado *1.* Tempo com ameaça de chuva ou temporal. *2. Fig.* Diz-se de ambiente de desavenças, onde ocorrem acaloradas discussões. *V.* "tempo fechado".
tempo das águas Tempo das chuvas; período do ano em que as chuvas são mais frequentes e abundantes.

Também se usa dizer simplesmente "nas águas", com o mesmo significado.

tempo de vida Tempo possível de perfeito funcionamento (ou de serventia) de um objeto, de um ser vivo; tempo de duração.
tempo do onça Tempo muito antigo; tempo passado. *Var.* "tempo de dom João Charuto" e "tempo de janambura".

Segundo uma das versões sobre a origem da locução, teria ela sido criada pela população do Rio de Janeiro, marcando época infeliz e violenta com que agia, em princípios do século XVIII, o chefe de polícia, cujo caráter prepotente e atrabiliário justificou o apodo "onça", que bem expressava o repúdio do povo à tirania com que aquela autoridade agia.

tempo em que se amarrava cachorro com linguiça *1.* Época há muito passada, tempo antigo em geral. Tempo do onça. *2.* Tempo em que tudo parecia mais fácil e farto. *Var.* "tempo em que os bichos falavam".
tempo fechado *V.* "tempo carregado".
tempo hábil Período em que é possível ou permitido ou está na vigência de realizar certa ação para obter algo, segundo regulamento ou normas estabelecidas.
tempo integral *1.* Diz-se de regime de trabalho em que o funcionário cumpre o número total de horas oficialmente estipulado como perfazendo a jornada daquela atividade. *2.* Indica dedicação exclusiva de alguém a alguma atividade; com o tempo inteiramente ocupado.
tempo livre Tempo disponível, *i.e.*, aquele durante o qual não se está ocupado com o trabalho ou afazeres quotidianos.
tempo local Aquele que corresponde ao fuso horário do meridiano local referenciado ao meridiano de hora zero (o de Greenwich).
tempo perdido Tempo que se dedicou a uma tarefa, a um propósito não concretizado e que nenhum benefício dele resultou.
tempo quente Ambiente de discussão, de desavença, de brigas. O *m.q.* acepção 2 de "tempo carregado".
tempo real Nos meios de comunicação como o rádio e a televisão, é a cobertura jornalística que transmite informações no exato momento dos acontecimentos.
tempo útil Tempo possível de ser aproveitado para um determinado fim.
temporalidades da vida Os proveitos, os ganhos que se obtiveram e se obtêm durante a vida.
tempus fugit *Lat.* O tempo voa.
Tenha a santa paciência! Esta expressão denota impaciência e crítica debochada.
Tenha dó! *1.* Apelo a alguém para que tenha comiseração. *2. Us.* como expressão de admiração, respeito ou incredulidade, diante de algo que lhe contam.
Tenha paciência! Expressão que denota impaciência, recusa de atender imediatamente; apelo para que se aguarde o momento adequado.
Tenho dito. Fórmula que se usa para terminar um discurso, uma fala, uma oração.
tenho para mim que... Expressão que se usa quando se quer emitir uma opinião a respeito do assunto em pauta, diferente

das que foram postas, sem contudo querer contestá-las formalmente.
tenor de banheiro Aquele que canta amadoristicamente, ou que é mau cantor. *Tb.* se diz "tenor de chuveiro" e "cantor de banheiro/chuveiro".
tenra idade Infância ou início da mocidade. *Tb.* "flor da idade".
tentar a paciência (de alguém) Pôr (alguém) à prova de paciência; azucrinar.
tentar a sorte Arriscar-se.
tentear uma criança Assisti-la nos seus primeiros passos; distraí-la.
ter a barba tesa Ter ou demonstrar ousadia, ao afrontar algo ou resistir corajosamente.
ter a barriga a dar horas Sentir fome.
ter a batuta na mão Dirigir, comandar (como o maestro a sua orquestra).
ter a boca suja Ter o hábito de falar palavrões.
ter a bondade de Usa-se como forma gentil e cavalheiresca de pedir a alguém alguma coisa.
ter a cabeça nas nuvens Não pensar em coisas reais, práticas, do quotidiano; dar-se a devaneios; estar distraído, avoado.
ter a cabeça no lugar Agir ponderadamente, com sabedoria; ser sensato, ter senso prático.
ter a capacidade de Ter a ousadia de; atrever-se a.
ter a chave do cofre Ter o controle e a guarda dos recursos financeiros de uma empresa ou da própria casa.
ter a faca e o queijo nas mãos *1.* Ter poder amplo, ter o domínio da situação. *2.* Dispor de todos os recursos (para certa ação). *3.* Ter a oportunidade de. *4.* Enfeixar todas as condições para resolver uma questão.
ter a honra de Honrar-se; permitir-se a. *Us.* como fórmula de cortesia para fazer referência a algo (*ger.* uma condição) considerado honroso, gratificante, meritório.
ter a língua maior que o corpo Falar demais; ser indiscreto, falastrão.
ter à mão Dispor de imediato; ter perto de si, ao seu alcance.
ter a mão furada Ser pródigo, esbanjador.
ter a mão pesada Não ter habilidade (manual, ou outra) para realizar certo tipo de tarefa, e com isso causar transtornos incomodar ou molestar ao mais leve toque.
ter a mente aberta Assimilar bem as novidades e os avanços ou mudanças por que passa a sociedade, a ciência e tudo o mais. Não ter atitude ou comportamento conservador ou moralista.

ter a morte à cabeceira Estar gravemente enfermo; estar à beira da morte.
ter a morte no coração Estar dominado por grande aflição, grande pesar.
ter a palavra Ter permissão para falar numa assembleia, numa reunião.
ter a palavra fácil Ser eloquente; falar em público com desembaraço, de modo bem-articulado e organizado.
ter a palavra final O *m.q.* "ter a última palavra".
ter a posse de Ser proprietário de.
ter a quem puxar Referência que se faz a alguém que apresenta muita semelhança física e/ou comportamental com pais ou parentes próximos. *Var.* "puxar aos seus".
ter a última palavra *1.* Dar opinião definitiva sobre algo; decidir. *2.* Ser quem tem o poder de comando. *Var.* "ter a palavra final".
ter a ver com Ter relação com; dizer respeito a; referir-se a; corresponder a; ser corresponsável; estar envolvido com. Ser a propósito.
ter a vida por um fio *1.* Ter estado ou estar em situação instável e de perigo de vida iminente; estar a ponto de morrer, ter a saúde muito delicada ou abalada. *2.* Praticar profissão, esporte ou outra atividade extremamente arriscada.
ter a vida que pediu a Deus Não querer outra vida; estar muito bem na situação em que se encontra, não querer outra vida.
ter à vista Estar sempre atento a alguém ou algo, cuidando de ou controlando determinada coisa ou pessoa. Ter ao alcance da visão ou campo de ação.
ter a vista torcida Ser ou estar vesgo.
ter açúcar na voz Falar com ternura, com delicadeza, suavemente.
ter ainda muito gás Mostrar disposição, saúde, ânimo, apesar da idade avançada ou da aparência.
ter algo em comum Compartilhar algumas ideias, costumes, manias, objetivos etc.
ter algo em mente Ter ideias ou intenções ainda não reveladas.
ter alguém na palma da mão Ter completo domínio sobre esse alguém, ter suas vontades ou ordens sempre atendidas por esse alguém. *Var.* "ter alguém no bolso".
ter alta Receber ordem do médico para deixar o hospital por estar curado ou já convalescente. Ter completado processo terapêutico.
ter amor à vida Ser prudente; não se arriscar. *Var.* "ter amor à pele".
ter anos de janela Antigamente, mormente em cidades menores, dizia-se daquelas

moças à procura de namoro e casamento. A expressão advém do costume de então de se debruçarem na janela para verem e serem vistas pelos moços passantes.

ter antenas Observar e perceber com muita acuidade o que se passa à sua volta, ser perceptivo.

ter antolhos Ser limitado intelectualmente, não ter percepção ou concepção ampla de uma situação.

ter ares de Parecer-se com; assemelhar com, apresentar determinada aparência física ou de comportamento.

ter as cartas na mão Dominar; estar senhor da situação; ter condições de conduzir (um jogo, um negócio etc.) segundo sua conveniência.

ter às costas Ter como encargo, responsabilidade.

ter as costas largas Ser capaz de assumir grandes responsabilidades ou de arcar com despesas vultosas.

ter as costas quentes Ter (alguém) a proteção de outro(s) ou, pelo menos, poder contar com eles, quando for alvo de qualquer desagravo.

ter asas nos pés 1. Ir com rapidez a algum lugar. Andar muito rápido. 2. Ter como característica pessoal a diligência no cumprimento das tarefas que assume. 3. Ser ou estar muito feliz.

ter assento Ocupar um lugar, uma cadeira (em assembleias, congressos etc.); pertencer a uma comissão, diretoria, conselho etc.

ter berço 1. Ter nascimento ilustre; ter nascimento. 2. Nascer em boa família, em família de nome, de tradição.

ter bicheira Estar quase sempre, *esp.* esportistas, sem condições de jogo ou de disputa devido a seguidas contusões ou outros problemas físicos ou de saúde.

ter bicho-carpinteiro Ser inquieto, agitado; não poder ou não conseguir ficar quieto, sossegado; estar sempre em movimento, em atividade. *Var.* "ter bicho-carpinteiro no corpo".

> *Bicho-carpinteiro é o nome pelo qual se designa um tipo de coleóptero (besouro).*

ter boa boca 1. Gostar de qualquer alimento. 2. Dizer coisas boas, agradáveis de ouvir e que se confirmam no futuro.

ter boa cabeça 1. Ser inteligente, ter aptidão para determinado tipo de atividade intelectual. 2. Ter muito boa memória.

ter boa cor Ter bom aspecto; parecer saudável (diz-se de pessoa, *esp.* quando apresenta as faces naturalmente coradas, o que é considerado sinal de boa saúde).

ter boa estrela Ter sucesso no que faz; ser favorecido pelas circunstâncias, pelo destino (como se uma estrela guiasse em bom caminho); ser feliz.

ter boa garganta Ter boa voz; cantar muito bem.

ter boas pernas Estar em condições de andar muito.

ter boas razões para Ter motivos e justificativas suficientes para afirmar algo ou para agir da forma como o faz ou fez.

ter boas respostas Usar ditos espirituosos; improvisar; saber responder com argúcia, sabiamente.

ter boas saídas Saber safar-se airosamente de dificuldades ou de situações embaraçosas.

ter bola de cristal 1. Ser adivinho; ter, ou pretender ter, o poder de prever o futuro. 2. Ter boa percepção e ser capaz de prever tendências de situações complexas, graças a informações e à intuição.

ter bom coração Ser generoso, ter sentimentos que levam a (querer) praticar boas ações. Revelar-se piedoso, caridoso, prestativo, afável.

ter bom estômago 1. *Fig.* Ter paciência e tranquilidade para receber ofensas ou enfrentar situações adversas sem reagir ou sem perder o controle. 2. Ser capaz de ingerir muito alimento, sobretudo os menos apetitosos ou estranhos.

ter bom gosto 1. Ser refinado; saber escolher peças e objetos bonitos, bem-trabalhados, artísticos. 2. Saber escolher os amigos, os companheiros, os parceiros.

ter bom natural Ter boa índole.

ter bom ouvido 1. Apreender facilmente, especialmente sons; guardar com facilidade uma música, uma canção, ou ser capaz de perceber suas nuanças, executá-la etc. 2. Ser afinado (musicalmente).

ter bom sucesso Alcançar o objetivo; ser bem-sucedido.

ter bons bofes Ter voz possante. V. "ter maus bofes".

ter bons repentes Dizer bons improvisos; ter ditos espirituosos, judiciosos, oportunos.

ter cabeça Ser inteligente, ser sensato, ponderado. *Var.* "ter a cabeça no lugar".

ter cabelo na palma da mão *Bras. N.E.* Ser dado à automasturbação.

ter cabelo nas ventas Ter mau gênio; irritar-se por questões triviais.

ter cabelo no coração 1. Ter coragem extraordinária. 2. Ter disposição, espírito de

iniciativa. *3.* Ser insensível, cruel. *Var.* "ter cabelo no céu da boca".
ter cadeira cativa Ser frequentador assíduo; ser sempre bem-aceito em determinados ambientes. *V.* "cadeira cativa".
ter cama e mesa Desfrutar de alimentação e de sustento, gratuitos.
ter canela de cachorro Ter capacidade e disposição de andar muito.
ter cara de Parecer com; apresentar certo aspecto na expressão facial, na atitude ou comportamento etc. (Algumas vezes, seguem-se simples qualificações: *ter cara de bobo*, *ter cara de triste*; outras vezes, comparações ou imagens jocosas.) Expressões derivadas: "ter cara de poucos amigos", "ter cara de quem comeu e não gostou", "ter cara de babaca", "ter cara de bobo" etc.
ter cara para Ser descarado a ponto de; ter atrevimento ou ousadia ou falta de escrúpulos, falta de vergonha em grau suficiente para (fazer algo proibido ou reservado, mesmo sendo alertado); ser cara de pau. *V.* "não ter cara para".
ter carne debaixo do angu Haver algo de suspeito, escondido, sob o que parece inocente, inofensivo.
ter carradas de razão Ter plena razão no que faz, no seu modo de proceder; estar absolutamente certo.
ter cartaz Ter prestígio, fama, renome, popularidade.
ter cartaz com Granjear a simpatia de; estar sendo muito bem considerado ou prestigiado por.
ter cera nos ouvidos *V.* "ouvidos de mercador". *Var.* "ter cera nos abanos".
ter certeza Estar convencido, seguro.
ter chifres Ser enganado; diz-se sobretudo do esposo (ou namorado) ao qual não é fiel a esposa (ou namorada).
ter cócegas na língua Ter muita vontade de falar, estar impaciente para revelar algo. *Var.* "ter comichão na língua".
ter com quê Ter recursos; ser abastado. O *m.q.* "ter de seu".
ter comichão na língua O *m.q.* "ter cócegas na língua".
ter contas a acertar (com alguém) *1.* Inquirir alguém a propósito de algo que lhe incomoda. *2.* Ter algo a ser esclarecido com outra pessoa.
ter cor local Apresentar conjunto de características próprias, peculiares, consideradas típicas de um lugar, de um país, de um povo, de uma época.
ter coração de... Expressão que se aplica a várias situações que reflitam os sentimentos de uma pessoa em várias situações:

> *Assim: ter coração de gelo (insensível); de leão (valente); de mármore (insensível); de ouro (nobre e bondoso); de pedra (inflexível, insensível); de pomba (manso, inocente); de víbora (pérfido); etc.*

ter coração de pedra *V.* "ter cabelo no coração".
ter coração grande Ser generoso, bondoso.
ter culpa no cartório *1.* Estar implicado em processo, crime. *2. Fig.* Ser culpado de falta, oculta ou não, ainda não punida.
ter curso Estar em circulação, ser algo usado ou praticado com grande ou relativa frequência.
ter dado o que tinha de dar Já não ter mais préstimo ou uso por estar desgastado, esgotado.
ter de Ser obrigado a; ter necessidade de; dever.
ter de memória Conservar na lembrança; recordar-se (de algo).
ter de olho O *m.q.* "ter debaixo dos olhos".
ter de que viver Ter renda própria; ter com que se sustentar; contar com o suficiente para sobreviver.
ter de reserva Ter (dinheiro, provisões etc.) guardado para ocasiões especiais, de dificuldades ou emergências eventuais.
ter de seu Não ser pobre; ter posses e recursos: *Não tenho nada de meu, a não ser a casa onde moro*. *V.* "ter com quê".
ter debaixo da língua Estar quase a lembrar-se de algo que no momento lhe foge da lembrança.
ter debaixo da mão Ter a seu dispor.
ter debaixo dos olhos Não desviar a atenção ou o cuidado sobre alguém ou algum evento. *Var.* "ter de olho".
ter dedos de fada O *m.q.* "ter mãos de fada".
ter diante de si *1.* Poder esperar; poder vir a obter. *2.* Deparar (situação, tarefa, desafio etc.). *3.* Ter pela frente uma possibilidade, um processo que vai começar ou já começou
ter diante dos olhos Ter sempre em mente; não esquecer; não tirar da memória.
ter dinheiro para queimar Ter muito dinheiro; ser riquíssimo. *Var.* "ter dinheiro como água".
ter duas caras Ser falso, dúbio, ser capaz de agir de modo traiçoeiro; não ser homem de palavra.
ter em conta Levar em consideração; dar importância a; ter uma impressão ou opi-

nião muito boa a respeito de algo ou de alguém; estimar. *Var.* "ter em alto preço"; "ter em alto apreço"; e "ter em alta conta".
ter em mente Ter presente na consciência, no espírito; ter a intenção de; planejar.
ter em mira Visar a; pretender; ter em vista; ter como objetivo; projetar.
ter em muito Ter em grande conta; ter apreço.
ter em nada Não ter apreço.
ter em vista Visar a; objetivar, tencionar, levar em consideração. *V. tb.* "ter em mira" e "ter em mente".
ter empenho em Estar interessado em.
ter entre as mãos Estar trabalhando em, ocupado em (certa tarefa).
ter espírito Ser sagaz, espirituoso, engraçado, interessante, arguto.
ter estrela na testa *1.* Ser marcado pelo talento ou pela sabedoria. *2.* Ter sorte, parecer predestinado. *3.* Ser reconhecível imediatamente (como se determinada característica de comportamento, de personalidade etc. estivesse marcada no rosto). *Us.* de modo irônico, *ger.* na negativa.
ter estudos Ter conhecimento, preparo, instrução.
ter expediente Ser desembaraçado, ativo.
ter faltado à aula no dia em que ensinaram... Ser tolo ou ignorante; desconhecer coisas corriqueiras. (*Us.* jocosamente.)
ter farpas na língua Ser mordaz, sarcástico, acerbo. *V. tb.* "não ter papas na língua".
ter fé em (alguém) Fiar-se em; depositar confiança em. *V. tb.* "fazer fé em".
ter ficado de fora *V.* "ficar de fora".
ter fígado *1.* Ter coragem, disposição. *2.* Tolerar, admitir, ser capaz de se conter e não reagir (a algo desagradável).
ter fôlego de gato Ser dotado de muita resistência. *V.* "fôlego de gato".
ter força *1.* Ter bons músculos, capazes de grandes esforços. *2.* Ter poder, influência, prestígio.
ter força de lei Equivaler a uma lei (quanto à obrigatoriedade de que seja cumprido).
ter fundos Possuir bens e recursos financeiros de certa monta.
ter futuro Ter potencial para vencer na vida; ter probabilidade de sucesso.
ter ganas de Ter ânsia de; ter vontade ou desejo enérgico de.
ter goela de pato Engolir grandes bocados de uma só vez.
ter hora certa para tudo Expressão que define a pessoa sistemática ou que gosta de tudo muito organizado.

ter horas Estar disponível a qualquer momento, a qualquer hora.
ter império sobre si mesmo Saber conter-se; dominar suas paixões.
ter influência Ser considerado prestigiado em determinado lugar ou num grupo de pessoas, a ponto de ser ouvido e seguido.
ter jeito Ter solução, alternativa: *Não tem jeito, você vai ter de começar o trabalho.* Ter conserto, possibilidade de correção, de melhora: *A televisão quebrou e não tem mais jeito*; *Esse menino não tem jeito, é levado demais!*.
ter jeito para Ter uma aptidão, uma habilidade (para certa atividade); ser capaz de.
ter jogo de cintura Ter muito jeito, muita habilidade; ser capaz de adaptar-se rapidamente a situações inesperadas.
ter lacraia nos bolsos Não gostar de gastar; ser avaro.

A "lacraia", conhecida mais comumente como "centopeia", é uma espécie de artrópode. Tem o corpo segmentado e em cada segmento um par de pernas. Geralmente não são venenosos, e quando são, o efeito é leve. A locução refere-se ao medo de 'pôr a mão no bolso' (para gastar).

ter lágrimas na voz Falar em tom meloso, enternecedor, comovente.
ter lembrança de Recordar-se de; pensar em.
ter linha Demonstrar boa educação, elegância, comportamento adequado em todas as ocasiões e circunstâncias.
ter lombo para Ter condições de aguentar-se com; poder suportar.
ter lugar Acontecer; realizar-se; efetuar-se.
ter luto nas unhas Estar com as unhas sujas.
ter luzes (a respeito de alguma coisa) Não ser totalmente ignorante.
ter má cor Ter as faces pálidas, amareladas, aparentando pouca saúde.
ter macaquinhos no sótão Ter pouco siso; não ter juízo; ser amalucado.
ter mais o que fazer É o que se diz a alguém importuno ou que sugere participação em algo que se considera de pequena importância ou do qual não se quer participar. É alegação de quem não tem intenção de ou interesse em se ocupar de determinado assunto. *Var.* "ter muito o que fazer".

O tom da frase é geralmente desdenhoso.

ter mais olhos que barriga Diz-se da pessoa que não consegue comer toda a comida que ela própria colocou no prato.

ter maneiras Ser educado.
ter mão Deter-se, parar; suspender o que está fazendo ou vai fazer; ter cautela. *V. tb.* "ter mão em".
ter mão de pilão Ser estabanado, desajeitado. *V.* "mão de pilão".
ter mão e mando em Dominar, ditar a lei, a norma; comandar.
ter mão em Deter (alguém, a inclusive si mesmo), impedir ação de. *V. tb.* "ter mão".
ter mão leve *1.* Estar sempre disposto a bater, a espancar. *2.* Ser mão-leve, *i.e.*, ser gatuno, ladrão.
ter mãos de fada Possuir jeito, habilidade, aptidão em trabalhos manuais, especialmente em bordados. *V.* "ter dedos de fada".
ter mãos para Ser perito em; ter habilidade para (algum trabalho manual).
ter maus bofes Ter mau gênio; ser irritadiço. *V.* "ter bons bofes". *V. tb.* "ter maus fígados".
ter maus fígados Ser muito genioso, vingativo. *V. tb.* "ter maus bofes".
ter medo da própria sombra Assustar-se ou apavorar-se por qualquer motivo.
ter meios Ter com que sustentar-se.
ter minhoca na cabeça Dizemos que tem minhoca na cabeça a pessoa que pensa e/ou faz coisas fora do normal, absurdas, insensatas, pouco inteligentes; ter ideias estapafúrdias.

> *Estapafúrdia = Diz-se de pessoa ou coisa extravagante, esquisita, excêntrica, singular.*

ter miolo mole Não ter inteligência ou sensatez. *Ant.* "ter miolos". *Var.* "ter miolo de galinha".
ter miolos Ter juízo ou inteligência; ser sensato. *Ant.* "ter miolo mole".
ter muita armação e pouco jogo Ter (alguém) aparência insinuante, despachada, mas sempre se esquivar quando se lhe pede ajuda; diz-se que a tem pessoa com a qual não se pode contar em algum apuro ou necessidade.
ter muita feijoada para comer Ter expectativa de viver ainda por muitos anos.
ter muita lábia Ter muita astúcia e linguagem fácil para convencer os outros.
ter muitas horas de voo Diz-se de quem já fez muitas viagens aéreas, ou, *p.ext.*, de quem é muito experiente.

> *Alguns pilotos de aeronaves completam milhares de horas de voo, feito que lhes dá direito ao título de "milionários do ar"*(V.).

ter muito expediente *1.* Ser desembaraçado, esperto. *2.* Saber resolver por si os problemas que se apresentam.
ter muito gosto Ter muito prazer, muita satisfação. *Cf.* "fazer gosto".
ter muito medo e pouca vergonha Temer o castigo (por um erro) mas não fazer propósito de emendar.
ter na boca *1.* Estar a ponto de dizer o que seu interlocutor acaba de dizer. *2.* Dizer quase ao mesmo tempo do interlocutor; ter o mesmo pensamento de outra pessoa.
ter na devida conta O *m.q.* "ter em conta".
ter na mão Ter (alguém) ao sabor da sua vontade, de seus caprichos; dominar (alguém). *Var.* "ter na palma da mão".
ter na memória Lembrar-se, não esquecer; estar gravado na memória.
ter na mira Ter como objetivo, visar. *V. tb.* "estar na alça de mira de".
ter na palma da mão Dominar; ter sob seu controle. *V. tb.* "ter na mão".
ter na ponta da língua Saber (algo) muito bem, tê-lo memorizado, não precisar de esforço para lembrar. Ter profundo conhecimento; estar plenamente apto a desempenhar um papel, por conhecê-lo muito bem.
ter na unha Ter em seu poder.
ter nascido ontem Ser ainda muito jovem, sem experiência.
ter nascimento Ser de origem ou estirpe famosa, célebre, rica etc.
ter névoas nos olhos *1.* Enxergar mal. *2.* Ser estúpido; ter dificuldade para entender.
ter nome Ser importante; ter prestígio, fama, reputação.
ter o céu na terra Gozar, em vida, muita ventura; ser muito feliz.
ter o coração do tamanho do mundo Ser extremamente caridoso, bondoso, solidário, misericordioso.
ter o coração perto da goela Ser muito franco; não saber ocultar o que sente ou pensa.
ter o corpo fechado *1.* Estar, supostamente, imune de perigos como tiro, facada etc., graças a amuletos e mandingas. *2.* Ser invulnerável a feitiços.
ter o dedo de Ter (trabalho realizado, decisão tomada etc.) a influência, intervenção, ajuda de.
ter o diabo no corpo Estar endiabrado, impossível. Ter comportamento impulsivo, alterado; fazer estardalhaço, confusão. *Var.* "ter o diabo no couro"; "ter o diabo nos chifres".
ter o dom de Ter especiais habilidades, pendores, qualificações para (certas tarefas, profissões etc.).

ter o jogo na mão Estar senhor da situação; dar as cartas. *V.* "dar as cartas"; "ter as cartas na mão".
ter o leme Governar, administrar, dirigir.
ter o mundo aos seus pés Gozar de muita fama e prestígio; ter poder (ou a sensação de poder) conseguir o que quiser.
ter o olho em si Tomar conta das próprias ações; vigiar-se; policiar-se.
ter o olho maior que a barriga Ser muito guloso.
ter o pavio curto Ser arrebatado, impulsivo; irritar-se facilmente.
ter o penacho de Ter a ousadia de.
ter o prazer de Gostar de; sentir satisfação em. (*Us.* para dar ênfase ao caráter gratificante de determinada experiência, atividade etc.: *Teve o prazer da companhia do amigo. Tb. us.* como fórmula de cortesia, *ger.* formal (*Tive o prazer de conhecê-lo no ano passado*) ou atenuante de rispidez (*Tenha o prazer de retirar-se*).
ter o purgatório em vida Levar vida trabalhosa, com desgostos e sofrimentos.
ter o que fazer Ter tarefa a realizar; ter do que se ocupar; não estar ocioso; ter obrigações a cumprir. *V. tb.* "ter mais o que fazer".
ter o que merece Receber uma punição ou deixar de receber algo que pretendia devido ao seu comportamento condenável.
ter o rabo preso *V.* "rabo preso".
ter o rei na barriga Dar-se ares de importante; ser presunçoso, orgulhoso, arrogante. *Var.* "ter rei na barriga".
ter o sangue quente Ser genioso, irascível, exaltado.
ter o seu dia Ter vez; alcançar o dia em que realiza seu desejo.
ter o seu preço *1.* Ter valor digno. *2.* Ser digno de estima. *3.* Demandar (a conquista de algo que se deseja) esforço, sacrifícios, enfrentamento de dificuldades.
ter o seu tanto de Ter alguma coisa que lembra a; ter alguma parcela de (uma coisa, de uma qualidade, culpa etc.). *Var.* "ter o seu quinhão".
ter na cabeça Ter ideias fixas, às vezes estapafúrdias, ou cultivar intenções de modo constante ou obsessivo. *Ex.: ter o sexo na cabeça; só tem o futebol na cabeça* etc.
ter o topete Ter o atrevimento, a audácia, a coragem, a ousadia de.
ter olho clínico Possuir o dom da análise, da observação arguta.
ter olhos de lince *V.* "olhos de lince".
ter olhos maiores que a barriga *1.* Ser muito guloso; pôr no prato uma quantidade de comida maior do que aquela que é capaz de ingerir, deixando parte no prato. *2.* Desejar mais do que pode sustentar ou manter. *Var.* "ter os olhos maiores do que a barriga"; "ter os olhos maiores que..."; e "ter o olho maior (do) que...".
ter olhos na ponta dos dedos Ter muito bom tato (literal e figurativamente), muita sensibilidade, perícia e agilidade.
ter opinião formada Não ser facilmente influenciado por opinião alheia.
ter os ouvidos cheios *1.* Estar farto de tanto ouvir a mesma coisa. *2.* Ter repetidas queixas sobre a conduta de alguém.
ter os ouvidos entupidos *1.* Ser surdo, ou ouvir mal. *2.* Ser insensível a argumentos, pedidos, queixas de outrem.
ter os pés na terra Ser realista, objetivo, ponderado, prevenido. Não se deixar levar por ilusões, otimismo exagerado. *Var.* "ter os pés fincados na terra"; "ter os pés no chão".
ter os pés no chão *V.* "ter os pés na terra".
ter os seus conformes Depender de certas circunstâncias.
ter paciência Sofrer com resignação; não se precipitar.
ter pacto com o diabo Praticar ações extraordinárias, misteriosas, mágicas.
ter pai vivo e mãe bulindo Ter pais vivos; portanto, não necessitar ou não admitir que outros exerçam autoridade ou assumam responsabilidades típicas de pai e mãe.
ter palavra Ser cumpridor do que promete, ser confiável. *Cf.* "ter a palavra".
ter pancada na mola Ter desarranjo no juízo. Não ser ajuizado. Ter um parafuso a menos.
ter pano para mangas Ter abundância de determinada coisa; ter à disposição aquilo de que necessita. *Var.* "ter pano para as mangas".
ter para dar e vender Ter em grande quantidade, de sobra.
ter para si Admitir ou estar convencido de; crer; julgar; ter como opinião.
ter parte com Estar associado, em combinação, mancomunado com; fazer parte de; participar.
ter parte em *V.* "tomar parte em".
ter parte no bolo Participar de negócio, plano etc., com os direitos inerentes de receber parte dos ganhos, ou arcar com quaisquer consequências.
ter passado por coisa pior Assim diz quem já teve muitas experiências tais como a que

ora se apresenta, a qual, por isso, não considera tão difícil de enfrentar.
ter pé *1.* Ter (alguém) capacidade de andar muito. *2. V.* "dar pé".
ter pé espalhado Andar com as extremidades dos pés apontando para fora (postura popularmente chamada de 'dez para as duas' (alusão à posição dos ponteiros do relógio que marcam essa hora).
ter peito Ter coragem, audácia, firmeza.
ter pela mão *1.* Segurar pela mão. *2.* Dirigir, encaminhar, comandar.
ter pela proa Ter pela frente.
ter pelos no coração Não ter compaixão; ser duro, insensível.
ter pena (de) Sentir ou demonstrar piedade por alguém ou aborrecer-se por algo desagradável que lhe tenha acontecido; lamentar uma situação, a ocorrência de determinado fato. *Var.* "ficar com pena".
ter peneira nos olhos Não ver ou perceber ou considerar as coisas tal como são; parecer cego diante do que todos veem. *Var.* "ter poeira nos olhos".
ter pés de barro Ter base inconsistente, a despeito da aparência de solidez; não ser tão firme ou sólido quanto parece.
ter pinta de Dar (de modo involuntário ou intencional) demonstração de; ter aparência de.
ter pistolão Ter suporte para suas aspirações em amizades com pessoas influentes.
ter poeira nos olhos Não discernir, não ver as coisas como realmente são.
ter por bem Resolver; optar por; haver por bem; decidir fazer (algo que se considera correto ou necessário).
ter por costume Fazer habitualmente.
ter por fim Ter por meta, por finalidade, por objetivo; ter em mira.
ter por onde Ter motivo ou razão para; ter meios ou condições para; ter com quê.
ter posição *1.* Ter meios suficientes de fortuna. *2.* Exercer função de destaque numa empresa, numa instituição ou na sociedade.
ter posses Ter meios financeiros; ser rico.
ter prática Estar experimentado, acostumado (em algo); ser perito (em alguma coisa).
ter precisão de Ter necessidade de.
ter presente *1.* Ter na memória; lembrar-se de. *2.* Tomar em consideração; estar consciente de.
ter propósito Ter (a) intenção, (a) vontade, (o) desejo; ser adequado, sensato ou conveniente. *Var.* "Ter o propósito de".
ter Q.I. *1.* Ser inteligente. *2.* O *m.q.* "ter pistolão".

Há dois significados para "Q.I.": Na primeira acepção, o de "Quociente de Inteligência", que é um determinado grau de inteligência de uma pessoa, aferido por critérios estabelecidos; na segunda acepção é arremedo jocoso do significado anterior, agora com conotação jocosa e crítica: "quem indica", prevalecendo, neste caso, pois, mais a indicação que a inteligência, ou o mérito.

ter quatro olhos *Joc.* Usar óculos.
ter que O *m.q.* "ter de".
ter que ver *1.* Ser relevante ou pertinente, ter relação com (determinado assunto). Importar; interessar, referir-se. *2.* (Em relação a pessoas.) Ter interesse ou motivo aceitável para interferir ou participar de (assunto etc.). (Mais *us.* na negativa.) *3.* Encontrar dificuldade séria; sentir-se em apuros, em embaraços. (Neste caso, "ter que se ver com")
ter rabo de palha Ser conhecido por atos pouco dignos; ser vulnerável em sua moral.
ter raça Ter ou agir com coragem, valentia, fibra, vontade, ânimo, disposição. *Var.* "ter peito". *V. tb.* "no peito e na raça".
ter rei na barriga Mostrar-se arrogante, enfatuado, cheio de si. *Var.* "ter o/um rei na barriga".
ter relações com *1.* Copular. *2.* Manter entendimentos com; relacionar-se com. *3.* Ter algum vínculo social (de parentesco, amizade etc.) com (alguém).
ter remédio Ser curável ou solucionável; poder ser remediado.
ter repentes Ter ímpetos de mau gênio, de impaciência, de exasperação, com mudança de comportamento.
ter resposta para tudo Nunca ficar calado diante de uma indagação, discussão, inquirição; ter presença de espírito. *Var.* "ter resposta na ponta da língua".
ter saída *1.* Ser de fácil vendagem (produto). *2.* Ter solução (problema, impasse) *3.* Ter (alguém) possibilidade de sair de uma dificuldade, de uma situação incômoda.
ter sangue de barata Ser pessoa que não reage a insultos e provocações.
ter sangue na guelra Ser genioso, exaltado, esquentado, irritadiço; imprudente, arrebatado, impaciente; ter o sangue quente. *Var.* "ter sangue nas veias".
ter santo forte Livrar-se de grandes perigos, como se fosse por verdadeiro milagre. *Var.* "ter as costas largas".

ter sarna para coçar-se Ter de enfrentar algo que lhe aborrece, que vai ser demorado e penoso resolver.
ter sedas no coração Ser insensível, frio; não se comover.
ter sentido Ser concebível; ser aceitável, não ser absurdo.
ter sete fôlegos como o gato Ter bastante força ou resistência ou agilidade para resolver grandes incômodos ou trabalhos ou dificuldades. *Var.* "ter sete vidas".
ter seu dia Chegar o dia em que se realizou o que esperava.
ter seu lugar *1.* Vir a propósito, adequado às circunstâncias. *2.* Ter posição que lhe é própria, ou participação legítima.
ter seu tanto de Possuir um pouco de.
ter seus dias Apresentar ocasionalmente determinado comportamento, sentimento, demonstração de temperamento. *Ex.*: *Ele tinha seus dias de irritação.*
ter seus dias contados Estar sob ameaça de grande perigo ou estar com doença gravíssima e sem esperança de sobrevida.
ter só a camisa do corpo Não ter nada; estar na miséria ou falto de recursos. Quando se diz "estar só com a camisa do corpo", a ideia é de estar em situação de penúria naquele momento.
ter sobre si Receber o encargo (de), responsabilidade, fardo.
ter suas provas feitas Demonstrar saber, mérito, valor, coragem etc.
ter suas razões Ter motivos (*ger.* não revelados) para proceder ou pensar de certa forma.
ter sucesso Alcançar resultado mais do que satisfatório; ter êxito; ser vitorioso.
ter suores frios *1.* Estar em apertos. *2.* Levar susto; estar sob tensão ou medo. *3.* Sofrer um mal-estar.
ter tarimba Ter experiência; ser muito prático.
ter telhado de vidro Reconhecer-se culpado e não ter, por isso, condições de julgar outro(s). *V.* "telhado de vidro".
ter tempo Ter vagar ou ocasião, disposição ou paciência para esperar; não ter pressa; dispor de tempo para fazer outras coisas.
ter titica de galinha na cabeça Ter ideias tolas ou malucas, não ser sensato, ou inteligente.
ter topete Ser audacioso, pretensioso, desabusado.
ter traços de (alguém) Parecer-se com (alguém) fisicamente.
ter um acesso de Repentinamente, ficar com raiva, tornar-se violento ou ser tomado por riso incontrolável etc. Ficar fora de si momentaneamente. *V.* "acesso de fúria".
ter um amargo despertar Sofrer desencanto ou desengano depois de ter passado momentos felizes.
ter um ataque Sofrer crise nervosa ou convulsiva, às vezes com perda de consciência. *V.* "dar um ataque".
ter um dia cheio Estar muito ocupado, com vários afazeres ou atividades (prazerosas, cansativas etc.) ao longo do dia.
ter um escorpião no bolso É com esta expressão que nos referimos a quem é sovina, que tudo faz para não despender dinheiro ou para fazer qualquer tipo de gasto.
ter um espinho (uma espinha) atravessado(a) na garganta Guardar remorso; estar inquieto por algo acontecido; não conseguir se livrar de algo que incomoda muito, persistentemente.
ter um estalo Ter subitamente uma ideia brilhante, ou passar de repente a entender algo que antes não entendia.
ter um fim *1.* Ter um objetivo, uma meta. *2.* Morrer; acabar; terminar; finalizar.
ter um fraco por Gostar de; inclinar-se por; ser atraído por; ter um gosto particular por; revelar preferência ou atração especiais por (alguém). *V. tb.* "ter uma queda por".
ter um medo que se pela Ter medo excessivo.
ter um nó na garganta Não poder falar, por emoção ou susto. *V. tb.* "nó na garganta".
ter um nome a zelar Ser consciente de sua dignidade, cuidar da boa opinião alheia a seu respeito, e por isso tomar o cuidado de não se envolver nem se comprometer com algo que se lhe afigura incorreto, ilegítimo, antiético.
ter um parafuso a menos Ser um tanto amalucado; não regular bem da cabeça. *Var.* "ter um parafuso frouxo"; "ter um parafuso solto"; e "ter uma aduela a menos".
ter um pé na cova Diz-se de pessoa muito velha ou muito doente, que se acredita esteja próxima da morte; estar à beira da morte; estar à morte. *Var.* "ter os pés na cova"; "estar com o pé na cova"; "estar com os pés na cova"; "estar com um pé na cova".
ter um quê por O *m.q.* "estar caído por". *Var.* "ter um xodó por".
ter um treco Sofrer um mal súbito, de diagnóstico indefinido. *Var.* "ter um troço".
ter um trunfo nas mãos Dispor de vantagem competitiva em uma situação ou contexto. *V. tb.* "tirar do bolso do colete".

> *Trunfo* = *Em jogos de cartas, refere-se a um naipe (ouros, paus, copas ou espadas) que tem prevalência sobre os demais.*

ter uma batata quente nas mãos *V.* "batata quente".
ter uma carta na manga Ter um argumento forte que ainda não revelara; ter um trunfo; dispor (alguém) de uma informação, uma possibilidade de ação etc., que pode definir a situação a seu favor, e que não é revelada a ninguém.
ter uma chance em mil Ter (alguém) apenas uma oportunidade para atingir um objetivo; haver pouca probabilidade; ser muito pouco provável.
ter uma cruz para carregar Ter de atravessar período de extrema dificuldade, difícil de superar e de suportar.
ter uma ideia *1.* Pensar algo (como a solução de um problema, uma resolução a seguir etc.), *ger.* de modo súbito, como se o pensamento acudisse à mente. *2.* Imaginar, conceber; reunir (mentalmente) informações e experiências para formar um conhecimento aproximado a respeito de algo, ou para fazer inferências, previsões, avaliações: *Você tem (uma) ideia de quanto tempo isso vai demorar?*.
ter uma paciência de Jó *V.* "paciência de Jó".
ter uma queda por Ter uma forte inclinação por; apreciar ou gostar de. *Var.* "ter queda por".
ter uma rã na garganta Falar roucamente.
ter uma telha a mais O *m.q.* "ter um parafuso a menos"; ser; amalucado. Circunstancial e antagonicamente *tb.* se diz "ter uma telha a menos".
ter unhas na palma da mão Ser ladrão; ter o hábito de roubar, de furtar; ser cleptomaníaco.
ter uso Ser de utilidade, ter serventia, aplicação; ser usado (*ger.* de forma habitual).
ter vergonha na cara Ter sentimento da própria dignidade; ter brios.
ter vez *1.* Ter oportunidade ou possibilidade de atuar, manifestar-se etc. *2.* Ser aceitável, ter cabimento.
ter voz ativa *1.* Mandar, ter poder, direito de decisão; ter sua opinião respeitada e levada em consideração. *2.* Ter influência, participação relevante.
terapia ocupacional Tratamento que aproveita o interesse do paciente por determinado trabalho, ocupação, habilidade etc.
terça-feira gorda Terça-feira de carnaval, que marca o fim do período anterior à Quaresma.
terceira dentição Expressão irônica para designar a dentadura postiça.

> *A primeira dentição é a dos dentes de leite da criança, a segunda, a dos chamados dentes definitivos.*

terceira idade Idade provecta, acima de 60 ou 65 anos.
terceiro estado A classe média, ou seus representantes numa Assembleia ou Parlamento, ou o povo em geral, e considerados como força política.

> *A expressão traduz a força que essa classe tem e pode acionar em relação a assuntos de seu interesse, quando se arregimenta em torno deles e pressiona as autoridades e instituições. Historicamente, no contexto medieval, terceiro estado era o conjunto dos que não pertenciam ao clero nem à nobreza. O termo é mais empregado como (ou por alusão à) designação dos representantes da burguesia na Assembleia Nacional da França pré-revolucionária.*

terceiro expediente Costuma-se denominar assim, ironicamente, as festinhas que se realizam após o expediente da tarde, especialmente nas repartições públicas.
terceiro mundo O conjunto dos países subdesenvolvidos.
terceiro Reich O Estado unitário alemão vigente entre 1933 e 1945, sob Adolf Hitler (1889-1945), da Alemanha nazista.
terceiro sexo Os homossexuais.
tereré não resolve Falatório; conversa fiada; conversa que não leva a nada e que não vem ao caso que se discute.
terminar em pizza Acabar em nada; não chegar ao fim a que se propunha.
termo impróprio O que não exprime exatamente a ideia, o pensamento que se queria transmitir.
terno de grupo No jogo do bicho, aposta em três grupos diferentes, que devem corresponder a três entre os sete prêmios sorteados.
terra a terra *1.* Sem perder de vista a terra (ao navegar). Costeando. *2.* Muito comum, simples. *3.* Diz-se de equipamentos bélicos ou ações militares que, a partir de bases terrestres, fazem fogo contra alvos também terrestres.
terra batida Piso de terra compactada.
Terra da Luz O Ceará.

Terra da Promissão

Assim chamado por José do Patrocínio (1854-1905), farmacêutico, jornalista, escritor, orador e político brasileiro, por ter sido a primeira Província a dar liberdade aos escravos.

Terra da Promissão *Rel. Crist.* A terra de Canaã, segundo o relato bíblico prometida a Abraão e à sua descendência, por Deus. *Tb.*: "Terra Prometida".
terra da verdade A morte como destino final e certo; a sepultura.
terra de ninguém Espaço entre duas trincheiras (de diferentes contendores). Território que não se encontra ocupado e está sob disputa.
Terra do Nunca Lugar imaginário onde a vida é tranquila e fácil, sem as dificuldades e os conflitos da vida real.

Uma Neverland, conforme é referenciada no original em inglês, é um lugar de fantasia, habitado por seres fantásticos e que pode ser encontrado na mente das crianças, de acordo com o escritor escocês J. M. Barrie (1860-1937) em sua obra "Peter Pan". Como uma representação simbólica da mente infantil, suas características variam de criança para criança, sempre apresentando fronteiras muito tênues entre as diversas aventuras e deleites que, em vertiginosa sequência, oferece.

terra do sol da meia-noite Designação de um país localizado em grandes latitudes. Os países nórdicos, onde o sol, no inverno, quase não aparece, e no verão demora a pôr-se.
Terra do Sol Nascente O Japão.
Terra do Sururu O Estado de Alagoas.
Terra dos Marechais Epíteto do Estado de Alagoas.
terra dos pés juntos Cemitério. *Var.* "cidade dos pés juntos" e "terra dos mortos".
terra firme O continente; a terra, em comparação com o mar; as terras em geral, não submersas.
terra fresca Molhada.
terra fria O cemitério.
terra incognita *Lat.* Esta expressão define uma "área desconhecida ou inexplorada".
terra natal A terra, o lugar, o país onde se nasceu; pátria. *Var.* "minha (ou nossa etc.) terra" ou "torrão natal".
terra pelada Solo ou área sem vegetação ou quase sem vegetação.
Terra Prometida *1.* Lugar de sonhos, perfeição, felicidade; o paraíso. *2.* Aquilo que desejamos ardentemente. *3.* A terra prometida por Deus ao povo hebreu, segundo o Antigo Testamento. *V.* "Terra da Promissão".
Terra Santa A região da antiga Palestina, hoje Israel e territórios da Cisjordânia e da faixa de Gaza, de significação religiosa para as três grandes religiões monoteístas: judaísmo, cristianismo e islamismo.
terreno baldio Terreno abandonado, inculto, agreste, não ocupado, sem construções, sem proveito.
tesouros da memória Os conhecimentos e as informações valiosos, preservados ao longo do tempo.
tesouros de Baco O vinho.
tesouros de Ceres As searas.
testa coroada Monarca, soberano, rei.
testa de ferro Pessoa que não sendo o verdadeiro responsável por um empreendimento ou ato, o representa publicamente. *Tb.* se diz: "homem de palha"; "laranja".
testemunha auricular A que ouviu contar o fato. *Cf.* "testemunha ocular".
testemunhas de Jeová Seita religiosa surgida em 1872 nos Estados Unidos da América.
testemunha ocular Testemunha que presenciou o fato que está sendo considerado. *Cf.* "testemunha auricular".
teto do mundo Designação da cordilheira do Pamir, na Ásia, juntamente com o Tibete e o Himalaia, as regiões e países lá situados, e onde estão as mais altas montanhas do mundo.
teto máximo Expressão redundante para 'limite superior', e que deve ser evitada. *V.* "piso mínimo".
teto salarial É o salário máximo que, no setor público, é admitido pela lei ou pelas normas, para cada determinada categoria. *Cf.* "piso salarial".
teto solar Termo utilizado esp. em veículos mas tb. em edificações para designar uma cobertura construída com material que admite a passagem da luz solar.
teúda e manteúda *1.* Diz-se da pessoa robusta, sadia, bem-disposta. *2.* Emprega-se, também, para designar a mulher que coabita com homem, sem ser casada; concubina. *3.* Pessoa cujas despesas são pagas por outrem; mantido, sustentado. (*Tb.* se usa no masculino.)
that is the question *Ing.* Significa "essa é a questão".

Expressão empregada por Shakespeare, dramaturgo e escritor inglês (1564-1616), no primeiro verso do monólogo

tirar as castanhas do fogo

de Hamlet: "To be or not to be: that is the question";"Ser ou não ser: essa é a questão".

the right man in the right place *Ing.* Significa: "o homem certo no lugar certo". Diz-se para indicar a competência de quem ocupa determinado cargo ou posto.
tição apagado Designação jocosa, ou depreciativa, de pessoa negra, vestida de preto. (Pode denotar preconceito.)
tição do inferno Diz-se de pessoa perversa, digna de ser condenada ao inferno.
tido e havido Tido em conta de; considerado.
tigre de papel Alguém ou algo cuja posição ou atitude de poder é só aparente e não corresponde à real.
tigres asiáticos Designação dada aos países asiáticos cujas economias cresceram de forma vigorosa e incomum nas últimas décadas do século XX, especialmente a Coreia do Sul, Cingapura, Formosa e Hong Kong.
tijolo cru Adobe.
tijolo quente Diz-se de algo que incomoda, é embaraçoso, mas que é preciso enfrentar e procurar resolver. *Var.* "batata quente".
tim-tim por tim-tim Com todas os pormenores; detalhadamente; ponto por ponto.
tingir a espada Fazer mortes, vítimas.
tinindo de novo Novíssimo; novo em folha.
tinir de fome Estar com muita fome.
tinir de frio Sentir muito frio.
tinir de raiva Estar ou ficar furioso.
tio por afinidade Marido da tia (irmã da mãe ou do pai).
tipo asqueroso Diz-se da pessoa cujo aspecto repugna, seja física ou moralmente.
tipo assim *Gír.* MG Interjeição utilizada para introduzir uma frase, sem qualquer significado. *Ex.: Tipo assim, eu estava descansando quando Fernanda me ligou.*
tiquinho de gente Criança. *Var.* "toquinho de gente".
tira de quadrinhos Série de pequenos desenhos mostrando cenas em sequência de uma história. *Var.* "história em quadrinhos".
tirar a barriga da miséria Locupletar-se com algo de que até então não se dispusera ou que se lhe está sendo oferecido em abundância.
tirar a camisa Começar a lida; enfrentar a tarefa que lhe espera. *V. tb.* "arregaçar as mangas".
tirar a cisma de Acabar com a fama de valente de.
tirar a desforra Desforrar-se; vingar-se.

tirar a limpo Averiguar; esclarecer.
tirar a língua O *m.q.* "dar à língua".
tirar a máscara (de alguém) *1.* Desmascarar; revelar o que uma pessoa realmente é; mostrar o verdadeiro caráter de alguém; fazer com que a pessoa mostre o que verdadeiramente é. *2.* Deixar de fingir.
tirar a mesa Retirar os alimentos e bebidas servidos à mesa como refeição, *ger.* após o término desta, assim como pratos, talheres etc. *Ant.* de "pôr a mesa".
tirar a palavra da boca de Antecipar-se em declarar o que ia ser dito por (outra pessoa). *V.* "tirar da boca".
tirar a pele Vender caro; explorar, abusar de uma pessoa.
tirar a prova Conferir, verificar, provar; procurar demonstrar a exatidão.
tirar a rolha da boca Ser descomedido no falar; falar inconveniências.
tirar a sardinha Bater de raspão, com força e de surpresa nas nádegas de alguém, por brincadeira, com o indicador e o dedo médio.
tirar a sardinha com mão de gato Procurar obter proveito sorrateiramente e/ou servindo-se de outra pessoa e pondo-a em risco.
tirar a sardinha da boca (de alguém) O *m.q.* "tirar o mel da boca de".
tirar a sorte *1.* Escolher (algo ou alguém) por meio de sorteio; sortear. *2.* Consultar um ocultista, algum tipo de vidente, para saber sobre o futuro. *V.* "ler a sorte".
tirar a sorte grande *1.* Acertar o grande prêmio da loteria. *2.* Ganhar uma herança. *3.* Fazer um ótimo negócio; receber inesperadamente algum grande benefício.
tirar a vaca do brejo *1.* Sair de uma situação difícil e inferior. *2.* Melhorar de vida. *3.* Ganhar muito dinheiro de uma só vez, *p.ex.*, acertando na loteria o grande prêmio. *Var.* "tirar o pé da lama (do lodo)".
tirar a venda dos olhos Fazer ver; passar a considerar; cair na real.
tirar a verdade a limpo Averiguar o que verdadeiramente aconteceu, para comprovar a veracidade do que foi afirmado. *V. tb.* "tirar a limpo".
tirar a vez Passar à frente de (alguém), tomando-lhe o lugar ou frustrando suas expectativas.
tirar água de pedra Realizar trabalho ou tarefa quase impossível ou, pelo menos, muito difícil. *V. tb.* "tirar leite de pedra".
tirar água do joelho Urinar.
tirar as castanhas do fogo Fazer algo arriscado, perigoso.

tirar as castanhas do fogo com mão de gato Conseguir algo, aproveitando-se de trabalho ou ação realizada por outro.
tirar bala de criança Expressão que se refere, figurativamente, a uma tarefa fácil.
tirar casquinha 1. Passar de raspão. 2. Tirar vantagem; aproveitar. 3. Ter parte em alguma coisa. 4. Usufruir algo para o qual não teve contribuição significativa, tendo-se aproveitado de circunstâncias especiais e peculiares.
tirar da boca 1. Dizer (palavras) ou mencionar (pessoas, assunto etc.) que alguém estava a ponto de falar. V. "tirar as palavras da boca". 2. Privar alguém de algo que estava prestes a desfrutar.
tirar da cabeça Procurar esquecer; procurar tirar da mente algo que incomoda.
tirar da cartola Revelar um segredo, apresentar algo inesperado, provas etc. no último momento, quando já não havia esperanças de solução adequada.
tirar da jogada Eliminar, refugar, excluir.
tirar da lama Tirar de uma situação humilhante, vil, corrupta; tirar da miséria.
tirar da reta Esquivar-se. Deixar de participar ou evitar comprometer-se.
tirar de letra Fazer algo (ger. considerado difícil) com grande facilidade ou com despreocupação. Sair-se airosa e facilmente de uma situação difícil.
tirar desforra Praticar ato em represália a ação de alguém que lhe causou algum mal; vingar.
tirar diploma Concluir um curso; formar-se.
tirar diploma de burro Realizar algo muito pouco inteligente; ser contumaz na prática de atitudes pouco inteligentes.
tirar do bolso do colete Mostrar, numa situação decisiva, algo de que os demais não tinham conhecimento e que se constitui como um trunfo, influente no desfecho de algo em que todos se empenhavam.
tirar do nada 1. Criar. Cuidar do desenvolvimento de (alguém). 2. Ajudar, apoiar, soerguer, reanimar.
tirar do sério Exasperar ou irritar alguém; abusar de alguém. V. "sair do sério".
tirar farelo com Desafiar alguém.
tirar farinha 1. Exigir satisfações; procurar briga. 2. Levar vantagem.
tirar leite de pedra Fazer ou tentar fazer algo que parece impossível; esforçar-se muito em tarefa improdutente ou inútil.
tirar leite de vaca morta RS Lamentar-se acerca do que é irremediável. Cf. "chorar sobre o leite derramado".
tirar mau-olhado Submeter-se a rituais mediante os quais se acredita possam ser exorcizados os maus desejos de alguém.
tirar o atraso 1. Recuperar o tempo perdido. 2. Gír. Ter relações sexuais, após um período de abstinência não definido.
tirar o boi da linha Remover a dificuldade.
tirar o cabaço 1. Desvirginar; deflorar. 2. Perder a virgindade. O m.q. "perder o cabaço".
tirar o cavalo da chuva Desistir de um propósito, de um intento, diante de perspectivas que se imaginam desfavoráveis. Var. "tirar o cavalinho da chuva".
tirar o chapéu 1. Cumprimentar com gesto típico de levantar com uma das mãos o chapéu da cabeça. (Era gesto de cortesia quando o uso desse acessório era cultivado.) 2. Hoje, a expressão significa render homenagem, respeitar, admirar.
tirar o corpo fora 1. Livrar-se de complicações ou da iminência delas. 2. Eximir-se de responsabilidades e de incumbências com habilidade e astúcia, por prever dificuldades e insucesso.
tirar o couro de 1. Castigar com o chicote (ou de outro modo), e forçar a trabalhar; sobrecarregar de dores, trabalho, sofrimento. 2. Explorar (alguém) financeiramente, cobrando caro pelo trabalho feito ou pelo objeto que lhe vende.
tirar o mel da boca de Impedir que alguém receba ou ganhe algo que estava prestes a receber ou a conquistar, que faça proveito de algo bom, agradável etc. de que estava prestes a desfrutar. Var. "tirar a sardinha da boca de" e "tirar o pão da boca de".
tirar o pai da forca Estar muito apressado, aflito, impaciente.
tirar o pão da boca de 1. Privar dos meios de subsistência. 2. Frustrar algo agradável e/ou prestes a acontecer. O m.q. "tirar o mel da boca de".
tirar o pé Desacelerar veículo, afrouxando a pressão do pé no pedal de aceleração ou retirando-o totalmente.
tirar o pé da lama V. "tirar a vaca do brejo". Var. "tirar o pé do lodo".
tirar o pelo Cobrar muito caro por um serviço ou por uma mercadoria. V. tb. "tirar a pele".
tirar o peso Livrar-se da má sorte.
tirar o sono a (de) Deixar (alguém) preocupado a ponto de perder o sono; preocupar; perturbar.
tirar o time (de campo) Ir embora; sair; desistir; abandonar um local.
tirar onda 1. Agir, comportar-se de maneira afetada, pretensiosa; dar-se ares de impor-

tante, de valente, de inteligente etc. 2. Manter namoro ou exibir-se com alguém como se estivesse namorando. *Tb.* se diz: "tirar uma onda".
tirar onda de Passar por; fingir-se; simular.
tirar os tampos *Ch.* Violar; deflorar uma mulher; estuprar.
tirar partido Aproveitar-se de uma situação para seu proveito próprio.
tirar proveito de *1.* Extrair ganho de (algo); ganhar, lucrar, aproveitar; beneficiar-se. *2.* Explorar, aproveitar-se de.
tirar sardinha Brincadeira em que algumas crianças estendem uma ou as duas mãos com as palmas para cima, enquanto outras nelas apoiam as próprias palmas, devendo as primeiras retirarem de súbito suas mãos e bater nas costas das mãos do oponente.
tirar um coelho da cartola Apresentar argumento ou coisa de que ninguém suspeitava e que se revela decisiva para o caso em questão.

Cartola é um chapéu cilíndrico us. antigamente e ainda hoje, em solenidades especiais, acompanhando o fraque. A locução refere-se a tradicional truque de ilusionismo.

tirar um fino Passar muito próximo, de raspão, por alguém ou por alguma coisa.
tirar um peso de cima de si Livrar-se de uma preocupação.
tirar um sarro Exercer represália contra alguém ou fazê-lo de tolo, ou provocar zombeteiramente.
tirar um tempo para Reservar parte do tempo disponível para.
tirar uma diferença Ajustar contas.
tirar uma espinha da garganta Livrar-se de inquietações, de dúvidas.
tirar uma linha Dar uma olhadela; namorar, flertar. *Var.* "tirar uma linhada".
tirar uma pestana Cochilar; dormir durante um curto espaço de tempo. *Var.* "tirar um cochilo" e "tirar uma soneca".
tirar uma tora Fazer a sesta; dormir por alguns momentos.
tiritar de frio Tremer de frio; sentir muito frio.
tiro cego Tiro sem pontaria certa, disparado a esmo.
tiro certeiro Alusão (*tabu. us.* interjectivamente) a um objetivo alcançado plenamente e com habilidade.
tiro de canto *Fut.* Escanteio; tiro de escanteio; *corner*.

tiro de meta *Fut.* Reposição da bola ao jogo, por ter saído pela linha de fundo do campo.
tiro de misericórdia Ação que define irrevogavelmente o término de uma situação penosa, de sofrimento ou insatisfatória.
tiro e queda *1.* Pontaria certeira. *2.* Coisa certa, infalível. *3.* Alcance de resultado seguro e imediato: *Com esse remédio você vai melhorar: é tiro e queda.*
tiro livre No futebol, chute que se dá com a bola parada, sem assédio do adversário. No basquete, é o mesmo que lance livre.
tiro livre direto *Fut.* Lançamento de bola parada devido a punição, que pode ser feito diretamente ao gol adversário, valendo o gol se a bola entrar.
tiro livre indireto *Fut.* Lançamento de bola parada devido a punição, mas que não pode redundar em gol se não tiver intervenção de outro jogador no curso da bola.
tiro n'água Rebate falso, notícia infundada, sem o esperado efeito.
tiro no escuro *1.* Ação realizada sem que se saiba ao certo as condições para fazê-lo, arriscando mesmo assim; tentativa ao acaso, contando com a sorte. *2.* Aposta, aventura, lance em que se arrisca a sorte
tiro pela culatra *1.* Ação que fracassa ou não se dá como planejada, trazendo consequências danosas para quem a realizou. (*Tb.* se diz quando a ação de alguém acaba causando a a quem a pratica o mal que intentara contra outra pessoa.) *V.* "o feitiço virar-se contra o feiticeiro".

Culatra = Fundo (parte posterior) do cano da arma de fogo.

to be or not to be *Ing.* Significa, literalmente: "ser ou não ser". Exprime certa perplexidade e dúvida, embaraço, diante de um dilema ou para caracterizar uma difícil escolha da qual depende o destino de um indivíduo ou de um povo.

Expressão tirada do início do monólogo de Hamlet *(III, I), de William Shakespeare, dramaturgo e escritor inglês (1564-1616):* "To be or not to be: that is the question"; *"ser ou não ser: essa é a questão".*

tocar a mão em O *m.q.* "descer o braço em".
tocar a vida para frente Seguir seus objetivos, apesar das dificuldades do momento, dos sofrimentos passados; não se desanimar.

tocar as raias Atingir o limite.
tocar de mal V. "trocar de mal".
tocar de ouvido Executar num instrumento peças musicais sem o uso de partitura, baseando-se apenas em já tê-las escutado e aprendido de cor.
tocar em uníssono Executar uma peça musical com os instrumentos, ferindo, simultaneamente, as mesmas notas, embora em diferentes escalas.
tocar fogo na canjica 1. Acelerar uma ação, ainda que sob riscos, para ver no que dá. 2. Animar-se, entusiasmar-se. 3. Incentivar à ação. Var. "botar fogo na canjica" e "tacar fogo na canjica".
tocar música enquanto Roma pega fogo Diz-se quando alguém não toma nenhuma providência ou trata de assuntos amenos enquanto à sua volta há uma situação grave, às vezes pessoas em perigo e necessitando de ajuda.

> Nero, diz-se, tocava violino enquanto a cidade de Roma se incendiava. O violino foi inventado no séc. XVI. Portanto, o instrumento utilizado por Nero Claudius Cæsar Augustus Germanicus (37-68) [quinto imperador romano] não poderia ser o violino. Poderia ser uma lira ou um instrumento de corda, entre vários que naquele tempo existiam.

tocar na corda sensível Atingir o ponto fraco.
tocar na ferida Lembrar coisa que a alguém causa mágoa ou desagrado. Mencionar, abordar ou localizar a origem ou o centro de um problema. V. "pôr o dedo na ferida".
tocar na honra de Falar mal de; desabonar.
tocar na madeira Afastar mau agouro.

> A superstição recomenda três toques na madeira para evitar a ocorrência de um mau agouro por alguém citado, ou para que não ocorra algo cuja possibilidade foi mencionada.

tocar na mesma corda Insistir num só tema, num só assunto. Var. "bater na mesma tecla".
tocar no ponto Referir-se à questão principal de um tema, de uma discussão.
tocar no ponto fraco Aludir a um defeito ou fraqueza de alguém ou algo que se faz ou se fez de errado.
tocar o barco para a frente Continuar no seu projeto de vida, apesar de algumas dificuldades.

tocar o dedo na ferida V. "pôr o dedo na ferida".
tocar sete instrumentos Dedicar-se a diversas atividades ao mesmo tempo; ser versátil em suas habilidades; ter muitas qualidades.
tocar viola sem corda Dizer coisas sem nexo; falar à toa; disparatar.
toco de amarrar onça Diz-se de pessoa troncuda, de baixa estatura e que tem marcas (rugas) no rosto. Var. "tronco de amarrar onça".
toco (toquinho) de gente Pessoa de baixa estatura e gordinha; criança.
toda a gente Todos, as pessoas, em geral.
toda a vida 1. Sempre na mesma direção. 2. Sempre. 3. Muitíssimo; demais; grande quantidade.
toda sorte de Grande variedade de; conjunto variado de (coisas, animais ou pessoas).
todas as gentes Pessoas de todo o mundo, de todos os povos.
todo aquele que Qualquer um que; todos os que; quem quer que.
todo dia Diariamente; cada dia.
todo homem tem um preço Se a tentação ou recompensa for razoável, muitas pessoas agirão contrariamente às suas ideias ou opiniões, com vistas às vantagens.
todo (o) mundo A gente, nós todos, as pessoas, em geral; todas as pessoas (em determinado contexto); o mundo inteiro (falando de pessoas ou países).
todo ouvidos Com a expressão "sou todo ouvidos", a pessoa quer dizer estar atenta ao que lhe falam.
todo santo dia Diariamente; com regularidade e constância, sem interrupção.
todo tempo é tempo Nunca é tarde; sempre haverá ocasião (para algo).
todos os dias Dia após dia; o dia a dia.
todos, inclusive a mulher dele Exagerada e ironicamente, é o que se diz da presença de uma família inteira num evento.
tolerância zero Expressão aplicada quando se quer acentuar que uma questão irá ser conduzida da melhor e mais perfeita forma possível, sem concessões ou privilégios de nenhuma espécie.

> O termo (em inglês, zero tolerance) ganhou fama ao dar nome a uma política de ação policial abertamente aplicada pelas autoridades de Nova York, por opção do prefeito Rudolph Giuliani. O conceito que o embasa tem origem no início da década de 1970, a partir de uma lei aprovada em Nova Jersey (Safe and Cle-

an Neighborhoods Act) *mas consolidado com a publicação do artigo "Broken Windows"de autoria de dois conservadores, em 1982. Em resumo, o artigo dizia que, ao ver uma janela quebrada, outros vândalos seriam estimulados a quebrar outras. Então, para eliminar o crime e a contravenção, a solução seria eliminar qualquer mínima evidência de transgressão da ordem pública, sem qualquer tolerância. Os críticos deste conceito sustentam que é autoritário e chega a ferir alguns direitos humanos, como os dos sem-tetos. Dizem também que a criminalidade de Nova York não caiu exatamente em função dessa política, mas sim das melhorias econômicas e sociais que a cidade já vinha experimentando há algum tempo.*

tom doutoral Tom decisivo, superior, de quem supostamente sabe do que está falando, assumindo ares de professor, de especialista.

toma lá, dá cá *1.* Na bucha; de imediato. *2.* Troca de coisas e de serviços. *3.* Com retribuição ou contragolpe imediatos. *Var.* "bateu, levou".

Na acepção 2 a expressão é usada para enfatizar que qualquer relacionamento com outrem terá de ser na base da troca ou compensação de direitos e vantagens, sem benefícios maiores para uma ou outra das partes envolvidas.

tomada de preços Consulta de preços a diferentes fornecedores de bens ou serviços antes de realizar a compra ou contratação.

tomar a bênção Beijar a mão dos pais, padrinhos ou o anel dos altos prelados da Igreja Católica, em sinal de respeito ou como pedido de proteção.

tomar a bênção a cachorro Achar-se em extrema pobreza ou ter passado por grande humilhação. *V. tb.* "chamar urubu de meu louro".

tomar a frente *1.* Adiantar-se; passar a ocupar posição mais avançada; passar a ir mais rápido (que algo ou alguém). *2.* Tomar a iniciativa de uma ação e assumir seu comando ou coordenação. *Var.* "tomar a dianteira".

tomar a fresca Sair de casa ou do recinto em que se encontra e ir para um lugar aberto, com o propósito de refrescar-se, de espairecer.

tomar a liberdade de Fazer algo, sem a expressa licença ou permissão de outrem. (*Us.* de forma cortês como reconhecimento ou desculpa por uma ação.) *Cf.* "tomar liberdades".

tomar a lição Arguir ou ouvir (o professor) o aluno sobre o tema a ele submetido.

tomar a palavra Começar a falar, especialmente em público.

tomar a peito Assumir um empreendimento, tarefa ou missão.

tomar a sério *1.* Ligar importância a; dedicar-se a. *2.* Melindrar-se, magoar-se com (ato ou palavras de outrem). *Var.* "levar a sério".

tomar abuso de *Bras. N.E.* Enjoar de; aborrecer-se de; abusar.

tomar ar Passear; sair do recinto fechado onde se encontra. *Var.* "tomar ar fresco". *V. tb.* "tomar a fresca".

tomar as dores por Tomar a defesa de; considerar a ofensa feita a outrem como se feita a si.

tomar as rédeas Assumir a direção, o governo, o poder, o controle.

tomar assento Assentar-se; estabelecer-se.

tomar assinatura com Caçoar constantemente de; implicar com (alguém), não deixando em paz.

tomar banho de loja Ir às compras, especialmente para adquirir novas roupas. *V.* "banho de loja".

tomar birra de Passar a ter aversão, antipatia, ojeriza por.

tomar bonde errado *Fig.* Enganar-se quanto aos resultados de uma ação, de um negócio etc.

Bonde , além de designar veículo elétrico urbano sobre trilho, também tinha a acp. fig. de mau negócio; logro.

tomar carona Ser preterido numa promoção.

tomar chá de cadeira Não ser (a moça) convidada para dançar, num baile. *2. P.ext.* Ter de esperar muito tempo, ou ficar sem receber atenção de ninguém.

tomar chá de sumiço Desaparecer da nossa vista; não mais ser visto (em um lugar, um círculo social); ausentar-se sem dar notícias; deixar de comparecer em lugar onde habitualmente frequentava.

tomar confiança Familiarizar-se, permitir-se comportamento menos formal; perder o respeito, agir como se fosse íntimo, sem o ser. *V.* "dar confiança".

tomar conhecimento Ficar sabendo; instruir-se; cientificar-se.

tomar consciência Perceber com clareza o exato sentido das coisas, dos acontecimentos; conscientizar-se.
tomar conta Vigiar. O *m.q.* "tomar conta de".
tomar conta de *1.* Vigiar, proteger. Cuidar de alguém (ou algo); encarregar-se de, responsabilizar-se por. *2.* Assenhorear-se de (algo, alguém); controlar.
tomar coragem Tornar-se corajoso ou confiante; animar-se; enfrentar uma situação, sem indecisão.
tomar corpo *1.* Crescer, recrudescer; avultar; engordar. Ganhar formas e volume definidos. *2.* Espalhar-se, difundir-se; criar corpo.
tomar cuidado Precaver-se; ficar atento e agir com cautela.
tomar de assalto *1.*Investir violentamente em reduto de outro(s), expulsando-o(s) e se assenhoreando do local e dos pertences. *2. Fig.* Difundir-se ou intensificar rapidamente, e a ponto de dominar: *As dúvidas tomaram-no de assalto.*
tomar distância Afastar-se a fim de ganhar espaço para acelerar o passo de forma a ganhar impulso, velocidade (para chutar a bola, para saltar etc.).
tomar distância de Afastar-se de.
tomar em consideração Atender; dar atenção a um assunto, a uma situação etc. *Var.* "levar em consideração" e "levar em conta".
tomar emprestado *1.* Tomar qualquer coisa por empréstimo. *2.* Copiar uma ideia, um trabalho, uma arte.
tomar estado *1.* Casar-se. *2.* Ficar em bom estado. *3.* Adotar um certo e novo estilo de vida, considerado melhor ou mais estável.
tomar ferro *1.* O *m.q.* "levar ferro". *2.* Ser reprovado nos exames escolares ou em concursos.
tomar gosto Passar a gostar; acostumar-se.
tomar juízo Conduzir-se de modo educado; ter comportamento adequado às circunstâncias; passar a ter atitude sensata, conveniente. *Var.* "tomar jeito".
tomar liberdades Abusar da confiança (de alguém); abusar.
tomar medida(s) Providenciar; acautelar-se; prevenir-se.
tomar na cabeça Fazer um mau negócio; dar-se mal, por sair tudo errado.
tomar na cuia Ser vencido, derrotado; perder uma questão; levar uma desilusão; sofrer uma ingratidão.
tomar na cuia dos quiabos *BA* Ser logrado.

tomar no gargalo Beber diretamente da garrafa. *Var.* "beber no gargalo".
tomar o bonde errado O *m.q.* "pegar o bonde errado".
tomar o capelo Diplomar-se; obter o grau de doutor.
tomar o céu por testemunha Jurar, invocando a oniciência divina.
tomar (o) fôlego *1.* Aspirar o ar; deixar de estar ofegante, ou respirar fundo, preparando-se para enfrentar algum esforço. *2.* Refazer-se das forças, fazendo uma pausa no trabalho ou no exercício físico ou na atividade.
tomar o freio nos dentes *1.* Não obedecer (a cavalgadura) ao comando do cavaleiro. *2. Fig.* Indisciplinar-se; exceder-se.
tomar o hábito Ordenar-se padre (ou freira); tornar-se religioso regular, entrar para uma ordem religiosa; professar. *Var.* "vestir o hábito" e "tomar o véu". *V.* "largar o hábito".
tomar o nome de Deus em vão Mostrar desrespeito a Deus.
tomar o partido de (alguém) Defender (alguém) ou aderir às suas posições, atitudes ou convicções.
tomar o peso de Avaliar o peso de; pesar.
tomar o pião na unha Enfrentar situação difícil, com decisão e responsabilidade.
tomar o pulso *1.* Medir os batimentos cardíacos de alguém, através de aparelhos apropriados ou pela apalpação com os dedos o vaso sanguíneo do pulso (mais frequentemente), contando o número de batimentos por minuto. *V.* "tomar pulso".
tomar o recado na escada Responder ou reagir de modo precipitado, antes de ouvir o que está para ser dito por outros. *Var.* "tomar o recado na porta da rua".
tomar o tempo de alguém Ocupá-lo com coisas alheias ao seu interesse.
tomar o véu Fazer-se religiosa.
tomar outro rumo Buscar alternativas.
tomar parte em Envolver-se com ou em; participar, compartilhar.
tomar partido Abraçar uma causa, uma ideia. Não ficar neutro ou afastado de uma dissensão, participar dela. *V. tb.* "tomar o partido de alguém".
tomar pé *1.* Assenhorear-se de um assunto; estudar o assunto. *2.* Tocar com os pés no fundo da água (de rio, mar etc.) para verificar a fundura; parar de nadar e ficar de pé dentro da água com os pés apoiados no fundo.
tomar por testemunha Invocar o testemunho de alguém; pedir o depoimento de alguém.
tomar posse de *1.* Ser investido num cargo. *2.* Apossar.

toque de Midas

tomar providência Ir à busca de solução para um assunto ou problema; cuidar de resolver um assunto.
tomar pulso Avaliar (uma situação); pesquisar; sondar; experimentar; averiguar. *V.* "tomar o pulso".

Por comparação com o médico, que, examinando o pulso do paciente, verifica sua temperatura, os batimentos cardíacos etc.

tomar rumo Ir-se embora; procurar o que fazer, onde ficar; continuar a jornada.
tomar satisfações a Cobrar reparações a alguém que lhe tenha ofendido. Exigir pedido de desculpas.
tomar sob sua proteção Proteger.
tomar sobre si Assumir a responsabilidade por (algo).
tomar sol Expor-se ao sol.
tomar sopa com *BA/MG* Tomar liberdade, confiança, com (alguém).
tomar tempo Despender muito tempo. Levar algum tempo (tarefa, trabalho, atividade) para ser realizado.
tomar tento Prestar toda a atenção; tomar cuidado.
tomar todas Encher a cara de bebida alcoólica; embebedar-se.
tomar um caldo Ser lançado, contra a sua vontade, numa piscina ou, estando na água, ser forçado a submergir, geralmente por brincadeira.
tomar um gole Beber uma dose de bebida alcoólica; tomar um trago. *Var.* "molhar a palavra"; "molhar a garganta"; "tomar um trago"; e "tomar uma dose".
tomar um oito Tomar uma certa dose de bebida alcoólica.
tomar um pileque Embriagar-se.
tomar um susto O *m.q.* "levar susto". *Var.* "tomar susto".
tomar uma atitude Decidir-se por um ou por outro ato/procedimento e assim agir.
tomar uma bucha Ser enganado; ser passado para trás.
tomar uma manta Ser ludibriado num negócio, levando a pior na troca, na compra ou na venda de um bem qualquer.
tomar umas e outras Beber bebidas alcoólicas em companhia de outras pessoas, num bar, taberna, restaurante etc.
tomar vulto Crescer em tamanho e importância.
tomara que caia Peça de roupa feminina que cobre o tronco, incluindo os seios, sem a necessidade de alças que a prendam aos ombros ou ao pescoço.

tonel das Denaides *Fig.* Aquilo que nunca está pleno, que jamais se completa, que perde conteúdo na mesma proporção em que é preenchido; memória que não retém o que recebe. Saco sem fundo.

A expressão vem da lenda grega relatando o caso das 49 filhas de Dânaos que mataram seus esposos na noite de núpcias, por isso condenadas a derramar água eternamente num jarro com furos por onde a água saía.

tonto de sono Sonolento a ponto de perder o equilíbrio, a firmeza do corpo ou da atenção.
top model *Ing.* "modelo de topo", ou seja, pessoa que faz parte de um seleto grupo de profissionais altamente requisitados e bem-remunerados que desfilam ou participam de publicidade vestindo roupas e acessórios desenhados pelas grifes pela qual foram contratados.

No ano 2000, uma revista inglesa criou o termo "übermodel" para designar modelos como a brasileira Gisele Bündchen, cuja fama e importância a colocam em um patamar superior ao dos top models.

topar a parada Enfrentar; não fugir ao desafio ou não enjeitá-lo.
topar qualquer parada *V.* "topar tudo".
topar tudo Aceitar qualquer missão, negócio, incumbência; estar sempre pronto para ajudar, participar etc.
topo do mundo *1.* Designação dada às mais altas montanhas existentes no mundo e a lugares situados em elevadas altitudes. *2. Fig.* Ouve-se a expressão, também, como identificação de lugares específicos onde ocorrem as mais importantes manifestações do conhecimento humano, das artes, ciências, tecnologia etc. ou relativamente ao poder político.
toque de alvorada Toque, *ger.* de clarim, nos quartéis, anunciando ser o momento de os soldados acordarem e se levantarem.
toque de mágica Fazer, com certa facilidade, algo considerado de impossível ou difícil execução.
toque de Midas *Fig.* Habilidade invulgar que traz sucesso, enriquecimento; *esp.* tino para negócios.

Alusão à lenda clássica sobre Midas, rei da Frígia, do qual se dizia que tudo em que tocava se transformava em ouro.

toque de recolher Ordem transmitida pelas autoridades a pessoas ou a um grupo delas, para se recolherem às suas residências durante um certo tempo e após determinada hora, por razões de segurança ou repressivamente.

toque maçônico Sinal ao apertar de mão com que os maçons se reconhecem uns aos outros.

torcer a cara Mostrar má vontade (pela expressão do rosto). *V. tb.* "torcer o nariz".

torcer a orelha e não sair sangue Arrepender-se tardiamente, quando não há mais reparo.

torcer as orelhas Arrepender-se de não ter feito o que podia fazer. *V. tb.* "torcer a orelha e não sair sangue". *Cf.* "torcer as orelhas de".

torcer as orelhas de Disciplinar alguém; chamar a atenção de alguém para algo malfeito; castigar, repreender. *Cf.* "torcer as orelhas".

torcer o gasganete de alguém *1.* Torcer o pescoço de alguém. *2.* Repreender severamente.

torcer o nariz Mostrar desagrado. *Var.* "torcer o focinho".

torcer o pescoço O *m.q.* "torcer o gasganete de alguém".

torcer o rosto Voltar as costas a; mostrar desprezo por; ignorar.

torcida a favor Grupo de pessoas que apoia e incentiva manifestamente uma iniciativa. *V. tb.* "torcida contra".

torcida contra Grupo de pessoas que desestimula manifestamente uma iniciativa, desejando um insucesso. *V. tb.* "torcida a favor".

tornar a si Recobrar os sentidos depois de um mal-estar ou de um desmaio, de um susto; recuperar a consciência, a percepção, o bom-senso.

tornar à vaca fria Voltar ao assunto já discutido. *Var.* "voltar à vaca fria".

tornar público Divulgar; tornar conhecido.

tornar sem efeito Anular.

tornar-se gente O *m.q.* "ser gente".

tornar-se saliente Fazer-se notar pelos outros, pretensiosamente.

tororó, pão duro Conversa fiada. A expressão aparece também na forma: "tororó, pão duro, rosca quebrada".

torrão natal A terra onde se nasceu. *Var.* "terra natal".

torrar nos cobres Vender muito barato, ou por qualquer preço; vender pela primeira oferta; queimar.

torrar o saco Dar no saco. *Ch.* O *m.q.* "encher o saco".

torre de Babel *Fig.* Lugar onde todos falam e ninguém se entende. Lugar confuso, congestionado, sem um certo ordenamento. (*Tb.* se diz apenas babel.)

> *Alusão ao relato bíblico sobre a Torre de Babel que os homens ergueram com a pretensão de alcançar o céu, mas que lhes confundiu as línguas, tornando impossível se entenderem e pondo, por isso, fim à empreitada. V. Gn 11,1-9.*

torre de marfim Alheamento; isolamento; confinamento, *esp.* de artista ou intelectual que menospreza ou teme assuntos mundanos, que cultiva suposta superioridade espiritual.

torre de piolhos A cabeça.

torto de um olho Diz-se de quem tem apenas um olho.

tosse de cachorro Tosse rouca.

tostão por tostão A custo; com persistência.

tour de force *Fr.* Expressão que denota façanha; brilhantismo; amplo domínio de um assunto.

tout court É expressão francesa que significa "sem mais nada; só isso; está completo".

trabalhar como um burro Esforçar-se muito no trabalho; trabalhar muito e arduamente. *Var.* "trabalhar como um mouro" e "trabalhar como um negro".

trabalhar de bandido Agir ou tramar contra (pessoa, empreendimento etc.). Agir de modo prejudicial (intencionalmente ou não) a pessoas próximas ou que contavam com colaboração por parte de quem comete a ação. O *m.q.* "jogar de bandido".

trabalhar duro O *m.q.* "dar duro".

trabalhar na ventana Roubar; ser ladrão.

> *Ventana = Janela; vão na parede.*

trabalhar no acocho *Bras. Pop.* Realizar serviço(s) urgente(s), apressado(s).

trabalhar para o bispo Trabalhar de graça; esforçar-se sem consequência útil; ter encargo sem retribuição.

trabalho beneditino Trabalho abnegado, constante, persistente, minucioso.

> *Beneditino = Monge que vive segundo a regra da Ordem de São Bento, que se distingue pela erudição e pela fé. A expressão provavelmente alude ao trabalho medieval de copiar e preservar manuscritos, e à preparação de livros etc.*

trabalho braçal *1.* Aquele que se executa através do esforço físico, *esp.* com o auxílio

das mãos e dos braços. *2. Fig.* Volume de trabalho cujo cumprimento depende mais de ações, *ger.* intensas e repetitivas, do que de investimento intelectual.
trabalho de agulha Trabalho de costura ou bordado.
trabalho de campo Atividade de coleta de dados, buscados *in loco* onde estejam acessíveis, *ger.* por meio da observação direta de um fenômeno que se deseja pesquisar e também entrevistas, medições etc.
trabalho de fôlego O *m.q.* "obra de fôlego".
trabalho de formiga Esforço incansável e persistente; obra que é realizada em numerosas e pequenas ações.
trabalho de Hércules *Fig.* Trabalho que exige enormes esforços.

> *Hércules = Mit. Herói (semideus) da mitologia greco-romana, filho de Zeus e Alcmena, fora obrigado a realizar, como penitência pelo assassinato de sua mulher, 12 perigosíssimos e difíceis trabalhos.*

trabalho de parto Nas mulheres grávidas, o processo de nascimento de uma criança, de saída do feto de dentro do útero.
trabalho de Sísifo *Fig.* Trabalho esgotante, árduo e inútil, que parece interminável ou que uma vez terminado se tem de recomeçar. *V.* "suplício de Sísifo".
trabalho duro Trabalho pesado, cansativo, penoso, de duração demasiadamente longa.
trabalho ingrato Muito difícil ou frustrante; aquele que não dá proveito proporcional à sua dificuldade.
trabalho manual *1.* O que é executado manualmente. *2.* Obra de artesanato, criada com manipulação direta de materiais ou mediante uso de instrumentos relativamente simples.
trabalho perdido Esforço sem proveito. *V.* "foi tudo por água abaixo".
trabalho sujo Trabalho ou ação da qual resulta algo mau ou condenável.
trabalhos de Hércules *V.* "trabalho de Hércules". *Fig.* Diz-se de ações impossíveis, trabalhosas e/ou penosas.
trabalhos forçados A pena que se dá a condenados, em certas ocasiões e países, de executar obrigatoriamente trabalhos quase sempre penosos, sob castigos físicos impostos aos que se recusam a fazê-los ou não os fazem na forma determinada.
traçar largo e cortar curto Mostrar-se disposto a muito trabalho ou propenso a grandes projetos, mas realizar pouco; prometer muito e fazer pouco. Ceder muito e conceder pouco.
traçar o rumo Definir o caminho a tomar; determinar as diretrizes de um trabalho, de uma ação.
trade mark *Ing.* Marca de fábrica; marca registrada. Expressão que costuma constar de produtos industriais como garantia de sua procedência e como defesa da propriedade da marca, protegida por patentes e/ou registros oficiais nos órgãos competentes.
tradição de fé *Rel.* A que se baseia numa religião e em seus dogmas.
tradição escrita Testemunho confirmado em livros publicados ou em inscrições.
tradição oral Aquela que não está registrada em documentos, que é transmitida através da fala e dos costumes.
tradução livre Aquela tradução em que o texto original não é seguido rigorosamente, à letra, ou aquela em que não se procura dar o mesmo rigor formal, conceitual etc.
traduttori, traditori *It.* Literalmente, 'tradutores, traidores'. Expressão que referencia o trabalho daqueles tradutores que vão além de suas atribuições, alterando a estrutura e até mesmo a expressão do texto original, piorando-o, pelo menos do ponto de vista de autores e de leitores e críticos puristas. (*Tb. us.* no singular italiano: *traduttore, traditore.*)
tráfico de influência Prática de usar poder, cargo, prestígio ou relações pessoais com pessoas poderosas para conseguir para si ou para outrem algo que esteja sendo postulado, especialmente junto aos poderes públicos.
tráfico de mulheres Modalidade de lenocínio: recrutamento e transporte, de um país para outro, de mulheres destinadas à prostituição, submetendo-as, no destino, a cláusulas e condições humilhantes, difíceis de serem por elas superadas.
trair a confiança Ser infiel, apesar de tudo *esp.* aproveitar-se da confiança de outrem para agir de forma traiçoeira ou enganadora.
traje a rigor Traje formal, de cerimônia.
trajes menores Roupa de baixo; roupa íntima.
trancar a cara *V.* "fechar-se em copas".
trançar as pernas O *m.q.* "trocar as pernas".
transe de morte Os últimos momentos de vida.
transmissão de pensamento Comunicação telepática por meio do pensamento; telepatia.

transporte alternativo Todo aquele que está disponível mas não é regular, oficial, usual.
traste inútil Coisa sem nenhum valor ou serventia.
tratamento de choque Série de medidas de caráter radical, de intervenção enérgica e acentuada, aplicadas com o fim de alcançar o mais rapidamente possível o objetivo visado.
tratar como animal Tratar com rudeza e covardia. *Var.* "tratar como cão" e "tratar abaixo de cão".
tratar de igual para igual Tratar alguém como se fosse da mesma posição social, do mesmo nível hierárquico, da mesma idade etc.
tratar na palma da mão Tratar com toda a atenção e cuidados; fidalgamente.
tratar por cima do ombro Tratar de cima para baixo; mostrar desprezo ou desdém; humilhar.
tratar-se de *1.* Estar em causa; ser o que importa ou o que se debate: *Trata-se, nesse artigo, de analisar os acontecimentos recentes*; *Você me chamou? De que se trata?*. *2.* Ser; equivaler a, poder ser qualificado ou considerado como; consistir em: *Trata-se de uma das maiores descobertas científicas do século*.
trato é trato É o que se afirma a respeito de entendimento que se realiza com outra pessoa, com ênfase na obrigação de, mesmo em novas circunstâncias, as partes honrarem o compromisso assumido.
travar a serra Voltar-lhe os dentes para lados opostos alternadamente, a fim de capacitá-los a abrir mais (e mais facilmente) o talho na madeira.
travar batalha Combater; pelejar. *Var.* "travar combate".
travar o passo Andar a passo miúdo, mais lentamente.
travessas da cruz As barras transversais que formam os braços da cruz.
travesseiro de orelha Pessoa que dorme na mesma cama com outra. *Var.* "cobertor de orelha".
trazer à baila Trazer um determinado assunto, no momento adequado, ao conhecimento ou à discussão de outros.
trazer a lume Revelar, tornar patente, conhecido; mostrar. *Var.* "trazer à luz".
trazer à memória Lembrar; recordar.
trazer à razão Convencer; dissuadir de algo considerado imprudente, fantasioso.
trazer à tona Revelar ou provocar um assunto.
trazer (alguém) atravessado na garganta Ter ódio a alguém ou aversão por algo desagradável cometido por esse alguém.
trazer (alguém) de volta à Terra Fazer (alguém) entender que não está agindo ou pensando de modo realista.
trazer (alguém) pelo cabresto Dominar alguém; controlar uma pessoa, mantendo-a sob seu comando e orientação. *Var.* "trazer alguém no cabresto" e "trazer pelo cabresto". *V.* "eleitor de cabresto".
trazer ao colo Dar toda a proteção, todo o carinho a, cuidar muito de; amparar. O *m.q.* "andar com alguém no colo".
trazer ao mundo Dar à luz (nos sentidos de parir [filhos ou filhotes] e de ser o responsável pelo surgimento, pela criação de algo).
trazer de canto chorado Não dar (a alguém) descanso nem folga. *Var.* "trazer (alguém) de canto chorado".
trazer de olho Vigiar, observar ou controlar atentamente.
trazer debaixo dos braços Estar preparado para eventualidades; dominar, ter sob seu domínio ou sua posse (algo conquistado, obtido).
trazer em mente Ter no espírito; pensar; planejar; cogitar. *V.* "ter em mente".
trazer na mala Ocultar o melhor; ter algo oculto e só exibir em momento estratégico.
trazer na ponta da língua Saber a lição (o recado, a missão etc.) bem decorada.
trazer nas palmas das mãos Tratar (alguém, algo) com muito cuidado e carinho.
trazer num cortado Exigir rigorosamente o desempenho de alguém relativamente a uma tarefa de sua obrigação; perseguir sem cessar. *V.* "pegar no pé".
trazer o diabo no corpo Estar colérico, irritadiço; tumultuar o ambiente; fazer estardalhaço, confusão. *Var.* "ter o diabo no corpo"; "trazer o diabo no ventre".
trazer o rei na barriga Dar-se importância; julgar-se superior aos outros; ser arrogante; vaidoso; enfatuado; metido.
trazer pelo beiço Trazer à força; dominar, sujeitar ou prender por amor, embeiçar. *Var.* "trazer pelo cabresto".
trazer um espinho atravessado na garganta *V.* "ter um espinho (uma espinha) atravessado(a) na garganta".
trem bom *MG* Expressão, usada sobretudo em Minas Gerais, para denotar o intenso agrado diante de uma situação ou de algo. *Pop.* "trem bão".
trem da alegria Grande conjunto de nomeações irregulares de pessoas para a ocupação de cargos públicos.

trem de carreira Diz-se da composição das estradas de ferro que faz serviço de transporte de passageiros, transitando em horário regular.
trem de ferro Comboio ferroviário constituído por vagões engatados uns nos outros, que por sua vez são engatados a uma locomotiva que os traciona; trem.
trem de pouso Mecanismo composto por rodas ou esquis que estabelece o contato de uma aeronave com o solo.

Exceto nos pequenos aviões, o trem de pouso é ger. recolhido automaticamente após a decolagem do avião, permanecendo embutido no corpo da nave até que seja necessário durante a aterrissagem. Este procedimento visa principalmente contribuir para a aerodinâmica do aparelho, inclusive economizando combustível.

trem doido Coisa extraordinária, notável, inusitada, sensacional, incrível.
trem expresso Trem rápido, com poucas paradas intermediárias.
tremendo barato Algo excepcional; muito bom.
tremer nas bases Sentir-se ameaçado; temer alguma coisa; amedrontar-se; abalar-se profundamente por algum motivo forte.
trepar no cabresto Dominar ou controlar (alguém) inteiramente ou manter sob seu controle, impondo sua vontade ou autoridade, que é acatada com resignação ou subserviência. *Var.* "trepar pelo cabresto". (Sobre "cabresto", *v.* "eleitor de cabresto".)
trepar nos tamancos Irritar-se. O *m.q.* "pisar nas tamancas". *Var.* "trepar nas tamancas".
três mosqueteiros *Fig.* Diz-se de pessoas unidas por forte amizade e solidariedade.

Personagens = de fato quatro, embora originalmente três (Atos, Portos e Aramis, além de D'Artagnan) – de romance homônimo de Alexandre Dumas, Pai, (1802-1870), escritor francês.

três pernas *Fut.* As traves e o travessão do gol.
tretou, relou... Expressão que se usa para designar ação procrastinadora, indecisa, enganosa ou ardilosa da parte de alguém: *Tretou, relou, (fulano) se deu mal.*

É correto dizer treteou e não tretou. Tretear significa ação que se vale de astúcia; ardil, estratagema, manha.

trevo de quatro folhas *Fig.* Qualquer sinal de boa sorte.

É difundida a crença de que a sorte sorri a quem achar numa touceira de trevos uma folha de quatro folíolos, quando normalmente tem apenas três.

triângulo amoroso Situação amorosa em que se acham envolvidas três pessoas, geralmente marido, esposa e amante.
Triângulo das Bermudas Região do oceano Atlântico, nas proximidades das Bermudas (arquipélago ao norte do Caribe), em que ocorreram muitos desaparecimentos de embarcações.
Triângulo Mineiro A porção do território do estado de Minas Gerais, ao ocidente, compreendida entre as orlas dos rios Grande e Paranaíba.
tribuna da imprensa Os jornais; as publicações periódicas, em que os jornalistas expõem suas opiniões.
tribuna sagrada O púlpito.
tríduo de Momo Os "três dias" (de domingo a terça-feira) dedicados ao carnaval. *Var.* "tríduo momesco" e "tríduo carnavalesco".

Atualmente, os folguedos do carnaval se iniciam, de fato, no sábado, estendendo o período a quatro dias.

trigo sem joio Pessoa sem defeito.
trilha sonora Fita ou faixa em que se gravam as músicas (ou os sons das cenas) de um filme; essas músicas.
trino e Uno *Teol.* Diz-se de Deus, cuja natureza é ser um só em três pessoas distintas: o Pai, o Filho e o Espírito Santo.
trio elétrico Caminhão provido de aparelhagem de som e/ou com música ao vivo, que sai pelas ruas com o objetivo de animar os foliões que quase sempre o seguem, cantando e/ou dançando.
troca de gentilezas Interação em que alguém retribui a outrem as palavras ou os gestos amáveis que este lhe dirigiu.
troca de mãos Mudança da posse de algo.
troca por troca Negócio feito na base da permuta, sem que envolva dinheiro. *V.* "negócio de orelha" e "elas por elas". *Var.* "troca na orelha".
trocar a pilha Reanimar-se (quem está cansado, exausto), ganhar novo estímulo, nova motivação.
trocar as bolas Enganar-se; confundir-se, falar ou fazer algo em lugar de outra

coisa que deveria ser feita; inverter as coisas. Ouve-se, também, a forma "bolar as trocas".
trocar as pernas Andar tropegamente, sem coordenação dos passos e sem muito equilíbrio, *p.ex.*, por estar bêbado; cambalear. *Var.* "trançar as pernas.".
trocar de bem Reconciliar-se, reatar amizade.
trocar de mal Brigar; desentender-se; romper amizade.
trocar em miúdos Dizer com objetividade e clareza; explicar bem explicado.
trocar farpas Altercar; falar (com ou de outra pessoa; ou duas ou mais mutuamente) de modo crítico, provocativo ou mordaz.
trocar figurinhas (com) Ser amigo íntimo (de alguém); trocar gentilezas (com alguém).
trocar ideias Bater papo; conversar; debater.
trocar língua Papear; prosear. *Var.* "trocar de língua".
trocar o dia pela noite Trabalhar ou exercer outra atividade à noite e descansar durante o dia.
trocar o óleo *1.* Copular. *2.* Recuperar-se; restabelecer-se.
trocar olhares *1.* Namorar; flertar (olhando-se nos olhos a distância, quando não é possível conversar ou ter contato físico). *2.* Olharem-se mutuamente (duas ou mais pessoas) como forma de sinalizar sem palavras algum pensamento ou alguma intenção.
trocar os passos Andar como o bêbado: tortuosa, instável, tropegamente. *Var.* "trocar as pernas".
trocar os pés pelas mãos Confundir-se; atrapalhar-se (seja quanto a movimentos corporais ou ao falar etc.).
trocar ouro por lama Trocar o bom pelo ruim, o ótimo pelo péssimo.
trocar seis por meia dúzia Fazer algo que não modifica significativamente a situação anterior; não trazer nenhum elemento novo; deixar tudo na mesma.
trocar tapas Brigar; entrar em leve luta corporal. *Var.* "trocar uns tapas".
trocas e baldrocas Esquema para enganar; contratos ou outras operações fraudulentas e lesivas; tretas.

> *Baldrocas = Tropeços, logros.*

♦ **tromba-d'água** Aguaceiro muito forte, que causa enchentes dos rios e caudais de águas pluviais, com danos às plantações, à vegetação e danificando estradas, vias urbanas etc.
trombetas de Jericó Algo capaz de superar grande dificuldade ou obstáculo.

> *Segundo a Bíblia, os muros de Jericó teriam desmoronado ao soar das trombetas dos judeus, que, assim, puderam conquistar a cidadela.*

trono do Altíssimo O Céu (em sentido religioso, das religiões monoteístas).
trono do Crisântemo Designação da dinastia que impera no Japão.
tropeços da memória Engano, lapso, ou qualquer embaraço decorrentes da falta de memória.
trópico de Câncer O trópico do hemisfério Norte.
trópico de Capricórnio O trópico do hemisfério Sul.

> *Trópicos são as linhas imaginárias, paralelas ao equador, e que marcam, uma em cada hemisfério, a latitude em que o Sol só é visto a pino, ao meio-dia, uma vez por ano (no solstício de verão).*

trucar de falso *1.* No jogo do truco, fazer os oponentes pensarem que se têm cartas valiosas na mão, e assim levá-los a não aceitar o desafio. *2.* Enganar; falsear.
tu cá, tu lá Com familiaridade; familiarmente, intimamente.
tudo a ver Diz-se da estreita relação de uma coisa com outra. *Ex.*: *Gasolina tem tudo a ver com automóvel. Ant.* "nada a ver". *2. Us. tb.* expletivamente, como forma de concordância.
tudo acaba em pizza É expressão que retrata uma certa desilusão diante da impunidade que grassa no mundo todo quando pessoas influentes acusadas de se envolverem em delitos, conseguem abafá-los, livrando-se dos escândalos decorrentes e das penalidades da lei. *Var.* "Tudo acaba (ou acabou) em pizza (ou em samba)."
tudo azul Tudo excelente, em ordem, em paz; no melhor dos mundos.
tudo bem *1.* Diz-se para responder a alguém que indaga de seu estado de saúde ou para demonstrar simples concordância com aquilo que alguém diz ou faz. *2.* Na forma interrogativa, *us.* para saber da saúde ou do humor de alguém, ou como simples cumprimento.
tudo como dantes no quartel de Abrantes *Us.* para dizer que não há novidades.

tudo de cabeça para baixo *1.* Remexido; revirado; fora do lugar. *2.* Invertido; em condição oposta à esperada.
tudo em cima *1.* Diz-se quando tudo vai bem, ou quando a situação está conforme se esperava ou se planejara: *Está tudo em cima para a nossa festa no fim de semana?*. *2.* É também comum ouvir-se a expressão significando esbelteza, higidez. *Var.* "tudo em riba".
tudo joia *Us.* para dizer que (ou perguntar se) tudo vai bem, que (ou se) não há problemas. (Na forma interrogativa, *tb.* se usa como simples cumprimento.)
tudo ou nada Comando radical em relação à solução que nos parece adequada para um assunto pendente. *Var.* "ou tudo ou nada".
tudo tem seu mas Não há nada perfeito.
tudo tem sua primeira vez Frase *us.* como comentário (divertido, crítico, justificatório etc.) a situações novas que precisam ser enfrentadas, mesmo sem experiência anterior.
turma do deixa-disso Pessoas que intervêm numa discussão procurando evitar que ela se agrave.
tuta e meia Ninharia, quase nada; preço vil; pouco dinheiro.

Expressão zombeteira e depreciativa.

tutti quanti V. "*e tutti quanti*".
tutu à mineira Tutu de feijão à moda mineira, *i.e.*, com linguiça, torresmos, couve e ovos cozidos.
tutu de feijão Feijão cozido, mexido com farinha.

U

última cartada *Var.* "último cartucho". *V.* "jogar a última cartada".
última categoria *V.* "de última categoria".
Última Ceia O *m.q.* "Santa Ceia".
última chance A derradeira oportunidade.
última demão Último toque; o remate de um trabalho. O *m.q.* "última mão".
última flor do Lácio Diz-se da língua portuguesa, por ter sido a última que se consolidou derivada do latim.

> *A expressão foi cunhada por Olavo Bilac (1865-1918), emérito jornalista, tradutor e poeta brasileiro. Em uma bela homenagem à língua portuguesa, Bilac intitulou um de seus sonetos como "Última flor do Lácio". O Lácio (It. Lazio) é uma região de grande importância histórica e cultural, local onde se fundou Roma (séc. VIII a.C.) e onde viviam os povos "latinos" que deram origem ao povo romano e à língua ali falada.*

última forma Voltar à posição anterior; expressão usada em comandos de ordem-unida (*Mil.*).
última geração *V.* "de última geração".
última hora O momento atual.
última mão O último retoque ou pincelada ou intervenção (de um artista) em sua obra ou dar o último aperfeiçoamento a um trabalho literário; arremate de um trabalho; término, conclusão, acabamento; aperfeiçoamento. *V.* "última demão". *Var.* "última pincelada".
última moda O último modelo fabricado (sobretudo referindo-se a vestuário) e que passou a ser muito usado. *V.* "último grito".
última morada A sepultura.
última palavra 1. O último argumento ou a derradeira justificativa; palavra, opinião ou resolução definitiva ou final. 2. O mais moderno ou atual: *a última palavra em matéria de moda*. 3. No plural (últimas palavras) são as que se ouvem de um moribundo.
ultima ratio *Lat.* Última razão, literalmente. Argumento decisivo e terminante. *Var. Lat.* "*ultima ratio regum*".
última vontade Nos últimos momentos de um moribundo, seus familiares cumprem sua última vontade, e procuram se lembrar de suas últimas palavras, assim expressando sua homenagem e manifestando sua saudade.
último grau O máximo; o maior; com a maior intensidade.
último grito Tradução literal do *Fr.* "*dernier cri*": a última novidade da moda, ditada pelos mais renomados costureiros e estilistas.
último recesso O lugar mais remoto, mais afastado.
último suplício Sofrer a pena de morte.
Último suspiro O último sopro de vida.
últimos sacramentos *Rel. Catol.* A unção dos enfermos.
um *V.* também expressões sem este vocábulo.
um a um Cada um por sua vez ou em separado; um por um.
um amor Pessoa ou coisa muito linda, muito bondosa ou simpática. *Var.* "um amoreco"; "um sonho";"uma coisa"; "um doce"; "uma graça"; "um encanto"; "uma uva"; e "um negócio".
um amor de Seguida de um substantivo, esta locução equivale à "um amor". *Ex.*: *Ele é um amor de pessoa.*
um ao outro Qualquer um; reciprocamente. Mutuamente. *Var.* "uns aos outros".
um apanhado de *1.* Uma visão do conjunto. *2.* Resumo. *3.* Interpretação de um texto, mas sem pretensão de ser definitivo.
um bagaço Pessoa envelhecida, acabada ou excessivamente abatida, demonstrando cansaço, desânimo ou doença.
um banana Um poltrão; pessoa pusilânime, covarde, subserviente.

um beijo e um pedaço de queijo Expressão carinhosa de despedida ou saudação.
um belo dia Certo dia.
um bocadinho de Um pouquinho de; um pedacinho de.
um bom sujeito Pessoa boa, correta, leal.
um braço Disposto ao trabalho, forte, decidido.
um brinco Um primor, uma beleza; muito limpo e asseado; muito bem feito; bem-vestido.
um certo Indicação de algo um tanto vagamente.

> *Esta expressão, antes de substantivo que exprime qualidade, propriedade ou modo de ser, atenua o que na sua significação há de demasiadamente absoluto. Ex.: Goza de uma certa reputação ou A obra tem um certo valor.*

um céu aberto Grande ventura, felicidade, prazer; encantamento.
um de cada vez Determinação de uma sequência.
um dia Certo dia; um belo dia.
Um dia a casa cai. Expressão usada quando se quer admoestar alguém que está, no momento, usufruindo benefícios e vantagens, delas abusando e não se importando com as demais pessoas, ou com seu próprio futuro: *É como se advertisse a pessoa de que nada dura para sempre.*
um dia destes *1.* Há poucos dias; há pouco. *2.* Daqui a poucos dias. *3. Us. tb.* para indicar a possibilidade de ocorrência de algo no futuro: *Um dia destes ele vai se dar mal. Var.* "um destes dias".
um doce *V.* "um amor"
um doce de coco *V.* "um amor", "uma gracinha".
um e outro Ambos.
um em um milhão *1.* Único; sem igual; raro. *2.* Indica remotíssima possibilidade ou probabilidade.
um encanto O *m.q.* "um amor".
um espetáculo Pessoa ou coisa excepcionalmente vistosa, bonita, que impressiona vivamente; o *m.q.* "um *show*".
um espeto Uma dificuldade, um empecilho.
um estouro Algo que agrada muito, a muitas pessoas; algo sensacional, formidável, espetacular. (*Tb. us.* interjectivamente.)
Um gato pode olhar para um rei. Sentença usada em resposta firme se alguém reclama ou pergunta por que ele está olhando para ela.

um gosto amargo na boca Um sentimento de repugnância ou de desgosto deixado por uma experiência desagradável.
um joão-ninguém Diz-se de pessoa comum, sem prestígio ou importância.
um lugar ao sol *1.* Desejo de oportunidade. *2.* Aspirar a lugar compatível com as qualidades que julga possuir. *3.* Situação relevante, vantajosa, na vida.
um luxo de Uma grande quantidade de; uma profusão de (detalhes, requintes, joias, riquezas etc.). *Var.* "um luxo só".
um mala Diz-se de pessoa difícil de suportar. *V.* "mala sem alça".
Um milagre! Expressão que denota surpresa e admiração por algo extraordinário que aconteceu ou esteja acontecendo.
Um minuto! Aguarde um instante, um momento. *Var.* "Um minutinho!".
um molho de nervos Pessoa que se mostra em estado extremamente sensível.
um momento Um instante.
um monte de coisas Muitas coisas; uma porção de coisas.
um mundo de... A ideia que esta expressão transmite é a de grande quantidade.
um nada Quantidade insignificante. *Var.* "um nadinha".
um nadinha *1.* Pequena porção; muito pouco; quase nada. *2.* Coisa sem importância, insignificante.
um não sei quê Algo vago, indefinido, indescritível ou inexplicável; algo que se sente mas que não se consegue explicar. *V. tb.* "um quê".
Um negócio! Expressa admiração, entusiasmo. *V.* "uma coisa".
um nunca acabar Diz-se com referência a algo muito extenso ou demorado, que parece ou ameaça não ter fim. Grande quantidade.
um ou dois Poucos, alguns.
um ou outro *1.* Este ou aquele (indica alternativa). *2.* Alguns (indefinidos), mas não todos, de um grupo.
um palminho de rosto Belo e gracioso rosto, de mulher e de criança. *Var.* "um palminho de cara".
um passarinho me contou *Us.* para indicar que se sabe de certa informação (*ger.* confidencial) através de uma fonte que não pode ser revelada.
um passo à frente, dois atrás *Us.* para dar ideia de que há piora ou retrocesso, apesar de pequenos progressos ou melhoras. *Cf.* "um passo atrás e dois para diante"
um passo atrás (ou para trás) e dois adiante (ou à frente) *Us.* para dar ideia de que às

vezes é necessário recuar um pouco para poder avançar mais. *Cf.* "um passo adiante (ou à frente), dois atrás".
um passo por vez Gradualmente, devagar, em direção a um objetivo, para maior segurança. *V.* "devagar com o andor".
um pé lá, outro cá *1.* Com extrema rapidez, com a maior ligeireza possível. *2.* Diz-se das pessoas que viajam muito e que ora estão num lugar, ora noutro.
um pé no saco Um saco, chatice, amolação, aborrecimento.
um pedaço de mau caminho Mulher muito bonita e atraente, sedutora.
um pedaço do bolo Uma fatia dos lucros ou das vantagens.
um pelo outro Um no lugar do outro.
um peso, duas medidas Usa-se a expressão para indicar que a mesma situação é avaliada de duas formas diferentes.

> *Muitas vezes se vê escrito ou se ouve "dois pesos e duas medidas", mas esta expressão só diz o óbvio, pois dois pesos requerem, mesmo, duas medidas.*

um pimentão Com a pele muito vermelha por queimadura solar ou por rubor; assim, quando se diz que alguém está um camarão, rubro.
um poço de *Us.* para caracterizar algo ou alguém como tendo grande quantidade de certo atributo. *P.ex. um poço de ciência erudição/saber* (pessoa muito instruída); *um poço de problemas*.
um por um Individualmente; cada um por sua vez.
um pouco Curto espaço de tempo; pequena quantidade; o bastante; um tanto.
um puta (de um) *Ch. SP* Expletivo, usado hiperbolicamente (para depreciar, exaltar, intensificar) em relação ao substantivo que se lhe segue: *um puta carrão importado*; *uma puta fome*; *uma puta de uma sede*.
um quê Alguma coisa indefinida; aspecto ou elemento impreciso, sutil, mas que se faz notar. *Ex.: Ela tem um quê de ingênua.*".
um romeu Um homem apaixonado, galanteador.

> *Alusão ao personagem Romeu, da peça Romeu e Julieta, de William Shakespeare, que narra a história trágica de dois jovens, pertencentes a famílias poderosas e inimigas (Romeu, da família dos Montecchios, e Julieta, da família dos Capuletos), que se apaixonam.*

um saco *Gír. Ch.* Chato; irritante; incômodo; insuportável.
Um, saúde; dois, cuidado; três, resfriado. É o que se diz a pessoa que espirrou, à guisa de alerta, jocosamente.
um segundo Um instante; um momento; tempo muito breve. (Muito *us.*, interjectivamente, para pedir que alguém espere por pouco tempo.
um sem-que-fazer Pessoa que não trabalha, ociosa.
um *show* *V.* "um espetáculo".

> *"Show" = Ing. Espetáculo (musical, humorístico, de variedades etc.) apresentado ao ar livre ou em ambientes apropriados.*

um só Apenas um; único.
um sonho Algo extraordinário, inacreditável, que parece imaginação ou fantasia. *V.* "um amor".
um tanto Uma porção ou quantidade ou quantia indeterminada (que não se conhece ou que não se quer informar).

> *A locução acima tem função substantiva. Como locução adverbial, corresponde a 'com uma certa intensidade, indefinida'. Ex.: Hoje ele está um tanto aborrecido.*

um tanto quanto Em certo grau; mais ou menos. *Var.* "um tanto ou quanto".
um tempão Uma eternidade; tempo extremamente longo; muito tempo.
um tostão a dúzia Muitíssimo barato.
um tostão de Um pouquinho de.
um(a) tal de Expressão denotativa de desdém, ou simplesmente indicando que a pessoa referida não é conhecida daquele que fala, empregada antes de um nome próprio, como em "um tal de fulano".
uma a uma O *m.q.* "um a um".
uma baba Muito dinheiro.
uma bala Muitíssimo veloz. (Quase sempre *us.* com a comparação explicitada: *como uma bala*; *feito uma bala*.)
Uma banana! Exprime recusa, negação enfática. Nada! *V.* "dar uma banana" e "a preço de banana".
uma barra Coisa difícil ou complicada.
uma boa hora Um parto feliz.
uma bomba Uma surpresa. Algo que provoca (ou cuja notícia provoca) grande comoção. Uma decisão inesperada; algo ruim; algo de que não gostamos.
uma brasa *1.* Diz-se de quem está aflito. *2.* Irritado. *3.* Palavra-ônibus para uma série

de qualidades positivas. *4.* Expressão muito usada por pessoas jovens para ressaltar a excelência de uma situação, de uma coisa, de uma amizade etc.
uma coisa depois da outra *Us.* como recomendação no sentido de que cada coisa deve ser resolvida, antes de se dedicar a outra e para que se dê ordenamento ou critério às ações.
Uma coisa é uma coisa, outra coisa é outra coisa. Diz-se quando se quer esclarecimentos sobre o que alguém disse e que lhe parece confuso.
Uma coisa leva a outra. *1. Us.* para dar ideia de que, numa série de eventos, um menos importante pode suscitar outro(s) talvez mais importante(s). *2.* Comentário diante de uma sucessão de ações, cada uma decorrente da anterior e que, independentemente de intenção ou plano prévios, provoca indiretamente um resultado. *3. Us. tb.* para dar ideia de ligação não sistemática entre assuntos ou temas.
uma coisa ou outra Alternativa que se coloca a alguém sobre coisa pendente.
uma coisa *1.* Algo muito ruim, de má qualidade, irritante. (*Tb. us.* interjectivamente.) *2.* Algo muito bom. *V.* "uma bomba"; "um amor"; e "Um negócio!".
uma das suas Ato ou dito próprio da pessoa de quem se fala (geralmente um aspecto negativo).
uma dúzia das antigas O número 13, *esp.* no jogo de víspora.

> *É provável que a expressão tenha derivado do costume antigo de se vender 13 (frutas, legumes, ovos etc.) por 12, sendo 1 (um) como bonificação.*

uma espécie de Algo semelhante a.
uma gota-d'água no oceano Coisa ou quantidade insignificante, irrisória; algo cuja ausência ou presença mal será notada. *Var.* "um pingo-d'água no oceano".
uma graça *V.* "um amor".
uma joia Algo ou alguém muito bom, de excelentes qualidades, de grande valor, ou beleza etc.
uma lesma Diz-se de pessoa lerda, lenta nas suas atitudes e ações.
uma mentirinha Algo que se diz que, sem ser verdadeiro, tem a intenção de ajudar, de aliviar uma situação, de contornar um problema etc. Mentira sem más intenções e sem consequências danosas.
uma micharia O *m.q.* acepção *1* de "uma miséria".

uma miséria *1.* Pequeníssima quantidade, quantia irrisória. *Var.* "uma micharia". *2.* Algo muito ruim. *Var.* "uma porcaria" e "uma droga".
uma no cravo e outra na ferradura *1.* Uma ação certeira seguida de outra que erra o objetivo; erros e acertos alternados. *2.* Ações contraditórias que se alternam, *ger.* realizadas por alguém com malícia ou interesse, por exemplo elogiando e criticando, ou favorecendo grupos opostos.
uma nota *V.* "uma nota firme".
uma nota firme Muito dinheiro; uma fortuna. *Var.* "uma nota preta".
Uma ova! Exprime protesto, repulsa, negação veemente. Nada disso! Equivale à expressão: "Era só o que faltava.".
uma pedra no caminho Empecilho; algo que se constitui como um obstáculo; alguém que se interpõe, dificultando o alcance de algo que se procura.
uma pedra no sapato Um permanente incômodo ou empecilho; algo perturbador.
uma pena *1.* Muito leve (coisa ou pessoa). *2.* Algo lamentável ou lastimável, que provoca tristeza, dó.
uma pitada de Um pouquinho de.
uma por uma O *m.q.* "um por um".
uma porcaria Muito ruim; péssimo; uma miséria.
uma sombra do que era/foi Diz-se de algo ou alguém que tenha perdido (parte d)as qualidades ou características de outrora.
uma uva Expressa admiração com a beleza, graça etc. de alguém ou de algo.
uma vez Certa ocasião. O *m.q.* "certa vez".
uma vez chega Expressa impaciência e contrariedade com algo que não se quer ou não se pode tolerar.
uma vez na lua azul... Quase nunca.

> *Em raríssimas ocasiões a luminosidade da Lua parece azulada, devido a condições particularíssimas de observação.*

uma vez na vida, outra na morte Muito raramente.
uma vez ou outra Poucas vezes; raramente; volta e meia. *Var.* "uma vez por outra".
uma vez que Visto que; desde que; como; já que; dado que; caso; no caso de; se.
Uma vírgula! Exclamação de discordância, refutação, ou correção; Que nada!; Qual nada! Uma ova!
umas e outras Várias doses de bebidas alcoólicas. Costuma-se dizer: "Estava no bar, tomando umas e outras", quer dizer, bebericando com os amigos.

umas em cheio, outras em vão Algumas vezes se acerta, outras vezes erra-se (us. como comentário a mudanças ou variações na sorte ou no sucesso de alguém).

umbilicalmente ligado Intimamente ligado, vinculado de modo orgânico (como o feto ao corpo da mãe; preso, comprometido).

umidade relativa *Met.* Medida da proporção de vapor-d'água na atmosfera de determinado lugar ou região, em determinado momento.

> *A umidade relativa é calculada como a percentagem que a pressão exercida pelo vapor-d'água representa em relação à pressão total da mistura [ar + vapor-d'água]. Em tese, o índice poderia ultrapassar 100%, o que na prática raramente se observa. Para os humanos, a zona de conforto da umidade relativa do ar está na faixa dos 45% até 70%. Abaixo dessa banda, o ar seco traz desconforto para a respiração e para a pele. Muito acima desse índice, a evaporação do suor do corpo é dificultada pela saturação de umidade no ar, intensificando nossa sensação térmica de calor.*

unção dos enfermos *Rel. Catol.* Unção (bênção) que é ministrada a pessoas idosas ou enfermas, com óleo próprio.

> *Constitui-se como um dos sete sacramentos da Igreja Católica. É também conhecido como "extrema-unção", nome pelo qual foi denominado por muito tempo, mas que não traduz o verdadeiro sentido do sacramento que não é ministrado apenas nos últimos momentos de vida da pessoa.*

undécima hora O mais tardio momento possível; o final de um prazo.

unha de fome Avarento.

unhas e dentes *V.* "com unhas e dentes".

união hipostática *Rel. Crist.* União do Verbo Divino com a natureza humana em uma só e única pessoa.

> *Relativamente à religião, entende-se "Hipóstase" como sendo cada uma das pessoas da Santíssima Trindade, considerada como substancialmente distinta das outras duas.*

único dono É como se costuma divulgar a qualidade de algo que se coloca à venda, quando se procura ressaltar que o objeto pertenceu e só foi usado por uma única pessoa. Por isso, supostamente, encontra-se o objeto em perfeito estado de funcionamento.

unir as pontas Juntar as ideias e os esforços empregados num empreendimento e tirar as conclusões.

unir o útil ao agradável Cumprir uma obrigação, usufruindo dos prazeres que ela, surpreendentemente, proporciona.

universidade da vida As experiências pelas quais a pessoa vai passando ao longo da vida, consideradas como forma de aprendizado ou fonte de conhecimento comparável à instrução formal.

uns aos outros O m.q. "um ao outro".

uns e outros Todos.

uns poucos Muito poucos; em pequeno número. *Var.* "alguns poucos".

untar as mãos a Dar gorjetas, propinas; subornar. *Var.* "molhar a mão de (alguém)".

urbi et orbi *Rel. Catol.* Traduz-se do latim como "À cidade (de Roma) e ao mundo".

> *Expressão usada para significar que a bênção dada pelo Sumo Pontífice aos fiéis, em certas ocasiões, é estendida a todo o orbe cristão.*

urgência urgentíssima Na linguagem legislativa, urgência extraordinária.

urina solta Incontinência urinária.

♦ **urubu-malandro** Pessoa matreira, astuta, que usa de sua esperteza logrando, burlando normas, enganando etc., revelando sua psicopatia.

> *Psicopatia = Estado mental patológico caracterizado por desvios, sobretudo caracterológicos, que acarretam comportamentos antissociais.*

usar a cabeça Agir ponderadamente; pensar, refletir; usar suas faculdades com inteligência e probidade.

usar a palavra Falar, discursar, expor ideias, *esp.* para argumentar e convencer, *p.ex.* em uma reunião, um comício etc.

usar de influência Influir (ou tentar influir) em uma decisão oficial, graças a algum tipo de poder pessoal ou de prestígio junto às pessoas responsáveis pela decisão; tentar obter benefícios ou vantagens (para si ou para terceiros) utilizando seu círculo de amizades e de prestígio.

usar de má-fé Valer-se de mentiras, deslealdade; enganar intencionalmente, para tirar algum proveito.

usar e abusar Desfrutar alguma coisa plenamente e sem restrições.
usar gravata borboleta Botar a língua para fora, demonstrando esgotamento físico, cansaço.
useiro e vezeiro Diz-se de quem costuma fazer numerosas vezes a mesma coisa; contumaz.
usque ad satietatem Lat. À saciedade.
ut infra Lat. Como está abaixo (atrás) (acima).
Ut quid? Lat. Por que razão?
ut retro Lat. Como está (consta) atrás.
ut supra Lat. Como está (consta) acima.
uti non abuti Lat. Usar, mas não abusar.
uti possidetis Lat. "Como possuís". Fórmula diplomática que se refere ao direito de um país a um território, direito esse fundado na ocupação efetiva e prolongada, independentemente de outro qualquer título.
utilidade pública O proveito ou benefício que algo traz para a coletividade, para as pessoas em geral..
uvas amargas Expressão que se refere à atitude frustrada de diminuir o valor de algo que não se conseguiu obter, ou a qualquer atitude conformista.

Deriva da fábula de Esopo "A raposa e as uvas", na qual se conta que a raposa, não podendo alcançar as uvas que almejava comer, conforma-se, convencendo a si mesma de que, afinal, os frutos eram amargos, amenizando assim sua frustração. [Esopo é um lendário escritor grego, a quem se atribui a autoria de famosas fábulas.]

V

Vá amolar o boi! Diz-se a quem muito importuna e está sendo inconveniente.
Vá catar coquinhos! Expressão que equivale a "me dê sossego" ou "saia do meu caminho".
Vá com Deus! Locução exclamativa de despedida.
Vá cuidar de sua vida! Comando que se dá a alguém importuno, impertinente, maçante. *Var.* "Não se intrometa!" e "Vá procurar sua turma!".
Vá esperando! Diz-se ceticamente a alguém que acredita que algo aconteça.
Vá lá! Diz-se sem estar plenamente de acordo, mas aceitando ou concordando (por não poder oferecer alternativa).
Vá para o diabo! Vá-se embora, não me importune mais.
Vá para o inferno! Diz-se para expressar alto grau de impaciência.
Vá pastar! *V.* "Vá cuidar de sua vida!".
Vá pentear macacos! Diz-se a quem é importuno, aborrecido, insistente, maçante. *Var.* "Vá plantar batatas!".
Vá plantar batatas! *V.* "Vá pentear macacos". Exprime impaciência. Não tem teor depreciativo e equivale a outras como: "Vá lamber sabão", "Vá lavar urubu", "Vá desempatar briga de gatos" etc.
Vá se queixar ao bispo! Nada tenho a ver com isso; não é comigo.
Vá tomar banho! Locução dita a título de ofensa a alguém importuno ou como revide por uma agressão de palavras ou de gestos.
Vá tomar conta de sua vida! Diz-se a alguém que se intromete em assuntos de outrem, naquilo que não lhe diz respeito.
Vá ver se estou lá na esquina! Diz-se a alguém cuja presença é incômoda, inoportuna, inconveniente. *Var.* "Vá ver se está chovendo".
vaca atolada Iguaria muito apreciada (*MG*), preparada com mandioca e carne de boi muito bem cozidos e temperados e que se serve quente.
vaca leiteira Vaca com aptidão leiteira, *i.e.*, boa de leite.
vaca parida Brincadeira que se constitui no posicionamento dos participantes assentados num banco comprido, bem juntos uns dos outros, e que se empurram com o corpo visando a fazer com que os da beirada do banco sejam dele expulsos.
vaca sagrada Pessoa ou coisa intocável.
vaca tonta Diz-se da pessoa confusa, afobada, atabalhoada, sem disciplina nos seus afazeres, desorientada.
vacas gordas *V.* Referência a período de fartura. *V.* "ano de vacas gordas".
vacas magras *V.* Referência a período de carência, de baixa produção, de poucos recursos etc. *V.* "ano de vacas magras".
♦ **vade-mécum** *Lat.* "*vade mecum*" ou "Vai comigo". Diz-se de livros de formato pequeno, próprio para se levar no bolso ou na pasta/bolsa, de conteúdo prático e útil.

> *Embora várias áreas de conhecimento tenham seu vade-mécum, o mais popular é o jurídico, que é anualmente atualizado e disponibilizado ao mercado em várias edições concorrentes, incluindo versões didáticas para estudantes. Em geral, o vade-mécum jurídico inclui a Constituição vigente, além de códigos e leis gerais, mas pode dedicar-se também a áreas específicas da legislação.*

Vade retro! *Lat. Lit.* Vá para trás. Saia, afaste-se. Palavras que, segundo os Evangelistas Mateus (4,10) e Marcos (8,33), Jesus pronunciou recusando conselho de Pedro. A frase completa é "*Vade retro, Satana!*". Hoje, usa-se a frase com o mesmo sentido de repulsa, recusa.
vae victis *Lat. V.* "Ai dos vencidos".
vaga lembrança Ideia superficial sobre determinado assunto ou sobre alguém.
vaga sísmica Tipo de vaga (agitação) ocasionada por abalo sísmico; vaga de fundo.

vai e vem Movimento de ida e volta, contínuo, como o de um serrote em ação. Grafa-se também: "vaivém".
vai não vai O m.q. "sai não sai".
vai por mim Expressão com que se recomenda a alguém que ouça seus conselhos e admoestações.
vai que é mole Expressão que se refere a algo fácil de se enfrentar.
vai que vai Vai decididamente.
Vai saber! Expressão que denota desconfiança, descrédito ou incompreensão em relação à motivação ou ao desenrolar de um fato.
vai ver 1. Examinará; estudará: *Ele vai ver o contrato hoje*. 2. Indica probabilidade: *Vai ver, acontece.*
vai ver que equivale a provavelmente; possivelmente; talvez.
vai não vai 1. Volta e meia; indecisão. 2. Quase; por um triz.
Vaidade das vaidades! Expressão encontrada no Eclesiastes (1,2 e 12,8), que é ali completada com outra: "Tudo é vaidade!". Pode ser entendida como "no mundo, tudo é vaidade".
vala comum Vala destinada ao sepultamento gratuito de pessoas indigentes sem identificação, ou daquelas que morreram em conjunto, incluindo vítimas de guerras, conflitos, massacres e genocídios.
vale de amarguras O mundo (ou a existência humana) considerado um lugar de tristezas, de sofrimentos e de desassossego, em comparação com os páramos celestes, considerados o reino da beatitude e da felicidade eterna. *Var.* "vale de lágrimas".
vale dos reis No Egito antigo, o vale onde se construíram as principais tumbas dos faraós.
vale postal Modo de se transferir fundos (dinheiro) para uma pessoa em localidade diferente, através dos correios.
vale quanto pesa V. "valer quanto pesa".
Vale seis! Grito de desafio final no jogo do truco.
valer a pena Diz-se de coisas que merecem que por elas se lute ou que se trabalhe para consegui-las; valer o sacrifício, o esforço; ser vantajoso, favorável, propício.
valer mais Ser melhor; ser preferível.
valer ouro Valer muito; ser boníssimo (pessoa), valioso.
valer quanto pesa Valer muito; ser excelente, admirável, inteligentíssimo etc.; ter real valor.
valer seu peso em ouro Ser muito valioso, inteligente, bondoso; ter muitas qualidades.

Valha-me Deus! Socorra-me! Ajude-me Deus!
valor atual V. "valor nominal".
valor de uso Avaliação da utilidade que provém do emprego de uma coisa ou de parte dela.
valor estimativo O que depende do apreço que se tem por algum objeto; valor afetivo. Contrapõe-se a "valor real ou efetivo".
valor extrínseco Valor que se atribui a uma coisa sem considerar o que realmente contém ou se constitui; tal valor não pertence à essência da coisa, mas lhe é atribuído em consideração a outros aspectos como utilidade, gosto, beleza, ocasião etc.
valor intrínseco Valor de algo pelo que realmente contém ou é constituído.
valor locativo Valor (obtido por avaliação) de aluguel de um imóvel.
valor nominal Valor de emissão de um título; é o valor exato que está expresso num documento, numa cédula ou em título de crédito, mesmo que no documento haja cláusulas impondo eventuais acréscimos por juros, rendimentos etc., os quais, se acrescentados, constituirão o "valor atual" do papel.
vamos e venhamos Convenhamos; parece fora de dúvida; é possível.
Vamos lá! Expressão com que se demonstra vontade e decisão de ir a um lugar determinado, ao mesmo tempo em que se aquiesce em acompanhar outra pessoa ou se a convida para ir junto.
Vamos mudar de assunto. Diz-se quando o assunto que está sendo tratado não mais está interessando ou por alguma razão incomoda o(s) participante(s).
valor venal Valor estimado para a venda de um imóvel.
vamos ver Expressão de quem tacitamente promete considerar e examinar uma questão ou pedido que lhe é feito.
vão livre Numa estrutura, espaço entre as faces de apoios consecutivos.
vara de bater pecado Diz-se de indivíduo muito alto e magro; espanador da Lua.
vara de condão Vara mágica, utilizada nos seus encantamentos por fadas e feiticeiras. *Var.* "varinha de condão".
vara de ferrão Vara provida de um ferro pontiagudo na ponta e que se usa para tocar bois, especialmente os que são empregados na tração (carro de bois), ou para controlá-los e encaminhá-los para onde se quer.
vara de porcos Manada de suínos para engorda.
vara real O cetro dos reis.

varado de balas Atingido por projéteis em vários lugares.
varado de fome Diz-se de quem está com muita fome; faminto; esfaimado.
varão de Plutarco Homem probo, respeitável, que prestou serviços admiráveis à pátria ou que, por sua vida extraordinária, merece honras, respeito e se constitui como exemplo para os pósteros.

> *Plutarco, filósofo, historiador e moralista grego (46-120). Seu mais famoso livro é* Vidas paralelas de homens ilustres, gregos e romanos, *do qual constam biografias dos mais ilustres homens (varões) de seu tempo, a seu critério.*

varar a noite Passar toda a noite sem dormir, ocupado em algo, trabalhando, velando etc.
varinha de condão V. "vara de condão".
varinha mágica Recurso extraordinário ao qual eventualmente se recorre para atingir um objetivo, empregando mínimo esforço: *Ana acredita ter uma varinha mágica para eliminar todos os conflitos na empresa em uma semana.*
varredor de rua Gari. Pessoa que, contratada por empresas de limpeza urbana, varre os logradouros.
varrer a testada Justificar-se por algum erro ou omissão; afastar de si alguma responsabilidade ou culpa.
varrer da ideia Tirar da ideia; esquecer; procurar esquecer; fazer esquecer.
varrer do mapa Não deixar vestígios.
varrer para debaixo do tapete *1.* Tentar esconder uma coisa na esperança de que os outros não percebam ou dela acabem se esquecendo. *2.* Dar algo por resolvido, sem, de fato, ter sido; adiar a solução de um assunto.
vaso de guerra Navio de guerra.
vaso sanitário Aparelho de louça, existente nos sanitários (toaletes) públicos e/ou privados, próprio para dejeções humanas.
vau de orelha Passagem de rio que só pode ser feita com o animal a nado.
vazante da Lua O quarto minguante da Lua.
vazante da maré Movimento de descida das águas do mar, após a preamar; refluxo da maré; maré descendente. *Ant.* "enchente da maré".
vazão fluvial Quantidade de água (em m^2/s) que um curso de água descarrega em outro ou em lagos/mar.
vê dobrado/duplo A letra W (dáblio).

veículo de mídia Recurso de que se valem os meios de comunicação, para transmissão e difusão de suas mensagens.

> *São veículos de mídia: jornal, rádio, televisão, cinema,* outdoor, *mala direta, balão inflável, internet etc.*

veio de água Mina de água; olho-d'água; fonte.
veio do rio Meio do rio (distância entre as margens).
veio mineral Filão; ocorrência de metais e gemas em fendas nas rochas subterrâneas.
Veja lá! Repare bem; atente para o que vai fazer.
Veja(m) só! Expressão de espanto, incredulidade ou surpresa. *Ex.: Veja só que imprudência!*; *Veja só isso: não é uma loucura?.*
vela votiva Vela que se acende junto a santos ou em lugares apropriados nos templos, em cumprimento de voto ou promessa.
velha guarda *1.* Diz-se dos componentes antigos de uma escola de samba. *2.* A geração mais idosa.
velhice precoce Estado de envelhecimento físico e mental incompatível, avançado que é, com a idade cronológica do indivíduo.
velhinha de Taubaté É como se identifica a pessoa que acredita em todos os projetos e promessas dos políticos, aceitando as justificativas que depois dão para os seus insucessos e promessas não cumpridas.

> *Personagem criada pelo escritor Luís Fernando Veríssimo em suas crônicas, durante o governo do general João Baptista de Oliveira Figueiredo (1918-1999), mas que permanece como símbolo da fé cega e ingênua no Brasil e nos políticos.*

velho amigo Amigo de muitos anos, antigo; amigo certo e fiel.
velho Chico O rio São Francisco.
velho como a serra Muito velho. *Var.* "velho como a montanha".
velho continente Europa, Ásia e África; Antigo Continente em relação ao Novo Continente (Américas) e ao Novíssimo Continente (Oceania).
velho de guerra Expressão de admiração, carinho, apreço, intimidade, *ger.* decorrente de um longo convívio.
velho e velho Muito velho.
Velho Mundo A Europa.
Velho Testamento *V.* "Antigo Testamento".
velocidade da luz No vácuo, é de 299.792.458 m/s (metros por segundo) que é, segundo a

teoria da relatividade, a velocidade máxima que um sinal de energia pode alcançar.
velocidade do som Velocidade com que o som se propaga no ar, aproximadamente 331,4 m/s (metros por segundo).
velocino de ouro Carneiro mitológico com velo (lã) de ouro.
vem quente que eu estou fervendo Diz-se a alguém como alerta ao estado de espírito em que o falante se encontra, disposto a enfrentar qualquer situação.

> *Título de música de Carlos Imperial e Eduardo Araújo, interpretada por vários cantores, principalmente Roberto Carlos.*

vencer a parada Sair-se bem em um negócio, em um teste etc.
vencer de ponta a ponta Vencer uma competição ocupando sempre a primeira posição desde a largada.
vencer pelo cansaço Conseguir algo pela insistência.
Venda seu peixe que depois vendo o meu. Diz-se para alguém para propor que ele se manifeste primeiro em relação a algo.
vendar a razão Cegar, obscurecer, turvar.
vende como pão quente Diz-se de mercadoria cuja venda é franca; mercadoria de grande procura, fácil de ser vendida.
vendedor ambulante Comerciante que se desloca por ruas e residências no seu mister; que funciona em local não fixo.
vendedora automática Máquina que é operada através de moedas ou fichas introduzidas em local indicado, para venda de pequenos objetos, sobretudo biscoitos, salgadinhos, bebidas enlatadas.
vender a alma ao diabo *V.* "dar a alma ao diabo".
vender a consciência *1.* Sujeitar a própria consciência por interesse. *2.* Abandonar princípios morais para se dedicar a atividades ilícitas, motivado por vantagens pecuniárias, riqueza etc.; deixar-se subornar; corromper-se com vistas a tais vantagens.
vender a honra Receber dinheiro por uma ação maligna ou vergonhosa.
vender a ideia Convencer alguém de alguma coisa. *V.* "comprar a ideia".
vender a retalho Vender por miúdo, em pequenas quantidades. *Var.* "vender a varejo".
vender à vista Vender com a ocorrência simultânea do pagamento. Contrapõe-se a "vender a prazo", *i.e.*, mediante pagamento posterior em data aprazada.

> *Usa-se a crase para que não se entenda que se trata de venda da vista (do olho).*

vender ao correr do martelo Vender em leilão.
vender caro *1.* Vender com muito lucro. *2.* Resistir a mais não poder; não se entregar senão com muita luta e obstinação.
vender caro a pele Resistir o mais que possa; não se entregar, lutando até o fim; defender-se com todas as forças. *Var.* "vender caro a vida" (em determinadas circunstâncias).
vender cocada Ser pau de cabeleira (*V.* essa locução).
vender cuia e comprar cabaça Negociar sem nenhuma vantagem; realizar simples troca de um objeto por outro.

> *É com a cuia, fruto da cuieira , ou da cabaça, fruto da cabaceira, que se fazem utensílios para uso variado, sobretudo para a guarda e o preparo de alimentos, nas áreas rurais.*

vender farinha Andar com a fralda da camisa à mostra, por fora das calças.
vender fumaça Exprimir-se com belas palavras a respeito de coisas de menor importância.
vender gato por lebre Enganar, vendendo coisa pior do que aparenta ou faz acreditar.
vender o almoço pra comprar o jantar Estar em situação de penúria.
vender o peixe pelo preço que comprou Repetir uma novidade exatamente como lhe foi contada ou como ouviu, sem assumir, contudo, a responsabilidade por sua veracidade ou versão.
vender o (seu) peixe *1.* Conseguir ser ouvido *2.* Ter aceita uma tese, um trabalho, uma sugestão, uma ideia, um invento etc. *3.* Expor a própria opinião; tratar dos próprios interesses com habilidade.
vender o siso a Catão Querer ensinar juízo a quem o tem de sobra.

> *Marcus Porcius Cato (ou Catão) foi um influente político romano (234-149 a.C.), íntegro e severo, que questionava o governo insistentemente, advertindo-o contra a crescente influência dos gregos, bem como quanto ao progresso e fortalecimento de Cartago, aconselhando contê-lo a todo custo. É dele a famosa frase:"Delenda Cartago", "Que Cartago seja destruída".*

vender por atacado Vender em grandes quantidades, em grosso.
vender saúde Gozar de excelente saúde.
vender-se ao diabo Violar a consciência ou seus princípios para conquistar vantagens.
vender-se caro Valorizar-se ao extremo.
vendilhões do templo Vendedores que comerciavam dentro do Templo em Jerusalém e que dele foram expulsos por Jesus. V. Mc 11,15-19 e Jo 2,13-17.
Veneza do Norte Nome atribuído à cidade de São Petersburgo, na Rússia.
Veni, vidi, vici. Lat. "Cheguei (vim), vi, venci." Costuma ser citada como alusão a um êxito seguro e rápido em um empreendimento. V. "vim, vi, venci".

> Comunicação de César ao Senado romano, relatando a sua vitória sobre Farnace (ou Farneses), rei do Ponto Euxínio, na Ásia Menor, o qual havia atacado países vizinhos, que apelaram para Roma, dando lugar à intervenção, de que foi encarregado César.

venta de bezerro novo CE Diz-se de nariz achatado. Usa-se, também, "venta de telha emborcada".
vento a favor Condições favoráveis.
vento encanado Uma corrente de vento.
vento solar Corrente contínua de partículas carregadas que são liberadas pelo Sol e arremessadas ao espaço a grande velocidade (até 800 km/s).
ventre livre V. "Lei do Ventre Livre".
ver (alguém) por uma greta Pressentir o perigo a que uma pessoa está sujeita ou que a ameaça. Var. "ver a sua avó por uma greta".
ver a coisa preta Passar por momentos de perigo.
ver a cor do dinheiro (de alguém) Vislumbrar a possibilidade de vir a receber (de alguém) o pagamento de uma dívida.
ver a hora de Antever determinado momento ou situação; esperar ansiosamente: Ex.: Não vejo a hora de poder abraçar minha filha; Eu via a hora que você caía etc. Var. "ver a hora que".
ver a morte de perto Deparar-se com uma situação perigosamente fatal; estar diante de grande perigo; escapar ileso de um acidente, de um perigo.
ver a sua avó por uma greta V. "ver (alguém) por uma greta".
ver ao longe Enxergar algo que se encontra a grande distância do observador.

ver as coisas do alto Considerá-las no seu conjunto; ter ideias gerais.
ver as coisas pelo lado bom Modo de ser de um otimista. A variante "ver o lado bom das coisas" caracteriza a pessoa pura, que minimiza os defeitos e exalta as qualidades de alguém.
ver boi voar Dizer, conceber, crer em coisas inverossímeis, quiméricas, fantasiosas.
ver camelo a dançar Imaginar (alguém) que pode fazer coisas para as quais não tem a menor disposição ou inclinação.
ver coisas Pensar que vê algo que, de fato, não existe ou existe apenas na imaginação; ter visões.
ver com ambos os olhos Examinar atentamente; prestar muita atenção.
ver com bons olhos Ver com boa vontade, favoravelmente.
ver com os próprios olhos Ver por si mesmo; conferir pessoalmente; testemunhar o ocorrido; estar presente.
ver de longe Enxergar bem, estando distante do objeto visualizado.
ver de que lado sopra o vento Observar o rumo dos acontecimentos para, só então, tomar uma decisão ou assumir uma posição em relação a eles. Var. "ver para que lado sopra o vento".
ver este filme Diz-se já ter 'visto este(tal) filme' quando o fato ou dito ao qual se está referindo já tinha ocorrido antes ou é bem conhecido.
ver estrelas Ver luzes como resultado de um atordoamento causado por uma pancada na cabeça. Var. "ver estrelas ao meio-dia".
ver graça em Agradar de; sentir-se atraído por.
ver longe Enxergar a uma grande distância. Fig. Ter grande poder de previsão, premonição ou grande experiência de vida e conseguir vislumbrar consequências de um ato, de um fato; ser perspicaz. Cf. "ver ao longe" e "ver de longe". Var. "enxergar longe".
ver mundo Viajar.
ver o cavalo passar arreado Perder uma oportunidade que se apresenta.
ver o céu por dentro Morrer.
ver o circo pegar fogo O m.q. "deixar o circo pegar fogo".
ver o dia Nascer; vir ao mundo.
ver o fundo do saco Esgotarem-se os recursos de que se dispunha.
ver o lado bom das coisas Descobrir nas coisas e nas pessoas suas qualidades; ser mais tolerante, compreensivo e otimista. Var. "ver as coisas pelo lado bom".

ver o quanto é bom Convidar alguém para que experimente algo e verifique, por si mesmo, a sua essência, realidade, valor.
ver o que é bom para tosse Experimentar as consequências de procedimento incorreto ou errôneo sobre o qual foi advertido.
ver o sol quadrado Estar encarcerado. *Var.* "ver o sol nascer quadrado".
ver para crer Só acreditar vendo, ou seja, ter ou manifestar (alguém) incredulidade diante de algo que lhe contam.
ver passarinho verde Demonstrar muita alegria sem motivação aparente; denunciar ocasião muito feliz.
ver (alguém) pelas costas Evitar encontros (com); querer que uma pessoa desapareça de sua vista.
ver pelos olhos de outrem Considerar apenas pelas informações que outra pessoa fornece.
ver quanto dói uma saudade Sofrer grande dissabor.
ver que bicho dá *1.* Esperar ou conferir o resultado do "jogo do bicho". *2.* Esperar para ver o que vai suceder. *Var.* "ver que bicho vai dar".
ver quem pode mais Medir forças; lutar; brigar.
ver tempestade em copo-d'água Afligir-se por questões menores, insignificantes; apavorar-se à toa. *Tb.* se diz "fazer tempestade em copo-d'água".
ver tudo ao través Ver tudo de maneira oposta ao que é; ver pelo lado pior; ser do contra. *Var.* "ver tudo de través".
ver tudo cor-de-rosa Ser otimista; olhar as coisas com ânimo alegre e conforme seu desejo.
verba orçamentária Consignação no orçamento público de quantia em dinheiro destinada à execução de determinado serviço a ser realizado.
verbatim ac litteratim Lat. "Palavra por palavra, letra por letra"; minuciosamente.
verbi gratia Lat. Por exemplo. (Abrevia-se: *v.g.*)
verbo ad verbum Lat. "Palavra por palavra; textualmente"; emprega-se quando se quer assegurar a fidelidade de uma tradução ou da cópia de um texto ou de um documento. Alguns registram: *verbum pro verbo*.
verbo encarnado Diz-se em referência a Jesus Cristo.
verdade dobrada Engano; falsidade; dissimulação. V. "dobrar a verdade".
verdade é que Na realidade.
verdade evangélica *Crist.* A verdade absoluta; toda a verdade contida nos Evangelhos cristãos.
verdade nua e crua A expressão da verdade, sem rebuços, real; a mais pura verdade.
verde e amarelo Cores associadas ao que é brasileiro; brasileiro; do Brasil.
verdores da mocidade Extravagâncias próprias dessa idade.
verga, mas não quebra Expressão que indica a integridade e firmeza de caráter de uma pessoa.
ver-se a braços com uma coisa Lutar para vencer ou alcançar algo.
ver-se e desejar-se Estar muito aflito ou muito embaraçado.
ver-se em apuros Encontrar-se em situação difícil; em angústia; em miséria. *Var.* "ver-se em grande apuro" e "ver-se em aperto".
ver-se em dificuldades Encontrar-se em situação pouco confortável.
ver-se em pancas Encontrar-se em situação difícil. *Var.* "andar em pancas".
verso e reverso Em ambos os lados; de um lado e de outro.
verso de pé quebrado Na versificação qualitativa, verso em que a métrica e/ou o ritmo não são perfeitos, faltando ou sobrando sílabas ou com a sílaba tônica fora do lugar.
verter água(s) Urinar.
verter lágrimas Chorar.
verter sangue *1.* Sofrer amargamente. *2.* Sangrar-se.
vestido a caráter Diz-se de quem está trajado representativamente, ou em conformidade com as exigências da ocasião.
vestido de baile Vestido requintado, confeccionado em tecidos finos e elegantes (*p.*ex.: *seda, veludo, renda* etc.), em geral longo, *us.* em ocasiões especiais.
vestir a camisa Assumir uma tarefa do modo mais entusiástico possível; dedicar-se totalmente a uma causa, ao emprego etc.
vestir a carapuça Tomar a si alusão ou crítica dirigida a outrem, sugerindo que também tem alguma coisa a ver com as referências feitas àquela outra pessoa. *Var.* "enfiar a carapuça".
vestir a mentira Encobrir, disfarçar.
vestir o paletó de madeira Morrer. *Var.* "vestir o pijama de madeira".
vestir os nus Socorrer com dádivas de roupas quem delas precisa.
vestir-se a caráter Trajar-se consoante as circunstâncias, o cerimonial.
véu da noite A escuridão.
vez a vez De vez em quando.

455

vez de

vez de V. "em vez de". *Cf.* "ao invés de".
vez em vez De vez em quando.
vez por onde Uma ou outra vez.
vez por outra De vez em quando.
via crucis *Lat. Lit.* "caminho da cruz" (*via crucis*). *1.* Caminho percorrido por Jesus até o Calvário, onde foi crucificado. O *m.q.* "Via Dolorosa". *2. Fig.* Diz-se das dificuldades que se antepõem a cada um no curso de sua vida.
via de acesso Direção a seguir para chegar a determinado lugar.
via de regra De um modo geral; usualmente; na maioria dos casos ou ocasiões.
Via Dolorosa *Rel. Crist.* O trajeto de Cristo do Pretório ao Calvário, em Jerusalém. O *m.q.* "*via-crúcis*".
via férrea Estrada ou caminho de ferro, por onde transitam as composições ferroviárias. Ferrovia.
Via Láctea Galáxia em que se encontra o sistema solar da Terra, percebida como uma faixa luminosa visível em noites claras no céu, que se estende ao longo do equador celeste, englobando imenso número de estrelas e corpos celestes. *Var.* "caminho de São Tiago".
via preferencial Diz-se da via pública em cujos cruzamentos os veículos que por ela circulam têm preferência de passagem relativamente aos que transitam pelas vias a ela transversais.
via pública Estrada ou logradouro de uso comum, de livre trânsito.
via urbana Qualquer logradouro público das cidades, vilas ou lugarejos.
via variante Estrada auxiliar, derivada da principal, utilizada em emergências ou como alternativa de tráfego.
viajar na maionese *1.* Dar um passo errado. *2.* Perder tempo. *3.* Iludir-se, delirar.
viagem redonda A que parte de um ponto e a ele mesmo retorna.
vias de fato Diz-se em relação a briga, luta corporal.
vias travessas Outros caminhos.
vibrar as palavras Pronunciá-las com força, com determinação ou certas intenções.
vibrar os olhos Olhar com expressão ameaçadora.
viciado em trabalho Diz-se da pessoa obcecada pelo trabalho.

> *Na língua inglesa uma palavra define esse tipo de pessoa:* "workaholic".

vício radical Vício inveterado, de difícil erradicação.

vício solitário Diz-se da masturbação.
vida airada Vagabundagem; vadiagem.
vida cristã Procedimento segundo as doutrinas da religião cristã.
vida de camaleão É a de quem vive sem comer ou come extremamente pouco.

> *Segundo Luís da Câmara Cascudo, o poeta épico português Luís de Camões (c. 1524-1580) viveu uma vida de camaleão durante sua estada em Goa, na Índia. A alusão ao "camaleão" justifica-se pelo fato de esses animais não serem caçadores ativos. Ao contrário, ficam sentados e imóveis por horas, simplesmente esperando uma presa (a comida) passar por eles.*

vida de cão Vida penosa, trabalhosa, dura, difícil. *Var.* "vida de cachorro".
vida de príncipe Vida cercada de todo o conforto, sem preocupações. *Var.* "vida cor-de-rosa".
vida dura Vida difícil, afanosa.
vida eterna A bem-aventurança; a glória eterna.
vida fácil Prostituição, meretrício.
vida futura A existência da alma após a morte física terrena.
vida latente A situação de um organismo que, embora não apresente sinal aparente de vida, esteja tecnicamente vivo. Diz-se, *esp.*, referindo-se a vegetais.
vida mundana A dos divertimentos, da sociedade festiva e despreocupada; vida de sociedade, envolvida em festas e encontros sem compromissos maiores senão o de mostrar-se e de estar com outras pessoas.
vida privada Vida afastada do convívio ou da observação de estranhos. *Var.* "vida particular".
vida pública Diz-se do exercício de cargos públicos ou de grande interesse do público em geral.
vida secular A vida do leigo, em oposição à vida religiosa.
vida sedentária Aquela em que a pessoa a passa quase sempre assentada, com poucos movimentos ou exercícios.
vida vegetativa *1.* Genericamente, complexo dos fenômenos vitais comuns aos vegetais e aos animais. *2.* Diz-se que a leva pessoa muito doente e que sobrevive simplesmente porque ainda não ocorreu a total falência de suas funções biológicas básicas.
vidrado em Diz-se de quem gosta muito de algo ou que está apaixonado por alguém.
vidro de segurança Vidro resistente a impactos; vidro blindado; *blindex*.

vie en rose *Fr.* "Vida cor-de-rosa". A vida vista através de lentes cor-de-rosa, *i.e.*, sempre feliz e maravilhosa.
Vigário de Cristo O Papa.
vigário forâneo Delegado do bispo para um grupo de paróquias.
vigília pascal *Catol.* Cerimônia sacramental que ocorre na noite precedente à Páscoa (ao domingo da Páscoa).
vil metal O ouro.
vim, vi, venci Lema que indica ação rápida, eficaz e oportuna. Em latim: "*Veni, vidi, vinci*" (V.).

> A frase é de Caio Júlio César, quando comunicou ao Senado romano, em 47 a.C., a vitória sobre Farneses II, segundo relata Plutarco.

vin d'honneur *Fr.* Literalmente, vinho de honra, coquetel que se oferece em homenagem a alguém, muito frequente nos meios diplomáticos.
vinagre balsâmico Vinagre envelhecido, fabricado com mosto de uva-branca.
vinho abafado Aquele cuja fermentação é interrompida.
vinho de honra V. "*vin d'honneur*".
vinho, mulheres e música O desejo frívolo dos homens mundanos.
vinte e quatro horas a fio Dia e noite, sem parar. *Ex.*: *Trabalhei (durante) vinte e quatro horas a fio*.
violão sem braço Denominação popular do algarismo 8 (oito).
vir a Acontecer; suceder; chegar.
vir à baila Vir a propósito; vir à tona; passar um assunto a ser discutido. *Var.* "a baile".
vir à boca Exprimir em palavras tudo o que vem à mente.
vir a braços com Pelejar.
vir a cabo Chegar ao fim desejado.
vir a calhar Vir a propósito; convir; ser próprio, adequado, oportuno. *Var.* "vir bem a calhar".
vir a jeito Vir a calhar.
vir a lume Ser publicado.
vir à luz Surgir; ser editado um livro; nascer (criança).
vir à mão Vir às boas; concordar.
vir a propósito Vir a tempo; vir de modo muito apropriado, pertinente, adequado. *Var.* "vir a pelo".
vir a público Divulgar; ir ou levar ao conhecimento do público.
vir a saber-se Chegar a ser do conhecimento público; divulgar-se.
vir a ser Tornar-se.

vir a ser a mesma coisa Nada mudar.
vir a tempo Chegar na ocasião certa, oportuna.
vir à tona Vir à superfície da água; surgir um assunto que estava velado. *Var.* "vir à baila".
vir abaixo Ruir, cair, desabar.
vir ao caso Vir a propósito; ser pertinente; ter procedência.
vir ao encontro de *V.* "ir ao encontro de".
vir ao mundo Nascer.
vir às boas Falar em tom amistoso, depois de um desentendimento.
vir às mãos *1.* Lutar, brigar. *2.* Receber algo.
vir bem Chegar a propósito, oportunamente.
vir buscar lã e sair tosquiado *V.* "ir buscar lã e sair tosquiado".
vir com as mãos abanando Vir sem nada de seu; vir com a roupa do corpo; trazer as mãos vazias (*p.ex., sem um presente, uma oferenda* etc.).
vir com histórias Dar desculpas inconsistentes. *V.* "desculpas esfarrapadas".
vir de encomenda Sobrevir (acontecimento) justo quando se está às voltas com problemas que esse acontecimento pode ajudar a resolver. Outra acepção em voga é com o significado de "vir a propósito", isto é, no momento certo.
vir de encontro a *V.* "ir de encontro a". *Cf.* "vir ao encontro de".
vir de mudança Vir definitivamente.
vir do alto Vir do céu; lograr algo sem merecê-lo. Indica procedência de uma ordem que deve ser cumprida, por vir de instância superior.
vir num pé e voltar no outro Vir mas não se demorar. *Var.* "vir num pulo".
vir o mundo abaixo Ocorrer um desastre, uma catástrofe; haver grande escarcéu, forte escândalo, cenas desagradáveis.
vir ter a Alcançar, chegar a um ponto ou lugar.
vir ter com Encontrar-se com (alguém).
vira e mexe *1.* Pressa, afobação. *2.* Fortuitamente, mas graças a muito esforço ou insistência. *Ex.*: *Vira e mexe, ele sempre consegue*.
virada da maré Momento da passagem da maré vazante para a maré enchente, e vice-versa.
virado no cão *N.E.* Diz-se de quem está com muita raiva, enfurecido, enlouquecido.
virado no tempero *PB 1.* Zangado, irritado. *2.* Travesso.
virado(a) pra Lua *Pop.* Diz-se de pessoa de muita sorte; felizardo.

virar a bandeira O *m.q.* "virar a casaca".
virar a cabeça *1.* Tornar-se insensato; ter ideia fixa; mudar de propósitos. *2.* Mover a cabeça de um lado para outro, em sinal de recusa.
virar a cabeça de *1.*Influenciar (alguém) a mudar de opinião, de atitude. *2.* Obcecar, tornar-se ideia fixa de; apaixonar, cativar completamente.
virar a cara Aborrecer-se; desgostar de algo; ignorar (alguém); não dar confiança a (alguém).
virar a casaca *1.* Mudar de opinião, de partido, de posição política. *2. Fut.* Torcer para outro time que não o que era anteriormente de sua predileção. *Var.* "virar casaca".

Casaca = Peça de vestuário masculino, us. em cerimônias.

virar a folha Mudar o disco; mudar de assunto; pôr termo a um assunto.
virar a mesa *1.* Procurar mudar o resultado de uma reunião, de uma disputa; tumultuar uma discussão. *2.* Após um processo (concurso, competição, licitação etc.), mudar *a posteriori* as regras de modo a favorecer algo ou alguém que não se tenha saído bem.
virar a página Mudar de assunto. *V.* "virar o disco".
virar as costas a Tratar (alguém) com desdém, com desprezo; abandonar; fugir; humilhar.
virar bicho Mostrar-se agressivo de repente; zangar-se; ficar bravo, irritado, furioso.
virar casaca *V.* "virar a casaca".
virar cobra O *m.q.* "comer cobra".
virar de bordo *1.* Mudar de rumo (embarcação). *2. Fig.* Voltar; desandar.
virar e mexer *1.* Andar, virar e mexer. *2.* Quando menos se espera; sem mais nem menos; com insistência.
virar farinha Virar pó; desaparecer.
virar frege Tornar-se desordem, briga ou confusão.
virar fumaça Sumir; desaparecer.
virar gente Atingir idade adulta; amadurecer; tornar-se responsável.
virar nos calcanhares Dar meia-volta. *Var.* "rodar nos calcanhares"; "girar nos calcanhares".
virar o copo Beber todo o conteúdo de um copo, em geral bebida alcoólica.
virar o disco Mudar o disco (a música); virar a página; mudar de assunto.

Os antigos discos de vinil, chamados também de "bolachas", têm duas faces gravadas, ger. referidas como "lado A" e "lado B". O lado do disco que fica voltado para cima na vitrola (o equipamento usado para reproduzir as gravações) é o que pode ser lido pela agulha de leitura. Portanto, se não se virar o disco na vitrola, esta continuará reproduzindo sempre as mesmas músicas – aquelas gravadas naquele mesmo lado.

virar o feitiço contra o feiticeiro Reverter-se o mal para aquele que o desejou a outrem. *Tb.* se diz: "virar-se o feitiço contra o feiticeiro".
virar o jogo Conseguir inverter o resultado de um jogo ou de uma situação desfavorável.
virar onça Ficar bravo, zangado. *Var.* "ficar uma onça".
virar pelo avesso Pôr para fora a parte interna de algo; tratar de um assunto minuciosamente; esmiuçar.
virar pó Desaparecer.
virar presunto Morrer.
virar sorvete Desaparecer; sumir(-se).
virar tigre Enfurecer-se.
Vire a boca pra lá! Não agoure; deixe de pessimismo!
virtudes cardeais *Rel. Crist.* Atributos morais como: justiça, prudência, temperança e fortaleza.

Com as três virtudes teologais (Fé, Esperança e Caridade), estas formam o que se denomina "as Sete Virtudes".

virtudes teologais *Rel. Crist.* A Fé, a Esperança e a Caridade.
visão estreita Visão ou compreensão limitada; observação de apenas um lado das questões; antolhos.
visita da cegonha Diz-se referindo-se ao nascimento de uma criança.
visita de médico Visita curta, de pouca duração.
visitação de Nossa Senhora *Rel. Catol.* A visita de Nossa Senhora a Santa Isabel.
vista cansada Presbiopia, ou seja, anomalia da visão cuja ocorrência é mais comum em pessoas acima dos quarenta anos e que provoca diminuição da capacidade para focalizar de perto.
vista curta *1.* Miopia. Deficiência de/ou pouca visão, devido à imperfeita refração da luz que penetra nos olhos. *2. Fig.* Falta de perspicácia, sagacidade, compreensão.
vista de olhos Diz-se de uma vista ou leitura de passagem; exame por alto, sem muita atenção.

vista desarmada A que não é auxiliada por instrumento óptico.
vista vaga O *m.q.* "olhos vagos".
visto que Porquanto; porque; uma vez que; levando em conta que.
vitória de Pirro Vitória obtida com alto custo.

> *Pirro (318-272 a.C.) foi rei do Epiro, primo de Alexandre, lutou e venceu os romanos em Heracleia, tornando a vencê-los em Asculum, em 279 a.C., mas suas hostes sofreram prejuízos tais que, ao ser felicitado pela vitória, respondeu: "Mais uma vitória como esta, estaremos perdidos." Daí a expressão que, embora pareça exprimir um triunfo, corresponde a uma derrota.*

vitória suada Conquista difícil, que demanda muito esforço e dedicação.
viúva branca Mulher que enviuvou sem conhecer sexualmente o marido.
viva e deixe viver Lema para aceitar as ideias e os costumes alheios e assumir os próprios; incentivo à tolerância e ao comportamento coerente com os próprios costumes e educação.
Viva São João! *1.* Exclamação ao se ouvir o estampido inesperado de um foguete ou de qualquer outra natureza, de maior intensidade. *2. Fut.* Diz-se quando a bola é chutada com força para o alto, sem rumo determinado.
viva voz *V.* "de viva voz".
Vive la différence! *Fr. 1.* "*Viva a diferença!*". Aprovação à diferença existente entre os gêneros. *2. P.ext.* Louvação à riqueza cultural, filosófica, religiosa e científica proporcionada pelas diferenças naturais entre as pessoas, grupos e nações.
vivendo e aprendendo Expressão de confirmação do constante aprendizado que a vida proporciona. *Var.* "vivendo e colhendo".
viver à larga Levar uma vida abastada, de prazeres e facilidades.
viver a sabor Satisfazer todos os apetites e caprichos.
viver como cão e gato Viver às turras; em intermináveis desavenças. *Var.* "viver como gato e cachorro".
viver como Deus com os anjos Conviver com a melhor harmonia.
viver como Deus é servido Conformar-se com a vida que leva, confiando na Providência divina.
viver como um monge Viver modestamente, recluso, isolado de todos, cultivando a ascese.

> *Ascese = exercício prático que leva à efetiva realização da virtude, à plenitude da vida moral.*

viver como um paxá Viver folgadamente, cercado de mordomias, de facilidades, sem preocupações maiores.
viver como um rei Viver faustosamente, regaladamente; à larga. *Var.* "viver como um príncipe" ou "viver como um lorde"; "viver como um paxá".
viver como um verme Viver miseravelmente.
viver de brisa Não dispor de recursos para a sobrevivência; comer pouquíssimo.
viver de expedientes Usar de meios improvisados, alternativos, às vezes ilícitos, como recurso para ter o suficiente para sustentar-se.
viver de papo para o ar Viver no ócio, sem fazer nada.
viver de renda(s) Viver apenas dos rendimentos de seus capitais (bens, aplicações financeiras etc.)
viver de seus encantos Usar dos próprios encantos e atributos para ganhar a vida.
viver de vento Fazer refeições extremamente frugais, comendo praticamente nada. *V.* "viver de brisa".
viver em pecado Viver deixando de observar a lei de Deus.
viver exu Na macumba ou na umbanda, cair em transe; ser tomado de cólera.

> *Exu = Rel. De acordo com a umbanda, um Exu é o espírito que incorpora em um médium. A função de um espírito exu seria a de mensageiro, levando pedidos, oferendas e mensagens entre os homens e os orixás. Segundo a crença, esse espírito não seria nem bom nem ruim. Muitas vezes, o exu ao qual se refere esta expressão é erroneamente confundido com o orixá Exu (ou Èsù, na origem africana) do candomblé, que tem poder sobre a comunicação, além de proteger casas, aldeias e cidades e estar relacionado às coisas feitas pelo homem.*

viver fora de seu século *1.* Não compreender e/ou não aceitar os valores da época em que vive. *2. P.ext.* Ter ideias retrógradas e proceder de acordo com elas. *Var.* "viver fora de seu tempo".
viver na flauta Vadiar; não ter ocupação certa. *Var.* "viver na boa vida".
viver na lama Viver numa situação de vícios e maus costumes; vadiar; não ter ocupação certa.

viver na rua Sair muito, com frequência; não ter moradia fixa.
viver no bozó Estar sempre a jogar (dados).
viver no mundo da Lua Viver absorto, fora da realidade; ser extremamente distraído, viver alheio à realidade.
viver no século *Teol.* Na visão da teologia, o mundo considerado do ponto de vista de sua vida, de suas seduções.
viver num miserê Viver em estado de penúria, de decadência, de absoluta falta de dinheiro.
viver perigosamente Lançar-se, por profissão ou esporte, a aventuras de alto risco.
voar alto Ter ideias ou imaginar projetos grandiosos e ambiciosos ou demonstrar descabidas pretensões.
voar baixo *Autom.* Deslocar-se a grande velocidade.
voar em cima de Ir com ânsia ao encontro de.
voar nas asas da fama Tornar-se célebre; adquirir renome. *Var.* "lavado nas asas da fama".
voar para cima de Atacar.
Você é outro! Diz-se para quem está mudado, mais jovial, com aparência saudável.
Você me paga! Diz-se a alguém de quem recebeu uma ofensa, deixando implícita a intenção de revidar. Também se diz a alguém, mas em tom amistoso, sobre insinuações feitas, porém não ofensivas.
Você não perde por esperar. *V.* "Você vai ver".
Você sabe com quem está falando? Expressão arrogante com que alguém, que se julga muito importante, se dirige a outrem, com o intuito de intimidá-lo, exigindo a cessão de direitos, ou reclamando privilégios.
Você vai ver. Expressão em tom de admoestação a alguém que fez algo passível de censura. *Var.* "Você não perde por esperar".
Você viu o que eu vi? Expressão de incredulidade, recorrendo ao testemunho de outrem para confirmar o que vê.
volta de apresentação Em disputas automobilísticas, a volta inicial, antes de ter início, propriamente, a corrida, com o objetivo de apresentar aos assistentes os carros e os pilotos e, também, permitir que os competidores ajustem os veículos para a disputa.
volta e meia De vez em quando; vez por outra; uma vez ou outra; a cada passo; frequentemente.
volta olímpica Corrida em volta de um campo de esportes comemorando a vitória.
voltar à carga Fazer nova tentativa; insistir.

voltar à estaca zero Recomeçar; voltar ao ponto de partida; tornar a realizar um trabalho ou ação desde o princípio, por não ter dado certo na tentativa feita.
voltar a si Recobrar o uso dos sentidos; tornar a si; recompor-se; voltar às faculdades físicas e mentais, plenamente, após um desmaio, perda de sentidos etc.
voltar à Terra Deixar de fantasias; enfrentar a realidade.
voltar à vaca fria Retomar um assunto mais importante, interrompido por questões de somenos; voltar ao caso.
voltar à vidinha de sempre Voltar à rotina, ao dia a dia.
voltar ao aprisco *1.* Voltar ao lar, depois de se haver separado da família. *2.* Voltar a frequentar a igreja, depois de tê-la deixado.

> Aprisco = Curral, abrigo, esp. *para ovelhas; a casa, o lar.*

voltar ao texto O *m.q.* "voltar à vaca fria".
voltar às boas com (alguém) O *m.q.* "fazer as pazes".
voltar as costas Manifestar desprezo; desprezar; fugir. O *m.q.* "dar as costas".
voltar às origens Recomeçar a partir da concepção original; voltar a praticar ações aprendidas muito tempo atrás.
voltar atrás *1.* Desfazer um compromisso ou uma promessa. *2.* Retornar; retroceder. *3.* Arrepender-se, corrigir ou desfazer posição assumida anteriormente.

> No sentido de 'retroceder', a única maneira de se usar 'voltar' é fazer acompanhá-lo de 'atrás'. Neste caso, não se considera a expressão pleonástica. Já subir e descer por si se explicam: só se pode subir para cima e descer para baixo.

voltar de mãos vazias Retornar sem ter alcançado o objetivo almejado. *Var.* "voltar de mãos abanando". *V.* "de mãos abanando".
voltar-se o feitiço contra o feiticeiro Recair o mal sobre o seu próprio autor. *Var.* "virar-se o feitiço contra o feiticeiro".
voltas do mundo Vicissitudes, alternativas, reveses.
Voluntários da Pátria Os integrantes de batalhões organizados em 1865 para suprir a necessidade de combatentes junto às tropas brasileiras que pelejavam na Guerra do Paraguai.
volver a si O *m.q.* "voltar a si".
volver os olhos Dar uma olhadela, uma vista de olhos.

vomitar as tripas Vomitar sem parar, muito.
vontade de ferro Força de caráter; firmeza e energia nas decisões; vontade inabalável.
vontade eu tenho (de sobra) Expressão que denota motivação, embora normalmente seguida de um porém.
vontade implícita A que se manifesta mais por fatos que por palavras.
voo cego Aquele em que o piloto só pode contar com as instruções dos instrumentos de bordo para sua orientação, faltando-lhe o contato pelo rádio ou visual.
voo da imaginação Elevação do pensamento.
voo de galinha Diz-se do que é barulhento e curto.
voo livre Voo em aparelho planador dotado apenas de superfícies de sustentação (asa), sem motor ou leme; voo em asa-delta.
voo no escuro Diz-se do que não tem rumo; aventura.
voo por instrumentos Aquele em que são utilizados apenas os instrumentos de bordo, indicativos da posição da aeronave, às vezes com apoio de bases terrestres controladoras do tráfego aéreo; voo cego (*V.*).
voo rasante Voo a pouca altura do solo, efetuado por uma aeronave.
voo rasgado Voo rápido.
Vossa Excelência Pronome de tratamento que se dá a pessoas de alta hierarquia social quando a ela nos dirigimos. *Abrev.*: V. Exª.
Vossa Magnificência Tratamento que se dá a reitor de universidade.
Vossa Maternidade Tratamento dado às religiosas que são madres.
vossa mercê Antiga forma de tratamento dada, respeitosamente, a pessoa de cerimônia.
vossa sapiência Forma de tratamento utilizada como ironia em referência à (falta de) inteligência ou sabedoria do interlocutor.
Vossa Senhoria Forma de tratamento respeitoso ou cerimonioso, *esp.* em correspondências comerciais. *Abrev.*: V. S^a.
votar ao desprezo Não prestar atenção a; abandonar; não ligar; desprezar.
voto de cabresto Voto sem independência, conduzido ou influenciado por outrem.

O cabresto é uma tira trançada de couro ligada à cabeçada presa na cabeça do animal de sela, destinada a conduzi-lo e prendê-lo.

voto de confiança Declaração de apoio às ações de alguém, expressa, usualmente, através de atitudes formais; dar uma nova oportunidade; confirmar a confiança.

No Congresso, especialmente no regime parlamentarista, voto que confirma ou não a confiança no governo e/ou governantes, sem a qual se submete(m) aos parlamentares outro(s) nome(s) para substituí-los.

voto de louvor Declaração na ata de uma assembleia para afirmar que alguém é digno de ser elogiado por algo que fez em favor da comunidade que está se reunindo.
voto de Minerva Voto de desempate. *Var.* "voto de qualidade".

Minerva é o nome latino de Atena, uma das 12 divindades do Olimpo (mit. grega). É representada com armadura e capacete. Atribuem-lhe inteligência e sabedoria, esta simbolizada pela coruja, seu animal favorito.

voto de qualidade Voto que decide quando houver empate na votação, *ger.* proferido pelo presidente ou dirigente dos trabalhos. O *m.q.* "voto de Minerva".
voto direto/indireto É direto quando o eleitor o dá diretamente ao seu candidato; indireto, quando o dá a componente de um colégio eleitoral. *Var.* "sufrágio direto/indireto".
voto útil Voto que é dado por eleitor a um candidato que tem possibilidade de ser eleito, e não ao candidato de sua preferência mas que não tem essa possibilidade, geralmente para evitar que seja eleito outro candidato, que ele repudia.

Também se diz do voto que uma facção política dá a um candidato que não o seu próprio, já sem chances, a fim de que esse, que julga mais próximo de seu programa, possa ter êxito no pleito.

votos do batismo As promessas e renúncias do catecúmeno ou dos padrinhos em seu nome, por ocasião do batismo cristão.
votos religiosos *Rel. Catol.* Os três votos de pobreza, obediência e castidade solicitados por algumas ordens aos que querem viver uma vida religiosa. *Var.* "voto solene".
vou chegando É o que alguém diz ao sair de um lugar, de um ambiente, ao ir embora de uma visita.
vou indo *V.* "ir indo".
vou levando O *m.q.* "vou tenteando".

vou tenteando Vou indo (de saúde); vou pelejando; vou-me saindo razoavelmente (no trabalho, em casa etc.).

vox populi *Lat.* "voz do povo". A opinião corrente, geral; o que diz o povo.

voz (daquele) que clama no deserto Palavras com que João Batista se designa a si mesmo e aplicadas, por extensão, a quem profetiza, prega, aconselha ou fala e não é considerado ou escutado (*Cf. Mt* 3,3; *Mc* 1,3; *Lc* 3,4 e *Jo* 1,23).

voz ativa A de quem tem autoridade, que se impõe.

voz aveludada Voz suave.

voz cavernosa Voz grossa e retumbante.

voz cheia Voz forte, que se ouve bem, com nitidez.

voz corrente O que o povo está dizendo; a preferência geral. A versão mais difundida e aceita de um fato, uma situação etc. V. "*vox populi*".

voz da consciência Reflexão sobre os próprios atos; diz-se da percepção mais clara de acontecimentos que envolvem uma pessoa; arrependimento do que foi feito.

voz das ruas A opinião geral do povo a respeito de problemas que o afetam e que é externada de modo mais ou menos veemente.

voz das urnas Diz-se do resultado final de uma eleição ou da tendência observada na apuração dos votos, relativo à preferência dos eleitores.

voz de cabeça *Mús.* O mais agudo dos registros vocais que ressoa na faringe e nas fossas nasais. *Cf.* "voz de peito".

voz de cana rachada Voz desagradável, desafinada. *Tb.* se diz: "voz de taquara rachada".

voz de taquara rachada O *m.q.* "voz de cana rachada".

voz de peito *Mús.* Registro vocal que resulta em um som consistente que parece vibrar no peito. *V.* "voz de cabeça".

voz de prisão Declaração de uma autoridade policial a um criminoso ou suspeito de ato contrário à lei ou aos costumes de que a partir daquele momento está preso, em nome da lei. *V.* "dar voz de prisão".

voz de sereia Voz melodiosa, encantadora, sedutora.

voz delgada Voz de pouco volume.

voz pastosa Voz arrastada e sem clareza.

voz presa Voz sufocada, rouca, engasgada.

voz sepulcral Voz rouca, cava, que parece sair de um túmulo.

voz velada Voz levemente rouca.

W

water closet *Ing.* Banheiro. (*Abr. W.C.*)
water polo *Ing. V.* "polo aquático".
web designer *Ing.* Pessoa que concebe a arquitetura de um *site* na internet, incluindo sua estrutura e aspecto das diversas páginas nele contidas.
welfare state *Ing.* O Estado como provedor de condições mínimas de renda, educação, saúde etc., consideradas direitos dos cidadãos; Estado de bem-estar; Estado assistencial.
western spaghetti Expressão inspirada no inglês aplicável aos filmes de banguebangue (que retratam a saga da conquista do Oeste norte-americano) feitos na Itália.

> *A grafia correta do termo em inglês é "spaghetti western". No Brasil, talvez por serem bem conhecidos, os termos foram invertidos, assumindo uma forma mais adequada à expressão do português.*

white Christmas *Ing.* Natal branco. Diz-se, sobretudo em países do hemisfério norte e nos de língua inglesa, quando no Natal há grande quantidade de neve e a paisagem fica toda coberta de branco.

X

xingar o nome da mãe Xingar, ofendendo a mãe de alguém.
xinxim de galinha *BA* Prato feito com galinha, temperos, azeite de dendê, camarões secos, amendoim e castanha de caju moídos.
xis do problema Aquilo que é o mais difícil numa tarefa ou situação. *Var.* "o xis da questão".

Y

Yom Kipur *Rel.* A mais solene festa religiosa dos judeus. Cai no último dos dez dias de penitência que começam com o *Rosh Hoshana* (dia do ano-novo judeu).

> *Segundo a crença religiosa judaica, nos dez dias que vão de* Rosh Hashana a Yom Kipur *(chamados "dias terríveis") todos têm a oportunidade de mudar seu destino remindo seus pecados e faltas com sinceros arrependimento, contrição e boas ações. No* Yom Kipur, *totalmente dedicado ao jejum total e a orações, o destino de cada um no ano que se inicia é selado.*

Z

zanzar por aí Perambular; andar à toa, sem destino certo.

zé dos anzóis carapuça O *m.q.* "joão-ninguém". Indivíduo sem importância; sujeito à toa; fulano. *Var.* "zé dos anzóis".

zero à esquerda Diz-se de pessoa ou coisa sem valor; zero; nada; o que não é considerado.

zero hora *1.* Tempo em que algo aconteceu ou que deverá acontecer, tendo sido previamente combinado. *2.* O exato momento em que o relógio indica o término de um dia e o início de outro.

zomba zombando Usando de zombaria; falando com ar de troça; a pouco e pouco; como quem não quer nada.

zona de livre comércio O *m.q.* "área de livre comércio" (*V.*). Associação de vários países para incrementar o comércio entre eles, para tanto estipulando um conjunto de incentivos e benefícios.

zona do agrião No futebol, porção do campo nas proximidades da grande área onde a bola é disputada com mais decisão ante a iminência ou o perigo de fazer um gol.

zona franca Região de um país onde as importações são isentas de imposto ou os impostos são pagos com tarifas muito reduzidas, gozando ainda de outros benefícios, visando sobretudo ao desenvolvimento regional através, principalmente, da instalação de indústrias importadoras de insumos ou de componentes, atraídas pelos incentivos.

> *O município de Manaus (AM) é exemplo de zona franca.*

zona morta *Fut. Basq.* Diz-se da parte do campo (no futebol) ou da quadra (no basquete) situada nos cantos, de onde são mais difíceis os lançamentos para a cesta ou os chutes para o gol adversário.

ÍNDICE REMISSIVO

A

a.D. *anno domini (a.D.)*
ab *ab imo pectore (V. "ab imo corde")*
ab absurdo *argumento ab absurdo*
aba aba de filé; abas do rei
abacaxi descascar um abacaxi
ábaco ábaco mágico
abafado vinho abafado
abafar abafar a banca
abafo abafo materno
abaixador abaixador de língua
abaixar abaixar a bola; abaixar a cabeça; abaixar a crista; abaixar a grimpa; abaixar a guarda; abaixar a proa (V. "abaixar a grimpa"); abaixar as calças; abaixar o facho; abaixar o penacho; abaixar o tom; abaixar o topete (V. "abaixar o facho"); abaixar os olhos; esperar a poeira abaixar/assentar/baixar (V. "esperar até que a poeira assente")
abaixo abaixo da crítica; abaixo da média; abaixo de; água abaixo; água de morro abaixo e fogo de morro acima; botar a casa abaixo; cair abaixo; como água de morro abaixo e fogo de morro acima; de telhas abaixo; deitar abaixo; empurrar bêbado escada abaixo; enfiar goela abaixo; fogo de morro acima, água de morro abaixo; Foi tudo por água abaixo! (V. "Adeus minhas encomendas!"); goela abaixo; ir abaixo; ir por água abaixo; logo abaixo; pôr a casa abaixo; por água abaixo; tratar abaixo de cão (V. "tratar como animal"); vir abaixo; vir o mundo abaixo
abalada (*subst.*) de abalada
abalo abalo nervoso; abalo sísmico; abalos de replicação; sofrer um abalo
abanar abanar a cabeça; abanar as orelhas; abanar moscas; abanar os queixos; chegar de mãos abanando; com as mãos abanando; de mãos abanando; o rabo abana o cão; rabo abanando o cachorro; vir com as mãos abanando; voltar de mãos abanando (V. "voltar de mãos vazias")

abandonar abandonar a batina; abandonar a causa; abandonar o barco; abandonar o campo; abandonar sem lutar
abandono abandono de emprego; abandono de serviço (V. "abandono de emprego"); ao abandono
abano orelha de abano; ter cera nos abanos (V. "ter cera nos ouvidos")
abarcar abarcar o mundo com as pernas; querer abarcar o céu com as pernas (V. "querer abarcar o mundo com as pernas"); querer abarcar o mundo com as pernas
abarrotar a abarrotar
abate gado de abate
ABC não conhecer o abc
abdicar abdicar à pátria
á-bê-cê á-bê-cê da profissão
abecedário abecedário maiúsculo; abecedário minúsculo
abelha muita abelha e pouco mel; ocupado como uma abelha (formiga); segredo de abelha
abençoar Deus te (o) abençoe
aberração aberração da natureza; aberração dos sentidos
abertamente falar abertamente
aberto(a) a céu aberto; a peito aberto (V. "a peito descoberto"); a talho aberto; aberto a todos; arrombar uma porta aberta; boca aberta; capital aberto (sociedade anônima de); carta aberta; casamento aberto; cidade aberta; com os olhos abertos; de boca aberta; de braços abertos; de olhos abertos; de peito aberto; deixar a porta aberta; deixar uma porta aberta (V. "deixar a porta aberta"); dormir com um olho aberto; dormir com um olho fechado e outro aberto; dormir de olhos abertos; em aberto; empresa de capital aberto; estar aberta a gaiola; ficar de boca aberta; ficar de olhos abertos; guerra aberta; livro aberto; mundo aberto sem porteira; porteira aberta; questão aberta; sanduíche aberto; ser um céu aberto; ser um coração aberto; ser um livro aberto; ter a mente aberta; um céu aberto

abertura abertura de espírito
abismo à beira do abismo; estar à beira do abismo
ablativo ablativo de viagem; estar em ablativo de partida (*V.* "estar em ablativo de viagem"); estar em ablativo de viagem; fazer ablativo de viagem
ablução ablução areenta
abóbada abóbada celeste; abóbada palatina
aborrecer Não aborreça! (*V.* "Não amola!")
abortado(a) largada abortada
aborto aborto da natureza; aborto de um talento
abotoar abotoar o paletó
abraçar abraçar a opinião (de alguém); abraçar uma causa
abraço abraço de tamanduá; correr pro abraço
abrandar abrandar o coração de alguém
Abrantes tudo como dantes no quartel de Abrantes
abridor abridor de boca
abrigo abrigo antiaéreo; abrigo natural; ao abrigo de; estar ao abrigo de
abril primeiro de abril
abrir Abre-te, Sésamo!; abrir a alma; abrir a boca; abrir a bolsa; abrir a cabeça; abrir a gaita; abrir a lata; abrir a manta e levantar a cesta; abrir a mão; abrir a marcha; abrir a parada; abrir a porta; abrir a porteira (*V.* "abrir as portas"); abrir a torneira; abrir alas; abrir as asas; abrir as mãos; abrir as pernas; abrir as portas; abrir as velas; abrir aspas (*V.* "abrir parênteses"); abrir aspas/parênteses; abrir caminho; abrir com chave de ouro; abrir denúncia; abrir fogo; abrir mão; abrir mão de; abrir no pé; abrir o apetite; abrir o arco; abrir o berreiro; abrir o bico; abrir o bué; abrir o caminho; abrir o compasso; abrir o coração; abrir o desfile; abrir o entendimento; abrir o jogo; abrir o olho; abrir o pé (*V.* "abrir no pé"); abrir o peito; abrir o verbo; abrir os bofes; abrir os braços a; abrir os horizontes; abrir os olhos; abrir os olhos à luz; abrir os olhos de; abrir os ouvidos; abrir os panos; abrir os salões; abrir parênteses; abrir passagem; abrir praça; abrir preço; abrir trincheiras; abrir um buraco para tapar outro; abrir uma avenida em; abrir uma brecha; abrir-se; abrir-se em sorriso; é só abrir a boca; estar com alguém e não abrir; não abrir a boca; não abrir mão (de); num abrir e fechar de olhos
abrupto ex abrupto
absentia in absentia
absoluta fazer questão absoluta de (*V.* "fazer questão de"); maioria absoluta; música absoluta
absolutamente absolutamente nada; absolutamente não
absolutismo absolutismo de grupo
absoluto em absoluto; Ser Absoluto
absolvição absolvição canônica; absolvição sacramental; absolvição sumária
absorvente absorvente higiênico; absorvente interno (*V.* "absorvente higiênico"); absorvente íntimo (*V.* "absorvente higiênico")
absorver absorver a pancada (*V.* "absorver o choque"); absorver o choque; absorver-se no trabalho
abstenção abstenção eleitoral
abster abster-se de álcool
abstrair abstrair-se de más companhias
absurdo ab absurdo
absurdo demonstração por absurdo; provar por absurdo; redução ao absurdo
absurdum credo quia absurdum
abundância corno da abundância; em abundância
abundat Quod abundat non nocet.
abusar abusar da boa vontade de (alguém); usar e abusar
abuso abuso de autoridade; abuso de confiança; abuso de direito; abuso de poder; tomar abuso de
abusus abusus non tollit usum
abutendi animus abutendi
abuti uti non abuti
abyssum abyssus abyssum invocat
abyssus abyssus abyssum invocat
acabado acabado e enterrado; não acabado
acabar a acabar; acaba que; acabar bem; acabar com a festa; acabar com a raça de; acabar com a vida; acabar de matar; acabar de sair do forno; acabar mal; acabar-se como sabão na mão de lavadeira; acabou-se a festa; acabou-se o brinquedo; acabou-se o meu/teu/seu gás; acabou-se o que era doce; o jogo acabou; quando acaba; Tudo acaba (ou acabou) em samba. (*V.* "tudo acaba em pizza"); um nunca acabar; *acabar em pizza*; *tudo acaba em pizza*
acadêmico(a) diretório acadêmico
acamado estar acamado
acampamento levantar acampamento
ação ação ao portador; ação de graças; ação e não palavras; ação e reação; ação entre amigos; ação nominativa; ação ordinária; ação popular; ação preferencial; área de ação; esfera de ação; fora de ação; homem de ação; linha de ação; raio de ação
acarretar acarretar razões
acarreto de acarreto

Adão

acaso ao acaso; por acaso
acatingado(a) agreste acatingado
accompli fait accompli
aceitar aceitar a vida como ela é; aceitar as coisas como elas são (*V.* "aceitar a vida como ela é"); aceitar o jogo; papel aceita tudo
aceito ser bem (mal) aceito
acelerado em acelerado
acenar acenar com a bandeira branca
acender acender a chama da esperança; acender a lamparina; acender a lanterna; acender as ventas; acender feijão no fogo; acender os olhos; acender uma vela a Deus e outra ao Diabo; acender vela nas duas pontas (*V.* "queimar vela nas duas pontas")
aceno a qualquer aceno
acento acento gráfico; acento nacional
acepção acepção de pessoas; na acepção da palavra
acerca acerca de
acertar acertar a escrita; acertar a mão; acertar as contas (*V.* "acertar a escrita"); acertar contas com alguém; acertar em cheio; acertar na bucha (*V.* "acertar em cheio"); acertar na gata; acertar na mira e errar o alvo; acertar na mosca; acertar no alvo (*V.* "acertar na mosca"); acertar os ponteiros (*V.* "acertar os relógios"); acertar os relógios; atirar no que viu e acertar no que não viu; não acertar uma; ter contas a acertar (com alguém)
acerto acerto de contas
aceso de cafiroto aceso; de pito aceso; estar de pito aceso; manter aceso; manter-se aceso
acesso acesso de fúria; acesso de raiva (*V.* "acesso de fúria"); acesso de riso; código de acesso; ter um acesso de; via de acesso
achado achado do vento; bem achado; dar-se por achado; não se dar por achado; ser um achado
achar achar bom; achar de bem; achar natural; achar o comer feito; achar o fio da meada; achar o que dizer; achar por bem; achar que é alguém; achar ruim; achar uma brecha; achar uma saída; achar-se bem; achar-se mal; afronta faço, se mais não acho; se mais achara, mais tomara; Ele se acha.; não achar vau
achatamento achatamento salarial
Achates *fidus Achates*
acidente acidente de percurso; acidente fatal; acidente geográfico; acidente vascular cerebral (AVC); por acidente
ácido(a) chuva ácida; palavras ácidas
acima acima das posses; acima de; água de morro abaixo e fogo de morro acima; como água de morro abaixo e fogo de morro acima; de ladeira acima; estar muitos furos acima de; fogo de morro acima, água de morro abaixo
acinte com acinte
acionário(a) controle acionário
acirrar acirrar os ânimos
aclamação por aclamação
aço alma de aço; de aço; nervos de aço; no aço; palha de aço; querer tirar o aço do espelho
acocho trabalhar no acocho
açoite de açoite
acolá aqui e acolá; para acolá; para aqui, para acolá
acomodar acomodar-se com as circunstâncias
acontecer aconteça o que acontecer; como sói acontecer; fazer e acontecer; Isso/isto acontece.
acontecimento cobrir um acontecimento; nesta altura dos acontecimentos
acordado (conciliado) bem-acordado
acordado (desperto) dormir acordado; sonhar acordado
acordar (despertar) acordar com as galinhas; acordar o cão que dorme; dormir e acordar com (alguém)
acordo acordo de cavalheiros; costurar um acordo; dar acordo de si; de acordo; de acordo com; de comum acordo; estar de acordo; não dar acordo de si; pôr de acordo; pôr-se de acordo; selar um acordo
acreditar acreditar (em determinada coisa) piamente; acreditar em Papai Noel; acredite se quiser; estar quase acreditando que; não acreditar em nem uma palavra do que diz; não acreditar nos próprios olhos; Não dá para acreditar! (*V.* "É o fim da picada!"); não dar para acreditar; se eu contar, ninguém vai acreditar
acrobacia acrobacia aérea
açúcar açúcar cristal; açúcar de cana; açúcar de confeiteiro; açúcar mascavado (*V.* "açúcar mascavo"); açúcar mascavo; açúcar queimado; água com açúcar; algodão de açúcar; com açúcar; doce como açúcar (*V.* "doce como o mel"); firme como o Pão de Açúcar (*V.* "firme como uma rocha"); nem com açúcar; ter açúcar na voz
acudir É um deus nos acuda.
acuidade acuidade auditiva; acuidade visual
acumulação acumulação indébita
acusar acusar o recebimento (*V.* "acusar recebimento"); acusar recebimento
acústica concha acústica
Adão em trajes de Adão; fantasia de Adão; parente por parte de Adão e Eva; pomo de

adão; segundo Adão; Somos todos da costela de Adão.
ademais ademais de
adentro meter pelos olhos adentro; meter-se terra adentro; pela noite adentro; portas adentro
adeus adeus de mão fechada; adeus eterno; Adeus minhas encomendas!; dar adeus; dar adeus a; dizer adeus a (uma pessoa ou coisa); dizer adeus ao mundo
adeusinho dar adeusinho (*V.* "dar adeus")
adiantado adiantado em anos
adiantar (v. intransitivo) não adianta chiar; Não adianta chorar sobre leite derramado.
adiante adiante de; andar o carro adiante dos bois; com uma mão atrás e outra adiante; ir adiante; levar a sua adiante; levar adiante; não enxergar um palmo adiante do nariz; não ver um palmo adiante do nariz; para adiante; passar adiante; passar o pé adiante da mão; pôr o carro adiante dos bois; um passo atrás (ou para trás) e dois adiante (ou à frente)
adicional ato adicional
administrar administrar ensino; administrar justiça; administrar os sacramentos
administrativo(a) advocacia administrativa; cheque administrativo; probidade administrativa
administrator *improbus administrator*
admirável admirável mundo novo
adoçar adoçar a boca; adoçar a pílula
adoecer adoecer de
adormecer adormecer no Senhor
adorno adorno de linguagem
adotivo(a) filho adotivo; irmão adotivo; mãe (pai) adotiva(o)
adrede de adrede
adrenalina adrenalina pura
adubo adubo verde
aduela ter uma aduela a menos (*V.* "ter um parafuso a menos")
adular adular o sol que nasce
adulterino(a) filho adulterino
advocacia advocacia administrativa
advogado advogado de causas perdidas; advogado de porta de fábrica; advogado de porta de xadrez/cadeia (*V.* "advogado de porta de fábrica"); advogado do diabo
aedificandi *area non aedificandi*
aequo *aequo domino*; *ex aequo*
aere *aere perennius*
aéreo(a) acrobacia aérea; espaço aéreo; estar aéreo; funicular aéreo; linha aérea; ponte aérea; rota aérea; táxi aéreo
aeróbico(a) exercício aeróbico; ginástica aeróbica
aestimationis *praetium aestimationis*

aeternam *ad vitam aeternam*
aeterno *ab aeterno*
aeternum *ad aeternum*; *in aeternum*
afazeres afazeres domésticos
afeiçoado bem-afeiçoado
aferrar aferrar-se a uma ideia
afiado(a) afiado como uma navalha; língua afiada
afiar afiar com; afiar os dentes
afigurado bem-afigurado
afiliado(a) emissora afiliada
afim parente afim
afinador afinador de motores
afinal afinal de contas
afinidade parente por afinidade; tio por afinidade
aflição não aumentar a aflição do aflito
aflito não aumentar a aflição do aflito
afluente sociedade afluente
afofar afofar e deixar
afogadilho de afogadilho
afogar afogar as mágoas; afogar o ganso; afogar o Judas; afogar-se em pingo-d'água (*V.* "tempestade em copo-d'água"); afogar-se em pingo-d'água
Afonso Lei Afonso Arinos
afora e por aí afora (*V.* "E por aí vai..."); pela madrugada afora; pelo mundo afora; por aí afora (*V.* "por aí além"); por este mundo afora; pôr os bofes pela boca afora; pôr porta afora; sair porta afora
África meter uma lança em África
áfrica (*subst.*) em (nas, pelas) áfrica(s)
afronta afronta faço, se mais não acho; se mais achara, mais tomara; engolir uma afronta
afrouxar afrouxar a rédea; afrouxar o garrão; afrouxar o laço (*V.* "afrouxar a rédea"); afrouxar os quartos (*V.* "afrouxar o garrão")
after *day after*
afundar afundar no mundo
agá na hora agá (*V.* "na hora H")
agalha de agalhas
agarrado agarrado às saias
agarrar agarrar a ocasião pela calva; agarrar a ocasião pelos cabelos (*V.* "agarrar a ocasião pela calva"); agarrar na orelha da sota; agarrar no sono; agarrar uma oportunidade com unhas e dentes (*V.* "agarrar a ocasião pela calva")
age *age quod agis*
agência agência de notícias; agência de propaganda; agência de publicidade (*V.* "agência de propaganda"); agência funerária; agência turística; contato de agência
agenda agenda eletrônica
agendi *jus agendi*

agente agente da lei (de polícia); agente de viagens; agente duplo; agente natural; agente secreto; agente transmissor
agir agir com a cabeça; agir na sombra
agis age quod agis
aglomerado aglomerado urbano
agnus agnus Dei
agora agora (aí) é que a porca torce o rabo; agora a coisa vai; agora é que são elas; agora mesmo; agora que; agora, agora; ainda agora; aqui e agora; até agora; de agora; desde agora; E agora, José?; Essa agora!; inda agora; já agora; não é de agora (*V.* "não é de hoje"); nascer agora; por agora
agorinha agorinha mesmo; ainda agorinha (*V.* "ainda agora")
agouro ave de mau agouro
agradar agradar a Deus e ao diabo (*V.* "agradar a gregos e troianos"); agradar a gregos e troianos
agradável unir o útil ao agradável
agrário(a) reforma agrária
agravo sem agravo nem apelação (*V.* "sem apelação")
agressão não agressão
agreste agreste acatingado
agrião zona do agrião
agrícola colônia agrícola; defensivo agrícola; fronteira agrícola
agricultura agricultura de subsistência
água a gota-d'água; a pão e água; afogar-se em pingo-d'água (*V.* "tempestade em copo-d'água"); afogar-se em pingo-d'água; água abaixo; água arriba; água batismal; água benta; água choca; água com açúcar; água de barrela; água de batata (*V.* "água de barrela"); água de briga; água de cana; água de cheiro; água de coco; água de goma; água de morro abaixo e fogo de morro acima; água de rosas; água destilada; água doce; água e sal; água férrea; água furtada; água gasosa; água mineral; água morna; água na boca; água na fervura; água natural; água oxigenada; água potável; água que passarinho não bebe; água que passou debaixo da ponte; água sanitária; água termal; água tônica; ainda haver muita água para passar debaixo da ponte; apanhar água com peneira; aquentar água para o mate dos outros; até debaixo d'água; balde de água fria; beber água de bruços; beber água de chocalho; beber água nas orelhas dos outros; bom como água; buscar água no cesto; carga-d'água; carregar água em cesto (*V.* "apanhar água com peneira"); carregar água em peneira; claro como água (*V.* "claro como a luz"); com água na boca; com o bico n'água e morrendo de sede; com os burros n'água; com os olhos rasos d'água; como água; como água de morro abaixo e fogo de morro acima; como água e fogo; como água nas costas de pato; como o peixe n'água; como peixe fora d'água; como um peixe fora d'água (*V.* "como peixe fora d'água"); correr água sob a ponte; cozinhar em água fria; curso-d'água; dar água na boca; dar com os burros n'água; dar em água de bacalhau; dar em água de barrela (*V.* "dar em água de bacalhau"); dar nó em pingo-d'água; de dar água na boca; de fazer água na boca (*V.* "de dar água na boca"); de primeira água; deitar água na fervura; derramar água fria; ducha de água fria; É mais fácil que beber água.; enfiar água no espeto; engenho de água; esquentar água para o mate dos outros; estação das águas (*V.* "estação das chuvas"); estar como (um) peixe fora d'água; fácil como água; fazer água; fazer tempestade em copo-d'água; ferver em pouca água; fogo de morro acima, água de morro abaixo; foi aquela água; Foi tudo por água abaixo! (*V.* "Adeus minhas encomendas!"); gota-d'água; gota-d'água no oceano; hora da onça beber água; ir por água abaixo; jogar água fria; jogar água na fervura; lançar água no mar; lavar-se em água de rosas; lençol de água; mudar da água para o vinho; mundo d'água; na água; na hora da onça beber água; negócio de água arriba; nó em pingo-d'água; olhos rasos de água; pancada de água; parecerem-se como duas gotas-d'água; passar a pão e água; pedir água (*V.* "pedir arrego"); peixe fora d'água; pena de água; pensar que cachaça é água; pescar em águas turvas (*V.* "pescadores de águas turvas"); pessoa de água morna; poeta de água doce; poluição das águas; por água abaixo; pôr água na fervura; Por que cargas-d'água...?; pretensão e água benta; quer mais claro, ponha-lhe água; rebojo de águas; sede de água; sem dizer água vai; ser a gota-d'água; ser a gota-d'água que transborda o cálice; ser aquela água; sombra e água fresca; sujar a água que bebe; tempestade em copo-d'água; ter dinheiro como água (*V.* "ter dinheiro para queimar"); tirar água de pedra; tirar água do joelho; tiro n'água; tromba-d'água; um pingo-d'água no oceano (*V.* "uma gota-d'água no oceano"); uma gota-d'água no oceano; veio de água; ver tempestade em copo-d'água
aguaceiro aguaceiro branco
aguarda na aguarda de
aguardente aguardente de cabeça; aguardente de cana
aguardo no aguardo (*V.* "na aguarda de")

águas águas continentais; águas de março; águas dormentes; águas emendadas; águas passadas; águas pluviais; águas profundas; águas servidas; águas territoriais; águas turvas; banhar-se em águas de rosas; derramar óleo em águas turvas; divisor de águas; entre duas águas; estação de águas; ir nas águas de; nas águas; navegar em duas águas; navegar nas mesmas águas; pescadores de águas turvas; receber as águas batismais; salvar-se em águas de bacalhau; seguir nas águas de; tempo das águas; verter água(s)
aguçar aguçar a língua; aguçar os dentes
aguentar aguenta, coração; aguentar a barra; aguentar a mão; aguentar a mecha; aguentar a parada; aguentar a retranca; aguentar as consequências; aguentar as pontas; aguentar calado; aguentar firme; aguentar o barco (V. "aguentar a mão"); aguentar o repuxo; aguentar o rojão (V. "aguentar a barra"); aguentar o tempo; aguentar o tirão; aguentar o tranco; aguentar sozinho; não aguentar um(a) gato(a) pelo rabo; não há cristão que aguente; Não há tatu que aguente.; papel aguenta tudo (V. "papel aceita tudo")
águia Águia de Haia; águia de papo amarelo; Águia de Patmos; É um águia.; olho de águia
agulha agulha no palheiro; bala na agulha; disputar sobre a ponta de uma agulha; procurar agulha em (no) palheiro; trabalho de agulha
ai Ai de mim!; Ai de nós!; Ai de!; Ai dos vencidos!; Ai, Jesus!; morrer sem dizer "ai Jesus"; não ter tempo nem de dizer ai (V. "não ter tempo"); num ai
aí agora (aí) é que a porca torce o rabo; aí é que a coisa encrenca (V. "aí é que a coisa pega"); aí é que a coisa fia fino (V. "aí é que a coisa pia fino"); aí é que a coisa pega; aí é que a coisa pia fino; aí é que a porca torce o rabo; aí é que está a questão (V. "aí é que está o nó"); aí é que está o nó; aí é que são elas; aí há coisa (V. "Aí tem coisa!"); Aí tem coisa!; aí tem jacutinga (V. "Aí tem coisa!"); aí tem truta (V. "Aí tem coisa!"); até aí morreu Neves; É aí que...; É isso aí.; e por aí afora (V. "E por aí vai..."); E por aí vai...; É por aí.; Estou ou não estou aí nessa marmita?; ficar por aí; foi aí que; não estar nem aí; não ser por aí; por aí; por aí afora (V. "por aí além"); por aí além; ser isso aí; zanzar por aí
ainda ainda agora; ainda agorinha (V. "ainda agora"); ainda assim; ainda bem; ainda em cima; ainda em riba; ainda haver muita água para passar debaixo da ponte; ainda mais; ainda mal; ainda não; ainda para mais ainda; ainda para mais ajuda; ainda por cima; ainda pular a cerca; ainda quando; ainda que; ainda que mal pergunte; ainda que por mal pergunte (V. "ainda que mal pergunte"); ainda verde; estar ainda com o bocado na boca; mais ainda; ser ainda melhor; ter ainda muito gás
airado(a) vida airada
ajantarado almoço ajantarado
ajoelhar ajoelhou, tem que rezar
ajuda ainda para mais ajuda; ajuda de custo
ajudante ajudante de ordens
ajudar ajudar a bem morrer; ajudar à missa; ajudar-se de pés e mãos; para baixo todo(s) (os) santo(s) ajuda(m)
ajuntar ajuntar as trouxas; ajuntar joelhos; ajuntar o dia com a noite; Deus os fez e o diabo os ajuntou
ajustar ajustar contas; ajustar contas com
ajuste não estar pelos ajustes
ala abrir alas
Aladim lâmpada de Aladim
alagação alagação de outubro
alambique suor de alambique
alarde fazer alarde de
alargar alargar a consciência; alargar os passos
alarme alarme falso
alavanca alavanca de câmbio; alavanca de mudanças (V. "alavanca de câmbio")
alavancar alavancar as vendas
albis in albis
alça alça de mira; estar na alça de mira de; mala sem alça; ser mala sem alça (V. "ser mala")
alcançar até onde a memória alcança; até onde a vista alcança
alcance ao alcance das mãos; ao alcance de; de grande alcance; fora de alcance
alçar alçar as armas; alçar voo
alcateia de alcateia
alcatra andar nas alcatras; bater a alcatra na terra ingrata
álcool abster-se de álcool
aldeia aldeia global
alea alea jacta est
alegórico carro alegórico
alegre bobo alegre
alegria dar pulos de alegria; morrer de alegria; na alegria e na tristeza; pular de alegria; trem da alegria
aleijado sofrer que nem sovaco de aleijado
aleluia Sábado de Aleluia
além além da imaginação; além da medida; além d'amanhã; além de; além de quê;

além de queda, coice; além de tudo; além disso (disto); além do mais; além do quê (V. "além de quê"); ir além; para além de; por aí além
alemão pastor alemão (V. "cão policial")
alento dar o último alento; receber o último alento
aleta aletas de estabilização
alfa Alfa de Centauro; alfa e ômega; alfa Morse; de alfa a ômega (V. "de A a Z")
alfabeto alfabeto Braile; alfabeto cirílico; alfabeto fonético; alfabeto grego; alfabeto latino; alfabeto Morse; É a quarta letra do alfabeto.
alfândega alfândega marítima; alfândega seca
alfanumérico caractere alfanumérico
alfinete alfinete de fralda (V. "alfinete de segurança"); alfinete de segurança; não caber nem uma cabeça de alfinete (V. "não caber no buraco de um dente"); não valer um alfinete
alforria carta de alforria
algarismo algarismo arábico
algema romper as algemas
algibeira andar com as mãos nas algibeiras; andar de mãos nas algibeiras; ciência de algibeira; com as mãos na algibeira; limpar as algibeiras de; pergunta de algibeira; pôr de sua algibeira
algo algo que está pegando; chegar à raiz de (algo); fazer algo com a melhor das intenções; fazer algo por; fazer algo pros cocos; não sair (algo) da cabeça; ou algo assim; ou algo que o valha (V. "ou algo assim"); ser mato; ter algo em comum; ter algo em mente
algodão algodão de açúcar; algodão em rama; algodão hidrófilo; cuspindo algodão; ser algodão entre cristais
alguém abraçar a opinião (de alguém); abrandar o coração de alguém; abusar da boa vontade de (alguém); acertar contas com alguém; achar que é alguém; alguém que só tem gogó; amassar a cara de (alguém); andar à sirga de (alguém); andar com alguém no colo; andar com alguém pelo gogó; andar de tromba com alguém; andar na pista de alguém; apanhar alguém com a mão na cumbuca; apanhar alguém de calças curtas; arder por (alguém); atravessar a alma de alguém; atravessar o coração de alguém (V. "atravessar a alma de alguém"); babar-se por alguém; bater a porta na cara de (alguém); beber as lágrimas de (alguém); botar azeitona na empada de alguém; cair nas unhas de alguém; cair no lombo de alguém; comer alguém por uma perna; conhecer alguém por dentro e por fora; conhecer o jogo de alguém; correr com alguém; crivar (alguém) de perguntas; cuspir na honra de alguém; dar razão a alguém; dar um bolo em alguém; dar um osso para (alguém); dar um perdido em (alguém); dar um sabão (em alguém); dar uma lição a alguém; dar uma prensa em (alguém); dar xeque-mate em alguém; debaixo do nariz (de alguém); descarregar a cólera sobre alguém; descarregar a ira (ou o furor) sobre alguém (V. "descarregar a cólera sobre alguém"); descobrir os podres de alguém; dever a vida a alguém; dizer mal de alguém por detrás; dizer umas verdades (a alguém); dormir e acordar com (alguém); estar com alguém e não abrir; estar de burros com alguém; estar indiferente (com alguém); estar limpo com alguém; estar nas boas graças de alguém; estar nas mãos de alguém; fazer a cama (para alguém); fazer alguém de capacho; fazer coro com alguém; fazer de alguém um cristo; fazer o jogo de alguém; fazer zumbaias (a alguém); fechar a boca de (alguém); fechar a janela na cara de alguém; fechar a porta na cara de alguém (V. "fechar a janela na cara de alguém"); ferir os sentimentos de alguém; ficar caído por (alguém); ficar sujo (com alguém); fugir de alguém como o diabo da cruz; ir na esteira de alguém; ir nas pegadas de (alguém); jogar nas costas (de alguém); jogar poeira nos olhos de alguém; levantar a voz para alguém; levar (alguém) ao altar; levar alguém pelo nariz; louvar-se em alguém; mandar (alguém) desta para melhor; mandar (alguém) para o diabo; mandar lembranças a alguém; martelar nos ouvidos de alguém; medir (alguém) de alto a baixo; mexer com os nervos (de alguém); morar porta a porta com alguém; mostrar a porta a alguém; não poder tragar alguém; não querer estar na pele de (alguém); não respirar o mesmo ar que alguém; não se descoser de (alguém); não ser para os dias de alguém; não tardar com (alguém); nas barbas de (alguém); nunca ter visto (alguém) mais gordo; passar na cara (alguém); pegar (alguém) desprevenido; pegar no pé de alguém; perder a pista de alguém; pisar nos calos (de alguém); pôr (alguém) à prova; pôr (alguém) nas estrelas; pôr a cabeça de alguém a prêmio; pôr a mão no fogo (por alguém); pôr alguém em sua sombra; pôr alguém no seu lugar; pôr azeitona na empada de alguém (V. "botar azeitona na empada de alguém"); pôr cinza nos olhos (de alguém); pôr um punhal no

peito de (alguém); pôr uma faca no peito de (alguém) (*V.* "pôr um punhal no peito de (alguém)"); pregar uma peça a alguém; puxar a alguém; queimar incenso a alguém; querer engolir (alguém); querer ver a caveira de alguém; regar o pé (de alguém); ser (alguém) uma sarna; ser a sombra de alguém; ser alguém; ser os pecados de alguém; ser pesado a alguém; servir-se de alguém; subir um furo no conceito de alguém; tapar a boca de (alguém); tentar a paciência (de alguém); ter alguém na palma da mão; ter alguém no bolso (*V.* "ter alguém na palma da mão"); ter contas a acertar (com alguém); ter fé em (alguém); ter mão em; ter traços de (alguém); tirar a máscara (de alguém); tirar a sardinha da boca (de alguém); tomar o partido de (alguém); tomar o tempo de alguém; torcer o gasganete de alguém; trazer alguém atravessado na garganta; trazer alguém de volta à Terra; trazer alguém pelo cabresto; ver (alguém) por uma greta; ver a cor do dinheiro (de alguém); voltar às boas com (alguém)
algum algum dia; algum tanto; alguns poucos (*V.* "uns poucos"); de modo algum; fazer algum trabalho sujo; meu algum; separar algum
alguma alguma coisa; coisa alguma; de forma alguma
alheio alheio de si; amigo do alheio; barretada com o chapéu alheio; fazer caridade com chapéu alheio; fazer cortesia com chapéu alheio; invadir seara alheia; meter a foice em seara alheia; pegar no alheio
alho alhos e bugalhos; confundir alhos com bugalhos; misturar alhos com bugalhos
ali ali, no toco; aqui e ali; Até ali!; dar um pulo/pulinho logo ali (*V.* "dar um pulo (a)"); eis ali; logo ali; para ali; por ali; por aqui e ali; preguiça chegou ali, fez casa de morada; preguiça chegou ali, parou (*V.* "preguiça chegou ali, fez casa de morada"); ser ali
alia inter alia
aliança Antiga Aliança; arca da Aliança
alienação alienação fiduciária; alienação mental
alii et alii
alimentação praça de alimentação
alimentar cadeia alimentar
alimentar (*adj.*) rede alimentar; suplemento alimentar
alimentício gêneros alimentícios
alinhado ser alinhado
alis alis volat propriis
alisado não ter alisado banco de escola
alisar alisar os bancos da escola
alistamento alistamento militar

aliviado respirar aliviado
aliviar aliviar a roupa; aliviar o bolso de
alívio alívio cômico
all *all right*
allah *In cha Allah!*
alma a alma da festa; abrir a alma; alma danada; alma de aço; alma de outro mundo; alma errada; alma gêmea; alma irmã (*V.* "alma gêmea"); alma lavada; alma nova; alma penada; alma perdida (*V.* "alma penada"); atolado até a alma; atravessar a alma de alguém; bacia das almas; boa alma; botar a alma no inferno; botar a alma pela boca; caixa das almas; calos na alma; comprar na bacia das almas; corpo e alma; corpo sem alma; cortar a alma; criar alma nova; dar a alma a Deus; dar a alma ao Criador (*V.* "dar a alma a Deus"); dar a alma ao diabo; de alma lavada; de corpo e alma; dó de alma; encomendação das almas; entregar a alma a Deus; entregar a alma ao diabo (*V.* "entregar a alma a Deus"); grandeza de alma (ou de coração) (*V.* "grandeza de ânimo"); imortalidade da alma; lavar a alma; missa das almas; na bacia das almas; não salvar nem a alma; Não se aproveita nem a alma para fazer sabão.; nobreza de alma; pão da alma; preto de alma branca; regalar a alma; render a alma; render a alma a Deus; render a alma ao Criador (*V.* "render a alma a Deus"); rezar por alma de uma dívida; salvou-se uma alma; Sua alma, sua palma.; vender a alma ao diabo; *alma mater*
almanaque cultura de almanaque; de almanaque
almoçar almoçar, jantar e cear
almoço almoço ajantarado; almoço comercial; almoço de assobio; vender o almoço pra comprar o jantar
almocreve almocreve das petas
alta (*subst.*) alta hospitalar; ter alta
altar estar a um passo do altar; levar (alguém) ao altar; levar ao altar; ministério do altar; sacrifício do altar; subir ao altar
alter alter ego
alterar não alterar nem uma vírgula
alternativo(a) imprensa alternativa; transporte alternativo
Alterosas as Alterosas
alteza alteza real (imperial)
altíssimo (*subst.*) trono do Altíssimo
alto (*adv.*) alto e claro (*V.* "alto e bom som"); chutar alto; estar papando alto; falar alto; falar mais alto; fazer soar bem alto; pensar alto; voar alto
alto (*interj.*) Alto lá!
alto (*subst.*) altos e baixos; ao alto; cheio de altos e baixos; chutar para o alto; com as

pernas para o alto; de alto a baixo; de alto coturno; de pernas pro alto (*V.* "de pernas para o ar"); do alto; estar alto; falar do alto da burra; Mãos ao alto!; medir (alguém) de alto a baixo; no alto; por alto; samba de partido-alto; ver as coisas do alto; vir do alto

alto(a) (*adj.*) a altas horas; alta (baixa) latitude; alta burguesia; alta noite; alta sociedade; alta tecnologia; altas esferas; altas horas; alto bordo; alto clero; alto coturno; alto e bom som; alto e malo; alto impacto; alto nível; alto-astral; andar de salto alto; caixa-alta; câmara alta; de alto bordo; de alto impacto; de alto nível (*V.* "de alto bordo"); de ou do mais alto grau (*V.* "no mais alto grau"); de salto alto; dia alto; dizer alto e bom som; em alto grau; hotel de alta rotatividade; jogar de salto alto; mar alto; maré baixa (alta); meio alto; meter-se em altas cavalarias; no mais alto grau; noite alta; pagar um alto preço; ponto alto; pôr muito alto os olhos; por sua alta recreação; ter em alta conta (*V.* "ter em conta"); ter em alto apreço (*V.* "ter em conta"); ter em alto preço (*V.* "ter em conta")

altura a altura; à altura da situação; à altura de; a certa altura; à sua altura; as alturas; cair das alturas; estar à altura de; estar nas alturas; ganhar altura; não estar à altura de; não ter altura; nesta altura; nesta altura dos acontecimentos; perder altura; pôr nas alturas; responder à altura

alugado inimigo alugado

aluguel mãe de aluguel

alumiar alumiar as ideias

alva estrela-d'alva

alvar riso alvar

alvará alvará de construção; alvará de soltura

alvitre bom alvitre

alvo acertar na mira e errar o alvo; acertar no alvo (*V.* "acertar na mosca"); alvo de riso; alvo fácil; ser alvo de riso

alvor alvor das faces

alvorada toque de alvorada

ama ama de clérigo; ama de leite

amaciar amaciar a bola; pau de amaciar carne

amado discípulo amado; o discípulo amado

âmago âmago da questão

amanhã além d'amanhã; amanhã de manhã; Amanhã é outro dia!; amanhã o carneiro perdeu a lã; até amanhã; como se não houvesse amanhã; de hoje para amanhã; deixar para amanhã (*V.* "guardar para amanhã"); depois de amanhã; fiado, só amanhã; guardar para amanhã; mais hoje, mais amanhã; olhar para o dia de amanhã; pensar no dia de amanhã

amanhecer amanhecer com a avó atrás do toco; amanhecer de chinelos trocados (*V.* "amanhecer com a avó atrás do toco"); anoitecer e não amanhecer; ao amanhecer

amarelo(a) águia de papo amarelo; cartão amarelo; luz amarela; páginas amarelas; perigo amarelo; rir amarelo; riso amarelo; sinal amarelo; sorriso amarelo; verde e amarelo

amargar de amargar; Essa é de amargar!; ser de amargar (*V.* "ser de morte")

amargo(a) café amargo; gosto amargo na boca; hora amarga; sal amargo; ter um amargo despertar; um gosto amargo na boca; uvas amargas

amargura arrastar pela rua da amargura; cálice de amargura; rua da amargura; vale de amarguras

amarra cortar as amarras com

amarrado(a) cara amarrada; de bode amarrado; de mãos amarradas (*V.* "de mãos atadas"); estar com o bode amarrado; estar com o burro amarrado na sombra; estar de bode amarrado

amarrar amarrar a cabra; amarrar a cara; amarrar cachorro com linguiça; amarrar o bode; amarrar o burro; amarrar o facão; amarrar o gato; amarrar uma linha no dedo; amarrar uma tromba (*V.* "amarrar o bode"); pau de amarrar égua; tempo em que se amarrava cachorro com linguiça; toco de amarrar onça; tronco de amarrar onça (*V.* "toco de amarrar onça")

amassar amassar a cara de (alguém); amassar a gata; amassar a lata; comer o pão que o diabo amassou

ambiental ordenamento ambiental; preservação ambiental

ambiente ambiente carregado; ar ambiente; meio ambiente

ambos(as) ambos de (os) dois; às mãos ambas; com ambas as mãos; ver com ambos os olhos

ambrosiano hino ambrosiano

ambulante cabide ambulante; cadáver ambulante; dicionário ambulante (*V.* "dicionário vivo"); esqueleto ambulante; vendedor ambulante

amém dizer amém; dizer amém a; em menos de um amém; num amém; Que os anjos digam amém.

América descobrir a América; fazer a América

americano(a) futebol americano; jogo americano; *pax americana*

amianto cimento amianto

amigável desquite amigável
amigo(a) ação entre amigos; amigo às direitas; amigo certo nas horas incertas; amigo da boca para fora; amigo da onça; amigo de peniche; amigo de seu(s) amigo(s); amigo de todo o mundo; amigo do alheio; amigo do gênero humano (*V.* "amigo de todo o mundo"); amigo do peito; amigo extremado; amigo íntimo; amigo particular; amigo-oculto; amigo-secreto; amigo-urso; ar de poucos amigos; cara de poucos amigos; fogo amigo; mão amiga; melhor amigo do homem; meu amigo; ombro amigo; velho amigo
amizade amizade colorida; em amizade; nossa amizade
amolar (afiar) amolar o canivete; pedra de amolar
amolar (importunar) amolar o boi; amolar os queixos; ir amolar o boi (*V.* "ir amolar outro"); ir amolar outro; Não amola!; Vá amolar o boi!
amor amor à primeira vista; amor carnal; amor físico; amor livre; amor platônico; amor-próprio; cantiga de amor; fazer amor; ficar caído de amores por (*V.* "ficar caído por (alguém)"); Mais amor e menos confiança.; morrer de amor; mulher do amor (*V.* "mulher à toa"); ninho de amor; pelo amor à arte; pelo amor de; pelo amor de Deus; perdido de amor (*V.* "perdidamente apaixonado"); por amor à arte; por amor de; seja tudo por amor de Deus; seta de amor; ter amor à pele (*V.* "ter amor à vida"); ter amor à vida; um amor; um amor de
amoreco um amoreco (*V.* "um amor")
amores de mil amores; linda como os amores; matar de amores; morrer de amores por; não morrer de amores por; perder-se de amores
amoroso triângulo amoroso
amostra amostra de gente; amostra grátis; não ser pano de amostra
amusim ad *amusim*
analfabeto analfabeto de pai e mãe; analfabeto funcional
análise análise clínica; análise de sistemas; análise léxica, lógica, sintática; análise quantitativa; em última análise; fazer análise
analista analista de sistema
analogia por analogia
anão/anã anã branca (vermelha, negra, marrom); anão de jardim
anca dar anca
ancien ancien régime
âncora âncora cambial; âncora de salvação; âncora monetária; lançar âncoras; levantar âncora
ancorar ancorar o barco
andado meio caminho andado
andamento dar andamento a; em andamento
andante cavalaria andante; cavaleiro andante
andar A quantas anda(m)?; andar à bucha; andar à gandaia; andar a reboque; andar à roda; andar à sirga de (alguém); andar à solta; andar à toa; andar ao atá; andar ao colo; andar ao corrente; andar aos embolеus; andar aos esses; andar aos tombos; andar aos trambolhões; andar às aranhas; andar às buchas (*V.* "andar à bucha"); andar às moscas; andar às voltas com; andar atravessado com; andar cercando frango; andar colado; andar com a cabeça à roda; andar com a cabeça ao léu; andar com a cabeça no ar; andar com a pulga atrás da orelha; andar com alguém no colo; andar com alguém pelo gogó; andar com as mãos nas algibeiras; andar com as próprias pernas; andar com o diabo à solta; andar como cachorro que caiu do caminhão de mudança; andar como caranguejo; andar como cobra quando perde a peçonha; andar como lesma (*V.* "andar como tartaruga"); andar como tartaruga; andar da sala para a cozinha; andar de asa caída; andar de beiço caído; andar de cabeça erguida; andar de cabresto; andar de ceca em meca; andar de coleira larga; andar de gatinhas; andar de mal a pior; andar de mão em mão; andar de mãos nas algibeiras; andar de olho em; andar de rixa; andar de salto alto; andar de tromba com alguém; andar em bolandas; andar em círculos; andar em dia com; andar em pancas; andar escovando urubu; andar feito caramujo com a casa às costas; andar fora de si; andar fora dos eixos; andar fora dos trilhos; andar na chuva; andar na cola de; andar na corda bamba; andar na fossa; andar na linha; andar na pindaíba; andar na pista de alguém; andar na ponta; andar na ponta dos cascos; andar nas alcatras; andar nas bocas do mundo; andar nas mãos de todos; andar nas nuvens; andar no cavalo dos frades; andar no vácuo do outro; andar nos ares; andar nos trilhos; andar nos trinques; andar num cortado; andar num torniquete; andar numa roda-viva; andar o carro adiante dos bois; andar o diabo à solta; andar para trás como caranguejo; andar pelo fio da navalha; andar pelos cantos; andar pelos quintos; andar por ceca e meca; andar sobre brasas; andar, virar, mexer; com o andar do tempo; estar cagando e andando; ir andando; não saber a quantas anda; não

anular

ser osso para andar na boca de cachorro; O diabo anda à solta!; pegar o bonde andando; poder andar com a cara descoberta; pôr a andar; tomar o bonde andando (*V.* "pegar o bonde andando")
andar (pavimento) andar térreo
andar (*subst.*) andar de peso
andor Devagar com o andor.
André cruz de Santo André
anel anéis de Saturno; anéis olímpicos; anel do pescador; anel rodoviário; dar os anéis para salvar os dedos; eclipse em anel (*V.* "eclipse anular")
anelar eclipse anelar (*V.* "eclipse anular")
anestesia anestesia geral
angariar angariar votos
angélico(a) doutor Angélico; saudação angélica
angina angina de peito
angu angu de caroço; Debaixo desse angu tem caroço.; pegar o angu; ter carne debaixo do angu
angular (*subst.*) pedra angular
ângulo ângulo reto; de qualquer ângulo; por qualquer ângulo
angusta *ad augusta per angusta*
anima *in anima nobili*; *in anima vili*
animado desenho animado
animal animal de estimação; animal de tiro; animal irracional; animal racional; animal sem rabo; lado animal; o rei dos animais; rei dos animais; reino animal; tratar como animal; *animal bipes implume*
animo *ex animo*
ânimo acirrar os ânimos; ânimo buliçoso; força de ânimo; frieza de ânimo; ganhar ânimo; grandeza de ânimo; injeção de ânimo; isenção de ânimo; rijo de ânimo
animus *animus abutendi*; *animus furandi*; *animus necandi*; *animus rem sibi habendi*
anistia anistia fiscal
aniversário aniversário natalício
anjinho fazer-se de anjinho
anjo anjo caído; anjo corredor; anjo custódio; anjo da guarda; anjo das trevas; anjo mau; beijo de um anjo; boca de anjo; como um anjo; discutir sobre o sexo dos anjos; falar pela boca de um anjo; fazedor de anjos; pão dos anjos (*V.* "pão celeste"); pé de anjo; Que os anjos digam amém.; viver como Deus com os anjos
anno *anno domini* (a.D.)
annus *annus mirabilis*
ano a saída do ano; adiantado em anos; ano a ano; ano bissêxtil (*V.* "ano bissexto"); ano bissexto; ano capicua; ano civil; ano climatérico; ano comercial; Ano da Graça; ano de vacas gordas; ano de vacas magras; ano decretório (*V.* "ano climatérico"); ano eclesiástico; ano fiscal; ano letivo; ano litúrgico; ano sabático; ano santo; ano sideral; ano solar; ano útil; ano vai, ano vem; anos a fio; anos dourados; ao ano; avançado em anos; dia de ano-bom; dia de anos; entra ano, sai ano; entrado em anos; estação do ano; fazer anos; flor dos anos (*V.* "flor da idade"); fora os (anos em) que mamou; não passarem os anos por; não se passaram os anos por/para; não vai morrer este ano; nem em um milhão de anos; passar de ano; pesado de anos; peso dos anos; ponha anos nisso; quadra do ano; ter anos de janela; *dia de Ano-Novo judaico (Rosh Hashaná)*
anoitecer anoitecer e não amanhecer; ao anoitecer
anônimo(a) capital aberto (sociedade anônima de); capital fechado (sociedade anônima de); sociedade anônima
anorexia anorexia mental
anta tapado como uma anta
ante pé ante pé; sair pé ante pé; *ante meridiem*; *ex ante*; *in statu quo ante*
antecedência com antecedência
antecedente bons antecedentes
antecipação com antecipação; por antecipação
antemão de antemão; saber de antemão
antena antena direcional; antena parabólica; de antena ligada; estar de antenas ligadas; ter antenas
antenado(a) estar antenado
antes antes assim; antes de; antes de Cristo; antes de mais nada; antes de ontem; antes de tudo; antes do dilúvio; antes do tempo; antes que; antes tarde do que nunca; calmaria antes da tempestade; de antes; em antes; em antes de; estar velho antes do tempo; ou antes; quanto antes; quanto antes melhor; soltar os foguetes antes da festa
anti (*prefixo*) sentido anti-horário
antiaéreo abrigo antiaéreo
antigo(a) à antiga; a mais antiga das profissões; a profissão mais antiga do mundo; Antiga Aliança; antigo continente; Antigo Testamento; as sete maravilhas do mundo antigo; légua das antigas (*V.* "légua de beiço"); sete maravilhas do mundo antigo; uma dúzia das antigas
antiguidade antiguidade clássica
antípoda antípoda da virtude; antípoda do tempo
antolhos ter antolhos
anulado(a) largada anulada
anular dedo anular
anular (*adj.*) eclipse anular

anúncio anúncio classificado; anúncio luminoso
anzol cair no anzol; comer a isca e cuspir no anzol; engoliu a linha, o anzol, a chumbada e a isca; fulano dos anzóis carapuça; zé dos anzóis (V. "zé dos anzóis carapuça"); zé dos anzóis carapuça
aonde ir aonde levam os pés
apagado cachimbo apagado; fósforo apagado; homem apagado; tição apagado
apagar ao apagar das luzes; apagar o cachimbo; apagar o facho; apagar o fogo; apagar o fogo com azeite; chegar para apagar as luzes; quem sair por último apague a luz (V. "Quem vier atrás que feche a porta.")
apaixonado perdidamente apaixonado
apalpadela às apalpadelas
apalpar apalpar o chão (V. "apalpar o terreno"); apalpar o terreno
apanhado fazer um apanhado; um apanhado de
apanhar apanhar água com peneira; apanhar alguém com a mão na cumbuca; apanhar alguém de calças curtas; apanhar com a boca na botija; apanhar como boi ladrão; apanhar moscas; apanhar no ar; Apanhei-te, cavaquinho!; *apanhar chuva*
aparar aparar arestas; aparar as asas de
aparecer atirar no primeiro que me aparecer na frente; cresça e apareça; matar o primeiro que me aparecer na frente (V. "atirar no primeiro que me aparecer na frente"); querer aparecer
aparelho aparelho sanitário
aparência aparência exterior; manter as aparências; salvar as aparências
aparente concreto aparente; de tijolo aparente
apartamento apartamento conjugado
apelação sem agravo nem apelação (V. "sem apelação"); sem apelação
apelar apelar para a ignorância
apelido ser apelido
apelo apelo à ignorância; apelo ao respeito; apelo dramático; apelo patético (V. "apelo dramático"); apelo veemente (V. "apelo dramático"); sem apelo
apenas ser apenas; ser apenas um número
aperreado boi manso, aperreado, arremete
apertado apertados como sardinhas em lata; com o coração apertado; estar apertado; ficar apertado; passar apertado
apertão dar um apertão (V. "dar um aperto")
apertar apertar a cravelha; apertar a mão; apertar o botão errado; apertar o cerco; apertar o cinto; apertar o passo; apertar o pé; de apertar o coração; saber onde lhe aperta o calo (V. "saber onde lhe aperta o sapato"); saber onde lhe aperta o sapato
aperto aperto de mão; dar um aperto; estar em aperto; hora do aperto; levar um aperto; passar por um aperto; ver-se em aperto (V. "ver-se em apuros")
apesar apesar de; apesar de que; apesar de tudo; apesar disso(disto); apesar dos pesares
apetite abrir o apetite; apetite sexual; bom apetite; perder o apetite
ápice num ápice; por um ápice
apito apito final; engolir o apito; ganhar no apito; perder no apito; Que apito é que ele toca?; soprador de apito
aplicar aplicar o ouvido; aplicar os ouvidos (V. "aplicar o ouvido")
apocalipse besta do Apocalipse; mensageiro do apocalipse; os Quatro Cavaleiros do Apocalipse
apoiado Não apoiado!
apoio pé de apoio; ponto de apoio
apontar apontar o dedo; falar no burro, apontaram as orelhas
aporia aporias de Zenão
após após de; dia após dia; noite após noite
aposentadoria aposentadoria compulsória
aposta dobrar a parada (aposta)
apostar apostar no escuro; apostar todas as fichas; aposto a minha cabeça
apostolado apostolado da Oração
apostólico(a) Igreja Católica Apostólica Romana; núncio apostólico; sede apostólica
apóstolo príncipe dos Apóstolos; Símbolo dos Apóstolos
apreço em apreço; ter em alto apreço (V. "ter em conta")
aprender aprender a lição; vivendo e aprendendo
aprendiz aprendiz de feiticeiro
apresentação volta de apresentação
apresentar Apresentar armas!
aprisco voltar ao aprisco
aprontar aprontar um escarcéu; aprontar uma
apropriação apropriação indébita
aproveitar aproveita bem o dia; aproveitar a brecha; aproveitar a deixa (V. "aproveitar a brecha"); aproveitar a maré (V. "aproveitar a brecha"); aproveitar a oportunidade (V. "aproveitar enquanto o Brás é tesoureiro"); aproveitar enquanto é tempo (V. "aproveitar enquanto o Brás é tesoureiro"); aproveitar enquanto o Brás é tesoureiro; Não se aproveita nem a alma para fazer sabão.
apunhalar apunhalar pelas costas
apuração a marcha da apuração

apuro em apuros; estar em apuros; meter-se em apuros; ver-se em apuros; ver-se em grande apuro (*V.* "ver-se em apuros")
aquário era de Aquário
aquático(a) polo aquático
aquecer aquecer as turbinas
aquecimento aquecimento central; aquecimento global; aquecimento solar
aquela dá cá aquela palha; dê cá aquela palha; foi aquela água; por dá(dê) cá aquela palha; sem mais aquela; ser aquela água
aquele aquele que; esse ou aquele; este ou aquele; mandar para aquele lugar; todo aquele que
aquém aquém de
aquentar aquentar água para o mate dos outros
aqui aqui e acolá; aqui e agora; aqui e ali; Aqui é que a roda pega. (*V.* "aqui é que está o busílis"); aqui é que está o busílis; aqui é que são elas; aqui entre nós; aqui está fulano que não me deixa mentir sozinho; aqui há dente de coelho; aqui jaz; aqui na Terra; aqui pra nós; aqui tem jacutinga; aqui, que ninguém nos ouve; até aqui; Até aqui!; com um olho aqui, outro lá; eis aqui; eis aqui (*V.* "eis ali"); Eis aqui a serva do Senhor.; Escute aqui!; Estar por aqui!; já não está mais aqui quem falou; morde aqui; o papai aqui (*V.* "o papai"); para aqui; para aqui, para acolá; por aqui; por aqui e ali
aquífero lençol aquífero (*V.* "lençol freático")
Aquiles calcanhar de Aquiles
aquilo Aquilo é que é!; Aquilo é uma vaca; isso/isto e aquilo; ora isso, ora aquilo; ou isto ou aquilo
aquisitivo(a) poder aquisitivo
ar andar com a cabeça no ar; ao ar livre; apanhar no ar; ar ambiente; ar condicionado; ar de família; ar de festa; ar de poucos amigos; ar encanado; ar pesado; ar triunfante; ar viciado; castelo no ar (*V.* "castelo de vento"); com a cabeça no ar; com ar de resto; condicionador de ar; construir castelos no ar; corrente de ar; cuspir para o ar; dar o ar da graça; de papo para o ar; de papo pro ar (*V.* "de barriga para cima"); de pernas para o ar; estar com ar de quem não quer nada; estar fora do ar; estar no ar; falta de ar; fazer castelos no ar; ficar de papo para o ar; ficar no ar; fora do ar; golpe de ar; ir ao ar; jogar tudo para o ar; livre como o ar; milionário do ar; não respirar o mesmo ar que alguém; no ar; papo pro ar; para o ar; pernas para o ar; príncipe do ar; respirar ar fresco; respirar o mesmo ar; sair do ar; tomar ar; tomar ar fresco (*V.* "tomar ar"); viver de papo para o ar
arábias das arábias; homem das arábias
arábico(a) algarismo arábico
arado pôr a mão no arado
arame arame farpado; bigode de arame
aranha andar às aranhas; em palpos de aranha (*V.* "em papos de aranha"); em papos de aranha; prender-se com teias de aranha; teias de aranha
arapuca cair na arapuca
araque de araque
arara cagado de arara; estar cagado de arara; estar uma arara; pau de arara; pegar no ar
arbítrio ao arbítrio de; livre-arbítrio
árbitro árbitro da elegância
arca arca da Aliança; arca de Noé; arca por arca
arcabouço arcabouço constitucional
arcaico(a) português arcaico
arco abrir o arco; arco de pua; arco de triunfo (triunfal); arco e flecha; coisa do arco-da-velha; história do arco-da-velha; o fim do arco-íris
Arden circuito Elizabeth Arden
ardente sarça ardente
arder arder a tenda; arder em desejos; arder em guerra; arder por (alguém)
area area non aedificandi
área área de ação; área de livre comércio; área de serviço; área útil; beque de área; desinfetar a área (*V.* "desinfetar o (menção de lugar)"); grande área; limpar a área; pequena área
areado tacho areado
arear arear a caçamba
areenta ablução areenta
areia areia lavada; areia movediça; banco de areia; botar areia em; castelo de areia; construção na areia; construir na areia; de cal e areia; edificar sobre areia; enfiar a cabeça na areia; enfiar a própria cabeça na areia; enterrar a própria cabeça na areia; entrar areia em; escrever na areia; firme como um prego na areia; futebol de areia; jogar areia em; muita areia para o caminhão de (alguém); semear em areia
arena direito de arena; teatro de arena
arenga arenga de mulher
aréola aréola mamária
ares andar nos ares; dar ares de; dar ares de sua graça; dar uns ares de; dar-se ares (de); ir aos ares; ir pelos ares; levar pelos ares; mudar de ares; por ares e ventos; Que ares o trouxeram?; rainha dos ares; rei dos ares; saltar aos ares; saltar pelos ares; ter ares de
arestas aparar arestas

argumentandum ad argumentandum tantum
argumento argumento de bolsa; argumento de cacete; argumento de rachar; *argumento ab absurdo*
argumentum argumentum ad ignorantiam
Ariadne fio de Ariadne
arigó arigó da vazante
Arinos Lei Afonso Arinos
arma alçar as armas; Apresentar armas!; arma biológica; arma branca; arma de dois gumes; arma de fogo; arma do crime; arma nuclear; arma química; arma secreta; armas espirituais; armas leves; Às armas; chamar às armas; com armas e bagagens; correr às armas; de armas e bagagens; depor armas; ensarilhar armas; irmãos de armas; passar-se com armas e bagagens para; pegar em armas; porte de arma
armação armação dos ossos; de muita armação e pouco jogo; muita armação e pouco jogo; ter muita armação e pouco jogo
armada (*subst.*) forças armadas
armadilha Cair na armadilha (*V.* "cair na arapuca")
armado(a) (*adj.*) à mão armada; armado até os dentes; cimento armado; concreto armado; de barraca armada
armar armar a cauda; armar barraco (*V.* "armar o maior barraco"); armar o maior barraco; armar sobre falso; armar um banzé; armar um barraco (*V.* "armar o maior barraco"); armar um circo; armar um esquema; armar-se com o sinal da cruz; armar-se de coragem
armário armário embutido; sair do armário; ser um armário
armazém armazém de secos e molhados; armazéns gerais
arqueológico(a) jazida arqueológica; sítio arqueológico
arquibancada ficar na arquibancada; jogar para a arquibancada
arquiteto grande arquiteto do Universo; o soberano arquiteto; o supremo arquiteto (*V.* "o soberano arquiteto")
arquivo arquivo morto; arquivo vivo; queima de arquivo; queimar o arquivo
arrancada de arrancada
arrancar arrancar a máscara; arrancar a pele a; arrancar os próprios cabelos
arranco (*subst.*) aos arrancos; de arranco
arranhar arranhar o latim (um idioma qualquer); arranhar o violão; não ser capaz de arranhar uma mosca
arrasado ficar arrasado
arrasar arrasar quarteirão; de arrasar; de arrasar quarteirão
arrastado negócio arrastado
arrastão ir no arrastão
arrastar arrastar a asa; arrastar a carcaça (*V.* "arrastar os pés"); arrastar a mala; arrastar a vida; arrastar a voz; arrastar as asas (*V.* "arrastar a asa"); arrastar mala; arrastar na lama; arrastar no lodo (*V.* "arrastar na lama"); arrastar os pés; arrastar pela lama (*V.* "arrastar na lama"); arrastar pela rua da amargura
arreado ver o cavalo passar arreado
arrebentar arrebentar a boca do balão; arrebentar de rir; de arrebentar os tímpanos; rir até arrebentar as ilhargas
arrebitado(a) de nariz arrebitado (*V.* "de nariz empinado")
arrebitar arrebitar as orelhas
arrecadar tardar mas arrecadar
arredar não arredar pé
arredondado(a) conta redonda/arredondada
arregaçar arregaçar as mangas
arregalar arregalar os olhos
arrego pedir arrego
arreio firme nos arreios (*V.* "firme como uma rocha"); sacudir os arreios; sair vendendo arreios
arremesso arremesso lateral; arremesso livre; de arremesso
arremeter boi manso, aperreado, arremete
arremetida de arremetida
arrepender arrepender-se da hora em que nasceu
arrependido(a) madalena arrependida
arrepiado ficar arrepiado
arrepiar arrepiar caminho; arrepiar carreira; arrepiar o passo (*V.* "arrepiar caminho"); de arrepiar; de arrepiar cabelo de ovo (*V.* "de arrepiar"); de arrepiar o(s) cabelo(s); de arrepiar os pelos (*V.* "de arrepiar o(s) cabelo(s)")
arrepio ao arrepio de; sinto arrepios só de contar (ou de ouvir) (*V.* "sinto arrepios só de lembrar"); sinto arrepios só de lembrar
arriado(a) com a bateria arriada; com a crista arriada
arriar arriar a bandeira; arriar a carga; arriar o topete
arriba água arriba; negócio de água arriba
arribação ave de arribação
arrimo arrimo de família
arriscar arriscar a pele; arriscar a sorte
arritmia arritmia cardíaca
arroba arroba métrica
arrocho arrocho salarial; dar um arrocho em; levar um arrocho
arromba coisa de arromba; de arromba; festa de arromba; negócio de arromba

assim

arrombar arrombar uma porta aberta
arrostar arrostar o perigo
arrotar arrotar grandeza (*V.* "arrotar importância"); arrotar importância; arrotar postas de pescada; arrotar sabedoria (*V.* "arrotar sapiência"); arrotar sapiência; arrotar valentia; comer feijão e arrotar peru; comer sardinha e arrotar pescada
arroz arroz de carreteiro; arroz de festa; arroz de sequeiro; arroz-doce de função (*V.* "arroz de festa"); cabeça de arroz; feijão com arroz; pó de arroz
arruar cadeira de arruar
arruda com fé, arruda e guiné
arrumação freio de arrumação
arrumado bem-arrumado
arrumar arrumar a casa; arrumar a trouxa; arrumar as malas; arrumar(/fazer) a trouxa
ars Ars gratia artis
art art déco; art nouveau; clip art; L'art pour l'art
arte arte da palavra; arte pela arte; arte rupestre; artes cênicas; artes liberais; artes plásticas; editor de arte; fazer arte(s); fazer uma arte; obra de arte; pelo amor à arte; por amor à arte; por artes de berliques e berloques; por artes do diabo; sétima arte
artesiano poço artesiano
articulo in articulo mortis
artificial incubação artificial; inteligência artificial; lua artificial; satélite artificial
artifício artifício de cálculo; fogos de artifício
artigo artigo de fundo; artigo de segunda; artigos da fé; em artigo de morte
artilheiro montinho artilheiro
artis Ars gratia artis
artista artista obscuro; artista plástico
artístico nu artístico; *couvert* artístico
artium Magister Artium
árvore árvore da ciência do bem e do mal; árvore da vida; árvore de Natal; árvore genealógica; árvore-da-borracha; não dar em árvores
ás ás de copas; dar sota e ás a; quadra de ases
asa abrir as asas; andar de asa caída; aparar as asas de; arrastar a asa; arrastar as asas (*V.* "arrastar a asa"); asa-delta; bater as asas; bater asas; cortar as asas de; criar asas; dar asa; dar asas (*V.* "dar asa"); dar asas a cobra; dar asas à imaginação; de asa caída; debaixo da(s) asa(s); desprender as asas; estar com ferida na asa; estar de asa caída; lavado nas asas da fama (*V.* "voar nas asas da fama"); nas asas da imaginação; nas asas do vento; sob as asas de; soltar as asas à imaginação; ter asas nos pés; voar nas asas da fama
ascender ascender ao trono (*V.* "subir ao trono")
ascensão Ascensão do Senhor; ascensão meteórica
asfalto caubói de asfalto; procurar minhoca no asfalto
asiático tigres asiáticos
asinum asinus asinum fricat
asinus asinus asinum fricat
asno ficar com cara de asno (*V.* "ficar com cara de pau"); pedaço de asno; pôr mel em boca de asno
aspa abrir aspas (*V.* "abrir parênteses"); abrir aspas/parênteses; bater aspas; entre aspas; estar de aspa torta; fincar as aspas; fincar as aspas no inferno
aspera ad astra per aspera; Per aspera ad astra.
aspirador aspirador de pó
asqueroso tipo asqueroso
assado(a) assim e assado (*V.* "assim ou assado"); assim ou assado; nem assim, nem assado; tanto faz assim como assado (*V.* "tanto faz")
assaltar assaltar a geladeira
assalto tomar de assalto
assanhado assanhado como barata em tempo de chuva
assar Sua batata está assando!
assassino assassino em série; assassino serial (ou sequencial) (*V.* "assassino em série")
asseado(a) fê-la limpa e asseada
assédio assédio sexual
assembleia assembleia constituinte; assembleia dos fiéis; assembleia legislativa
assentada de uma assentada
assentar assentar a cabeça; assentar a mão; assentar como uma luva; assentar o braço (em); assentar o cabelo (de); assentar o facho; assentar o pau em; assentar os cinco mandamentos; assentar praça; deixar assentar a poeira; esperar a poeira abaixar/assentar/baixar (*V.* "esperar até que a poeira assente"); esperar até que a poeira assente
assento assento ejetável; assento etéreo; assento eterno (*V.* "assento etéreo"); banho de assento; de assento; ter assento; tomar assento
assim a permanecerem assim as coisas...; ainda assim; antes assim; assim como; assim como assim; assim e assado (*V.* "assim ou assado"); Assim é, se lhe parece; assim mesmo; assim ou assado; Assim passa a glória do mundo.; assim por diante; assim

assimétrico(a)

que; Assim seja!; assim sendo; assim, assim; bem assim; comigo é assim; Como assim?; É assim e pronto!; E assim por diante.; É assim que tem de ser! (*V.* "É assim e pronto!"); estar assim-assim; exatamente assim; foi assim que Napoleão perdeu a guerra; mesmo assim; não fica assim; não vai ficar assim (*V.* "não fica assim"); nem assim, nem assado; nem tanto assim; ou algo assim; para assim dizer; por assim dizer; sendo assim; ser assim; simples assim; tanto assim que; tanto faz assim como assado (*V.* "tanto faz")
assimétrico(a) barras assimétricas
assimilar assimilar o golpe
assinar assinar de cruz (*V.* "assinar em cruz"); assinar em branco; assinar em cruz; assinar embaixo; assinar o ponto
assinatura assinatura a rogo; tomar assinatura com
assistência assistência social
assistencial populismo assistencial
assistir assistir de camarote; assistir de palanque (*V.* "assistir de camarote")
assobiar assobiar e chupar cana; chupar cana e assobiar ao mesmo tempo
assobio almoço de assobio; assobio de cobra; refeição de assobio
associação associação de ideias; associação de palavras
assombrado(a) casa assombrada; casa mal-assombrada (*V.* "casa assombrada")
assoprar morde e assopra
assopro instrumentos de assopro (ou sopro)
assunto assunto de capa (*V.* "história de capa"); assunto de família; assunto momentoso (*V.* "assunto quente"); assunto quente; boiar no assunto; enterrar o assunto; liquidar o assunto (*V.* "liquidar a fatura"); mastigar uma resposta (ou um assunto); morar num assunto; nada pescar do assunto (do ofício); pôr uma pedra no assunto (*V.* "pôr uma pedra em cima"); puxar assunto; Vamos mudar de assunto.
assustar assustar-se com a própria sombra
aste não dizer uste nem aste
astra ad astra per aspera; Per aspera ad astra.
astral alto-astral; baixo-astral
astro astro da noite; astro de cinema; astro de primeira grandeza; astro do dia; astro errante; astro rei; consultar os astros; o astro da noite
Astúrias príncipe das Astúrias
atá andar ao atá
atacado vender por atacado
atacar atacar pelas costas; não atacar nada

atado(a) atado à cama; atado de pés e mãos; com as mãos atadas; de mãos atadas; de pés e mãos atados
atalaia de atalaia
atalho pôr atalho
ataque ataque de nervos; dar um ataque; ter um ataque
atar ao atar das feridas; atar as mãos a; atar e desatar; não atar nem desatar
até armado até os dentes; até a consumação dos tempos; até a medula; até a medula dos ossos; até a raiz do(s) cabelo(s); até a raiz dos cabelos; até à saciedade; até a última gota; até a última letra; até a vista; até agora; até aí morreu Neves; Até ali!; até amanhã; até aqui; Até aqui!; até as orelhas; até as tampas; até as telhas; até as últimas; até breve; até cair de costas; até certo ponto; até debaixo d'água; até dizer basta; até dizer chega (*V.* "até dizer basta"); até então; até já; até logo; até logo mais (*V.* "até logo"); até mais; até mais (ver) (*V.* "até logo"); até mais não poder; até mais ver; até mesmo; até não poder mais; até o cabo; até o caroço (*V.* "até a última gota"); até o diabo dizer basta; até o fim; até o fim do mundo; até o momento; até o pescoço; até o sabugo; até o último suspiro; até onde a memória alcança; até onde a vista alcança; até os olhos; até os ossos; até perder o fôlego; Até quando?; até que; até que a morte nos separe; até que enfim; até que o inferno congele; até que ponto; até que venha o Reino; até segunda ordem; até sempre; até um cego vê; até um dia; Até você?; atolado até a alma; atolado até o pescoço; comer até encher a pança (*V.* "comer como um cavalo"); comer até entornar (*V.* "comer como um cavalo"); contar até dez; corar até a raiz dos cabelos; dar até a roupa do corpo; desde cima até embaixo (*V.* "de alto a baixo"); duvido até com os pés; entrar na matéria; esperar até que a poeira assente; espremer até a última gota; estar envolvido até o pescoço; lutar até o fim; perder até as calças; rir até arrebentar as ilhargas; rogar ao santo até passar o barranco
atenção centro das atenções; chamar a atenção; em atenção a; prender a atenção para; prestar atenção
aterrissagem aterrissagem forçada
aterro aterro sanitário
atestado atestado de burrice
atiçar atiçar o fogo
átimo num átimo
atingir atingir em cheio; O que vem de baixo não me atinge.
atirador atirador de elite

atirar atirar a luva; atirar a primeira pedra; atirar no primeiro que me aparecer na frente; atirar no que viu e acertar no que não viu; atirar pra todos os lados; atirar-se aos pés de
atitude tomar uma atitude
atividade atividade paralela; em atividade; esfera de atividade (V. "esfera de ação")
ativo(a) não ter voz ativa; ter voz ativa; voz ativa
atlas atlas celeste
atleta pé de atleta
atmostérico(a) poluição atmosférica; precipitação atmosférica
ato ato adicional; ato contínuo; ato de fé; ato de variedades; ato falho; ato institucional; ato sexual; fazer ato de presença; no mesmo ato
atolado(a) atolado até a alma; atolado até o pescoço; atolado em dívidas; estar atolado; vaca atolada
atoleiro meter o pé no atoleiro; sair da lama e cair no atoleiro; sair do atoleiro
atômico(a) combustível atômico/nuclear
atrás amanhecer com a avó atrás do toco; andar com a pulga atrás da orelha; atrás da cortina; atrás das grades; atrás das portas; atrás de; atrás dos bastidores; casado atrás da porta; chegar com uma mão atrás e outra na frente (V. "chegar de mãos abanando"); com a avó atrás do toco; com a pulga atrás da orelha; com a vó atrás do toco (V. "com a avó atrás do toco"); com o pé atrás; com uma mão atrás e outra adiante; correr atrás das borboletas; correr atrás de; correr atrás do prejuízo; correr atrás do rabo; de pé atrás; deixar para trás; estar com a avó atrás do toco; estar com o pé atrás (V. "estar de pé atrás"); estar de pé atrás; estar o diabo atrás da porta; fazer pé atrás; ficar atrás de; ir atrás de; meter/pôr atrás das grades; morrer um atrás do outro; não ficar atrás; não ir atrás de; ponto atrás; pôr uma pulga atrás da orelha de (V. "pôr uma pedra no sapato de"); Quem vier atrás que feche a porta.; um passo à frente, dois atrás; um passo atrás (ou para trás) e dois adiante (ou à frente); voltar atrás
atrasado(a) atrasado mental
atraso atraso de vida; tirar o atraso
através através de
atravessado(a) andar atravessado com; espinho atravessado na garganta; olhar atravessado (V. "olhar de través"); ter um espinho (uma espinha) atravessado(a) na garganta; trazer alguém atravessado na garganta; trazer um espinho atravessado na garganta

atravessar atravessar a alma de alguém; atravessar no meu caminho; atravessar o coração de alguém (V. "atravessar a alma de alguém"); atravessar o Rubicão
atravesssado atravessado na garganta
atributo principais atributos morais
atropelar atropelar a gramática
atropelo aos atropelos
atual graça atual; valor atual
au vin coq au vin
audiência dar audiência a
auditiva acuidade auditiva
auditório macaca de auditório
auditu de auditu
auê com muito auê
augusta ad augusta per angusta
aula aula inaugural; aula magna; faltar à aula no dia em que ensinaram; matar aula; ter faltado à aula no dia em que ensinaram...
aumentar não aumentar a aflição do aflito
aura aura popular; aura vital
aurea aurea mediocritas
áurea Lei Áurea; razão áurea; regra áurea
aurem ab ore ad aurem
auri auri sacra fames
auricular confissão auricular; dedo auricular (V. "dedo mínimo"); testemunha auricular
auriverde pendão auriverde
aurora aurora austral; aurora boreal; aurora polar; lágrimas da aurora; tálamo da aurora
ausência brilhar pela ausência; fazer (não fazer) boa ausência de
ausente ausente de
auspícios sob os auspícios de
austral aurora austral; continente austral
aut aut mors aut victoria (V. "aut vincere aut mori"); aut vincere aut mori
autenticado(a) cópia autenticada
auto auto de fé; auto de praça; estar pelos autos
automático(a) chuveiro automático; piloto automático; vendedora automática
automóvel automóvel de praça
autor autor dos seus dias; autor intelectual; autor moral (V. "autor intelectual"); o autor de seus dias
autorama piloto de autorama
autoridade abuso de autoridade; revestir-se de autoridade
autoritária democracia autoritária
autoritário entulho autoritário
autoritate ex autoritate legis
aval aval em branco; aval pleno
avaliação ser de difícil avaliação (V. "não ter preço")

avaliar avaliar um livro pela sua capa
avançada (*subst.*) às avançadas
avançado(a) (*adj.*) avançado em anos; guarda avançada; ideias avançadas
avançar avançar a linha (*V.* "avançar o sinal"); avançar o sinal
avante avante de; ir avante; levar a sua avante (*V.* "levar a sua adiante"); levar avante (*V.* "levar adiante")
AVC acidente vascular cerebral (AVC)
Ave (*interj.*) ao toque das ave-marias; às ave-marias; *Ave, Caesar, morituri te salutant*
ave (*subst.*) ave de arribação; ave de Juno; ave de Júpiter; ave de mau agouro; ave de Minerva; ave de rapina; ave de São João; ave de Vênus; ave rara
aveludado(a) voz aveludada
avenida abrir uma avenida em
avessas (*subst.*) às avessas; de candeia às avessas com (*V.* "de cafiroto aceso")
avesso avesso a badalação; avesso da medalha; nem que se vire pelo avesso; pelo avesso; sem avesso nem direito; sem direito nem avesso (*V.* "sem avesso nem direito"); virar pelo avesso
avestruz bancar o avestruz; estômago de avestruz
aviação aviação embarcada; campo de aviação; o Pai da Aviação
avião fazer avião
avis avis rara
avisar Eu bem que avisei.
aviso aviso prévio; de aviso; estar de aviso; estar de aviso prévio (*V.* "estar de aviso")
avô/avó amanhecer com a avó atrás do toco; avô (avó) torto(a); com a avó atrás do toco; como dizia meu avô/avó/mãe (*V.* "como dizia meu pai"); É a sua avó (*V.* "É a vovozinha."); estar com a avó atrás do toco; mais velho/a que meu (/minha) avô (/avó); minha avó tem uma bicicleta; Se? Ora, se! Se minha avó não tivesse morrido, inda hoje estaria viva.; ver a sua avó por uma greta
azar dar azar; jogo de azar; Que azar!
azeitar azeitar as canelas
azeite apagar o fogo com azeite; beber azeite; pôr azeite (gasolina) no fogo (*V.* "pôr (colocar) lenha na fogueira"); pôr azeite no fogo
azeitona botar azeitona na empada de alguém; pôr azeitona na empada de alguém (*V.* "botar azeitona na empada de alguém")
ázimo pão ázimo
azucrinar azucrinar os ouvidos
azul azul do céu; bilhete azul; com a mosca azul; fita azul; mordido pela mosca azul (*V.* "picado pela mosca azul"); ouro sobre azul; picado pela mosca azul; sangue azul; tudo azul; uma vez na lua azul...
azular azular no mundo

B

bá bê-á-bá de uma profissão
baba baba de moça; chover baba e ranho; uma baba
babaca cara de babaca (*V.* "cara de pamonha")
babado liso e sem babado; Qual é o babado?; ser babado por
babar babar na gravata; babar ovo; babar-se por alguém; ficar babando por
babel torre de Babel
babilônia cativeiro da Babilônia
bacalhau bacalhau de porta de venda; dar em água de bacalhau; magro como bacalhau em porta de venda (*V.* "magro como um espeto"); Para quem é, bacalhau basta.; Pra quem é, bacalhau basta!; salvar-se em águas de bacalhau
bacia bacia das almas; comprar na bacia das almas; na bacia das almas
back fazer backup (ou back up)
backup fazer backup (ou back up)
Baco dons de Baco; presentes de Baco; sem Ceres e Baco, Vênus vive fria; tesouros de Baco
badalação avesso a badalação
badalo comer o badalo
badejo comércio eletrônico
baeta romper as baetas
bafo bafo de onça; bafo de tigre (*V.* "bafo de onça")
bagaço aos bagaços (*V.* "aos pandarecos"); estar um bagaço; no bagaço; um bagaço
bagagem bagagem literária; com armas e bagagens; de armas e bagagens; passar-se com armas e bagagens para
bagatela por uma bagatela
bagre cabeça de bagre
bagunça Que bagunça
bagunçar bagunçar o coreto
baiano(a) rodar a baiana
baião baião de dois
baila à baila; estar na baila; trazer à baila; vir à baila
baile a baile (*V.* "vir à baila"); baile a fantasia; baile de máscaras (*V.* "baile a fantasia"); corpo de baile; dar um baile em; vestido de baile
bainha cosendo bainha; dar bainha; meter a espada na bainha; não caber na bainha
baioneta baioneta calada
baixa (*subst.*) dar baixa; dar baixa de (em); em baixa; jogar na baixa; sofrer uma baixa

baixar baixa-mar (*V.* "maré baixa (alta)"); baixar a bola de; baixar a cabeça; baixar a cortina; baixar a crista; baixar a grimpa; baixar a guarda; baixar a lenha em; baixar a mão em; baixar a ripa; baixar à sepultura; baixar à terra (*V.* "baixar à sepultura"); baixar a trunfa; baixar ao hospital; baixar noutra freguesia; baixar noutro centro (*V.* "baixar noutra freguesia"); baixar o bico; baixar o cacete; baixar o facho; baixar o pano; baixar o pau; baixar o relho; baixar o sarrafo em; baixar o topete; baixar os olhos; baixar sem e levantar com; deixar a poeira baixar (*V.* "deixar assentar a poeira"); esperar a poeira abaixar/assentar/baixar (*V.* "esperar até que a poeira assente"); quando a poeira baixar
baixas de orelhas baixas; ficar de orelhas baixas
baixeza cometer uma baixeza
baixo (*adv.*) voar baixo
baixo (*subst.*) medir (alguém) de alto a baixo; para cima e para baixo; sai de baixo
baixo(a) (*adj.*) alta (baixa) latitude; baixa categoria; baixa estação; baixo calão; baixo clero; baixo nível; baixo profundo; baixo-astral; de alto a baixo; de cabeça baixa; de caixa baixa; de cima a baixo; de crista baixa; de farol baixo; em baixo; estar por baixo; fazer mão baixa; gente baixa; golpe baixo; mão por baixo, mão por cima; maré baixa (alta); não ser caju que nasce com a castanha para baixo; nivelar por baixo; O que vem de baixo não me atinge.; Países Baixos; para baixo; para baixo todo(s) (os) santo(s) ajuda(m); partes baixas (*V.* "partes pudendas"); passar por baixo do poncho; planta baixa; por baixo; por baixo da cerca; por baixo da mão; por baixo da mesa (*V.* "por baixo do pano"); por baixo de; por baixo do pano; por baixo dos panos (*V.* "por baixo do pano"); roupa de baixo (*V.* "roupa branca"); roupas de baixo; saia de baixo; sair de baixo; tudo de cabeça para baixo
baixos (*subst.*) altos e baixos; cheio de altos e baixos
bala à prova de bala; bala de festim; bala de goma; bala na agulha; bala perdida; como uma bala; crivar de balas; cuspindo bala; em ponto de bala; estar cuspindo bala; mandar bala; meter bala (*V.* "mandar bala"); partir como uma bala; pente de balas; ponto de bala; sair feito uma bala; tirar bala de criança; uma bala; varado de balas
balacobaco do balacobaco
balaio balaio de gatos
balança colocar (pôr) na balança; fiel da balança; pesar na balança; pôr na balança

balançar balança mas não cai; balançar o coreto; balançar o galho da roseira; balançar o rabo; balançar o véu da noiva; estar balançando
balanceado(a) dieta balanceada
balanço balanço de pagamentos; cadeira de balanço; cavalo de balanço; dar o balanço; equilíbrio do balanço de pagamentos; fechado para balanço; o balanço do poder
balão arrebentar a boca do balão; balão de ensaio
balcão mercado de balcão
baldão de baldão
balde aos baldes; balde de água fria; chutar o balde
baldio terreno baldio
baldroca trocas e baldrocas
baleia salvem as baleias
ballet corps de ballet
balsa balsa salva-vidas
balsâmico(a) vinagre balsâmico
bamba estar na corda bamba
bambo(a) andar na corda bamba; com as pernas bambas; corda bamba; dançar na corda bamba; equilibrar-se na corda bamba; na corda bamba
bambu cortina de bambu
banana a preço de banana; banana de dinamite; como macaco por banana; dar banana; dar uma banana; perguntar se macaco quer banana; pisar em casca de banana; preço de banana; um banana; Uma banana!
bananeira bananeira que já deu cacho; plantar bananeira
banca abafar a banca; banca de jornal; banca examinadora; botar banca; montar banca; pôr banca; quebrar a banca
bancar bancar o avestruz; bancar o Cristo; bancar o difícil; bancar o jogo; bancar o palhaço; bancar o peru; bancar o trouxa
bancário(a) moeda escritural ou bancária; quebra de sigilo bancário
banco alisar os bancos da escola; banco central; banco de areia; banco de dados; banco de gelo; banco de leite; banco de reservas; banco de sangue; banco dos réus; estar no banco dos réus; não esquentar o banco; não ter alisado banco da escola; no banco dos réus; sentar no banco
banda à banda; banda de fora; banda de música; banda de pneu; banda larga; banda marcial; Banda Oriental; banda podre; comer da banda crua; comer da banda cruz (*V.* "passar lamba"); comer da banda podre (ruim) (*V.* "comer da banda crua"); comer da banda podre (*V.* "comer fogo"); dar de

banda; olhar de banda; pegar da banda podre; pôr de banda; sair de banda
bandalha cair na bandalha
bandeira a bandeiras despregadas; acenar com a bandeira branca; arriar a bandeira; bandeira a meio-pau; bandeira branca; bandeira de conveniência; bandeira dois; bandeira em funeral; bandeira nacional; dar bandeira; enrolar a bandeira; estar de bandeira a meio-pau; hastear a bandeira; levantar a bandeira; levar uma bandeira; não ter bandeira; pau de bandeira; rir às bandeiras despregadas; ser bandeira; virar a bandeira
bandeja dar de bandeja; dar na bandeja (V. "dar de bandeja"); dar uma bandeja (V. "dar de bandeja"); receber de bandeja
bandido entregar o ouro ao bandido (V. "entregar o ouro"); jogar de bandido; trabalhar de bandido
bando em bando
bangu a bangu
bangue bigue bangue; filme de bangue-bangue
banguela na banguela
banha banha de cobra; criar banha; ficar na banha; passar banha em
banhar banhar as mãos no sangue de; banhar-se em águas de rosas; banhar-se em lágrimas
banheiro cantor de banheiro; tenor de banheiro
banho banho de assento; banho de bola; banho de cheiro; banho de facão; banho de gato; banho de loja; banho de luz; banho de poeira; banho de sangue; banho de sol; banho turco; calção de banho; correr banhos; cozinhar em banho-maria; dar banho; dar um banho; levar em banho-maria; roupão de banho; saída de banho; tomar banho de loja; Vá tomar banho!
banho-maria em banho-maria
banking home banking
banqueta banqueta continental (V. "plataforma continental")
banzé armar um banzé
bar bar mitzvah
baraço baraço e cutelo; senhor de baraço e cutelo
baralhar baralhar as cobertas
baralho carta fora do baralho; ser carta fora do baralho
barata (*subst.*) assanhado como barata em tempo de chuva; barata de igreja; barata descascada; barata tonta; entregue às baratas; sangue de barata; ter sangue de barata
baratinado estar baratinado
barato(a) (*adj.*) a resto de barato; bom, bonito e barato; conquistador barato; cortar o barato; custar caro (barato); dar de barato; deixar barato; economia barata (V. "economia de palitos"); gastar cera com defunto barato (ou ruim); imitação barata; tremendo barato
barba barba a barba; barba, cabelo e bigode; barbas de bode; cofiar a barba (V. "cofiar os bigodes"); fazer barba, cabelo e bigode; nas barbas de (alguém); nas barbas de (V. "nas bochechas de"); pôr as barbas de molho; ter a barba tesa
barbante estufar o barbante; marca barbante
barbicacho pôr barbicacho em
barca barca de São Pedro
barcaça barcaça de desembarque
barco abandonar o barco; aguentar o barco (V. "aguentar a mão"); ancorar o barco; barco a vela; comandar o barco; conduzir o barco (V. "comandar o barco"); deixar o barco correr; Estamos no mesmo barco.; estar no mesmo barco; no mesmo barco; segurar o barco; tocar o barco para a frente
barra aguentar a barra; barra da saia; barra de direção; barra de ferramentas; barra de menu; barra de rolagem; barra de tarefas; barra do dia; barra-limpa; barra-pesada; barras assimétricas; barras paralelas; barra-suja; código de barras; forçar a barra; levar à barra do tribunal; limpar a barra; o quebrar da barra; segurar a barra; sujar a barra; uma barra
barraca chutar o pau da barraca; de barraca armada
barracão barracão de zinco
barraco armar barraco (V. "armar o maior barraco"); armar o maior barraco; armar um barraco (V. "armar o maior barraco")
barranco a trancos e barrancos; aos trancos e barrancos; rogar ao santo até passar o barranco
barreira barreira do som; queda de barreira
barrela água de barrela; cair na barrela; dar em água de barrela (V. "dar em água de bacalhau")
barretada barretada com o chapéu alheio
barricão ficar no barricão
barriga barriga da perna; barriga de cerveja; chorar de barriga cheia; com a barriga no espinhaço; com a barriga roncando; comer barriga; de barriga; de barriga para cima; de sela na barriga; Ele tem o rei na barriga.; empurrar com a barriga; encher a barriga (V. "encher a pança"); estar com a barriga roncando; estar de barriga; falar de barriga cheia; fazer barriga; frio na barriga (V. "frio na espinha"); levar barriga,

pegar barriga; ter a barriga a dar horas; ter mais olhos que barriga; ter o olho maior que a barriga; ter o rei na barriga; ter o/um rei na barriga (V. "ter rei na barriga"); ter olhos maiores que a barriga; ter os olhos maiores do que a barriga (V. "ter olhos maiores que a barriga"); ter rei na barriga; tirar a barriga da miséria; trazer o rei na barriga
barril barril de chope; barril de pólvora
barro Cuidado com a louça que o santo é de barro.; do mesmo barro; ídolo de pés de barro; pés de barro; ter pés de barro
Bartolomeu Noite de São Bartolomeu
barulhão fazer um barulhão
barulho comprar barulho; do barulho; durma-se com um barulho desses; fazer barulho; fazer muito barulho por nada; muito barulho por nada
base à base de; com base em; consultar as bases; de base; indústria de base; na base de; sem base; tremer nas bases
básico(a) cesta básica; lei básica; saneamento básico
basta até dizer basta; até o diabo dizer basta; dar um basta; Para quem é, bacalhau basta.; Pra quem é, bacalhau basta!
bastante bastante bom; mais do que bastante; quantidade bastante
bastão empunhar o bastão; passar o bastão
bastar quanto baste
bastardo(a) filho bastardo
bastidores atrás dos bastidores; conhecer os bastidores; intriga de bastidores; nos bastidores; recolher-se aos bastidores
batalha batalha campal; batalha de gigantes; campo de batalha; cavalo de batalha; cruzador de batalha; fazer um cavalo de batalha; frente de batalha; palco de batalha; travar batalha
batalhão batalhão de gente; ser carneiro de batalhão
batata água de batata (V. "água de barrela"); batata da perna; batata quente; É batata!; ir descascar batatas; ir plantar batatas; mandar plantar batatas; na batata; plantar batatas; saco de batata; ser batata; Sua batata está assando!; ter uma batata quente nas mãos; Vá plantar batatas!
bateau *bateau-mouche*
bateção bateção de boca
batedor batedor de carteiras
batente enfrentar o batente; pegar no batente; pegar o (no) batente
bater bate não quara; bate, puxa, espicha e rasga; batendo chifre; bate-papo; bate-papo virtual; bater (jogar) um bolão; bater a alcatra na terra ingrata; bater a bela plumagem (V. "bater a linda plumagem"); bater à boa porta; bater a boca no mundo; bater a brasa; bater a caçoleta; bater a cama nas costas; bater a canastra; bater a linda plumagem; bater a mão no peito; bater a outra porta; bater a pacuera; bater à porta; bater a porta na cara de (alguém); bater as asas; bater as botas; bater asas; bater aspas; bater boca; bater bola; bater bolsa; bater bolsinha (V. "bater bolsa"); bater bruacas; bater cabeça; bater caixa; bater carteira; bater certo; bater chapa; bater chifres; bater com a cabeça pelas paredes; bater com a cara na porta; bater com a cola na cerca; bater com a língua nos dentes; bater com a porta na cara; bater com o nariz na porta (V. "bater com a cara na porta"); bater com o rabo na cerca (V. "bater com a porta na cara"); bater com os dentes (V. "bater com a porta na cara"); bater de cara com; bater de porta em porta; bater em ferro frio; bater em retirada; bater em todas as portas; bater estrada; bater horas; bater mato; bater na madeira; bater na mesma tecla; bater no muro; bater no pau; bater no peito; bater nos peitos (V. "bater no peito"); bater o coração; bater o escanteio e cabecear (V. "assobiar e chupar cana"); bater o ferro enquanto está quente; bater o martelo; bater o pacau; bater o pé; bater o prego; bater o queixo; bater o recorde; bater o sino; bater o trinta e um; bater orelha; bater orelhas (V. "bater orelha"); bater os chifres; bater os dentes; bater pala; bater palhada; bater palmas; bater papo; bater pasto; bater pé; bater pernas; bater pino; bater ponto; bater prego sem estopa; bater roupa; bater sem dó nem piedade; bater um fio; bater um papo; bater uma caixa; bater uma pelada; bateu, levou; cabeça de bater sola; de bate-pronto; é bater na mesma tecla (V. "É sempre a mesma cantilena."); É de vaca bater palmas com os chifres.; ir bater em; mandar bater a outra porta; mandar bater em outra freguesia (V. "mandar bater a outra porta"); não bater bem; não bater certo (V. "não bater bem"); não bater prego sem estopa; tábua de bater roupa; vara de bater pecado
bateria com a bateria arriada; recarregar as baterias; romper as baterias
batida (*subst.*) batida policial; de batida
batido(a) (*adj.*) de rota batida; em rota batida; muito batido; passar batido; rota batida; terra batida
batina abandonar a batina; deixar a batina
batismal água batismal; círio batismal; pia batismal; receber as águas batismais

batismo batismo de fogo; batismo de imersão; batismo de sangue; nome de batismo; receber o batismo; votos do batismo
batuta ter a batuta na mão
baú fundo do baú; golpe do baú
BD BD player
bê bê-á-bá de uma profissão
beau beau geste
bêbado bêbado (ou bêbedo) como um cacho (V. "bêbado como um gambá"); bêbado como um gambá; bêbado de cair (V. "bêbado como um gambá"); empurrar bêbado escada abaixo; mexer feito charuto em boca de bêbado
bebê bebê chorão; bebê de proveta; chá de bebê; dormir como um bebê
bebedeira cozer a bebedeira
bêbedo estar bêbedo como um cacho (V. "estar como um cacho")
bebedor bebedor de sangue; bebedor social
beber água que passarinho não bebe; beber à saúde de; beber água de bruços; beber água de chocalho; beber água nas orelhas dos outros; beber as lágrimas de (alguém); beber azeite; beber como um gambá; beber como uma esponja (V. "beber como um gambá"); beber leite de galinha; beber no gargalo (V. "tomar no gargalo"); beber pelo mesmo copo; beber um gole; comer insosso e beber salgado; É mais fácil que beber água.; hora da onça beber água; na hora da onça beber água; não beber nem desocupar o copo; só não beber chumbo derretido; sujar a água que bebe
bebes comes e bebes
bebida bebida generosa
beça à beça
beco beco sem saída; desinfetar o beco (V. "desinfetar o (menção de lugar)"); desocupar o beco; estar num beco sem saída
bedelho meter o bedelho em
beicinho estar pelo beicinho; fazer beicinho (V. "fazer beiço"); ficar pelo beicinho
beiço andar de beiço caído; de beiço; de lamber os beiços (V. "de lamber os dedos"); estar pelo beiço (V. "estar pelo beicinho"); fazer beiço; ficar de beiço caído; lamber os beiços (V. "lamber os dedos"); légua de beiço; levar pelo beiço; morder os beiços; não é para os seus beiços; não ser para o seu (ou meu) beiço; no beiço; passar o beiço; preso(a) pelo beiço; trazer pelo beiço
beijado(a) de mão beijada
beijar beijar a lona; beijar a terra; beijar o chão
beijo beijo da morte; beijo da paz; beijo de desentupir pia; beijo de Judas; beijo de língua; beijo de moça; beijo de morte; beijo de um anjo; cobrir de beijos; um beijo e um pedaço de queijo
beira à beira da morte; à beira de; à beira do abismo; à beira do precipício (V. "à beira do abismo"); à beira-mar; à beira-rio; estar à beira da sepultura; estar à beira do abismo; não ter eira nem beira; sem eira nem beira
beirada cair pelas beiradas (V. "cair pelas tabelas"); comer pelas beiradas; na tábua da beirada
bel a seu bel-prazer; ao bel-prazer; *bel canto*
beleléu ir para o beleléu; mandar para o beleléu
beleza cansar a beleza de; salão de beleza
bélico engenho bélico
beliscão beliscão de frade
belle *belle époque*; *la belle époque*
belo(a) a mais bela metade do gênero humano; bater a bela plumagem (V. "bater a linda plumagem"); bela dupla; bela tacada; belo como o dia; belo sexo; o belo sexo; pelos meus(/seus) belos olhos; Por fora bela viola, por dentro pão bolorento.; um belo dia
bem (*adv.*) a bem; a bem da verdade; a bem dizer; acabar bem; achar por bem; achar-se bem; ainda bem; ajudar a bem morrer; aproveita bem o dia; bem achado; bem assim; bem bolado; bem cedo; bem como; bem entendido; bem feito de corpo; Bem feito!; bem haja; bem lembrado; bem longe; bem no meio; bem perto; bem proporcionado; bem-acordado; bem-afeiçoado; bem-afigurado; bem-arrumado; bem-dotado; bem-informado; bem-mandado; bem-merecer; bem-posto; bem-talhado; cair bem; cair bem para; cheirar mal / não cheirar bem; dar por bem empregado; dar-se bem; dar-se bem com; de bem; de bem com a vida; deixar bem claro (V. "deixar claro"); entrar bem; estar bem; estar bem com Deus; estar bem de vida; estar bem-disposto; Eu bem que avisei.; falar pouco e bem; fazer bem em; fazer o que bem entender; fazer soar bem alto; ficar bem; ficar bem na fita; formiga faz bem à vista; gente bem; haver por bem; Isso/isto não me cheira bem.; levar a bem; mais bem; mandar bem; maravilhosamente bem; não bater bem; não cheirar bem; não estar bem; não estar nada bem (V. "não estar bem"); não girar bem; não me cheira bem; não regular bem; nem bem; passar bem; passe bem; pegar bem; pensar bem (mal) de; pense bem; proceder bem; saber bem; sair bem na foto; sair-se bem ou mal; se bem o disse, melhor o fez;

se bem que; ser bem; ser bem (mal) aceito; soar bem; vir bem; vir bem a calhar (*V.* "vir a calhar")
bem (*interj.*) bem que; bem que eu gostaria de; Pois bem!; tudo bem
bem (*subst.*) a bem de; achar de bem; árvore da ciência do bem e do mal; bem comum; bem de raiz; bens de capital; bens de consumo; bens de produção; bens de raiz; bens duráveis; bens imóveis; bens públicos; de bem com; dizer bem de; estar no bem-bom; falar bem de; fazer o bem; homem (pessoa) de bem; mal(es) que vem (vêm) para o bem; meu bem; não ser bem isso; pagar o mal com o bem; paz e bem; pessoa de bem; por bem; por bem ou por mal; querer bem a; Sumo Bem; ter por bem; trocar de bem
bênção ser uma bênção; tchau e bênção; tomar a bênção; tomar a bênção a cachorro
bendito bendito dos penitentes; Bendito seja Deus!
bene bene trovato; *nota bene*; *Se non è vero, è bene trovato.*
beneditino trabalho beneditino
benefício benefício da dúvida; em benefício de; sem ofício nem benefício
benefits fringe benefits
benfeitoria benfeitoria voluptuária
bengala estar de bengala
bento(a) água benta; pretensão e água benta; rezar na conta benta
benzer Benza Deus!
beque beque central; beque de área
berço nascido em berço de ouro; ter berço
berimbau pensar que berimbau é gaita
berlinda estar na berlinda; na berlinda; pôr na berlinda
berlique por artes de berliques e berloques
berloque por artes de berliques e berloques
Bermudas Triângulo das Bermudas
berreiro abrir o berreiro; cair no berreiro
besta besta de carga; besta do Apocalipse; besta quadrada; bicho do mato; deixar de ser besta; E eu sou besta?; fazer papel de besta (*V.* "fazer papel de bobo"); fazer-se de besta; metido a sebo (besta/sabichão) (*V.* "metido(a) a"); não é besta para...; não é mais besta porque é um só; número da besta; ser besta; ser uma besta
besteira besteira das grossas; deixar de besteira
bestiam ad bestiam
bestunto puxar do bestunto
bexiga estar com a bexiga
bezerro(a) bezerro de ouro; bezerro desmamado; cara de bezerro desmamado; chorar a morte da bezerra; chorar como bezerro desmamado; o bezerro de ouro; pensar na morte da bezerra; venta de bezerro novo
bíblia livros da Bíblia; povo da Bíblia
biblioteca biblioteca viva; rato de biblioteca
bica em bicas; estar na bica de; suar em bica (*V.* "suar em bicas"); suar em bicas
bicada dar bicadas
bicha bicha-louca
bichão ser um bichão (*V.* "ser um bicho")
bicheira ter bicheira
bichinho bicho (ou bichinho) de estimação (*V.* "animal de estimação"); meu bichinho
bicho bicho (ou bichinho) de estimação (*V.* "animal de estimação"); bicho de buraco (*V.* "bicho do mato"); bicho de concha (*V.* "bicho do mato"); bicho de matar com pedra; bicho de sete cabeças; bicho de toca (*V.* "bicho do mato"); jogo do bicho; matar o bicho; não ser nenhum bicho de sete cabeças; Que bicho te mordeu?; Se correr o bicho pega, se ficar o bicho come.; ser um bicho; ser um bicho do mato; tempo em que os bichos falavam (*V.* "tempo em que se amarrava cachorro com linguiça"); ter bicho-carpinteiro; ter bicho-carpinteiro (no corpo) (*V.* "não esquentar o banco"); ver que bicho dá; ver que bicho vai dar (*V.* "ver que bicho dá"); virar bicho
bicicleta minha avó tem uma bicicleta
bico a bico de pena; abrir o bico; baixar o bico; Bico calado!; bico de jaca; bico de papagaio; bico de pato; bico de pena; bico do seio; bico doce; bom de bico; calar o bico; com o bico n'água e morrendo de sede; de bico; fazer bicos; fechar o bico (*V.* "calar o bico"); jogar com pau de dois bicos; levar no bico (*V.* "levar na conversa"); meter o bico; meu bico; molhar o bico; não é para o seu bico (*V.* "não é para os seus beiços"); não ser para o seu (ou meu) bico (*V.* "não ser para o seu (ou meu) beiço"); passar o bico; pegar no bico da chaleira; sinuca de bico
bife bife a cavalo; bife à milanesa; bife de cabeça chata; bife de chapa; bife enrolado; bife rolê (*V.* "bife enrolado")
big big brother
bigode barba, cabelo e bigode; bigode de arame; bigode de gato; cofiar os bigodes; emendar os bigodes; fazer barba, cabelo e bigode; forde de bigode
bigorna entre a bigorna e o martelo; entre o malho e a bigorna; entre o martelo e a bigorna
bigu pegar (um) bigu
bigue bigue bangue
bilhar bilhar francês; bilhar inglês

bilhete bilhete azul; bilhete branco; bilhete corrido; bilhete de loteria
bilheteria sucesso de bilheteria
binário(a) dígito binário; numeração binária; sistema binário
biológico(a) arma biológica
bipes animal bipes implume
bipolar depressão bipolar
biquinho fazer biquinho
birra fazer birra; levar de birra; tomar birra de
bisca boa bisca
biscate fazer biscate
biscoito molhar o biscoito
bispado feijão bispado
bispo deixar entrar o bispo; para o bispo; queixar-se ao bispo; trabalhar para o bispo; Vá se queixar ao bispo!
bissêxtil ano bissêxtil (V. "ano bissexto")
bissexto ano bissexto; poeta bissexto
bitáculas levar nas bitáculas
bitola bitola estreita; bitola larga; bitola métrica; medir pela mesma bitola; medir pela sua bitola; passar da bitola
bizarria Como vai essa bizarria?
black black tie
bleu cordon-bleu
bloco botar o bloco na rua; em bloco
blue blue chip; blue jeans
blu-ray blu-ray disc (BD); blu-ray player
boa à boa vida; à boa-fé; abusar da boa vontade de (alguém); às boas; bater à boa porta; bater a outra porta; boa alma; boa bisca; boa boca; boa bola; boa cabeça; boa causa; boa cepa; boa changa; Boa coisa não é.; boa espada; boa estampa; boa estrela; boa forma; boa gente; boa hora; boa leitura; boa mesa; Boa noite!; boa para cortar manteiga; Boa pedida!; boa pergunta; boa política; boa prosa; Boa sorte!; Boa Terra; boa vontade; boa-fé; Boa-Nova; boa-pinta; Boas entradas; boas falas; boas graças; boas maneiras; boas-novas; boas-vindas; boa-vida; cair em boas mãos; dar as boas-vindas; de boa mão; de boa mente; de boa paz; de boa sombra; de boa-fé; Deus lhe dê uma boa hora.; dizer poucas e boas; dobrar o cabo da Boa Esperança; É uma boa.; em boa companhia; em boa hora; em boa ordem; em boa-fé; em boas mãos; escapar de uma boa; Essa é boa!; estar em boas mãos; estar nas boas graças de alguém; estar numa boa; estar pela boa; fazer (não fazer) boa ausência de; fazer boa figura; fazer poucas e boas; fazer uma boa; ficar numa boa; gente boa; levar boa vida; livrar-se de uma boa; meter-se em boa; mostrar boa ou má cara; na boa; na maior boa-fé; numa boa; passar por poucas e boas; pela boa; perder boa ocasião de ficar calado; pessoa de boa-fé; poucas e boas; ser boa a sua prosa; ser de boa paz; ser uma boa; ter boa boca; ter boa cabeça; ter boa cor; ter boa estrela; ter boa garganta; ter boas pernas; ter boas razões para; ter boas respostas; ter boas saídas; uma boa hora; vir às boas; viver na boa vida (V. "viver na flauta"); voltar às boas com (alguém)
bobagem de bobagem; deixar de bobagem (V. "deixar de besteira"); Desgraça pouca é bobagem!; fazer bobagem; miséria pouca é bobagem
bobeada dar uma bobeada
bobeira dar bobeira; de bobeira; marcar bobeira
bobo(a) bobo alegre; bobo da corte; bobo de ver; chuva de molhar bobo; deixar de ser bobo; estar feito bobo; fazer papel de bobo; ficar feito bobo; fingir-se de bobo; mão boba
boca à boca da noite; à boca miúda; à boca pequena; abridor de boca; abrir a boca; adoçar a boca; água na boca; amigo da boca para fora; andar nas bocas do mundo; apanhar com a boca na botija; arrebentar a boca do balão; bateção de boca; bater a boca no mundo; bater boca; boa boca; boca aberta; Boca calada!; boca da noite; boca de anjo; boca de cena; boca de chupar ovo; boca de espera; boca de fogo; boca de forno; boca de fumo; boca de lobo; boca de moela; boca de ouro; boca de sapo; boca de sino; Boca de siri!; boca de urna; boca do estômago; boca do lobo; boca do sertão; boca livre; boca rica; boca suja; bom de boca; botar a alma pela boca; botar a boca no mundo; botar a boca no trombone (V. "botar a boca no mundo"); cair na boca de todos (V. "cair na boca do lobo"); cair na boca do lobo; cair na boca do mundo; cair na boca do povo (V. "cair na boca do mundo"); Cala a boca!; cala-boca; Cala-te, boca!; certo como boca de bode; céu da boca; com a boca fechada; com a boca na botija; com água na boca; com o coração na boca; com o credo na boca; correr de boca em boca; da boca para fora; da mão para a boca; dar água na boca; dar um cala-boca; de boca; de boca aberta; de boca cheia; de boca em boca; de boca suja; de dar água na boca; de fazer água na boca (V. "de dar água na boca"); deitar os bofes pela boca; desmanchar na boca; deusa das cem bocas; dizer à boca pequena; dizer tudo o que lhe vem à boca; é só abrir a boca; encher a boca de uma coisa; estar ainda com o bocado na boca; estar com a palavra na boca; estar em todas as bocas; estar na boca de todos; falar da boca para fora; fa-

lar mais que a boca; falar pela boca de um anjo; fazer boca de pito; fazer boca de siri; fazer cruz na boca; fazer uma boca; fechar a boca; fechar a boca de (alguém); ficar de boca aberta; gaita de boca; gosto amargo na boca; gosto de cabo de guarda-chuva na boca; justo como boca de bode; mentir com todos os dentes que tem na boca; meter a boca; meter/enfiar uma rolha na boca de; mexer feito charuto em boca de bêbado; minha boca está fechada; munição de boca; na boca de; não abrir a boca; não ser osso para andar na boca de cachorro; pano de boca; pegar com a boca na botija; pegar uma boca; pôr a boca no mundo; pôr a boca no trombone (V. "pôr a boca no mundo"); pôr cadeado na boca (de); pôr mel em boca de asno; pôr na boca de; pôr os bofes pela boca afora; pôr palavras na boca de; pôr uma rolha na boca de; respiração boca a boca; sentir gosto de chapéu de sol na boca; sentir gosto de guarda-chuva na boca (V. "sentir gosto de chapéu de sol na boca"); tapar a boca de (alguém); ter a boca suja; ter boa boca; ter cabelo no céu da boca (V. "ter cabelo no coração"); ter na boca; tirar a palavra da boca de; tirar a rolha da boca; tirar a sardinha da boca (de alguém); tirar a sardinha da boca de (V. "tirar o mel da boca de"); tirar da boca; tirar o mel da boca de; tirar o pão da boca de; um gosto amargo na boca; vir à boca; Vire a boca pra lá!
bocadinho um bocadinho de
bocado bocado de tempo; estar ainda com o bocado na boca; maus bocados; passar por (um) mau(s) bocado(s) (V. "passar por um mau pedaço")
bochecha fazer bochechas; inchar as bochechas; nas bochechas de
bodas bodas de ouro
bode amarrar o bode; barbas de bode; bode expiatório; certo como boca de bode; cheirar a bode velho; dar bode; dar milho a bode; de bode amarrado; desamarrar o bode; estar com o bode amarrado; estar de bode amarrado; feder como um bode (V. "cheirar a bode velho"); ficar de bode; justo como boca de bode
bofes abrir os bofes; de maus bofes; deitar os bofes pela boca; homem de maus-bofes; pôr os bofes para fora (V. "deitar os bofes pela boca"); pôr os bofes pela boca afora; ter bons bofes; ter maus bofes
bofetada bofetada com luvas de pelica; bofetada sem mão
bofetões aos bofetões
boi amolar o boi; andar o carro adiante dos bois; apanhar como boi ladrão; boi carreiro; boi de carro; boi de corte; boi de piranha; boi de presépio; boi de sela; boi de(da) guia; boi em pé; boi frouxo; boi manso, aperreado, arremete; boi na linha; bumba meu boi; cabeça de boi; carro de boi; colocar a carroça na frente dos bois; comer como um boi (V. "comer como um cavalo"); comer um boi; conversa mole para boi dormir; conversa para (pra) boi dormir (V. "conversa mole para boi dormir"); dar nomes aos bois; É mais fácil um boi voar.; enterrar a cabeça do boi; estar de boi; estória para boi dormir; história para (pra) boi dormir; ir amolar o boi (V. "ir amolar outro"); junta de bois; olho de boi; pé de boi; pegar o boi; pegar o boi pelos chifres; pôr o carro adiante dos bois; saber dar nome aos bois; tirar o boi da linha; Vá amolar o boi!; ver boi voar
boia ficar sem a boia; hora da boia; pegar a boia
boiada estouro da boiada
boiar boiar no assunto
bola abaixar a bola; amaciar a bola; baixar a bola de; banho de bola; bater bola; boa bola; bola branca; bola da vez; bola de cristal; bola de neve; bola de sabão; bola fora; bola murcha; bola na rede; bola pra frente; bola preta; bola rolando; bola venenosa; bom da bola; bom de bola; botar a bola pra rolar; comer a bola; comer bola; crescer como bola de neve; dar bola; dar tratos à bola; deixar a bola correr (V. "deixar a bola rolar"); deixar a bola rolar; dono da bola; efeito bola de neve; encher a bola; engolir a bola; ensebar a bola; entrada sem bola; estar com a bola; estar com a bola toda; isolar a bola; jogar uma bola redonda; levar bola; não ser certo da bola; O mundo gira como uma bola.; passar a bola; pela bola sete; pisar na bola; redondo como uma bola; ruim da bola; ruim de bola; sofrer da bola; ter bola de cristal; trocar as bolas
bolacha cara de bolacha; não dizer bolacha
bolaço jogar um bolaço
bolado bem bolado
bolandas andar em bolandas
bolão bater (jogar) um bolão; jogar um bolão (V. "jogar um bolaço")
bolar bolar as trocas
bolas (*interj.*) Ora bolas!
bolear bolear a perna
boléus aos boléus
bolo bolo de gente; bolo de rolo; cereja do bolo; dar bolo; dar bolo em; dar o bolo; dar um bolo; dar um bolo em alguém; fura-bolo (V. "dedo indicador"); fura-bolos (V. "dedo indicador"); ter parte no bolo; um pedaço do bolo

bololô dar bololô (V. "dar bolo")
bolorento Por fora bela viola, por dentro pão bolorento.; por fora corda de viola, por dentro pão bolorento (V. "Por fora bela viola, por dentro pão bolorento.")
bolsa a bolsa ou a vida; abrir a bolsa; argumento de bolsa; bater bolsa; bolsa de estudos; bolsa de mercadorias; bolsa de valores; jogo de bolsa; puxar da bolsa; puxar pela bolsa; rodar a bolsa
bolsinha bater bolsinha (V. "bater bolsa"); rodar (a) bolsinha (V. "rodar a bolsa")
bolso aliviar o bolso de; botar no bolso; com a mão no bolso (V. "com as mãos na algibeira"); consultar o bolso; de bolso; encher os bolsos; enfiar a mão no bolso; estar com os bolsos furados; limpar os bolsos; livro de bolso; mexer nos bolsos; no bolso do colete; nu de mão no bolso; para todos os bolsos; pesar no bolso; pôr do bolso; pôr no bolso; sentir no bolso; teatro de bolso; ter alguém no bolso (V. "ter alguém na palma da mão"); ter lacraia nos bolsos; ter um escorpião no bolso; tirar do bolso do colete
bom a bom recado; achar bom; alto e bom som; bastante bom; bom alvitre; bom apetite; bom caminho; bom como água; bom como pão (V. "bom como água"); bom da bola; bom de; bom de bico; bom de boca; bom de bola; bom de cascos; bom de copo (V. "bom-copo"); bom demais; bom demais para durar; bom demais para ser verdade; Bom dia!; bom em (V. "bom de"); bom garfo; bom gosto; bom ouvido; bom papo; bom para cortar manteiga; bom partido; bom perdedor; Bom proveito!; bom que dói; bom samaritano; bom sinal; bom te ver; bom, bonito e barato; bom-copo; bom-senso; bom-sucesso; bons antecedentes; bons costumes; Bons dias (V. "Bom dia!"); bons tempos; Bons ventos o levem; Bons ventos o tragam; cabelo bom; cabra bom da peste (V. "cabra da peste"); danado de bom; de bom coração; de bom grado; de bom ou de mau grado; de bom recado; de bom-tom; de bons propósitos; dia de ano-bom; dizer alto e bom som; do bom; do bom e do melhor; É bom demais!; É bom que dói.; em bom português; estar no bem-bom; fazer o bom suor (V. "fazer suar"); ir para bom lugar; levar a bom termo; não saber o que é bom; nem é bom falar; o bom geral; o bom livro; o bom samaritano; olhar com bons olhos; os bons tempos; pagar um bom dinheiro; passar bom tempo; passar bons momentos; Que bons ventos o trouxeram? (V. "Que ares o trouxeram?"); que é bom; rir a bom rir; seguir o bom caminho; ser bom de (em); ser bom de copo; ser bom em (V. "ser bom de (em)"); ser bom para o fogo; ser de bom conselho; ser um bom garfo; ser um bom papo; tão bom como tão bom; ter bom coração; ter bom estômago; ter bom gosto; ter bom natural; ter bom ouvido; ter bom sucesso; ter bons bofes; ter bons repentes; trem bom; um bom sujeito; ver as coisas pelo lado bom; ver com bons olhos; ver o lado bom das coisas; ver o quanto é bom; ver o que é bom para tosse
bomba bomba inteligente; cair como uma bomba; levar bomba (V. "levar lenha"); uma bomba
bombeiro corpo de bombeiros
bon bon gré mal gré; *bon vivant*
bondade ter a bondade de
bonde comprar bonde; do tamanho de um bonde; não comprar bonde; pegar o bonde andando; pegar o bonde errado; perder o bonde (da história); tomar bonde errado; tomar o bonde andando (V. "pegar o bonde andando"); tomar o bonde errado
boné botar boné; botar o boné em; pedir o boné
boneca boneca de milho; parecer uma boneca
Bonifácio por conta do Bonifácio
bonito bom, bonito e barato; fazer bonito; fazer um bonito; Muito bonito!
bonum pax et bonum
boquinha fazer boquinha; fazer uma boquinha
borboleta caçar borboleta; correr atrás das borboletas; filé de borboleta; ossos de borboleta; usar gravata borboleta
borbotão aos borbotões
borco de borco
borda borda do campo
bordado bordado de Penélope
bordalesa calda bordalesa
bordar fazer colher de pau e bordar o cabo; pintar e bordar
bordo a bordo; alto bordo; comissário(a) de bordo; de alto bordo; serviço de bordo; virar de bordo
bordoada bordoada de cego
boreal aurora boreal
borla doutor de borla e capelo (V. "doutor de capelo")
borra de borra
borracha árvore-da-borracha; entrar na borracha; passar a borracha
borrachudo cheque borrachudo
borralheira gata borralheira
borrão ser um mata-borrão
borrar borrar as calças; borrar de manteiga; borrar-se de medo (V. "borrar as calças")

bosque fauno dos bosques
bossa bossa-nova
bota bater as botas; bota de sete léguas; descalçar a bota; gato de botas; lamber as botas de; limpar as botas de; onde Judas perdeu as botas
botânico jardim botânico
botão apertar o botão errado; botões do seio; casa de botão; com os seus botões; com seus botões; em botão; estar vendendo botões; falar com (os) seus botões; futebol de botão (mesa)
botar botar (colocar) no mesmo saco; botar a alma no inferno; botar a alma pela boca; botar a boca no mundo; botar a boca no trombone (V. "botar a boca no mundo"); botar a bola pra rolar; botar a casa abaixo; botar a colher; botar a mão na consciência; botar a mão no fogo; botar a mesa; botar a perder; botar areia em; botar as cartas na mesa; botar as mangas de fora; botar as manguinhas de fora (V. "botar as mangas de fora"); botar as mãos na cabeça; botar as unhas de fora (V. "botar as mangas de fora"); botar azeitona na empada de alguém; botar banca; botar boné; botar chifres em; botar cinza nos olhos de; botar corpo; botar em (num) jequi; botar feijão no fogo; botar fogo na canjica; botar fogo na fogueira; botar fora; botar lenha na fogueira (V. "botar fogo na fogueira"); botar na cabeça; botar na cerca; botar na roda; botar no bolso; botar no chão; botar no chinelo; botar no mato; botar nos chifres da lua; botar o bloco na rua; botar o boné em; botar o dedo na ferida; botar o olho em; botar o pé na forma; botar o pé no caminho; botar o pé no mundo; botar olho grande em; botar os corninhos de fora (V. "botar os cornos de fora"); botar os cornos de fora; botar os queixos em; botar para correr; botar para fora; botar para rachar; botar pelo ladrão; botar por terra; botar pra quebrar; botar quebranto; botar sebo nas canelas; botar tudo na praça; botar uma pedra em cima de; botar verde para pegar maduro; mandar botar o feijão no fogo; para não se botar (ou pôr) defeito (V. "para ninguém botar (ou pôr) defeito"); para ninguém botar (ou pôr) defeito; pôr (botar) as mãos no fogo (por alguém) (V. "pôr a mão no fogo (por alguém)"); pôr/botar lenha na fogueira (V. "deitar lenha na fogueira")
bote de um bote; errar o bote
botija apanhar com a boca na botija; com a boca na botija; pegar com a boca na botija
bourgeois pour épater le bourgeois
boy office boy

bozó viver no bozó
braçada às braçadas; braçada de peito
braçal trabalho braçal
braço a braços com; abrir os braços a; assentar o braço (em); braço a braço; braço de mar; braço direito; braço é braço; braço forte; braço secular; cadeira de braços; cair nos braços de Morfeu (V. "nos braços de Morfeu"); chave de braço; cruzar os braços; dar o braço; dar o braço a torcer; dar um mau jeito no pé/braço/mão (V. "dar um jeito no pé"); dar uma de joão sem braço; de braço dado; de braços abertos; de braços cruzados; de braços dados; descer o braço; Dou meu braço direito por...; entregar-se aos braços de; estar nos braços de Morfeu; golpe do joão-sem-braço; greve de braços cruzados; jogar-se nos braços de; lançar-se (jogar-se) nos braços de (V. "jogar-se nos braços de"); lançar-se nos braços de; longo(s) braço(s) da lei; meter o braço (V. "sentar o pau"); meter o braço em; não dar o braço a torcer; no braço; nos braços de; nos braços de Morfeu; queda de braço; sair no braço; sentar o braço; trazer debaixo dos braços; um braço; ver-se a braços com uma coisa; violão sem braço; vir a braços com
bradar bradar aos céus
Braile alfabeto Braile
brain brain drain
branco(a) acenar com a bandeira branca; aguaceiro branco; anã branca (vermelha, negra, marrom); arma branca; assinar em branco; aval em branco; bandeira branca; bilhete branco; bola branca; branco como a neve; branco como cera; branco de medo; branco do olho; branco do ovo; carta-branca; casamento branco; cheque em branco; colarinho-branco; crime de colarinho-branco; dar um branco; despedir em branco; Ele está branco.; elefante branco; em brancas nuvens; em branco; endosso em branco; escravas brancas; escravatura branca; escrever com luva branca; ficar branco como a cera; ficar de cabelos brancos; ficar em branco; geada branca; greve branca; ouro branco; passar do branco ao preto (V. "passar de um polo a outro"); passar em branco; pôr o preto no branco; preto de alma branca; preto no branco; roupa branca; Se um diz branco, o outro diz preto.; viúva branca
brando a fogo brando (V. "a fogo lento"); cozinhar a fogo brando
Brás aproveitar enquanto o Brás é tesoureiro
brasa andar sobre brasas; bater a brasa; brasa debaixo de cinza; como gato sobre brasas; estar em brasa; estar pisando em

brasileiro(a)

brasas; mandar brasa; pisar em brasa; puxar a brasa para sua sardinha; uma brasa
brasileiro(a) complexo brasileiro; fila brasileiro; Hino Nacional Brasileiro; inversão brasileira; jeitinho brasileiro
Brasília em ritmo de Brasília
brasílico etnônimo brasílico
bravo(a) reza brava
bravura com bravura
break break-even point
breca Com a breca!; levado da breca; levar a breca; levar-se da breca (*V.* "levar-se do diabo")
brecha abrir uma brecha; achar uma brecha; aproveitar a brecha; dar brecha para; dar uma brecha; esperando uma brecha; esperar uma brecha; estar na brecha
brejo a vaca foi pro brejo; ir a vaca para o brejo; ir para o brejo; ir pro brejo (*V.* "ir para o brejo"); tirar a vaca do brejo
breque samba de breque
breu escuro como breu; noite de breu; preto como breu
breve a breve trecho; a vida é breve; até breve; dentro em breve; em breve; em breves termos; ser breve
breviário ler pelo mesmo breviário (*V.* "ler pela mesma cartilha"); rezar pelo mesmo breviário (*V.* "rezar pela mesma cartilha")
brida a toda brida
briga água de briga; briga de cachorro grande; briga de foice; briga de foice no escuro; comprar briga; galo de briga; partir para a briga (*V.* "passar às vias de fato"); procurar briga (*V.* "procurar encrenca")
brigadeiro céu de brigadeiro
brilhar brilhar pela ausência
brilho empanar o brilho
brincadeira brincadeira de criança (*V.* "brinquedo de criança"); brincadeira de mau gosto; de brincadeira; deixar de brincadeira; fora de brincadeira; levar na brincadeira; não ser brincadeira; não ser brincadeira de criança (*V.* "não ser brincadeira"); não ser de brincadeira; nem de brincadeira; picar-se com as brincadeiras; ser uma brincadeira para
brincar brincando, brincando; brincar com a morte; brincar com fogo; brincar com pólvora; brincar de esconder; brincar de gato e rato; brincar de médico; brincar de pegar; Brincar de pique (*V.* "brincar de pegar"); brincar de roda; brincar em serviço; estar brincando; Estás brincando!; fazer brincando; fazer uma coisa brincando; não brincar em serviço; não saber brincar; nem brincando
brinco um brinco

brinquedo acabou-se o brinquedo; brinquedo de criança; de brinquedo; não é brinquedo não
brio meter em brios
brisa comer brisa; estar comendo brisa; limpador de para-brisa; viver de brisa
britânico(a) pontualidade britânica
bronca dar bronca; dar uma bronca; levar uma bronca (*V.* "levar um pito"); meter bronca
bronze de bronze; Idade do Bronze
brotar brotar como cogumelo; brotar sob as cinzas
brother big brother
bruaca bater bruacas
bruços beber água de bruços; de bruços
bruma bruma seca
brushing fazer brushing
bruto(a) à bruta; diamante bruto; força bruta; peso bruto; Produto Interno Bruto; produto nacional bruto; ser um diamante em bruto; sertão bruto
bruxo(a) bruxo do inferno; caça às bruxas; queimar as bruxas
buçal levar buçal; levar buçal de couro fresco (*V.* "levar buçal"); passar o buçal em; passar um buçal em (*V.* "passar o buçal em")
bucha acertar na bucha (*V.* "acertar em cheio"); andar à bucha; andar às buchas (*V.* "andar à bucha"); bucha da perna; bucha de canhão; É na bucha.; em cima da bucha; meter uma bucha; na bucha; tomar uma bucha
bucho encher o bucho
bué abrir o bué
buena ler a buena-dicha de
buf É pah e buf.
bufar pagar e não bufar
bufê bufê frio
bugalho alhos e bugalhos; confundir alhos com bugalhos; misturar alhos com bugalhos
bugiar ir bugiar
bulha sem bulha nem matinada
bulhufas não dizer bulhufas (*V.* "não dizer bolacha"); não entender bulhufas (*V.* "não compreender patavina")
buliçoso ânimo buliçoso
bulir bulir em casa de marimbondo; ter pai vivo e mãe bulindo
bumba bumba meu boi
bumerangue cheque bumerangue
bunda bunda de tanajura; dar de bunda; nascer com a bunda para a lua; pé na bunda
bundão cara de bundão (*V.* "cara de pamonha"); ficar com cara de bundão (*V.* "ficar com cara de pau")

buraco abrir um buraco para tapar outro; bicho de buraco (*V.* "bicho do mato"); buraco negro; enfiar a cara num buraco; estar com um buraco no estômago (*V.* "estar com o estômago nas costas"); jogar uma pessoa no buraco; meter a mão em buraco de tatu; não caber no buraco de um dente; não dar nem para tapar um buraco do dente; o buraco é mais embaixo; tapar buraco
burguesia alta burguesia
burra (*subst.*) com a burra cheia; encher a burra; estar com a burra cheia; falar do alto da burra
burrice atestado de burrice
burro(a) (*adj.*) fazer-se de burro para conseguir capim; linha burra; pai dos burros; Pensando morreu um burro.; tirar diploma de burro
burro(a) (*subst.*) amarrar o burro; burro como uma porta; burro de carga; burro sem rabo; caveira de burro; com as burras cheias (*V.* "com a burra cheia"); com os burros n'água; cor de burro fugido; cor de burro quando foge (*V.* "cor de burro fugido"); dar com os burros n'água; De pensar morreu um burro!; ensaboar os queixos do burro; estar com o burro amarrado na sombra; estar de burros com alguém; falar no burro, apontaram as orelhas; jogar pra burro; lavar a burra (*V.* "lavar a égua"); não ser burro de carga; passar de cavalo a burro; pra burro; ser mais fácil um burro voar que...; trabalhar como um burro
bus nem chus nem bus; nem tus nem bus
busca à busca de; dar busca; em busca de; mandado de busca
buscar buscar a vida; buscar água no cesto; buscar fogo; ir buscar lã e sair tosquiado; vir buscar lã e sair tosquiado
busílis aqui é que está o busílis; Onde está o busílis?
business *show business*
buzina ficar buzina; ficar buzina da vida (*V.* "ficar buzina")
buzinar buzinar aos (nos) ouvidos

C

cá cá entre nós; cá não está quem falou (*V.* "já não está mais aqui quem falou"); dá cá aquela palha; dê cá aquela palha; de cá para lá; de então para cá; de lá para cá; de um tempo para cá; estar mais para lá do que para cá; mais pra cá do que pra lá; mais pra lá (cá); mais pra lá do que pra cá; meio cá, meio lá; meio lá, meio cá; nem lá, nem cá; para cá; para lá e para cá; pensei cá comigo; por dá(dê) cá aquela palha; ser de cá; toma lá, dá cá; tu cá, tu lá; um pé lá, outro cá
cabaça ficar sem mel nem cabaça; perder o mel e a cabaça; vender cuia e comprar cabaça
cabaço perder o cabaço; tirar o cabaço
cabal prova cabal
cabeça abaixar a cabeça; abanar a cabeça; abrir a cabeça; agir com a cabeça; aguardente de cabeça; andar com a cabeça à roda; andar com a cabeça ao léu; andar com a cabeça no ar; andar de cabeça erguida; aposto a minha cabeça; assentar a cabeça; baixar a cabeça; bater cabeça; bater com a cabeça pelas paredes; bicho de sete cabeças; bife de cabeça chata; boa cabeça; botar as mãos na cabeça; botar na cabeça; cabeça a cabeça; cabeça com cabeça; cabeça coroada; cabeça de arroz; cabeça de bagre; cabeça de bater sola; cabeça de boi; cabeça de casal; cabeça de chave; cabeça de coco; cabeça de melão; cabeça de negro; cabeça de página; cabeça de ponte; cabeça de praia; cabeça de prata; cabeça de proa; cabeça de vento; cabeça desmiolada; cabeça erguida; cabeça forte; cabeça fria; cabeça leve; cabeça oca; cabeça quente; cabeça-dura; cabeças vão rolar; chifre em cabeça de cavalo; coçar a cabeça; coisa sem pés nem cabeça; com a cabeça a mil; com a cabeça erguida; com a cabeça nas nuvens (*V.* "com a cabeça no ar"); com a cabeça no ar; como der na cabeça; cortar a cabeça de; da cabeça aos pés; dar com a cabeça pelas (nas) paredes; dar na cabeça; de cabeça; de cabeça baixa; de cabeça erguida; de cabeça inchada; de cabeça virada; de ponta-cabeça; deixar o sangue subir à cabeça; desarranjo de cabeça; deu-lhe na cabeça; dever os cabelos da cabeça; dobrar pés com cabeça; dor de cabeça; dos pés à cabeça; duro de cabeça; Ele é cabeça.; encher a cabeça; enfiar a cabeça na areia; enfiar a própria cabeça na areia; enterrar a cabeça do boi; enterrar a própria cabeça na areia; entrar de cabeça; esfriar a cabeça; espremer a cabeça; esquentar a cabeça; estar com a cabeça em; estar com a espada na cabeça; estar sem cabeça; fazer a cabeça de; ficar de cabeça inchada; fraco da cabeça; grande cabeça; levantar a cabeça; levar na cabeça; mentira de rabo e cabeça; meter a cabeça; meter na cabeça; meter na cabeça de; minhoca na cabeça; mula sem cabeça; não caber na cabeça de ninguém; não caber nem uma cabeça de alfinete (*V.* "não caber no buraco de um dente"); não entrar na cabeça; não levantar mais a cabeça; não saber onde tem (tinha) a cabeça; não sair

(algo) da cabeça; não ser nenhum bicho de sete cabeças; não ter onde pôr a cabeça; não tirar da cabeça; o cabeça de; Onde você está com a cabeça?; passar a mão na cabeça (de); passar a mão pela cabeça (de) (V. "passar a mão na cabeça (de)"); passar pela cabeça; perder a cabeça; pôr a cabeça de alguém a prêmio; pôr a preço a cabeça de; por cabeça; pôr na cabeça; procurar chifre em cabeça de cavalo; quebrar a cabeça; quebrar a cabeça de; querer a cabeça de; querer que um raio caia sobre (a) minha cabeça se...; refrescar a cabeça; ruim de cabeça; saber onde tem a cabeça; sem pé nem cabeça (V. "sem pé(s) nem cabeça"); sem pé(s) nem cabeça; ser oco da cabeça; ser uma grande cabeça; subir à cabeça; subir o sangue à cabeça; tanto faz dar na cabeça como na cabeça dar (V. "tanto faz"); ter a cabeça nas nuvens; ter a cabeça no lugar; ter boa cabeça; ter cabeça; ter minhoca na cabeça; ter na cabeça; ter titica de galinha na cabeça; tirar da cabeça; tomar na cabeça; tudo de cabeça para baixo; usar a cabeça; virar a cabeça; virar a cabeça de; voz de cabeça
cabeçada dar cabeçada; dar uma cabeçada
cabecear bater o escanteio e cabecear (V. "assobiar e chupar cana"); cabecear de sono
cabeceira cachaça de cabeceira; de cabeceira; gado de cabeceira; ir para as cabeceiras; pôr-se à cabeceira de; ter a morte à cabeceira
cabeleira pau de cabeleira; servir de pau de cabeleira a
cabelinho cabelinho nas ventas; por um cabelinho; sem tocar um cabelinho
cabelo agarrar a ocasião pelos cabelos (V. "agarrar a ocasião pela calva"); arrancar os próprios cabelos; assentar o cabelo (de); até a raiz do(s) cabelo(s); até a raiz dos cabelos; barba, cabelo e bigode; cabelo bom; cabelo de cupim; cabelo de fogo; cabelo de fuá; cabelo lambido; cabelo ruim; cofiar os cabelos (V. "cofiar os bigodes"); corar até a raiz dos cabelos; de arrepiar cabelo de ovo (V. "de arrepiar"); de arrepiar o(s) cabelo(s); de cabelo em pé; de cabelo nas ventas; de cabelos crispados; de cabelos em pé; dever os cabelos da cabeça; estar pelos cabelos; fazer barba, cabelo e bigode; fazer o cabelo; ficar de cabelos brancos; levar couro e cabelo; pelos cabelos; por um fio de cabelo (V. "por um fio"); procurar cabelo em ovo; rego do cabelo; risca do cabelo (V. "rego do cabelo"); sem faltar um cabelo; sem faltar um só cabelo (V. "sem faltar um cabelo"); ter cabelo na palma da mão; ter cabelo nas ventas; ter cabelo no céu da boca (V. "ter cabelo no coração"); ter cabelo no coração
cabeludo(a) couro cabeludo; palavra cabeluda
caber não caber em si; não caber na bainha; não caber na cabeça de ninguém; não caber na cova de um dente (V. "não caber no buraco de um dente"); não caber nem uma cabeça de alfinete (V. "não caber no buraco de um dente"); não caber no buraco de um dente; não caber no mundo; não caberem dois proveitos num só saco; não lhe caber o coração no peito
cabide cabide ambulante; cabide de empregos
cabidela galinha de cabidela
cabimento não ter cabimento; sem cabimento
cabo ao cabo de; até o cabo; cabo de guerra; cabo eleitoral; dar cabo de; de cabo a rabo; de cabo de esquadra; dobrar o cabo da Boa Esperança; dois machados nos cabos; fazer colher de pau e bordar o cabo; gosto de cabo de guarda-chuva na boca; levar a cabo; machado sem cabo; razões de cabo de esquadra; vir a cabo
caboclo caboclo velho; candomblé de caboclo
cabra amarrar a cabra; cabra bom da peste (V. "cabra da peste"); cabra da moléstia (V. "cabra da peste"); cabra da peste; cabra-macho; olho de cabra; olho de cabra morta; pé de cabra
cabresto andar de cabresto; de cabresto curto; eleitor de cabresto; levar no cabresto; sentar no cabresto; trazer alguém no cabresto (V. "trazer alguém pelo cabresto"); trazer alguém no cabresto; trazer pelo cabresto (V. "trazer pelo beiço"); trepar no cabresto; trepar pelo cabresto (V. "trepar no cabresto"); voto de cabresto
cabrito mandar cabrito vigiar horta
caça caça às bruxas; caça grossa; caça submarina; levantar a caça
caçador caçador de talentos
caçamba a corda e a caçamba; arear a caçamba; corda e caçamba; ser corda e caçamba; serem a corda e a caçamba
caçar caçar borboleta; caçar de esbarro; caçar encrenca; caçar frango; caçar o que fazer; caçar pulga em juba de leão; caçar sua turma
cacaracá de cacaracá
caçarola caldeirões e caçarolas
cacete argumento de cacete; baixar o cacete; descer o cacete; do cacete; e o cacete; o cacete; pra cacete

cachaça cachaça de cabeceira; pensar que cachaça é água
cachimbo apagar o cachimbo; cachimbo apagado; cachimbo da paz; fumar o cachimbo da paz
cachimônia puxar da cachimônia
cacho bananeira que já deu cacho; bêbado (ou bêbedo) como um cacho (V. "bêbado como um gambá"); cacho de nervos; dar cacho; estar bêbado como um cacho (V. "estar como um cacho"); estar como um cacho
cachorra com a cachorra; com a cachorra cheia; estar com a cachorra
cachorro amarrar cachorro com linguiça; andar como cachorro que caiu do caminhão de mudança; briga de cachorro grande; cachorro sem dono; canela de cachorro; carrocinha de cachorros; chutar cachorro morto; como gato e cachorro (V. "como cão e gato"); estar com moléstia de cachorro; estar no mato sem cachorro; estar num mato sem cachorro (V. "estar no mato sem cachorro"); estar/ficar num mato sem cachorro; ficar com cara de cachorro que quebrou panela; ficar no mato sem cachorro; ficar num mato sem cachorro (V. "ficar no mato sem cachorro"); manteiga em focinho de cachorro; matar cachorro a grito; na várzea sem cachorro (V. "no mato sem cachorro"); não dar nem para um cachorro; não há gato nem cachorro que não saiba; não ser osso para andar na boca de cachorro; no mato sem cachorro; num mato sem cachorro (V. "no mato sem cachorro"); pra cachorro (V. "pra burro"); rabo abanando o cachorro; soltar os cachorros; soltar os cachorros em cima de; tempo em que se amarrava cachorro com linguiça; ter canela de cachorro; tomar a bênção a cachorro; tosse de cachorro; vida de cachorro (V. "vida de cão"); viver como gato e cachorro (V. "viver como cão e gato")
caco caco de gente; estar um caco (V. "estar um bagaço"); juntar os cacos
cacoethes cacoethes scribendi
caçoleta bater a caçoleta
cacuia ir para a Cacuia (V. "ir para a cucuia")
cada a cada instante; a cada passo; a cada triquete; cada macaco no seu galho; cada passinho; cada qual; cada qual com seu saraquá (V. "cada macaco no seu galho"); Cada qual com seu saraquá.; cada um; cada um dos dois; cada um lá se entende; cada um que se entenda (V. "cada um lá se entende"); Cada uma que parece duas.; Cada uma!; cada vez; cada vez mais; fazer cada uma...; ganhar o pão de cada dia; pão nosso de cada dia; um de cada vez

cadastro cadastro de pessoa física
cadáver cadáver ambulante; enterrar o cadáver; passar por cima do cadáver de; Só se for sobre o meu cadáver!; sobre meu cadáver
cadeado pôr cadeado na boca (de)
cadeia advogado de porta de xadrez/cadeia (V. "advogado de porta de fábrica"); cadeia alimentar; cadeia de lojas; cadeia nacional; em cadeia; romper as cadeias
cadeira cadeira cativa; cadeira curul; cadeira de arruar; cadeira de balanço; cadeira de braços; cadeira de rodas; cadeira de São Pedro; cadeira elétrica; cadeira episcopal; cadeira gestatória; cadeira pontifícia (V. "cadeira de São Pedro"); chá de cadeira; de cadeira; falar de cadeira; representar para as cadeiras; sacudir as cadeiras; ter cadeira cativa; tomar chá de cadeira
caderno freguês de caderno
caducar de mamando a caducando
cães quadrilha de cães
Caesar Ave, Caesar, morituri te salutant
café café amargo; café coado; café com leite; café comprido; café da manhã; café pequeno; café pingado; café preto; É café pequeno.; não tem café coado
cafiroto de cafiroto aceso
cafundó cafundó do Judas; ir parar no cafundó do judas; nos cafundós
cagada cagada federal; dar uma cagada; na cagada
cagado cagado de arara; estar cagado de arara
cágado lã de cágado; passo de cágado
cagar cagar nas calças; cagar regras; comer como pinto e cagar como pato; estar cagando e andando; estar cagando para
caiado sepulcro caiado
caidinho estar caidinho por (V. "estar caído por")
caído(a) andar de asa caída; andar de beiço caído; anjo caído; de asa caída; de crista caída; de queixo caído; espinhela caída; estar caído por; estar de asa caída; ficar caído de amores por (V. "ficar caído por (alguém)"); ficar caído por (alguém); ficar de beiço caído; ficar de queixo caído; queixo caído
Caim marca de Caim
caipira galinha caipira
cair andar como cachorro que caiu do caminhão de mudança; até cair de costas; balança mas não cai; bêbado de cair (V. "bêbado como um gambá"); Cai fora!; cai não cai; caindo aos pedaços; caindo de sono; cair a cara; cair a ficha; cair a ligação; cair a máscara; cair a sopa no mel; cair abaixo; cair aos pedaços; cair aos pés de; cair bem;

cair bem para; cair com os cobres; cair com sono; cair como sopa no mel; cair como um patinho; cair como um pato (*V.* "cair como um patinho"); cair como uma bomba; cair como uma luva; cair das alturas; cair das nuvens; cair de (da) moda; cair de cama; cair de cansaço; cair de costas; cair de costas e quebrar o nariz; cair de joelhos (diante de); cair de maduro; cair de pau; cair de pé; cair de podre; cair de quatro; cair de queixo; cair de sono; cair do cavalo; cair do céu; cair do galho; cair doente; cair dos céus; cair duro; cair em boas mãos; cair em contradição; cair em descrédito; cair em descuido; cair em desgraça; cair em domínio público; cair em graça; cair em mãos de; cair em poder de; cair em prantos; cair em si; cair em tentação; cair fora; cair mal; cair na arapuca; Cair na armadilha (*V.* "cair na arapuca"); cair na bandalha; cair na barrela; cair na boca de todos (*V.* "cair na boca do lobo"); cair na boca do lobo; cair na boca do mundo; cair na boca do povo (*V.* "cair na boca do mundo"); cair na cama; cair na conversa; cair na embira; cair na esparrela; cair na farra; cair na folia (*V.* "cair na farra"); cair na gandaia; cair na gargalhada; cair na goela do lobo; cair na malha fina; cair na mão; cair na pele de; cair na ratoeira; cair na razão; cair na real; cair na realidade (*V.* "cair na real"); cair na rede; cair na rotina; cair na tiguera; cair na vida; cair na zona; cair nas costas de; cair nas garras de (*V.* "cair nas unhas de alguém"); cair nas graças de; cair nas mãos de; cair nas unhas de alguém; cair no (em) domínio público (*V.* "ser de domínio público"); cair no anzol; cair no berreiro; cair no conto; cair no conto do vigário (*V.* "cair no conto"); cair no domínio público; cair no engano; cair no esquecimento; cair no goto; cair no jeito; cair no laço; cair no logro; cair no lombo de alguém; cair no mato; cair no mundo; cair no oco do mundo; cair no rol do esquecimento; cair no sono; cair no verde; cair nos braços de Morfeu (*V.* "nos braços de Morfeu"); cair num engano; cair num erro; cair o pano; cair para não se levantar; cair para trás; cair pelas beiradas (*V.* "cair pelas tabelas"); cair pelas tabelas; cair por terra; cair redondamente; Caiu um lenço!; de cair o queixo; deixar a peteca cair; deixar cair; deixar cair a máscara; estar caindo de sono; Lá um dia a casa cai.; nada cai do céu; não cair de cavalo magro; não cair em saco roto; não cair nessa; não cair noutra; não deixar a peteca cair; não ter onde cair morto; o cair da noite; o cair das folhas (flores); O que cair na rede é peixe.; querer que um raio caia sobre (a) minha cabeça se...; sair da lama e cair no atoleiro; Se cair, do chão não passa.; tomara que caia; Um dia a casa cai.
caixa a toque de caixa; bater caixa; bater uma caixa; caixa das almas; caixa de câmbio; caixa de descargas; caixa de fósforos; caixa de marchas; caixa de mudanças (*V.* "caixa de câmbio"); caixa de música; caixa de Pandora; caixa de som; caixa de surpresa; caixa do pensamento; caixa dois; Caixa Econômica; caixa eletrônico; caixa postal; caixa registradora; caixa-alta; de caixa baixa; em caixa; fazer caixa; fluxo de caixa; não ser de caixas encontradas
caixão caixão de defunto
caixa-prego ir, mandar ou mandar ir para o(os) caixa-pregos
caixinha caixinha de fósforos; caixinha de música (*V.* "caixa de música"); caixinha de surpresa (*V.* "caixa de surpresa"); guardar na caixinha
cajadada com uma só cajadada, matar dois coelhos (*V.* "matar dois coelhos com uma só cajadada"); de uma cajadada, matar dois coelhos; matar dois coelhos com uma só cajadada
caju caju murcho; não ser caju que nasce com a castanha para baixo
cal cal extinta; cal virgem; colocar /pôr uma pá de cal em; de cal e areia; de pedra e cal; feito de pedra e cal; pôr uma pá de cal
calada (*subst.*) às caladas; na calada da noite; pela calada
calado(a) (*adj.*) à chucha calada; aguentar calado; baioneta calada; Bico calado!; Boca calada!; calado como um túmulo; calado como uma porta (*V.* "calado como um túmulo"); comer calado; dar o calado como resposta; engolir calado; entrar mudo e sair calado; perder boa ocasião de ficar calado
calamidade calamidade pública
calamo currente calamo
calão baixo calão
calar Cala a boca!; cala-boca; calar o bico; Cala-te, boca!; dar um cala-boca
calçado ir para o céu vestido e calçado
calcanhar calcanhar de Aquiles; calcanhar de Judas; calcanhar do mundo; dar nos calcanhares; dar uma de calcanhar; girar nos calcanhares (*V.* "virar nos calcanhares"); não chegar aos calcanhares de; nos calcanhares de; rodar nos calcanhares (*V.* "virar nos calcanhares"); virar nos calcanhares
calção calção de banho
calçar calçar o estômago; calçar pelo mesmo pé

calças abaixar as calças; apanhar alguém de calças curtas; borrar as calças; cagar nas calças; calça pega-frango (pega-marreco) (V. "calças de pegar frango"); calças de pegar frango; calças de pescar siris (V. "calças de pegar frango"); calças de saltar riacho (V. "calças de pegar frango"); com as calças na mão; de calças na mão; encher as calças; fazer nas calças (V. "borrar as calças"); ficar de calças curtas; ficar de calças na mão; molhar as calças de tanto rir; perder até as calças; sujar as calças (V. "encher as calças")
calcem a capite ad calcem
cálcio carbonato de cálcio
cálculo artifício de cálculo; cálculo renal (vesical ou urinário)
calda calda bordalesa
caldeirão caldeirões e caçarolas
caldeirinha entre a cruz e a caldeirinha
caldo caldo de cana; caldo entornado; caldo requentado; caldo verde; dar um caldo; entornar o caldo; tomar um caldo
calendário calendário gregoriano; calendário juliano
calendas calendas gregas; para as calendas gregas; *ad calendas graecas*
calhar a calhar; vir a calhar; vir bem a calhar (V. "vir a calhar")
calhau mulher de faca e calhau
calibre mentira de grosso calibre
cálice cálice de amargura; ser a gota-d'água que transborda o cálice
call call girl
calma manter a calma
calmaria calmaria antes da tempestade
calo calo de estimação; calos na alma; calos na consciência (V. "calos na alma"); calos na vergonha (V. "calos na alma"); criar calo no coração ou na paciência; pisar nos calos (de alguém); saber onde lhe aperta o calo (V. "saber onde lhe aperta o sapato"); saber onde lhe dói o calo
calor calor da paixão; calor do cão; calor humano; com calor; estar no calor; no calor do momento; onda de calor
calota calota polar
calote dar calote; passar um calote
calva agarrar a ocasião pela calva
calvário levar a cruz ao calvário
cama atado à cama; bater a cama nas costas; cair de cama; cair na cama; cama de espinhos (V. "cama de pregos"); cama de gato; cama de pregos; cama de varas; cama de vento; cama e mesa; cama feita; chorar na cama que é lugar quente; dar voltas na cama; de cama; estar de cama; fazer a cama (para alguém); ficar de cama; ir para a cama; ir para a cama com; jogo de cama; molhar a cama; riscar a cama no chão com giz; roupa de cama; ter cama e mesa
camaleão vida de camaleão
câmara câmara alta; câmara de comércio; câmara de compensação; câmara digital; Câmara dos Comuns; câmara fotográfica; câmara lenta; câmara municipal; música de câmara
camarote assistir de camarote; camarote do sereno; camarote do Torres; de camarote
cambão pular (o) cambão
cambial âncora cambial
câmbio alavanca de câmbio; caixa de câmbio; câmbio flutuante; câmbio livre; câmbio manual; câmbio negro; câmbio oficial; câmbio paralelo; carteira de câmbio; casa de câmbio; fazer câmbio; fechar o câmbio
cambito esticar os cambitos; pernas de cambito
cambulhada de cambulhada; ir de cambulhada; levar de cambulhada
camelo ver camelo a dançar
caminhão andar como cachorro que caiu do caminhão de mudança; muita areia para o caminhão de (alguém)
caminhar caminhar com as próprias pernas
caminho a caminho; a meio caminho; abrir caminho; abrir o caminho; arrepiar caminho; atravessar no meu caminho; bom caminho; botar o pé no caminho; caminho da Cruz; caminho da roça; caminho das pedras; caminho de Damasco; caminho de ferro; caminho de mesa; caminho de rato; caminho de São Tiago; caminho impraticável; caminho ingrato; caminho sem volta; cortar caminho; destorcer o caminho; ir pelo mesmo caminho; mau caminho; meio caminho andado; pedaço de mau caminho; pedra no meio do caminho; pôr-se a caminho; procurar o caminho de volta; retorcer o caminho; saia do meu caminho (V. "sai de baixo"); sair do caminho; seguir o bom caminho; seguir seu próprio caminho; um pedaço de mau caminho; uma pedra no caminho
camisa camisa de força; camisa de onze varas; camisa de pagão; camisa de Vênus; camisa esporte; camisa polo; camisa social; com a camisa do corpo; em mangas de camisa; estar em mangas de camisa; estar numa camisa de força; ficar com a camisa do corpo; ficar sem camisa; meter-se em camisa de onze varas; molhar a camisa; Onde você comprou esta camisa que está usando, tinha para homem?; suar a camisa; ter só a camisa do corpo; tirar a camisa; vestir a camisa

campal batalha campal; missa campal
campanha campanha gaúcha
campo abandonar o campo; borda do campo; campo cerrado; campo de aviação; campo de batalha; campo de manobra; campo de pouso (V. "campo de aviação"); campo limpo; campo livre; campo minado; campo santo; campos gerais; casa de campo; embolar o meio de campo; entrar em campo; futebol (de campo); pesquisa de campo; pôr em campo; pôr-se em campo; profundidade de campo; queimar campo; sair a campo; sair em campo (V. "sair a campo"); tirar o time (de campo); trabalho de campo
cana açúcar de cana; água de cana; aguardente de cana; assobiar e chupar cana; caldo de cana; chupar cana e assobiar ao mesmo tempo; em cana; sumo de cana; voz de cana rachada
canal canal de televisão
canarinho(a) (adj.) seleção canarinha
canastra bater a canastra; canastra real
canção canção polifônica
câncer trópico de Câncer
cancha estar na sua cancha
candeia de candeia às avessas com (V. "de cafiroto aceso")
candidato sério candidato
candidatura candidatura oficial
Candinha dizem os filhos da Candinha; filhos da Candinha
candomblé candomblé de caboclo
caneco entortar o caneco; pintar o caneco
canela azeitar as canelas; botar sebo nas canelas; canela de cachorro; canelas de ema (V. "canelas de maçarico"); canelas de maçarico; dar nas canelas; ensebar as canelas; espichar a canela; esticar a canela; esticar as canelas (V. "esticar a canela"); passar sebo nas canelas; pôr sebo nas canelas; ter canela de cachorro
caneta caneta esferográfica
cangalha de cangalhas; mostrar com quantos paus se faz uma cangalha (canoa)
cangote pisar no cangote (de)
canhão bucha de canhão; carne para canhão
canino(a) fome canina; riso canino (V. "riso sardônico")
canivete amolar o canivete; chover canivetes; nem que chovam canivetes
canja dar uma canja; É canja.; Isso/isto é canja!; ser canja
canjica botar fogo na canjica; com as canjicas de fora; é fogo na canjica (V. "fogo na canjica"); É fogo na canjica!; fogo na canjica; pôr fogo na canjica; socar canjica; tacar fogo na canjica; tocar fogo na canjica

cano carro de corrida; dar o cano; entrar pelo cano
canoa canoa furada; com quantos paus se faz uma canoa; embarcar em canoa furada; mostrar com quantos paus se faz uma cangalha (canoa); mostrar com quantos paus se faz uma canoa (V. "mostrar com quantos paus se faz uma cangalha (canoa)"); não embarcar em canoa furada (V. "não ir nessa canoa"); não embarcar nessa canoa; não ir nessa canoa
canônico(a) absolvição canônica; horas canônicas
cansaço cair de cansaço; vencer pelo cansaço
cansado(a) cansado de saber; estar cansado de...; sopa de cavalo cansado; vista cansada
cansar cansar a beleza de; cansar de esperar; cansar de lutar
cantada dar uma cantada em; missa cantada; passar uma cantada
cantar ao cantar do galo; cantar a mesma cantiga; cantar a palinódia; cantar a pedra; cantar a tabuada (V. "dizer a tabuada"); cantar a tirana; cantar ao desafio; cantar como taquara rachada; cantar de gaiato; cantar de galinha; cantar de galo; cantar de sereia; cantar em falsete; cantar em prosa e verso; cantar mas não entoar; cantar noutra freguesia; cantar o jogo; cantar o pau; cantar sempre a mesma cantiga; cantar vitória; é cantar sempre a mesma cantiga (V. "É sempre a mesma cantilena."); o cantar do galo; outro galo cantaria; ouvir cantar o galo mas não saber onde
cântaro a cântaros; chover a cântaros
canteiro canteiro de obras
cantiga cantar a mesma cantiga; cantar sempre a mesma cantiga; cantiga de amor; cantiga de roda; cantigas, tenho ouvido muitas; é cantar sempre a mesma cantiga (V. "É sempre a mesma cantilena.")
cantilena É sempre a mesma cantilena.
cantinho em todos os cantinhos (V. "em todo canto"); no meu cantinho
canto aos quatro cantos (V. "aos quatro ventos"); bel canto; canto coral; canto da sereia; canto do cisne; canto gregoriano; de canto chorado; em todo canto; em todos os cantos (V. "em todo canto"); em todos os cantos da Terra (V. "em todo canto"); ir para o canto; olhar com o canto do olho; olhar pelo canto do olho (V. "olhar com o canto do olho"); passar pelo pau do canto; por todo canto (V. "em todo canto"); por todos os cantos (V. "por toda parte"); tiro de canto; trazer (alguém) de canto chorado (V.

"trazer de canto chorado"); trazer de canto chorado; *galeto al primo canto*
cantor cantor de banheiro
cantos andar pelos cantos; chorar pelos cantos; gritar aos quatro cantos (do mundo); os quatro cantos do mundo; pelos quatro cantos
cão acordar o cão que dorme; calor do cão; cão de fila; cão e gato; Cão Maior e Cão Menor; cão policial; como cão e gato; como um cão; dia de cão; entrada de leão e saída de cão (*V.* "entrada de ginete e saída de sendeiro"); entre o lobo e o cão; estar com o cão no couro; humor de cão; levar vida de cão; mexer com o cão que está dormindo (*V.* "mexer em time que está ganhando"); morrer como um cão; o rabo abana o cão; por conta do cão (*V.* "por conta do Bonifácio"); Preso por ter cão, preso por não ter.; tratar abaixo de cão (*V.* "tratar como animal"); tratar como cão (*V.* "tratar como animal"); vida de cão; virado no cão; viver como cão e gato
capa assunto de capa (*V.* "história de capa"); avaliar um livro pela sua capa; capa de chuva; capa de santidade; capa e espada; história de capa; homem da capa preta; julgar um livro pela capa; preço de capa; romance de capa e espada
capacho fazer alguém de capacho; servir de capacho
capacidade ter a capacidade de
capado(a) sair a porca mal capada
capanga capanga de Oxóssi
capar hora do pega pra capar; na hora do pega pra capar (*V.* "na hora da onça beber água"); pega pra capar
capaz capaz de tudo; não ser capaz de arranhar uma mosca; não ser capaz de dizer nem três palavras; não ser capaz de fritar um ovo; não ser capaz de juntar nem três palavras (*V.* "não ser capaz de dizer nem três palavras"); ser capaz; ser capaz de tudo
capela capela dos olhos; casar de véu e capela; coro a capela
capelão capelão militar
capelinha casado na capelinha verde (*V.* "casado na igreja verde")
capella a capella
capelo doutor de borla e capelo (*V.* "doutor de capelo"); doutor de capelo; tomar o capelo
capeta obra do capeta
capicua ano capicua
capim comer capim pela raiz; fazer-se de burro para conseguir capim
capinar capinar sentado

capita per capita; *renda per capita*
capital bens de capital; capital aberto (sociedade anônima de); capital de giro; capital de risco; capital fechado (sociedade anônima de); capital fixo; capital social; desempatar capital (*V.* "desempatar dinheiro"); empresa de capital aberto; evasão de capital; ganho de capital; obra capital; pecado capital; pena capital; realização de capital; sete pecados capitais
capitalismo capitalismo de estado
capitania capitania dos portos; capitania hereditária
capitão capitão de indústria
capite a capite ad calcem
capitis capitis diminutio
capítulo capítulo e parágrafo; capítulo final
capo da capo
capote capote de pobre; dar capote; de capote; sururu de capote
capricho ao capricho de; no capricho
capricórnio trópico de Capricórnio
caprino(a) de lana-caprina; questão de lana-caprina
capucha a capucha
cara (*subst.*) amarrar a cara; amassar a cara de (alguém); bater a porta na cara de (alguém); bater com a cara na porta; bater com a porta na cara; bater de cara com; cair a cara; cara a cara; cara amarrada; cara de babaca (*V.* "cara de pamonha"); cara de bezerro desmamado; cara de bolacha; cara de bundão (*V.* "cara de pamonha"); cara de defunto (*V.* "cara de enterro"); cara de enterro; cara de fome; cara de fuinha; cara de idiota (*V.* "cara de pamonha"); cara de lua cheia; cara de mamão-macho; cara de nó cego; cara de pacamão de enxurrada; cara de palhaço; cara de pamonha; cara de pau; cara de poucos amigos; Cara de quem chupou limão (*V.* "cara de quem comeu e não gostou"); cara de quem comeu e não gostou; cara de quem morreu e se esqueceu de deitar; cara de réu; cara de segunda-feira; cara de tacho; Cara de um, focinho de outro.; cara de velório; cara deslavada; cara fechada; cara lambida; Cara ou coroa?; cara-metade; cara-pálida; chupar os olhos da cara; com a cara e a coragem; com a cara no chão; com cara de doente; com cara de quem não quer nada; cuspir na cara; custar os olhos da cara; dar as caras; dar com a cara na porta; dar com a porta na cara de; dar de cara com; dar na cara de; de cara; de cara cheia; de cara limpa; descobrir a cara; desmanchar a cara; dever os olhos da cara (*V.* "dever os cabelos da cabeça");

caracol

É a cara de...; encher a cara; encher a cara de; enfiar a cara; enfiar a cara no mundo; enfiar a cara num buraco; ensaboar a cara (de) (V. "ensaboar as ventas (de)"); entrar com a cara e a coragem; esfregar na cara (V. "esfregar nas ventas de"); estar na cara; fazer cara feia; fechar a cara; fechar a janela na cara de alguém; fechar a porta na cara de alguém (V. "fechar a janela na cara de alguém"); ficar com a mesma cara; ficar com cara de asno (V. "ficar com cara de pau"); ficar com cara de bundão (V. "ficar com cara de pau"); ficar com cara de cachorro que quebrou panela; ficar com cara de pau; ficar com cara de tacho (V. "ficar com cara de pau"); ficar de cara; homem de duas caras; ir com a cara de; jogar na cara de; julgar pela cara; levar com a porta na cara; livrar a cara; mentir com a maior cara de pau; meter a cara; meter a mão na cara de (V. "meter a mão em"); minha cara-metade; mostrar a cara; mostrar boa ou má cara; mudar de cara; na cara; na maior cara de pau (V. "na maior"); não ir com a cara de; não livrar a cara de; não saber onde meter a cara; não ter cara para; não ter medo de cara feia; não ter um pingo de vergonha na cara; partir a cara; passar na cara (alguém); poder andar com a cara descoberta; quebrar a cara; rir na cara de; ser a cara de; ser o cara; ter cara de; ter cara para; ter duas caras; ter vergonha na cara; torcer a cara; trancar a cara; um palminho de cara (V. "um palminho de rosto"); virar a cara
caracol enrolado como um caracol; escada de caracol; não valer dois caracóis; não valer um caracol
caractere caractere alfanumérico
caralho pra caralho
carambola por carambola
caramujo andar feito caramujo com a casa às costas
caranguejo andar como caranguejo; andar para trás como caranguejo; comedor de caranguejo
carão dar um carão; levar um carão
carapuça enfiar a carapuça; fulano dos anzóis carapuça; servir a carapuça; vestir a carapuça; zé dos anzóis carapuça
caráter a caráter; consistência de caráter; de caráter; vestido a caráter; vestir-se a caráter
carbonato carbonato de cálcio
carcaça arrastar a carcaça (V. "arrastar os pés")
cárcere cárcere privado
card green card

cardeal colégio dos cardeais; ponto cardeal; virtudes cardeais
cardíaco(a) arritmia cardíaca; parada cardíaca
cardinal numeral cardinal
careca careca como um ovo; estar careca de saber
careta não ter medo de caretas (V. "não ter medo de cara feia"); Que careta!
carga a carga cerrada; arriar a carga; besta de carga; burro de carga; carga cerrada; carga horária; carga útil; carga-d'água; cofre de carga; com carga total; deitar carga ao mar; fazer carga (V. "fazer carga contra"); fazer carga cerrada contra (V. "fazer carga contra"); fazer carga contra; não ser burro de carga; Por que cargas-d'água...?; voltar à carga
cargo cargo público; declinar (de) um cargo; prover um cargo
Caribdes estar entre Cila e Caribdes
caridade fazer caridade; fazer caridade com chapéu alheio; irmã de caridade; sob o manto da caridade
cárie cárie dentária
carijó galo carijó
carimbar carimbar as faixas
carimbo carimbo datador
caritó ficar no caritó
carnal amor carnal; conjunção carnal; irmãos carnais
carnaval fazer um carnaval; grito de carnaval
carnavalesco rancho carnavalesco; tríduo carnavalesco (V. "tríduo de Momo")
carne carne de minha carne; carne de pescoço; carne de sol; carne e sangue meus; carne para canhão; carne verde; carne vermelha; de carne e osso; em carne e osso; em carne viva; estar por cima da carne-seca; muita carne para o churrasco de (alguém); não ser peixe nem carne; nem carne nem peixe; nem peixe nem carne; pau de amaciar carne; pecado da carne; por cima da carne-seca; ser carne de pescoço; ser de carne e osso; ser unha e carne; sofrer na própria carne; ter carne debaixo do angu
carneirinho contar carneirinhos
carneiro amanhã o carneiro perdeu a lã; carneiro hidráulico; carneiros de Panurgo; ser carneiro de batalhão
carniça cheirar a carniça (V. "cheirar a bode velho"); pular carniça
caro(a) (*adj.*) custar caro (barato); Elementar, (meu) caro Watson.; pagar caro; sair caro; vender caro; vender caro a pele; vender caro a vida (V. "vender caro a pele"); vender-se caro

carochinha conto da carochinha; história da carochinha
caroço angu de caroço; até o caroço (*V.* "até a última gota"); Debaixo desse angu tem caroço.
carona dar carona; de carona; pedir carona; pegar carona em; pegar uma carona; tomar carona
carpe Carpe diem.
carpinteiro o Carpinteiro de Nazaré; ter bicho-carpinteiro; ter bicho-carpinteiro (no corpo) (*V.* "não esquentar o banco")
carrada às carradas; carradas de razão; ter carradas de razão
carranca carranca de proa
carrapato ficar como carrapato na lama
carregação de carregação; obra de carregação; serviço de carregação
carregadeira pá carregadeira
carregado ambiente carregado; tempo carregado
carregador carregador de piano
carregar carregar a celha; carregar a mão; carregar a sua própria cruz; carregar água em cesto (*V.* "apanhar água com peneira"); carregar água em peneira; carregar ao colo; carregar aos ombros; carregar as sobrancelhas; carregar nas costas; carregar nas tintas; carregar o sobrolho; carregar pedras; carregar pedras enquanto descansa; carregar piano; carregar um fardo; carregar uma opinião; mandar (alguém) para o diabo que o carregue (*V.* "mandar (alguém) para o diabo"); roubar e não poder carregar; ter uma cruz para carregar
carregue O diabo que carregue!
carreira arrepiar carreira; às carreiras; carreira diplomática; em carreira; fazer carreira; trem de carreira
carreiro boi carreiro
carreteiro arroz de carreteiro
carrinho carrinho de mão
carro andar o carro adiante dos bois; boi de carro; carro alegórico; carro de boi; carro de passeio; carro de praça; carro esporte; carro muito rodado; carro-chefe; pôr o carro adiante dos bois; quinta roda do carro
carroça colocar a carroça na frente dos bois; ser uma carroça
carrocinha carrocinha de cachorros
carta botar as cartas na mesa; carta (carteira) de habilitação; carta aberta; carta celeste; carta constitucional; carta de alforria; carta de crédito; carta de fiança; carta fora do baralho; carta geográfica; carta hidrográfica; Carta Magna; carta na manga; carta patente; carta-branca; Cartas Chilenas; cartas marcadas; cartas na mesa; castelo de cartas; comprar cartas; cortar as cartas; dar as cartas; deitar as cartas; jogar com uma carta a menos; jogar uma carta; Magna Carta; mostrar as cartas; pôr as cartas na mesa; ser carta fora do baralho; ser quem dá as cartas; ter as cartas na mão; ter uma carta na manga
cartada jogar a última cartada; última cartada
cartão cartão amarelo; cartão de crédito e/ou de débito; cartão de ponto; cartão de visita; cartão magnético; cartão vermelho; cartão-postal
cartaz dar cartaz a; em cartaz; fazer cartaz; fazer o cartaz de; ter cartaz; ter cartaz com
carte à la carte
carteira batedor de carteiras; bater carteira; carta (carteira) de habilitação; carteira de câmbio; carteira de identidade; carteira de trabalho; carteira profissional (*V.* "carteira de trabalho")
Carthago *delenda Carthago*
cartilha Isso/isto não está na cartilha.; ler pela mesma cartilha; rezar pela mesma cartilha
cartola coelho na cartola; tirar da cartola; tirar um coelho da cartola
cartório casar no cartório; rato de cartório; ter culpa no cartório
cartucho queimar o último cartucho; recarregar os cartuchos (*V.* "recarregar as baterias"); último cartucho (*V.* "última cartada")
carvão carvão mineral; carvão vegetal; preto como carvão
casa a porta da rua é serventia da casa; andar feito caramujo com a casa às costas; arrumar a casa; botar a casa abaixo; bulir em casa de marimbondo; casa assombrada; casa comercial; Casa da Moeda; casa da sogra; casa de botão; casa de câmbio; casa de campo; casa de cômodos; casa de correção; casa de detenção; casa de Deus; casa de mãe Joana; casa de máquinas; casa de misericórdia (ou Santa Casa de Misericórdia); casa de orates; casa de pasto; casa de penhor; casa de saúde; casa de tavolagem; casa de tolerância; casa decimal; casa do Senhor; casa dos enta; casa dos orates (*V.* "casa de orates"); casa e comida; casa funerária; casa mal-assombrada (*V.* "casa assombrada"); casa malfalada; casa militar; casa noturna; casa paroquial; casa paterna; casa popular; casa real; como vilão em casa de seu sogro; de casa; dever de casa; dona de casa; em casa; especialidade da casa; estar em casa; estourar uma casa de jogos, de tolerância etc.; fazer a lição de

casa; fazer as honras da casa; fazer o dever de casa (V. "fazer a lição de casa"); feito em casa; ficar em casa; gente de casa; Lá um dia a casa cai.; lance de casas; meter-se em casa; mexer em casa de marimbondo; não levar desaforo para casa; ó (ô) de casa; pôr a casa abaixo; pôr a casa em ordem; prata da casa; preguiça chegou ali, fez casa de morada; revirar a casa; sair de casa; Santa Casa; Santo de casa não faz milagres.; sentir-se em casa; ser de casa; Um dia a casa cai.; *Casa Civil*
casaca escovar a casaca; ladrão de casaca; largar a casaca; virar a casaca; virar casaca
casado casado atrás da porta; casado na capelinha verde (V. "casado na igreja verde"); casado na igreja verde; fazer vida de casados
casal cabeça de casal
casamento casamento aberto; casamento branco; casamento civil; casamento de ocasião; casamento de papel passado; casamento religioso
casar casar as ideias; casar de véu e capela; casar na polícia; casar no cartório; casar no juiz (V. "casar no cartório"); casar no padre
casca casca de ferida; casca de noz; largar a casca; morrer na casca; mortus est pintus in casca; pisar em casca de banana; sair da casca; sair da casca do ovo; ser uma casca de noz
cascar cascar fora
cascata conto da cascata
cascavel cascavel de rabo fino; cascavel de vereda
casco andar na ponta dos cascos; bom de cascos; crescer nos cascos; dar nos cascos; estar na ponta dos cascos
caseiro remédio caseiro
cash cash flow
casinha ir à casinha
caso caso de consciência; caso de polícia; caso de vida e morte; caso perdido; caso sério; criador de caso; criar casos; dado o caso; dar-se o caso de; de caso deliberado (V. "de caso pensado"); de caso pensado; de rixa velha e caso pensado; dormir sobre o caso; em caso contrário; em caso de; em qualquer caso (V. "em qualquer hipótese"); em todo caso; em todo o caso (V. "em todo caso"); estar no caso de; fazer caso de; fazer pouco caso de; não fazer caso de; não ser o caso de; não vir ao caso; neste caso; no caso de; pouco caso; quando for o caso; vir ao caso
casqueira levado da casqueira (V. "levado da breca")

casquinha tirar casquinha; tirar uma casquinha (V. "pegar uma boca")
cassação cassação de direitos políticos
cassandra ser uma cassandra
cassar cassar a palavra
casta com casca e tudo
castanha não ser caju que nasce com a castanha para baixo; quebrar a castanha; quebrar a castanha de; tirar as castanhas do fogo; tirar as castanhas do fogo com mão de gato
castelo castelo de areia; castelo de cartas; castelo de vento; castelo no ar (V. "castelo de vento"); construir castelos no ar; fazer castelos no ar
castidade cinto de castidade
castigo estar de castigo
cata à cata de
catadupa em catadupas
Catão vender o siso a Catão
catar cata-piolho (V. "dedo polegar"); catar cavaco; catar formiga; catar lata; catar milho; catar pelo em ovo; cata-vento (V. "moinho de vento"); ir catar lata; mandar catar coquinhos (V. "mandar às favas"); mandar catar lata (V. "mandar às favas"); Vá catar coquinhos!
catarineta nau catarineta
categoria baixa categoria; de primeira categoria; de segunda (terceira etc.) categoria; de última categoria; última categoria
categórico imperativo categórico
caterva et caterva
cathedra ex cathedra
cativa ter cadeira cativa
cativeiro cativeiro da Babilônia
cativo(a) cadeira cativa; público cativo
católico(a) (adj.) católico romano; Igreja Católica Apostólica Romana
catre Riscou catre, saiu tamborete.
caubói caubói de asfalto
cauda armar a cauda
causa (lat.) causa debendi; causa mortis; causa petendi; causa traditionis; causa turpis; doutor in honoris causa; ex causa; honoris causa
causa abandonar a causa; abraçar uma causa; advogado de causas perdidas; boa causa; causa final; causa perdida; com conhecimento de causa; conhecimento de causa; em causa; ganho de causa; por causa de; procurador de causas perdidas; santa das causas impossíveis
causar causar espécie; causar nojo
cause et pour cause
cautela à cautela (V. "por cautela"); por cautela
cautelam ad cautelam

cautelar medida cautelar
cavaco catar cavaco
cavalar dose cavalar
cavalaria cavalaria andante; meter-se em altas cavalarias
cavaleiro a cavaleiro; a cavaleiro de; cavaleiro andante; cavaleiro da triste figura; os Quatro Cavaleiros do Apocalipse
cavalheiro acordo de cavalheiros
cavalinho circo de cavalinhos; Pode tirar (ir tirando) o cavalinho da chuva.; tirar o cavalinho da chuva (*V.* "tirar o cavalo da chuva")
cavalo a cavalo; a pata de cavalo; a unhas de cavalo; andar no cavalo dos frades; bife a cavalo; cair do cavalo; cavalo de balanço; cavalo de batalha; cavalo de pau; cavalo de sela; cavalo de Troia; cavalo paraguaio; cavalo pisado; chifre em cabeça de cavalo; comer como um cavalo; crescer como rabo de cavalo; fazer um cavalo de batalha; não cair de cavalo magro; passar de cavalo a burro; procurar chifre em cabeça de cavalo; sopa de cavalo cansado; tirar o cavalo da chuva; ver o cavalo passar arreado
cavaquinho Apanhei-te, cavaquinho!
cavar cavar a própria cova; cavar a própria sepultura (*V.* "cavar a própria cova"); cavar a vida
caveira caveira de burro; encher a caveira; fazer a caveira de; querer ver a caveira de alguém
caverna a caverna de Platão; A parábola da caverna (*V.* "caverna de Platão"); caverna de Platão; homem (do tempo) das cavernas; mito da caverna; os prisioneiros da caverna (*V.* "caverna de Platão")
cavernoso(a) voz cavernosa
caxias ser caxias
CD *CD player*; *compact disc*
cê cê-cedilhado
cear almoçar, jantar e cear
cebola chorar pelas cebolas do Egito; mudar cebola
ceca andar de ceca em meca; andar por ceca e meca; ceca e meca; correr ceca e meca; de ceca em meca; Por ceca e meca (*V.* "de ceca em meca")
ceder ceder à evidência; ceder o passo a; ceder terreno
cedilhado cê-cedilhado
cedo bem cedo; cedo ou tarde; de manhã cedo; ir para o chuveiro mais cedo; logo cedo; mais cedo do que se pensa; mais cedo ou mais tarde; tão cedo
cédula cédula de identidade; cédula hipotecária; cédula pignoratícia
cego(a) às cegas; até um cego vê; bordoada de cego; cara de nó cego; cego como uma toupeira; cego guiando cego; chiar na faca cega; confiança cega; frecheiro cego; furor cego; galo cego; mais perdido que cego em tiroteio; nó cego; ponto cego; sofrer que só pé de cego; tacada de cego; tiro cego; voo cego
cegonha esperar a visita da cegonha; receber a visita da cegonha; visita da cegonha
ceia ceia do Senhor; Santa Ceia; Última Ceia
celeste a pátria celeste; abóbada celeste; atlas celeste; carta celeste; Celeste Império; corpo celeste; corpos celestes; corte celeste; Império Celeste; milícia celeste; morada celeste; pão celeste; potestades celestes
celestial corte celestial (*V.* "corte celeste")
celha carregar a celha
célula célula fotoelétrica
celular telefone celular
cem a cem por hora; cem por cento; cem vezes; deusa das cem bocas
cena boca de cena; cena cômica; cena do cotidiano; cena lírica; cena muda; cena trágica; entrar em cena; estar em cena; estar sempre em cena; fazer cena; fazer cenas (*V.* "fazer cena"); ir à cena; levar à cena; pisar em cena; pôr em cena; roubar a cena; sair de cena
cênico(a) artes cênicas
censo censo demográfico
censura passar pela censura; sem medo e sem censura
centauro Alfa de Centauro; Próxima de Centauro
centavo os últimos centavos
centena às centenas
center *shopping center*
centímetro centímetro por centímetro
cento cem por cento; cento por cento; por cento
central aquecimento central; banco central; beque central; central elétrica
centro ao centro; baixar noutro centro (*V.* "baixar noutra freguesia"); centro (ou unidade) de terapia (ou tratamento) intensiva; centro cirúrgico; centro das atenções; centro de gravidade; centro de processamento de dados; centro de saúde; centro do universo; centro histórico; de centro; ser o centro do universo
cepa boa cepa; ser da cepa dos
cera branco como cera; cera do ouvido; com cera no ouvido; estar com cera no ouvido; fazer cera; ficar branco como a cera; gastar cera com defunto barato (ou ruim); ter cera nos abanos (*V.* "ter cera nos ouvidos"); ter cera nos ouvidos

cerca ainda pular a cerca; bater com a cola na cerca; bater com o rabo na cerca (*V.* "bater com a porta na cara"); botar na cerca; cerca de; cerca de pau a pique; cerca viva; com o rabo na cerca; dar com o rabo na cerca; dar mais que chuchu na cerca; estar com o rabo na cerca (*V.* "estar com o rabo preso"); estar na cerca; por baixo da cerca; pular a cerca; rabo na cerca (*V.* "rabo preso")
cerca-lourenço fazer cerca-lourenço
cercania nas cercanias de
cercar andar cercando frango; cercar frango; cercar por todos os lados; pernas de cercar frango
cerceamento cerceamento de liberdade / defesa
cerco apertar o cerco; pôr cerco a
cerebral acidente vascular cerebral (AVC); concussão cerebral; derrame cerebral; lavagem cerebral
cérebro cérebro eletrônico
cereja cereja do bolo
Ceres dons de Ceres; sem Ceres e Baco, Vênus vive fria; tesouros de Ceres
cerimônia cheio de cerimônias; fazer cerimônia; mestre de cerimônias; sem cerimônia
cerne estar no cerne
cerrado(a) a carga cerrada; campo cerrado; carga cerrada; de olhos cerrados (*V.* "de olhos fechados"); estar sob fogo cerrado; fazer carga cerrada contra (*V.* "fazer carga contra"); marcação cerrada; noite cerrada; semblante cerrado (*V.* "franzir as sobrancelhas")
cerrar cerrar os punhos
certeiro tiro certeiro
certeza com certeza; ter certeza
certidão certidão negativa
certificado certificado de garantia; certificado de reservista
certo(a) a certa altura; amigo certo nas horas incertas; ao certo; até certo ponto; bater certo; certa feita; certa vez; certo como a morte; certo como boca de bode; certo como dois e dois são quatro (*V.* "certo como a morte"); certo dia; contar certo com (alguém) (*V.* "contar com"); dar certo; de certa feita; de certa forma; de certo modo; deixar o certo pelo duvidoso; em certa medida; estar certo de; fazer a coisa certa; jogar na certa; líquido e certo; na certa; não bater certo (*V.* "não bater bem"); não ser certo da bola; não vai dar certo; pela certa; por certo; tão certo como dois e dois são quatro; tão certo como eu me chamar (fulano) (*V.* "tão certo como dois e dois são quatro"); ter hora certa para tudo; um certo

cerveja barriga de cerveja
cerviz dobrar a cerviz
César era de César; mulher de César
cessão cessão de crédito
cessar sem cessar
cesta abrir a manta e levantar a cesta; cesta básica; colocar todos os ovos na mesma cesta
cesto buscar água no cesto; carregar água em cesto (*V.* "apanhar água com peneira")
cetera *et cetera*
cetro empunhar o cetro
céu a céu aberto; azul do céu; bradar aos céus; cair do céu; cair dos céus; céu da boca; céu de brigadeiro; céu de rosas; céu encapotado; céus e terras; chaves do céu (*V.* "chaves de São Pedro"); dar o céu; Do céu venha o remédio.; espião do céu; espirrar para o céu; estar no céu; estar no sétimo céu; fogo do céu; ir ao céu; ir ao sétimo céu; ir direto/direitinho para o céu; ir para o céu das formigas; ir para o céu vestido e calçado; levantar as mãos ao céu; levantar as mãos aos céus (*V.* "levantar as mãos"); levantar os olhos ao céu; mãe do Céu; maná do céu; Meu Deus do Céu! (*V.* "meu Deus!"); mover céus e terra; nada cai do céu; nem para o céu; no sétimo céu; o céu é o limite; o céu na terra; o Reino dos Céus (*V.* "o Reino de Deus"); pão do céu (*V.* "pão celeste"); pensar que o céu é perto; porteiro do Céu; presente dos céus; querer abarcar o céu com as pernas (*V.* "querer abarcar o mundo com as pernas"); querer o céu e a terra; reino do céu; revolver céus e terra; ser Deus no céu e (fulano) na terra; ser um céu aberto; subir ao céu; subir ao sétimo céu; ter cabelo no céu da boca (*V.* "ter cabelo no coração"); ter o céu na terra; tomar o céu por testemunha; um céu aberto; ver o céu por dentro
cha *In cha Allah!*
chá chá da meia-noite; chá das cinco; chá de bebê; chá de cadeira; chá de panela; chá de sumiço; chá e simpatia; chá-dançante; colher de chá; dar uma colher de chá; não ter tomado chá em pequeno; tomar chá de cadeira; tomar chá de sumiço
chã chã de dentro (fora)
chabu dar chabu
chácara leão de chácara
chacota fazer chacota
chaga pôr o dedo na chaga (*V.* "pôr o dedo na ferida")
chaleira pegar na chaleira (*V.* "pegar no bico da chaleira"); pegar no bico da chaleira
chama acender a chama da esperança

chama (*subst.*) chamas eternas
chamada dar uma chamada; identificador de chamadas; segunda chamada
chamado chamado da natureza; meter o nariz onde não é chamado; meter-se onde não é chamado
chamar chamar a atenção; chamar à fala; chamar a morte; chamar à ordem; chamar à razão; chamar à responsabilidade; chamar às armas; chamar às falas (*V.* "chamar à fala"); chamar de tudo quanto é nome; chamar nas esporas; chamar nos peitos; chamar o Juca; chamar o Raul (*V.* "chamar o Juca"); chamar pro pau; chamar urubu de meu louro; como é que chama; o dever me chama; ou eu não me chamo mais...; só não chamar de santo; tão certo como eu me chamar (fulano) (*V.* "tão certo como dois e dois são quatro")
chaminé É uma chaminé.; fumar como uma chaminé; indústria sem chaminé
chance dar uma chance; ter uma chance em mil; última chance
chanceler o Chanceler de Ferro
changa boa changa
changui dar changui
chantilly creme chantilly
chão ao rés do chão; apalpar o chão (*V.* "apalpar o terreno"); beijar o chão; botar no chão; com a cara no chão; com os pés no chão; comedor de chão; Do chão não passa.; É de se rolar no chão.; faltar o chão (*V.* "perder o chão"); ir ao chão; medir chão; morder o chão (*V.* "morder o pó"); muito chão pela frente; pano de chão; pé no chão; perder o chão; rés do chão; riscar a cama no chão com giz; Se cair, do chão não passa.; sentir o chão fugir dos pés; ter os pés no chão
chapa bater chapa; bife de chapa; chapa fria; de chapa; furar a chapa; meu chapa
chapéu barretada com o chapéu alheio; chapéu de palha; chapéu de palhinha (*V.* "chapéu de palha"); chapéu de sol; de chapéu na mão; de se tirar o chapéu (*V.* "de tirar o chapéu"); de tirar o chapéu; fazer caridade com chapéu alheio; fazer cortesia com chapéu alheio; passar o chapéu; sentir gosto de chapéu de sol na boca; tirar o chapéu
charada matar a charada
charme fazer charme
charminho fazer charminho (*V.* "fazer charme")
charmoso charmoso como um hipopótamo
charqueada fazer charqueada
charuto mexer feito charuto em boca de bêbado; tempo de dom João Charuto (*V.* "tempo do onça")

chateação Que chateação!
chato(a) bife de cabeça chata; chato de galochas; pé chato; ser chato
chave a chave do enigma (*V.* "o xis da questão"); a sete chaves; abrir com chave de ouro; cabeça de chave; chave de braço; chave de fenda; chave de ouro; chave de roda; chave mestra; chave-inglesa; chaves de São Pedro; chaves do céu (*V.* "chaves de São Pedro"); debaixo de chave; fechar a sete chaves; fechar com chave de ouro; fechar com sete chaves; guardar a sete chaves; meter na chave; passar a chave em; passar na chave; penca de chaves; ter a chave do cofre; *chave Philips*
check check-in; *checkout*; *check-up*; fazer (o) *check-in*
cheese dizer "cheese"
chefe carro-chefe; chefe de cozinha; chefe de Estado; chefe de família; chefe de trem
chega até dizer chega (*V.* "até dizer basta")
chega (*interj.*) Chega de onda!; Pra mim chega!; uma vez chega
chega (*subst.*) dar um chega pra lá
chegada (*subst.*) dar uma chegada; fita de chegada
chegadinha dar uma chegadinha (*V.* "dar uma passada")
chegado(a) (*adj.*) ser chegado numa garrafa
chegar chegar à raiz de (algo); chegar a sua hora; chegar a vez; chegar ao fim do túnel; chegar ao fundo; chegar ao fundo do poço; chegar ao pódio; chegar ao ponto de saturação (*V.* "chegar ao fundo do poço"); chegar aos ouvidos; chegar às falas; chegar às raias; chegar às vias de fato; chegar com uma mão atrás e outra na frente (*V.* "chegar de mãos abanando"); chegar de mãos abanando; chegar de supetão; chegar em hora errada; chegar junto; chegar na horinha; chegar no pedaço; chegar o seu dia e sua hora; chegar para apagar as luzes; conta de chegar; ir chegando; não chegar aos calcanhares de; não chegar aos pés de; não chegar para as encomendas; nem chegar, já ir embora; preguiça chegou ali, fez casa de morada; preguiça chegou ali, parou (*V.* "preguiça chegou ali, fez casa de morada"); querer chegar a; vou chegando
cheio(a) à mão-cheia; acertar em cheio; às mãos-cheias; atingir em cheio; cara de lua cheia; cheio da erva; cheio da grana; cheio da nota (*V.* "cheio da grana"); cheio de; cheio de altos e baixos; cheio de cerimônias; cheio de chove não molha; cheio de coisas; cheio de cor; cheio de dedos; cheio de dias; cheio de fobó; cheio de frescura; cheio de histó-

rias; cheio de ípsilons; cheio de luxos; cheio de merda; cheio de nó pelas costas; cheio de nove-horas; cheio de novidades; cheio de partes; cheio de prosa; cheio de si; cheio de titicas; cheio de vento; cheio de vida; chorar de barriga cheia; com a burra cheia; com a cachorra cheia; com as burras cheias (*V.* "com a burra cheia"); de boca cheia; de cara cheia; de mão-cheia; de saco cheio; dia cheio; em cheio; estar cheio; estar cheio como um ovo; estar com a burra cheia; estar de saco cheio; falar de barriga cheia; falar de papo cheio; ficar cheio de si; hora cheia; lua cheia; mão-cheia; maré cheia (*V.* "maré baixa (alta)"); prato cheio; ser cheio de dodóis; ter os ouvidos cheios; ter um dia cheio; umas em cheio, outras em vão; voz cheia
cheirado não ser ouvido nem cheirado; não ter sido ouvido nem cheirado
cheirar cheirar a bode velho; cheirar a carniça (*V.* "cheirar a bode velho"); cheirar a cueiros; cheirar a fralda (*V.* "cheirar a cueiros"); cheirar mal / não cheirar bem; de cheirar e guardar; de ver, cheirar e guardar; É de cheirar e guardar.; Isso/isto não me cheira bem.; não cheirar bem; não me cheira bem; não ser flor que se cheire; nem fede nem cheira
cheirinho cheirinho da loló (cheiro)
cheiro água de cheiro; banho de cheiro; cheirinho da loló (cheiro); cheiro de santidade; mau cheiro; morrer com cheiro de santidade
cheque cheque administrativo; cheque ao portador; cheque borrachudo; cheque bumerangue; cheque cruzado; cheque de viagem; cheque em branco; cheque especial; cheque nominal; cheque olímpico; cheque pré-datado; cheque tartaruga; cheque visado; cheque voador
cherchez cherchez la femme
chiar chiar na faca cega; não adianta chiar; nem chiou
Chico velho Chico
chico (*subst.*) estar de chico
chicote no chicote
chief chief executive officer (CEO)
chifre batendo chifre; bater chifres; bater os chifres; botar chifres em; botar nos chifres da lua; chifre em cabeça de cavalo; É de vaca bater palmas com os chifres.; pegar o boi pelos chifres; pegar o touro pelos chifres (*V.* "pegar o touro à unha"); pôr chifres em; pôr nos chifres da lua (*V.* "pôr nos cornos da lua"); procurar chifre em cabeça de cavalo; ser do chifre-furado; ter chifres; ter o diabo nos chifres (*V.* "ter o diabo no corpo")
chileno(a) Cartas Chilenas
chimarrão mate-chimarrão
China lá na China; negócio da China
chincha na chincha
chinelo amanhecer de chinelos trocados (*V.* "amanhecer com a avó atrás do toco"); botar no chinelo; meter no chinelo; meter o chinelo; pé de chinelo; pôr no chinelo
chinfra ser uma chinfra
chip blue chip
chique nem chique nem mique; radical chique
chiqueiro É um verdadeiro chiqueiro!
chispar sair chispando
chocado ficar chocado
chocalho beber água de chocalho
chocar chocar os ovos
choco (*subst.*) estar de choco; estar no choco; ficar no choco
choco(a) (*adj.*) água choca; galinha-choca
chofre de chofre
choldra ir de choldra
chop chop suey
chope barril de chope
choque absorver o choque; choque de culturas; choque do futuro; estado de choque; tratamento de choque
chorado de canto chorado; trazer (alguém) de canto chorado (*V.* "trazer de canto chorado"); trazer de canto chorado
chorão bebê chorão
chorar chorar a morte da bezerra; chorar as mágoas; chorar as pitangas (*V.* "chorar as mágoas"); chorar como bezerro desmamado; chorar de barriga cheia; chorar lágrimas de sangue; chorar miséria; chorar miséria(s) (*V.* "chorar suas misérias"); chorar na cama que é lugar quente; chorar no ombro de; chorar no pinho; chorar pelas cebolas do Egito; chorar pelos cantos; chorar sobre o leite derramado; chorar suas misérias; comer e chorar por mais; É de chorar.; Não adianta chorar sobre leite derramado.; Sinto muito, mas chorar não posso.
choro defunto sem choro; o choro é livre
chover cheio de chove não molha; chova ou faça sol; chover a cântaros; chover baba e ranho; chover canivetes; chover no molhado; chover no roçado de; nem que chovam canivetes; quer chova, quer faça sol; Vá ver se está chovendo (*V.* "Vá ver se estou lá na esquina!")
christi Corpus Christi; lacrima Christi
christmas white Christmas
chucha à chucha calada
chuchu dar mais que chuchu na cerca; pra chuchu

chucro gado chucro
Chuí do Oiapoque ao Chuí
chulipa ripa na chulipa; ripa na chulipa e pimba na gorduchinha (*V.* "ripa na chulipa")
chumbado(a) engoliu a linha, o anzol, a chumbada e a isca; estar chumbado
chumbo chumbo trocado; cuspir chumbo; levar chumbo; pé de chumbo; só não beber chumbo derretido
chupar assobiar e chupar cana; boca de chupar ovo; Cara de quem chupou limão (*V.* "cara de quem comeu e não gostou"); chupando o dedo; chupar cana e assobiar ao mesmo tempo; chupar o olho; chupar o sangue; chupar os olhos da cara; mandar chupar prego (*V.* "mandar às favas")
chupeta de chupeta
churrasco muita carne para o churrasco de (alguém)
chus nem chus nem bus
chutar chutar a sorte; chutar a urucubaca; chutar alto; chutar cachorro morto; chutar contra seu próprio gol; chutar o balde; chutar o pau da barraca; chutar para córner; chutar para o alto
chute chute de letra; chute no traseiro; no chute
chuteira pendurar as chuteiras
chuva andar na chuva; assanhado como barata em tempo de chuva; capa de chuva; chuva ácida; chuva criadeira; chuva de estrelas; chuva de molhar bobo; chuva de ouro (ou de prata); chuva de palavrões; chuva de pedra; chuva miúda; estação das chuvas; estar na chuva; ficar na chuva; gosto de cabo de guarda-chuva na boca; pancada de chuva (*V.* "pancada de água"); Pode tirar (ir tirando) o cavalinho da chuva.; Quem está na chuva é pra se molhar.; sentir gosto de guarda-chuva na boca (*V.* "sentir gosto de chapéu de sol na boca"); sujeito a chuvas e trovoadas; tirar o cavalinho da chuva (*V.* "tirar o cavalo da chuva"); tirar o cavalo da chuva; *apanhar chuva*
chuveiro chuveiro automático; ir para o chuveiro mais cedo; mandar para o chuveiro
ciclo ciclo lunar; ciclo menstrual; ciclo solar; ciclo vital
cidadão cidadão do mundo; cidadão do universo (*V.* "cidadão do mundo")
cidade cidade aberta; cidade das sete colinas; cidade dos pés juntos; cidade eterna; cidade histórica; Cidade Maravilhosa; cidade sagrada; ir para a cidade dos pés juntos
ciência árvore da ciência do bem e do mal; ciência de algibeira; ciências ocultas; meia ciência; poço de ciência; um poço de
científica ficção científica
cigarro cigarro de palha
Cila estar entre Cila e Caribdes
cima ainda em cima; ainda por cima; botar uma pedra em cima de; colocar uma pedra em cima; cuspir para cima (*V.* "cuspir para o ar"); da prateleira de cima; dar a volta por cima; dar de cima; dar em cima de; de barriga para cima; de cima; de cima a baixo; de telhas para cima; desde cima até embaixo (*V.* "de alto a baixo"); em cima; em cima da bucha; em cima da hora; em cima da perna; em cima das coxas (*V.* "em cima da perna"); em cima de; Em cima de queda, coice.; em cima do laço; em cima do lance; em cima do muro; estar de cima; estar em cima de; estar na prateleira de cima; estar por cima; estar por cima da carne-seca; ficar em cima do muro; ficar por cima; ir para cima; ir para cima de; lá de cima; ler por cima; mão por baixo, mão por cima; olhar de cima; olhar por cima dos ombros; para cima; para cima de; para cima e para baixo; passar por cima (de); passar por cima do cadáver de; por cima; por cima da carne-seca; por cima de; por cima de paus e de pedras; pôr os pés para cima; pôr uma pedra em cima; pôr uma pedra em cima de (*V.* "botar uma pedra em cima de"); sacudir a poeira e dar a volta por cima; saltar por cima de tudo; serrar de cima; soltar os cachorros em cima de; tirar um peso de cima de si; tratar por cima do ombro; tudo em cima; voar em cima de; voar para cima de
cimento cimento amianto; cimento armado; *cimento Portland*
cinco as cinco letras; assentar os cinco mandamentos; chá das cinco; com os cinco sentidos; menina de cinco olhos; os cinco sentidos; passar os cinco dedos
cinema astro de cinema; cinema falado; cinema mudo; coisa de cinema; estrela de cinema
cingir cingir a coroa
cinto apertar o cinto; cinto de castidade; cinto de segurança
cintura cintura de pilão; cintura de tanajura (*V.* "cintura de pilão"); cintura de vespa (*V.* "cintura de pilão"); jogo de cintura; ter jogo de cintura
cinturão cinturão verde
cinza deitar cinza nos olhos de (*V.* "botar cinza nos olhos de")
cinza (*adj.*) sair cinza
cinza (*subst.*) botar cinza nos olhos de; bra-

sa debaixo de cinza; pôr cinza nos olhos (de alguém)
cinzas (*subst.*) brotar sob as cinzas; levantar-se das cinzas; Quarta-feira de Cinzas; reduzir a cinzas; renascer das cinzas
cinzento(a) massa cinzenta
cio entrar no cio
circense *panem et circenses*
circo armar um circo; circo de cavalinhos; circo lunar; de circo; deixar o circo pegar fogo; mico de circo; pão e circo; ser de circo; ser mico de circo; ver o circo pegar fogo
circuito circuito Elizabeth Arden
circulação pôr em circulação; sair de circulação
circulante meio circulante
círculo andar em círculos; círculo de ferro; círculo de fogo; círculo de relações; círculo vicioso; círculo virtuoso; círculos polares; como peru em círculo de giz; peru em círculo de giz; procurar a quadratura do círculo; quadratura do círculo
circunstância acomodar-se com as circunstâncias; conjunto de circunstâncias; de circunstância; estar em más circunstâncias; força das circunstâncias; lei de circunstância; nestas circunstâncias; por força das circunstâncias; sob nenhuma circunstância
cirílico(a) alfabeto cirílico
círio círio batismal; círio pascal
cirrose cirrose hepática
cirurgia cirurgia estética; cirurgia plástica (*V.* "cirurgia estética")
cirúrgico(a) centro cirúrgico; clínica cirúrgica
ciscada dar uma ciscada
cisco como cisco
cisma tirar a cisma de
cisne canto do cisne; pescoço de cisne
citato *loco citato*; *opere citato*
civil ano civil; casamento civil; construção civil; defesa civil; desobediência civil; estado civil; Guarda Civil; guerra civil; hora civil de Greenwich; registro civil; responsabilidade civil; *Casa Civil*
civis direitos civis
clamar clamar sobre o leite derramado (*V.* "chorar sobre o leite derramado"); voz (daquele) que clama no deserto
clamor clamor público
claras às claras
clareza clareza meridiana; meridiana clareza
claro(a) alto e claro (*V.* "alto e bom som"); claro como a luz; claro como água (*V.* "claro como a luz"); claro como o dia; claro pelo claro; deixar bem claro (*V.* "deixar claro"); deixar claro; dia claro; em claro; em português claro; falar claro; falar português claro; Fui claro?; no claro; passar a noite em claro; passar em claro; pelo claro; quer mais claro, ponha-lhe água
claros claros do exército
classe classe "A"; classe média; classe sacerdotal; classes proletárias; com classe; de classe; de primeira classe; de segunda classe; de terceira classe; luta de classes; primeira classe; sem classe
clássico(a) antiguidade clássica; dança clássica; letras clássicas; música clássica
classificado anúncio classificado
cláusula cláusula ouro; cláusulas pétreas
clérigo ama de clérigo
clero alto clero; baixo clero
clichê segundo clichê
clima clima continental; clima desértico; clima frio; clima glacial; clima quente; clima subtropical; criar um clima; faltar clima; não ter clima para; o clima está quente; sentir o clima
climatérico ano climatérico
clínica clínica cirúrgica; clínica geral; clínica médica
clínico análise clínica; olho clínico; ter olho clínico
clip *clip art*
clipagem clipagem eletrônica
clique dar um clique
closet *water closet*
clube clube de várzea
coado café coado; dez réis de mel coado; não tem café coado; por dez réis de mel coado
cobaia servir de cobaia
coberta baralhar as cobertas; debaixo das cobertas
coberto a coberto de; estar coberto de razão; nem coberto de ouro; pôr a coberto
cobertor cobertor de orelha; cobertor de pobre; sob os cobertores
cobertura com a cobertura de
cobra a cobra vai fumar; andar como cobra quando perde a peçonha; assobio de cobra; banha de cobra; cobra criada; cobra que morde o rabo; cobra que perdeu a peçonha (*V.* "cobra que perdeu o veneno"); cobra que perdeu o veneno; cobras e lagartos; comer cobra; dar asas a cobra; dizer cobras e lagartos; É cobra comendo cobra.; engolir cobra; ficar cobra; ficar como cobra que perdeu o veneno; matar a cobra e mostrar o pau; mordido de cobra; ninho de cobras; pôr suspensórios em cobra; provar que cobra é elefante; rasteira em cobra; sabido como cobra; ser cobra; virar cobra
cobrar cobrar força

cobre cair com os cobres; entrar nos cobres; marchar com os cobres; meter o pau nos cobres; passar nos cobres; torrar nos cobres
cobres espichar os cobres (*V.* "cair com os cobres"); passar os cobres (*V.* "cair com os cobres")
cobrir cobrir de beijos; cobrir de elogios; cobrir de ouro; cobrir um acontecimento; cobrir um lance; cobrir-se com penas de pavão; descobrir um santo para cobrir outro
cobro pôr cobro
coça dar uma coça
coçação coçação de saco
cocada comer cocada; rainha da cocada preta; rei da cocada preta; vender cocada
coçar coçar a cabeça; coçar o saco; coçar-se com a mão do peixe; com a língua coçando; estar com a língua coçando; não se coçar; não ter tempo nem para se coçar (*V.* "não ter tempo"); procurar sarna para se coçar; sarna para se coçar; ter sarna para coçar-se
cócega ter cócegas na língua
cocheira de cocheira
cochilada dar uma cochilada
cochilar cochilar sentado
cochilo tirar um cochilo (*V.* "tirar uma pestana")
cocho comer e emborcar o cocho; comer e virar o cocho (*V.* "comer e emborcar o cocho"); comer no mesmo cocho; emborcar o cocho; virar o cocho (*V.* "emborcar o cocho")
coco água de coco; cabeça de coco; doce de coco; fazer algo pros cocos; fazer pros cocos; levar no coco; pros cocos; um doce de coco
cocô fazer cocô
cócoras de cócoras; em cócoras (*V.* "de cócoras")
código código de acesso; código de barras; código de endereçamento postal; código Morse
coeficiente coeficiente de inteligência
coelho aqui há dente de coelho; coelho na cartola; com uma só cajadada, matar dois coelhos (*V.* "matar dois coelhos com uma só cajadada"); de uma cajadada, matar dois coelhos; dente de coelho; Deste mato não sai coelho.; matar dois coelhos com uma só cajadada; tirar um coelho da cartola
cofiar cofiar a barba (*V.* "cofiar os bigodes"); cofiar os bigodes; cofiar os cabelos (*V.* "cofiar os bigodes")
cofre cofre de carga; dono do cofre; ter a chave do cofre
cogitação estar fora de cogitação
cogito Cogito, ergo sum

cogumelo brotar como cogumelo; crescer como cogumelo
coice além de queda, coice; curto como coice de porco; Depois da queda, coice.; Em cima de queda, coice.; levar um coice
coincidência feliz coincidência
coisa a coisa está feia (*V.* "a coisa está preta"); a coisa está pegando fogo (*V.* "a coisa está preta"); a coisa está preta; a coisa está ruça (*V.* "a coisa está preta"); a permanecerem assim as coisas...; aceitar as coisas como elas são (*V.* "aceitar a vida como ela é"); acreditar (em determinada coisa) piamente; agora a coisa vai; aí é que a coisa encrenca (*V.* "aí é que a coisa pega"); aí é que a coisa fia fino (*V.* "aí é que a coisa pia fino"); aí é que a coisa pega; aí é que a coisa pia fino; aí há coisa (*V.* "Aí tem coisa!"); Aí tem coisa!; alguma coisa; As coisas estão pretas; as quatro últimas coisas; Boa coisa não é.; cheio de coisas; coisa à toa; coisa alguma; coisa de; coisa de arromba; coisa de cinema; coisa de criança; coisa de louco; coisa de nada; coisa de outro mundo; coisa de primeira mão; coisa de vulto; coisa do arco-da-velha; coisa do outro mundo; coisa em si; coisa nenhuma; coisa pública; coisa que o valha; coisa sem pés nem cabeça; coisa-feita; coisa-ruim; coisas da vida; coisas e loisas; coisas mínimas; como quem nada tem com a coisa; dar uma coisa em; dizer adeus a (uma pessoa ou coisa); É tudo uma coisa só.; encher a boca de uma coisa; Essa é que é a coisa.; estado de coisas; estar vendo coisas; estarem as coisas pretas; falar de outra coisa; fazer a coisa certa; fazer as coisas pela(s) metade(s); fazer uma coisa brincando; Grande coisa!; juntar as coisas; lá vai coisa (*V.* "lá vai fumaça"); muitas coisas em poucas palavras; não dar pela coisa; não dizer coisa com coisa; não falar noutra coisa; não fazer coisa com coisa (*V.* "não dizer coisa com coisa"); não ser coisa que se diga; não ser coisa que se faça (*V.* "não ser coisa que se diga"); não ser grande coisa; não ser lá essas coisas (*V.* "não ser lá grande coisa"); não ser lá grande coisa; não ter visto uma coisa nem pintada; nem uma coisa nem outra; ou coisa que o valha; passar por coisa pior; pôr as coisas em seus lugares; qualquer coisa; saber das coisas; ter passado por coisa pior; um monte de coisas; uma coisa; uma coisa depois da outra; Uma coisa é uma coisa, outra coisa é outra coisa.; Uma coisa leva a outra.; uma coisa ou outra; ver a coisa preta; ver as coisas do alto; ver as coisas pelo lado bom; ver coisas; ver o lado bom das coisas;

ver-se a braços com uma coisa; vir a ser a mesma coisa
coisinha coisinha à toa; coisinha de nada (*V.* "coisinha à toa"); coisinha linda
coisíssima coisíssima nenhuma
coitado pobre coitado
cola andar na cola de; bater com a cola na cerca; estar na cola de; passar cola
colação a colação
colaço irmãos colaços
colado andar colado
colapso colapso de energia
colar colar grau; Essa não cola (*V.* "Essa eu não engulo."); não colar
colarinho colarinho de palhaço; colarinho-branco; crime de colarinho-branco; de colarinho e gravata
colateral consanguinidade colateral/linear
colcha colcha de retalhos
colchete colchete de gancho; colchete de pressão
colégio colégio dos cardeais; colégio eleitoral; Sacro Colégio
coleira andar de coleira larga
cólera descarregar a cólera sobre alguém; explosão de cólera
colete colete ortopédico; manga de colete; no bolso do colete; tirar do bolso do colete
coletivo(a) dissídio coletivo; entrevista coletiva
colhão não ter colhões
colher botar a colher; colher de chá; colher de pedreiro; colher os frutos; dar uma colher de chá; de colher; fazer colher de pau e bordar o cabo; jogar verde para colher maduro; meter a colher; meter a colher torta; plantar verde para colher maduro
colher (*subst.*) colher os louros
colina cidade das sete colinas; sete colinas de Roma
colírio ser um colírio para os olhos
colis colis postaux
colisão em curso de colisão; em rota de colisão; rota de colisão
colo andar ao colo; andar com alguém no colo; ao colo; carregar ao colo; colo de garça; colocar no colo; criança de colo; trazer ao colo
colocar botar (colocar) no mesmo saco; colocar (pôr) na balança; colocar /pôr uma pá de cal em; colocar a carroça na frente dos bois; colocar a prêmio; colocar à prova; colocar contra a parede; colocar em jogo; colocar em prática; colocar no colo; colocar raposa para tomar conta de galinheiro; colocar todos os ovos na mesma cesta; colocar uma pedra em cima; colocar-se na pele de (*V.* "colocar-se no lugar de"); colocar-se no lugar de; pôr (colocar) lenha na fogueira
colombo ovo de Colombo
colônia colônia agrícola; colônia de férias; colônia penal
colorido(a) amizade colorida; colorido especial; dar um colorido especial
colosso colosso do Norte
coluna coluna social; coluna vertebral; colunas de Hércules
coma entrar em coma; estado de coma
comadre conversa de comadres; negócio de comadres
comandar comandar o barco
combate combate singular; dar combate a; fora de combate; travar combate (*V.* "travar batalha")
combustão combustão espontânea
combustível combustível atômico/nuclear
começar a vida começa aos quarenta; começar a inana; começar da estaca zero (*V.* "começar do zero"); começar do zero; começo do fim; desde o começo; para começo de conversa
começo no começo
comédia comédia de costumes; Divina Comédia; mulher de comédia (*V.* "mulher à toa"); segredo de comédia
comedor comedor de caranguejo; comedor de chão; comedor de formiga
comenos neste comenos
comentário Dispensa comentários.; sem comentários; tecer comentários
comer achar o comer feito; cara de quem comeu e não gostou; come e dorme; come na minha (sua) mão; comer a bola; comer a isca; comer a isca e cuspir no anzol; comer à tripa forra; comer alguém por uma perna; comer as palavras; comer até encher a pança (*V.* "comer como um cavalo"); comer até entornar (*V.* "comer como um cavalo"); comer barriga; comer bola; comer brisa; comer calado; comer capim pela raiz; comer cobra; comer cocada; comer com a testa; comer com os olhos; comer como pinto e cagar como pato; comer como um boi (*V.* "comer como um cavalo"); comer como um cavalo; comer como um lobo; comer como um passarinho; comer como um porco; comer da banda crua; comer da banda cruz (*V.* "passar lamba"); comer da banda podre (ruim) (*V.* "comer da banda crua"); comer da banda podre (*V.* "comer fogo"); comer da mesma gamela; comer e chorar por mais; comer e emborcar o cocho; comer e virar o cocho (*V.* "comer e emborcar o cocho"); comer estrada; comer feijão e arrotar peru; comer fogo; comer formiga; comer gambá

errado; comer gato por lebre; comer grama; comer grama pela raiz; comer insosso e beber salgado; comer isca; comer mosca; comer na gaveta; comer no mesmo cocho; comer no mesmo prato (*V.* "comer no mesmo cocho"); comer o badalo; comer o couro de; comer o pão que o diabo amassou; comer o peito da franga; comer o peito da franga com molho pardo (*V.* "comer o peito da franga"); comer o que o diabo enjeitou (*V.* "comer o pão que o diabo amassou"); comer pela mão de; comer pela perna; comer pelas beiradas; comer por dez; comer ruim; comer sardinha e arrotar pescada; comer terra; comer um boi; cuspir no prato em que se comeu; dar de comer; É cobra comendo cobra.; escreveu, não leu, o pau comeu; estar comendo brisa; juntar-se a fome com a vontade de comer; não merecer o pão que come; não valer o feijão (pão) que come; não valer o pão que come (*V.* "não valer o feijão (pão) que come"); nascido para comer grãos; O gato comeu sua língua?; o pau comeu; onde comem dois, comem três (*V.* "se dá pra dois, dá pra três"); Se correr o bicho pega, se ficar o bicho come.; soprar e comer; ter muita feijoada para comer
comercial almoço comercial; ano comercial; casa comercial; e comercial; espionagem comercial/industrial; junta comercial; praça comercial
comércio área de livre comércio; câmara de comércio; comércio eletrônico; de fechar o comércio; fazer comércio com o próprio corpo; fundo de comércio; zona de livre comércio
comes comes e bebes
cometer cometer uma baixeza; cometer uma gafe
comichão ter comichão na língua
cômico(a) alívio cômico; cena cômica
comida casa e comida; comida de sal; comida de urso
comigo comigo é assim; Comigo não, violão!; Comigo ninguém pode.; comigo ninguém rasga (*V.* "Comigo ninguém pode."); Está falando comigo?; Isso/isto não é comigo!; pensei cá comigo
comissão comissão de frente; comissão parlamentar de inquérito
comissário(a) comissário(a) de bordo
comité *en petit comité*
comitê em comitê
comme *comme il faut*
commercial commercial paper
common Common Law
como A como?; acabar-se como sabão na mão de lavadeira; aceitar a vida como ela é; aceitar as coisas como elas são (*V.* "aceitar a vida como ela é"); afiado como uma navalha; andar como cachorro que caiu do caminhão de mudança; andar como caranguejo; andar como cobra quando perde a peçonha; andar como lesma (*V.* "andar como tartaruga"); andar como tartaruga; andar para trás como caranguejo; apanhar como boi ladrão; apertados como sardinhas em lata; assanhado como barata em tempo de chuva; assentar como uma luva; assim como; assim como assim; bêbado (ou bêbedo) como um cacho (*V.* "bêbado como um gambá"); bêbado como um gambá; beber como um gambá; beber como uma esponja (*V.* "beber como um gambá"); belo como o dia; bem como; bom como água; bom como pão (*V.* "bom como água"); branco como a neve; branco como cera; brotar como cogumelo; burro como uma porta; cair como sopa no mel; cair como um patinho; cair como um pato (*V.* "cair como um patinho"); cair como uma bomba; cair como uma luva; calado como um túmulo; calado como uma porta (*V.* "calado como um túmulo"); cantar como taquara rachada; careca como um ovo; cego como uma toupeira; certo como a morte; certo como boca de bode; certo como dois e dois são quatro (*V.* "certo como a morte"); charmoso como um hipopótamo; chorar como bezerro desmamado; claro como a luz; claro como água (*V.* "claro como a luz"); comer como pinto e cagar como pato; comer como um boi (*V.* "comer como um cavalo"); comer como um cavalo; comer como um lobo; comer como um passarinho; comer como um porco; como a necessidade; como água; como água de morro abaixo e fogo de morro acima; como água e fogo; como água nas costas de pato; Como assim?; como cão e gato; como cisco; como convém; como de costume; como de fato; como der na cabeça; como der na ideia (*V.* "como der na cabeça"); como der na telha (*V.* "como der na cabeça"); como deve ser; como diz o outro; como dizia meu avô/avó/mãe (*V.* "como dizia meu pai"); como dizia meu pai; como dois pombinhos; como é que chama; como ele só; como estátua; como formiga; como gato e cachorro (*V.* "como cão e gato"); como gato e rato (*V.* "como cão e gato"); como gato sobre brasas; como gente grande; como irmãos; como lá diz o outro; como macaco por banana; como manda o figurino; como nunca; como o demônio (*V.* "como o diabo"); como o dia e a noite; como o diabo; como o diabo gosta; como o peixe n'água; como peixe

como

fora d'água; como peru em círculo de giz; como Pilatos no credo; como poucos; como príncipe; como que; como queira; como quem nada tem com a coisa; como quem não quer e querendo; como quem não quer nada (V. "como quem não quer e querendo"); como quer que; como queríamos demonstrar; como quiser; como sardinhas na lata; como se; como se não houvesse amanhã; como sói acontecer; como tal; como tartaruga; como terra; como último recurso; como um anjo; como um cão; como um condenado; como um cordeiro; como um demônio; como um desesperado; como um infeliz; como um louco; como um meteoro (V. "como um raio"); como um passarinho; como um peixe fora d'água (V. "como peixe fora d'água"); como um pinto; como um poste (V. "como estátua"); como um príncipe; como um raio; como um relâmpago (V. "como um raio"); como um relógio; como um só homem; como um turbilhão; como uma flecha; Como vai essa bizarria?; Como vai essa força?; como vilão em casa de seu sogro; conhecer como a palma da mão; conheço como a palma de minha mão; correr como um louco; crescer como bola de neve; crescer como cogumelo; crescer como rabo de cavalo; curto como coice de porco; dançar como tocam; deixar como está; Deus sabe como; doce como açúcar (V. "doce como o mel"); doce como o mel; dormir como um bebê; dormir como uma pedra; duro como corno; E como!; enrolado como um caracol; escuro como breu; esmagar como a um verme; estar bêbedo como um cacho (V. "estar como um cacho"); estar cheio como um ovo; estar como (um) peixe fora d'água; estar como galinha quando quer pôr; estar como rato no queijo; estar como um cacho; falar como papagaio; falar como um livro; falar como uma matraca; falso como Judas; fazer como gente grande; fazer como se não fosse com ele; fechado como uma ostra; feder como um bode (V. "cheirar a bode velho"); feio como a fome (V. "feio de meter medo"); feio como a peste (V. "feio de meter medo"); feio como filhote de urubu (V. "feio de meter medo"); feio como o mapa do inferno (V. "feio de meter medo"); feio como o pecado (V. "feio de meter medo"); feio como trombada de penicos (V. "feio de meter medo"); ficar branco como a cera; ficar como carrapato na lama; ficar como cobra que perdeu o veneno; ficar como um crivo; ficar como um prego; firme como o Pão de Açúcar (V. "firme como uma rocha"); firme como um prego na areia; firme como uma rocha; forte como Hércules; fosse como fosse; frio como mármore; fugir de alguém como o diabo da cruz; fumar como uma chaminé; ir-se como um passarinho; juntos como trança em oito; justo como boca de bode; lembrar-se como se tivesse sido ontem; lerdo como mula guaxa; leve como pena; leve como pluma (V. "leve como pena"); linda como os amores; livre como o ar; livre como um pássaro; lutar como um leão; magro como bacalhau em porta de venda (V. "magro como um espeto"); magro como um espeto; magro como um palito (V. "magro como um espeto"); manso como um cordeiro; molhado como um pinto; morrer como passarinho; morrer como um cão; mudo como um peixe; nada como um dia depois do outro; nadar como um peixe; nadar como um prego; não há como; não haver como; O mundo gira como uma bola.; ocupado como uma abelha (formiga); os "comos" e os "porquês"; parecerem-se como duas gotas-d'água; partir como uma bala; partir como uma flecha (V. "partir como uma bala"); passar como num sonho; passar como o vento; passar como uma nuvem (V. "passar como o vento"); passar como uma sombra; pobre como Jó; preto como breu; preto como carvão; quieto como um santo; redondo como uma bola; rico como Creso; rico como um marajá (V. "rico como Creso"); rir como um doido; sabido como cobra; seco como língua de papagaio; seco como osso; seco como palito; seja lá como for; seja lá como Deus quiser (V. "seja lá como for"); seja lá como for; sejam como sou ou não sejam; sentir-se como; ser como; ser como um filme; ser como um relógio; servir como uma luva; subir como uma flecha; sujo como pau de galinheiro; sumir como fumaça (V. "sumir do mapa"); surdo como um tiú (teiú); surdo como uma pedra (V. "surdo como uma porta"); surdo como uma porta; sutil como um elefante; tal como; tanto como; tanto faz assim como assado (V. "tanto faz"); tanto faz dar na cabeça como na cabeça dar (V. "tanto faz"); tanto se me dá como se me deu; tão bom como tão bom; tão certo como dois e dois são quatro; tão certo como eu me chamar (fulano) (V. "tão certo como dois e dois são quatro"); tapado como uma anta; teimoso como a mulher do piolho (V. "teimoso como uma mula"); teimoso como uma mula; ter dinheiro como água (V. "ter dinheiro para queimar"); ter sete fôlegos como o gato; trabalhar como um burro; trabalhar como um mouro (V. "trabalhar

como um burro"); trabalhar como um negro (V. "trabalhar como um burro"); tratar como animal; tratar como cão (V. "tratar como animal"); tudo como dantes no quartel de Abrantes; velho como a montanha (V. "velho como a serra"); velho como a serra; vende como pão quente; viver como cão e gato; viver como Deus com os anjos; viver como Deus é servido; viver como gato e cachorro (V. "viver como cão e gato"); viver como um lorde (V. "viver como um rei"); viver como um monge; viver como um paxá; viver como um príncipe (V. "viver como um rei"); viver como um rei; viver como um verme
cômodo a cômodo; casa de cômodos; preço cômodo
comover comover as pedras
compact compact disc
compadre negócio de compadres
companhia abstrair-se de más companhias; dama de companhia; E companhia.; em boa companhia; fazer companhia a
comparação em comparação a (com); sem comparação
compasso abrir o compasso; em compasso de espera; estar em compasso de espera; no compasso; sair do compasso
compensação câmara de compensação; em compensação
competição competição desenfreada
complet au grand complet
completo passeio completo
complexo complexo brasileiro; complexo de Édipo; complexo de Electra; complexo de inferioridade; complexo de Poliana; complexo de superioridade
compos non compos mentis
compostura perder a compostura
compra compra e venda
comprar comprar a consciência de; comprar a ideia; comprar barulho; comprar bonde; comprar briga; comprar cartas; comprar fiado; comprar gato por lebre; comprar na bacia das almas; comprar nabos em saco; não comprar bonde; Onde você comprou esta camisa que está usando, tinha para homem?; vender cuia e comprar cabaça; vender o almoço pra comprar o jantar; vender o peixe pelo preço que comprou
compreender não compreender patavina
compressor rolo compressor
comprido(a) ao comprido; café comprido; deitar olho comprido a; ficar de nariz comprido; língua comprida; olho comprido; pôr olhos compridos em
compromisso compromisso de honra
compulsório(a) aposentadoria compulsória

computação computação em nuvem; computação gráfica; computação na(s) nuvem(ns) (V. "computação em nuvem")
computador computador eletrônico; programa de computador
cômputo cômputo eclesiástico
comum bem comum; Câmara dos Comuns; comum de dois; de comum acordo; denominador comum; em comum; fora do comum; mercado comum; o comum dos mortais; o mais comum dos mortais; senso comum; ter algo em comum; vala comum
comungar comungar das mesmas ideias
comunhão comunhão universal
comunicação comunicação de massa; em comunicação; meios de comunicação
comunitário(a) confissão comunitária
conceição Imaculada Conceição
conceito crescer no conceito; subir um furo no conceito de alguém
concentrado esforço concentrado
concerne no que concerne a
concernir no que tange/concerne a (V. "com relação a")
concerto concerto grosso; de concerto
concha bicho de concha (V. "bicho do mato"); concha acústica; concha de orelha; meter-se na concha; sair da concha
conciliar conciliar o sono
concílio Concílio Ecumênico
conclusão em conclusão
concorrência concorrência pública
concreto concreto aparente; concreto armado; de concreto; selva de concreto
concurso concurso de títulos
concussão concussão cerebral
condão vara de condão; varinha de condão
conde conde palatino
condenado como um condenado
condição condições normais de temperatura e pressão; em condições de jogo; sem condições; sem condições para nada (V. "sem condições"); sob a condição de; sob condição; *condição sine qua non*
condicionado ar condicionado
condicionador condicionador de ar
condicional estar na condicional
condicionamento condicionamento físico
condomínio condomínio fechado; convenção de condomínio
conduto conduto vulcânico
condutor fio condutor; motivo condutor
conduzir conduzir o barco (V. "comandar o barco")
cone cone de sinalização; cone de sombra; Cone Sul; cone vulcânico
confecção meia-confecção
confeiteiro(a) açúcar de confeiteiro

conferência conferência de cúpula; conferência episcopal
confete jogar confete
confiança abuso de confiança; confiança cega; dar confiança a; de confiança; de toda confiança; depositar confiança em; em confiança; Mais amor e menos confiança.; tomar confiança; trair a confiança; voto de confiança
confiar confiar ao papel; confiar no próprio taco
confidência em confidência
confins confins da Terra
confissão confissão auricular; confissão comunitária; confissão de dívida; confissão de fé
conflito conflito de gerações; conflito de interesses; conflito de leis
conforme conforme for; conforme manda o figurino; dançar conforme a música; dançar conforme tocam a música (V. "dançar conforme a música"); dentro dos conformes; estar tudo nos conformes; estar tudo nos seus conformes (V. "estar tudo nos conformes"); nos conformes; ter os seus conformes
conformidade de conformidade com; em conformidade com; na conformidade de; nesta conformidade
conforto confortos de enforcado
confronto em confronto com
confundir confundir alhos com bugalhos; não confundir Zé Germano com gênero humano
confusão confusão mental
congelar até que o inferno congele; congelou-se-lhe a voz
congregação congregação dos fiéis
conhecer conhecer a fundo; conhecer alguém por dentro e por fora; conhecer como a palma da mão; conhecer de nome; conhecer de vista; conhecer Deus e todo o mundo; conhecer meio mundo; conhecer o jogo de alguém; conhecer o rigor da mandacaia; conhecer o seu eleitorado; conhecer o terreno; conhecer o terreno em que pisa; conhecer os bastidores; conhecer pela pinta; conhecer por dentro e por fora; conhecer por fora e por dentro (V. "conhecer alguém por dentro e por fora"); conhecer seu lugar; conhecer-se por gente; Conhece-te a ti mesmo.; não conhecer limites; não conhecer o abc; não conhecer o seu lugar; não se conhecer; prazer em conhecê-lo(a)
conhecimento com conhecimento de causa; conhecimento de causa; conhecimento de depósito; conhecimentos gerais; conheço como a palma de minha mão; dar conhecimento; esfera dos conhecimentos humanos; tomar conhecimento
conjugado apartamento conjugado
conjugal fé conjugal
cônjuge cônjuge supérstite
conjunção conjunção carnal
conjunto(a) conjunto de circunstâncias; conta conjunta; em conjunto
conjuração Conjuração Mineira
conquistador conquistador barato
consagrar consagrar a hóstia (o vinho)
consanguinidade consanguinidade colateral/linear
consciência alargar a consciência; botar a mão na consciência; calos na consciência (V. "calos na alma"); caso de consciência; com a mão na consciência; com consciência; comprar a consciência de; consciência limpa; consciência pesada; desencargo de consciência; dever de consciência; em consciência; em sã consciência; escutar a consciência; estar em paz com a consciência; exame de consciência; meter/pôr a mão na consciência; perder a consciência; peso de consciência; pôr a mão na consciência; por descargo de consciência (V. "por desencargo de consciência"); por desencargo de consciência; prisioneiro da consciência; questão de consciência; recobrar a consciência; tomar consciência; vender a consciência; voz da consciência
conseguinte por conseguinte
conseguir fazer-se de burro para conseguir capim
conselho conselho de guerra; curral do Conselho; ser de bom conselho
consenso consenso das gentes
consequência aguentar as consequências; em consequência; por consequência
consertar consertar o estrago
conserva em conserva; navegar de conserva
conservação instinto de conservação
conservado estar conservado
consideração em consideração; levar em consideração; sob consideração; tomar em consideração
considerar considerar o reverso da medalha
consignação consignação em folha; em consignação
consigo de si consigo; de si para consigo mesmo; falar consigo mesmo; meter-se consigo
consistência consistência de caráter; sem consistência
consolação prêmio de consolação
consorte príncipe consorte

conspiração conspiração do silêncio
constar nada consta
constipação constipação nasal
constitucional arcabouço constitucional; carta constitucional; garantias constitucionais
constituído(a) poderes constituídos
constituinte assembleia constituinte
construção alvará de construção; construção civil; construção gramatical; construção na areia; construção naval
construir construir castelos no ar; construir na areia
construtivo(a) crítica construtiva
cônsul cônsul honorário
consular corpo consular; fatura consular
consulta dar consulta
consultar consultar as bases; consultar o bolso; consultar o espelho; consultar o travesseiro; consultar os astros
consumação até a consumação dos tempos; consumação do matrimônio; consumação dos séculos; consumação mínima
consumado fato consumado
consumatum Consumatum est.
consumo bens de consumo
conta à conta de; a conta-gotas; acertar as contas (*V*. "acertar a escrita"); acertar contas com alguém; acerto de contas; afinal de contas; ajustar contas; ajustar contas com; colocar raposa para tomar conta de galinheiro; conta conjunta; conta de chegar; conta de mentiroso; conta fantasma; conta garantida; conta no vermelho; conta redonda/arredondada; conta-corrente; dar conta de; dar conta do recado; dar por conta; dar-se conta de; deixar por conta da sorte; demais da conta; É a conta!; em conta; encontro de contas; entrar em linha de conta; equilíbrio das contas públicas; espetar a conta; estar por conta; extrato de conta; faz de conta; fazer as contas; fazer conta de; fazer de conta; ficar por conta; ficar por conta de; fora da conta (*V*. "demais da conta"); homem de conta, peso e medida; lançar à conta de; lançar contas; lançar minhas contas (*V*. "lançar suas contas"); lançar suas contas; levar à conta de; levar em conta; levar em linha de conta (*V*. "levar em consideração"); Não é de sua conta!; não ser de sua conta; no fim das contas; no final das contas; passar da conta; pedir as contas; por conta; por conta de; por conta do à toa; por conta do Bonifácio; por conta do cão (*V*. "por conta do Bonifácio"); por conta e risco de; por conta própria; pôr na conta; por sua conta (e risco); prestação de contas; prestar contas; rezar na conta benta; saldar contas; sem conta; sem conta, nem peso, nem medida; ser a conta; ser conta do meu rosário; ser da conta de; ser levado em conta; ter contas a acertar (com alguém); ter em alta conta (*V*. "ter em conta"); ter em conta; ter na devida conta; tomar conta; tomar conta de; Vá tomar conta de sua vida!
contabilidade contabilidade nacional
contado(a) com dinheiro contado; de contado; dinheiro de contado; estar com os dias contados; favas contadas; história malcontada; são favas contadas; seus dias estão contados; ter seus dias contados
contador contador de lorotas
contagem contagem regressiva
contar Conta outra!; contanto que; contar as horas; contar até dez; contar carneirinhos; contar certo com (alguém) (*V*. "contar com"); contar com; contar com o ovo dentro da galinha; contar com sapato de defunto (*V*. "contar com o ovo dentro da galinha"); contar lorota; contar nos dedos da mão; contar o milagre sem dizer o nome do santo; contar os dias; contar os minutos; contar os passos; contar vantagem; conte outra (*V*. "Conte para outro!"); Conte para outro!; estar contando os dias; ficar para contar a história; meu dedo mindinho me contou; não (nem) lhe conto; poder contar nos dedos (de uma das mãos); querer contar as estrelas; se eu contar, ninguém vai acreditar; sem contar que; sinto arrepios só de contar (ou de ouvir) (*V*. "sinto arrepios só de lembrar"); um passarinho me contou; viver para contar a história (*V*. "ficar para contar a história")
contato contato de agência; fazer contato; lente de contato
contentamento esfregar as mãos de contentamento
contentar contentar gregos e troianos
contento a contento
continental águas continentais; banqueta continental (*V*. "plataforma continental"); clima continental; Europa continental; plataforma continental
continente antigo continente; continente austral; continente negro; novíssimo continente; novo continente; velho continente
continuar a vida continua
continuidade sem solução de continuidade; solução de continuidade
contínuo(a) ato contínuo; de contínuo; jornada contínua
conto cair no conto; cair no conto do vigário (*V*. "cair no conto"); conto com você; conto da carochinha; conto da cascata; conto de fadas; conto de réis; conto do paco; conto do vigário

contra chutar contra seu próprio gol; colocar contra a parede; contra a corrente; contra a correnteza (*V.* "contra a corrente"); contra a maré (*V.* "contra a corrente"); contra a vontade; contra o relógio; contra o vento; contra tudo e contra todos; correr contra o relógio; corrida contra o relógio (*V.* "corrida contra o tempo"); corrida contra o tempo; crime contra a honra; dar o contra; do contra; fazer carga cerrada contra (*V.* "fazer carga contra"); fazer carga contra; feitiço contra o feiticeiro; gol contra; imprensar contra a parede; ir contra; ir contra a corrente; ir contra a maré (*V.* "ir contra a corrente"); ir contra o vento e contra a maré; jogar contra a parede; levantar a mão contra; lutar contra moinhos de vento; lutar contra o tempo; nadar contra a corrente; nadar contra a maré (*V.* "nadar contra a corrente"); o feitiço virar-se contra o feiticeiro; pôr contra a parede; prós e contras; remar contra a corrente (*V.* "remar contra a maré"); remar contra a maré; torcida contra; virar o feitiço contra o feiticeiro; virar-se o feitiço contra o feiticeiro (*V.* "voltar-se o feitiço contra o feiticeiro"); voltar-se o feitiço contra o feiticeiro
contrabando de contrabando
contracorrente à contracorrente
contradição cair em contradição; espírito de contradição; sem contradição
contradicente nemine contradicente
contragosto a contragosto
contramão ir na contramão
contraordem contraordem de pagamento
contrapartida em contrapartida
contrapelo a contrapelo
contraria contraria contrariis curantur
contrariis contraria contrariis curantur
contrario a contrario
contrário(a) ao contrário (de); do contrário; em caso contrário; pelo contrário
contratempo a contratempo
contrato contrato social
contratual responsabilidade contratual
contravenção contravenção penal
contribuição contribuição de melhoria
controle controle acionário; controle de natalidade; controle remoto; fora de controle; perder o controle; sob controle
convém como convém
convenção convenção de condomínio; convenções de Genebra; convenções sociais
convencer explicar mas não convencer
conveniência bandeira de conveniência; respeitar as conveniências
conversa cair na conversa; conversa de comadres; conversa de jogar fora; conversa de pescador; conversa fiada; conversa mole (*V.* "conversa fiada"); conversa mole para boi dormir; conversa para (pra) boi dormir (*V.* "conversa mole para boi dormir"); conversa vai, conversa vem; dar conversa; deixar de conversa; deixar de conversa fiada (*V.* "deixar de conversa"); ir na conversa de; jogar conversa fora; levar na conversa; meter conversa; mudar de conversa; para começo de conversa; para encurtar a conversa; passar a conversa; passar na conversa; passar uma conversa; puxar conversa; reatar o fio da conversa
conversado estar conversado
conversar conversar com a garrafa; conversar com as paredes; conversar com o travesseiro
convicto imbecil convicto
convite convite ao roubo
convosco a paz esteja convosco
coordenada (*subst.*) coordenada geográfica
copa ás de copas; Copa do Mundo; da copa e da cozinha; de copa e cozinha; fazer-se em copas; fechar-se em copas
cópia cópia autenticada; cópia xerográfica/heliográfica
copidesque copidesque
copo beber pelo mesmo copo; bom de copo (*V.* "bom-copo"); bom-copo; enxugar o copo; fazer tempestade em copo-d'água; não beber nem desocupar o copo; ser bom de copo; tempestade em copo-d'água; ver tempestade em copo-d'água; virar o copo
coq coq au vin
coqueluche ser a coqueluche (de)
coquetel coquetel Molotov
coquinho mandar catar coquinhos (*V.* "mandar às favas"); Vá catar coquinhos!
cor (ó) de cor (ó); de cor e salteado; saber de cor; saber de cor e salteado
cor (ô) cheio de cor; cor da noite; cor de burro fugido; cor de burro quando foge (*V.* "cor de burro fugido"); cor de jambo; cor fria; cor local; cor neutra; cor quente; cores firmes; cores fixas (*V.* "cores firmes"); dar cor a; de cor (ô); em cores; ficar sem cor; gente de cor; homem de cor; má cor; mudar de cor; mulher de cor (*V.* "homem de cor"); não ver a cor do dinheiro; perder a cor; pessoa de cor; televisão de cores; ter boa cor; ter cor local; ter má cor; ver a cor do dinheiro (de alguém); ver tudo cor-de-rosa; vida cor-de-rosa (*V.* "vida de príncipe")
coração abrandar o coração de alguém; abrir o coração; aguenta, coração; atravessar o coração de alguém (*V.* "atravessar a alma de alguém"); bater o coração; com o coração apertado; com o coração na boca;

com o coração nas mãos; com o coração partido; coração de gelo (V. "coração de pedra"); coração de leão; coração de ouro; coração de pedra; coração mole; coração partido; coração torcido; cortar o coração; criar calo no coração ou na paciência; de apertar o coração; de bom coração; de coração; de coração mole; de cortar o coração; de todo o coração; do fundo do coração; estar com o coração em festa; falar ao coração; falar com o coração nas mãos; falar de coração; fazer das tripas coração; ferir o coração; grande coração; grandeza de alma (ou de coração) (V. "grandeza de ânimo"); lavar o coração (V. "lavar o peito"); meter no coração; não lhe caber o coração no peito; não ter coração; partir o coração; pôr o coração à larga; segredo do coração; ser um coração aberto; ter a morte no coração; ter bom coração; ter cabelo no coração; ter coração de pedra; ter coração de...; ter coração grande; ter o coração do tamanho do mundo; ter o coração perto da goela; ter pelos no coração; ter sedas no coração
coragem armar-se de coragem; com a cara e a coragem; criar coragem; entrar com a cara e a coragem; na raça e na coragem; tomar coragem
coral canto coral; música coral
coram coram populo
corar corar até a raiz dos cabelos; corar de vergonha
corda a corda e a caçamba; andar na corda bamba; com a corda no pescoço; com a corda toda; corda bamba; corda e caçamba; dançar na corda bamba; dar corda a; dar corda para se enforcar; do tamanho de um pedaço de corda; equilibrar-se na corda bamba; estar com a corda no pescoço; estar com a corda toda; estar na corda bamba; esticar muito a corda; instrumento de cordas; mandar às cordas; na corda bamba; no fim da minha corda; por fora corda de viola, por dentro pão bolorento (V. "Por fora bela viola, por dentro pão bolorento."); puxar a corda; Qual o tamanho de um pedaço de corda?; roer a corda; ser corda e caçamba; serem a corda e a caçamba; tocar na corda sensível; tocar na mesma corda; tocar viola sem corda; *sursum corda*
cordão cordão de isolamento; cordão de sapato; cordão umbilical; cortar o cordão (umbilical); entrar no cordão; ser o cordão umbilical
corde ab imo corde; *ex corde*; *ex totus corde*
cordeiro como um cordeiro; cordeiro de Deus; cordeiro sem mácula; lobo na pele de cordeiro; manso como um cordeiro

cordel de cordel
cordiale entente cordiale
cordon cordon-bleu
coreto bagunçar o coreto; balançar o coreto
corneado marido corneado
córner chutar para córner
cornetão cornetão de semente
cornimboque cornimboque do Diabo; cornimboque do Judas (V. "cornimboque do Diabo")
corninho botar os corninhos de fora (V. "botar os cornos de fora")
corno botar os cornos de fora; corno da abundância; corno manso; dor de corno; duro como corno; pôr (alguém) nos cornos da Lua; pôr corno em; pôr nos cornos da lua; pôr os cornos (no marido); roer um corno
coro coro a capela; em coro; fazer coro; fazer coro com alguém
coroa Cara ou coroa?; cingir a coroa; coroa de espinhos; coroa de louros; coroa dentária; coroa funerária; coroa solar; herdeiro presuntivo da coroa; joia da coroa
coroado(a) cabeça coroada; testa coroada
coroar coroar a ideia (V. "coroar o evento"); coroar a obra; coroar o evento
corpo bem feito de corpo; botar corpo; com a camisa do corpo; corpo a corpo; corpo celeste; corpo consular; corpo de baile; corpo de bombeiros; corpo de Cristo; corpo de delito; corpo de Deus; corpo diplomático; corpo discente; corpo docente; corpo e alma; corpo estranho; corpo fechado; corpo glorioso; corpo presente; corpo são e mente sã; corpo sem alma; corpos celestes; criar corpo; dar até a roupa do corpo; dar corpo a; dar o corpo; dar uma sacudidela no corpo; de corpo e alma; de corpo inteiro; de corpo mole; de corpo presente; diabo no corpo; elogio de corpo presente; encomendação do corpo; entrar com o corpo; espírito de corpo; esquentar o corpo; estar com o diabo no corpo; fazer comércio com o próprio corpo; fazer corpo mole; fechar o corpo; ficar com a camisa do corpo; ficar só com as roupas do corpo (V. "ficar com a camisa do corpo"); ganhar corpo; guarda-corpo (V. "guardas de ponte (via)"); missa de corpo presente; negar o corpo; sem corpo; ter a língua maior que o corpo; ter bicho-carpinteiro (no corpo) (V. "não esquentar o banco"); ter o corpo fechado; ter o diabo no corpo; ter só a camisa do corpo; tirar o corpo fora; tomar corpo; trazer o diabo no corpo
corporal expressão corporal

corpore mens sana in corpore sano
corpórea Índice de Massa Corpórea (IMC)
corps corps de ballet; esprit de corps
corpus ad corpus; Corpus Christi; habeas corpus
correção casa de correção; correção monetária
corredor anjo corredor; corredor polonês; corredores do poder; os corredores do poder
correia encurtar as correias a
correio correio eletrônico
corrente andar ao corrente; ao corrente de; conta-corrente; contra a corrente; corrente de ar; dinheiro corrente; estar ao corrente de; fazer uma corrente (V. "fazer uma cruzada"); ir contra a corrente; mês corrente; moeda corrente; moente e corrente; nadar contra a corrente; pôr ao corrente; remar contra a corrente (V. "remar contra a maré"); voz corrente
correnteza contra a correnteza (V. "contra a corrente")
correr ao correr da pena; ao correr de; ao correr do martelo; botar para correr; correr a cortina; correr a cortina sobre; correr a coxia; correr a obra; correr a toda; correr água sob a ponte; correr às armas; correr as sete partidas do mundo; correr atrás das borboletas; correr atrás de; correr atrás do prejuízo; correr atrás do rabo; correr banhos; correr ceca e meca; correr com alguém; correr como um louco; correr contra o relógio; correr de boca em boca; correr em paralelo (V. "correr por fora"); correr montes e vales; correr mundo; correr o risco; correr os olhos por; correr parelhas com; correr perigo; correr por fora; correr pro abraço; correr rios de tinta; correr risco; correr riscos (V. "correr risco"); correr terras; correrem os proclamas; corrido da moléstia; deixar a bola correr (V. "deixar a bola rolar"); deixar correr; deixar correr à revelia; deixar correr o marfim; deixar o barco correr; no maior corre-corre; os tempos que correm; pôr para correr; Se correr o bicho pega, se ficar o bicho come.; vender ao correr do martelo
correspondente correspondente de guerra
corresponder corresponder à expectativa
correto politicamente correto
corrida (subst.) carro de corrida; corrida com (de) obstáculos; corrida contra o relógio (V. "corrida contra o tempo"); corrida contra o tempo; corrida de fundo; corrida de revezamento; corrida de touros; de corrida; folha corrida
corrido(a) (adj.) bilhete corrido; corrido a vara; corrido de vergonha

corrigir corrija-me se eu estiver errado
cortado andar num cortado; num cortado; trazer num cortado
cortante frio cortante; silêncio cortante (V. "silêncio mortal")
cortar boa para cortar manteiga; bom para cortar manteiga; corta-jaca; cortar a alma; cortar a cabeça de; cortar a natureza de; cortar a palavra a; cortar a teia de vida de; cortar as amarras com; cortar as asas de; cortar as cartas; cortar caminho; cortar jaca; cortar na junta; cortar na própria pele; cortar no rumo de; cortar o barato; cortar o coração; cortar o cordão (umbilical); cortar o fogo; cortar o mal pela raiz; cortar o sono a; cortar os "tês" e pingar os "is"; cortar os esporões; cortar os laços; cortar os zeros; cortar pelos dois lados; cortar prego; cortar relações; cortar um dez (doze); cortar um dobrado; cortar uma volta; cortar volta (V. "cortar um dobrado"); cortar volta(s); cortar voltas (V. "cortar um dobrado"); corto o meu pescoço se...; de cortar o coração; fazer (o) corta-luz; pingar os "is" e cortar os "tês"; riscar largo e cortar estreito; traçar largo e cortar curto
corte bobo da corte; boi de corte; corte celeste; corte celestial (V. "corte celeste"); corte drástico; corte marcial; corte papal ou pontifical; fazer a corte a; gado de corte; ruim de corte
cortesia fazer cortesia com chapéu alheio
cortina atrás da cortina; baixar a cortina; correr a cortina; correr a cortina sobre; cortina de bambu; cortina de ferro; cortina de fumaça
coruja mãe (pai) coruja; olhos de coruja (V. "olhos de lince")
coser cosendo bainha; coser a facadas; mostrar com quantos pontos se cose um jereba; saber as linhas com que se cose
costa com uma perna às costas (V. "com um pé nas costas"); dar à costa; levar nas costas (V. "carregar nas costas")
costado dar com os costados em; de quatro costados; dos quatro costados; no costado; pessoa de quatro costados
costas andar feito caramujo com a casa às costas; apunhalar pelas costas; às costas; atacar pelas costas; até cair de costas; bater a cama nas costas; cair de costas; cair de costas e quebrar o nariz; cair nas costas de; carregar nas costas; cheio de nó pelas costas; com as costas na parede; com os pés nas costas; com um pé nas costas; com uma perna às (nas) costas; como água nas costas de pato; dar as costas (a); de costas; desejar ver pelas costas; É só virar as costas.;

ensinar rato a subir de costas em garrafa; estar com o estômago nas costas; estômago nas costas; falar pelas costas; golpe pelas costas; guardar as costas; jogar nas costas (de alguém); mostrar as costas; pelas costas; pôr às costas; punhalada nas costas; ter às costas; ter as costas largas; ter as costas quentes; ver (alguém) pelas costas; virar as costas a; voltar as costas
costela Somos todos da costela de Adão.
costelão dar no costelão
costume bons costumes; comédia de costumes; como de costume; ter por costume
costurar costurar um acordo
cota cota de malha
coté à coté
cotidiano cena do cotidiano
cotovelo dor de cotovelo; falar pelos cotovelos
coturno alto coturno; de alto coturno
coup coup de grâce; coup de maître
couro comer o couro de; couro cabeludo; couro verde; dar no couro; dar o couro às varas; em couro; estar com o cão no couro; levar buçal de couro fresco (V. "levar buçal"); levar couro e cabelo; ter o diabo no couro (V. "ter o diabo no corpo"); tirar o couro de
court tout court
cousa cousas e lousas
couve couve à mineira
couvert couvert artístico
cova cavar a própria cova; com o pé na cova; cova de serpente; covas de mandioca; descer à cova; estar com o pé na cova (V. "ter um pé na cova"); estar com os pés na cova; estar com um pé na cova (V. "ter um pé na cova"); não caber na cova de um dente (V. "não caber no buraco de um dente"); pé na cova; ter os pés na cova (V. "ter um pé na cova"); ter um pé na cova
coxa em cima das coxas (V. "em cima da perna"); fazer nas coxas; nas coxas
coxia correr a coxia
cozer cozer a bebedeira
cozinha andar da sala para a cozinha; chefe de cozinha; da copa e da cozinha; de copa e cozinha; sal de cozinha
cozinhar cozinhar a fogo brando; cozinhar em água fria; cozinhar em banho-maria; cozinhar o galo
cozinheiro cozinheiro de forno e fogão
crânio ser um crânio
crasso(a) crassa ignorância; erro crasso
cravelha apertar a cravelha
cravo dar uma no cravo, outra na ferradura; uma no cravo e outra na ferradura
cré cré com cré, lé com lé; lé com lé, cré com cré

credite experto credite
crédito a crédito; carta de crédito; cartão de crédito e/ou de débito; cessão de crédito; crédito rotativo; dar crédito a; levar a crédito
credo credo quia absurdum; credo ut intelligam
credo com o credo na boca; como Pilatos no credo; credo velho; Cruz-credo!
credor saldo credor (devedor)
creme creme de milho; *creme chantilly*
crême crème de la crème
crença crença implícita
crer creio em Deus Pai; querer crer; ser de crer; ver para crer
crés de crés a crés
crescente Crescente Fértil; Crescente Vermelho; quarto crescente
crescer cresça e apareça; crescer como bola de neve; crescer como cogumelo; crescer como rabo de cavalo; crescer no conceito; crescer nos cascos; não deixar que a grama cresça sob os pés; seu nariz cresceu
Creso rico como Creso
cri dernier cri
cria cria de pé; cria de peito; dar cria; lamber a cria
criação de criação; rei da criação
criada cobra criada
criadeira chuva criadeira
criado criado-mudo; este seu criado
criador(ora) criador de caso; dar a alma ao Criador (V. "dar a alma a Deus"); imaginação criadora; render a alma ao Criador (V. "render a alma a Deus")
criança a noite é uma criança; brincadeira de criança (V. "brinquedo de criança"); brinquedo de criança; coisa de criança; criança de colo; criança de mama; criança de peito; criança grande; criança mimada; dia das crianças; já não ser criança; não dar nem para o leite das crianças; não ser brincadeira de criança (V. "não ser brincadeira"); o pai da criança; roubar pirulito de criança; tentear uma criança; tirar bala de criança
criar criar alma nova; criar ao peito; criar asas; criar banha; criar calo no coração ou na paciência; criar casos; criar coragem; criar corpo; criar mofo; criar na larga; criar raízes; criar um clima; criar um monstro; não criar mofo; nem que a galinha crie dentes (V. "nem que a vaca tussa"); quando as galinhas criarem dentes
crime arma do crime; crime contra a honra; crime culposo; crime de colarinho-branco; crime de lesa-pátria; crime de responsabilidade; crime doloso; crime hediondo; cri-

crina

me organizado; incitação ao crime
crina crina vegetal
crioulinho crioulinho do pastoreio (*V.* "crioulo do pastoreio")
crioulo crioulo do pastoreio; samba do crioulo doido
crisântemo trono do Crisântemo
crispado de cabelos crispados
crista abaixar a crista; baixar a crista; com a crista arriada; crista da onda; de crista baixa; de crista caída; de crista murcha (*V.* "de crista caída"); jogar as cristas; levantar a crista; na crista da onda
cristal açúcar cristal; bola de cristal; cristal de rocha; cristal líquido; ser algodão entre cristais; ter bola de cristal
cristão/cristã era cristã; não há cristão que aguente; sacramentos da iniciação cristã; vida cristã
Cristo antes de Cristo; bancar o Cristo; corpo de Cristo; depois de Cristo; era de Cristo; fazer de alguém um cristo; idade de Cristo; precursor de Cristo; sangue de Cristo; ser o Cristo; Vigário de Cristo
crítica abaixo da crítica; crítica construtiva
crivar crivar (alguém) de perguntas; crivar de balas
crivo crivo de Eratóstenes; ficar como um crivo
crocodilo lágrimas de crocodilo
crosta crosta da Terra; crosta terrestre (*V.* "crosta da Terra")
cru pano cru
cru/crua a cru; comer da banda crua; dizer a verdade nua e crua; estar cru em; nu e cru; tijolo cru; verdade nua e crua
crucial ponto crucial
crucis via crucis
crueldade requinte de crueldade
cruz armar-se com o sinal da cruz; assinar de cruz (*V.* "assinar em cruz"); assinar em cruz; caminho da Cruz; carregar a sua própria cruz; comer da banda cruz (*V.* "passar lamba"); Cruz de Genebra; cruz de Lorena; cruz de malta; cruz de Santo André; cruz de São Francisco; cruz de São João (*V.* "cruz de malta"); cruz florenciada; cruz gamada; cruz grega; cruz latina; cruz suástica; cruz vermelha; Cruz Vermelha Internacional; Cruz-credo!; dedos em cruz; descendimento da cruz; descobrimento da cruz; entre a cruz e a caldeirinha; fazer cruz na boca; fazer cruzes; fugir de alguém como o diabo da cruz; jogar pedra na cruz; lenho da cruz; levar a cruz ao calvário; ponto de cruz; sem cruz nem cunho; sinal da cruz; ter uma cruz para carregar; travessas da cruz
cruza puro por cruza

cruzado(a) cheque cruzado; cruzado novo; de braços cruzados; fazer uma cruzada; fogo cruzado; greve de braços cruzados; palavras cruzadas
cruzador cruzador de batalha
cruzar cruzar espadas; cruzar o Rubicão; cruzar os braços; cruzar os dedos
cruzeiro Cruzeiro do Sul; cruzeiro marítimo; cruzeiro novo; cruzeiro real
cu cu da mãe joana (*V.* "cu de mãe joana"); cu de ferro; cu de mãe joana; cu do mundo; fazer cu-doce; no cu do judas
cúbico metro cúbico
cuca cuca fundida; dar na cuca; encher a cuca (*V.* "encher a caveira"); esquentar a cuca (*V.* "esquentar a cabeça"); fundir a cuca; lelé da cuca
cucuia ir para a cucuia; ir para as cucuias (*V.* "ir para a cucuia"); ir pras cucuias (*V.* "ir para a cucuia"); mandar para as cucuias (*V.* "mandar para o beleléu"); mandar pras cucuias
cueiro cheirar a cueiros; deixar os cueiros; estar fedendo a cueiro; estar nos cueiros; mal ter saído dos cueiros (*V.* "cheirar a cueiros")
cuia de mala e cuia; tomar na cuia; tomar na cuia dos quiabos; vender cuia e comprar cabaça
cuidado Cuidado com a louça que o santo é de barro.; inspirar cuidados; pesado de cuidados; rodeado de cuidados; tomar cuidado; Um, saúde; dois, cuidado; três, resfriado.
cuidar Cuide de sua vida!; Vá cuidar de sua vida!
cuique cuique suum
cujus de cujus
culatra tiro pela culatra
culinário(a) receita culinária
culminante ponto culminante
culpa declinar uma culpa; fazer mea-culpa; jogar a culpa em; por culpa de; ter culpa no cartório; *felix culpa*; *mea culpa*
culpar culpar o mordomo
culposo(a) crime culposo
cultura as duas culturas; choque de culturas; cultura de almanaque; cultura de massa; cultura física
cum cum grano salis; *doctus cum libro*; *summa cum laude*
cumbuca apanhar alguém com a mão na cumbuca; meter/pôr a mão em cumbuca; pegar com a mão na cumbuca (*V.* "pegar com a boca na botija")
cumeeira festa da cumeeira
cumprido(a) missão cumprida
cumprimento cumprimentos rasgados

cumprir cumprir a palavra dada; cumprir a palavra empenhada (*V.* "cumprir a palavra dada"); cumprir à risca
cúmulo É o cúmulo! (*V.* "É o fim da picada!"); É o cúmulo.; o cúmulo
cunha à cunha; estar à cunha
cunho sem cruz nem cunho
cupido flecha de Cupido; prender-se nas redes de Cupido; seta de Cupido
cupim cabelo de cupim
cúpula conferência de cúpula; reunião de cúpula
cura Isso/isto não tem cura.
curador curador de massas falidas
curantur *contraria contrariis curantur*; *Similia similibus curantur.*
curiosidade matar a curiosidade
curral curral do Conselho; curral eleitoral; gado de curral
currente *currente calamo*
curriculum *curriculum vitae*
cursivo(a) escrita cursiva; letra cursiva
curso curso-d'água; curso de madureza; curso forçado; dar livre curso a; de longo curso; em curso; em curso de colisão; livre curso; ter curso
cursor *cursor do mouse*
curtir curtir a vida; curtir um som
curto(a) à curta; a curto prazo; apanhar alguém de calças curtas; curto como coice de porco; curto de ideia; curto de vista; curto e grosso; cutucar onça com vara curta; de cabresto curto; de saia curta (*V.* "de saia justa"); estopim curto; ficar de calças curtas; memória curta; pavio curto; pessoa de estopim curto; rédea curta; ter o pavio curto; traçar largo e cortar curto; vista curta
curul cadeira curul; estátua curul
curva curva de nível; curvas perigosas; onde o vento faz a curva
curvar curvar a fronte; curvar os joelhos
cuscuz cuscuz de tapioca
cuspido cuspido e escarrado; escarrado e cuspido
cuspir comer a isca e cuspir no anzol; cuspindo algodão; cuspindo bala; cuspir chumbo; cuspir fogo; cuspir marimbondo; cuspir na cara; cuspir na honra de alguém; cuspir no prato em que se comeu; cuspir para cima (*V.* "cuspir para o ar"); cuspir para o ar; estar cuspindo bala
custa à custa de; às custas de; pagar as custas; rir à custa de
custar custar a vida a; custar caro (barato); custar os olhos da cara; custar os tubos; custar uma nota (preta); custe o que custar; Quem quer uste, que lhe custe.
custo a custo; a qualquer custo (*V.* "a qualquer preço"); a todo custo; ajuda de custo; custo de vida; dar pelo custo; enxugar custos (*V.* "enxugar as despesas"); morde aqui; preço de custo
custódio(a) (*adj.*) anjo custódio
cutelo baraço e cutelo; senhor de baraço e cutelo
cutucar cutucar onça com vara curta

D

dação dação em pagamento
dacolá daqui e dacolá
dado (*pron.*) dado o caso; dado que
dado (*subst.*) banco de dados; centro de processamento de dados; de braços dados; lançar os dados; os dados estão lançados; processamento de dados
dado(a) (*adj.*) cumprir a palavra dada; de braço dado; de mãos dadas; muito "dado"; pessoa dada; ser dado a
daí Desinfete daí!; E daí?
dama dama de companhia; dama de ferro; dama de honra; jogo de damas; primeira-dama (de um país, de um estado, de um município); ser uma dama
Damasco caminho de Damasco
Dâmocles espada de Dâmocles
danado(a) alma danada; danado da vida; danado de bom; É danado pra...; fome danada
danar danar-se no mundo; Dane-se!; Danou-se.; pra danar; que se dane (*V.* "Dane-se!"); que se dane(m)
dança dança clássica; dança do ventre; dança macabra; dançar como tocam; dançar conforme a música; dançar miudinho; dançar na corda bamba; dandar pra ganhar vintém; entrar na dança; meter na dança; ver camelo a dançar
dançante chá-dançante
dançar dançar conforme tocam a música (*V.* "dançar conforme a música")
daninha erva daninha
dano perdas e danos
dantes tudo como dantes no quartel de Abrantes
daquele daquele jeito; estar daquele jeito; voz (daquele) que clama no deserto
daqui daqui a pouco; daqui e dacolá; daqui em diante; daqui por diante (*V.* "daqui em diante"); estar daqui; Fora daqui!; ser daqui
daquilo disso e daquilo; falar disso e daquilo
dar "nós" deu o diabo nas tripas; a dar com (o) pau; ao deus-dará; bananeira que já deu cacho; como der na cabeça; como der na

dar

ideia (*V.* "como der na cabeça"); como der na telha (*V.* "como der na cabeça"); dá cá aquela palha; dar (deitar) pérolas aos porcos (*V.* "jogar pérolas aos porcos"); dar (o/um) estrilo; dar (pedir) demissão; dar (uma) guinada; dar a "luz verde"; dar a alma a Deus; dar a alma ao Criador (*V.* "dar a alma a Deus"); dar a alma ao diabo; dar à costa; dar a Deus o que o diabo não quis; dar a dianteira; dar a entender; dar à estampa; dar a impressão de; dar a largada; dar a lata; dar a língua; dar à língua; dar a louca em; dar a lume; dar à luz; dar a mão; dar a mão à palmatória; dar a nota; dar a outra face; dar a palavra; dar a palma a; dar a saber; dar a saída; dar a tábua; dar à taramela; dar à unha; dar a venta; dar a vida; dar a vida a; dar a vida por; dar a volta por cima; dar acordo de si; dar adeus; dar adeus a; dar adeusinho (*V.* "dar adeus"); dar água na boca; dar anca; dar andamento a; dar ares de; dar ares de sua graça; dar as boas-vindas; dar as caras; dar as cartas; dar as costas (a); dar às de Vila Diogo; dar as mãos; dar as mãos à palmatória (*V.* "dar a mão à palmatória"); dar as voltas em; dar asa; dar asas (*V.* "dar asa"); dar asas a cobra; dar asas à imaginação; dar até a roupa do corpo; dar audiência a; dar azar; dar bainha; dar baixa; dar baixa de (em); dar banana; dar bandeira; dar banho; dar bicadas; dar bobeira; dar bode; dar bola; dar bolo; dar bolo em; dar bololô (*V.* "dar bolo"); dar brecha para; dar bronca; dar busca; dar cabeçada; dar cabo de; dar cacho; dar calote; dar capote; dar carona; dar cartaz a; dar certo; dar chabu; dar changui; dar com; dar com a cabeça pelas (nas) paredes; dar com a cara na porta; dar com a língua nos dentes; dar com a porta na cara de; dar com luva de pelica; dar com o nariz na porta; dar com o pé; dar com o rabo na cerca; dar com os burros n'água; dar com os costados em; dar com os olhos em; dar com os ossos em; dar com os quartos de lado; dar combate a; dar confiança a; dar conhecimento; dar consulta; dar conta de; dar conta do recado; dar conversa; dar cor a; dar corda a; dar corda para se enforcar; dar corpo a; dar crédito a; dar cria; dar de; dar de banda; dar de bandeja; dar de barato; dar de bunda; dar de cara com; dar de cima; dar de comer; dar de dez a zero (*V.* "dar de dez em"); dar de dez em; dar de face; dar de frente; dar de frente para; dar de letra; dar de língua (*V.* "dar à língua"); dar de mamar à enxada; dar de mão; dar de ombros; dar de presente; dar de rosto; dar de si; dar descarga; dar desconto; dar dicas; dar dinheiro; dar dois dedos de prosa; dar duro; dar em água de bacalhau; dar em água de barrela (*V.* "dar em água de bacalhau"); dar em cima de; dar em droga; dar em falso; dar em nada; dar em pantana (*V.* "dar em nada"); dar em terra; dar entrada; dar escândalo (*V.* "dar espetáculo"); dar esperanças; dar espetáculo; dar fé; dar fé a; dar fé de; dar fim a; dar fogo; dar folga; dar fora; dar força a; dar galho; dar garupa; dar gás; dar gosto; dar gravata em; dar horas; dar ibope; dar ideia de; dar importância a; dar indiretas; dar lambujem; dar largas a; dar lição de; dar licença; dar linha; dar livre curso a; dar lugar; dar lugar a; dar má nota; dar mais que chuchu na cerca; dar mangas a; dar mão (forte) a; dar margem a; dar mastigadinho; dar meia-volta; dar milho a bode; dar milho na garrafa; dar mole; dar moleza (*V.* "dar mole"); dar mostras de; dar murro(s) em ponta de faca; dar na bandeja (*V.* "dar de bandeja"); dar na cabeça; dar na cara de; dar na cuca; dar na mesma; dar na pista; dar na telha; dar na veneta; dar na vista; dar nas canelas; dar nas vistas (*V.* "dar na vista"); dar no costelão; dar no couro; dar nó em pau seco; dar nó em pingo-d'água; dar no macaco; dar no mesmo (*V.* "dar na mesma"); dar no pé; dar no prego; dar no saco; dar no vinte; dar nome a; dar nomes aos bois; dar nos calcanhares; dar nos cascos; dar nos nervos; dar nós no lenço; dar nos paus; dar o ar da graça; dar o balanço; dar o bolo; dar o braço; dar o braço a torcer; dar o calado como resposta; dar o cano; dar o céu; dar o contra; dar o corpo; dar o couro às varas; dar o dito por não dito; dar o exemplo; dar o flagra (*V.* "dar um flagra"); dar o fora; dar o máximo; dar o melhor de si; dar o meu (seu) (nosso) sangue; dar o nó; dar o pé e tomar a mão; dar o pinote (*V.* "dar um pinote"); dar o pira; dar o prego; dar o primeiro passo; dar o que falar; dar o que pensar; dar o que tinha de/que dar; dar o quinau; dar o recado; dar o sangue por; dar o serviço; dar o sim; dar o suíte; dar o teco; dar o tom; dar o tombo em; dar o tomé; dar o troco; dar o troco por miúdo; dar o último alento; dar o último suspiro (*V.* "dar o último alento"); dar o/um golpe; dar os anéis para salvar os dedos; dar os doces; dar os pregos; dar os primeiros passos; dar os últimos retoques; dar ou derramar o sangue por; dar ou dizer (um) fiau (*V.* "fazer fiau"); dar ouvidos a; dar palha; dar pancas; dar pano para mangas; dar para; dar para o gasto; dar para trás; dar parte de; dar parte de fraco; dar patada; dar pau; dar pé; dar pelo; dar pelo custo; dar pelota a; dar pontapé na fortuna; dar por bem empregado; dar por conta; dar por fé; dar por paus e pedras; dar provimento; dar publicidade (a); dar pulos de alegria; dar que falar; dar que suar; dar quinau em; dar razão a alguém; dar razão de si; dar recibo; dar rédea larga a (V. "dar rédeas"); dar rédeas; dar referências; dar risinhos; dar rolo; dar saída; dar sarrafadas em; dar satisfação; dar sede; dar sinal; dar sinal de; dar sinal de si; dar sinal de vida (V. "dar sinal de si"); dar sinal verde; dar sopa; dar sorte; dar sota e ás a; dar sua fé; dar sumiço; dar tábua; dar taramela (V. "dar à taramela"); dar teco; dar tempo; dar tempo ao tempo; dar tento de; dar tesão em; dar testemunho de; dar trabalho; dar tratos a; dar tratos à bola; dar tratos à imaginação (V. "dar tratos à bola"); dar trela a; dar tudo; dar tudo por; dar um apertão (V. "dar um aperto"); dar um aperto; dar um arrocho em; dar um ataque; dar um baile em; dar um banho; dar um basta; dar um bolo; dar um bolo em alguém; dar um branco; dar um cala-boca; dar um caldo; dar um carão; dar um chega pra lá; dar um clique; dar um colorido especial; dar um doce a; dar um duro; dar um empurrãozinho; dar um estouro na praça; dar um fim a (em); dar um flagra; dar um fora; dar um fora em; dar um furo; dar um galho; dar um gelo em; dar um giro; dar um jeitinho (V. "dar um jeito"); dar um jeito; dar um jeito em; dar um jeito no pé; dar um lance; dar um mau jeito no pé/braço/mão (V. "dar um jeito no pé"); dar um mau passo; dar um murro na mesa; dar um nó; dar um osso para (alguém); dar um passeio; dar um pelo outro e não querer troco; dar um perdido em (alguém); dar um pinote; dar um piparote; dar um piti; dar um pontapé; dar um por fora; dar um pulo (a); dar um pulo/pulinho logo ali (V. "dar um pulo (a)"); dar um puxão de orelhas; dar um quarto ao diabo; dar um refresco; dar um revertério; dar um rombo; dar um sabão (em alguém); dar um saltinho; dar um salto em; dar um sopapo; dar um suador (V. "dar uma suadeira em"); dar um tempo; dar um tiro em; dar um tiro na praça; dar um tiro no pé; dar um tombo em; dar um toque; dar um trato; dar uma; dar uma banana; dar uma bandeja (V. "dar de bandeja"); dar uma bobeada; dar uma brecha; dar uma bronca; dar uma cabeçada; dar uma cagada; dar uma canja; dar uma cantada em; dar uma chamada; dar uma chance; dar uma chegada; dar uma chegadinha (V. "dar uma passada"); dar uma ciscada; dar uma coça; dar uma cochilada; dar uma coisa em; dar uma colher de chá; dar uma de; dar uma de calcanhar; dar uma de gato mestre; dar uma de joão sem braço; dar uma deitada; dar uma dentro; dar uma dura; dar uma escapada; dar uma esnobada; dar uma esticada (V. "dar uma passada"); dar uma facada; dar uma fechada; dar uma força; dar uma geral; dar uma goleada; dar uma gravata; dar uma incerta; dar uma indireta; dar uma lavagem; dar uma lição a alguém; dar uma limpa; dar uma luz; dar uma mancada; dar uma mão a; dar uma mãozinha; dar uma mordida; dar uma mordiscada (V. "dar uma mordida"); dar uma no cravo, outra na ferradura; dar uma olhadela; dar uma olhadinha (V. "dar uma olhadela"); dar uma palavrinha; dar uma passada; dar uma passadinha (V. "dar uma passada"); dar uma penada por; dar uma peneirada; dar uma pista; dar uma prensa em (alguém); dar uma rapidinha (V. "dar uma trepada"); dar uma rasteira (V. "passar uma rasteira"); dar uma rasteira em; dar uma rata; dar uma respirada; dar uma sacudidela no corpo; dar uma satisfação (V. "dar satisfação"); dar uma sopa; dar uma sova; dar uma suadeira em; dar uma surra (V. "dar uma sova"); dar uma topada; dar uma trepada; dar uma vacilada; dar uma virada; dar uma vista; dar uma vista de olhos (V. "dar uma vista"); dar uma volta; dar unhada e esconder as unhas; dar uns ares de; dar vaivém a; dar vau; dar vazão a; dar vida a; dar volta ao juízo; dar volta em; dar voltas; dar voltas na cama; dar voz de prisão; dar xeque-mate em alguém; dar zebra; dares e tomares; dar-se a melódia; dar-se ao desfrute; dar-se ao desprezo; dar-se ao luxo de; dar-se ao respeito; dar-se ao ridículo; dar-se ao trabalho de; dar-se ares (de); dar-se as mãos; dar-se bem; dar-se bem com; dar-se conta de; dar-se mal; dar-se o caso de; dar-se por achado; dar-se por entendido; dar-se por vencido; dar-se pressa; dê cá aquela palha; de dar água na boca; de dar dó; de dar gosto; de dar nojo; dê no que der; Dê o fora!; dê por onde der; der e vier; deu a louca em; deu no que deu; deu o maior piti; deu-lhe na cabeça; Deus lhe dê uma boa hora.; dispor-se para o que der e vier; Dou meu braço direito por...; Dou-lhe os meus emboras.; Dou-lhe um doce se...; Dou-lhe uma, dou-lhe duas, dou-lhe três.; estar para o que der e vier; fazer o que dá na veneta (V. "fazer tudo o que dá na telha"); fa-

zer tudo o que dá na telha; fumar se-medão; ir dar a; já ter dado o que tinha de dar; Não dá para acreditar! (*V.* "É o fim da picada!"); não dar a mínima; não dar acordo de si; não dar em árvores; não dar em nada; não dar nem mais um passo; não dar nem para a saída; não dar nem para o gasto (*V.* "não dar nem para o leite das crianças"); não dar nem para o leite das crianças; não dar nem para tapar um buraco do dente; não dar nem para um cachorro; não dar o braço a torcer; não dar outra; não dar ouvidos; não dar para a saída (*V.* "não dar nem para a saída"); não dar para acreditar; não dar pela coisa; não dar pelota; não dar ponto sem nó; não dar quartel (*V.* "não dar trégua"); não dar trégua; não dar um pio; não dar uma dentro; não dar uma palavra; não dar vau; não dar vaza; não se dar por achado; não se dar por entendido; não se dar por vencido; não vai dar certo; o mundo dá voltas; O que é que te deu?; para dar e vender; para o que der e vier; por dá(dê) cá aquela palha; pouco se lhe dá; prometer largo e dar estreito; Quem dera!; Quem me dera!; saber dar nome aos bois; sacudir a poeira e dar a volta por cima; se dá pra dois, dá pra três; se me dão; se o diabo der licença; ser quem dá as cartas; tanto faz dar na cabeça como na cabeça dar (*V.* "tanto faz"); tanto se me dá como se me deu; ter a barriga a dar horas; ter dado o que tinha de dar; ter para dar e vender; toma lá, dá cá; ver que bicho dá; ver que bicho vai dar (*V.* "ver que bicho dá"); *dar um show*
data de longa data; de velha data; dias da data; marcar data; meridiano de data; *data venia*; *habeas data*
data (lat. e ing.) *data show*; *data venia*; *habeas data*
datado cheque pré-datado
datador carimbo datador
day *day after*
debaixo a sete palmos debaixo da terra; água que passou debaixo da ponte; ainda haver muita água para passar debaixo da ponte; até debaixo d'água; brasa debaixo de cinza; debaixo da mesa; debaixo da(s) asa(s); debaixo das cobertas; debaixo de; debaixo de chave; debaixo de mão; debaixo de sete palmos; debaixo de vara; Debaixo desse angu tem caroço.; debaixo do nariz (de alguém); debaixo dos olhos; debaixo dos panos; estar debaixo da telha; morar debaixo da ponte; nada há de novo debaixo do sol (*V.* "nada de novo"); por debaixo da mesa; por debaixo do(s) pano(s) (*V.* "por baixo do pano"); por debaixo dos panos (*V.* "por debaixo da mesa"); ter carne debaixo do angu; ter debaixo da língua; ter debaixo da mão; ter debaixo dos olhos; trazer debaixo dos braços; varrer para debaixo do tapete
debandada pôr em debandada
debendi *causa debendi*
débil débil mental
débito cartão de crédito e/ou de débito; levar a débito
debulhar debulhar-se em lágrimas; debulhar-se em pranto (*V.* "debulhar-se em lágrimas")
decepar decepar um texto
decidido decidido e encerrado
decimal casa decimal; numeração decimal; sistema decimal (*V.* "numeração decimal")
décimo(a) a décima Musa; décima musa; décimo terceiro salário
declinar declinar (de) um cargo; declinar (de) uma responsabilidade (*V.* "declinar (de) um cargo"); declinar uma culpa
déco *art déco*
decorativo(a) figura decorativa
decoro decoro parlamentar
decreto nem por decreto; nem por um decreto
decretório ano decretório (*V.* "ano climatérico")
decúbito decúbito dorsal, ventral ou lateral; em decúbito
dedo a dedo; amarrar uma linha no dedo; apontar o dedo; botar o dedo na ferida; cheio de dedos; chupando o dedo; com o dedo em riste (*V.* "de dedo em riste"); contar nos dedos da mão; cruzar os dedos; dar dois dedos de prosa; dar os anéis para salvar os dedos; de dedo em riste; de lamber os dedos; dedo anular; dedo auricular (*V.* "dedo mínimo"); dedo de Deus; dedo de prosa; dedo em riste; dedo grande do pé (*V.* "dedo polegar"); dedo índex (*V.* "dedo indicador"); dedo indicador; dedo médio; dedo mindinho (*V.* "dedo mínimo"); dedo minguinho (*V.* "dedo mínimo"); dedo mínimo; dedo mostrador (*V.* "dedo indicador"); dedo polegar; dedo verde; dedos de fada; dedos em cruz; deixar escapulir entre os dedos; dois dedos de; dois dedos de prosa; escapar pelos dedos (*V.* "escapulir entre os dedos"); escapulir entre os dedos; escolher a dedo; escorrer pelos dedos; estalar os dedos; jurar dedo com dedo; lamber os dedos; meter o dedo; meter os dedos; meter os dedos pelos olhos; meu dedo mindinho me contou; na ponta dos dedos; não levantar um dedo; não mover um dedo sequer; não pôr os dedos em; não pus um dedo em; num estalar de dedos;

delirium

passar os cinco dedos; poder contar nos dedos (de uma das mãos); pôr o dedo na chaga (V. "pôr o dedo na ferida"); pôr o dedo na ferida; pôr os dedos em; ter dedos de fada; ter o dedo de; ter olhos na ponta dos dedos; tocar o dedo na ferida
defeito defeito radical; para não se botar (ou pôr) defeito (V. "para ninguém botar (ou pôr) defeito"); para ninguém botar (ou pôr) defeito
defender defender a pele; defender(-se) com unhas e dentes
defensivamente jogar defensivamente (V. "jogar na retranca")
defensivo (*subst.*) defensivo agrícola
defensivo(a) (*adj.*) direção defensiva
defensor defensor público
deferimento espera deferimento; pede deferimento
defesa cerceamento de liberdade /defesa; defesa civil; legítima defesa
definitivo em definitivo
defronte defronte a (de)
defunto caixão de defunto; cara de defunto (V. "cara de enterro"); contar com sapato de defunto (V. "contar com o ovo dentro da galinha"); de levantar defunto; defunto sem choro; esperar por sapato de defunto; feder a defunto; gastar cera com defunto barato (ou ruim); matar defunto; não poder ver defunto sem chorar; o defunto era maior; ofício de defuntos; sapato de defunto
degas o degas
degrau por degraus; servir de degrau
dei ad majorem Dei gloriam; agnus Dei
deitado(a) dar uma deitada
deitar cara de quem morreu e se esqueceu de deitar; dar (deitar) pérolas aos porcos (V. "jogar pérolas aos porcos"); deitar a mão a (em); deitar a perder; deitar abaixo; deitar água na fervura; deitar as cartas; deitar as unhas em; deitar carga ao mar; deitar cinza nos olhos de (V. "botar cinza nos olhos de"); deitar e rolar; deitar fala; deitar falação (V. "deitar fala"); deitar fora; deitar lenha na fogueira; deitar malícia; deitar o verbo; deitar olho comprido a; deitar os bofes pela boca; deitar ovos; deitar peçonha; deitar pérolas a porcos; deitar poeira nos olhos; deitar por terra; deitar sortes; deitar terra nos olhos; deitar-se com as galinhas
deixa (*subst.*) aproveitar a deixa (V. "aproveitar a brecha"); pegar (na) uma deixa
deixação deixação de si mesmo
deixar afofar e deixar; aqui está fulano que não me deixa mentir sozinho; deixa estar (jacaré, que a lagoa há de secar).; deixar a batina; deixar a bola correr (V. "deixar a bola rolar"); deixar a bola rolar; deixar a desejar; deixar à margem; deixar a peteca cair; deixar a poeira baixar (V. "deixar assentar a poeira"); deixar a porta aberta; deixar a vergonha de lado; deixar à vontade; deixar assentar a poeira; deixar barato; deixar bem claro (V. "deixar claro"); deixar cair; deixar cair a máscara; deixar claro; deixar como está; deixar correr; deixar correr à revelia; deixar correr o marfim; deixar de; deixar de besteira; deixar de bobagem (V. "deixar de besteira"); deixar de brincadeira; deixar de conversa; deixar de conversa fiada (V. "deixar de conversa"); deixar de fora; deixar de história; deixar de joelhos; deixar de lado; deixar de mão; deixar de mas; deixar de moda; deixar de molho; deixar de pirangar; deixar de prosa; deixar de ser besta; deixar de ser bobo; deixar de ser poaia; deixar de tolice; deixar em meio; deixar em paz; deixar entrar o bispo; deixar escapulir entre os dedos; deixar estar; deixar falando sozinho; deixar fulo; deixar ir; deixar na gaveta; deixar na mão; deixar na poeira; deixar na saudade; deixar nas mãos de; deixar o barco correr; deixar o certo pelo duvidoso; deixar o circo pegar fogo; deixar o hábito; deixar o mundo; deixar o sangue subir à cabeça; deixar o umbigo em; deixar os cueiros; deixar para amanhã (V. "guardar para amanhã"); deixar para depois; deixar para trás; deixar passar; deixar perceber; deixar por conta da sorte; deixar por menos; deixar pra lá; deixar que falem (V. "deixar pra lá"); deixar rastro; deixar rolar; deixar sua marca em; deixar uma porta aberta (V. "deixar a porta aberta"); deixar ver; deixar-se ir; deixar-se levar; Deixe-me em paz!; Deixou-me frio.; Me deixe em paz!; não deixar a peteca cair; não deixar nada a desejar; não deixar pedra sobre pedra; não deixar que a grama cresça sob os pés; turma do deixa-disso; viva e deixe viver
déjà déjà vu
dele/dela estar na dele (minha); estar na dele (na minha) (V. "ficar numa boa"); ficar na dela (V. "ficar na minha"); ficar na dele (V. "ficar na minha"); não é o meu (dele) dia; o filho é dele(a); seu dele; todos, inclusive a mulher dele
delenda delenda Carthago
delgado(a) voz delgada
deliberado de caso deliberado (V. "de caso pensado")
delícia fazer as delícias (de); nadar em delícias
delirium delirium tremens

delito corpo de delito; flagrante delito
delta asa-delta
demais bom demais; bom demais para durar; bom demais para ser verdade; demais da conta; depressa demais; É bom demais!; É demais!; ir longe demais (*V.* "ir muito longe"); isso/isto já é demais!; levar longe demais; nada demais; por demais
demanda em demanda de
demão última demão
démarche *fazer démarche*
demasia em demasia
demasiado por demasiado
demência demência precoce; demência senil
demissão dar (pedir) demissão
democracia democracia autoritária; democracia participativa; democracia popular; democracia representativa
demográfico(a) censo demográfico; explosão demográfica
demônio Com mil demônios!; Com os demônios! (*V.* "Com os diabos!"); como o demônio (*V.* "como o diabo"); como um demônio; demônio de Sócrates; demônio familiar; dos demônios (*V.* "dos diabos"); príncipe dos demônios
demonstração demonstração por absurdo
demonstrandum *Quod erat demonstrandum. (QED)*
demonstrar como queríamos demonstrar
demora sem demora
Denaides tonel das Denaides
dengue dengue hemorrágica
denominador denominador comum
dental fio dental
dentário(a) cárie dentária; coroa dentária
dente afiar os dentes; agarrar uma oportunidade com unhas e dentes (*V.* "agarrar a ocasião pela calva"); aguçar os dentes; aqui há dente de coelho; armado até os dentes; bater com a língua nos dentes; bater com os dentes (*V.* "bater com a porta na cara"); bater os dentes; com unhas e dentes; dar com a língua nos dentes; defender(-se) com unhas e dentes; dente de coelho; dente de galinha (*V.* "dente em galinha"); dente de leite; dente de siso (do juízo); dente em galinha; dente por dente; falar entre dentes; mentir com todos os dentes que tem na boca; mostrar os dentes; não caber na cova de um dente (*V.* "não caber no buraco de um dente"); não caber no buraco de um dente; não dar nem para tapar um buraco do dente; não ter freio nos dentes; nem que a galinha crie dentes (*V.* "nem que a vaca tussa"); Olho por olho, dente por dente.; quando as galinhas criarem dentes; rir dos dentes para fora; tomar o freio nos dentes; unhas e dentes; *al dente*
dentição terceira dentição
dentro chã de dentro (fora); conhecer alguém por dentro e por fora; conhecer por dentro e por fora; conhecer por fora e por dentro (*V.* "conhecer alguém por dentro e por fora"); contar com o ovo dentro da galinha; dar uma dentro; dentro das fronteiras tupiniquins; dentro de; dentro dos conformes; dentro dos limites; dentro em; dentro em breve; dentro em pouco; estar dentro de seus direitos; estar por dentro; falar para dentro; não dar uma dentro; para dentro; por dentro; por dentro e por fora; Por fora bela viola, por dentro pão bolorento.; por fora corda de viola, por dentro pão bolorento (*V.* "Por fora bela viola, por dentro pão bolorento."); ver o céu por dentro
denúncia abrir denúncia; denúncia vazia
deo *Deo gratias*; *Deo juvante*; *laus Deo*
departamento loja de departamentos
dependência dependência física; dependências de empregada
dependura estar na dependura; na dependura
depois ao depois; deixar para depois; Depois da queda, coice.; depois de; depois de amanhã; depois de Cristo; Depois de mim, o dilúvio.; depois que; nada como um dia depois do outro; uma coisa depois da outra; Venda seu peixe que depois vendo o meu.
depor depor armas
depositar depositar confiança em
depositário depositário infiel
depósito conhecimento de depósito
depressa depressa demais; mais que depressa
depressão depressão bipolar
deriva à deriva
derivado derivado do petróleo
dernier *dernier cri*
derradeiro por derradeiro
derramadeiro(a) nuvem derramadeira
derramado chorar sobre o leite derramado; clamar sobre o leite derramado (*V.* "chorar sobre o leite derramado"); Não adianta chorar sobre leite derramado.
derramamento derramamento de sangue
derramar dar ou derramar o sangue por; derramar água fria; derramar lágrimas; derramar o sangue de outrem; derramar o seu sangue; derramar óleo em águas turvas
derrame derrame cerebral
derredor ao derredor de; derredor de; em derredor de

desenvolvimento

derreter derreter dinheiro; derreter-se em lágrimas
derretido(a) manteiga derretida; só não beber chumbo derretido
derrubar derrubar o queixo de
dês (desde) dês que
desabar desabar o mundo; desabar o tempo
desabrido a tempo desabrido
desabrir desabrir mão de
desabrochar desabrochar em sorrisos; desabrochar um segredo
desacordo em desacordo
desafiar desafiar a sorte; desafiar os perigos
desafio cantar ao desafio
desaforo não levar desaforo para casa
desamarrar desamarrar o bode
desamparo ao desamparo
desandar desandar a roda; desandar a roda da fortuna
desarmado(a) a olho desarmado; à vista desarmada; vista desarmada
desarranjo desarranjo de cabeça
desastre desastre ecológico
desatado(a) não ser sangria desatada; sangria desatada
desatar atar e desatar; desatar a rir; desatar em lágrimas; desatar o nó górdio; desatar os nós do lenço; não atar nem desatar
desbordo em desbordo
descabelado(a) mentira descabelada
descalçar descalçar a bota
descambar descambar no ridículo
descansar carregar pedras enquanto descansa; descansar no Senhor; descansar sobre os louros
descanso descanso eterno; o descanso eterno; o eterno descanso; sem descanso
descarga caixa de descargas; dar descarga
descargo por descargo de consciência (V. "por desencargo de consciência")
descarregar descarregar a cólera sobre alguém; descarregar a ira (ou o furor) sobre alguém (V. "descarregar a cólera sobre alguém"); descarregar remendos
descascado(a) barata descascada
descascar descascar um abacaxi; ir descascar batatas
descendimento descendimento da cruz
descer Desça o pano.; descer à cova; descer a lenha; descer à morada de Plutão; descer à terra; descer ao inferno; descer ao túmulo; descer o braço; descer o cacete; descer o morro; descer o pau; descer redondo; sobe e desce
descoberto(a) a descoberto; a peito descoberto; de rosto descoberto; poder andar com a cara descoberta; pôr a descoberto; sacar a descoberto

descobrimento descobrimento da cruz
descobrir descobrir a América; descobrir a cara; descobrir a mina; descobrir a pólvora; descobrir o filão (V. "descobrir a mina"); descobrir os podres de alguém; descobrir um santo para cobrir outro; descobrir um santo para vestir outro (V. "descobrir um santo para cobrir outro")
descolar descolar uma nota
descompostura passar uma descompostura
desconfiômetro não ligar o desconfiômetro; não ter desconfiômetro
desconhecido ilustre desconhecido; soldado desconhecido
desconto dar desconto; desconto em folha; desconto na fonte
descoser não se descoser de (alguém)
descrédito cair em descrédito
descuido cair em descuido
desculpa com mil desculpas; desculpa de mau pagador; desculpa esfarrapada; mil desculpas
desculpar desculpar o mau jeito; Desculpe a má palavra!
desde desde agora; desde cima até embaixo (V. "de alto a baixo"); desde então; desde já; desde logo; desde o começo; desde o ventre materno; desde quando; desde quando o mundo é mundo (V. "desde que o mundo é mundo"); desde que; desde que (eu) me entendo por gente; Desde que lhe tirei as peias, nunca mais o vi.; desde que o mundo é mundo
desdém ao desdém
desejar deixar a desejar; desejar ver pelas costas; não deixar nada a desejar; não ter nada a desejar; ver-se e desejar-se
desejo arder em desejos; juntar a vontade com o desejo; objeto de desejo
desembainhar desembainhar a língua
desembaraçado livre e desembaraçado
desembarque barcaça de desembarque
desempatar desempatar capital (V. "desempatar dinheiro"); desempatar dinheiro
desemprego desemprego disfarçado; desemprego estrutural
desencargo desencargo de consciência; por desencargo de consciência
desenferrujar desenferrujar a língua; desenferrujar as pernas
desenfreado(a) competição desenfreada
desenho desenho à mão livre; desenho animado
desentendido fazer-se de desentendido
desentupir beijo de desentupir pia
desenvolvimento desenvolvimento sustentável; em desenvolvimento

desértico clima desértico
deserto falar no deserto; navio do deserto; pregar no deserto; Raposa do Deserto; ratos do deserto; voz (daquele) que clama no deserto
desesperado como um desesperado
desespero em desespero de causa
desfavor a desfavor
desfazer desfazer a panelinha; desfazer-se em; fazer e desfazer
desfeito desfeito em lágrimas; O que está feito não pode ser desfeito.
desfiar desfiar a meada; desfiar o rosário
desfile abrir o desfile
desforço desforço físico
desforra tirar a desforra; tirar desforra
desfrute dar-se ao desfrute
desgarrado(a) ovelha desgarrada
desgraça cair em desgraça; Desgraça pouca é bobagem!
desgraçar para desgraçar
desidratação desidratação infantil
designer web designer
desimpedido livre e desimpedido (*V.* "livre e desembaraçado")
desinfetar desinfetar a área (*V.* "desinfetar o (menção de lugar)"); desinfetar o (menção de lugar); desinfetar o beco (*V.* "desinfetar o (menção de lugar)"); Desinfete daí!
desktop desktop publishing
deslavado(a) cara deslavada; mentira deslavada (*V.* "mentira descabelada")
desligado estar desligado
desmamado bezerro desmamado; cara de bezerro desmamado; chorar como bezerro desmamado
desmanchar desmanchar a cara; desmanchar a igrejinha; desmanchar na boca; fazer com as mãos e desmanchar com os pés; ser um desmancha-prazeres
desmandar mandar e desmandar
desmedida (*subst.*) à desmedida
desmentir desmentir na lata
desmiolado(a) cabeça desmiolada
desobediência desobediência civil
desocupar desocupar o beco; não beber nem desocupar o copo
desonrar desonrar a farda; desonrar uma mulher
desopilar desopilar o fígado
desoras a desoras
despachar despachar para o outro mundo
despacho fazer um despacho
despedida despedida de solteiro; por despedida
despedir despedir em branco; despedir-se à francesa
despeito a despeito de

despejar despejar a tripa; despejar o saco
despejo quarto de despejo
despertar ter um amargo despertar
despesa enxugar as despesas; não olhar a despesas; rachar as despesas; talhar as despesas
despir despir o hábito (*V.* "deixar o hábito"); despir o homem velho; despir um santo para vestir outro
despontar despontar o vício
despregado a bandeiras despregadas; rir às bandeiras despregadas
desprender desprender a voz; desprender as asas
desprevenido pegar (alguém) desprevenido
desprezo dar-se ao desprezo; votar ao desprezo
desquite desquite amigável
desse/dessa (*contr.*) Debaixo desse angu tem caroço.; Desse mal eu não morro.; durma-se com um barulho desses; num desses dias (*V.* "num dia desses"); num dia desses; qualquer dia desses
destampar destampar a mão em
destaque figura de destaque (*V.* "figura de proa")
deste/desta (*contr.*) desta feita; desta força; desta maneira; desta sorte; Deste mato não sai coelho.; embarcar deste mundo para um melhor; embarcar/ir desta para a melhor (*V.* "embarcar deste mundo para um melhor"); ficar (deste) tamanhinho (tamaninho); ir desta para melhor; ir-se desta para a melhor; mandar (alguém) desta para melhor; mandar desta para pior; não ser deste mundo; partir deste mundo; passar desta vida para melhor; por nada desta vida; por nada deste mundo (*V.* "por nada desta vida"); um destes dias (*V.* "um dia destes"); um dia destes
destempo ao destempo
destilado(a) água destilada
destilar destilar veneno
destino ironia do destino; sem destino
destorcer destorcer o caminho
destripar destripar o mico
desvantagem em desvantagem
desvio estar no desvio; trabalhar no desvio (*V.* "estar no desvio")
detector detector de mentiras
detenção casa de detenção
determinado(a) acreditar (em determinada coisa) piamente; em determinada medida (*V.* "em certa medida")
detrás de detrás; detrás de; dizer mal de alguém por detrás; por detrás; por detrás (*V.* "de detrás")

detrimento em detrimento de
déu de déu em déu
deum te Deum
Deus a Deus e à ventura; a Deus misericórdia; a mão de Deus; acender uma vela a Deus e outra ao Diabo; agradar a Deus e ao diabo (*V.* "agradar a gregos e troianos"); ao deus-dará; Bendito seja Deus!; Benza Deus!; casa de Deus; conhecer Deus e todo o mundo; cordeiro de Deus; corpo de Deus; creio em Deus Pai; dar a alma a Deus; dar a Deus o que o diabo não quis; dedo de Deus; Deus e o mundo; Deus é quem sabe; Deus é testemunha; Deus lhe dê uma boa hora.; Deus me livre; Deus me perdoe, mas...; Deus o livre e guarde; Deus os fez e o diabo os ajuntou; Deus permita; Deus queira!; Deus sabe como; Deus tal não permita; Deus te (lhe) pague; Deus te (me) perdoe; Deus te (o) abençoe; dever a Deus e a todo mundo; É Deus que...; É um deus nos acuda.; Em nome de Deus!; ente de Deus; entregar a alma a Deus; estar bem com Deus; estar com a vida que pediu a Deus; Eu também sou filho de Deus.; ficar com Deus; filho de Deus; filhos de Deus; flagelo de Deus; graças a Deus; Homem de Deus; ir com Deus; levar a vida que pediu a Deus; levar Deus para si; luz de Deus; mãe de Deus; manjar dos deuses; mercê de Deus; Meu Deus do Céu! (*V.* "meu Deus!"); meu Deus!; não temer Deus nem o diabo; néctar dos deuses; nem à mão de Deus Padre; o Reino de Deus; Oh, Deus!; pelo amor de Deus; por graça de Deus; povo de Deus; presente de Deus (*V.* "presente dos céus"); queira Deus; render a alma a Deus; roupa de ver a Deus; sabe Deus; santo Deus; se Deus quiser (*V.* "Deus queira!"); Se Deus quiser!; seja lá como Deus quiser (*V.* "seja lá como for"); seja tudo por amor de Deus; ser Deus no céu e (fulano) na terra; serva de Deus; servir a Deus; só Deus sabe; sozinho e Deus; também ser filho de Deus; templo de Deus; ter a vida que pediu a Deus; tomar o nome de Deus em vão; Vá com Deus!; Valha-me Deus!; viver como Deus com os anjos; viver como Deus é servido; *Deus ex machina*; *Deus vult*; *solo Deus salus*
deus(a) deusa das cem bocas; presente dos deuses (*V.* "presente dos céus")
deux pas de deux
devagar Devagar com o andor.; devagar e sempre
devedor saldo credor (devedor)
dever (*subst.*) dever de casa; dever de consciência; escravo do dever; fazer o dever de casa (*V.* "fazer a lição de casa"); o dever me chama

dever (*verbo*) como deve ser; dever a Deus e a todo mundo; dever a vida a alguém; dever os cabelos da cabeça; dever os olhos da cara (*V.* "dever os cabelos da cabeça"); Devo e não nego; pagarei quando puder.
devido(a) devido a; em devida forma; no devido tempo; ter na devida conta
devoção não ser santo da devoção de
devorar devorar um livro
dez comer por dez; contar até dez; cortar um dez (doze); dar de dez a zero (*V.* "dar de dez em"); dar de dez em; de dez a um; dez mandamentos; dez para as duas; dez réis de mel coado; frutos do mar; nota dez (*V.* "classe "A""); Nota dez!; os Dez Mandamentos; perdido por dez, perdido por mil; por dez réis de mel coado
dia à luz do dia; ajuntar o dia com a noite; algum dia; Amanhã é outro dia!; andar em dia com; ao dia; aproveita bem o dia; astro do dia; até um dia; autor dos seus dias; barra do dia; belo como o dia; Bom dia!; Bons dias (*V.* "Bom dia!"); certo dia; chegar o seu dia e sua hora; cheio de dias; claro como o dia; com dia; como o dia e a noite; contar os dias; da noite para o dia; de dia; de dias; de um dia para (o) outro; dia a dia; dia alto; dia após dia; dia cheio; dia claro; dia D; dia da Independência; dia da República; dia das crianças; dia das mães; dia de ano-bom; dia de anos; dia de cão; dia de finados; dia de peixe; dia de preceito; dia de Reis; dia de São Nunca; dia de São Nunca de tarde (*V.* "dia de São Nunca"); dia de semana; dia de Todos os Santos; dia do Fico; dia do Juízo; dia do Juízo Final (*V.* "dia do Juízo"); dia do Quinto; dia do Senhor; dia do trabalho; dia dos namorados; dia dos pais; dia e noite; dia enforcado; dia enxuto; dia estéril; dia feriado; dia imprensado; dia impróprio; dia letivo; dia mais, dia menos; dia morto; dia negro; dia por dia; dia santificado; dia santo de guarda; dia sim, dia não; dia útil; dias da data; dias gordos; dias há que; dias que prometem; do dia para a noite; em dia; em plena luz do dia; estar com os dias contados; estar contando os dias; estar na ordem do dia; estar naqueles dias; estar por dias; estragou o meu dia; faltar à aula no dia em que ensinaram; fazer da noite dia; ganhar o dia; ganhar o pão de cada dia; haveis de ver esse dia; hoje em dia; Lá um dia a casa cai.; mais dia, menos dia; meio-dia e meia; melhores dias; na ordem do dia; nada como um dia depois do outro; não é o meu (dele) dia; não ser para os dias de alguém; não ter senão a noite e o dia; nem todo dia é dia santo; noite e dia; nos dias de hoje; nos

nossos dias; num desses dias (*V.* "num dia desses"); num dia desses; o autor de seus dias; o dia "D"; olhar para o dia de amanhã; ordem do dia; pão nosso de cada dia; pensar no dia de amanhã; pôr a escrita em dia; pôr em dia; pôr-se em dia; qualquer dia desses; raiar do dia; salvar o dia; seus dias estão contados; só ter de seu o dia e a noite; ter faltado à aula no dia em que ensinaram...; ter o seu dia; ter seu dia; ter seus dias; ter seus dias contados; ter um dia cheio; todo santo dia; todos os dias; trocar o dia pela noite; um belo dia; um destes dias (*V.* "um dia destes"); um dia; Um dia a casa cai.; um dia destes; ver estrelas ao meio-dia (*V.* "ver estrelas"); ver o dia; *dia de Ano-Novo judaico (Rosh Hashaná)*
***diable** à la diable*
diabo "nós" deu o diabo nas tripas; acender uma vela a Deus e outra ao Diabo; advogado do diabo; agradar a Deus e ao diabo (*V.* "agradar a gregos e troianos"); andar com o diabo à solta; andar o diabo à solta; ao diabo; até o diabo dizer basta; Com os seiscentos diabos! (*V.* "Com seiscentos diabos!"); Com seiscentos mil diabos! (*V.* "Com os diabos!"); comer o pão que o diabo amassou; comer o que o diabo enjeitou (*V.* "comer o pão que o diabo amassou"); como o diabo; como o diabo gosta; cornimboque do Diabo; dar a alma ao diabo; dar a Deus o que o diabo não quis; dar um quarto ao diabo; Deus os fez e o diabo os ajuntou; diabo de saias; diabo em figura de gente; diabo em pessoa; diabo no corpo; dizer o diabo sobre; do diabo; do jeito que o diabo gosta; do(s) diabo(s) (*V.* "da peste"); enquanto o diabo esfrega o olho; enquanto o diabo esfrega um olho (*V.* "enquanto o diabo esfrega o olho"); entregar a alma ao diabo (*V.* "entregar a alma a Deus"); estar com o diabo no corpo; estar o diabo atrás da porta; fazer o diabo; fazer o diabo a quatro; fugir de alguém como o diabo da cruz; levado do diabo; levar o diabo; levar-se do diabo; longe pra diabo; mandar (alguém) para o diabo; mandar (alguém) para o diabo que o carregue (*V.* "mandar (alguém) para o diabo"); mandar ao diabo; mandar pro diabo; não temer Deus nem o diabo; nem ao próprio diabo ocorreria (*V.* "nem o próprio diabo lembraria"); nem o próprio diabo lembraria; nem que o diabo toque rebeca; o diabo a quatro; O diabo anda à solta!; O diabo que carregue!; onde o diabo perdeu as esporas; para diabo; passar o diabo; passar o que o diabo enjeitou; pintar o diabo; por artes do diabo; Que diabo é isso?; que leve o diabo; Que o diabo o leve!; se o diabo der licença; segurar o diabo pelo rabo; ser da pele do diabo (*V.* "ser da pele de Judas"); ser o diabo em figura de gente; ser um pobre-diabo; ter o diabo no corpo; ter o diabo no couro (*V.* "ter o diabo no corpo"); ter o diabo nos chifres (*V.* "ter o diabo no corpo"); ter pacto com o diabo; trazer o diabo no corpo; trazer o diabo no ventre (*V.* "trazer o diabo no corpo"); Vá para o diabo!; vender a alma ao diabo; vender-se ao diabo
diabo (*interj.*) aos diabos; Com mil diabos!; Com os diabos!; Com seiscentos diabos!; dos diabos
diamante diamante bruto; jubileu de diamante; ser um diamante em bruto
diante assim por diante; cair de joelhos (diante de); daqui em diante; daqui por diante (*V.* "daqui em diante"); de hoje em diante; diante de; diante dos olhos; E assim por diante.; em diante; para diante; por diante; pôr-se diante de; ter diante de si; ter diante dos olhos
dianteira dar a dianteira; ganhar a dianteira; levar dianteira; linha dianteira; tomar a dianteira (*V.* "tomar a frente"); tomar a dianteira (*V.* "ganhar a dianteira")
diarreia diarreia vocal
dica dar dicas
***dicha** ler a buena-dicha de*
dicionário dicionário ambulante (*V.* "dicionário vivo"); dicionário eletrônico; dicionário vivo; engolir o dicionário
***dictu** horribile dictu*
didático livro didático
***die** sine die*
***diem** ad diem*; *Carpe diem.*; *diem faustus*
***dies** dies irae*
dieta dieta balanceada; dieta macrobiótica; dieta zero
diferença à diferença de; fazer a diferença; fazer diferença; fazer diferença entre; tirar uma diferença
diferente estar diferente com; ser diferente
***différence** Vive la différence!*
difícil bancar o difícil; falar difícil; fazer-se difícil; figura difícil (*V.* "figurinha difícil"); figurinha difícil; mais difícil do que parece; parto difícil; ser de difícil avaliação (*V.* "não ter preço")
dificuldade ver-se em dificuldades
digital câmara digital; impressão digital; inclusão digital
dígito dígito binário; dígito de verificação; digno de menção
dilúvio antes do dilúvio; Depois de mim, o dilúvio.
dimensão quarta dimensão

diminutio capitis diminutio
dinâmica leitura dinâmica
dinamite banana de dinamite
dinheiro com dinheiro contado; dar dinheiro; derreter dinheiro; desempatar dinheiro; dinheiro corrente; dinheiro de contado; dinheiro de plástico; dinheiro em espécie; dinheiro em penca; Dinheiro haja!; dinheiro miúdo; dinheiro na mão; dinheiro sujo; dinheiro vivo; dono do dinheiro (*V.* "dono do cofre"); em dinheiro; fazer dinheiro; jogar (seu) dinheiro pela janela; jogar dinheiro fora; jogar dinheiro pela janela (*V.* "jogar dinheiro fora"); lavagem de dinheiro; máquina de fazer dinheiro; nadar em dinheiro; não ver a cor do dinheiro; pagar um bom dinheiro; rachar de ganhar dinheiro; ter dinheiro como água (*V.* "ter dinheiro para queimar"); ter dinheiro para queimar; ver a cor do dinheiro (de alguém)
Diogo dar às de Vila Diogo
diploma tirar diploma; tirar diploma de burro
diplomático(a) carreira diplomática; corpo diplomático; representação diplomática
direção barra de direção; direção defensiva; direção hidráulica; em direção a; golpe de direção; mão de direção; perder a direção; sem direção; senso de direção
direcional antena direcional
direita à direita; à direita e à esquerda; amigo às direitas; às direitas; direita/esquerda/meia-volta, volver!; extrema-direita; não saber qual é a sua mão direita
direitinho ir direto/direitinho para o céu
direito a torto e a direito; abuso de direito; braço direito; cassação de direitos políticos; com o pé direito; de direito; de pleno direito (*V.* "de direito"); direito de arena; direito de voz; direitos civis; Dou meu braço direito por...; entrar com o pé direito; estar dentro de seus direitos; lateral direito; médio direito (esquerdo); por direito; quem de direito; sem avesso nem direito; sem direito nem avesso (*V.* "sem avesso nem direito")
direta (*subst.*) senhor Diretas
direto(a) (*adj.*) eleição direta (indireta); em linha direta; ir direto ao ponto; ir direto/direitinho para o céu; mala direta; sufrágio direto/indireto (*V.* "voto direto/indireto"); tiro livre direto; voto direto/indireto
diretor diretor espiritual
diretório diretório acadêmico
dirigir dirigir os passos de
disc blu-ray disc (BD); compact disc
discente corpo discente
discípulo discípulo amado; o discípulo amado

disco disco rígido; disco voador; engolir um disco; mudar o disco; virar o disco
discórdia pomo de discórdia
discrepância sem discrepância
discrepante nemine discrepante (*V.* "nemine contradicente")
discretante nemine discretante
discriminação discriminação racial
discussão estar na tela de discussão; objeto de discussão
discutir discutir sobre o sexo dos anjos; não se discute
disfarçado desemprego disfarçado
disparada em disparada
dispensar Dispensa comentários.
display display de venda; *display* expositivo
dispor ao dispor de; dispor-se para o que der e vier; estar ao dispor (à disposição) de; ficar ao dispor de; pôr e dispor
disposição disposição de espírito; estar ao dispor (à disposição) de; ficar à disposição
disposto estar bem-disposto
disputar disputar no palitinho; disputar sobre a ponta de uma agulha
dissidente dissidente político
dissídio dissídio coletivo
disso/disto à vista disso; além disso (disto); apesar disso(disto); disso e daquilo; E eu sou pai disso?; Eu não sou pai disso.; falar disso e daquilo; longe disso; nada disso; turma do deixa-disso
distância a distância (à distância); a meia distância; educação a distância; engolir distâncias; ensino a distância; guardar as distâncias; guardar distância; manter as distâncias; manter distância; querer distância de; tomar distância; tomar distância de
distante passado distante
distensão distensão muscular
distinção fazer distinção a; pessoa de distinção
distrito Distrito Federal; distrito policial
ditadura ditadura do proletariado
ditar ditar a moda; ditar as leis
dito dar o dito por não dito; dito e feito; dito popular; dito por não dito; dizer dito; nem dito, nem feito; o dito, dito; propriamente dito; Tenho dito.
diurno(a) com mão diurna e noturna
diversão parque de diversões
dívida atolado em dívidas; confissão de dívida; dívida de gratidão; dívida externa; dívida pública; estar em dívida com; rezar por alma de uma dívida
dividido(a) não entrar em dividida
dividir Divide e impera.
divino(a) Divina Comédia; divina providência; folia de Reis ou do Divino; ilustração

divina; imperador do Divino; lei divina; misericórdia divina; o Verbo Divino; ofício divino; pessoas divinas
divinum *jus divinum*
divisão divisão do trabalho; divisão exata
divisor divisor de águas
divulgar dizer (divulgar) sob reserva
dixi Quod dixi, dixi.
dixit Magister dixit.
dizer a bem dizer; achar o que dizer; até dizer basta; até dizer chega (V. "até dizer basta"); até o diabo dizer basta; como diz o outro; como dizia meu avô/avó/mãe (V. "como dizia meu pai"); como dizia meu pai; como lá diz o outro; contar o milagre sem dizer o nome do santo; dar ou dizer (um) fiau (V. "fazer fiau"); digam o que quiserem; disse me disse; diz que diz; dize tu direi eu; dizem os filhos da Candinha; dizer (divulgar) sob reserva; dizer à boca pequena; dizer a que veio; dizer a tabuada; dizer a verdade nua e crua; dizer a viva voz; dizer a/ao que veio; dizer adeus a (uma pessoa ou coisa); dizer adeus ao mundo; dizer alto e bom som; dizer amém; dizer amém a; dizer as últimas a; dizer bem de; dizer cobras e lagartos; dizer de passagem; dizer de si para si; dizer dito; dizer e fazer; dizer extravagâncias; dizer horrores; dizer mal de; dizer mal de alguém por detrás; dizer maravilhas de; dizer nomes; dizer o diabo sobre; dizer o que lhe vem às ventas/à veneta; dizer o que sente; dizer o quirieléison; dizer patacoadas; dizer poucas e boas; dizer respeito a; dizer tudo o que lhe vem à boca; dizer umas verdades (a alguém); É o que se pode dizer.; em verdade vos digo; Isso/isto é fácil de dizer.; isso/isto não diz muito; modo de dizer; morrer sem dizer "ai Jesus"; não acreditar em nem uma palavra do que diz; não diga mais nada hoje; não dizer a nem b; não dizer a(/ao) que veio; não dizer bolacha; não dizer bulhufas (V. "não dizer bolacha"); não dizer coisa com coisa; não dizer nem sim nem não; não dizer para que veio (V. "não dizer a(/ao) que veio"); não dizer uste nem aste; não precisar dizer duas vezes; não saber o que diz; não ser capaz de dizer nem três palavras; não ser coisa que se diga; não ser lá o (para) que digamos; não ter o que dizer; não ter tempo nem de dizer ai (V. "não ter tempo"); nem é preciso dizer; no dizer de; no que diz respeito a; o mestre disse; o tempo dirá; para assim dizer; para dizer a verdade...; por assim dizer; por ouvir dizer; que dirá (V. "quanto mais"); Que os anjos digam amém.; Quem diria!; quer dizer; querer dizer; se bem o disse, melhor o fez; Se um diz branco, o outro diz preto.; segundo dizem; sem dizer água vai; *dizer "cheese"*
dó bater sem dó nem piedade; de dar dó; dó de alma; sem dó nem piedade; sol e dó; Tenha dó!
doador doador universal
dobrado(a) cortar um dobrado; enxergar dobrado; partidas dobradas; vê dobrado/duplo; verdade dobrada
dobrar dobrar a cerviz; dobrar a língua; dobrar a parada (aposta); dobrar a verdade; dobrar de rir; dobrar o cabo da Boa Esperança; dobrar o sino; dobrar os joelhos; dobrar pés com cabeça; dobrar uma esquina
dobro o dobro de nada
doce acabou-se o que era doce; água doce; arroz-doce de função (V. "arroz de festa"); bico doce; dar os doces; dar um doce a; doce como açúcar (V. "doce como o mel"); doce como o mel; doce de coco; Dou-lhe um doce se...; fazer cu-doce; poeta de água doce; um doce; um doce de coco
docente corpo docente
doctor Magister Doctor
doctus doctus cum libro
documento sem lenço nem documento
dodói ser cheio de dodóis
doença doença rebelde
doente cair doente; com cara de doente; doente do peito; doente imaginário; doente terminal
doer bom que dói; de doer; doa a quem doer; doa em(a) quem doer (V. "custe o que custar"); doer-se por; É bom que dói.; Essa é de doer!; feio de doer (V. "feio de meter medo"); saber onde lhe dói o calo; ver quanto dói uma saudade
dog hot dog
doidinho doidinho da silva (V. "doido varrido")
doido doido manso; doido varrido; É doido e a família não sabe.; É doido, mas tem juízo.; rir como um doido; samba do crioulo doido; trem doido
dois a dois e dois (V. "dois a dois"); a três por dois; ambos de (os) dois; arma de dois gumes; baião de dois; bandeira dois; cada um dos dois; caixa dois; certo como dois e dois são quatro (V. "certo como a morte"); com um quente e dois fervendo; com uma só cajadada, matar dois coelhos (V. "matar dois coelhos com uma só cajadada"); como dois pombinhos; comum de dois; cortar pelos dois lados; dar dois dedos de prosa; de uma cajadada, matar dois coelhos; dois a dois; dois de paus; dois dedos de; dois dedos de prosa; dois e dois (V. "dois

a dois"); dois machados nos cabos; dois ou três; dois pesos e duas medidas; dois-pontos, travessão; em dois tempos; entre dois fogos; faca de dois gumes; heroína de dois mundos; ir no pé-dois; isso/isto tem dois vv (vês); jogar com pau de dois bicos; matar dois coelhos com uma só cajadada; não caberem dois proveitos num só saco; não saber que dois e dois são quatro; não valer dois caracóis; onde comem dois, comem três (V. "se dá pra dois, dá pra três"); os dois; pão com manteiga dos dois lados; pôr fogo nos dois lados da vela; Preso por mil, preso por dois mil.; qualquer dos dois; se dá pra dois, dá pra três; solidão a dois; tão certo como dois e dois são quatro; um ou dois; um passo à frente, dois atrás; um passo atrás (ou para trás) e dois adiante (ou à frente); Um, saúde; dois, cuidado; três, resfriado.
dolce **dolce far niente**; *dolce vita*
doloroso(a) mãe dolorosa; Via Dolorosa
doloso(a) crime doloso
dom dom da palavra; dom das línguas; dom Juan; dons de Baco; dons de Ceres; dons de Fiori; dons do Espírito Santo; tempo de dom João Charuto (V. "tempo do onça"); ter o dom de
doméstico(a) afazeres domésticos; empregado(a) doméstico(a); prendas domésticas; serviço doméstico
domiciliar prisão domiciliar
domicílio em domicílio; entrega em domicílio
domingo domingo de Páscoa
domini anno domini (a.D.)
domínio cair em domínio público; cair no (em) domínio público (V. "ser de domínio público"); cair no domínio público; de domínio público; faixa de domínio; reserva de domínio; ser de domínio público
domino a non domino; aequo domino
dominus non dominus
domo pro domo sua
dono(a) cachorro sem dono; dona de casa; dono encrenca; dona Maria; dono da bola; dono da verdade; dono de seu nariz; dono do cofre; dono do dinheiro (V. "dono do cofre"); dono do time; Estou falando com o dono da porcada e não com os porcos.; olho do dono; único dono
dor dor de cabeça; dor de corno; dor de cotovelo; dor do membro fantasma; dores vagas; enganar a dor; tomar as dores por
dorée jeunesse dorée
dormente águas dormentes; planta dormente
dormido feijão dormido

dormir acordar o cão que dorme; come e dorme; conversa mole para boi dormir; conversa para (pra) boi dormir (V. "conversa mole para boi dormir"); de fazer dormir; dormir a sono solto; dormir acordado; dormir ao léu; dormir com as galinhas; dormir com um olho aberto; dormir com um olho fechado e outro aberto; dormir como um bebê; dormir como uma pedra; dormir de olhos abertos; dormir de touca; dormir e acordar com (alguém); dormir na pontaria; dormir nas palhas; dormir no ponto; dormir o sono; dormir o sono da inocência; dormir o último sono; dormir sem essa; dormir sobre; dormir sobre louros; dormir sobre o caso; durma-se com um barulho desses; estória para boi dormir; ferrar a dormir (V. "ferrar no sono"); história para (pra) boi dormir; história para menino dormir (V. "história para (pra) boi dormir"); mexer com o cão que está dormindo (V. "mexer em time que está ganhando"); saco de dormir
dorsal decúbito dorsal, ventral ou lateral
dose dose cavalar; dose para elefante (V. "dose para leão"); dose para leão; em dose homeopática; ser dose; ser dose para elefante; ser dose para leão (V. "ser dose para elefante"); tomar uma dose (V. "tomar um gole")
dotado bem-dotado
dourado anos dourados; só enxergar os dourados; sonhos dourados
dourar dourar a pílula
doutor doutor Angélico; doutor da Igreja; doutor da mula ruça; doutor de borla e capelo (V. "doutor de capelo"); doutor de capelo; doutor Seráfico; *doutor in honoris causa*
doutoral tom doutoral
doze cortar um dez (doze)
drain brain drain
drama fazer drama (V. "fazer um drama"); fazer um drama
dramático apelo dramático; lance dramático
drástico corte drástico
droga dar em droga; uma droga (V. "uma miséria")
duas acender vela nas duas pontas (V. "queimar vela nas duas pontas"); as duas culturas; Cada uma que parece duas.; com as duas mãos; das duas, uma; de duas larguras; de duas, uma; dez para as duas; dois pesos e duas medidas; Dou-lhe uma, dou-lhe duas, dou-lhe três.; em duas palavras; em duas palhetadas; entre duas águas; homem de duas caras; não pensar duas vezes;

dubio

não precisar dizer duas vezes; navegar em duas águas; parecerem-se como duas gotas-d'água; pensar duas vezes; queimar vela nas duas pontas; ter duas caras; um peso, duas medidas
dubio *In dubio pro reo.*
ducha ducha de água fria; ducha escocesa
duco *Non ducor duco.*
ducor *Non ducor duco.*
duelo duelo de morte
dupla (*subst.*) bela dupla
duplicata em duplicata
duplo(a) (*adj.*) agente duplo; de dupla face; duplo jogo; duplo sentido; estrada de pista dupla; fazer jogo duplo; jogo duplo; mão dupla; vê dobrado/duplo
dura *Dura lex sed lex.*
durar bom demais para durar; de lavar e de durar
durável bens duráveis
duro(a) a duras penas; cabeça-dura; cair duro; dar duro; dar um duro; dar uma dura; duro como corno; duro de cabeça; duro de engolir; duro de ouvido; duro de queixo; duro de roer; duro na queda; É duro!; estar duro; ficar com o pau duro; levar uma dura; linha dura; No duro!; osso duro de roer; pão-duro; pau duro; roda dura; ser duro da moleira; ser roda dura; tororó, pão duro; trabalhar duro; trabalho duro; vida dura
duty *duty-free shop*
dúvida benefício da dúvida; em dúvida; fora de dúvida; levantar uma dúvida; pôr em dúvida; por via das dúvidas; sem dúvida; sem sombra de dúvida
duvidar duvido até com os pés
duvidoso deixar o certo pelo duvidoso; gosto duvidoso
dúzia às dúzias; das dúzias; dúzia de treze; encontrei meia dúzia de gatos-pingados; entre seis e meia dúzia; escolher entre seis e meia dúzia; estar entre seis e meia dúzia; meia dúzia; meia dúzia de gatos-pingados; meia dúzia de um e seis do outro; trocar seis por meia dúzia; um tostão a dúzia; uma dúzia das antigas
DVD *DVD player*

E

e.g. *e.g. (exempli gratia)*
écart *grand écart*
ecce *Ecce homo.*
ecler fecho ecler
eclesiástico(a) ano eclesiástico; cômputo eclesiástico; província eclesiástica
eclipse eclipse anelar (*V.* "eclipse anular"); eclipse anular; eclipse da Lua; eclipse do Sol; eclipse em anel (*V.* "eclipse anular"); eclipse total
eco encontrar eco; não encontrar eco
ecológico(a) desastre ecológico
economia economia barata (*V.* "economia de palitos"); economia de palitos; empresa de economia mista
econômico(a) Caixa Econômica; pacote econômico; poder econômico
economizar não economizar elogios
ecumênico Concílio Ecumênico
edição edição fac-similada; edição príncipe
edificação edificação multifamiliar
edificar edificar sobre areia
Édipo complexo de Édipo
editor editor de arte; editor de som; editor de texto; editor responsável
editoração editoração eletrônica
educação educação a distância; falta de educação
efe com todos os efes e erres
efeito com efeito; Com efeito!; efeito a pagar/receber; efeito bola de neve; efeitos especiais; fazer efeito; frase de efeito; levar a efeito; para todos os efeitos; pôr em efeito; sem efeito; surtir efeito; tornar sem efeito
Egito chorar pelas cebolas do Egito
ego *alter ego*
ego ego inflado; massagear o ego
égua égua madrinha; lavar a égua; pau de amarrar égua
eh! Eh, porqueira!; Eh, puxa!
eira não ter eira nem beira; sem eira nem beira
eis eis ali; eis aqui; eis aqui (*V.* "eis ali"); Eis aqui a serva do Senhor.; eis por que; eis que; eis senão quando; eis tudo
eito a eito
eixo andar fora dos eixos; entrar nos eixos; estar fora dos eixos; fora dos eixos; pôr nos eixos; sair dos eixos; sair fora dos eixos
ejaculação ejaculação precoce
ejetável assento ejetável
ejusdem *ejusdem farinae*
ela aceitar a vida como ela é; aceitar as coisas como elas são (*V.* "aceitar a vida como ela é"); agora é que são elas; aí é que são elas; aqui é que são elas; com vontade ou sem ela; elas por elas; fazer por elas (*V.* "fazer por merecer")
ele como ele só; Ele é cabeça.; Ele é meu liga.; Ele está branco.; Ele não nasceu ontem.; Ele se acha.; Ele se julga o tal.; Ele tem o rei na barriga.; eles lá se entendem (*V.* "são da mesma panelinha"); fazer como se não fosse com ele; O que ele faz? (*V.* "Que apito é que ele toca?"); Que apito é que ele

toca?; que só ele; Quem é ele? (*V*. "Que apito é que ele toca?")
Electra complexo de Electra
elefante dose para elefante (*V*. "dose para leão"); elefante branco; engolir um elefante e engasgar-se com um mosquito; memória de elefante; provar que cobra é elefante; ser dose para elefante; sutil como um elefante
elegância árbitro da elegância
eleição eleição direta (indireta)
eleison Kyrie eleison
eleito povo eleito
eleitor eleitor de cabresto
eleitorado conhecer o seu eleitorado
eleitoral abstenção eleitoral; cabo eleitoral; colégio eleitoral; curral eleitoral; pleito eleitoral; quociente eleitoral
elementar é elementar; Elementar, (meu) caro Watson.
elemento estar no seu elemento; mau elemento; no seu elemento; os quatro elementos
elétrico(a) cadeira elétrica; central elétrica; secretária eletrônica; trio elétrico
eletrônico(a) agenda eletrônica; caixa eletrônico; cérebro eletrônico; clipagem eletrônica; comércio eletrônico; computador eletrônico; correio eletrônico; dicionário eletrônico; editoração eletrônica; endereço eletrônico; escuta telefônica/eletrônica; música eletrônica; planilha eletrônica; porteiro eletrônico
elevador poço do elevador
elite atirador de elite
elixir elixir da vida (*V*. "elixir de longa vida"); elixir de longa vida
Elizabeth circuito Elizabeth Arden
elo elo perdido
elogiar não se pode elogiar...
elogio cobrir de elogios; elogio de corpo presente; elogio fúnebre; não economizar elogios; rasgados elogios
eloquência raio de eloquência; rasgo de eloquência
ema canelas de ema (*V*. "canelas de maçarico"); eminha é filhote de ema; gogó da ema; montado na ema
embaixada fazer embaixada
embaixo assinar embaixo; desde cima até embaixo (*V*. "de alto a baixo"); embaixo de; o buraco é mais embaixo
embalagem pegar embalagem
embalar embalar com promessas
embalo entrar no embalo
embarcada aviação embarcada
embarcar embarcar deste mundo para um melhor; embarcar em; embarcar em canoa furada; embarcar nessa; embarcar/ir desta para a melhor (*V*. "embarcar deste mundo para um melhor"); não embarcar em canoa furada (*V*. "não ir nessa canoa"); não embarcar nessa canoa
embargo sem embargo; sem embargo de
embaúba encostado ao pé da embaúba
embira cair na embira; estar na embira (*V*. "estar na dependura"); lamber embira; meter na embira
embolar embolar o meio de campo
emboléu andar aos emboléus
embora Dou-lhe os meus emboras.; ir embora; ir-se embora; levar embora; mandar embora; muito embora; nem chegar, já ir embora
emborcar comer e emborcar o cocho; emborcar o cocho
embotamento embotamento mental
embrulhado negócio embrulhado
embrulho ir no embrulho
embutido armário embutido
embutir embutir uma lorota
emenda emenda pior que o soneto; pior a emenda que o soneto; sair pior a emenda que o soneto; sob emenda
emendado(a) águas emendadas
emendar emendar a mão; emendar os bigodes
emergente país emergente
eminência eminência parda
eminha eminha é filhote de ema
emissora emissora afiliada
empada botar azeitona na empada de alguém; pôr azeitona na empada de alguém (*V*. "botar azeitona na empada de alguém")
empanar empanar o brilho
empelicado nascer empelicado
empenhado(a) cumprir a palavra empenhada (*V*. "cumprir a palavra dada")
empenhar empenhar a palavra
empenho ter empenho em
empinado de nariz empinado; de queixo empinado; nariz empinado
empinar empinar o nariz; empinar um papagaio
empós empós de
empregado(a) dar por bem empregado; dependências de empregada; empregada para todo serviço; empregado(a) doméstico(a)
emprego abandono de emprego; cabide de empregos; pleno emprego
empreitada de empreitada; obra de empreitada
emprenhar emprenhar pelos ouvidos
empresa empresa de capital aberto; empresa de economia mista; empresa multinacional; empresa privada; empresa pública; homem de empresa

emprestado tomar emprestado
empunhar empunhar o bastão; empunhar o cetro
empurra (*subst.*) jogo de empurra; sem empurra-empurra
empurrãozinho dar um empurrãozinho
empurrar empurrar a truta; empurrar bêbado escada abaixo; empurrar com a barriga
encalço ir no encalço de
encalhado(a) ficar encalhado(a) (*V.* "ficar para tia (titia) ou tio (titio)")
encampar encampar os prejuízos
encanado ar encanado; vento encanado
encanar encanar a perna
encangar encangar grilo
encantado príncipe encantado
encantamento quebrar o encantamento (*V.* "quebrar o encanto")
encanto quebrar o encanto; um encanto; viver de seus encantos
encapotado céu encapotado
encargo encargos sociais
encarnado verbo encarnado
encarregado encarregado de negócios
encasquetar encasquetar uma ideia
encerrado decidido e encerrado
enchente enchente da lua; enchente da maré; enchente das goiabas
encher comer até encher a pança (*V.* "comer como um cavalo"); de encher a vista; de encher os olhos; encher a barriga (*V.* "encher a pança"); encher a boca de uma coisa; encher a bola; encher a burra; encher a cabeça; encher a cara; encher a cara de; encher a caveira; encher a cuca (*V.* "encher a caveira"); encher a mochila; encher a paciência; encher a pança; encher a rua de pernas; encher as calças; encher as fraldas (*V.* "encher as calças"); encher as medidas; encher de espanto; encher de vento; encher linguiça; encher o bucho; encher o papo (*V.* "encher o bucho"); encher o pé; encher o pote; encher o saco; encher os bolsos; encher os olhos; encher tripa
enchimento parede de enchimento
enciclopédia enciclopédia viva
encolher encolher a mão; encolher o umbigo; encolher os ombros
encomenda Adeus minhas encomendas!; de encomenda; feito sob encomenda; moléstia de encomenda; não chegar para as encomendas; não ser de caixas encontradas; sob encomenda; vir de encomenda
encomendação encomendação das almas; encomendação do corpo
encomendado sermão encomendado
encontrar encontrar eco; encontrei meia dúzia de gatos-pingados; não encontrar eco
encontro ao encontro de; de encontro a; encontro de contas; ir ao encontro de; ir de encontro a; ponto de encontro; sair ao encontro de; vir ao encontro de; vir de encontro a
encostado encostado ao pé da embaúba; ficar encostado
encostar encostar na parede
encrenca aí é que a coisa encrenca (*V.* "aí é que a coisa pega"); caçar encrenca; dona encrenca; procurar encrenca; ser para-raios de encrenca
encruzilhada estar numa encruzilhada
encurtar encurtar a mão; encurtar as correias a; encurtar razões; para encurtar a conversa; pra encurtar a história
end happy end (ending)
endereçamento código de endereçamento postal
endereço endereço eletrônico
ending happy end (ending)
endosso endosso em branco
endurecer endurecer o jogo; endurecer o lombo
energia colapso de energia
enfant enfant gaté; enfant terrible
enfeitar enfeitar a testa de; enfeitar-se com penas de pavão
enfermo unção dos enfermos
enferrujar enferrujar-se a memória
enfiada de enfiada
enfiar enfiar a cabeça na areia; enfiar a cara; enfiar a cara no mundo; enfiar a cara num buraco; enfiar a carapuça; enfiar a mão no bolso; enfiar a própria cabeça na areia; enfiar a viola no saco; enfiar água no espeto; enfiar goela abaixo; enfiar o pé; enfiar o rabo entre as pernas; meter/enfiar o pé na tábua; meter/enfiar uma rolha na boca de
enfim até que enfim; Enfim, sós!
enforcado confortos de enforcado; dia enforcado; estar enforcado
enforcar dar corda para se enforcar; enforcar a sexta(-feira)
enfrentar enfrentar a parada; enfrentar o batente
enganado estar redondamente enganado; redondamente enganado
enganar enganar a dor; enganar a fome; enganar a saúde (*V.* "enganar a dor"); enganar o estômago (*V.* "enganar a fome"); enganar o tempo
engano cair no engano; cair num engano; ir no engano; ledo engano
enganoso(a) propaganda enganosa; publicidade enganosa
engarrafado espírito engarrafado

entrada

engasgado ficar engasgado
engasgar engolir um elefante e engasgar-se com um mosquito
engatilhado negócio engatilhado
engatinhar estar engatinhando
engenheiro engenheiro de obras feitas
engenho engenho bélico; engenho de água; senhor de engenho
engolir duro de engolir; engolir a bola; engolir a isca; engolir a língua; engolir a pílula; engolir a saliva (*V.* "engolir saliva"); engolir as próprias palavras; engolir calado; engolir cobra; engolir distâncias; engolir em seco; engolir frango; engolir gato por lebre; engolir o apito; engolir o dicionário; engolir o orgulho; engolir saliva; engolir sapos; engolir um disco; engolir um elefante e engasgar-se com um mosquito; engolir um frango (*V.* "engolir frango"); engolir uma afronta; engolir vitrola (*V.* "engolir um disco"); engoliu a linha, o anzol, a chumbada e a isca; Essa eu não engulo.; não engolir; querer engolir (alguém)
Engrácia obras de Santa Engrácia
engrossar engrossar as fileiras de
enguia ser uma enguia
enigma a chave do enigma (*V.* "o xis da questão"); enigma figurado
enjeitar comer o que o diabo enjeitou (*V.* "comer o pão que o diabo amassou"); não enjeitar parada; passar o que o diabo enjeitou
enlace enlace matrimonial
enlamear enlamear a farda
enleado(a) estar enleado
enquanto aproveitar enquanto é tempo (*V.* "aproveitar enquanto o Brás é tesoureiro"); aproveitar enquanto o Brás é tesoureiro); bater o ferro enquanto está quente; carregar pedras enquanto descansa; enquanto o diabo esfrega o olho; enquanto o diabo esfrega um olho (*V.* "enquanto o diabo esfrega o olho"); enquanto o mundo for mundo; enquanto o sangue me girar nas veias; por enquanto; rir enquanto puder; tocar música enquanto Roma pega fogo
enrascada entrar numa enrascada (*V.* "entrar numa fria"); numa enrascada
enredo samba de enredo
enriquecimento enriquecimento ilícito
enrolado(a) bife enrolado; enrolado como um caracol
enrolar enrolar a bandeira; enrolar a língua; enrolar a trouxa
enrugar enrugar a testa (ou o sobrolho) (*V.* "franzir a testa")
ensaboar ensaboar a cara (de) (*V.* "ensaboar as ventas (de)"); ensaboar as ventas (de);

ensaboar o juízo; ensaboar os queixos do burro
ensaio balão de ensaio; ensaio geral
ensarilhar ensarilhar armas
ensebar ensebar a bola; ensebar as canelas
ensejo no ensejo
ensinar ensinar o Pai-nosso ao vigário; ensinar peixe a nadar; ensinar rato a subir de costas em garrafa; faltar à aula no dia em que ensinaram; querer ensinar o pai-nosso ao vigário; ter faltado à aula no dia em que ensinaram...
ensino administrar ensino; ensino a distância; ensino supletivo
enta casa dos enta
entalado ficar entalado
entanto entanto que; no entanto
então até então; Com que então...!; de então para cá; desde então; E então?; E essa então!; pois então
entardecer ao entardecer
ente ente de Deus; ente de razão; ente imaginário (*V.* "ente de razão"); ente pensante; ente real; Ente Supremo
entender cada um lá se entende; cada um que se entenda (*V.* "cada um lá se entende"); dar a entender; desde que (eu) me entendo por gente; eles lá se entendem (*V.* "são da mesma panelinha"); entender do ofício (*V.* "entender do riscado"); entender do riscado; entender-se por gente; fazer o que bem entender; não entender bulhufas (*V.* "não compreender patavina"); não entender patavina (*V.* "não compreender patavina"); no meu entender
entendido bem entendido; dar-se por entendido; não se dar por entendido
entendimento abrir o entendimento
entendu *jamais entendu*
entente *entente cordiale*
enterrado acabado e enterrado; morto e enterrado
enterrar enterrar a cabeça do boi; enterrar a própria cabeça na areia; enterrar a unha; enterrar o assunto; enterrar o cadáver; enterrar o time; enterrar os ossos; enterrar os pés
enterro cara de enterro; enterro dos ossos
entoar cantar mas não entoar
entornado caldo entornado
entornar comer até entornar (*V.* "comer como um cavalo"); entornar o caldo; entornar o caneco
entrada Boas entradas; dar entrada; de entrada; entrada de ginete e saída de sendeiro; entrada de leão e saída de cão (*V.* "entrada de ginete e saída de sendeiro"); entrada franca; entrada sem bola

entrado entrado em anos
entranha pessoa sem entranhas
entrar deixar entrar o bispo; entra ano, sai ano; entra e sai; entrar areia em; entrar bem; entrar com a cara e a coragem; entrar com o corpo; entrar com o pé direito; entrar com o pé esquerdo; entrar de cabeça; entrar de gaiato; entrar de plantão; entrar de sola; entrar em campo; entrar em cena; entrar em coma; entrar em exercício; entrar em fria; entrar em jogo (*V.* "entrar em cena"); entrar em linha de conta; entrar em parafuso; entrar em vigor; entrar mudo e sair calado; entrar na borracha; entrar na dança; entrar na faca; entrar na lenha; entrar na liça; entrar na linha; entrar na marreta; entrar na matéria; entrar na minha; entrar na moda; entrar na onda (*V.* "entrar na moda"); entrar na pele de; entrar na roda; entrar no cio; entrar no cordão; entrar no embalo; entrar no espírito de; entrar no esquema (*V.* "entrar no jogo"); entrar no jogo; entrar no prelo; entrar no tapa; entrar nos cobres; entrar nos eixos; entrar numa enrascada (*V.* "entrar numa fria"); entrar numa fria; entrar pela janela; entrar pela porta da frente; entrar pela porta dos fundos; entrar pela tubulação (*V.* "entrar pelo cano"); entrar pelo cano; entrar pelos olhos; entrar por um ouvido e sair pelo outro; não entrar em dividida; não entrar na cabeça; saber entrar e sair
entre ação entre amigos; aqui entre nós; cá entre nós; com o rabo entre as pernas; deixar escapulir entre os dedos; enfiar o rabo entre as pernas; entre a bigorna e o martelo; entre a cruz e a caldeirinha; entre a espada e a parede; entre a vida e a morte; entre aspas; entre dois fogos; entre duas águas; entre lusco e fusco; entre lusco-fusco (*V.* "entre lusco e fusco"); entre mortos e feridos; entre o fogo e a frigideira; entre o lobo e o cão; entre o malho e a bigorna; entre o martelo e a bigorna; entre parênteses; entre quatro paredes; entre seis e meia dúzia; entre si; escapulir entre os dedos; escolher entre seis e meia dúzia; estar entre Cila e Caribdes; estar entre seis e meia dúzia; falar entre dentes; fugir com o rabo entre as pernas; leão entre ovelhas; meter/pôr o rabo entre as pernas; meter-se entre quatro paredes; por entre; pôr o rabo entre as pernas; primeiro entre iguais; rabo entre as pernas; sair com o rabo entre as pernas; ser algodão entre cristais; ser o segundo entre ninguém; ter entre as mãos
entrega entrega em domicílio
entregar entregar a alma a Deus; entregar a alma ao diabo (*V.* "entregar a alma a Deus"); entregar a rapadura; entregar às moscas; entregar o jogo; entregar o ouro; entregar o ouro ao bandido (*V.* "entregar o ouro"); entregar os pontos; entregar-se ao sono; entregar-se aos braços de
entregue entregue às baratas; entregue às moscas
entrelinha ler nas entrelinhas; nas entrelinhas
entremeio nesse(/neste) entremeio; neste entremeio
entrementes entrementes que (*V.* "entretanto que"); neste entrementes (*V.* "neste entremeio")
entretanto entretanto que; naquele entretanto; nesse(/neste) entretanto; neste entretanto; no entretanto
entretempo nesse(/neste) entretempo
entrevista entrevista coletiva; entrevista exclusiva
entulho entulho autoritário
entupido ter os ouvidos entupidos
envelhecimento envelhecimento da população
envelope envelope de janela; envelope de madeira
envenenado(a) palavras envenenadas
envergadura não ter envergadura para
enviado enviado especial
enviesado sorrir enviesado (*V.* "sorrir de lado")
envolta (*subst.*) de envolta; na envolta
envolvido estar envolvido até o pescoço
enxada dar de mamar à enxada; pegar na enxada
enxadada à primeira enxadada
enxergar enxergar dobrado; enxergar longe; enxergar/ver a luz no fim do túnel; não enxergar um palmo adiante do nariz; não se enxergar; só enxergar os dourados
enxugar enxugar as despesas; enxugar as lágrimas de; enxugar custos (*V.* "enxugar as despesas"); enxugar gelo; enxugar o copo; enxugar os quadros de funcionários
enxurrada cara de pacamão de enxurrada
enxuto dia enxuto; estar enxuto
Eolo o reino de Éolo
épater pour épater le bourgeois
episcopal cadeira episcopal; conferência episcopal
época de época; fazer época; marcar época
époque belle époque; la belle époque
equestre estátua equestre
equilibrar equilibrar-se na corda bamba
equilíbrio equilíbrio das contas públicas; equilíbrio do balanço de pagamentos; equilíbrio político; perder o equilíbrio

equinócio equinócio da primavera/outono
equipamento equipamento urbano
era de eras passadas; de outras eras; em passadas eras; era cristã; era de Aquário; era de César; era de Cristo; o defunto era maior; priscas eras
erat Quod erat demonstrandum. *(QED)*
Eratóstenes crivo de Eratóstenes
erga erga omnes
ergo Cogito, ergo sum
erguido(a) andar de cabeça erguida; cabeça erguida; com a cabeça erguida; de cabeça erguida
errado(a) alma errada; apertar o botão errado; chegar em hora errada; comer gambá errado; corrija-me se eu estiver errado; mulher errada (*V.* "mulher à toa"); pegar o bonde errado; tomar bonde errado; tomar o bonde errado
errante astro errante; judeu errante; passo errante
errar acertar na mira e errar o alvo; errar a porta; errar a vocação; errar de porta; errar o bote; errar o golpe; errar o lance; errar o pulo
erres com todos os efes e erres
erro cair num erro; erro crasso; erro de ofício; erro palmar; laborar em erro; margem de erro; não há erro; salvo erro ou omissão
erudito(a) música erudita
erva cheio da erva; erva daninha; lançar o hábito às ervas (*V.* "lançar o hábito às urtigas")
esbarro caçar de esbarro
escada empurrar bêbado escada abaixo; escada da fama; escada de caracol; escada rolante; puxar a escada; tomar o recado na escada
escala em grande escala; escala de serviço; escala social; fazer escala; por escala
escalão segundo escalão
escaldado gato escaldado
escambau e o escambau; o escambau a quatro
escâncara às escâncaras
escândalo dar escândalo (*V.* "dar espetáculo"); pedra de escândalo
escanteio bater o escanteio e cabecear (*V.* "assobiar e chupar cana"); jogar para escanteio; ser mandado a (para) escanteio
escantilhão de escantilhão
escapada dar uma escapada
escapar escapar de uma boa; escapar pela tangente; escapar pelos dedos (*V.* "escapulir entre os dedos")
escapatória sem escapatória
escapulir deixar escapulir entre os dedos; escapulir entre os dedos

escarcéu aprontar um escarcéu; fazer um escarcéu
escarrado cuspido e escarrado; escarrado e cuspido; escrito e escarrado
escarrar escarrar grosso
escocês/escocesa ducha escocesa
escol de escol
escola alisar os bancos da escola; escola da vida; escola de samba; fazer escola; mandar voltar para a escola; não ter alisado banco de escola
escolar grupo escolar
escolha escolha de Sofia; múltipla escolha
escolher escolher a dedo; escolher entre seis e meia dúzia
escolhido(a) povo escolhido (*V.* "povo eleito")
esconder brincar de esconder; dar unhada e esconder as unhas; esconder leite; esconder o jogo
escondido gato escondido com o rabo de fora
esconsa (*subst.*) às esconsas
esconso (*subst.*) de esconso
escória escória social
escorpião ter um escorpião no bolso
escorregar escorregar a língua
escorrer escorrer pelos dedos
escoteiro(a) à escoteira; de escoteiro
escova fazer escova
escovar andar escovando urubu; escovar a casaca; escovar a garganta; escovar urubu
escovinha à escovinha
escravatura escravatura branca
escravo(a) escravas brancas; escravo do dever; escravo do trabalho (*V.* "escravo do dever")
escrevente escrevente juramentado
escrever escrever com luva branca; escrever na areia; escreveu, não leu, o pau comeu
escrita acertar a escrita; escrita cursiva; pôr a escrita em dia; tradição escrita
escrito escrito e escarrado; Está escrito nas estrelas (*V.* "Está escrito."); Está escrito.; estar escrito; estar escrito na face; não valer o papel em que está escrito; por escrito
escritor escritor de pulso
escritura Escritura Sagrada; passar escritura; Sagrada Escritura
escritural moeda escritural ou bancária
escrivão escrivão de pena larga
escudo levantar escudos; servir de escudo
escumar escumar de raiva
escuras às escuras
escuridão príncipe da Escuridão
escuro apostar no escuro; briga de foice no escuro; escuro como breu; no escuro; salto

no escuro; tatear no escuro; tiro no escuro; voo no escuro
escuta à escuta; escuta telefônica/eletrônica; estar na escuta
escutar escutar a consciência; Escute aqui!
esfarrapado(a) desculpa esfarrapada; rir(-se) o roto do esfarrapado; rir-se o roto do esfarrapado (V. "rir-se o sujo do mal-lavado")
esfera altas esferas; esfera de ação; esfera de atividade (V. "esfera de ação"); esfera dos conhecimentos humanos; esfera terrestre
esferográfico(a) caneta esferográfica
esforço esforço concentrado; esforço sobrehumano; lei do menor esforço; não medir esforços; redobrar os esforços; sem esforço
esfrega enquanto o diabo esfrega o olho
esfregar enquanto o diabo esfrega um olho (V. "enquanto o diabo esfrega o olho"); esfregar as mãos de contentamento; esfregar na cara (V. "esfregar nas ventas de"); esfregar nas ventas de; esfregar no nariz de (V. "esfregar nas ventas de")
esfriar esfriar a cabeça; esfriar a esperança
esgotado estar esgotado
esgotar esgotar a paciência
esguelha de esguelha
esmagar esmagar como a um verme
esmo a esmo
esnobada dar uma esnobada
espacial estação espacial; sonda espacial
espaço a espaços; de espaço; de espaço a espaço; espaço aéreo; espaço de manobra; espaço interestelar; espaço vital; ir para o espaço; para o espaço; por/pelo espaço de
espaçoso ser espaçoso
espada a fio de espada; boa espada; capa e espada; cruzar espadas; entre a espada e a parede; espada de Dâmocles; estar com a espada na cabeça; levar a fio de espada; levar tudo a fio de espada; meter a espada na bainha; passar a fio de espada; romance de capa e espada; ser espada; tingir a espada; zona de livre comércio
espalhado ter pé espalhado
espalhar espalhar aos quatro ventos
espanador espanador da Lua
espantar espantar o passarinho; espantar tico-tico
espanto encher de espanto; frio de espanto
esparrame fazer um esparrame
esparrela cair na esparrela
especial cheque especial; colorido especial; dar um colorido especial; efeitos especiais; em especial; enviado especial

especialidade especialidade da casa; especialidade farmacêutica
espécie causar espécie; dinheiro em espécie; em espécie; espécie em extinção; fazer espécie; multiplicar a espécie; pagar em espécie; sagradas espécies; santas espécies; uma espécie de
espectro espectro solar
espelho consultar o espelho; espelho de fechadura; querer tirar o aço do espelho; servir de espelho
espera à espera; boca de espera; em compasso de espera; espera deferimento; estar em compasso de espera; fila de espera; lista de espera; quando menos se espera; sala de espera
esperança acender a chama da esperança; dar esperanças; dobrar o cabo da Boa Esperança; esfriar a esperança; esperança de vida; estar de esperança; Que esperança!; raio de esperança
esperar cansar de esperar; esperando uma brecha; esperar a poeira abaixar/assentar/baixar (V. "esperar até que a poeira assente"); esperar a visita da cegonha; esperar até que a poeira assente; esperar e esquecer; esperar pela pancada; esperar pelo Messias; esperar por sapato de defunto; esperar sentado; esperar uma brecha; ficar plantado; não perder por esperar; Sente e espere!; Vá esperando!; Você não perde por esperar (V. "Você vai ver."); Você não perde por esperar.
espetáculo dar espetáculo; servir de espetáculo; um espetáculo
espetar espetar a conta
espeto enfiar água no espeto; magro como um espeto; um espeto
espião espião do céu
espichar bate, puxa, espicha e rasga; espichar a canela; espichar os cobres (V. "cair com os cobres")
espigão espigão mestre
espinha frio na espinha; não ter osso nem espinha; tirar uma espinha da garganta
espinhaço com a barriga no espinhaço; fim do espinhaço
espinhela espinhela caída
espinho cama de espinhos (V. "cama de pregos"); coroa de espinhos; espinho atravessado na garganta; estar sobre espinhos; nem tudo são espinhos (V. "nem tudo são flores"); ter um espinho (uma espinha) atravessado(a) na garganta; trazer um espinho atravessado na garganta
espionagem espionagem comercial/industrial
espírita gol espírita; sessão espírita

espírito abertura de espírito; disposição de espírito; dons do Espírito Santo; em espírito; entrar no espírito de; espírito das trevas; espírito de contradição; espírito de corpo; espírito de grupo (*V.* "espírito de corpo"); espírito de observação; espírito de porco; espírito de sacrifício; espírito engarrafado; espírito forte; espírito fraco; espírito imundo; espírito maligno (*V.* "espírito imundo"); espírito mercantil; espírito público; Espírito Santo; espírito santo de orelha; espírito sutil; espírito torto; fazer espírito; frutos do Espírito Santo; homem de espírito; levantar o espírito; pão do espírito; paz de espírito; pobre de espírito; presença de espírito; render o espírito; simples de espírito; sutileza de espírito; ter espírito
espiritual armas espirituais; diretor espiritual; exercícios espirituais; rebanho espiritual; retiro espiritual
espirrar espirrar para o céu
espirro de supetão, só espirro
esponja beber como uma esponja (*V.* "beber como um gambá"); passar uma esponja; ser uma esponja
espontâneo(a) combustão espontânea; de livre e espontânea vontade; geração espontânea
espora chamar nas esporas; lamber as esporas de; onde o diabo perdeu as esporas
esporão cortar os esporões
esporte camisa esporte; carro esporte; esporte fino; esportes radicais; por esporte
esportivo(a) loteria esportiva; perder a esportiva
esposo(a) receber por esposa/o
espreita à espreita
espremer espremer a cabeça; espremer até a última gota
esprit *esprit de corps*; *jeu d'esprit*
espumar espumar de raiva
esquadra de cabo de esquadra; razões de cabo de esquadra
esquadro no esquadro
esquecer cara de quem morreu e se esqueceu de deitar; esperar e esquecer; perdoar e esquecer
esquecimento cair no esquecimento; cair no rol do esquecimento; pôr no rol do esquecimento
esqueleto esqueleto ambulante
esquema armar um esquema; entrar no esquema (*V.* "entrar no jogo")
esquentado ficar esquentado; ser esquentado
esquentar esquentar a cabeça; esquentar a cuca (*V.* "esquentar a cabeça"); esquentar água para o mate dos outros; esquentar o corpo; esquentar o peito; esquentar o tempo; não esquentar o banco; não esquentar o lugar (*V.* "não esquentar o banco")
esquerda à direita e à esquerda; à esquerda; de esquerda; direita/esquerda/meia-volta, volver!; esquerda festiva; extrema-esquerda; zero à esquerda
esquerdo com o pé esquerdo; entrar com o pé esquerdo; fazer-se esquerdo; lateral esquerdo; médio direito (esquerdo); o lado esquerdo do peito
esquina da esquina; de esquina; dobrar uma esquina; lampião de esquina; mandar ver se está na esquina (*V.* "mandar às favas"); quebrar a esquina; Vá ver se estou lá na esquina!
esse/essa andar aos esses; Como vai essa bizarria?; Como vai essa força?; dormir sem essa; E essa então!; em essência; Essa agora!; Essa é boa!; Essa é das gordas!; Essa é de amargar!; Essa é de doer!; Essa é que é a coisa.; Essa eu não engulo.; Essa não cola (*V.* "Essa eu não engulo."); Essa não!; Esse filho não é meu!; esse ou aquele; Esse pau tem formiga.; Faltava-me mais essa!; haveis de ver esse dia; já vi esse filme; mais essa; não ser lá essas coisas (*V.* "não ser lá grande coisa"); por essas; Sem essa!; Só faltava essa! (*V.* "Só faltava isso!"); sob esse prisma
essência na essência; por essência
estabelecer estabelecer um recorde
estabilização aletas de estabilização
estaca começar da estaca zero (*V.* "começar do zero"); estaca zero; voltar à estaca zero
estação baixa estação; de meia-estação; estação das chuvas; estação das flores; estação de águas; estação do ano; estação espacial; estação ferroviária; estação meteorológica; estação rodoviária (terminal); fora de estação; frutos de estação
estado capitalismo de estado; chefe de Estado; em estado de graça; em mau estado; estado civil; estado de choque; estado de coisas; estado de coma; estado de graça; estado de guerra; estado de sítio; estado interessante; estar em mau estado; estar em mísero estado (*V.* "estar em mau estado"); golpe de Estado; homem de Estado; mudar de estado; negócio de Estado; no estado; questão de Estado; razão de Estado; secretário de Estado; segredo de Estado; terceiro estado; tomar estado
estágio estágio probatório; estágio remunerado
estalado ovo estalado
estalar estalar os dedos; estalar ovos; num estalar de dedos

estaleiro pôr no estaleiro
estalo de estalo; ter um estalo
estampa boa estampa; dar à estampa; estampa dos pés
estampado(a) estar estampado na face (*V.* "estar escrito na face")
estância estância hidromineral
estandarte levantar o estandarte; levantar o estandarte da revolta
estar a coisa está feia (*V.* "a coisa está preta"); a coisa está pegando fogo (*V.* "a coisa está preta"); a coisa está ruça (*V.* "a coisa está preta"); aí é que está a questão (*V.* "aí é que está o nó"); As coisas estão pretas; cá não está quem falou (*V.* "já não está mais aqui quem falou"); deixa estar (jacaré, que a lagoa há de secar).; deixar estar; estação das águas (*V.* "estação das chuvas"); Estamos no mesmo barco.; Estamos quites.; estar (pouco) se lixando; estar à altura de; estar à beira da sepultura; estar à beira do abismo; estar à cunha; estar a fim de; estar à frente de seu tempo; estar à morte; estar a par de; estar a pé; estar a pique de; estar a ponto de; estar à porta; estar à sombra; estar a um passo do altar; estar aberta a gaiola; estar acamado; estar aéreo; estar ainda com o bocado na boca; estar alto; estar antenado; estar ao abrigo de; estar ao corrente de; estar ao dispor (à disposição) de; estar ao fato; estar ao lado (de alguém); estar apertado; estar às moscas; estar às portas; estar assim-assim; estar atolado; estar balançando; estar baratinado; estar bêbedo como um cacho (*V.* "estar como um cacho"); estar bem; estar bem com Deus; estar bem de vida; estar bem-disposto; estar brincando; estar cagado de arara; estar cagando e andando; estar cagando para; estar caidinho por (*V.* "estar caído por"); estar caído por; estar caindo de sono; estar cansado de...; estar careca de saber; estar certo de; estar cheio; estar cheio como um ovo; estar chumbado; estar coberto de razão; estar com; estar com a avó atrás do toco; estar com a barriga roncando; estar com a bexiga; estar com a bola; estar com a bola toda; estar com a burra cheia; estar com a cabeça em; estar com a cachorra; estar com a corda no pescoço; estar com a corda toda; estar com a espada na cabeça; estar com a faca e o queijo nas mãos; estar com a faca na garganta; estar com a língua coçando; estar com a louca; estar com a macaca; estar com a mão na massa; estar com a palavra na boca; estar com a telha; estar com a vela na mão; estar com a vida feita (*V.* "estar com a vida ganha"); estar com a vida ganha; estar com a vida que pediu a Deus; estar com alguém e não abrir; estar com ar de quem não quer nada; estar com cera no ouvido; estar com ferida na asa; estar com má intenção; estar com moléstia de cachorro; estar com nada; estar com o bode amarrado; estar com o burro amarrado na sombra; estar com o cão no couro; estar com o coração em festa; estar com o diabo no corpo; estar com o estômago nas costas; estar com o miolo mole; estar com o olho na estrada; estar com o pé atrás (*V.* "estar de pé atrás"); estar com o pé na cova (*V.* "ter um pé na cova"); estar com o rabo na cerca (*V.* "estar com o rabo preso"); estar com o rabo preso; estar com o tutu todo; estar com os bolsos furados; estar com os dias contados; estar com os olhos em; estar com os pés na cova; estar com os pés no estribo; estar com remorso; estar com sorte; estar com tudo; estar com tudo e não estar prosa; estar com um buraco no estômago (*V.* "estar com o estômago nas costas"); estar com um pé em; estar com um pé na cova (*V.* "ter um pé na cova"); estar com um pepino nas mãos; estar com vontade de; estar comendo brisa; estar como (um) peixe fora d'água; estar como galinha quando quer pôr; estar como rato no queijo; estar com um cacho; estar conservado; estar contando os dias; estar conversado; estar cru em; estar cuspindo bala; estar daquele jeito; estar daqui; estar de acordo; estar de antenas ligadas; estar de asa caída; estar de aspa torta; estar de aviso; estar de aviso prévio (*V.* "estar de aviso"); estar de bandeira a meio-pau; estar de barriga; estar de bengala; estar de bode amarrado; estar de boi; estar de burros com alguém; estar de cama; estar de castigo; estar de chico; estar de choco; estar de cima; estar de esperança; estar de fogo; estar de lua; estar de luto; estar de mal; estar de marcação com; estar de maré; estar de miolo mole; estar de molho; estar de nojo; estar de olho; estar de olho em (*V.* "andar de olho em"); estar de ovo virado; estar de passagem; estar de pau feito; estar de pé atrás; estar de peso; estar de pito aceso; estar de pote; estar de prevenção com; estar de resguardo; estar de saco cheio; estar de sobreaviso; estar de tanga; estar de tromba; estar de virar e romper; estar debaixo da telha; estar dentro de seus direitos; estar desligado; estar diferente com; estar duro; estar em ablativo de partida (*V.* "estar em ablativo de viagem"); estar em ablativo de viagem; estar em aperto; estar em apuros; estar em boas mãos; estar em bra-

sa; estar em casa; estar em cena; estar em cima de; estar em compasso de espera; estar em dívida com; estar em foco; estar em forma; estar em graça para com (V. "estar na graça de"); estar em guarda (V. "pôr-se (estar) em guarda"); estar em jejum; estar em jogo; estar em mangas de camisa; estar em más circunstâncias; estar em mau estado; estar em maus lençóis; estar em minguante; estar em mísero estado (V. "estar em mau estado"); estar em órbita; estar em ordem; estar em paz com a consciência; estar em plena força; estar em plena forma (V. "estar em plena força"); estar em queda livre; estar em roupas menores; estar em si; estar em todas; estar em todas as bocas; estar em trajes menores (V. "estar em roupas menores"); estar em vésperas de; estar enforcado; estar engatinhando; estar enleado; estar entre Cila e Caribdes; estar entre seis e meia dúzia; estar envolvido até o pescoço; estar enxuto; estar escrito; estar escrito na face; estar esgotado; estar estampado na face (V. "estar escrito na face"); estar estribado; estar fedendo a cueiro; estar feito; estar feito bobo; estar ferrado; estar fora; estar fora de (mim) si; estar fora de cogitação; estar fora de forma; estar fora do ar; estar fora dos eixos; estar frio; estar frito; estar fulo da vida (V. "estar uma arara"); estar indiferente (com alguém); estar ligadão (V. "estar ligado"); estar ligado; estar limpo; estar limpo com alguém; estar liso; estar livre (de); estar longe de; estar mais do que na hora; estar mais para lá do que para cá; estar mal de; estar moído; estar montado na grana (V. "estar montado no tutu"); estar montado no tutu; estar morto de...; estar muitos furos acima de; estar na alça de mira de; estar na baila; estar na berlinda; estar na bica de; estar na boca de todos; estar na brecha; estar na cara; estar na cerca; estar na chuva; estar na cola de; estar na condicional; estar na corda bamba; estar na dele (minha); estar na dele (na minha) (V. "ficar numa boa"); estar na dependura; estar na embira (V. "estar na dependura"); estar na escuta; estar na estica; estar na flor da idade; estar na forja; estar na fossa; estar na graça de; estar na linha de fogo; estar na lona; estar na minha; estar na muda; estar na onda; estar na ordem do dia; estar na pele de; estar na pindaíba; estar na pinga; estar na pior; estar na ponta; estar na ponta da tabela; estar na ponta dos cascos; estar na prateleira de cima; estar na rabeira; estar na sombra; estar na sua; estar na sua cancha; estar na tela de discussão; estar na ucharia; estar na última lona; estar naqueles dias; estar nas alturas; estar nas boas graças de alguém; estar nas mãos de alguém; estar nas nuvens; estar nas últimas; estar no ar; estar no banco dos réus; estar no bem-bom; estar no calor; estar no caso de; estar no cerne; estar no céu; estar no choco; estar no desvio; estar no forno (V. "estar na forja"); estar no jeito; estar no limbo; estar no lugar; estar no mato sem cachorro; estar no mesmo barco; estar no mundo da lua; estar no osso; estar no papo; estar no paraíso; estar no páreo; estar no pau; estar no ponto; estar no prego; estar no prelo; estar no sangue; estar no sétimo céu; estar no seu elemento; estar no vermelho; estar no xadrez; estar nos braços de Morfeu; estar nos cueiros; estar nos seus gerais; estar nos trinques; estar num beco sem saída; estar num mato sem cachorro (V. "estar no mato sem cachorro"); estar num paraíso; estar numa boa; estar numa camisa de força; estar numa encruzilhada; estar o diabo atrás da porta; estar papando alto; estar para; estar para nascer...; estar para o que der e vier; estar pela boa; estar pela hora da morte; estar pelo beicinho; estar pelo beiço (V. "estar pelo beicinho"); estar pelos autos; estar pelos cabelos; estar perto de; estar pescando; estar pilhado; estar pipocando; estar pisando em brasas; estar por; Estar por aqui!; estar por baixo; estar por cima; estar por cima da carne-seca; estar por conta; estar por dentro; estar por dias; estar por fazer; estar por num céu; estar por fora (V. "não saber da missa a metade"); estar por pouco; estar por terra; estar por tudo; estar por um fio; estar pouco ligando; estar pouco somando (V. "estar pouco ligando"); estar prestes a; estar pronto; estar quase acreditando que; estar que nem morto; estar quebrado; estar quente; estar redondamente enganado; estar rolando; estar roxo por; estar salivando; estar sem cabeça; estar sem fôlego; estar sem gás; estar sem nenhum; estar sem o que fazer; estar sem pernas; estar sem saco; estar sem vintém; estar sempre em cena; estar senhor da situação; estar senhor de si; estar servido; estar sob fogo cerrado; estar sob juramento; estar sob palavra (V. "estar sob juramento"); estar sobre espinhos; estar sonhando; estar sozinho; estar sujo com; estar teso; estar tinindo; estar todo quebrado; estar trocando as pernas; estar tudo no lugar; estar tudo nos conformes; estar tudo nos seus conformes (V. "estar tudo nos conformes");

estardalhaço

estar um bagaço; estar um caco (*V.* "estar um bagaço"); estar um forno; estar um trapo (*V.* "estar um bagaço"); estar uma arara; estar uma fera (*V.* "estar uma arara"); estar uma onça (*V.* "estar uma arara"); estar uma pilha (*V.* "estar uma arara"); estar velho antes do tempo; estar vendendo botões; estar vendido; estar vendo coisas; estar/ficar de molho; estar/ficar de tanga; estar/ficar na retranca; estar/ficar num mato sem cachorro; estarem as coisas pretas; mandar ver se está na esquina (*V.* "mandar às favas"); mexer com o cão que está dormindo (*V.* "mexer em time que está ganhando"); não estar à altura de; não estar bem; não estar com nada; não estar com saco para; não estar em seu juízo perfeito; não estar nada bem (*V.* "não estar bem"); não estar nem aí; não estar no gibi; não estar no mapa; não estar para; não estar pelos ajustes; não querer estar na pele de (alguém); O que está feito, está feito. (*V.* "O que está feito, feito está."); O rei está morto, viva o rei! (*V.* "Morreu o rei; viva o rei!"); os dados estão lançados; pôr-se (estar) em guarda; sala de estar; seus dias estão contados; Vá ver se está chovendo (*V.* "Vá ver se estou lá na esquina!"); *não estar no script*
estardalhaço fazer estardalhaço
estaria Se? Ora, se! Se minha avó não tivesse morrido, inda hoje estaria viva.
estátua como estátua; estátua curul; estátua equestre; estátua jacente; estátua pedestre; estátua sagrada; estátua sedestre
este/esta a esta parte; Este é o tal.; este ou aquele; este seu criado; não vai morrer este ano; Onde você comprou esta camisa que está usando, tinha para homem?; pedir este mundo e o outro; por este mundo afora; pula esta parte
esteira de tanga, pote e esteira; ir na esteira de alguém; seguir a esteira de
estender estender a mão a; estender o saco; estender o tapete para
estendido(a) com as mãos estendidas
estéril dia estéril
estética cirurgia estética
estica estar na estica
esticada dar uma esticada (*V.* "dar uma passada")
esticar esticar a canela; esticar as canelas (*V.* "esticar a canela"); esticar as pernas; esticar muito a corda; esticar o pernil; esticar o pescoço; esticar os cambitos
estilo em grande estilo; estilo imaginoso; florear o estilo
estimação animal de estimação; bicho (ou bichinho) de estimação (*V.* "animal de estimação"); calo de estimação; de estimação
estimar estimar pouco a vida
estimativo valor estimativo
estirada de uma estirada; de uma só estirada (*V.* "de uma estirada")
estiramento estiramento muscular
estirpe da mesma estirpe (*V.* "da mesma laia")
estômago boca do estômago; calçar o estômago; enganar o estômago (*V.* "enganar a fome"); estar com o estômago nas costas; estar com um buraco no estômago (*V.* "estar com o estômago nas costas"); estômago de avestruz; estômago fraco; estômago nas costas; estômago pesado; forrar o estômago; não ter estômago para; nó no estômago; peso no estômago; ter bom estômago
estopa bater prego sem estopa; não bater prego sem estopa; não pregar prego em estopa
estopim estopim curto; pessoa de estopim curto
estoque ponta de estoque; queima de estoque
estória deixar de história; estória para boi dormir; o melhor da estória (história)
estourar estourar a verba; estourar de rir; estourar os miolos; estourar os tímpanos (*V.* "estourar os miolos"); estourar uma casa de jogos, de tolerância etc.
estouro dar um estouro na praça; de estouro; estouro da boiada; estouro na praça; um estouro
estrada bater estrada; com o pé na estrada (*V.* "com o pé no estribo"); comer estrada; estar com o olho na estrada; estrada de ferro; estrada de pista dupla; estrada de rodagem; estrada de São Tiago; estrada real; pôr os pés na estrada
estragar estragar o paladar; estragou o meu dia; se melhorar, estraga
estrago consertar o estrago
estrangeiro(a) legião estrangeira
estranho corpo estranho; por estranho que pareça; por mais estranho que pareça (ou que possa parecer) (*V.* "por estranho que pareça")
estratégico(a) retirada estratégica
estratosfera na estratosfera
estreito(a) bitola estreita; prometer largo e dar estreito; riscar largo e cortar estreito; visão estreita
estrela boa estrela; chuva de estrelas; Está escrito nas estrelas (*V.* "Está escrito."); estrela da manhã; estrela de cinema; estrela matutina (*V.* "estrela da manhã"); estrela-d'alva; ler nas estrelas; levantar-se com as estrelas; má estrela; nascer com uma estre-

explosão

la na testa (*V.* "nascer com a bunda para a lua"); pôr (alguém) nas estrelas; querer contar as estrelas; ter boa estrela; ter estrela na testa; ver estrelas; ver estrelas ao meio-dia (*V.* "ver estrelas")
estrelar estrelar ovos
estremecido(a) relações estremecidas
estribado estar estribado
estribeira perder as estribeiras
estribo com o pé no estribo; estar com os pés no estribo; meter o pé no estribo; negar o estribo; perder os estribos
estrilo dar (o/um) estrilo
estropiar estropiar um verso; estropiar uma música
estrutural desemprego estrutural
estudante qualquer estudante sabe
estudar estudar o terreno
estudo bolsa de estudos; de estudo; ter estudos
estufar estufar o barbante
esvair esvair-se em sangue; esvair-se em suor
esvaziar esvaziar o porquinho; esvaziar o saco
eta Eta trem!
etapa queimar etapas
etc de segunda (terceira etc.) categoria; estourar uma casa de jogos, de tolerância etc.; segregação racial (social, religiosa etc.)
etéreo(a) assento etéreo; regiões etéreas
eternidade há uma eternidade (*V.* "há muito")
eterno assento eterno (*V.* "assento etéreo")
eterno(a) adeus eterno; chamas eternas; cidade eterna; descanso eterno; felicidade eterna; fogo eterno; noite eterna; o descanso eterno; o eterno descanso; o eterno feminino; óculos do Pai eterno; razão eterna; repouso eterno; sono eterno; suplícios eternos; templo eterno; vida eterna
ética ética médica; ética política
etnônimo etnônimo brasílico
eu bem que eu gostaria de; corrija-me se eu estiver errado; Desse mal eu não morro.; E eu sou besta?; E eu sou pai disso?; É tudo quanto/que eu queria saber.; Essa eu não engulo.; Eu bem que avisei.; Eu não sou pai disso.; Eu sei lá?; Eu também sou filho de Deus.; Eu, hem?; O que foi que eu fiz!?; ou eu não me chamo mais...; outro eu; Que sei eu?; Quem sou eu!?; se eu contar, ninguém vai acreditar; tão certo como eu me chamar (fulano) (*V.* "tão certo como dois e dois são quatro"); vem quente que eu estou fervendo; Você viu o que eu vi?
Euclides postulado de Euclides
eundi *jus eundi*

Europa Europa continental
Eva filhas de Eva; filhos de Eva; parente por parte de Adão e Eva
evangelho evangelho pequenino; Evangelhos Sinópticos; pregar o Evangelho
evangélico(a) pobreza evangélica; verdade evangélica
evasão evasão de capital
evento coroar o evento
evidência ceder à evidência; pôr em evidência; recusar-se à evidência; render-se à evidência
evolução evolução social
exalar exalar o último suspiro
exame exame de consciência; exames de madureza; sob exame
examinador(a) banca examinadora
exatamente exatamente assim
exato(a) divisão exata
exceção à exceção de (*V.* "com exceção de"); com exceção de; lei de exceção; leis de exceção
excelência por excelência; Vossa Excelência
exceptis *exceptis excipiendis*
excesso pecar por excesso de
excipiendis *exceptis excipiendis*
exclusivo(a) entrevista exclusiva
excusez *Excusez du peu*
executive *chief executive officer (CEO)*
executivo Poder Executivo
exemplar *regis ad exemplar*
exempli *e.g. (exempli gratia); exempli gratia*
exemplo a exemplo de; dar o exemplo; por exemplo; seguir o exemplo; sem exemplo; servir de exemplo
exemplum *ad exemplum*
exercício em exercício; entrar em exercício; exercício aeróbico; exercícios espirituais
exército claros do exército
exibição em exibição
exílio exílio voluntário
existência levar uma existência
existir não existir; se não existisse, seria preciso inventar
êxito por maiores êxitos
expectativa corresponder à expectativa; na expectativa
expediente ter expediente; ter muito expediente; terceiro expediente; viver de expedientes
expensas a expensas de
experto *experto credite*
expiação expiação suprema
expiatório bode expiatório
explicar explicar mas não convencer
explosão explosão de cólera; explosão de

raiva (V. "explosão de cólera"); explosão demográfica
exposição exposição de motivos
expositivo(a) *display* expositivo
exposto(a) fratura exposta
expressão expressão corporal; expressão da verdade; expressão idiomática; força de expressão; liberdade de expressão; reduzir à expressão mais simples; ser a expressão da verdade
expresso trem expresso
extensão em toda a extensão da palavra; extensão rural; na extensão da palavra
extenso por extenso; *in extenso*
exterior aparência exterior
externo(a) dívida externa
extinção espécie em extinção
extinto(a) cal extinta
extra hora extra
extrair extrair todo o suco
extrato extrato de conta
extravagância dizer extravagâncias
extreextremo(a)mo ir ao extremo
extremado amigo extremado
extremis in extremis
extremo(a) ao extremo; em extremo; extrema-direita; extrema-esquerda; Extremo Oriente; hora extrema; lance extremo; medida extrema; no limite extremo; recurso extremo
extremum ad extremum
extrínseco valor extrínseco
exu viver exu

F

fá em fá
fábrica advogado de porta de fábrica
fabricação fabricação em série
fac fac totum
faca a faca; chiar na faca cega; com a faca e o queijo nas mãos; com a faca na garganta; com a faca no peito (V. "com a faca na garganta"); dar murro(s) em ponta de faca; de faca em punho; entrar na faca; estar com a faca e o queijo nas mãos; estar com a faca na garganta; faca de dois gumes; meter a faca em; mulher de faca e calhau; murro em ponta de faca; pôr a faca na garganta de (V. "pôr a faca no peito de"); pôr a faca no peito (V. "pôr contra a parede"); pôr a faca no peito de; pôr uma faca no peito de (alguém) (V. "pôr um punhal no peito de (alguém)"); ter a faca e o queijo nas mãos
facada a facadas (V. "a faca"); coser a facadas; dar uma facada
facão amarrar o facão; banho de facão; passar o facão

face à face de; à face do mundo; alvor das faces; dar a outra face; dar de face; de dupla face; de face; em face de; estar escrito na face; estar estampado na face (V. "estar escrito na face"); face a face; fazer face a; lançar em face; oferecer a outra face; Sagrada Face; *face lift*
fachada de fachada; melhorar a fachada; obra de fachada
facho abaixar o facho; apagar o facho; assentar o facho; baixar o facho; sossegar o facho (V. "sossegar o pito")
facie prima facie
faciendi modus faciendi
fácil alvo fácil; É mais fácil que beber água.; É mais fácil um boi voar.; fácil como água; fácil, fácil; figura fácil; Isso/isto é fácil de dizer.; mulher de vida fácil; ser mais fácil um burro voar que...; ter a palavra fácil; vida fácil
facilitar facilitar o pagamento
fac-similada edição fac-similada
facto ipso facto; jure et facto
faculdade pobreza das faculdades
facultativo ponto facultativo
fada conto de fadas; dedos de fada; mãos de fada; ter dedos de fada; ter mãos de fada
fade fade in (out)
fagueiro lampeiro e fagueiro; lépido e fagueiro
fair fair play
faísca sair faísca
fait fait accompli
faixa carimbar as faixas; faixa de domínio; faixa de pedestres; faixa preta; faixa zebrada
fala boas falas; chamar à fala; chamar às falas (V. "chamar à fala"); chegar às falas; deitar fala; fala sério; ir às falas (V. "chegar às falas"); más falas; perder a fala; sem fala
falação deitar falação (V. "deitar fala")
falado(a) casa malfalada; cinema falado; linguagem falada; retrato falado
falar cá não está quem falou (V. "já não está mais aqui quem falou"); dar o que falar; dar que falar; deixar falando sozinho; deixar que falem (V. "deixar pra lá"); É só falar.; Está falando comigo?; Estou falando com o dono da porcada e não com os porcos.; falar abertamente; falar alto; falar ao coração; falar ao vento; falar aos peixes; falar bem de; falar claro; falar com (os) seus botões; falar com as paredes; falar com o coração nas mãos; falar com os olhos; falar com uma porta (V. "falar com as paredes"); falar como papagaio; falar como um livro; falar como uma matraca;

falar consigo mesmo; falar da boca para fora; falar da mãe de; falar de; falar de barriga cheia; falar de cadeira; falar de coração; falar de frente; falar de outra coisa; falar de papo cheio; falar de poleiro; falar difícil; falar disso e daquilo; falar do alto da burra; falar do Norte/Sul; falar em línguas; falar entre dentes; falar francamente; falar francês; falar grosso; falar mais alto; falar mais que a boca; falar mal; falar na mãe de; falar no burro, apontaram as orelhas; falar no deserto; falar para a velhinha surda da última fila; falar para as paredes; falar para dentro; falar para si mesmo; falar pela boca de um anjo; falar pelas costas; falar pelas tripas do Guedes; falar pelo nariz; falar pelos cotovelos; falar por falar; falar por monossílabos; falar português claro; falar pouco e bem; falar rasgado; falar sem rodeios; ficar falando sozinho; já não está mais aqui quem falou; maneira de falar; não falar a mesma língua (ou linguagem); não falar noutra coisa; não me faça falar; Não ouço, não vejo, não falo.; não vejo, não ouço, não falo; nem é bom falar; Nem me fale!; sem falar de; Só falta falar!; tempo em que os bichos falavam (V. "tempo em que se amarrava cachorro com linguiça"); Você sabe com quem está falando?
falência falência fraudulenta
falhar se a memória não me falha; se não me falha a memória (V. "se a memória não me falha"); se não me falha a memória...
falho(a) (adj.) ato falho
falido(a) curador de massas falidas
falsete cantar em falsete; em falsete
falsidade falsidade ideológica
falso(a) à falsa fé; alarme falso; armar sobre falso; dar em falso; em falso; falsa gravidez; falso como Judas; falso moralismo; falso testemunho; jurar falso; levantar falso testemunho; passo em falso; pisar em falso; rebate falso; trucar de falso
falta à falta de; em falta; em falta de (V. "à falta de"); falta de ar; falta de educação; falta de fôlego; falta de jeito; falta de objetivo; falta de palavra; falta de sorte; falta de tato; falta máxima; falta técnica; na falta de (V. "à falta de"); por falta de; sem falta; Só falta falar!
faltado ter faltado à aula no dia em que ensinaram...
faltar Era só isso que faltava (V. "era só o que faltava!"); era só o que faltava!; Era só o que faltava. (V. "Só faltava isso!"); faltar à aula no dia em que ensinaram; faltar à verdade; faltar ao respeito; faltar clima; faltar com o respeito; faltar o chão (V. "perder o chão"); faltar pernas; faltar pouco para; faltar terra nos pés; Faltava-me mais essa!; não faltava mais nada; Não me faltava mais nada!; sem faltar um cabelo; sem faltar um só cabelo (V. "sem faltar um cabelo"); Só faltava essa! (V. "Só faltava isso!"); Só faltava isso!
fama escada da fama; lavado nas asas da fama (V. "voar nas asas da fama"); levar fama sem proveito; má fama; voar nas asas da fama; *fama volat*
fames auri sacra fames
família ar de família; arrimo de família; assunto de família; chefe de família; É doido e a família não sabe.; em família; mãe de família; moça de família; nome de família; pai de família; questão de família; Sagrada Família; ser de família; ser família
familiar demônio familiar; planejamento familiar
fancaria obra de fancaria
fandango mulher do fandango (V. "mulher à toa")
fantasia baile a fantasia; fantasia de Adão; rasgar a fantasia
fantasma conta fantasma; dor do membro fantasma
far dolce far niente
farda desonrar a farda; enlamear a farda; manchar a farda
fardo carregar um fardo
farelo tirar farelo com
farinae ejusdem farinae
farinha farinha de pão (V. "farinha de rosca"); farinha de pau; farinha de rosca; farinha do mesmo saco; não fazer farinha; tirar farinha; vender farinha; virar farinha
farmacêutico(a) especialidade farmacêutica
farol de farol baixo; fazer farol
farpa ter farpas na língua; trocar farpas
farpado arame farpado
farra cair na farra
farrapo em farrapos; farrapo humano
farta à farta; rir à farta
fartar a fartar (V. "à farta")
fas per fas et per nefas
fas nem por fas nem por nefas; Ou por fas ou por nefas.; por fas ou por nefas
fatal acidente fatal; mulher fatal
fato chegar às vias de fato; como de fato; de fato; estar ao fato; fato consumado; fatos e não palavras; ir às vias de fato; ligar os fatos; mulher do fato (V. "mulher à toa"); passar às vias de fato; questão de fato; vias de fato
fatura fatura consular; liquidar a fatura
faturar faturar um troco; faturar uns trocados (V. "faturar um troco")
fauno fauno dos bosques

faustus *diem faustus*
faut *comme il faut*
faux *faux pas*
fava Às favas; favas contadas; ir às favas; mandar à fava (*V.* "mandar às favas"); mandar às favas; são favas contadas
favor a favor de; de favor; em favor de; faça o favor; fazer favor; por favor; torcida a favor; vento a favor
favorecimento favorecimento pessoal; favorecimento real
faxina fazer faxina
fazedor fazedor de anjos
fazenda fazenda pública
fazer achar o comer feito; afronta faço, se mais não acho; se mais achara, mais tomara; andar feito caramujo com a casa às costas; arrumar(/fazer) a trouxa; bem feito de corpo; Bem feito!; caçar o que fazer; cama feita; chova ou faça sol; coisa-feita; com quantos paus se faz uma canoa; de fazer água na boca (*V.* "de dar água na boca"); de fazer dormir; de fazer gosto (*V.* "de dar gosto"); de fazer pena; de fazer perder a paciência a um santo; de feito; Deus os fez e o diabo os ajuntou; dito e feito; dizer e fazer; é fazer ou morrer (*V.* "fazer ou morrer"); engenheiro de obras feitas; estar de pau feito; estar feito; estar feito bobo; estar por fazer; estar sem o que fazer; faça o favor; Faço das suas as minhas palavras./Faço minhas as suas palavras.; faz de conta; faz pouco; fazer (algo) a galope; fazer (não fazer) boa ausência de; fazer (o) corta-luz; fazer a América; fazer a cabeça de; fazer a cama (para alguém); fazer a caveira de; fazer a coisa certa; fazer a corte a; fazer a diferença; fazer a festa e soltar os foguetes; fazer a lição de casa; fazer a limpa; fazer a mala; fazer a mão; fazer a parte do leão; fazer a pista; fazer a poda de; fazer a praça; fazer a quadra; fazer a quina; fazer a roda a; fazer a sena; fazer a sesta; fazer a trouxa; fazer a última viagem; fazer a Via-Sacra; fazer a vida; fazer a zona; fazer ablativo de viagem; fazer água; fazer alarde de; fazer algo com a melhor das intenções; fazer algo por; fazer algo pros cocos; fazer alguém de capacho; fazer algum trabalho sujo; fazer amor; fazer análise; fazer anos; fazer arte(s); fazer as coisas pela(s) metade(s); fazer as contas; fazer as delícias (de); fazer as honras da casa; fazer as malas; fazer as mãos; fazer as pazes; fazer as pazes com a vitória; fazer as suas; fazer as unhas; fazer as vezes de; fazer as vontades de; fazer ato de presença; fazer avião; fazer barba, cabelo e bigode; fazer barriga; fazer barulho; fazer beicinho (*V.* "fazer beiço"); fazer beiço; fazer bem em; fazer bicos; fazer biquinho; fazer birra; fazer biscate; fazer boa figura; fazer bobagem; fazer boca de pito; fazer boca de siri; fazer bochechas; fazer bonito; fazer boquinha; fazer brincando; fazer cada uma...; fazer caixa; fazer câmbio; fazer cara feia; fazer carga (*V.* "fazer carga contra"); fazer carga cerrada contra (*V.* "fazer carga contra"); fazer carga contra; fazer caridade; fazer caridade com chapéu alheio; fazer carreira; fazer cartaz; fazer caso de; fazer castelos no ar; fazer cena; fazer cenas (*V.* "fazer cena"); fazer cera; fazer cerca-lourenço; fazer cerimônia; fazer chacota; fazer charme; fazer charminho (*V.* "fazer charme"); fazer charqueada; fazer cocô; fazer colher de pau e bordar o cabo; fazer com as mãos e desmanchar com os pés; fazer com que; fazer comércio com o próprio corpo; fazer como gente grande; fazer como se não fosse com ele; fazer companhia a; fazer conta de; fazer contato; fazer coro; fazer coro com alguém; fazer corpo mole; fazer cortesia com chapéu alheio; fazer cruz na boca; fazer cruzes; fazer cu-doce; fazer da necessidade uma virtude; fazer da noite dia; fazer das fraquezas força; fazer das suas; fazer das tripas coração; fazer de alguém um cristo; fazer de conta; fazer de gato e sapato; fazer de tudo; fazer diferença; fazer diferença entre; fazer dinheiro; fazer distinção a; fazer do limão uma limonada; fazer drama (*V.* "fazer um drama"); fazer e acontecer; fazer e desfazer; fazer efeito; fazer em pedaços; fazer em picadinhos (*V.* "fazer em pedaços"); fazer em postas; fazer embaixada; fazer época; fazer escala; fazer escola; fazer escova; fazer espécie; fazer espírito; fazer estardalhaço; fazer face a; fazer farol; fazer favor; fazer faxina; fazer fé; fazer fé em; fazer feio; fazer feira; fazer festas; fazer fiasco; fazer fiau; fazer figa; fazer figura; fazer finca-pé; fazer firulas; fazer fita; fazer floreios (*V.* "fazer firulas"); fazer fogo; fazer força; fazer fortuna; fazer frases; fazer frente; fazer furor; fazer gaiola; fazer gato-sapato de; fazer gazeta; fazer gênero; fazer gosto; fazer gosto em; fazer gosto por (*V.* "fazer gosto em"); fazer graça; fazer gracinhas (*V.* "fazer graça"); fazer guerra a; fazer história; fazer honra a; fazer hora; fazer hora com; fazer ideia; fazer jeito; fazer jogo duplo; fazer jus a; fazer justiça; fazer justiça pelas próprias mãos; fazer luxo; fazer má figura; fazer mal; fazer mal a; fazer malbarato de si; fazer mão baixa; fazer mão de gato; fazer maravilhas; fazer mea-culpa; fa-

fazer

zer média; fazer meia-volta; fazer melhor se; fazer menção de; fazer merda; fazer meuã; fazer milagre; fazer misérias; fazer mistério; fazer muito barulho por nada; fazer nana (naná/nanã); fazer nas calças (V. "borrar as calças"); fazer nas coxas; fazer necessidade; fazer neném; fazer nicas; fazer noitada; fazer número; fazer o bem; fazer o bom suor (V. "fazer suar"); fazer o cabelo; fazer o cartaz de; fazer o dever de casa (V. "fazer a lição de casa"); fazer o diabo; fazer o diabo a quatro; fazer o gosto de; fazer o impossível; fazer o jeito; fazer o jogo de alguém; fazer o parto; fazer o possível; fazer o que bem entender; fazer o que dá na veneta (V. "fazer tudo o que dá na telha"); fazer o quilo; fazer o seu jogo; fazer o terno; fazer obra; fazer onda; fazer opinião; fazer ou morrer; fazer ouvidos de mercador; fazer ouvidos moucos; fazer ovo; fazer panelinha; fazer pantim; fazer pão grande; fazer papel de besta (V. "fazer papel de bobo"); fazer papel de bobo; fazer par; fazer parede; fazer parelha; fazer parte de; fazer parte do jogo; fazer passagem; fazer pé atrás; fazer pé firme; fazer pedaços (V. "fazer em pedaços"); fazer pião em; fazer pipi; fazer piruetas; fazer poeira; fazer política; fazer pontaria; fazer ponto em; fazer por elas (V. "fazer por merecer"); fazer por fazer; fazer por merecer; fazer por onde; fazer pose; fazer poucas e boas; fazer pouco caso de; fazer pouco de; fazer progressos; fazer pros cocos; fazer quarto a; fazer que; fazer queixa de; fazer questão absoluta de (V. "fazer questão de"); fazer questão de; fazer questão fechada de (V. "fazer questão de"); fazer química; fazer renda; fazer render o peixe; fazer reserva; fazer retórica; fazer rosto a; fazer saber; fazer sala; fazer salamaleques; fazer saltar os miolos; fazer sensação; fazer sentido; fazer serão; fazer sexo; fazer sinal de; fazer soar bem alto; fazer sombra; fazer suar; fazer suar o topete; fazer tábua rasa; fazer teatro de; fazer tempestade em copo d'água; fazer tempo; fazer tenção; fazer terra; fazer testa a; fazer toalete; fazer tragédia de; fazer triste figura; fazer tromba; fazer tudo o que dá na telha; fazer um apanhado; fazer um barulhão; fazer um bonito; fazer um carnaval; fazer um cavalo de batalha; fazer um despacho; fazer um drama; fazer um escarcéu; fazer um esparrame; fazer um serviço; fazer um tempão; fazer uma arte; fazer uma boa; fazer uma boca; fazer uma boquinha; fazer uma coisa brincando; fazer uma corrente (V. "fazer uma cruzada"); fazer uma cruzada; fazer uma fé em; fazer uma fezinha; fazer uma figuração; fazer uma necessidade; fazer uma ponta; fazer uma ponte; fazer uma precisão; fazer uma salada; fazer uma simpatia; fazer uma trela; fazer uma vaca; fazer uma vaquinha (V. "fazer uma vaca"); fazer ver; fazer vibrar; fazer vida de casados; fazer visagem; fazer vista; fazer vista grossa a; fazer voar os miolos; fazer votos; fazer xixi; fazer zigue-zagues; fazer zumbaias (a alguém); fazer-se à vela; fazer-se ao largo; fazer-se ao mar; fazer-se de anjinho; fazer-se de besta; fazer-se de burro para conseguir capim; fazer-se de desentendido; fazer-se de morto; fazer-se de rogado; fazer-se de tolo; fazer-se difícil; fazer-se em copas; fazer-se em pedaços; fazer-se esquerdo; fazer-se mártir; fazer-se mister; fazer-se por si mesmo; fazer-se premente; feito com mão de mestre (V. "feito por mão de mestre"); feito de pedra e cal; feito em casa; feito na mesma forma (ô); feito por mão de mestre; feito sob encomenda; feito sob medida; fê-la limpa e asseada; ficar feito bobo; formiga faz bem à vista; fosse como fosse; frase feita; homem-feito; máquina de fazer dinheiro; mexer feito charuto em boca de bêbado; mostrar com quantos paus se faz uma cangalha (canoa); mostrar com quantos paus se faz uma canoa (V. "mostrar com quantos paus se faz uma cangalha (canoa)"); nada feito; não faz mal; não faz meu gênero; não fazer caso de; não fazer coisa com coisa (V. "não dizer coisa com coisa"); não fazer farinha; não fazer feio; não fazer mal; não fazer mal a uma mosca; não fazer o gênero de; não fazer por menos; não fazer senão; não fez nem "mu" nem "mé"; não me faça falar; Não se aproveita nem a alma para fazer sabão.; não ser coisa que se faça (V. "não ser coisa que se diga"); não ter o que fazer (V. "estar sem o que fazer"); nascer feito; nem dito, nem feito; o mal está feito; O que ele faz? (V. "Que apito é que ele toca?"); O que está feito não pode ser desfeito.; O que está feito, está feito. (V. "O que está feito, feito está."); O que está feito, feito está.; O que foi que eu fiz!?; obra feita a machado; onde o vento faz a curva; os ladrões festejam (fazem a festa); por fazer; prato feito; preguiça chegou ali, fez casa de morada; Que é feito de você?; Que é feito de?; Que hei de fazer?; quer chova, quer faça sol; sair feito uma bala; Santo de casa não faz milagres.; se bem o disse, melhor o fez; seja feita a tua vontade; ser feito; ser feito de trouxa; tanto faz; tanto faz assim como assado (V. "tanto faz"); tanto faz dar na cabeça como na cabe-

549

fé

ça dar (V. "tanto faz"); ter mais o que fazer; ter muito o que fazer (V. "ter mais o que fazer"); ter o que fazer; ter suas provas feitas; um sem-que-fazer; *fazer (o) check-in*; *fazer backup (ou back up)*; *fazer brushing*; *fazer démarche*; *fazer forfait*; *fazer o trottoir*

fé à boa-fé; à falsa fé; à fé; a la fé; artigos da fé; ato de fé; auto de fé; boa-fé; com fé, arruda e guiné; confissão de fé; dar fé; dar fé a; dar fé de; dar por fé; dar sua fé; de boa-fé; de má-fé; em boa-fé; fazer fé; fazer fé em; fazer uma fé em; fé conjugal; fé de ofício; fé implícita; fé pública; levar fé; luz da fé; má-fé; na maior boa-fé; pessoa de boa-fé; pôr fé em; profissão de fé; Sede da Fé; sem fé nem lei; ser de fé; ter fé em (alguém); tradição de fé; usar de má-fé

fechada (*subst.*) dar uma fechada

fechado(a) (*adj.*) a portas fechadas; adeus de mão fechada; capital fechado (sociedade anônima de); cara fechada; com a boca fechada; condomínio fechado; corpo fechado; de olhos fechados; dormir com um olho fechado e outro aberto; fazer questão fechada de (V. "fazer questão de"); fechado como uma ostra; fechado para balanço; mão-fechada (V. "mão de vaca"); minha boca está fechada; noite fechada; porteira fechada; questão fechada; ser questão fechada; tempo fechado; ter o corpo fechado

fechadura espelho de fechadura

fechar de fechar o comércio; fechar a boca; fechar a boca de (alguém); fechar a cara; fechar a janela na cara de alguém; fechar a lata; fechar a matraca; fechar a porta na cara de alguém (V. "fechar a janela na cara de alguém"); fechar a prova; fechar a raia; fechar a sete chaves; fechar a taramela; fechar a tronqueira; fechar as portas; fechar com; fechar com chave de ouro; fechar com sete chaves; fechar o bico (V. "calar o bico"); fechar o câmbio; fechar o corpo; fechar o gol; fechar o paletó; fechar o paletó de; fechar o parêntese; fechar o tempo; fechar os olhos; fechar os olhos a (ou para); fechar os olhos de (alguém); fechar os ouvidos; fechar-se em copas; fechar-se o tempo; num abrir e fechar de olhos; o tempo fechou; Quem vier atrás que feche a porta.

fecho fecho ecler

fecundação *fecundação in vitro*

feder estar fedendo a cueiro; feder a defunto; feder como um bode (V. "cheirar a bode velho"); nem fede nem cheira

federal cagada federal; Distrito Federal; parada federal

feição à feição de

feijão acender feijão no fogo; botar feijão no fogo; comer feijão e arrotar peru; feijão bispado; feijão com arroz; feijão de tropeiro; feijão dormido; mandar botar o feijão no fogo; não valer o feijão (pão) que come; pegar o feijão de; tutu de feijão

feijoada suspender a feijoada que o porco está vivo; ter muita feijoada para comer

feio(a) a coisa está feia (V. "a coisa está preta"); fazer cara feia; fazer feio; feio como a fome (V. "feio de meter medo"); feio como a peste (V. "feio de meter medo"); feio como filhote de urubu (V. "feio de meter medo"); feio como o mapa do inferno (V. "feio de meter medo"); feio como o pecado (V. "feio de meter medo"); feio como trombada de penicos (V. "feio de meter medo"); feio de doer (V. "feio de meter medo"); feio de meter medo; feio e forte; não fazer feio; não ter medo de cara feia; nome feio; patinho feio; perder feio

feira cara de segunda-feira; domingo de Ramos; enforcar a sexta(-feira); fazer feira; feira livre; Quarta-feira de Cinzas; quarta-feira de trevas; quinta-feira maior; rato de feira; Sexta-feira da Paixão; terça-feira gorda

feirão feirão de ofertas

feita (*subst.*) certa feita; de certa feita; de outra feita; de uma feita; desta feita

feiticeiro(a) aprendiz de feiticeiro; feitiço contra o feiticeiro; o feitiço virar-se contra o feiticeiro; virar o feitiço contra o feiticeiro; virar-se o feitiço contra o feiticeiro (V. "voltar-se o feitiço contra o feiticeiro"); voltar-se o feitiço contra o feiticeiro

feitiço feitiço contra o feiticeiro; o feitiço virar-se contra o feiticeiro; virar o feitiço contra o feiticeiro; virar-se o feitiço contra o feiticeiro (V. "voltar-se o feitiço contra o feiticeiro"); voltar-se o feitiço contra o feiticeiro

feitio do seu feitio; não é do meu feitio; perder o tempo e o feitio

feito (*conj.*) andar feito caramujo com a casa às costas; ficar feito bobo; mexer feito charuto em boca de bêbado; sair feito uma bala

feito (*subst.*) de feito

feito(a) (*adj.*) achar o comer feito; bem feito de corpo; Bem feito!; dito e feito; estar com a vida feita (V. "estar com a vida ganha"); estar de pau feito; estar feito; estar feito bobo; nada feito; nascer feito; nem dito, nem feito; o mal está feito; O que está feito não pode ser desfeito.; O que está feito, está feito. (V. "O que está feito, feito está."); O que está feito, feito está.; prato feito; Que é feito de você?; Que é feito de?; ser feito de trouxa

feixe feixe de nervos; feixe de ossos
fel pomba sem fel
felicidade felicidade eterna
felix felix culpa
feliz feliz coincidência; feliz da vida; final feliz; ser feliz e não saber
fêmea só não namora sapo por não saber qual seja a fêmea
feminino o eterno feminino
femme cherchez la femme
fenda chave de fenda
fera às feras; estar uma fera (*V.* "estar uma arara"); ser fera em; ser uma fera
feriado dia feriado
férias colônia de férias; pacote de férias
ferida (*subst.*) ao atar das feridas; botar o dedo na ferida; casca de ferida; estar com ferida na asa; ferida ruim; pôr o dedo na ferida; renovar as feridas; tocar na ferida; tocar o dedo na ferida
ferido(a) (*adj.*) entre mortos e feridos
ferir ferir o coração; ferir o ponto; ferir os ouvidos; ferir os sentimentos de alguém
ferrado estar ferrado; ferrado dos quatro pés; pau ferrado
ferradura dar uma no cravo, outra na ferradura; mostrar as ferraduras; uma no cravo e outra na ferradura
ferramenta barra de ferramentas; jogo de ferramentas
ferrão vara de ferrão
ferrar ferrar a dormir (*V.* "ferrar no sono"); ferrar no sono
férreo(a) água férrea; linha férrea; via férrea
ferro a ferro e fogo; a ferro frio; bater em ferro frio; bater o ferro enquanto está quente; caminho de ferro; círculo de ferro; com mão de ferro; cortina de ferro; cu de ferro; dama de ferro; de ferro; homem de ferro; levar ferro; malhar em ferro frio; malhar em ferro quente; mão de ferro; mão de ferro em luvas de seda (ou pelica, ou veludo); marcar a ferro; Marechal de Ferro; meter em ferro; não ser de ferro; o Chanceler de Ferro; passar a ferro; saúde de ferro; testa de ferro; tomar ferro; trem de ferro; vontade de ferro
ferros lançar ferros; levantar ferros; meter a ferros; pôr a ferros; romper os ferros
ferroviário(a) estação ferroviária; estrada de ferro; malha rodoviária (ferroviária)
fértil Crescente Fértil
ferver com um quente e dois fervendo; ferver em pouca água; ferver o sangue nas veias; vem quente que eu estou fervendo
fervilhante ideia fervilhante
fervura água na fervura; deitar água na fervura; jogar água na fervura; levantar fervura; pôr água na fervura

festa a alma da festa; acabar com a festa; acabou-se a festa; ar de festa; arroz de festa; estar com o coração em festa; fazer a festa e soltar os foguetes; fazer festas; festa da cumeeira; festa de arromba; festas móveis; no melhor da festa; os ladrões festejam (fazem a festa); peru de festa; soltar os foguetes antes da festa
festejar os ladrões festejam (fazem a festa)
festim bala de festim
festina festina lente
festiva esquerda festiva
fezinha fazer uma fezinha
fiada deixar de conversa fiada (*V.* "deixar de conversa")
fiado (*subst.*) comprar fiado; fiado, só amanhã
fiado(a) (*adj.*) conversa fiada
fiança carta de fiança
fiar aí é que a coisa fia fino (*V.* "aí é que a coisa pia fino"); fiar fino; fiar mais fino (*V.* "fiar fino"); Lá se foi tudo quanto Marta fiou.
fiasco fazer fiasco
fiat fiat lux; fiat voluntas tua
fiau dar ou dizer (um) fiau (*V.* "fazer fiau"); fazer fiau
fibra pessoa de fibra
ficar a primeira impressão é a que fica; estar/ficar de molho; estar/ficar de tanga; estar/ficar na retranca; estar/ficar num mato sem cachorro; ficar (deste) tamanhinho (tamaninho); ficar à disposição; ficar à mostra; ficar à ucha; ficar a ver navios; ficar à vontade; ficar ao dispor de; ficar apertado; ficar arrasado; ficar arrepiado; ficar atrás de; ficar babando por; ficar bem; ficar bem na fita; ficar branco como a cera; ficar buzina; ficar buzina da vida (*V.* "ficar buzina"); ficar caído de amores por (*V.* "ficar caído por (alguém)"); ficar caído por (alguém); ficar cheio de si; ficar chocado; ficar cobra; ficar com a camisa do corpo; ficar com a mãe de São Pedro; ficar com a mesma cara; ficar com a orelha em pé; ficar com a parte do leão; ficar com as sobras; ficar com cara de asno (*V.* "ficar com cara de pau"); ficar com cara de bundão (*V.* "ficar com cara de pau"); ficar com cara de cachorro que quebrou panela; ficar com cara de pau; ficar com cara de tacho (*V.* "ficar com cara de pau"); ficar com Deus; ficar com o pau duro; ficar com os que vão; ficar com pena (*V.* "ter pena (de)"); ficar como carrapato na lama; ficar como cobra que perdeu o veneno; ficar como um crivo; ficar como um prego; ficar de; ficar de beiço caído; ficar de boca aberta; ficar de

ficção

bode; ficar de cabeça inchada; ficar de cabelos brancos; ficar de calças curtas; ficar de calças na mão; ficar de cama; ficar de cara; ficar de fora; ficar de mal; ficar de nariz comprido; ficar de nariz torcido; ficar de nhenhenhém; ficar de olho em; ficar de olhos abertos; ficar de orelhas baixas; ficar de orelhas em pé; ficar de papo para o ar; ficar de pé; ficar de quatro; ficar de quatro por (algo ou alguém); ficar de queixo caído; ficar de queixo na mão; ficar de reserva; ficar de rolo; ficar de tanga; ficar de tromba; ficar de vela; ficar de venta inchada; ficar em branco; ficar em casa; ficar em cima do muro; ficar em jejum; ficar em paz; ficar encalhado(a) (*V.* "ficar para tia (titia) ou tio (titio)"); ficar encostado; ficar engasgado; ficar entalado; ficar esquentado; ficar falando sozinho; ficar feito bobo; ficar fulo; ficar limpo; ficar mal; ficar mal com; ficar mal na fita; ficar na arquibancada; ficar na banha; ficar na chuva; ficar na dela (*V.* "ficar na minha"); ficar na dele (*V.* "ficar na minha"); ficar na mão; ficar na mesma; ficar na minha; ficar na moita; ficar na peça; ficar na pior; ficar na poeira; ficar na rabeira; ficar na rua; ficar na saudade; ficar na tua (*V.* "ficar na minha"); ficar no ar; ficar no barricão; ficar no caritó; ficar no choco; ficar no jeito (*V.* "estar no jeito"); ficar no mato sem cachorro; ficar no ora veja; ficar no papel; ficar no pé de; ficar no porco; ficar no seco; ficar no sereno; ficar no tinteiro; ficar num mato sem cachorro (*V.* "ficar no mato sem cachorro"); ficar numa boa; ficar para contar a história; ficar para galo de São Roque (*V.* "ficar para tia (titia) ou tio (titio)"); ficar para semente; ficar para tia (titia) ou tio (titio); ficar para trás; ficar pelo beicinho; ficar pinel; ficar plantado; ficar por aí; ficar por cima; ficar por conta; ficar por conta de; ficar por fora; ficar por isso mesmo; ficar pronto; ficar puto; ficar queimado (com); ficar reduzido à miséria; ficar reduzido a zero (*V.* "ficar reduzido à miséria"); ficar refém de; ficar salivando (*V.* "estar salivando"); ficar sem a boia; ficar sem camisa; ficar sem cor; ficar sem graça; ficar sem mel nem cabaça; ficar sem sangue nas veias; ficar só com as roupas do corpo (*V.* "ficar com a camisa do corpo"); ficar só em palavras; ficar sobrando; ficar solteirão(ona) (*V.* "ficar para tia (titia) ou tio (titio)"); ficar sujo (com alguém); ficar sujo na praça; ficar teso; ficar um pinto; ficar uma onça; ficar uma pilha; ficar varado; ficar vendido; ficar vidrado em; Fique frio!; ir com os que ficam; não fica assim; não ficar atrás; não ficar para trás; não vai ficar assim (*V.* "não fica assim"); perder boa ocasião de ficar calado; Se correr o bicho pega, se ficar o bicho come.; ter ficado de fora
ficção ficção científica; literatura de ficção
ficha apostar todas as fichas; cair a ficha; ficha limpa; ficha suja; meter ficha; na ficha; pagar uma ficha (*V.* "pagar um bom dinheiro"); tacar ficha
fichinha É fichinha.
fico (*subst.*) dia do Fico
fidelity *high fidelity*
fides *punica fides*
fiduciário(a) alienação fiduciária
fidus *fidus Achates*
fiel (*adj.*) público fiel
fiel (*subst.*) assembleia dos fiéis; congregação dos fiéis; fiel da balança; legião de fiéis
figa de uma figa!; fazer figa
figadal ódio figadal
fígado de maus fígados; desopilar o fígado; maus fígados; ter fígado; ter maus fígados
figueira ser uma figueira-do-inferno
figura cavaleiro da triste figura; diabo em figura de gente; É uma figura.; fazer boa figura; fazer figura; fazer má figura; fazer triste figura; figura de destaque (*V.* "figura de proa"); figura de proa; figura decorativa; figura difícil (*V.* "figurinha difícil"); figura fácil; fraca figura; mudar de figura; ser o diabo em figura de gente; ser uma figura
figuração fazer uma figuração
figurado(a) enigma figurado; sentido figurado
figurinha figurinha difícil; trocar figurinhas (com)
figurino como manda o figurino; conforme manda o figurino
fila cão de fila; falar para a velhinha surda da última fila; fila brasileiro; fila de espera; fila do gargarejo; fila indiana; furar a fila
filão descobrir o filão (*V.* "descobrir a mina")
filé aba de filé; filé de borboleta
fileira engrossar as fileiras de
filhinho filhinho de papai; filhinho/a da mamãe
filho(a) de pai para filho; dizem os filhos da Candinha; Esse filho não é meu!; Eu também sou filho de Deus.; filha da vovozinha; filha de Maria; filhas de Eva; filho adotivo; filho adulterino; filho bastardo; filho da mãe (*V.* "filho da puta"); filho da puta; filho de Deus; filho de fora; filho de leite; filho de meu pai; filho de peixe; filho de vidraceiro; filho do Homem; filho do Sol e neto da Lua; filho incestuoso; filho legítimo; filho

flanco

natural; filho pródigo; filho sacrílego; filho único de mãe viúva; filho(a) de santo; filhos da Candinha; filhos de Deus; filhos de Eva; meu filho; negócio de pai para filho; o Filho; o filho é dele(a); penca de filhos; também ser filho de Deus
filhote eminha é filhote de ema; feio como filhote de urubu (V. "feio de meter medo")
filial matriz e filial; piedade filial
filme filme "B"; filme de bangue-bangue; filme de horror; filme de terror (V. "filme de horror"); já vi esse filme; queimar o filme; ser como um filme; ser um filme (V. "ser como um filme"); ver este filme; *filme trash*
filosofal pedra filosofal
filosofia filosofia da vida
filtro filtro solar
fim a fim; a fim de; ao fim de (V. "ao frigir dos ovos"); até o fim; até o fim do mundo; chegar ao fim do túnel; começo do fim; dar fim a; dar um fim a (em); do início ao fim; do princípio ao fim; É o fim da picada!; É o fim do mundo.; É o fim.; enxergar/ver a luz no fim do túnel; estar a fim de; fim de linha; fim de mundo; fim de papo; fim de semana; fim do espinhaço; fim do mundo (V. "fim de mundo"); levar ao fim; levar um fim; lutar até o fim; luz no fim do túnel; motorista de fim de semana; não é o fim do mundo; no fim da minha corda; no fim das contas; no fim de; no fim do mundo; o fim do arco-íris; o fim do fim (V. "o fim supremo"); o fim supremo; por fim; pôr fim (a); pôr um fim a; princípio do fim; Que fim levou?; sem-fim; ser o fim (da picada); ter por fim; ter um fim
finado dia de finados
final apito final; capítulo final; causa final; dia do Juízo Final (V. "dia do Juízo"); final feliz; Juízo Final; na reta final; no final das contas; oitava de final; ponto final; pôr um ponto final; quarta de final; reta final; ter a palavra final
finalmente passar aos finalmente
finanças finanças públicas
financeiro(a) idoneidade financeira; recompensa financeira
fincado(a) ter os pés fincados na terra (V. "ter os pés na terra")
fincar fazer finca-pé; fincar as aspas; fincar as aspas no inferno; fincar os pés; fincar raízes
finco a finco
fine in fine
finem ab initio ad finem; ad finem
fingir fechar os olhos de (alguém); fingir que não viu (ouviu); fingir-se de; fingir-se de morto; fingir-se de santo

fininho de fininho; sair de fininho
fino(a) a fina flor; aí é que a coisa fia fino (V. "aí é que a coisa pia fino"); aí é que a coisa pia fino; cair na malha fina; cascavel de rabo fino; esporte fino; fiar fino; fiar mais fino (V. "fiar fino"); fina flor; fina flor da sociedade; gente fina; malha fina; o fino; passar o pente-fino em; piar fino; sal fino; tirar um fino
fio a fio; a fio de espada; a ouro e fio; achar o fio da meada; andar pelo fio da navalha; anos a fio; bater um fio; de fio a pavio; estar por um fio; fio a fio; fio condutor; fio da história; fio da meada; fio da vela; fio de Ariadne; fio dental; fio nu; fio puxado; fio terra; fios de ovos; horas a fio; levar a fio de espada; levar tudo a fio de espada; no fio da navalha; passar a fio de espada; pender de um fio; perder o fio da meada; por um fio; por um fio de cabelo (V. "por um fio"); puxar os fios; reatar o fio da conversa; reatar o fio da meada (V. "reatar o fio da conversa"); retomar o fio da meada; telefone sem fio; ter a vida por um fio; vinte e quatro horas a fio
Fiori dons de Fiori
firma por honra da firma; reconhecer a firma
firmar firmar o passo
firme aguentar firme; cores firmes; fazer pé firme; firme como o Pão de Açúcar (V. "firme como uma rocha"); firme como um prego na areia; firme como uma rocha; firme nos arreios (V. "firme como uma rocha"); nota firme; terra firme; uma nota firme
firula fazer firulas
fiscal anistia fiscal; ano fiscal; incentivo fiscal; isenção fiscal; paraíso fiscal
físico(a) amor físico; cadastro de pessoa física; condicionamento físico; cultura física; dependência física; desforço físico; impossibilidade física; pessoa física; preparo físico; propriedades físicas
fisiológico(a) necessidades fisiológicas; soro fisiológico
fita fazer fita; ficar bem na fita; ficar mal na fita; fita azul; fita de chegada
fito com o fito de
five five o'clock tea
fixar fixar residência
fixo(a) capital fixo; cores fixas (V. "cores firmes"); ideia fixa; olhar fixo
flagelo flagelo de Deus
flagra dar o flagra (V. "dar um flagra"); dar um flagra
flagrante em flagrante; flagrante delito; pegar em flagrante
flanco de flanco

553

flauta

flauta levar a vida na flauta; levar na flauta; na flauta; viver na flauta
flecha arco e flecha; como uma flecha; flecha de Cupido; partir como uma flecha (*V.* "partir como uma bala"); subir como uma flecha
flor a fina flor; à flor da pele; à flor de; a princípio, são flores; com os nervos à flor da pele; em flor; estação das flores; estar na flor da idade; fina flor; fina flor da sociedade; flor da idade; flor dos anos (*V.* "flor da idade"); minha flor; não ser flor que se cheire; nem tudo são flores; o cair das folhas (flores); última flor do Lácio
florear florear o estilo
floreio fazer floreios (*V.* "fazer firulas")
florenciado(a) cruz florenciada
florestal horto florestal; reserva florestal
florzinha minha florzinha (*V.* "minha flor")
flow cash flow
flutar sentir-se flutuando
flutuante câmbio flutuante
fluvial vazão fluvial
flux a flux
fluxo fluxo da maré; fluxo de caixa; fluxo e refluxo da sorte
fobó cheio de fobó
focinho Cara de um, focinho de outro.; manteiga em focinho de cachorro; manteiga em focinho de gato (*V.* "manteiga em focinho de cachorro"); meter o focinho; passar manteiga em focinho de gato; torcer o focinho (*V.* "torcer o nariz")
foco estar em foco
foder fodido e mal pago; que se foda(m)
fogão cozinheiro de forno e fogão; de forno e fogão; piloto de fogão
fogo a coisa está pegando fogo (*V.* "a coisa está preta"); a ferro e fogo; a fogo brando (*V.* "a fogo lento"); a fogo lento; abrir fogo; acender feijão no fogo; água de morro abaixo e fogo de morro acima; apagar o fogo; apagar o fogo com azeite; arma de fogo; atiçar o fogo; batismo de fogo; boca de fogo; botar a mão no fogo; botar feijão no fogo; botar fogo na canjica; botar fogo na fogueira; brincar com fogo; buscar fogo; cabelo de fogo; círculo de fogo; com a orelha pegando fogo; com fogo no rabo; comer fogo; como água de morro abaixo e fogo de morro acima; como água e fogo; cortar o fogo; cozinhar a fogo brando; cuspir fogo; dar fogo; deixar o circo pegar fogo; é fogo na canjica (*V.* "fogo na canjica"); É fogo na canjica!; em letras de fogo; entre dois fogos; entre o fogo e a frigideira; estar de fogo; estar na linha de fogo; estar sob fogo cerrado; fazer fogo; fogo amigo; fogo cruzado; fogo da paixão; fogo de morro acima, água de morro abaixo; fogo de palha; fogo de santelmo; fogo do céu; fogo eterno; fogo na canjica; fogo sagrado; lançar fogo pelas ventas; língua de fogo; línguas de fogo; linha de fogo (*V.* "linha de frente"); mandar botar o feijão no fogo; meter/pôr a mão no fogo; negar fogo; passar fogo; pedir fogo; pegar fogo; poder de fogo; pôr (botar) as mãos no fogo (por alguém) (*V.* "pôr a mão no fogo (por alguém)"); pôr a mão no fogo (por alguém); pôr azeite (gasolina) no fogo (*V.* "pôr (colocar) lenha na fogueira"); pôr azeite no fogo; pôr fogo em; pôr fogo na canjica; pôr fogo nos dois lados da vela; prova de fogo; puxar fogo; sair da frigideira para o fogo; ser bom para o fogo; ser fogo; ser fogo na roupa; sob fogo; soldado do fogo; tacar fogo na canjica; tirar as castanhas do fogo; tirar as castanhas do fogo com mão de gato; tocar fogo na canjica; tocar música enquanto Roma pega fogo; ver o circo pegar fogo
fogos fogos de artifício
fogueira botar fogo na fogueira; botar lenha na fogueira (*V.* "botar fogo na fogueira"); deitar lenha na fogueira; jogar lenha na fogueira; jogar uma pessoa na fogueira (*V.* "jogar uma pessoa no buraco"); pôr (colocar) lenha na fogueira; pôr/botar lenha na fogueira (*V.* "deitar lenha na fogueira"); pular uma fogueira
foguete fazer a festa e soltar os foguetes; pegar em um rabo de foguete; rabo de foguete; soltar foguetes; soltar os foguetes antes da festa
fogueteiro meter-se a fogueteiro
foice a talho de foice; briga de foice; briga de foice no escuro; meter a foice em seara alheia
foie pâté de foie gras
fole gaita de foles
fôlego até perder o fôlego; de tirar o fôlego; de um fôlego; de um só fôlego; estar sem fôlego; falta de fôlego; fôlego de gato; fôlego vivo; obra de fôlego; perder o fôlego; prender o fôlego; sem fôlego; ter fôlego de gato; ter sete fôlegos como o gato; tomar (o) fôlego; trabalho de fôlego
folga dar folga
folgado ser um folgado
folha a folhas tantas; consignação em folha; desconto em folha; folha corrida; folha de oliveira; livro de quarenta folhas; novo em folha; o cair das folhas (flores); trevo de quatro folhas; virar a folha
folhinha papel de folhinha
folia cair na folia (*V.* "cair na farra"); folia de Reis ou do Divino

forma

fome cara de fome; enganar a fome; feio como a fome (*V.* "feio de meter medo"); fome canina; fome danada; fome de; fome de leão; greve de fome; juntar-se a fome com a vontade de comer; matar a fome; matar a fome de; morrer de fome; passar fome; rebentar de fome; salário de fome; tinir de fome; unha de fome; varado de fome
fonado telegrama fonado
fonético(a) alfabeto fonético
fonte de fonte limpa; de fonte segura; desconto na fonte; fonte limpa; fonte segura; ir à fonte
food junk food
fora amigo da boca para fora; andar fora de si; andar fora dos eixos; andar fora dos trilhos; banda de fora; bola fora; botar as mangas de fora; botar as manguinhas de fora (*V.* "botar as mangas de fora"); botar as unhas de fora (*V.* "botar as mangas de fora"); botar fora; botar os corninhos de fora (*V.* "botar os cornos de fora"); botar os cornos de fora; botar para fora; Cai fora!; cair fora; carta fora do baralho; cascar fora; chã de dentro (fora); com a língua de fora; com as canjicas de fora; como peixe fora d'água; como um peixe fora d'água (*V.* "como peixe fora d'água"); conhecer alguém por dentro e por fora; conhecer por dentro e por fora; conhecer por fora e por dentro (*V.* "conhecer alguém por dentro e por fora"); conversa de jogar fora; correr por fora; da boca para fora; dar fora; dar o fora; dar um fora; dar um fora em; dar um por fora; de fora; de fora a fora; Dê o fora!; deitar fora; deixar de fora; É/está fora de questão.; estar como (um) peixe fora d'água; estar fora; estar fora de (mim) si; estar fora de cogitação; estar fora de forma; estar fora do ar; estar fora dos eixos; estar por fora; estar por fora (*V.* "não saber da missa a metade"); Estou fora!; falar da boca para fora; ficar de fora; ficar por fora; filho de fora; fora da conta (*V.* "demais da conta"); fora da lei; fora da razão; fora da realidade; Fora daqui!; fora das regras; fora de; fora de ação; fora de alcance; fora de brincadeira; fora de combate; fora de controle; fora de dúvida; fora de estação; fora de hora; fora de hora, fora de jogo; fora de mão; fora de mim (si); fora de moda; fora de órbita; fora de ordem; fora de propósito; fora de questão; fora de série; fora de serviço; fora de si; fora de tempo; fora do ar; fora do comum; fora do lugar; fora do natural; fora dos eixos; fora dos limites; fora os (anos em) que mamou; fora parte; gato escondido com o rabo de fora; Gente de fora não ronca.; ir para fora; jogar conversa fora; jogar dinheiro fora; jogar fora; juiz de fora; lançar fora; levar um fora; mais por fora que umbigo de vedete; mijar fora da pichorra (*V.* "mijar fora do penico"); mijar fora do penico; não ser de jogar fora; noves fora; pagar por fora (*V.* "dar um por fora"); para fora; para fora de; peixe fora d'água; pisar fora do rego; pôr as mangas de fora; pôr as manguinhas de fora (*V.* "pôr as mangas de fora"); por dentro e por fora; por fora; pôr fora; Por fora bela viola, por dentro pão bolorento.; por fora corda de viola, por dentro pão bolorento (*V.* "Por fora bela viola, por dentro pão bolorento."); por fora de; pôr fora de jogo; pôr os bofes para fora (*V.* "deitar os bofes pela boca"); pôr para fora; rir dos dentes para fora; sair fora; sair fora de si; sair fora dos eixos; ser carta fora do baralho; ter ficado de fora; tirar o corpo fora; viver fora de seu século; viver fora de seu tempo (*V.* "viver fora de seu século")
forâneo vigário forâneo
força à força; à força de; a toda força; à viva força; camisa de força; cobrar força; com força total; com o pai na forca; Como vai essa força?; dar força a; dar uma força; de com força; de força; de primeira força; desta força; É força.; estar em plena força; estar numa camisa de força; fazer das fraquezas força; fazer força; força bruta; força da natureza; força das circunstâncias; força de ânimo; força de expressão; força de trabalho; força de vontade; força do hábito; força hercúlea; força maior; força pública; força vital; motivo de força maior; por força; por força da idade; por força das circunstâncias; por força de; por força maior; ter força; ter força de lei; tirar o pai da forca
força força de lei; forças armadas; jogo de forças
forçado pouso forçado (*V.* "aterrissagem forçada")
forçado(a) aterrissagem forçada; curso forçado; em marcha forçada; marcha forçada; trabalhos forçados
forçar forçar a barra
force tour de force
forçoso ser forçoso reconhecer
forde forde de bigode
forfait fazer forfait
forja estar na forja
forma boa forma; botar o pé na forma; da mesma forma; de certa forma; de forma a; de forma alguma; de forma que; de qualquer forma; em devida forma; em forma; em forma de; estar em forma; estar em plena forma (*V.* "estar em plena força"); estar

forma

fora de forma; feito na mesma forma (ô); fora de forma; manter a forma; pôr em forma; questão de forma; ser a fôrma para o pé de; ser fôrma para o pé de; última forma
forma *pro forma*
formado(a) ter opinião formada
formal formal de partilha
formalidade por formalidade
formato formato internacional
formiga catar formiga; comedor de formiga; comer formiga; como formiga; Esse pau tem formiga.; formiga faz bem à vista; ir para o céu das formigas; ocupado como uma abelha (formiga); pau com formiga; que nem formiga (*V.* "como formiga"); trabalho de formiga
formigueiro formigueiro humano; sentar num formigueiro
forminha forminha de papel
formol pôr no formol
fórmula fórmula mágica
forno acabar de sair do forno; boca de forno; cozinheiro de forno e fogão; de forno e fogão; estar no forno (*V.* "estar na forja"); estar um forno; forno de micro-ondas
forra à tripa forra; comer à tripa forra; ir à forra
forrar forrar o estômago; forrar o poncho
forte braço forte; cabeça forte; dar mão (forte) a; espírito forte; feio e forte; forte como Hércules; forte e suave; gênio forte; lei do mais forte; o sexo forte; ser forte em; sexo forte; ter santo forte
fortiori a fortiori
fortuna dar pontapé na fortuna; desandar a roda da fortuna; fazer fortuna; pagar uma fortuna (*V.* "pagar um bom dinheiro"); pequena fortuna; reveses da fortuna; roda da fortuna
fósforo caixa de fósforos; caixinha de fósforos; fósforo apagado; fósforo queimado (*V.* "fósforo apagado")
fossa andar na fossa; estar na fossa; fossa séptica; na fossa
fosso fosso de orquestra
foto sair bem na foto
fotoelétrico(a) célula fotoelétrica
fotográfico(a) câmara fotográfica; memória fotográfica
fração fração de segundos; fração do pão
fracionário(a) numeral fracionário
fraco(a) com vento fraco; dar parte de fraco; espírito fraco; estômago fraco; fraca figura; fraco da cabeça; fraco do peito; lado fraco; memória fraca (*V.* "memória curta"); ponto fraco; ter um fraco por; tocar no ponto fraco
frade andar no cavalo dos frades; beliscão de frade; frade menor

frágil sexo frágil
fralda alfinete de fralda (*V.* "alfinete de segurança"); cheirar a fralda (*V.* "cheirar a cueiros"); encher as fraldas (*V.* "encher as calças"); fralda do mar; fralda geriátrica
franca entrada franca; mesa franca; zona franca
francamente falar francamente
francês/francesa à francesa; bilhar francês; despedir-se à francesa; falar francês; sair à francesa
franciscano(a) pobreza franciscana (*V.* "pobreza evangélica")
Francisco cruz de São Francisco
franco (*adj.*) jogo franco
franco (*subst.*) franco de pagamento
frangalho aos frangalhos (*V.* "aos pandarecos")
frango(a) andar cercando frango; caçar frango; calça pega-frango (pega-marreco) (*V.* "calças de pegar frango"); calças de pegar frango; cercar frango; comer o peito da franga; comer o peito da franga com molho pardo (*V.* "comer o peito da franga"); engolir frango; engolir um frango (*V.* "engolir frango"); frango ao molho pardo; pernas de cercar frango; soltar a franga
franquia franquia postal
franzir franzir a testa; franzir as sobrancelhas; franzir as sobrancelhas (ou o sobrolho) (*V.* "franzir a testa")
fraqueza fazer das fraquezas força; fraqueza do peito
frase fazer frases; frase de efeito; frase feita; locução (frase) remendada
fraternidade Liberdade, igualdade, fraternidade.
fratura fratura exposta
fraudulento(a) falência fraudulenta; quebra fraudulenta
freático lençol freático
frecheiro frecheiro cego
free duty-free shop; *free shop*
frege virar frege
freguês freguês de caderno
freguesia baixar noutra freguesia; cantar noutra freguesia; ir pregar em outra freguesia; mandar bater em outra freguesia (*V.* "mandar bater a outra porta")
freio freio de arrumação; freio de mão; mastigar o freio; não ter freio na língua; não ter freio nos dentes; pôr freio em; pôr um freio em; puxar o freio de mão; sem freios; soltar o freio; tomar o freio nos dentes
frente à frente; atirar no primeiro que me aparecer na frente; bola pra frente; chegar com uma mão atrás e outra na frente (*V.* "chegar de mãos abanando"); colocar a car-

fundo

roça na frente dos bois; comissão de frente; dar de frente; dar de frente para; de frente; de trás para a frente; em frente; em frente de; entrar pela porta da frente; estar à frente de seu tempo; falar de frente; fazer frente; frente a frente; frente de batalha; frente de trabalho; frente fria; frente quente; fuga para a frente; ir em frente; ir pra (para a) frente; levar à frente; linha de frente; matar o primeiro que me aparecer na frente (*V.* "atirar no primeiro que me aparecer na frente"); muito chão pela frente; na frente de; na linha de frente; para a frente; passar à frente; passar na frente; segunda frente; tocar a vida para frente; tocar o barco para a frente; tomar a frente; um passo à frente, dois atrás; um passo atrás (ou para trás) e dois adiante (ou à frente)
frequência com frequência
fresca (*subst.*) à fresca; tomar a fresca
fresco(a) (*adj.*) levar buçal de couro fresco (*V.* "levar buçal"); respirar ar fresco; sombra e água fresca; terra fresca; tomar ar fresco (*V.* "tomar ar")
fresco(a) (*subst.*) pôr-se ao fresco; pôr-se no fresco
frescura cheio de frescura
frete a frete
frevo frevo de rua
fria (*subst.*) numa fria (*V.* "numa enrascada")
fricat asinus asinum fricat
frieza frieza de ânimo
frigideira entre o fogo e a frigideira; sair da frigideira para o fogo
frigir ao frigir dos ovos; no frigir dos ovos
fringe fringe benefits
frio(a) a ferro frio; a frio; a sangue-frio; balde de água fria; bater em ferro frio; bufê frio; cabeça fria; chapa fria; clima frio; cor fria; cozinhar em água fria; de sangue-frio; Deixou-me frio.; derramar água fria; ducha de água fria; entrar em fria; entrar numa fria; estar frio; Fique frio!; frente fria; frio como mármore; frio cortante; frio de espanto; frio de rachar; frio na barriga (*V.* "frio na espinha"); frio na espinha; guerra fria; jogar água fria; malhar em ferro frio; matar a sangue-frio; morrer de frio; nota fria; sair de uma fria; sangue frio; sem Ceres e Baco, Vênus vive fria; suar frio; suor frio; ter suores frios; terra fria; tinir de frio; tiritar de frio; tornar à vaca fria; voltar à vaca fria
fritada na fritada dos ovos
fritar não ser capaz de fritar um ovo
frito estar frito
fronte curvar a fronte
fronteira dentro das fronteiras tupiniquins; fronteira agrícola
frouxo boi frouxo; frouxo de riso; ter um parafuso frouxo (*V.* "ter um parafuso a menos")
fruto colher os frutos; fruto proibido; frutos da terra; frutos de estação; frutos do Espírito Santo; frutos do mar; frutos passados; frutos pendentes
fu kung fu
fuá cabelo de fuá
fubá fubá mimoso
fuças ir às fuças de
fuga fuga para a frente; pôr em fuga
fugida (*subst.*) de fugida
fugido(a) (*adj.*) cor de burro fugido
fugir cor de burro quando foge (*V.* "cor de burro fugido"); fugir a luz dos olhos; fugir com o rabo entre as pernas; fugir da raia; fugir de alguém como o diabo da cruz; sentir o chão fugir dos pés
fugit tempus fugit
fuinha cara de fuinha
fulano aqui está fulano que não me deixa mentir sozinho; fulano de tal; fulano dos anzóis carapuça; ser (fulano) outra vez; ser Deus no céu e (fulano) na terra
full full hand; full time
fulminar fulminar com os olhos
fulo(a) deixar fulo; estar fulo da vida (*V.* "estar uma arara"); ficar fulo; fulo da vida; fulo de raiva (*V.* "fulo da vida")
fumaça cortina de fumaça; lá vai fumaça; soltar fumaça pelas ventas; sumir como fumaça (*V.* "sumir do mapa"); vender fumaça; virar fumaça
fumante fumante passivo; não fumante
fumar a cobra vai fumar; fumar como uma chaminé; fumar o cachimbo da paz; fumar se-me-dão
fumo boca de fumo; fumo de rolo; levar fumo (*V.* "levar chumbo"); puxar fumo
função arroz-doce de função (*V.* "arroz de festa"); em função de
funcional analfabeto funcional
funcionar pôr a guitarra a funcionar
funcionário enxugar os quadros de funcionários; funcionário público
fundamental lei fundamental; pedra fundamental; sabores fundamentais
fundar fundar torres no vento
fundido(a) cuca fundida
fundir fundir a cuca
fundo (*adj.*) do mais fundo de (*V.* "do fundo de")
fundo (*subst.*) a fundo; a fundo perdido; artigo de fundo; chegar ao fundo; chegar ao fundo do poço; conhecer a fundo; corrida

fundos

de fundo; de fundo de quintal; do fundo de; do fundo do coração; do fundo do peito; fundo de comércio; fundo de reserva; fundo do baú; fundo do poço; fundo do tacho; fundo musical; ir a fundo; ir ao fundo; ir fundo; linha de fundo; meter no fundo; no fundo; no fundo do poço; pano de fundo; pisar fundo; poço sem fundo; raspar o fundo do tacho; saco sem fundo; sem fundo; ver o fundo do saco
fundos (*subst.*) com fundos; entrar pela porta dos fundos; fundos públicos; mundos e fundos; prometer mundos e fundos; ter fundos
fúnebre elogio fúnebre; honras fúnebres; marcha fúnebre
funeral bandeira em funeral; em funeral
funerário(a) agência funerária; casa funerária; coroa funerária
funicular funicular aéreo
funil lei do funil; passar num funil
furacão olho do furacão
furado(a) canoa furada; embarcar em canoa furada; estar com os bolsos furados; mão-furada; não embarcar em canoa furada (*V.* "não ir nessa canoa"); não valer um tostão furado; não valer um vintém (furado); não valer um vintém furado (*V.* "não valer dois caracóis"); negócio furado; pegar no pau-furado; semana furada; ser do chifre-furado; ser saco furado (*V.* "ser um saco furado"); ser um saco furado; ter a mão furada
furandi animus furandi
furar fura-bolo (*V.* "dedo indicador"); fura-bolos (*V.* "dedo indicador"); furar a chapa; furar a fila; furar o tímpano; furar os olhos de; furar uma greve
fúria acesso de fúria
furo dar um furo; estar muitos furos acima de; furo de reportagem; no último furo; subir um furo no conceito de alguém
furor descarregar a ira (ou o furor) sobre alguém (*V.* "descarregar a cólera sobre alguém"); fazer furor; furor cego; furor uterino
furtadela às furtadelas
furtado(a) água furtada
furtar a furta-passo; furtar-se a
furto a furto
fusco ao lusco-fusco; entre lusco e fusco; entre lusco-fusco (*V.* "entre lusco e fusco")
fuso fuso horário
futebol futebol (de campo); futebol americano; futebol de areia; futebol de botão (mesa); futebol de praia; futebol de salão (futsal)
futsal futebol de salão (futsal)

futuro(a) choque do futuro; de futuro; não ter futuro; onda do futuro; próximo futuro; sem futuro; ter futuro; vida futura
fuzilar fuzilar com o olhar/com os olhos
fuzileiro fuzileiro naval

G

gabinete gabinete de leitura
gado gado chucro; gado de abate; gado de cabeceira; gado de corte; gado de curral; gado miúdo; o gado é manso
gafe cometer uma gafe
gaiato cantar de gaiato; entrar de gaiato
gaiola estar aberta a gaiola; fazer gaiola; gaiola de ouro
gaita abrir a gaita; gaita de boca; gaita de foles; pensar que berimbau é gaita
galeio perder o galeio
galera para a galera
galeria para a galeria
Gales príncipe de Gales
galeto *galeto al primo canto*
galheta par de galhetas
galho balançar o galho da roseira; cada macaco no seu galho; cair do galho; com raiz e galhos; dar galho; dar um galho; pular de galho em galho; quebrar o(/um) galho; quebrar um galho (*V.* "quebrar o(/um) galho")
galinha acordar com as galinhas; beber leite de galinha; cantar de galinha; contar com o ovo dentro da galinha; deitar-se com as galinhas; dente de galinha (*V.* "dente em galinha"); dente em galinha; dormir com as galinhas; estar como galinha quando quer pôr; galinha ao molho pardo; galinha caipira; galinha de cabidela; galinha dos ovos de ouro; galinha garnisé; galinha-choca; galinha-morta; ladrão de galinha; matar a galinha dos ovos de ouro; memória de galinha (*V.* "memória curta"); muita galinha e pouco ovo; nem que a galinha crie dentes (*V.* "nem que a vaca tussa"); o ovo ou a galinha; pé de galinha; pés de galinha; quando as galinhas criarem dentes; recolher-se com as galinhas; ser galinha; ser um galinha; ter miolo de galinha (*V.* "ter miolo mole"); ter titica de galinha na cabeça; voo de galinha; xinxim de galinha
galinheiro colocar raposa para tomar conta de galinheiro; sujo como pau de galinheiro
galo ao cantar do galo; cantar de galo; cozinhar o galo; ficar para galo de São Roque (*V.* "ficar para tia (titia) ou tio (titio)"); galo carijó; galo cego; galo de briga; galo de rinha (*V.* "galo de briga"); galo garnisé; mesa de pé de galo; Missa do Galo; o cantar do galo; outro galo cantaria; ouvir cantar o

gato(a)

galo mas não saber onde; salgar o galo; ser um galo
galocha chato de galochas
galopante inflação galopante
galope a galope; a todo galope; fazer (algo) a galope
gamada cruz gamada
gambá bêbado como um gambá; beber como um gambá; comer gambá errado; pensar que gambá é raposa
gamela comer da mesma gamela
gana ter ganas de
gancho colchete de gancho; nem a gancho
gandaia à gandaia; andar à gandaia; cair na gandaia
ganhar dandar pra ganhar vintém; estar com a vida ganha; ganhar a dianteira; ganhar a palma; ganhar a partida; ganhar a vida; ganhar altura; ganhar ânimo; ganhar corpo; ganhar juízo; ganhar no apito; ganhar no grito; ganhar o dia; ganhar o mato; ganhar o mundo; ganhar o pão de cada dia; ganhar o tirão; ganhar pé; ganhar pela porta traseira; ganhar tempo; ganhar terreno; ganhar, mas não levar; ganho de capital; mexer em time que está ganhando; não mexer em time que está ganhando; rachar de ganhar dinheiro
ganso afogar o ganso; ganho de causa; mudar de pato para ganso; passar de pato a ganso; passo de ganso
garantia certificado de garantia; garantias constitucionais
garantido(a) conta garantida
garça colo de garça
Garcia levar mensagem a Garcia; mensagem a Garcia
garde En garde!
garfo bom garfo; ser um bom garfo
gargalhada cair na gargalhada; gargalhada homérica; rir às gargalhadas; salva de gargalhadas
gargalo beber no gargalo (V. "tomar no gargalo"); tomar no gargalo
garganta atravessado na garganta; com a faca na garganta; escovar a garganta; espinho atravessado na garganta; estar com a faca na garganta; limpar a garganta; molhar a garganta; não passar pela garganta; nó na garganta; pôr a faca na garganta de (V. "pôr a faca no peito de"); pular na garganta de; raspar a garganta; ser garganta; temperar a garganta; ter boa garganta; ter um espinho (uma espinha) atravessado(a) na garganta; ter um nó na garganta; ter uma rã na garganta; tirar uma espinha da garganta; trazer alguém atravessado na garganta; trazer um espinho atravessado na garganta

gargarejo fila do gargarejo
garimpar garimpar votos
garnisé galinha garnisé; galo garnisé
garoto(a) garota de programa
garra à garra; cair nas garras de (V. "cair nas unhas de alguém"); ir à garra; livrar-se das garras de; mostrar as garras (V. "mostrar as unhas")
garrafa conversar com a garrafa; dar milho na garrafa; ensinar rato a subir de costas em garrafa; garrafa térmica; ser chegado numa garrafa
garrafada Noite das Garrafadas
garrafal letras garrafais
garrão afrouxar o garrão
garupa dar garupa; ir de garupa; não ser de garupa
gás acabou-se o meu/teu/seu gás; com todo o gás; dar gás; estar sem gás; gás liquefeito de petróleo; ter ainda muito gás
gasganete torcer o gasganete de alguém
gasolina pôr azeite (gasolina) no fogo (V. "pôr (colocar) lenha na fogueira"); posto de gasolina
gasoso(a) água gasosa
gastar gastar a língua; gastar a rodo; gastar a sola do sapato; gastar cera com defunto barato (ou ruim); gastar o que tem e o que não tem; gastar o seu latim; gastar o tempo; gastar palavras; gastar saliva à toa; gastar sola de sapato
gasto dar para o gasto; não dar nem para o gasto (V. "não dar nem para o leite das crianças")
gate starting gate
gaté enfant gaté
gatinha andar de gatinhas; de gatinhas
gato(a) acertar na gata; amarrar o gato; amassar a gata; balaio de gatos; banho de gato; bigode de gato; brincar de gato e rato; cama de gato; cão e gato; com a mão do gato (V. "com mão de gato"); com mão de gato; comer gato por lebre; como gato e gato; como gato e cachorro (V. "como cão e gato"); como gato e rato (V. "como cão e gato"); como gato sobre brasas; comprar gato por lebre; dar uma de gato mestre; de gatas; de olho no gato e de olho no peixe; encontrei meia dúzia de gatos-pingados; engolir gato por lebre; fazer de gato e sapato; fazer gato-sapato de; fazer mão de gato; fôlego de gato; gata borralheira; gato de botas; gato escaldado; gato escondido com o rabo de fora; gato mestre; gato morto; gato por lebre; gatos-pingados; manteiga em focinho de gato (V. "manteiga em focinho de cachorro"); meia dúzia de gatos-pingados; memória de gato (V. "memória curta");

meter-se a gato mestre; não aguentar um(a) gato(a) pelo rabo; não há gato nem cachorro que não saiba; não poder com uma gata pelo rabo; ninho de gatos; O gato comeu sua língua?; olho de gata (peixe) morta(o) (V. "olho de cabra morta"); olho de gato; passar manteiga em focinho de gato; pulo do gato; saco de gatos; ter fôlego de gato; ter sete fôlegos como o gato; tirar a sardinha com mão de gato; tirar as castanhas do fogo com mão de gato; Um gato pode olhar para um rei.; vender gato por lebre; viver como cão e gato; viver como gato e cachorro (V. "viver como cão e gato")
gaúcho(a) campanha gaúcha
gaveta comer na gaveta; deixar na gaveta; gaveta de sapateiro; pôr na gaveta
gazeta fazer gazeta
geada geada branca
geladeira assaltar a geladeira; ir pra (para a) geladeira; pôr na geladeira; ser uma geladeira
gelar gelar o sangue nas veias
geleia geleia real
gelo banco de gelo; coração de gelo (V. "coração de pedra"); dar um gelo em; enxugar gelo; era do gelo (V. "idade do gelo"); homem de gelo; idade do gelo; pôr no gelo; quebrar o gelo; ser de gelo
gema ; da gema; gema de ovo
gêmea alma gêmea
genealógico(a) árvore genealógica
Genebra convenções de Genebra; Cruz de Genebra
generis sui generis
gênero a mais bela metade do gênero humano; amigo do gênero humano (V. "amigo de todo o mundo"); em gênero, número e grau; fazer gênero; gênero de vida; gênero humano; gêneros alimentícios; não confundir Zé Germano com gênero humano; não faz meu gênero; não fazer o gênero de
generosidade rasgo de generosidade
generoso(a) bebida generosa
gênio gênio das trevas; gênio do mal (V. "gênio das trevas"); gênio forte
gente a gente; amostra de gente; batalhão de gente; boa gente; bolo de gente; caco de gente; como gente grande; conhecer-se por gente; consenso das gentes; desde que (eu) me entendo por gente; diabo em figura de gente; entender-se por gente; fazer como gente grande; gente à toa; gente baixa; gente bem; gente boa; gente de casa; gente de cor; Gente de fora não ronca.; gente fina; gente grande; Há gente para tudo.; minha gente; pingo de gente; pinguinho de gente (V. "pingo de gente"); projeto de gente; rebentar de gente; ser gente; ser o diabo em figura de gente; tem gente para tudo (V. "Há gente para tudo."); tem gente que...; tiquinho de gente; toco (toquinho) de gente; toda a gente; todas as gentes; toquinho de gente (V. "tiquinho de gente"); tornar-se gente; virar gente
gentileza troca de gentilezas
geográfico(a) acidente geográfico; carta geográfica; coordenada geográfica
geológico(a) idade geológica
geração conflito de gerações; de última geração; geração espontânea; última geração
geral anestesia geral; armazéns gerais; campos gerais; clínica geral; clínica médica; conhecimentos gerais; dar uma geral; de maneira geral; em geral; em termos gerais; ensaio geral; estar nos seus gerais; greve geral; liberar geral; linhas gerais; no geral; o bom geral; registro geral; regra geral
gerar gerar polêmica; gerar um monstro
geriátrico(a) fralda geriátrica
Germano irmãos germanos; não confundir Zé Germano com gênero humano
Gérson lei de Gérson
gestatório(a) cadeira gestatória; sede gestatória
geste beau geste
gesto gesto impudico
gibi Isso/isto não está no gibi.; não estar no gibi
gigante a passos de gigante; batalha de gigantes; gigante dos mares
ginástica ginástica aeróbica; ginástica rítmica; ginástica sueca
ginete entrada de ginete e saída de sendeiro
girafa pescoço de girafa (V. "pescoço de cisne")
girar enquanto o sangue me girar nas veias; girar em torno de; girar nos calcanhares (V. "virar nos calcanhares"); não girar bem; O mundo gira como uma bola.
girl call girl
giro capital de giro; dar um giro
giz como peru em círculo de giz; peru em círculo de giz; pó de giz; riscar a cama no chão com giz
glacial clima glacial
global aldeia global; aquecimento global
globo em globo; globo ocular
gloria gloria victis; Sic transit gloria mundi.
glória Assim passa a glória do mundo.; honra e glória; ser a glória
gloriam ad gloriam; ad majorem Dei gloriam
glorioso corpo glorioso

grande

goela cair na goela do lobo; enfiar goela abaixo; goela abaixo; goela de pato; molhar a goela (V. "molhar a garganta"); raspar a goela (V. "raspar a garganta"); ter goela de pato; ter o coração perto da goela
gogó alguém que só tem gogó; andar com alguém pelo gogó; gogó da ema
goiaba enchente das goiabas
gol chutar contra seu próprio gol; fechar o gol; gol contra; gol de honra; gol de placa; gol espírita; gol olímpico; linha de gol (V. "linha de fundo")
gole beber um gole; tomar um gole
goleada dar uma goleada
golpe assimilar o golpe; dar o/um golpe; de golpe; errar o golpe; golpe baixo; golpe de ar; golpe de direção; golpe de Estado; golpe de mestre; golpe de misericórdia; golpe de sorte; golpe de vento (V. "golpe de ar"); golpe de vista; golpe do baú; golpe do joão-sem-braço; golpe manjado; golpe pelas costas; golpe sujo; queimar no golpe; saraivada de golpes
goma água de goma; bala de goma; goma de mascar
gongo salvo pelo gongo
gordio gordio nodus (V. "nó górdio")
górdio desatar o nó górdio
gordo(a) ano de vacas gordas; de letras gordas; dias gordos; Essa é das gordas!; nunca ter visto (alguém) mais gordo; olho gordo; sábado gordo; terça-feira gorda; vacas gordas
gorduchinho(a) ripa na chulipa e pimba na gorduchinha (V. "ripa na chulipa")
gorja mentir pela gorja
gostar bem que eu gostaria de; cara de quem comeu e não gostou; como o diabo gosta; do jeito que o diabo gosta; quer goste ou não; se não gostou, gostasse
gostinho gostinho de quero mais (V. "gosto de quero mais")
gosto a gosto; a seu gosto; ao gosto de; bom gosto; brincadeira de mau gosto; dar gosto; de dar gosto; de fazer gosto (V. "de dar gosto"); de mau gosto; fazer gosto; fazer gosto em; fazer gosto por (V. "fazer gosto em"); fazer o gosto; gosto amargo na boca; gosto de cabo de guarda-chuva na boca; gosto de quero mais; gosto duvidoso; Há gosto para tudo.; levar gosto em; mau gosto; piada de mau gosto; por gosto; sentir gosto de chapéu de sol na boca; sentir gosto de guarda-chuva na boca (V. "sentir gosto de chapéu de sol na boca"); Tem gosto para tudo. (V. "há gosto para tudo."); ter bom gosto; ter muito gosto; tomar gosto; um gosto amargo na boca

gota a conta-gotas; a gota-d'água; até a última gota; espremer até a última gota; gota a gota; gota-d'água; gota-d'água no oceano; parecerem-se como duas gotas-d'água; ser a gota-d'água; ser a gota-d'água que transborda o cálice; uma gota-d'água no oceano
goto cair no goto
governamental organização não governamental
governo para seu governo
graça ação de graças; Ano da Graça; as três graças; boas graças; cair em graça; cair nas graças de; dar ares de sua graça; dar o ar da graça; de graça; em estado de graça; estado de graça; estar em graça para com (V. "estar na graça de"); estar na graça de; estar nas boas graças de alguém; fazer graça; ficar sem graça; graça atual; graça habitual; graça original; graças a; graças a Deus; mercê de graças a; não ser de graças; não ser de muita graça; não ser para graças; perder a graça; por graça de Deus; por obra e graça de; render graças a; sem graça; uma graça; ver graça em
grâce coup de grâce
gracinha fazer gracinhas (V. "fazer graça"); não ser de gracinhas (V. "não ser de graças"); uma gracinha (V. "doce de coco")
grade atrás das grades; grade de programação; meter/pôr atrás das grades
grado de bom grado; de bom ou de mau grado; de mau grado
graecas ad calendas graecas
gráfico(a) acento gráfico; computação gráfica; interface gráfica
grama comer grama; comer grama pela raiz; não deixar que a grama cresça sob os pés
gramar gramar a pé
gramática atropelar a gramática
gramatical construção gramatical
grampear grampear telefone
grampo grampo telefônico
grana cheio da grana; estar montado na grana (V. "estar montado no tutu")
grand au grand complet; grand écart; grand monde; le grand monde
grande a tela grande (V. "tela de prata"); botar olho grande em; briga de cachorro grande; como gente grande; criança grande; de grande alcance; de grande porte (V. "de grandes proporções"); de grandes proporções; dedo grande do pé (V. "dedo polegar"); em grande; em grande escala; em grande estilo; fazer como gente grande; fazer pão grande; gente grande; grande área; grande arquiteto do Universo; grande cabeça; Grande coisa!; grande coração; grande jogada (V. "grande tacada"); grande

grandeza

maioria; grande Oriente; grande prêmio; grande tacada; Grande vantagem!; mais grande; não ser grande coisa; não ser lá grande coisa; olho grande (V. "olho gordo"); os grandes; peixe grande; Peixe grande em poço pequeno.; pôr olho grande em; ser uma grande cabeça; sorte grande; ter coração grande; tirar a sorte grande; ver-se em grande apuro (V. "ver-se em apuros")
grandeza arrotar grandeza (V. "arrotar importância"); astro de primeira grandeza; grandeza de alma (ou de coração) (V. "grandeza de ânimo"); grandeza de ânimo
granel a granel
grano cum grano salis
grão nascido para comer grãos; príncipe do Grão-Pará
gras pâté de foie gras
grata persona grata
gratia Ars gratia artis; Deo gratias; e.g. (exempli gratia); exempli gratia; verbi gratia
gratidão dívida de gratidão
grátis amostra grátis
grau colar grau; de ou do mais alto grau (V. "no mais alto grau"); em alto grau; em gênero, número e grau; no mais alto grau; no supremo grau; último grau
gravado gravado na pedra
gravar gravar na memória
gravata babar na gravata; dar gravata em; dar uma gravata; de colarinho e gravata; de gravata lavada; usar gravata borboleta
gravidade centro de gravidade
gravidez falsa gravidez
gré bon gré mal gré
green green card
Greenwich hora civil de Greenwich
gregal soldado gregal (V. "soldado raso")
gregário instinto gregário
grego(a) agradar a gregos e troianos; alfabeto grego; calendas gregas; contentar gregos e troianos; cruz grega; gregos e troianos; i grego; Igreja Grega; Isso/isto é grego (para mim).; musas gregas; para as calendas gregas; presente de grego; ser grego em
gregoriano calendário gregoriano; canto gregoriano
grei sem lei nem grei
greta ver (alguém) por uma greta; ver a sua avó por uma greta
greve em greve; furar uma greve; greve branca; greve de braços cruzados; greve de fome; greve geral; piquete de greve
grid grid de largada
grilhões quebrar os grilhões
grilo encangar grilo; não ter grilo; sem grilos
grimpa abaixar a grimpa; baixar a grimpa; lá nas grimpas

gritar gritar aos quatro cantos (do mundo)
grito ganhar no grito; grito de carnaval; grito de guerra; grito do Ipiranga; matar cachorro a grito; no grito; último grito
grosso(a) besteira das grossas; caça grossa; concerto grosso; curto e grosso; em grosso; escarrar grosso; falar grosso; fazer vista grossa a; mato grosso; mentira de grosso calibre; sal grosso
grosso grosso modo
grupo absolutismo de grupo; em grupo; espírito de grupo (V. "espírito de corpo"); grupo de pressão; grupo escolar; grupo sanguíneo; grupo social; terno de grupo
guard guard rail
guarda abaixar a guarda; anjo da guarda; baixar a guarda; dia santo de guarda; Em guarda!; estar em guarda (V. "pôr-se (estar) em guarda"); gosto de cabo de guarda-chuva na boca; guarda avançada; Guarda Civil; guarda de honra; guarda pretoriana; jovem guarda; montar guarda; pôr-se (estar) em guarda; velha guarda
guardar de cheirar e guardar; de ver, cheirar e guardar; Deus o livre e guarde; É de cheirar e guardar.; guarda-corpo (V. "guardas de ponte (via)"); guardar a sete chaves; guardar as costas; guardar as distâncias; guardar distância; guardar luto; guardar na caixinha; guardar o leito; guardar para amanhã; guardar para si; guardar segredo; guardar silêncio; guardas de ponte (via); sentir gosto de guarda-chuva na boca (V. "sentir gosto de chapéu de sol na boca")
guar-te sem tir-te nem guar-te
guaxa lerdo como mula guaxa
Guedes falar pelas tripas do Guedes
guelra ter sangue na guelra
guerra arder em guerra; cabo de guerra; conselho de guerra; correspondente de guerra; em pé de guerra; estado de guerra; fazer guerra a; foi assim que Napoleão perdeu a guerra; grito de guerra; guerra aberta; guerra civil; guerra de nervos; guerra é guerra; guerra fria; guerra intestina; guerra santa; guerra sem quartel; guerras púnicas; neurose de guerra; nome de guerra; pé de guerra; praça de guerra; prisioneiro de guerra; tática de guerra; teatro de guerra; vaso de guerra; velho de guerra
guerrilha guerrilha rural/urbana
guia boi de(da) guia
guiar cego guiando cego
guinada dar (uma) guinada
guiné com fé, arruda e guiné
guisa à guisa de
guitarra pôr a guitarra a funcionar

gume arma de dois gumes; faca de dois gumes

H

habeas habeas corpus; habeas data
habemus Habemus papam.
habendi animus rem sibi habendi
hábil em tempo hábil; em termos hábeis; tempo hábil
habilitação carta (carteira) de habilitação
hábito de hábito; deixar o hábito; despir o hábito (*V.* "deixar o hábito"); força do hábito; lançar o hábito às ervas (*V.* "lançar o hábito às urtigas"); lançar o hábito às urtigas; largar o hábito; por hábito; tomar o hábito; vestir o hábito (*V.* "tomar o hábito")
habitual graça habitual
hac ab hoc et ab hac
Haia Águia de Haia
hand full hand
happy happy end (ending); happy hour
hare hare Krishna
Hashana *dia de Ano-Novo judaico (Rosh Hashaná)*
Hashaná *dia de Ano-Novo judaico (Rosh Hashaná)*; Rosh Hashana
hasta hasta pública; pôr em hasta pública
hastear hastear a bandeira
haut haut monde
haver aí há coisa (*V.* "Aí tem coisa!"); como se não houvesse amanhã; há uma eternidade (*V.* "há muito"); haja o que houver; nada há de novo debaixo do sol (*V.* "nada de novo"); não há de quê (*V.* "de nada"); não há por quê (*V.* "Não há de quê."); não haver como; O que é que há? (*V.* "O que que há?"); O que que há?; Que é que há?; Que que há? (*V.* "O que que há?")
hediondo(a) crime hediondo
heliográfico(a) cópia xerográfica/heliográfica
hemorrágico(a) dengue hemorrágica
hepático(a) cirrose hepática
hercúlea força hercúlea
Hércules colunas de Hércules; forte como Hércules; trabalho de Hércules; trabalhos de Hércules
herdeiro herdeiro presuntivo da coroa; príncipe herdeiro
hereditário(a) capitania hereditária
Herodes mandar de Herodes a Pilatos
herói/heroína herói de romance; herói de teatro; heroína de dois mundos
heroico(a) remédio heroico; resolução heroica
hexágono o Hexágono
hic hic et nunc; hic et ubique; hic jacet

Hidra hidra de Lerna
hidráulico(a) carneiro hidráulico; direção hidráulica; ladrilho hidráulico; roda hidráulica
hidrófilo algodão hidrófilo
hidrográfico(a) carta hidrográfica
hidromineral estância hidromineral
high high fidelity; high society
higiene higiene mental
higiênico(a) absorvente higiênico; papel higiênico
hino hino ambrosiano; hino nacional; Hino Nacional Brasileiro
hip Hip, hip, hurrah!
Hipócrates juramento de Hipócrates
hipopótamo charmoso como um hipopótamo
hipostático(a) união hipostática
hipotecário(a) cédula hipotecária
hipótese em qualquer hipótese; na pior das hipóteses; por hipótese
hipotético imperativo hipotético
história a mesma e velha história; cheio de histórias; deixar de história; É a história de sempre!; é sempre a mesma história (*V.* "É relativo."); É uma longa história.; fazer história; ficar para contar a história; fio da história; história da carochinha; história da vaca Vitória; história de capa; história de sucesso; história de trancoso; história do arco-da-velha; história em quadrinhos (*V.* "tira de quadrinhos"); história malcontada; história para (pra) boi dormir; história para menino dormir (*V.* "história para (pra) boi dormir"); histórias em quadrinhos; Isso/isto é outra história...; moral da história; não é toda a história; o melhor da estória (história); o pai da História; passar à história; perder o bonde (da história); pra encurtar a história; Qual história!; Qual história, qual nada!; vir com histórias; viver para contar a história (*V.* "ficar para contar a história")
histórico(a) centro histórico; cidade histórica; Livros Históricos; sítio histórico
hit hit parade
HIV HIV = vírus da imunodeficiência humana
hoc ab hoc et ab hac; ad hoc; in hoc signo vinces
hoje de hoje a; de hoje em diante; de hoje para amanhã; É de hoje que...; É hoje!; É para hoje ou não?; hoje em dia; mais hoje, mais amanhã; não diga mais nada hoje; não é de hoje; nascer hoje; Nasceu hoje!; Nasceu hoje, de novo! (*V.* "Nasceu hoje!"); nos dias de hoje; por hoje; Se? Ora, se! Se minha avó não tivesse morrido, inda hoje estaria viva.

home home banking
homem como um só homem; de homem para homem; despir o homem velho; filho do Homem; homem (do tempo) das cavernas; homem (pessoa) de bem; homem (pessoa) de palavra; homem apagado; homem da capa preta; homem da lei; homem da rua; homem das arábias; homem de ação; homem de conta, peso e medida; homem de cor; Homem de Deus; homem de duas caras; homem de empresa; homem de espírito; homem de Estado; homem de ferro; homem de gelo; homem de letras; homem de maus-bofes; homem de Nazaré; homem de negócios; homem de palha; homem de poucas palavras; homem de prol; homem de pulso; homem de tono e tombo; homem do leme; homem do mar; homem do mundo; homem do povo; homem dos sete instrumentos; homem marcado; homem perdido; homem público; homem qualquer; homem-feito; melhor amigo do homem; o homem do momento; Onde você comprou esta camisa que está usando, tinha para homem?; os homens; pequenos homens verdes; pescadores de homens; pobre homem; saber ser homem; Seja homem!; ser homem; ser outro homem; todo homem tem um preço
homeopático(a) em dose homeopática
homérica gargalhada homérica
homérico(a) risada homérica
homo Ecce homo.; homo sapiens
homus homus bi tahine
honneur vin d'honneur
honni Honni soit qui mal y pense.
honorário cônsul honorário
honoris doutor in honoris causa; honoris causa
honra com honra; compromisso de honra; crime contra a honra; cuspir na honra de alguém; dama de honra; É muita honra para um pobre marquês.; em honra de; fazer honra a; gol de honra; guarda de honra; honra e glória; honras supremas (V. "honras fúnebres"); lavar a honra; manchar a honra; palavra de honra; ponto de honra; por honra da firma; Quanta honra para um pobre marquês!; questão de honra; ter a honra de; tocar na honra de; vender a honra; vinho de honra
honras fazer as honras da casa; honras fúnebres; honras militares
honroso(a) menção honrosa
hora a altas horas; a cem por hora; à hora; a horas; a horas mortas; a mil por hora (V. "a mil"); a tempo e a hora; a toda hora; à última hora; a undécima hora; altas horas; amigo certo nas horas incertas; arrepender-se da hora em que nasceu; bater horas; boa hora; chegar a sua hora; chegar em hora errada; chegar o seu dia e sua hora; cheio de nove-horas; contar as horas; dar horas; de hora em hora; de uma hora para outra; Deus lhe dê uma boa hora.; em boa hora; em cima da hora; em má hora; estar mais do que na hora; estar pela hora da morte; fazer hora; fazer hora com; fora de hora; hora amarga; hora cheia; hora civil de Greenwich; hora da boia; hora da morte (V. "hora extrema"); hora da onça beber água; hora da sesta; hora da verdade; hora de tempo universal; hora de verão; hora do aperto; hora do pega pra capar; hora do vamos ver; hora extra; hora extrema; hora H; hora legal; hora local; hora oficial (V. "hora legal"); hora santa; hora universal; horas a fio; horas canônicas; horas de pico; horas e horas; horas mortas; horas perdidas (V. "horas e horas"); horas vagas; Isso/isto são horas?; liturgia das horas; livro das horas; na hora; na hora agá (V. "na hora H"); na hora da onça beber água; na hora do pega pra capar (V. "na hora da onça beber água"); na hora H; na última hora; na undécima hora (V. "na última hora"); passar por um mau quarto de hora (V. "passar por um mau pedaço"); passar um mau quarto de hora; pela hora da morte; por hora; quilômetro por hora; soar a hora; soar a última hora; tarde e a más horas; ter a barriga a dar horas; ter hora certa para tudo; ter horas; ter muitas horas de voo; última hora; uma boa hora; undécima hora; ver a hora de; ver a hora que (V. "ver a hora de"); vinte e quatro horas a fio; *hora do rush*; zero hora
horário sentido anti-horário
horário(a) carga horária; fuso horário; horário de verão; horário nobre; no horário; sentido horário
horinha chegar na horinha
horizonte abrir os horizontes; linha do horizonte; novos horizontes; sem horizontes
horribile horribile dictu
horror dizer horrores; filme de horror; horror ao vácuo; santo horror
horta mandar cabrito vigiar horta
horto horto florestal
hospital baixar ao hospital
hospitalar alta hospitalar
hóstia consagrar a hóstia (o vinho)
hostilidade romper as hostilidades
hot hot dog; hot money
hotel hotel de alta rotatividade; rato de hotel
hour happy hour
house house organ

humanamente humanamente possível (ou impossível)
humano(a) a mais bela metade do gênero humano; amigo do gênero humano (V. "amigo de todo o mundo"); calor humano; esfera dos conhecimentos humanos; esforço sobre-humano; farrapo humano; formigueiro humano; gênero humano; não confundir Zé Germano com gênero humano; natureza humana; o toque humano; recursos humanos; respeito humano; trapo humano (V. "farrapo humano")
humor de mau humor; humor de cão; humor negro; mau humor
hurrah Hip, hip, hurrah!

I

ibope dar ibope
içar içar vela
iceberg ponta do iceberg
id id est
ida de ida; ida e volta; idas e vindas
idade de idade; de meia-idade; estar na flor da idade; flor da idade; idade da pedra; idade da pedra lascada; idade da razão; idade de Cristo; idade de ouro; Idade do Bronze; idade do gelo; idade do lobo/a loba; idade geológica; Idade Média; idade varonil; maior de idade; menor de idade; não poupar sexo nem idade; passar da idade; por força da idade; tenra idade; terceira idade
ideia aferrar-se a uma ideia; alumiar as ideias; associação de ideias; casar as ideias; como der na ideia (V. "como der na cabeça"); comprar a ideia; comungar das mesmas ideias; coroar a ideia (V. "coroar o evento"); curto de ideia; dar ideia de; encasquetar uma ideia; fazer ideia; ideia fervilhante; ideia fixa; ideia luminosa; ideia preconcebida; ideias avançadas; investir numa ideia; mudar de ideia; não ter a mais remota ideia (V. "não ter a menor ideia"); não ter a menor ideia; o pai da ideia; Que ideia!; ruim de ideia; sair da ideia; ter uma ideia; trocar ideias; varrer da ideia; vender a ideia
identidade carteira de identidade; cédula de identidade; identidade visual
identificado objeto voador não identificado (OVNI)
identificador identificador de chamadas
idioma arranhar o latim (um idioma qualquer)
idiomático(a) expressão idiomática
idiota cara de idiota (V. "cara de pamonha"); riso idiota
ídolo ídolo de pés de barro
idológico(a) falsidade ideológica

idoneidade idoneidade financeira; idoneidade moral
ignara plebe ignara
ignorância apelar para a ignorância; apelo à ignorância; crassa ignorância; partir para a ignorância
ignorantiam argumentum ad ignorantiam
igreja barata de igreja; casado na igreja verde; doutor da Igreja; Igreja Católica Apostólica Romana; Igreja Grega; igreja matriz; Igreja militante; Igreja Oriental; Igreja Ortodoxa; Igreja primitiva; príncipe da Igreja; príncipes da Igreja
igrejinha desmanchar a igrejinha
igual de igual a igual (V. "de igual para igual"); de igual para igual; nada igual; não ter igual; por igual; primeiro entre iguais; sem igual; tratar de igual para igual
igualdade com igualdade; em pé de igualdade; Liberdade, igualdade, fraternidade.
ilha ilha de mato
ilharga de ilharga; de mão na ilharga; rir até arrebentar as ilhargas
ilícito(a) enriquecimento ilícito
ilusão ilusão de óptica
ilustração ilustração divina
ilustre ilustre desconhecido
imaculado(a) Imaculada Conceição
imagem imagem de roca
imaginação além da imaginação; dar asas à imaginação; dar tratos à imaginação (V. "dar tratos à bola"); em imaginação; imaginação criadora; nas asas da imaginação; soltar as asas à imaginação; voo da imaginação
imaginário(a) doente imaginário; ente imaginário (V. "ente de razão"); quantidades imaginárias
imaginoso estilo imaginoso
imbecil imbecil convicto; perfeito imbecil
IMC Índice de Massa Corpórea (IMC)
imediato de imediato
imersão batismo de imersão
imitação à imitação de; imitação barata; pálida imitação
immortalitatem ad immortalitatem
imo ab imo corde; ab imo pectore (V. "ab imo corde")
imortalidade imortalidade da alma
imóvel bens imóveis
impacto alto impacto; de alto impacto
ímpar número ímpar; par ou ímpar
impedimento em impedimento; posição de impedimento
imperador imperador do Divino
imperar Divide e impera
imperativo imperativo categórico; imperativo hipotético

imperial alteza real (imperial); príncipe imperial
império Celeste Império; Império Celeste; império de Plutão; Império do Sol Nascente; Santo Império; sob o império de; ter império sobre si mesmo
imperioso(a) necessidade imperiosa
ímpeto de (um) ímpeto
implícito(a) crença implícita; fé implícita; vontade implícita
implume animal bipes implume
impor impor silêncio a
importância arrotar importância; dar importância a; importância vital; ligar importância a
importar ir ao que importa (*V.* "ir ao que interessa"); se não se importa
imposição imposição de mãos
impossibilidade impossibilidade física; impossibilidade moral; impossibilidade relativa
impossível fazer o impossível; humanamente possível (ou impossível); santa das causas impossíveis
imposto leão do Imposto de Renda
impraticável caminho impraticável
imprensa imprensa alternativa; imprensa marrom; liberdade de imprensa; tribuna da imprensa
imprensado dia imprensado
imprensar imprensar contra a parede
impressão a primeira impressão é a que fica; dar a impressão de; impressão digital; primeira impressão
improbus improbus administrator
impróprio(a) dia impróprio; ocasião imprópria; termo impróprio
improviso de improviso
impudico gesto impudico; sorriso impudico
impulso impulso natural
impura linguagem impura
impuro olhar impuro
imundo(a) espírito imundo
imunidade imunidade parlamentar
imunodeficiência HIV = vírus da imunodeficiência humana
in vitro fecundação in vitro
inana começar a inana
inaugural aula inaugural
incapaz incapaz de matar uma mosca
incenso queimar incenso a alguém
incentivo incentivo fiscal
incerto(a) amigo certo nas horas incertas; dar uma incerta
incestuoso(a) filho incestuoso
inchado(a) de cabeça inchada; ficar de cabeça inchada; ficar de venta inchada

inchar inchar as bochechas
incitação incitação ao crime
inclinado(a) plano inclinado
inclinar inclinar-se a
inclusão inclusão digital
inclusive todos, inclusive a mulher dele
incognita terra incognita
incomodar incomodar os ouvidos
incompatibilidade incompatibilidade medicamentosa
inconfidência Inconfidência Mineira
incorreto politicamente incorreto
incruento sacrifício incruento
incubação incubação artificial
incunabulis ab incunabulis
inda inda agora; Se? Ora, se! Se minha avó não tivesse morrido, inda hoje estaria viva.
inde Quid inde?
indébito(a) acumulação indébita; apropriação indébita
independência dia da Independência; Patriarca da Independência
índex dedo índex (*V.* "dedo indicador"); pôr no índex
indiano(a) fila indiana
indicador dedo indicador; indicador (*V.* "dedo indicador")
indicar ao que tudo indica
índice Índice de Massa Corpórea (IMC)
indiferente estar indiferente (com alguém)
índio programa de índio
indireta dar uma indireta
indireta (*subst.*) dar indiretas
indireto(a) (*adj.*) eleição direta (indireta); por vias indiretas; sufrágio direto/indireto (*V.* "voto direto/indireto"); tiro livre indireto; voto direto/indireto
indulgência indulgência plenária
indústria capitão de indústria; de indústria; indústria de base; indústria de ponta; indústria de transformação; indústria sem chaminé
industrial espionagem comercial/industrial; parque industrial; Revolução Industrial
Inês Inês é morta.
infame piada infame
infância jardim de infância; primeira infância; segunda infância
infantil desidratação infantil; parque infantil
infeliz como um infeliz
inferior membro inferior
inferioridade complexo de inferioridade
infernal serpente infernal
inferno até que o inferno congele; botar a alma no inferno; bruxo do inferno; descer

ao inferno; feio como o mapa do inferno (*V.* "feio de meter medo"); fincar as aspas no inferno; inferno em vida; inferno verde; ir para os quintos do inferno; mandar para os quintos do inferno (*V.* "ir para os quintos do inferno"); mandar para os quintos do(s) inferno(s); profundas do inferno; Quero que vá tudo pro inferno!; quintos dos infernos; ser o inferno em vida; ser uma figueira-do-inferno; tição do inferno; Vá para o inferno!
infidelium in partibus infidelium
infiel depositário infiel
infinito ao infinito; mirar o infinito
infinitum ad infinitum
inflação inflação galopante
inflado ego inflado
influência ter influência; tráfico de influência; usar de influência
informação informação privilegiada; por informação oral
informado bem-informado
infra ut infra
inglês/inglesa à inglesa; bilhar inglês; chave-inglesa; molho inglês; para inglês ver; semana inglesa
inglório(a) luta inglória
ingrato(a) bater a alcatra na terra ingrata; caminho ingrato; memória ingrata; trabalho ingrato
inhor inhor não (*V.* "nhor não"); inhor sim (/não); inhor sim (*V.* "nhor sim")
iniciação sacramentos da iniciação cristã
inicial pontapé inicial
início de início; do início ao fim
inimigo inimigo alugado; inimigo jurado; inimigo público número um
initio ab initio ad finem; ab initio
injeção injeção de ânimo
injúria sofrer as injúrias do tempo
inocência dormir o sono da inocência
inocente inocente útil; mentira inocente; mentirinha inocente (*V.* "mentira inocente")
inopino de inopino
inquérito comissão parlamentar de inquérito
INRI INRI
inscrição inscrição rupestre
insígnia insígnias reais
insosso comer insosso e beber salgado
inspirar inspirar cuidados
instância em última instância
instante a cada instante; a qualquer instante (*V.* "a qualquer momento"); a todo instante; em um instante; no mesmo instante; num instante; por instantes; por um instante
instar ad instar

instinto instinto de conservação; instinto gregário; por instinto
institucional ato institucional; investidor institucional
instrumental música instrumental
instrumento homem dos sete instrumentos; instrumento de cordas; instrumentos de assopro (ou sopro); painel de instrumentos; tocar sete instrumentos; voo por instrumentos
íntegra na íntegra
integração integração racial
integral tempo integral
inteiro de corpo inteiro; mundo inteiro; número inteiro; o mundo inteiro
intelectual autor intelectual
inteligência coeficiente de inteligência; inteligência artificial; inteligência de peru novo; quociente de inteligência
inteligente bomba inteligente
intelligam credo ut intelligam
intenção estar com má intenção; fazer algo com a melhor das intenções; por intenção (de); segunda intenção
intensivo(a) centro histórico
inter inter alia; primus inter pares
interessante estado interessante
interessar a quem interessar possa; ir ao que interessa
interesse conflito de interesses
interestelar espaço interestelar
interface interface gráfica
ínterim nesse(/neste) ínterim
interior no interior de; roupa interior (*V.* "roupa branca")
internacional Cruz Vermelha Internacional; formato internacional
internet surfar na internet
interno absorvente interno (*V.* "absorvente higiênico"); Produto Interno Bruto; regimento interno
interpretação interpretação simultânea
intervalo a intervalos; em intervalos; por intervalos
intervenção não intervenção
intestino(a) (*adj.*) guerra intestina
íntimo(a) absorvente íntimo (*V.* "absorvente higiênico"); amigo íntimo; partes íntimas (*V.* "partes pudendas"); roupa íntima; roupas íntimas (*V.* "roupas de baixo"); senso íntimo
intra ab intra; ad intra
intra intramuros
intragável pessoa intragável
intriga intriga da oposição; intriga de bastidores; são intrigas da oposição
intrínseco valor intrínseco
intrometer Não se intrometa! (*V.* "Vá cuidar de sua vida!")

inútil traste inútil
invadir invadir seara alheia
inveja matar de inveja; morder-se de inveja; morrer de inveja
inventar inventar a roda; melhor, só inventando; se não existisse, seria preciso inventar
inventor inventor do pé de moleque
inverno inverno da vida; solstício de verão/inverno
inversão inversão brasileira; inversão térmica
inverso ao inverso
invés ao invés; ao invés de
investidor investidor institucional
investir investir numa ideia; investir numa pessoa (V. "investir numa ideia")
invocat abyssus abyssum invocat
Ipiranga grito do Ipiranga
ípsilon cheio de ípsilons
ipsis ipsis litteris; ipsis verbis
ipso ipso facto
ipsum Nosce te ipsum.
ir deixar-se ir; encher a barriga (V. "encher a pança"); Foi tudo por água abaixo! (V. "Adeus minhas encomendas!"); ir a; ir amolar o boi (V. "ir amolar outro"); ir ao ponto (V. "ir ao que interessa"); ir ao que importa (V. "ir ao que interessa"); ir às falas (V. "chegar às falas"); ir contra a maré (V. "ir contra a corrente"); ir de choldra; ir e vir; ir indo; ir longe demais (V. "ir muito longe"); ir mais longe (V. "ir muito longe"); ir num pé só (V. "ir num pé e voltar no outro"); ir num pulo (V. "ir num pé e voltar no outro"); ir para; ir para a Cacuia (V. "ir para a cucuia"); ir para as cucuias (V. "ir para a cucuia"); ir pras cucuias (V. "ir para a cucuia"); ir pro brejo (V. "ir para o brejo"); ir, mandar ou mandar ir para o(os) caixa-pregos; ir-se como um passarinho; ir-se desta para a melhor; ir-se em névoas; ir-se embora; lá vai coisa (V. "lá vai fumaça"); lá vai pedrada (V. "lá vai fumaça"); não ir com (V. "não ir com a cara de"); não vai dar certo; não vai ficar assim (V. "não fica assim"); Vá procurar sua turma! (V. "Vá cuidar de sua vida!"); Vá ver se está chovendo (V. "Vá ver se estou lá na esquina!"); vai e vem; vai que vai; vai ver; vamos e venhamos; ver que bicho vai dar (V. "ver que bicho dá"); vou indo; vou levando
ira descarregar a ira (ou o furor) sobre alguém (V. "descarregar a cólera sobre alguém")
ira sine ira et studio
irae dies irae

irato ab irato
íris o fim do arco-íris
irmão/irmã alma irmã (V. "alma gêmea"); as nove irmãs; como irmãos; irmã de caridade; irmã paula; irmão adotivo; irmão de opa; irmãos carnais; irmãos colaços; irmãos de armas; irmãos de leite; irmãos de pai; irmãos de sangue; irmãos germanos; irmãos siameses; irmãos uterinos; meia(o)-irmã(o); prima(o)-irmã(o)
ironia ironia do destino
irracional animal irracional
irritadiço(a) *raça irritadiça*
isca comer a isca; comer a isca e cuspir no anzol; comer isca; engolir a isca; engoliu a linha, o anzol, a chumbada e a isca; lançar a isca; morder a isca
isenção isenção de ânimo; isenção fiscal
isolamento cordão de isolamento
isolar isolar a bola
isqueiro pedra de isqueiro
isso/isto É isso aí.; É isso mesmo.; Era só isso que faltava (V. "era só o que faltava!"); ficar por isso mesmo; Isso/isto acontece.; isso/isto e aquilo; Isso/isto é canja!; Isso/isto é fácil de dizer.; Isso/isto é grego (para mim).; Isso/isto é música para os meus ouvidos.; Isso/isto é o de menos; Isso/isto é outra história...; Isso/isto é papo!; isso/isto já é demais!; isso/isto mesmo; isso/isto não diz muito; Isso/isto não é comigo!; Isso/isto não é olho de santo.; Isso/isto não está na cartilha.; Isso/isto não está no gibi.; Isso/isto não me cheira bem.; Isso/isto não tem cura.; isso/isto posto; Isso/isto são horas?; isso/isto são outros quinhentos; isso/isto sim; isso/isto tem dois vv (vês); isto é; lá isso é; não por isso; Não seja por isso!; não ser bem isso; nem por isso; ora isso, ora aquilo; ou isto ou aquilo; Pare com isso!; por isso/isto; por isso/isto que; posto isso/isto; Que diabo é isso?; ser isso aí; Só faltava isso!; Só isso?; suposto isto
item item por item

J

já até já; bananeira que já deu cacho; desde já; isso/isto já é demais!; já agora; já era; já não está mais aqui quem falou; já não ser criança; já não ser sem tempo; já que; já ter dado o que tinha de dar; já vai tarde; já vi esse filme; já vi ontem; já, já; não é pra já; não tão já; nem chegar, já ir embora; Onde já se viu!; para já; pensar que já tivesse visto tudo
jaca bico de jaca; corta-jaca; cortar jaca

jogar

jacaré deixa estar (jacaré, que a lagoa há de secar).; pegar jacaré
jacente estátua jacente
jacet hic jacet
jacta alea jacta est
jacto a jacto (V. "a jato"); de um jacto (V. "de um jato")
jacutinga aí tem jacutinga (V. "Aí tem coisa!"); aqui tem jacutinga
jamais nunca jamais; *jamais entendu*; *jamais vécu*; *jamais vu*
jambo cor de jambo
janambura tempo de janambura (V. "tempo do onça")
janela entrar pela janela; envelope de janela; fechar a janela na cara de alguém; janela 10/40; janela de lançamento; jogar (seu) dinheiro pela janela; jogar dinheiro pela janela (V. "jogar dinheiro fora"); porta e janela; ter anos de janela
janta sobrar que nem jiló na janta
jantar almoçar, jantar e cear; sala de jantar; vender o almoço pra comprar o jantar
japonês/japonesa manga japonesa
jardim anão de jardim; jardim botânico; jardim de infância; jardim público; jardim zoológico
jato a jato; de jato; de um jato; de um só jato (V. "de um só fôlego")
jaz aqui jaz
jazida jazida arqueológica; jazida paleontológica
jeans blue jeans
jeitinho dar um jeitinho (V. "dar um jeito"); jeitinho brasileiro
jeito a jeito; ao jeito de; cair no jeito; com jeito; daquele jeito; dar um jeito; dar um jeito em; dar um jeito no pé; dar um mau jeito no pé/braço/mão (V. "dar um jeito no pé"); de jeito a; de jeito maneira (V. "de jeito nenhum"); de jeito nenhum; de jeito que; de qualquer jeito; de tudo quanto é jeito; de um (só) jeito; de um jeito ou de outro; desculpar o mau jeito; do jeito que o diabo gosta; estar daquele jeito; estar no jeito; falta de jeito; fazer jeito; fazer o jeito; ficar no jeito (V. "estar no jeito"); jeito para; levar jeito para (alguma coisa); mau jeito; não tem outro jeito; não ter jeito; não ver jeito; no jeito; pegar o jeito; pelo jeito; perder o jeito; questão de jeito; sem jeito; sem jeito para nada; ser de jeito; ter jeito; ter jeito para; tomar jeito (V. "tomar juízo"); vir a jeito
jejum estar em jejum; ficar em jejum; quebrar o jejum
Jeová testemunhas de Jeová
jequi botar em (num) jequi
jereba mostrar com quantos pontos se cose um jereba
Jericó trombetas de Jericó
Jesus Ai, Jesus!; mês de Jesus; morrer sem dizer "ai Jesus"
jet jet lag; *jet set*; *jet ski*
jeunesse jeunesse dorée
jiló sobrar que nem jiló na janta
Jó paciência de Jó; pobre como Jó; ter uma paciência de Jó
Joana casa de mãe Joana; cu da mãe joana (V. "cu de mãe joana"); cu de mãe joana
João cruz de São João (V. "cruz de malta"); dar uma de joão sem braço; golpe do joão-sem-braço; joão sem maria; tempo de dom João Charuto (V. "tempo do onça"); um joão-ninguém
João, São ave de São João; Viva São João!
joelho ajuntar joelhos; cair de joelhos (diante de); curvar os joelhos; de joelhos; deixar de joelhos; dobrar os joelhos; tirar água do joelho
jogada (subst.) grande jogada (V. "grande tacada"); matar a jogada; morar na jogada; tirar da jogada
jogado jogado às traças; jogo é jogado, lambari é pescado
jogar bater (jogar) um bolão; conversa de jogar fora; jogar (seu) dinheiro pela janela; jogar a culpa em; jogar a negra; jogar a primeira pedra; jogar a sorte (V. "lançar a sorte"); jogar a toalha; jogar a última carta-da; jogar água fria; jogar água na fervura; jogar areia em; jogar as cristas; jogar com a sorte; jogar com as palavras; jogar com pau de dois bicos; jogar com uma carta a menos; jogar confete; jogar contra a parede; jogar conversa fora; jogar de bandido; jogar de mão; jogar de salto alto; jogar defensivamente (V. "jogar na retranca"); jogar dinheiro fora; jogar dinheiro pela janela (V. "jogar dinheiro fora"); jogar fora; jogar lenha na fogueira; jogar limpo; jogar na baixa; jogar na cara de; jogar na certa; jogar na lama; jogar na retranca; jogar nas costas (de alguém); jogar no time de; jogar o jogo; jogar para a arquibancada; jogar para a plateia; jogar para escanteio; jogar pedra; jogar pedra na cruz; jogar pérolas aos porcos; jogar poeira nos olhos (V. "deitar poeira nos olhos"); jogar poeira nos olhos de alguém; jogar por tabela; jogar por terra; jogar pra burro; jogar purpurina; jogar terra nos olhos (V. "deitar terra nos olhos"); jogar tudo; jogar tudo para o ar; jogar um bolaço; jogar um bolão (V. "jogar um bolaço"); jogar uma bola redonda; jogar uma carta; jogar uma pessoa na fogueira

jogo

(V. "jogar uma pessoa no buraco"); jogar uma pessoa no buraco; jogar verde para colher maduro; jogar-se aos pés (de alguém); jogar-se nos braços de; lançar-se (jogar-se) aos pés de; lançar-se (jogar-se) nos braços de (V. "jogar-se nos braços de"); lançar-se nos braços de; não ser de jogar fora; só não sabe jogar pedra em santo
jogo abrir o jogo; aceitar o jogo; bancar o jogo; cantar o jogo; colocar em jogo; conhecer o jogo de alguém; de muita armação e pouco jogo; duplo jogo; em condições de jogo; endurecer o jogo; entrar em jogo (V. "entrar em cena"); entrar no jogo; entregar o jogo; esconder o jogo; estar em jogo; estourar uma casa de jogos, de tolerância etc.; fazer jogo duplo; fazer o jogo de alguém; fazer o seu jogo; fazer parte do jogo; fora de jogo; jogar o jogo; jogo americano; jogo da velha; jogo da verdade; jogo de azar; jogo de bolsa; jogo de cama; jogo de cintura; jogo de damas; jogo de empurra; jogo de ferramentas; jogo de forças; jogo de palavras; jogo de palitinhos; jogo de prendas; jogo de salão; jogo de vida ou morte; jogo do bicho; jogo duplo; jogo é jogado, lambari é pescado; jogo franco; jogo limpo; jogo proibido; jogo sujo; Jogos Olímpicos; Jogos Paraolímpicos; muita armação e pouco jogo; o jogo acabou; pôr em jogo; pôr fora de jogo; rasgar o jogo; regras do jogo; ter jogo de cintura; ter muita armação e pouco jogo; ter o jogo na mão; virar o jogo
joguete ser joguete de
joia joia da coroa; joia rara; minha joia; tudo joia; uma joia
joie joie de vivre
joint joint venture
joio o joio e o trigo; separar o joio do trigo; trigo sem joio
jornada jornada contínua; jornada de trabalho
jornal banca de jornal; jornal da tela; na primeira página dos jornais
José E agora, José?; o José e a Maria
jovem jovem guarda
Juan dom Juan
juba caçar pulga em juba de leão
jubileu jubileu de diamante; jubileu de ouro; jubileu de prata
Juca chamar o Juca
judaico *dia de Ano-Novo judaico (Rosh Hashaná)*
Judas afogar o Judas; beijo de Judas; cafundó do Judas; calcanhar de Judas; cornimboque do Judas (V. "cornimboque do Diabo"); falso como Judas; ir parar no cafundó do judas; no cu do judas; onde Judas perdeu as botas; pegar para Judas; ser da pele de Judas
judeu judeu errante
judice sub judice
judiciário Poder Judiciário
jugo sacudir o jugo
juiz casar no juiz (V. "casar no cartório"); juiz de fora; juiz de linha; não se pode ser juiz com tais mordomos
juizado juizado de menores
juízo dar volta ao juízo; dente de siso (do juízo); dia do Juízo; dia do Juízo Final (V. "dia do Juízo"); É doido, mas tem juízo.; em seu juízo perfeito; ensaboar o juízo; ganhar juízo; juízo de Salomão; juízo de valor; Juízo Final; Juízo Universal (V. "Juízo Final"); não estar em seu juízo perfeito; perder o juízo; salvo melhor juízo; tomar juízo
julgado(a) passar em julgado
julgar Ele se julga o tal.; julgar pela cara; julgar um livro pela capa
juliano calendário juliano
julieta romeu e julieta
junk junk food
Juno ave de Juno
junta cortar na junta; junta comercial; junta de bois
juntar juntar a trouxa; juntar a vontade com o desejo; juntar as coisas; juntar as trouxas (V. "juntar a trouxa"); juntar os cacos; juntar os trapos; juntar-se a fome com a vontade de comer; não ser capaz de dizer nem três palavras; não ser capaz de juntar nem três palavras (V. "não ser capaz de dizer nem três palavras")
junto(a) (*adj.*) chegar junto; cidade dos pés juntos; ir para a cidade dos pés juntos; junto a; juntos como trança em oito; jurar de pés juntos; negar a pés juntos (V. "negar de pés juntos"); negar de pés juntos; por junto; terra dos pés juntos
Júpiter ave de Júpiter
jurado (*adj.*) inimigo jurado
juramentado escrevente juramentado
juramento estar sob juramento; juramento de Hipócrates; juramento de sangue; sob juramento
jurar jurar de pés juntos; jurar dedo com dedo; jurar falso
jure ex jure; jure et facto
jurídico(a) ordenamento jurídico; pessoa jurídica
juro a juros; juro de mora; juros de mora (V. "juro de mora"); pagar com juros
jus jus agendi; jus divinum; jus eundi; jus sanguinis; jus soli
jus fazer jus a
jusante a jusante

lama

justamente justamente quando
justiça administrar justiça; fazer justiça; fazer justiça pelas próprias mãos
justo(a) de saia justa; justo como boca de bode; justo preço; linha justa; pagar o justo pelo pecador; p-a-pá Santa Justa; saia justa; sono dos justos
juvante Deo juvante

K

kippur Yom Kipur
krishna hare Krishna
kung kung fu
kyrie Kyrie eleison

L

lá Alto lá!; cada um lá se entende; com um olho aqui, outro lá; como lá diz o outro; dar um chega pra lá; de cá para lá; de lá para cá; deixar pra lá; E lá vai pedra.; E olhe lá.; eles lá se entendem (V. "são da mesma panelinha"); estar mais para lá do que para cá; Eu sei lá?; lá de cima; lá isso é; lá na China; lá nas grimpas; Lá se foi tudo quanto Marta fiou.; Lá um dia a casa cai.; lá uma vez perdida; lá vai coisa (V. "lá vai fumaça"); lá vai fumaça; lá vai pedrada (V. "lá vai fumaça"); largar para/pra lá; mais pra cá do que pra lá; mais pra lá (cá); mais pra lá do que pra cá; meio cá, meio lá; meio lá, meio cá; não ir lá das pernas; não ser lá essas coisas (V. "não ser lá grande coisa"); não ser lá grande coisa; não ser lá o (para) que digamos; nem lá, nem cá; para lá; para lá e para cá; por lá; pra lá de; rua do lá vem um; Sabe lá?; sabe-se lá...; Sai pra lá! (V. "Não amola!"); Sei lá!; seja lá como Deus quiser (V. "seja lá como for"); seja lá como for; seja lá o que for (V. "seja lá como for"); seja lá quem for (V. "seja quem for"); toma lá, dá cá; tu cá, tu lá; um pé lá, outro cá; Vá lá!; Vá ver se estou lá na esquina!; Vamos lá!; Veja lá!; Vire a boca pra lá!; *Seja lá que santo for, ora-pro-nóbis.*
lã amanhã o carneiro perdeu a lã; com pés de lã; ir buscar lã e sair tosquiado; lã de cágado; lã de vidro; vir buscar lã e sair tosquiado
lábia ter muita lábia
lábio morder os lábios; tapar os lábios a
labora Ora et labora.
laborar laborar em erro
labore pro labore
laçado(a) olho de vaca laçada
Lácio última flor do Lácio
laço afrouxar o laço (V. "afrouxar a rédea"); cair no laço; cortar os laços; em cima do laço; laços de sangue; pegado a laço; soltar o laço
lacraia ter lacraia nos bolsos
lacrima lacrima Christi
lácteo(a) Via Láctea
lacuna preencher uma lacuna
ladeira de ladeira acima
lado ao lado; ao lado de; atirar pra todos os lados; cercar por todos os lados; cortar pelos dois lados; dar com os quartos de lado; de lado; de lado a lado; de tudo quanto é lado; de um lado para o outro; de um para outro lado; deixar a vergonha de lado; deixar de lado; do lado de; estar ao lado (de alguém); lado a lado; lado animal; lado de montar; lado fraco; mudar de lado; não saber para que lado ir; o lado esquerdo do peito; olhar de lado; outro lado da moeda; pão com manteiga dos dois lados; para que lado o vento soprar; para que lado sopra o vento; pôr a vergonha de lado (V. "deixar a vergonha de lado"); pôr de lado; pôr fogo nos dois lados da vela; pôr o orgulho de lado; por outro lado; pôr para o lado; pôr para um lado (V. "pôr para o lado"); por um lado...; saber de que lado sopra o vento; sorrir de lado; ver as coisas pelo lado bom; ver de que lado sopra o vento; ver o lado bom das coisas; ver para que lado sopra o vento (V. "ver de que lado sopra o vento")
ladrão apanhar como boi ladrão; botar pelo ladrão; com pés de ladrão; ladrão de casaca; ladrão de galinha; os ladrões festejam (fazem a festa); quadrilha de ladrões; sair pelo ladrão
ladrar ladra mais do que morde; ladrar à lua; seu ladrar é pior que sua mordida
ladrilho ladrilho hidráulico
lag jet lag
lagarto cobras e lagartos; dizer cobras e lagartos
lagoa deixa estar (jacaré, que a lagoa há de secar).
lágrima banhar-se em lágrimas; beber as lágrimas de (alguém); chorar lágrimas de sangue; debulhar-se em lágrimas; derramar lágrimas; derreter-se em lágrimas; desatar em lágrimas; desfeito em lágrimas; em lágrimas; enxugar as lágrimas de; lágrima de virgem; lágrima sabeia; lágrimas da aurora; lágrimas de crocodilo; sangue, suor e lágrimas; ter lágrimas na voz; vale de lágrimas (V. "vale de amarguras"); verter lágrimas
laia à laia de; da mesma laia; não ser da mesma laia; não ser de tal laia
lama arrastar na lama; arrastar pela lama (V. "arrastar na lama"); ficar como carra-

lamba

pato na lama; jogar na lama; levantar da lama; mar de lama; sair da lama e cair no atoleiro; ser de lama; tirar da lama; tirar o pé da lama; tirar o pé da lama (do lodo) (*V.* "tirar a vaca do brejo"); trocar ouro por lama; viver na lama
lamba (*subst.*) passar lamba
lambada de uma lambada; pescaria de lambada
lambari jogo é jogado, lambari é pescado
lamber de lamber os beiços (*V.* "de lamber os dedos"); de lamber os dedos; ir lamber sabão; lamber a cria; lamber a poeira; lamber as botas de; lamber as esporas de; lamber as unhas; lamber embira; lamber os beiços (*V.* "lamber os dedos"); lamber os dedos; lamber os pés de; mandar lamber sabão (*V.* "mandar às favas")
lambida (*subst.*) cara lambida
lambido(a) (*adj.*) cabelo lambido
lambujem dar lambujem
lamentação Muro das Lamentações
lâmpada lâmpada de Aladim
lamparina acender a lamparina
lampas levar as lampas a
lampeiro lampeiro e fagueiro
lampião lampião de esquina
lana de lana-caprina; questão de lana-caprina
lança meter uma lança em África; ponta de lança; quebrar lanças por; romper lanças
lançado(a) a sorte foi (está) lançada; os dados estão lançados
lançamento janela de lançamento; rampa de lançamento
lançar lançar à conta de; lançar a isca; lançar à margem; lançar a sorte; lançar água no mar; lançar âncoras; lançar contas; lançar em face; lançar em rosto a; lançar ferros; lançar fogo pelas ventas; lançar fora; lançar luz sobre; lançar mão de; lançar minhas contas (*V.* "lançar suas contas"); lançar o hábito às ervas (*V.* "lançar o hábito às urtigas"); lançar o hábito às urtigas; lançar os dados; lançar poeira aos olhos de; lançar por terra; lançar raízes; lançar suas contas; lançar suspeita sobre; lançar um véu sobre; lançar-se (jogar-se) aos pés de; lançar-se (jogar-se) nos braços de (*V.* "jogar-se nos braços de"); lançar-se nos braços de
lance cobrir um lance; dar um lance; de um lance; em cima do lance; errar o lance; lance de casas; lance de olhos; lance dramático; lance extremo; lance livre; lance por lance
lanço a poucos lanços
land no man's land
lanterna acender a lanterna; ser o lanterna

lanterninha ser o lanterninha (*V.* "ser o lanterna")
lápis de lápis na mão; na ponta do lápis
lapso lapso de linguagem; lapso de memória
lar do lar; sem lar
laranja a pão e laranja
lares lares et penates
larga (*subst.*) à larga; criar na larga; pôr o coração à larga; viver à larga
largada dar a largada; largada abortada; largada anulada; queimar a largada; *grid de largada*
largar É pegar ou largar.; largar a casaca; largar a casca; largar a mão; largar a máscara; largar a rédea; largar de mão; largar do pé; largar mão de; largar o hábito; largar o marido (ou a mulher); largar para/pra lá; não largar do pé de
largas (*subst.*) dar largas a
largo(a) (*adj.*) a passos largos; à rédea larga (*V.* "à rédea solta"); a traços largos; andar de coleira larga; ao largo; ao largo de; banda larga; bitola larga; dar rédea larga a (*V.* "dar rédeas"); de mãos largas; escrivão de pena larga; fazer-se ao largo; passar ao largo; passar de largo; pôr-se ao largo; prometer largo e dar estreito; riscar largo e cortar estreito; ser largo; sorriso largo; ter as costas largas; traçar largo e cortar curto
largura de duas larguras
lascada idade da pedra lascada; Pedra Lascada
lascar de lascar; lascar a mão em; pra lascar
last last but not least
lata abrir a lata; amassar a lata; apertados como sardinhas em lata; catar lata; como sardinhas na lata; dar a lata; desmentir na lata; em lata; fechar a lata; ir catar lata; lata de lixo; lata-velha; levar a lata; mandar catar lata (*V.* "mandar às favas"); meter a mão na lata; na lata
latente vida latente
lateral arremesso lateral; decúbito dorsal, ventral ou lateral; lateral direito; lateral esquerdo
latere a latere
latim arranhar o latim (um idioma qualquer); gastar o seu latim; perder o latim; perder o tempo e o latim
latino(a) alfabeto latino; cruz latina; i latino; nações latinas
latitude alta (baixa) latitude
lato lato sensu; pós-graduação lato sensu
laude summa cum laude
laus laus Deo
lauta à lauta

lavadeira acabar-se como sabão na mão de lavadeira
lavado(a) alma lavada; areia lavada; às mãos lavadas; de alma lavada; de gravata lavada; lavado nas asas da fama (*V.* "voar nas asas da fama"); perder de lavada; rir-se o sujo do mal-lavado
lavagem dar uma lavagem; lavagem a seco; lavagem cerebral; lavagem de dinheiro; levar uma lavagem
lavar de lavar e de durar; lavar a alma; lavar a burra (*V.* "lavar a égua"); lavar a égua; lavar a honra; lavar a seco; lavar as mãos; lavar o coração (*V.* "lavar o peito"); lavar o peito; lavar roupa suja em público; lavar urubu; lavar-se em água de rosas
lavoura salvação da lavoura
lavra (*subst.*) ser da lavra de
lavrar lavrar um tento
law Common Law
Lázaro mal de São Lázaro
LCD lata de lixo
lé cré com cré, lé com lé; lé com lé, cré com cré
leão caçar pulga em juba de leão; coração de leão; dose para leão; entrada de leão e saída de cão (*V.* "entrada de ginete e saída de sendeiro"); fazer a parte do leão; ficar com a parte do leão; fome de leão; leão de chácara; leão de São Marcos; leão de treino; leão do Imposto de Renda; Leão do Norte; leão entre ovelhas; lutar como um leão; parte do leão; ser dose para leão (*V.* "ser dose para elefante")
least last but not least
lebre comer gato por lebre; comprar gato por lebre; engolir gato por lebre; gato por lebre; levantar a lebre; vender gato por lebre
ledo ledo engano
legal hora legal; mês legal
lege ex lege
legião legião de fiéis; legião estrangeira
legis ex autoritate legis; ex vi legis
legislativo(a) assembleia legislativa; Poder Legislativo
legítimo(a) filho legítimo; legítima defesa
légua a léguas de; às léguas; bota de sete léguas; de légua e meia; légua das antigas (*V.* "légua de beiço"); légua de beiço; légua de velho (*V.* "légua de beiço")
lei agente da lei (de polícia); as tábuas da Lei; conflito de leis; de lei; ditar as leis; em nome da lei; fora da lei; força de lei; homem da lei; Lei Afonso Arinos; Lei Áurea; lei básica; lei da natureza; lei da oferta e da procura; lei da rolha; lei da selva; lei de circunstância; lei de exceção; lei de Gérson; lei de meios; lei de Murphy; lei de talião; lei divina; lei do funil; lei do mais forte; lei do menor esforço; lei do silêncio; Lei do Ventre Livre; lei fundamental; lei magna; lei marcial; lei moral; lei natural; lei nova; lei ordinária; lei seca; leis de exceção; longo(s) braço(s) da lei; madeira de lei; nas malhas da lei; o silêncio da lei; ouro de lei; pisar no pé da lei; prata de lei; projeto de lei; sem fé nem lei; sem lei nem grei; sem lei nem rei; sem lei nem rei nem roque (*V.* "sem lei nem rei"); sem lei nem roque (*V.* "sem lei nem rei"); ser ouro de lei; tábuas da Lei; ter força de lei; tomar as leis nas próprias mãos (*V.* "fazer justiça pelas próprias mãos")
leit leit motiv
leite a leite de pato; ama de leite; banco de leite; beber leite de galinha; café com leite; chorar sobre o leite derramado; clamar sobre o leite derramado (*V.* "chorar sobre o leite derramado"); dente de leite; esconder leite; filho de leite; irmãos de leite; leite e mel; leite pingado; mar de leite; Não adianta chorar sobre leite derramado.; não dar nem para o leite das crianças; querer tirar leite de pato; tirar leite de pedra; tirar leite de vaca morta
leiteiro(a) (*adj.*) vaca leiteira
leito guardar o leito; leito de Procusto; leito de rosas; leito do vento; sair do leito
leitura boa leitura; gabinete de leitura; leitura dinâmica
lelé lelé da cuca
lembrado bem lembrado
lembrança mandar lembranças a alguém; ter lembrança de; vaga lembrança
lembrar lembrar-se como se tivesse sido ontem; nem o próprio diabo lembraria; sinto arrepios só de lembrar
leme homem do leme; perder o leme; segurar o leme; ter o leme
lenço Caiu um lenço!; dar nós no lenço; desatar os nós do lenço; sem lenço nem documento
lençol em maus lençóis; estar em maus lençóis; ir para o vale dos lençóis; lençol aquífero (*V.* "lençol freático"); lençol de água; lençol freático; lençol petrolífero; maus lençóis; meter-se em maus lençóis
lenha baixar a lenha em; botar lenha na fogueira (*V.* "botar fogo na fogueira"); deitar lenha na fogueira; descer a lenha; entrar na lenha; jogar lenha na fogueira; levar lenha; meter a lenha em; pôr (colocar) lenha na fogueira; pôr/botar lenha na fogueira (*V.* "deitar lenha na fogueira")
lenho lenho da cruz; Sagrado Lenho; Santo Lenho

lente lente de contato; *festina lente*
lento(a) a fogo lento; a passos lentos; câmara lenta; lento e lento (*V.* "lento, lento"); lento, lento; pano lento
lépido lépido e fagueiro
leque leque de opções
ler escreveu, não leu, o pau comeu; ler a sorte; ler nas entrelinhas; ler nas estrelas; ler no pensamento; ler pela mesma cartilha; ler pelo mesmo breviário (*V.* "ler pela mesma cartilha"); ler por cima; *ler a buena-dicha de*
lerdo lerdo como mula guaxa
Lerna hidra de Lerna
lés de lés a lés
lesar crime de lesa-pátria
lesma andar como lesma (*V.* "andar como tartaruga"); uma lesma
leso liso, leso e louco
letivo ano letivo; dia letivo
letra à letra; ao pé da letra; as cinco letras; até a última letra; chute de letra; com todas as letras; dar de letra; de letra; de letras gordas; É a quarta letra do alfabeto.; em letras de fogo; em letras de ouro (*V.* "em letras de fogo"); em letras de sangue; homem de letras; letra a letra; letra cursiva; letra de mão (*V.* "letra cursiva"); letra de médico; letra de moça; letra morta; letras clássicas; letras garrafais; língua do pê (da letra "p"); não saber que letra é o a; nem uma letra (*V.* "nem um pingo"); primeiras letras; responder ao pé da letra; Sagradas Letras; tirar de letra
letreiro letreiro na testa
léu andar com a cabeça ao léu; ao léu; de léu em léu; dormir ao léu
levadiço(a) ponte levadiça
levado(a) levado da breca; levado da casqueira (*V.* "levado da breca"); levado do diabo; ser levado em conta
levantar abrir a manta e levantar a cesta; baixar sem se levantar com; cair para não se levantar; de levantar defunto; levantar a bandeira; levantar a cabeça; levantar a caça; levantar a crista; levantar a lebre; levantar a luva; levantar a mão contra; levantar a voz; levantar a voz para alguém; levantar acampamento; levantar âncora; levantar as mãos; levantar as mãos ao céu; levantar as mãos aos céus (*V.* "levantar as mãos"); levantar da lama; levantar do pó (*V.* "levantar da lama"); levantar escudos; levantar falso testemunho; levantar ferros; levantar fervura; levantar mão de; levantar o espírito; levantar o estandarte; levantar o estandarte da revolta; levantar o tempo; levantar os olhos ao céu; levantar os olhos de; levantar os olhos para; levantar os ombros; levantar poeira; levantar uma dúvida; levantar uma ponta do véu; levantar voo; levantar-se com as estrelas; levantar-se da mesa; levantar-se das cinzas; não levantar mais a cabeça; não levantar um dedo; não levantar uma palha
levante ponte levante (*V.* "ponte levadiça")
levar bateu, levou; Bons ventos o levem; deixar-se levar; ganhar, mas não levar; ir aonde levam os pés; ir levando; leva e traz; levar (alguém) ao altar; levar à barra do tribunal; levar a bem; levar a bom termo; levar a breca; levar a cabo; levar à cena; levar à conta de; levar a crédito; levar a cruz ao calvário; levar a débito; levar a efeito; levar a fio de espada; levar à frente; levar a lata; levar a mal; levar a mão a; levar a melhor; levar à paciência; levar a palma; levar a palma a; levar à parede; levar a pau; levar a peito; levar a pior; levar à praça; levar a reboque; levar à sepultura; levar a sério; levar a sua adiante; levar a sua avante (*V.* "levar a sua adiante"); levar a termo (*V.* "levar ao fim"); levar a vida na flauta; levar a vida que pediu a Deus; levar adiante; levar alguém pelo nariz; levar ao altar; levar ao fim; levar aos ouvidos de; levar as lampas a; levar avante (*V.* "levar adiante"); levar barriga; levar boa vida; levar bola; levar bomba (*V.* "levar lenha"); levar buçal; levar buçal de couro fresco (*V.* "levar buçal"); levar chumbo; levar com a porta na cara; levar com a tábua no rabo; levar couro e cabelo; levar de birra; levar de cambulhada; levar de vencida; levar Deus para si; levar dianteira; levar em banho-maria; levar em consideração; levar em conta; levar em linha de conta (*V.* "levar em consideração"); levar embora; levar fama sem proveito; levar fé; levar ferro; levar fumo (*V.* "levar chumbo"); levar gosto em; levar jeito para (alguma coisa); levar lenha; levar longe demais; levar manta; levar mensagem a Garcia; levar na brincadeira; levar na cabeça; levar na conversa; levar na flauta; levar nas bitáculas; levar nas costas (*V.* "carregar nas costas"); levar no bico (*V.* "levar na conversa"); levar no cabresto; levar no coco; levar no papo (*V.* "levar na conversa"); levar o diabo; levar pau; levar pelo beiço; levar pelos ares; levar por terra; levar saudades; levar susto; levar tábua; levar tinta; levar tudo a fio de espada; levar tudo a pau; levar um aperto; levar um arrocho; levar um carão; levar um coice; levar um fim; levar um fora; levar um papo; levar um pito; levar um pon-

língua

tapé; levar um puxão de orelhas (V. "levar um pito"); levar um sabão (V. "levar um pito"); levar um susto; levar uma bandeira; levar uma bronca (V. "levar um pito"); levar uma dura; levar uma existência; levar uma lavagem; levar uma rasteira; levar uma soca; levar vantagem; levar vida de cão; levar vida de marajá; levar vida de nababo (V. "levar vida de marajá"); levar vida de rico (V. "levar vida de marajá"); levar-se da breca (V. "levar-se do diabo"); levar-se do diabo; leve o tempo que levar; não levar a mal; não levar a sério; não levar desaforo para casa; Que fim levou?; que leve o diabo; Que o diabo o leve!; Que vantagem Maria leva?; saber levar; Uma coisa leva a outra.; vou levando
leve (adj.) ao de leve (V. "de leve"); armas leves; cabeça leve; de leve; leve como pena; leve como pluma (V. "leve como pena"); livre, leve e solto; mão leve; pegar leve; que a terra lhe seja leve; sono leve; ter mão leve
levezinho de levezinho
lex Dura lex sed lex.
léxico(a) (adj.) análise léxica, lógica, sintática
liberal artes liberais; profissão liberal; profissional liberal
liberar liberar geral
liberdade cerceamento de liberdade /defesa; em liberdade; liberdade de expressão; liberdade de imprensa; liberdade de pensamento; Liberdade, igualdade, fraternidade.; tomar a liberdade de; tomar liberdades
libitum ad libitum
libris ex libris
libro doctus cum libro
liça entrar na liça
lição aprender a lição; dar lição de; dar uma lição a alguém; fazer a lição de casa; lição de moral; servir de lição; tomar a lição
licença com (sua) licença; com licença da palavra; dar licença; licença poética; se o diabo der licença
lies pretty lies
lift face lift
liga Ele é meu liga.
ligação cair a ligação; parente de ligação
ligadão estar ligadão (V. "estar ligado")
ligado(a) de antena ligada; estar de antenas ligadas; estar ligado; ser ligado em; umbilicalmente ligado
ligar estar pouco ligando; ligar importância a; ligar os fatos; ligar os pontos; ligar-se pelo sacramento; não ligar a mínima a; não ligar o desconfiômetro
ligeiro(a) refeição ligeira (V. "refeição rápida")

limão Cara de quem chupou limão (V. "cara de quem comeu e não gostou"); fazer do limão uma limonada
limbo estar no limbo; pôr no limbo
limiar no limiar
limina ad limina
limine a limine; in limine
limite dentro dos limites; fora dos limites; Há limites para tudo.; não conhecer limites; no limite da sobrevivência; no limite extremo; o céu é o limite; passar dos limites; tem limites para tudo (V. "Há limites para tudo.")
limonada fazer do limão uma limonada
limpa (subst.) dar uma limpa; fazer a limpa
limpador limpador de para-brisa
limpar limpar a área; limpar a barra; limpar a garganta; limpar as algibeiras de; limpar as botas de; limpar as mãos à parede; limpar do pó; limpar o nome; limpar o prato; limpar o salão; limpar o terreno; limpar o ventre; limpar os bolsos; poder limpar as mãos à parede
limpo(a) barra-limpa; campo limpo; consciência limpa; de cara limpa; de fonte limpa; de mãos limpas; estar limpo; estar limpo com alguém; fê-la limpa e asseada; ficar limpo; ficha limpa; fonte limpa; jogar limpo; jogo limpo; limpo de mãos; mãos limpas; não ser trigo limpo; negócio limpo; no limpo; passar a limpo; pôr a limpo; pôr em pratos limpos; sair limpo; tirar a limpo; tirar a verdade a limpo
lince olho de lince; olhos de lince; ter olhos de lince
lindo(a) bater a linda plumagem; coisinha linda; linda como os amores; lindo(a) de morrer
line on line
linear consanguinidade colateral/linear
língua abaixador de língua; aguçar a língua; bater com a língua nos dentes; beijo de língua; com a língua coçando; com a língua de fora; com língua de palmo; dar a língua; dar à língua; dar com a língua nos dentes; dar de língua (V. "dar à língua"); desembainhar a língua; desenferrujar a língua; dobrar a língua; dom das línguas; engolir a língua; enrolar a língua; escorregar a língua; estar com a língua coçando; falar em línguas; gastar a língua; língua afiada; língua comprida; língua de fogo; língua de palmo; língua de palmo e meio; língua de papagaio; língua de prata; língua de terra; língua de trapo; língua do pê (da letra "p"); língua materna; língua morta; língua presa; língua solta; língua suja; língua vernácula; língua viperina; língua viva; língua-

linguagem

mãe; línguas de fogo; línguas neolatinas; meter a língua; morder a língua; na ponta da língua; não falar a mesma língua (ou linguagem); não ter freio na língua; não ter papas na língua; O gato comeu sua língua?; pagar com língua de palmo; pagar pela língua; passar a língua; pegar pela língua; perder a língua; pobreza de língua; puxar pela língua de; queimar a língua; riqueza de uma língua; saber na ponta da língua; seco como língua de papagaio; segunda língua; segurar a língua; soltar a língua; solto de língua; soprar a língua; surra de língua; temperar a língua; ter a língua maior que o corpo; ter cócegas na língua; ter comichão na língua; ter debaixo da língua; ter farpas na língua; ter na ponta da língua; ter resposta na ponta da língua (V. "ter resposta para tudo"); tirar a língua; trazer na ponta da língua; trocar de língua (V. "trocar língua"); trocar língua

linguagem adorno de linguagem; lapso de linguagem; linguagem falada; linguagem impura; linguagem pedante; linguagem visual; não falar a mesma língua (ou linguagem); pureza de linguagem

linguiça amarrar cachorro com linguiça; encher linguiça; tempo em que se amarrava cachorro com linguiça

linha amarrar uma linha no dedo; andar na linha; avançar a linha (V. "avançar o sinal"); boi na linha; dar linha; de primeira linha; em linha direta; engoliu a linha, o anzol, a chumbada e a isca; entrar em linha de conta; entrar na linha; estar na linha de fogo; fim de linha; juiz de linha; levar em linha de conta (V. "levar em consideração"); linha aérea; linha burra; linha da vida; linha da/de pobreza; linha de ação; linha de fogo (V. "linha de frente"); linha de frente; linha de fundo; linha de gol (V. "linha de fundo"); linha dianteira; linha do horizonte; linha dura; linha férrea; linha justa; linha média; linha sinistra; linhas gerais; manter a linha; na linha; na linha de frente; passar a linha; perder a linha; por linhas transversais; primeira linha; saber as linhas com que se cose; sair da linha; sem linha; ter linha; tirar o boi da linha; tirar uma linha

linhada tirar uma linhada (V. "tirar uma linha")

liquefeito gás liquefeito de petróleo

liquidar liquidar a fatura; liquidar o assunto (V. "liquidar a fatura")

líquido(a) cristal líquido; líquido e certo; o precioso líquido; peso líquido

lírico(a) cena lírica

liso(a) (adj.) estar liso; liso e sem babado; liso, leso e louco; sair liso (V. "sair limpo")

lista lista de espera; lista negra; lista telefônica; na lista negra; pôr na lista; riscar da minha lista; ser o segundo numa lista de ninguém (V. "ser o segundo entre ninguém")

literário(a) bagagem literária

literatura literatura de ficção

litteram ad litteram

litteratim verbatim ac litteratim

litteris ipsis litteris

liturgia liturgia da missa; liturgia das horas

litúrgico ano litúrgico

livrar livrar a cara; livrar-se das garras de; livrar-se de uma boa; não livrar a cara de

livre à mão livre; amor livre; ao ar livre; ar livre; área de livre comércio; arremesso livre; boca livre; câmbio livre; campo livre; dar livre curso a; de livre e espontânea vontade; desenho à mão livre; Deus me livre; Deus o livre e guarde; estar em queda livre; estar livre (de); feira livre; lance livre; Lei do Ventre Livre; livre como o ar; livre como um pássaro; livre curso; livre e desembaraçado; livre e desimpedido (V. "livre e desembaraçado"); livre, leve e solto; livre-arbítrio; o choro é livre; passe livre; queda livre; tempo livre; tiro livre; tiro livre direto; tiro livre indireto; tradução livre; vão livre; ventre livre; voo livre; zona de livre comércio

livro avaliar um livro pela sua capa; devorar um livro; falar como um livro; julgar um livro pela capa; livro aberto; livro das horas; livro de bolso; livro de ouro; livro de quarenta folhas; livro de tombo; livro de visitas; livro didático; livro dos mortos; livros da Bíblia; Livros do Pentateuco; Livros Históricos; Livros Proféticos; Livros Sapienciais; o bom livro; o povo do Livro (V. "povo da Bíblia"); povo do Livro; ser um livro aberto

lixar estar (pouco) se lixando

lixo lata de lixo; pôr no lixo

loa tecer loas

lobo boca de lobo; boca do lobo; cair na boca do lobo; cair na goela do lobo; comer como um lobo; entre o lobo e o cão; idade do lobo/da loba; lobo do mar; lobo na pele de cordeiro

local cor local; hora local; tempo local; ter cor local

locativo(a) valor locativo

loco in loco; loco citato

locução locução (frase) remendada

lodo arrastar no lodo (V. "arrastar na lama"); meter o pé no lodo (V. "meter o pé

no atoleiro"); tirar o pé da lama (do lodo) (V. "tirar a vaca do brejo"); tirar o pé do lodo (V. "tirar o pé da lama")
lógico(a) análise léxica, lógica, sintática; É lógico!
logo até logo; até logo mais (V. "até logo"); dar um pulo/pulinho logo ali (V. "dar um pulo (a)"); desde logo; logo a seguir; logo abaixo; logo ali; logo cedo; logo e logo (V. "logo, logo"); logo mais; logo que; logo, logo; para logo; tão logo
logro cair no logro
loisa coisas e loisas
loja banho de loja; cadeia de lojas; loja de departamentos; macaco em loja de louça; rede de lojas (V. "cadeia de lojas"); tomar banho de loja
loló cheirinho da loló (cheiro)
lombo cair no lombo de alguém; endurecer o lombo; ter lombo para
lona beijar a lona; estar na lona; estar na última lona; na lona; na última lona
longe ao longe; bem longe; de longe; de longe em longe; enxergar longe; estar longe de; ir longe; ir longe demais (V. "ir muito longe"); ir mais longe (V. "ir muito longe"); ir muito longe; levar longe demais; longe de; longe de mim; longe disso; longe em longe; longe pra diabo; mandar longe; nem de longe; olhar longe; passar longe; ver ao longe; ver de longe; ver longe
longo(a) a longo prazo; ao longo de; de longa data; de longo curso; É uma longa história.; elixir de longa vida; longo(s) braço(s) da lei; longos minutos
lorde viver como um lorde (V. "viver como um rei")
Lorena cruz de Lorena
lorota contador de lorotas; contar lorota; embutir uma lorota
loteria bilhete de loteria; loteria da vida; loteria esportiva
louça Cuidado com a louça que o santo é de barro.; louça sanitária; macaco em loja de louça
louca (subst.) estar com a louca
louco(a) bicha-louca; coisa de louco; como um louco; correr como um louco; dar a louca em; deu a louca em; Estou louco se...; liso, liso e louco; louco da vida; louco manso; louco varrido; medo louco; meio louco; o tempo está louco
louro chamar urubu de meu louro
louros colher os louros; coroa de louros; descansar sobre os louros; dormir sobre louros; merecer os louros (V. "merecer uma medalha"); repousar sobre os louros (V. "descansar sobre os louros")

lousa cousas e lousas
louvar louvar-se em; louvar-se em alguém
louvor com louvor; voto de louvor
lua botar nos chifres da lua; cara de lua cheia; eclipse da Lua; enchente da lua; espanador da Lua; estar de lua; estar no mundo da lua; filho do Sol e neto da Lua; ladrar à lua; lua artificial; lua cheia; lua de mel; lua nova; lua velha; mudança de lua; na lua; nascer com a bunda para a lua; nascer virado para a lua; no mundo da lua; pôr (alguém) nos cornos da Lua; pôr nos chifres da lua (V. "pôr nos cornos da lua"); pôr nos cornos da lua; prometer a Lua (V. "prometer mundos e fundos"); ser de lua; uma vez na lua azul...; vazante da Lua; virado(a) pra Lua; viver no mundo da Lua
lucro o que vier é lucro; participação nos lucros
lufada às lufadas
lugar chorar na cama que é lugar quente; colocar-se no lugar de; conhecer seu lugar; dar lugar; dar lugar a; em lugar de; em primeiro lugar; estar no lugar; estar tudo no lugar; fora do lugar; ir para bom lugar; lugar ao sol; lugar sagrado (V. "lugar santo"); lugar santo; lugar sem volta; mandar para aquele lugar; não conhecer o seu lugar; não esquentar o lugar (V. "não esquentar o banco"); no meio de lugar nenhum; pôr alguém no seu lugar; pôr as coisas em seus lugares; pôr-se no lugar de; pôr-se no seu lugar; ter a cabeça no lugar; ter lugar; ter seu lugar; um lugar ao sol
lume dar a lume; sair a lume; trazer a lume; vir a lume
luminoso(a) anúncio luminoso; ideia luminosa
lunar ciclo lunar; circo lunar
lusco ao lusco-fusco; entre lusco e fusco; entre lusco-fusco (V. "entre lusco e fusco")
luta ir à luta; luta de classes; luta inglória; luta pela vida
lutar abandonar sem lutar; cansar de lutar; lutar até o fim; lutar como um leão; lutar contra moinhos de vento; lutar contra o tempo; lutar pela vida
luto estar de luto; guardar luto; pôr luto; ter luto nas unhas
luva assentar como uma luva; atirar a luva; bofetada com luvas de pelica; cair como uma luva; dar com luva de pelica; escrever com luva branca; levantar a luva; luvas de pelica; mão de ferro em luvas de seda (ou pelica, ou veludo); servir como uma luva
lux fiat lux
luxo cheio de luxos; dar-se ao luxo de; fazer luxo; permitir-se o luxo de; ser luxo; ser um

luxo; um luxo de; um luxo só (*V.* "um luxo de")

luz à luz de; à luz de velas; à luz do dia; abrir os olhos à luz; ao apagar das luzes; banho de luz; chegar para apagar as luzes; claro como a luz; dar a "luz verde"; dar à luz; dar uma luz; em plena luz do dia; enxergar/ver a luz no fim do túnel; fazer (o) corta-luz; fugir a luz dos olhos; lançar luz sobre; luz amarela; luz da fé; luz da vida; luz de Deus; luz no fim do túnel; luz verde; luz vermelha; perder a luz; perder a luz da razão; ponto de luz; quem sair por último apague a luz (*V.* "Quem vier atrás que feche a porta."); sair à luz (*V.* "sair a lume"); século das luzes; ter luzes (a respeito de alguma coisa); Terra da Luz; trazer à luz (*V.* "trazer a lume"); velocidade da luz; vir à luz

M

maca meter na maca
maçã maçã do peito
macabro(a) dança macabra
macaco(a) cada macaco no seu galho; como macaco por banana; dar no macaco; estar com a macaca; ir pentear macacos; macaca de auditório; macaco em loja de louça; macaco velho; Macacos me mordam!; mandar pentear macacos; o macaco é outro; orelha de macaco; passado na tripa do macaco; pegar no rabo da macaca; perguntar se macaco quer banana; Vá pentear macacos!
maçada Que maçada! (*V.* "Que chateação!")
macaquinho ter macaquinhos no sótão
maçarico canelas de maçarico
macarronada macarronada sem queijo
macete Qual é o macete?
machado dois machados nos cabos; machado sem cabo; obra feita a machado
machê papel machê
machina Deus ex machina
macho cabra-macho; cara de mamão-macho
macio no macio
maciota na maciota
maçônico(a) toque maçônico
macrobiótica dieta macrobiótica
mácula cordeiro sem mácula
madalena madalena arrependida
made self-made man
madeira bater na madeira; envelope de madeira; madeira de lei; paletó de madeira; tocar na madeira; vestir o paletó de madeira; vestir o pijama de madeira (*V.* "vestir o paletó de madeira")
madrinha égua madrinha

madrugada pela madrugada afora; Pela madrugada!
madureza curso de madureza; exames de madureza
maduro botar verde para pegar maduro; cair de maduro; jogar verde para colher maduro; mais vermelho que tomate maduro; plantar verde para colher maduro
mãe analfabeto de pai e mãe; casa de mãe Joana; como dizia meu avô/avó/mãe (*V.* "como dizia meu pai"); cu da mãe joana (*V.* "cu de mãe joana"); cu de mãe joana; dia das mães; falar da mãe de; falar na mãe de; ficar com a mãe de São Pedro; filho da mãe (*V.* "filho da puta"); filho único de mãe viúva; língua-mãe; mãe (pai) adotiva(o); mãe (pai) coruja; mãe de aluguel; mãe de Deus; mãe de família; mãe de santo; mãe do Céu; mãe dolorosa; mãe solteira; mãe-pátria; Nossa Mãe; Nossa mãe!; ser uma mãe; ter pai vivo e mãe bulindo; xingar o nome da mãe
magia magia negra
mágica (*subst.*) num passe de mágica; passe de mágica; toque de mágica
mágico(a) (*adj.*) ábaco mágico; fórmula mágica; olho mágico; quadrado mágico; tapete mágico; varinha mágica
magister Magister Artium; Magister dixit.; Magister Doctor
magna aula magna; Carta Magna; lei magna; Magna Carta
magnético(a) cartão magnético
magnificência Vossa Magnificência
mago Reis Magos
mágoa afogar as mágoas; chorar as mágoas
magro(a) ano de vacas magras; magro como bacalhau em porta de venda (*V.* "magro como um espeto"); magro como um espeto; magro como um palito (*V.* "magro como um espeto"); não cair de cavalo magro; vacas magras
maionese nadar na maionese; viajar na maionese
maior a maior; armar o maior barraco; Cão Maior e Cão Menor; com o maior pique; de maior; de marca maior; deu o maior piti; É o maior.; força maior; maior de idade; maior de todos (*V.* "dedo médio"); maior e vacinado; mentir com a maior cara de pau; motivo de força maior; na maior; na maior boa-fé; na maior cara de pau (*V.* "na maior"); no maior corre-corre; o defunto era maior; o maior pentelho; ordens maiores; pagar o maior mico (*V.* "pagar mico"); por força maior; por maior; por maiores êxitos; quinta-feira maior; ser maior e va-

mal

cinado; ser o maior; ter a língua maior que o corpo; ter o olho maior (do) que... (V. "ter olhos maiores que a barriga"); ter o olho maior que a barriga; ter olhos maiores que a barriga; ter os olhos maiores do que a barriga (V. "ter olhos maiores que a barriga"); ter os olhos maiores que... (V. "ter olhos maiores que a barriga")

maioria grande maioria; maioria absoluta; maioria relativa; maioria silenciosa; maioria simples (V. "maioria relativa")

mais a mais; a mais antiga das profissões; a mais bela metade do gênero humano; a mais não poder; a profissão mais antiga do mundo; a verdade, toda a verdade, nada mais que a verdade; afronta faço, se mais não acho; se mais achara, mais tomara; ainda mais; ainda para mais ainda; ainda para mais ajuda; além do mais; antes de mais nada; as mais das vezes; as mais vezes (V. "as mais das vezes"); até logo mais (V. "até logo"); até mais; até mais (ver) (V. "até logo"); até mais não poder; até mais ver; até não poder mais; cada vez mais; comer e chorar por mais; dar mais que chuchu na cerca; de mais; de mais a mais; de ou do mais alto grau (V. "no mais alto grau"); Desde que lhe tirei as peias, nunca mais o vi.; dia mais, dia menos; do mais fundo de (V. "do fundo de"); e mais; É mais fácil que beber água.; É mais fácil um boi voar.; e tudo o mais; estar mais do que na hora; estar mais para lá do que para cá; falar mais alto; falar mais que a boca; Faltava-me mais essa!; fiar mais fino (V. "fiar fino"); gostinho de quero mais (V. "gosto de quero mais"); gosto de quero mais; ir mais longe (V. "ir muito longe"); ir para o chuveiro mais cedo; já não está mais aqui quem falou; ladra mais do que morde; lei do mais forte; logo mais; mais ainda; Mais amor e menos confiança.; mais bem; mais cedo do que se pensa; mais cedo ou mais tarde; mais de mil vezes; mais dia, menos dia; mais difícil do que parece; mais do que bastante; mais e mais; mais essa; mais grande; mais hoje, mais amanhã; mais mal; mais morto do que vivo; mais ou menos; mais pequeno; mais perdido que cego em tiroteio; mais por fora que umbigo de vedete; mais pra cá do que pra lá; mais pra lá (cá); mais pra lá do que pra cá; mais que depressa; mais que muito; mais que tudo; mais realista que o rei; mais tarde; mais velho/a que meu (/minha) avô (/avó); mais vermelho que tomate maduro; nada de mais; nada mais!; nada mais, nada menos; não dar nem mais um passo; não diga mais nada hoje; não é mais besta porque é um só; não faltava mais nada; não levantar mais a cabeça; não mais; Não me faltava mais nada!; não ter a mais remota ideia (V. "não ter a menor ideia"); não ter nada de mais; nem mais nem menos; no mais; no mais alto grau; no mais das vezes; no mais tardar; nunca mais; nunca ter visto (alguém) mais gordo; o buraco é mais embaixo; o mais comum dos mortais; o mais das vezes; o mais possível; o mais tardar; ou eu não me chamo mais...; por a mais b; por mais estranho que pareça (ou que possa parecer) (V. "por estranho que pareça"); por mais que; por pouco mais de nada; por tudo quanto é (mais) santo (sagrado) (V. "por tudo o que é santo"); pouco mais; pouco mais ou menos; provar por a mais b; quanto mais; quanto mais melhor; Que mais?; quer mais claro, ponha-lhe água; querer ser mais pintado do que os outros; reduzir à expressão mais simples; sabe o que mais?; são mais as vozes que as nozes; sem mais; sem mais aquela; sem mais nem menos; sem mais preâmbulos; sem mais quê nem para quê; sem mais tardar; ser mais fácil um burro voar que...; tanto mais quanto; tanto mais que (V. "tanto mais quanto"); ter mais o que fazer; ter mais olhos que barriga; ter uma telha a mais; valer mais; ver quem pode mais

maître coup de maître

maiúsculo abecedário maiúsculo

majorem ad majorem Dei gloriam

mal a mal; acabar mal; achar-se mal; ainda mal; ainda que mal pergunte; ainda que por mal pergunte (V. "ainda que mal pergunte"); andar de mal a pior; árvore da ciência do bem e do mal; bon gré mal gré; cair mal; casa mal-assombrada (V. "casa assombrada"); casa malfalada; cheirar mal / não cheirar bem; cortar o mal pela raiz; dar-se mal; de mal; de mal a pior; Desse mal eu não morro.; dizer mal de; dizer mal de alguém por detrás; do mal, o menor; estar de mal; estar mal de; falar mal; fazer mal; fazer mal a; ficar de mal; ficar mal; ficar mal com; ficar mal na fita; fodido e mal pago; gênio do mal (V. "gênio das trevas"); história malcontada; ir de mal a pior; levar a mal; mais mal; mal das pernas; mal de São Lázaro; mal de saúde; mal e porcamente; Mal haja!; mal por mal; mal sem remédio; mal ter saído dos cueiros (V. "cheirar a cueiros"); mal(es) que vem (vêm) para o bem; menos mal; não faz mal; não fazer mal; não fazer mal a uma mosca; não levar a mal; o mal está feito; o pai do mal; pagar o mal com o bem; pegar mal; pensar bem (mal) de; por

mala

bem ou por mal; por mal; por mal dos pecados; querer mal a; rir-se o sujo do mal-lavado; sair a porca mal capada; sair-se bem ou mal; ser bem (mal) aceito; soar mal; soar mal aos meus ouvidos; tocar de mal; trocar de mal; *Honni soit qui mal y pense.*
mala arrastar a mala; arrastar mala; arrumar as malas; de mala e cuia; fazer a mala; fazer as malas; mala direta; mala sem alça; ser mala; ser mala sem alça (*V.* "ser mala"); trazer na mala; um mala; *ab ovo (usque) ad mala*
malandro passo de urubu malandro; urubu-malandro
malbarato fazer malbarato de si
maldito(a) serpente maldita (*V.* "serpente infernal")
males dos males, o menor; menor dos males
malha cair na malha fina; cota de malha; malha fina; malha rodoviária (ferroviária); malha urbana; nas malhas da lei
malhar malhar em ferro frio; malhar em ferro quente
malho entre o malho e a bigorna
malho (*subst.*) meter o malho em
malícia deitar malícia
maligno(a) espírito maligno (*V.* "espírito imundo")
malo alto e malo
malta cruz de malta
mama criança de mama; de mama
mamãe filhinho/a da mamãe
mamão cara de mamão-macho
mamar dar de mamar à enxada; de mamando a caducando; fora os (anos em) que mamou; mamar em onça; mamar em todas as tetas
mamário(a) aréola mamária
man no man's land; self-made man; the right man in the right place
maná maná do céu
mancada dar uma mancada
mancar não se mancar (*V.* "não se enxergar")
manchar manchar a farda; manchar a honra; manchar a reputação (*V.* "manchar a honra"); manchar as mãos com; manchar as mãos de sangue
mancheia a mancheias; às mancheias
mandaçaia conhecer o rigor da mandaçaia
mandado (*adj.*) bem-mandado; ser mandado a (para) escanteio
mandado (*subst.*) mandado de busca; mandado de segurança; mandado de soltura
mandamento assentar os cinco mandamentos; dez mandamentos; os Dez Mandamentos
mandar como manda o figurino; conforme manda o figurino; ir, mandar ou mandar ir para o(os) caixa-pregos; mandar (alguém) desta para melhor; mandar (alguém) para o diabo; mandar (alguém) para o diabo que o carregue (*V.* "mandar (alguém) para o diabo"); mandar à fava (*V.* "mandar às favas"); mandar ao diabo; mandar às cordas; mandar às favas; mandar bala; mandar bater a outra porta; mandar bater em outra freguesia (*V.* "mandar bater a outra porta"); mandar bem; mandar botar o feijão no fogo; mandar brasa; mandar cabrito vigiar horta; mandar catar coquinhos (*V.* "mandar às favas"); mandar catar lata (*V.* "mandar às favas"); mandar chupar prego (*V.* "mandar às favas"); mandar de Herodes a Pilatos; mandar desta para pior; mandar e desmandar; mandar embora; mandar lamber sabão (*V.* "mandar às favas"); mandar lembranças a alguém; mandar longe; mandar para a outra vida; mandar para aquele lugar; mandar para as cucuias (*V.* "mandar para o beleléu"); mandar para o beleléu; mandar para o chuveiro; mandar para o outro mundo; mandar para os quintos do inferno (*V.* "ir para os quintos do inferno"); mandar para os quintos do(s) inferno(s); mandar passear; mandar pastar; mandar pentear macacos; mandar plantar batatas; mandar pras cucuias; mandar pro diabo; mandar repicar o sino; mandar ver; mandar ver se está na esquina (*V.* "mandar às favas"); mandar voltar para a escola; não mandar para o vigário
mandato sermão do mandato
mandioca covas de mandioca; render que só mandioca de várzeas
mando a mando de; ter mão e mando em
mané ser mané
maneira à maneira de; à sua maneira; boas maneiras; de jeito maneira (*V.* "de jeito nenhum"); de maneira a; de maneira geral; de maneira nenhuma; de maneira que; de maneiras tais; de qualquer maneira (*V.* "de qualquer jeito"); de tal maneira; de toda maneira; de todas as maneiras (*V.* "de toda maneira"); desta maneira; maneira de falar; ter maneiras
manga arregaçar as mangas; botar as mangas de fora; carta na manga; dar mangas a; dar pano para mangas; em mangas de camisa; estar em mangas de camisa; manga de colete; manga japonesa; não ter pano para mangas; pano para mangas; pôr as mangas de fora; ter pano para as mangas (*V.* "ter pano para mangas"); ter pano para mangas; ter uma carta na manga

mão

manguinha botar as manguinhas de fora (V. "botar as mangas de fora"); pôr as manguinhas de fora (V. "pôr as mangas de fora")
manhã a manhã da vida; amanhã de manhã; café da manhã; de manhã; de manhã à noite; de manhã cedo; estrela da manhã; pela manhã
manjado golpe manjado
manjar (*subst.*) manjar dos deuses
mano de mano a mano; mano a mano; sair de mano
manobra campo de manobra; espaço de manobra
mansinho de mansinho
manso (*adj.*) boi manso, aperreado, arremete; corno manso; doido manso; louco manso; manso como um cordeiro; manso de em pelo; no manso; o gado é manso
manso (*adv.*) de manso (V. "de mansinho")
manta abrir a manta e levantar a cesta; levar manta; manta de toucinho; passar a manta em; pintar a manta (V. "pintar e bordar"); tomar uma manta
manteiga boa para cortar manteiga; bom para cortar manteiga; borrar de manteiga; manteiga derretida; manteiga em focinho de cachorro; manteiga em focinho de gato (V. "manteiga em focinho de cachorro"); pão com manteiga; pão com manteiga dos dois lados; passar manteiga em focinho de gato
manter manter a calma; manter a forma; manter a linha; manter a palavra; manter a pose; manter aceso; manter as aparências; manter as distâncias; manter distância; manter vivo; manter-se aceso
manteúdo(a) teúda e manteúda
manto manto da noite; Manto Sagrado; sob o manto da caridade
manu *manu militari*
manual câmbio manual; moeda manual; trabalho manual
mão a mão; à mão; à mão armada; a mão de Deus; à mão livre; à mão-cheia; a quatro mãos; abrir a mão; abrir as mãos; abrir mão; abrir mão de; acabar-se como sabão na mão de lavadeira; acertar a mão; adeus de mão fechada; aguentar a mão; ajudar-se de pés e mãos; andar com as mãos nas algibeiras; andar de mão em mão; andar de mãos nas algibeiras; andar nas mãos de todos; ao alcance das mãos; apanhar alguém com a mão na cumbuca; apertar a mão; aperto de mão; às mãos; às mãos ambas; às mãos lavadas; às mãos-cheias; assentar a mão; atado de pés e mãos; atar as mãos a; baixar a mão em; banhar as mãos no sangue de; bater a mão no peito; bofetada sem mão; botar a mão na consciência; botar a mão no fogo; botar as mãos na cabeça; cair em boas mãos; cair em mãos de; cair na mão; cair nas mãos de; carregar a mão; carrinho de mão; chegar com uma mão atrás e outra na frente (V. "chegar de mãos abanando"); chegar de mãos abanando; coçar-se com a mão do peixe; coisa de primeira mão; com a faca e o queijo nas mãos; com a mão do gato (V. "com mão de gato"); com a mão na consciência; com a mão na massa; com a mão no bolso (V. "com as mãos na algibeira"); com a rédea na mão; com ambas as mãos; com as calças na mão; com as duas mãos; com as mãos abanando; com as mãos atadas; com as mãos estendidas; com as mãos na algibeira; com as mãos na massa (V. "com a mão na massa"); com as rédeas na mão; com mão de ferro; com mão de gato; com mão de mestre; com mão diurna e noturna; com o coração nas mãos; com quatro pedras na mão; com uma mão atrás e outra adiante; come na minha (sua) mão; comer pela mão de; conhecer como a palma da mão; conheço como a palma de minha mão; contar nos dedos da mão; da mão para a boca; dar a mão; dar a mão à palmatória; dar as mãos; dar as mãos à palmatória (V. "dar a mão à palmatória"); dar de mão; dar mão (forte) a; dar o pé e tomar a mão; dar um mau jeito no pé/braço/mão (V. "dar um jeito no pé"); dar uma mão a; dar-se as mãos; de boa mão; de calças na mão; de chapéu na mão; de lápis na mão; de mão a mão; de mão beijada; de mão em mão; de mão na ilharga; de mão-cheia; de mãos abanando; de mãos amarradas (V. "de mãos atadas"); de mãos atadas; de mãos dadas; de mãos largas; de mãos limpas; de mãos postas; de mãos vazias; de pés e mãos atados; de primeira mão; de segunda mão; debaixo de mão; deitar a mão a (em); deixar de mão; deixar na mão; deixar nas mãos de; desabrir mão de; desenho à mão livre; destampar a mão em; dinheiro na mão; do pé para a mão; em (de) primeira mão; em (de) segunda mão; em boas mãos; em mãos; em mãos seguras; emendar a mão; encolher a mão; encurtar a mão; enfiar a mão no bolso; esfregar as mãos de contentamento; estar com a faca e o queijo nas mãos; estar com a mão na massa; estar com a vela na mão; estar com um pepino nas mãos; estar em boas mãos; estar nas mãos de alguém; estender a mão a; falar com o coração nas mãos; fazer a mão; fazer as mãos; fazer com as mãos e desmanchar com os pés; fazer justiça pelas próprias mãos; fazer mão baixa; fazer

mãozinha

mão de gato; feito com mão de mestre (V. "feito por mão de mestre"); feito por mão de mestre; ficar de calças na mão; ficar de queixo na mão; ficar na mão; fora de mão; freio de mão; haver à mão; imposição de mãos; jogar de mão; lançar mão de; largar a mão; largar de mão; largar mão de; lascar a mão em; lavar as mãos; letra de mão (V. "letra cursiva"); levantar a mão contra; levantar as mãos; levantar as mãos ao céu; levantar as mãos aos céus (V. "levantar as mãos"); levantar mão de; levar a mão a; limpar as mãos à parede; limpo de mãos; manchar as mãos com; manchar as mãos de sangue; mão amiga; mão boba; mão de direção; mão de ferro; mão de ferro em luvas de seda (ou pelica, ou veludo); mão de obra; mão de pilão; mão de vaca; mão de veludo; mão dupla; mão leve; mão na roda; mão pesada; mão por baixo, mão por cima; mão por mão; mão única; mão-cheia; mão-furada; Mãos à obra!; Mãos ao alto!; mãos de fada; mãos limpas; mãos postas; meter a mão; meter a mão em; meter a mão em buraco de tatu; meter a mão na cara de (V. "meter a mão em"); meter a mão na lata; meter os pés pelas mãos; meter/pôr a mão em cumbuca; meter/pôr a mão na consciência; meter/pôr a mão no fogo; meter/pôr a(s) mão(s) na massa; meter/pôr mãos à obra; molhar a mão de; molhar a mão de (alguém) (V. "untar as mãos a"); mudar de mãos; na mão; não abrir mão (de); não haver mãos a medir; não saber onde meter as mãos; não saber qual é a sua mão direita; não ter mão de si; não ter mãos a medir; nas mãos de; nem à mão de Deus Padre; nu de mão no bolso; numa volta de mão; passar a mão em; passar a mão na cabeça (de); passar a mão pela cabeça (de) (V. "passar a mão na cabeça (de)"); passar o pé adiante da mão; pedir a mão (de); pegar com a mão na cumbuca (V. "pegar com a boca na botija"); pegar o sol com as mãos; poder contar nos dedos (de uma das mãos); poder limpar as mãos à parede; pôr (botar) as mãos no fogo (por alguém) (V. "pôr a mão no fogo (por alguém)"); pôr a mão em; pôr a mão na consciência; pôr a mão no arado; pôr a mão no fogo (por alguém); pôr a(s) mão(s) na massa; pôr as mãos; pôr as mãos em; por baixo da mão; pôr mãos à obra; pôr nas mãos de; pretender a mão de; puxar o freio de mão; rebentou nas minhas mãos; responder com sete pedras na mão; reverso da mão; sapecar a mão (V. "sapecar o pé"); sentado nas próprias mãos; sentar a mão; ser uma mão na roda; sujar as mãos; taipa de mão; ter a batuta na mão; ter a faca e o queijo nas mãos; ter à mão; ter a mão furada; ter a mão pesada; ter alguém na palma da mão; ter as cartas na mão; ter cabelo na palma da mão; ter debaixo da mão; ter entre as mãos; ter mão; ter mão de pilão; ter mão e mando em; ter mão em; ter mão leve; ter mãos de fada; ter mãos para; ter na mão; ter na palma da mão; ter o jogo na mão; ter pela mão; ter um trunfo nas mãos; ter uma batata quente nas mãos; ter unhas na palma da mão; tirar a sardinha com mão de gato; tirar as castanhas do fogo com mão de gato; tocar a mão em; tomar as leis nas próprias mãos (V. "fazer justiça pelas próprias mãos"); tratar na palma da mão; trazer nas palmas das mãos; troca de mãos; trocar os pés pelas mãos; última mão; untar as mãos a; vir à mão; vir às mãos; vir com as mãos abanando; voltar de mãos abanando (V. "voltar de mãos vazias"); voltar de mãos vazias

mãozinha dar uma mãozinha

mapa feio como o mapa do inferno (V. "feio de meter medo"); mapa da mina; não estar no mapa; riscar do mapa; sair do mapa; sumir do mapa; varrer do mapa

máquina à máquina; casa de máquinas; máquina de fazer dinheiro; ser uma máquina

mar ; ; à beira-mar; baixa-mar (V. "maré baixa (alta)"); braço de mar; de mar a mar; deitar carga ao mar; fazer-se ao mar; fralda do mar; gigante dos mares; homem de tono e tombo; lobo do mar; mar de lama; mar de leite; mar de rosas; nadar em mar de rosas; nem tanto ao mar nem tanto à terra; O mar não está para (pra) peixe!; pleno mar; por mar; sete mares

marajá levar vida de marajá; rico como um marajá (V. "rico como Creso")

maravalho não ter talho nem maravalho

maravilha às mil maravilhas; as sete maravilhas do mundo antigo; dizer maravilhas de; fazer maravilhas; novas sete maravilhas do mundo; oitava maravilha; oitava maravilha do mundo; sete maravilhas do mundo antigo

maravilhosamente maravilhosamente bem

maravilhoso(a) Cidade Maravilhosa

marca de marca; de marca maior; deixar sua marca em; marca barbante; marca de Caim; marca registrada; marca roscofe; marcas viárias; na marca do pênalti; passar das marcas

marcação estar de marcação com; marcação cerrada; ter marcação com (V. "estar de marcação com")

marcado(a) cartas marcadas; homem marcado

marcar marcar a ferro; marcar bobeira; marcar data; marcar época; marcar passo; marcar presença; marcar sob pressão; marcar touca; marcar um tento
marcha a marcha da apuração; abrir a marcha; caixa de marchas; em marcha forçada; em quarta marcha; marcha a ré; marcha forçada; marcha fúnebre; marcha militar; pôr-se em marcha
marchar marchar com os cobres
marcial banda marcial; corte marcial; lei marcial
março águas de março
Marcos leão de São Marcos
maré ao sabor da maré; aproveitar a maré (V. "aproveitar a brecha"); contra a maré (V. "contra a corrente"); enchente da maré; estar de maré; fluxo da maré; ir contra a maré (V. "ir contra a corrente"); ir contra o vento e contra a maré; maré baixa (alta); maré cheia (V. "maré baixa (alta)"); maré de sorte; maré vazia (V. "maré baixa (alta)"); minguante da maré; nadar contra a maré (V. "nadar contra a corrente"); refluxo da maré; remar contra a maré; vazante da maré; virada da maré
marechal Marechal de Ferro; Terra dos Marechais
marfim deixar correr o marfim; meter-se em torre de marfim; porta de marfim; torre de marfim
margem à margem de; dar margem a; deixar à margem; lançar à margem; margem de erro; margem de segurança
Maria ao toque das ave-marias; às ave-marias; cozinhar em banho-maria; dona Maria; filha de Maria; joão sem maria; levar em banho-maria; maria vai com as outras; mês de Maria; o José e a Maria; Que vantagem Maria leva?
marido largar o marido (ou a mulher); marido corneado; marido de professora; pôr os cornos (no marido); procurar marido
marimbondo bulir em casa de marimbondo; cuspir marimbondo; mexer em casa de marimbondo
marinheiro marinheiro de primeira viagem
marítimo(a) alfândega marítima; cruzeiro marítimo
mark trade mark
market open market
marmita Estou ou não estou aí nessa marmita?
mármore de mármore; frio como mármore
maroto olhar maroto
marquês É muita honra para um pobre marquês.; Quanta honra para um pobre marquês!

marra na marra
marreco calça pega-frango (pega-marreco) (V. "calças de pegar frango")
marreta entrar na marreta; meter a marreta
marrom anã branca (vermelha, negra, marrom); imprensa marrom
Marta Lá se foi tudo quanto Marta fiou.
martelar martelar nos ouvidos de alguém
martelo a martelo; ao correr do martelo; bater o martelo; entre a bigorna e o martelo; entre o martelo e a bigorna; vender ao correr do martelo
mártir fazer-se mártir
mascar goma de mascar; mascar as palavras
máscara arrancar a máscara; baile de máscaras (V. "baile a fantasia"); cair a máscara; deixar cair a máscara; largar a máscara; tirar a máscara (de alguém); tire a máscara (V. "Desça o pano.")
mascavado açúcar mascavado (V. "açúcar mascavo")
mascavo açúcar mascavo
massa com a mão na massa; com as mãos na massa (V. "com a mão na massa"); comunicação de massa; cultura de massa; curador de massas falidas; em massa; estar com a mão na massa; Índice de Massa Corpórea (IMC); massa cinzenta; massa podre; meter/pôr a(s) mão(s) na massa; pôr a(s) mão(s) na massa; produção em massa
massagear massagear o ego
mastigadinho dar mastigadinho
mastigar mastigar o freio; mastigar uma resposta (ou um assunto)
mata mata virgem
matado(a) morrer de morte matada; morte matada
matar acabar de matar; bicho de matar com pedra; com uma só cajadada, matar dois coelhos (V. "matar dois coelhos com uma só cajadada"); de matar; de uma cajadada, matar dois coelhos; É de matar! (V. "de matar"); incapaz de matar uma mosca; mata-piolho (V. "dedo polegar"); matar a charada; matar a cobra e mostrar o pau; matar a curiosidade; matar a fome; matar a fome de; matar a galinha dos ovos de ouro; matar a jogada; matar a pau; matar a sangue-frio; matar a sede; matar aula; matar cachorro a grito; matar de amores; matar de inveja; matar defunto; matar dois coelhos com uma só cajadada; matar no peito; matar o bicho; matar o primeiro que me aparecer na frente (V. "atirar no primeiro que me aparecer na frente"); matar o problema;

matar o sono; matar o tempo; se vontade matasse; ser um mata-borrão
mate aquentar água para o mate dos outros; dar xeque-mate em alguém; esquentar água para o mate dos outros; mate-chimarrão
mater alma mater; Stabat Mater
matéria em matéria de; entrar na matéria
material material refratário; material rodante
maternidade Vossa Maternidade
materno(a) abafo materno; desde o ventre materno; língua materna
Mateus Mateus, primeiro aos teus.
matinada sem bulha nem matinada
mato bater mato; bicho do mato; botar no mato; cair no mato; Deste mato não sai coelho.; estar no mato sem cachorro; estar num mato sem cachorro (V. "estar no mato sem cachorro"); estar/ficar num mato sem cachorro; ficar no mato sem cachorro; ficar num mato sem cachorro (V. "ficar no mato sem cachorro"); ganhar o mato; ilha de mato; ir ao mato; ir pro (para o) mato; mato grosso; no mato sem cachorro; num mato sem cachorro (V. "no mato sem cachorro"); ser mato; ser um bicho do mato
matraca falar como uma matraca; fechar a matraca
matreiro sorriso matreiro
matrimonial enlace matrimonial
matrimônio consumação do matrimônio
matriz igreja matriz; matriz e filial
matroca à matroca; ir à matroca
matutino(a) estrela matutina (V. "estrela da manhã")
mau/má abstrair-se de más companhias; anjo mau; ave de mau agouro; brincadeira de mau gosto; dar má nota; dar um mau jeito no pé/braço/mão (V. "dar um jeito no pé"); dar um mau passo; de bom ou de mau grado; de má mente; de má natureza; de má raça; de má sombra; de má vontade; de má-fé; de mau gosto; de mau grado; de mau humor; de maus bofes; de maus fígados; desculpa de mau pagador; desculpar o mau jeito; Desculpe a má palavra!; em má hora; em má situação; em mau estado; em maus lençóis; estar com má intenção; estar em más circunstâncias; estar em mau estado; estar em maus lençóis; fazer má figura; homem de maus-bofes; má cor; má estrela; má fama; má nota; má política; má sorte; má vida; má vontade; má-fé; má-pinta; más falas; mau caminho; mau cheiro; mau elemento; mau gosto; mau humor; mau jeito; mau passo; mau pedaço; mau perdedor; mau sinal; mau sucesso; mau-olhado; maus bocados; maus fígados; maus lençóis; meter-se em maus lençóis; mostrar boa ou má cara; mulher de má nota (V. "mulher à toa"); nada mau!; passar por (um) mau(s) bocado(s) (V. "passar por um mau pedaço"); passar por um mau pedaço; passar por um mau quarto de hora (V. "passar por um mau pedaço"); passar um mau quarto de hora; pedaço de mau caminho; piada de mau gosto; tarde e a más horas; ter má cor; ter maus bofes; ter maus fígados; tirar mau-olhado; um pedaço de mau caminho; usar de má-fé
máximo(a) dar o máximo; É o máximo!; falta máxima; no máximo; penalidade máxima; teto máximo
mé não fez nem "mu" nem "mé"
mea fazer mea-culpa
mea mea culpa
meada achar o fio da meada; desfiar a meada; fio da meada; perder o fio da meada; reatar o fio da meada (V. "reatar o fio da conversa"); retomar o fio da meada
meca andar de ceca em meca; andar por ceca e meca; ceca e meca; correr ceca e meca; de ceca em meca; Por ceca e meca (V. "de ceca em meca")
mecha aguentar a mecha
mecum vade-mécum
medalha avesso da medalha; considerar o reverso da medalha; medalha de ouro; merecer uma medalha; reverso da medalha
média (*subst.*) abaixo da média; em média; fazer média
medicamentoso(a) incompatibilidade medicamentosa
médico(a) brincar de médico; clínica médica; ética médica; letra de médico; residência médica; visita de médico
medida à medida de; à medida que; além da medida; com meias medidas; de peso e medida; dois pesos e duas medidas; em certa medida; em determinada medida (V. "em certa medida"); em que medida; encher as medidas; feito sob medida; homem de conta, peso e medida; medida cautelar; medida extrema; medida provisória; meias medidas; na medida; na medida do possível; na medida em que; não ser de meias medidas; não ter meia(s) medida(s); passar das medidas; por medida de; sem conta, nem peso, nem medida; sem medida; sem peso nem medida; sob medida; tomar medida(s); um peso, duas medidas
médio(a) (*adj.*) classe média; dedo médio; Idade Média; linha média; médio direito (esquerdo); Oriente Médio
mediocritas aurea mediocritas
medir medir (alguém) de alto a baixo; medir as palavras; medir chão; medir com o

olhar; medir o tempo; medir os passos; medir pela mesma bitola; medir pela sua bitola; medir rua; não haver mãos a medir; não medir as palavras; não medir esforços; não ter mãos a medir
medo borrar-se de medo (*V.* "borrar as calças"); branco de medo; feio de meter medo; medo louco; meter medo a; morrer de medo; não ter medo de cara feia; não ter medo de caretas (*V.* "não ter medo de cara feia"); pelar-se de medo; sem medo e sem censura; ter medo da própria sombra; ter muito medo e pouca vergonha; ter um medo que se pela
medula até a medula; até a medula dos ossos
meia-luz à meia-luz
meia-pataca de meia-pataca
meio (*subst.*) meia ciência; meia verdade; meia(o)-irmã(o); meia-confecção; meias medidas; meias palavras; meia-volta; meio alto; meio ambiente; meio cá, meio lá; meio circulante; meio de vida; meio do mundo; meio lá, meio cá; meio louco
meio(a) (*num./adj.*) a meia distância; a meia-voz; a meio caminho; a meio pau; bandeira a meio-pau; bem no meio; chá da meia-noite; com meias medidas; conhecer meio mundo; dar meia-volta; de légua e meia; de meia; de meia-estação; de meia-idade; de meia-tigela; deixar em meio; em meio; em meio a; embolar o meio de campo; encontrei meia dúzia de gatos-pingados; entre seis e meia dúzia; escolher entre seis e meia dúzia; estar de bandeira a meio-pau; estar entre seis e meia dúzia; fazer meia-volta; língua de palmo e meio; meia dúzia; meia dúzia de gatos-pingados; meia dúzia de um e seis do outro; meia porção; meio a meio; meio caminho andado; meio mundo; meio pancada (*V.* "meio louco"); meio-dia e meia; morar parede-meia com; não ser de meias medidas; não ter mas nem meio mas; não ter meia(s) medida(s); nem mas nem meio mas; nem meio; nesse(/neste) meio-tempo; no meio de; no meio de lugar nenhum; paredes-meias; pedra no meio do caminho; pelo meio; por meio de; por tuta e meia; ser do meio; terra do sol da meia-noite; trocar seis por meia dúzia; tuta e meia; ver estrelas ao meio-dia (*V.* "ver estrelas"); volta e meia
meios lei de meios; meios de comunicação; por meios e modos; ter meios
meio-tijolo de meio-tijolo
mel cair a sopa no mel; cair como sopa no mel; dez réis de mel coado; doce como o mel; ficar sem mel nem cabaça; leite e mel; lua de mel; muita abelha e pouco mel; perder o mel e a cabaça; por dez réis de mel coado; pôr mel em boca de asno; sopa no mel; tirar o mel da boca de
melão cabeça de melão
melhor dar o melhor de si; de melhor mente; do bom e do melhor; embarcar deste mundo para um melhor; embarcar/ir desta para a melhor (*V.* "embarcar deste mundo para um melhor"); fazer algo com a melhor das intenções; fazer melhor se; ir desta para melhor; ir no melhor dos mundos; ir-se desta para a melhor; levar a melhor; mandar (alguém) desta para melhor; melhor amigo do homem; melhor de três; melhor do melhor; melhor do que; melhor, só inventando; melhores dias; minha melhor metade; no melhor da festa; o melhor da estória (história); o melhor de si; o melhor dos mundos; ou melhor; para o melhor ou para o pior (*V.* "para o que der e vier"); passar desta vida para melhor; quanto antes melhor; quanto mais melhor; quanto pior melhor; salvo melhor juízo; se bem o disse, melhor o fez; ser ainda melhor; tanto melhor
melhorar melhorar a fachada; melhorar o visual (*V.* "melhorar a fachada"); se melhorar, estraga
melhoria contribuição de melhoria
melódia dar-se a melódia
membro dor do membro fantasma; membro inferior
même quand même; rempli de soi-même
memento memento mori
memória até onde a memória alcança; de memória; em memória de; enferrujar-se a memória; gravar na memória; lapso de memória; memória curta; memória de elefante; memória de galinha (*V.* "memória curta"); memória de gato (*V.* "memória curta"); memória fotográfica; memória fraca (*V.* "memória curta"); memória ingrata; memória nacional; memória vaga (*V.* "memória curta"); perder a memória; puxar pela memória; refrescar a memória; sair da memória (*V.* "sair da ideia"); se a memória não me falha; se não me falha a memória (*V.* "se a memória não me falha"); se não me falha a memória...; ter de memória; ter na memória; tesouros da memória; trazer à memória; tropeços da memória
memorial memorial do Senhor
memoriam ad perpetuam rei memoriam; in memoriam
ménage ménage à trois
menção digno de menção; fazer menção de; menção honrosa

menino(a)

menino(a) história para menino dormir (*V.* "história para (pra) boi dormir"); menina de cinco olhos; menina do olho; menina dos olhos; menino de rua; menino/a de ouro; menino/a de peito; menino-prodígio; pobre menina rica

menor (*adj.*) a menor; Cão Maior e Cão Menor; de menor; do mal, o menor; dos males, o menor; em trajes menores; estar em roupas menores; estar em trajes menores (*V.* "estar em roupas menores"); frade menor; lei do menor esforço; menor de idade; menor dos males; não ter a menor ideia; ordens menores; trajes menores

menor (*subst.*) juizado de menores

menos a menos; a menos que; ao menos; de menos; deixar por menos; dia mais, dia menos; em menos de; em menos de um amém; isso/isto é o de menos; jogar com uma carta a menos; Mais amor e menos confiança.; mais dia, menos dia; mais ou menos; menos mal; menos que nada; menos que nunca; nada mais, nada menos; não fazer por menos; não menos; não ser para menos; nem ao menos; nem mais nem menos; ninguém menos que; o de menos; o menos possível; pelo menos; pouco mais ou menos; quando menos; quando menos se espera; sem mais nem menos; ter um parafuso a menos; ter uma aduela a menos (*V.* "ter um parafuso a menos")

mens mens sana in corpore sano

mensageiro(a) mensageiro do apocalipse

mensagem levar mensagem a Garcia; mensagem a Garcia

menstrual ciclo menstrual

mensuram ad mensuram

mental alienação mental; anorexia mental; atrasado mental; confusão mental; débil mental; embotamento mental; higiene mental; retardo mental

mente corpo são e mente sã; de boa mente; de má mente; de melhor mente; mente suja; ter a mente aberta; ter algo em mente; ter em mente; trazer em mente

mentir aqui está fulano que não me deixa mentir sozinho; mentir com a maior cara de pau; mentir com todos os dentes que tem na boca; mentir pela gorja

mentira de mentira; detector de mentiras; mentira de grosso calibre; mentira de rabo e cabeça; mentira descabelada; mentira deslavada (*V.* "mentira descabelada"); mentira inocente; o pai da mentira; vestir a mentira

mentirinha de mentirinha; mentirinha (*V.* "mentira inocente"); mentirinha inocente (*V.* "mentira inocente"); uma mentirinha

mentiroso conta de mentiroso

mentis non compos mentis

menu barra de menu

mercado mercado comum; mercado de balcão; mercado negro; pesquisa de mercado; reserva de mercado

mercador fazer ouvidos de mercador; ouvidos de mercador

mercadoria bolsa de mercadorias

mercantil espírito mercantil

mercê à mercê de; mercê de; mercê de Deus; mercê de graças a; pôr-se à mercê; vossa mercê

merda cheio de merda; de merda; fazer merda; merda pra você; monte de merda

merecer bem-merecer; fazer por merecer; merecer os louros (*V.* "merecer uma medalha"); merecer uma medalha; não merecer o pão que come; ter o que merece

mergulho mergulho subaquático; mergulho submarino

meridiano(a) clareza meridiana; meridiana clareza; meridiano de data

meridiem *ante meridiem*; *post meridiem*

mês ao mês; de mês em mês; mês corrente; mês das noivas; mês de Jesus; mês de Maria; mês de Sant'Ana; mês do Rosário; mês legal; mês solar

mesa à mesa; boa mesa; botar a mesa; botar as cartas na mesa; cama e mesa; caminho de mesa; cartas na mesa; dar um murro na mesa; debaixo da mesa; futebol de botão (mesa); levantar-se da mesa; mesa do pé de galo; mesa franca; mesa-redonda; pôr a mesa; pôr as cartas na mesa; por baixo da mesa (*V.* "por baixo do pano"); por debaixo da mesa; pôr na mesa; pôr-se à mesa; ter cama e mesa; tirar a mesa; virar a mesa

mesmo(a) a mesma e velha história; a si mesmo; agora mesmo; agorinha mesmo; ao mesmo passo; ao mesmo tempo; assim mesmo; até mesmo; bater na mesma tecla; beber pelo mesmo copo; botar (colocar) no mesmo saco; calçar pelo mesmo pé; cantar a mesma cantiga; cantar sempre a mesma cantiga; chupar cana e assobiar ao mesmo tempo; colocar todos os ovos na mesma cesta; comer da mesma gamela; comer no mesmo cocho; comer no mesmo prato (*V.* "comer no mesmo cocho"); comungar das mesmas ideias; Conhece-te a ti mesmo.; da mesma estirpe (*V.* "da mesma laia"); da mesma forma; da mesma laia; dar na mesma; dar no mesmo (*V.* "dar na mesma"); de si para consigo mesmo; deixação de si mesmo; do mesmo barro; do mesmo modo; é bater na mesma tecla (*V.* "É sempre a mesma cantilena."); é cantar sempre a mesma cantiga (*V.* "É sempre a mesma cantilena."); É isso mesmo.; É mesmo?; É sempre a mesma cantilena.; é sempre a mesma história (*V.* "É relativo."); Estamos no mesmo barco.; estar no mesmo barco; falar consigo mesmo; falar para si mesmo; farinha do mesmo saco; fazer-se por si mesmo; feito na mesma forma (ô); ficar com a mesma cara; ficar na mesma; ficar por isso mesmo; ir pelo mesmo caminho; isso/isto mesmo; ler pela mesma cartilha; ler pelo mesmo breviário (*V.* "ler pela mesma cartilha"); medir pela mesma bitola; mesmo assim; mesmo quando; mesmo que; meter/pôr no mesmo saco; na mesma toada; não falar a mesma língua (ou linguagem); não mesmo; não respirar o mesmo ar que alguém; não ser da mesma laia; navegar nas mesmas águas; nem mesmo; no mesmo ato; no mesmo barco; no mesmo instante; no mesmo nível; no mesmo pé; o mesmo de sempre; o mesmo que; pagar com a mesma moeda; pagar com a mesma moeda. (*V.* "pagar na mesma moeda"); pagar na mesma moeda; pôr na mesma panela; por si mesmo; quase o mesmo; respirar o mesmo ar; retalho da mesma peça; rezar pela mesma cartilha; rezar pelo mesmo breviário (*V.* "rezar pela mesma cartilha"); são da mesma panelinha; ser o mesmo; ser retalho da mesma peça; ser vinho da mesma pipa; sob o mesmo teto; ter império sobre si mesmo; tocar na mesma corda; vinho da mesma pipa (*V.* "do mesmo barro"); vir a ser a mesma coisa

messe senhor da Messe

messias esperar pelo Messias

mestre(a) chave mestra; com mão de mestre; dar uma de gato mestre; de mestre; espigão mestre; feito com mão de mestre (*V.* "feito por mão de mestre"); feito por mão de mestre; gato mestre; golpe de mestre; mestre de cerimônias; mestre de obras; mestre em; meter-se a gato mestre; o mestre disse

meta tiro de meta

metade a mais bela metade do gênero humano; cara-metade; fazer as coisas pela(s) metade(s); minha cara-metade; minha melhor metade; não saber da missa a metade; pelas metades

metal metal sonante; o rei dos metais; o vil metal; rei dos metais; vil metal

meteórico(a) ascensão meteórica

meteoro como um meteoro (*V.* "como um raio")

meteorológico(a) estação meteorológica

meter feio de meter medo; meter a boca; meter a cabeça; meter a cara; meter a colher; meter a colher torta; meter a espada na bainha; meter a faca em; meter a ferros; meter a foice em seara alheia; meter a lenha em; meter a língua; meter a mão; meter a mão em; meter a mão em buraco de tatu; meter a mão na cara de (*V.* "meter a mão em"); meter a mão na lata; meter a marreta; meter a pata; meter a ripa em; meter a taca em (*V.* "meter a ripa em"); meter a tesoura em (*V.* "meter a ripa em"); meter a unha; meter bala (*V.* "mandar bala"); meter bronca; meter conversa; meter em brios; meter em ferro; meter ficha; meter medo a; meter na cabeça; meter na cabeça de; meter na chave; meter na dança; meter na embira; meter na maca; meter na roda (*V.* "meter na dança"); meter no chinelo; meter no coração; meter no fundo; meter o bedelho em; meter o bico; meter o braço (*V.* "sentar o pau"); meter o braço em; meter o chinelo; meter o dedo; meter o focinho; meter o malho em; meter o nariz em; meter o nariz onde não é chamado; meter o pau; meter o pau em; meter o pau nos cobres; meter o pé em; meter o pé no atoleiro; meter o pé no estribo; meter o pé no lodo (*V.* "meter o pé no atoleiro"); meter o pé no mundo; meter os dedos; meter os dedos pelos olhos; meter os peitos; meter os pés em; meter os pés pelas mãos; meter os tampos; meter pelos olhos adentro; meter uma bucha; meter uma lança em África; meter/enfiar o pé na tábua; meter/enfiar uma rolha na boca de; meter/pôr a mão em cumbuca; meter/pôr a mão na consciência; meter/pôr a mão no fogo; meter/pôr a pique; meter/pôr a viola no saco; meter/pôr a(s) mão(s) na massa; meter/pôr atrás das grades; meter/pôr mãos à obra; meter/pôr no mesmo saco; meter/pôr numa redoma; meter/pôr o rabo entre as pernas; meter-se a fogueteiro; meter-se a gato mestre; meter-se a sebo; meter-se com a sua vida; meter-se com o que é seu (*V.* "meter-se com a sua vida"); meter-se consigo; meter-se em altas cavalarias; meter-se em apuros; meter-se em boa; meter-se em camisa de onze varas; meter-se em casa; meter-se em maus lençóis; meter-se em torre de marfim; meter-se entre quatro paredes; meter-se na concha; meter-se onde não é chamado; meter-se terra adentro; não saber onde meter a cara; não saber onde meter as mãos

metido(a) metido a sebo (besta/sabichão) (*V.* "metido(a) a"); metido com (/em); metido(a) a

método sem método

metralhadora ninho de metralhadora

métrico(a) arroba métrica; bitola métrica

metro metro cúbico; metro quadrado

metropolitano(a) região metropolitana
meu a meu (seu) talante; a meu pesar; a meu ver; acabou-se o meu/teu/seu gás; atravessar no meu caminho; bumba meu boi; carne e sangue meus; chamar urubu de meu louro; como dizia meu avô/avó/mãe (V. "como dizia meu pai"); como dizia meu pai; corto o meu pescoço se...; dar o meu (seu) (nosso) sangue; dos meus pecados (V. "dos pecados"); Dou meu braço direito por...; Dou-lhe os meus emboras.; Ele é meu liga.; Elementar, (meu) caro Watson.; Esse filho não é meu!; estragou o meu dia; filho de meu pai; Isso/isto é música para os meus ouvidos.; mais velho/a que meu (/minha) avô (/avó); meu algum; meu amigo; meu bem; meu bichinho; meu bico; meu chapa; meu dedo mindinho me contou; Meu Deus do Céu! (V. "meu Deus!"); meu Deus!; meu filho; meu negro; meu velho; muito meu; música para meus ouvidos; não é do meu feitio; não é o meu (dele) dia; não faz meu gênero; não ser para o seu (ou meu) beiço; não ser para o seu (ou meu) bico (V. "não ser para o seu (ou meu) beiço"); no meu (ou seu) pensar; no meu cantinho; no meu entender; no meu tempo; os meus; pelos meus(/seus) belos olhos; Por meus pecados!; saia do meu caminho (V. "sai de baixo"); ser conta do meu rosário; Só se for sobre o meu cadáver!; soar mal aos meus ouvidos; sobre meu cadáver; Venda seu peixe que depois vendo o meu
meuã fazer meuã
mexer andar, virar, mexer; mexer com o cão que está dormindo (V. "mexer em time que está ganhando"); mexer com os nervos (de alguém); mexer com os pauzinhos (V. "mexer os pauzinhos"); mexer em casa de marimbondo; mexer em time que está ganhando; mexer feito charuto em boca de bêbado; mexer nos bolsos; mexer os pauzinhos; não mexer em time que está ganhando; não mexer uma palha (V. "não levantar uma palha"); virar e mexer
micharia uma micharia
mico destripar o mico; mico de circo; pagar mico; pagar o maior mico (V. "pagar mico"); pagar o mico; pagar um mico; pó de mico; ser mico de circo
micro-ondas forno de micro-ondas
Midas toque de Midas
mídia veículo de mídia
mijar mijar fora da pichorra (V. "mijar fora do penico"); mijar fora do penico; mijar para trás
mil a mil; a mil por hora (V. "a mil"); às mil maravilhas; com a cabeça a mil; Com mil demônios!; com mil desculpas; Com mil diabos!; Com seiscentos mil diabos! (V. "Com os diabos!"); de mil amores; mais de mil vezes; mil desculpas; mil e um(a); mil vidas; perdido por dez, perdido por mil; Preso por mil, preso por dois mil.; ter uma chance em mil
milagre contar o milagre sem dizer o nome do santo; fazer milagre; por milagre; Que milagre!; sala dos milagres; Santo de casa não faz milagres.; Só por milagre!; Um milagre!
milanesa (*subst.*) à milanesa; bife à milanesa
milhão aos milhões (V. "aos borbotões"); nem em um milhão de anos; um em um milhão
milhar aos milhares (V. "aos borbotões"); milhares e milhares
milho boneca de milho; catar milho; creme de milho; dar milho a bode; dar milho na garrafa; papa de milho; quebra de milho
milícia milícia celeste
milionário milionário do ar
militante Igreja militante
militar alistamento militar; capelão militar; casa militar; honras militares; marcha militar; região militar; serviço militar
militari *manu militari*
mim Ai de mim!; de mim para mim; Depois de mim, o dilúvio.; estar fora de (mim) si; fora de mim (si); Isso/isto é grego (para mim).; longe de mim; por mim; Pra mim chega!; tenho para mim que...; vai por mim
mimado(a) criança mimada
mimoso fubá mimoso
mina descobrir a mina; mapa da mina; mina de ouro
minado campo minado
Minas queijo de Minas
mindinho dedo mindinho (V. "dedo mínimo"); meu dedo mindinho me contou
mineiro(a) Conjuração Mineira; couve à mineira; Inconfidência Mineira; Triângulo Mineiro; tutu à mineira
mineral água mineral; carvão mineral; reino mineral; veio mineral
minerva ave de Minerva; voto de Minerva
míngua à míngua; à míngua de (V. "à míngua"); morrer à míngua
minguante estar em minguante; minguante da maré; quarto minguante
minguinho dedo minguinho (V. "dedo mínimo")
minha Adeus minhas encomendas!; aposto a minha cabeça; carne de minha carne; come na minha (sua) mão; conhecer como

moeda

a palma da mão; conheço como a palma de minha mão; de minha parte; entrar na minha; estar na dele (minha); estar na dele (na minha) (*V.* "ficar numa boa"); estar na minha; Faço das suas as minhas palavras./ Faço minhas as suas palavras.; ficar na minha; lançar minhas contas (*V.* "lançar suas contas"); minha (ou nossa etc.) terra (*V.* "terra natal"); minha avó tem uma bicicleta; minha boca está fechada; minha cara-metade; minha flor; minha florzinha (*V.* "minha flor"); minha gente; minha joia; minha melhor metade; Minha Nossa Senhora! (*V.* "Minha nossa!"); Minha nossa!; minha paixão; minha terra; no fim da minha corda; querer que um raio caia sobre (a) minha cabeça se...; rebentou nas minhas mãos; riscar da minha lista; Se? Ora, se! Se minha avó não tivesse morrido, inda hoje estaria viva.
minhoca minhoca na cabeça; procurar minhoca no asfalto; ter minhoca na cabeça
mínimo(a) coisas mínimas; consumação mínima; dedo mínimo; mínimo (*V.* "dedo mínimo"); não dar a mínima; não ligar a mínima a; no mínimo; piso mínimo; salário-mínimo
ministério ministério do altar; Ministério Público; ministério sagrado
minúsculo abecedário minúsculo
minuta à minuta
minutinho Um minutinho! (*V.* "Um minuto!")
minuto contar os minutos; de um minuto para o outro (*V.* "de um momento para o outro"); longos minutos; minuto de silêncio; neste minuto; no último minuto; num minuto; só um minuto; Um minuto!
miolo de miolo mole; estar com o miolo mole; estar de miolo mole; estourar os miolos; fazer saltar os miolos; fazer voar os miolos; miolo de pote; miolo mole; ter miolo de galinha (*V.* "ter miolo mole"); ter miolo mole; ter miolos
mique nem chique nem mique
mira à mira de; acertar na mira e errar o alvo; alça de mira; estar na alça de mira de; na mira; ter em mira; ter na mira
mirabilis annus mirabilis
mirabolante planos mirabolantes
mirar mirar o infinito
miserê viver num miserê
miséria chorar miséria; chorar miséria(s) (*V.* "chorar suas misérias"); chorar suas misérias; em petição de miséria; fazer misérias; ficar reduzido à miséria; miséria pouca é bobagem; tirar a barriga da miséria; uma miséria

misericórdia a Deus misericórdia; casa de misericórdia (ou Santa Casa de Misericórdia); golpe de misericórdia; misericórdia divina; obra de misericórdia; tiro de misericórdia
mísero(a) estar em mísero estado (*V.* "estar em mau estado")
missa ajudar à missa; liturgia da missa; missa campal; missa cantada; missa das almas; missa de corpo presente; missa de réquiem; Missa do Galo; missa nova; missa pontifical; não ir à missa com; não saber da missa a metade; ordinário da missa
missal missal quotidiano
missão missão cumprida; missão rebelde
mister de mister; fazer-se mister; haver mister; ser mister
mistério fazer mistério
misto(a) empresa de economia mista
mistura de mistura; sem mistura
misturar misturar alhos com bugalhos
mito mito da caverna
mitzvah bar mitzvah
miudinho dançar miudinho
miúdo(a) à boca miúda; a miúdo; chuva miúda; dar o troco por miúdo; dinheiro miúdo; gado miúdo; por miúdo
miúdos em miúdos; trocar em miúdos
mobiliar mobiliar a sala de visitas
mochila encher a mochila
mocidade em plena mocidade; pagar tributo à mocidade; verdores da mocidade
moço(a) baba de moça; beijo de moça; letra de moça; moça de família; ser uma moça
moda à moda de; cair de (da) moda; deixar de moda; ditar a moda; em moda; entrar na moda; fora de moda; moda de viola; na moda; na última moda; passar da moda; pôr à moda; sair da(/de) moda; última moda
mode à la mode
modelo servir de modelo (*V.* "servir de exemplo")
moderno(a) pentatlo moderno; português moderno
modéstia modéstia à parte
modo a modo; a modo de; a modo(s) que; a seu modo; de certo modo; de modo a; de modo algum; de modo que; de qualquer modo (*V.* "de qualquer jeito"); De que modo...?; de todo modo; do mesmo modo; modo de dizer; por modo que
modos não ter modos; pelos modos; por meios e modos
modus modus faciendi; modus operandi; modus vivendi
moeda Casa da Moeda; moeda corrente; moeda escritural ou bancária; moeda manual; moeda sonante (*V.* "moeda manual");

outro lado da moeda; pagar com a mesma moeda; pagar com a mesma moeda. (*V.* "pagar na mesma moeda"); pagar na mesma moeda
moela boca de moela
moente moente e corrente
moer moer a pancadas; moer os ossos
mofar mofar na prateleira
mofo criar mofo; não criar mofo
moicano o último dos moicanos
moído estar moído
moinho lutar contra moinhos de vento; moinho de vento; pedra de moinho
moita ficar na moita; na moita
mola ter pancada na mola
molagem de molagem
molde de molde
mole conversa mole (*V.* "conversa fiada"); conversa mole para boi dormir; coração mole; dar mole; de coração mole; de corpo mole; de miolo mole; É mole. (*V.* "É canja."); estar com o miolo mole; estar de miolo mole; fazer corpo mole; miolo mole; mole, mole; Não é mole!; não ser mole; no mole; ter miolo mole; vai que é mole
moleira ser duro da moleira
moleque inventor do pé de moleque; pé de moleque
moléstia cabra da moléstia (*V.* "cabra da peste"); corrido da moléstia; da moléstia; estar com moléstia de cachorro; moléstia de encomenda
moleza dar moleza (*V.* "dar mole"); É moleza.; na moleza; Não é moleza! (*V.* "Não é mole!")
molhado armazém de secos e molhados; chover no molhado; molhado como um pinto; secos e molhados
molhar cheio de chove não molha; chuva de molhar bobo; molhar a cama; molhar a camisa; molhar a garganta; molhar a goela (*V.* "molhar a garganta"); molhar a mão de; molhar a mão de (alguém) (*V.* "untar as mãos a"); molhar a palavra; molhar as calças de tanto rir; molhar o bico; molhar o biscoito; Quem está na chuva é pra se molhar.
molho aos molhos; comer o peito da franga com molho pardo (*V.* "comer o peito da franga"); de molho; deixar de molho; estar de molho; estar/ficar de molho; frango ao molho pardo; galinha ao molho pardo; molho inglês; molho pardo; molho picante; pôr as barbas de molho; pôr de molho; um molho de nervos
Molotov coquetel Molotov
momento a qualquer momento; a todo momento; até o momento; de momento a momento; de um momento para o outro; do momento; momento oportuno; momento psicológico; não ter um momento sequer de seu; nenhum momento a perder; no calor do momento; num momento; o homem do momento; passar bons momentos; por momentos; um momento
momentoso assunto momentoso (*V.* "assunto quente")
momesco tríduo momesco (*V.* "tríduo de Momo")
momo rei Momo; tríduo de Momo
monde *grand monde*; *haut monde*; *le grand monde*
monetário(a) âncora monetária; correção monetária
money *hot money*
monge viver como um monge
monossílabo falar por monossílabos
monstro criar um monstro; gerar um monstro; monstro sagrado
montado(a) estar montado na grana (*V.* "estar montado no tutu"); estar montado no tutu; montado na ema
montanha mover montanhas (*V.* "mover céus e terra"); parto da montanha; Sermão da Montanha; velho como a montanha (*V.* "velho como a serra")
montante a montante
montão aos montões (*V.* "aos molhos"); de montão; em montão
montar lado de montar; montar banca; montar em osso; montar em pelo (*V.* "montar em osso"); montar guarda; montar no porco; montar no tigre; montar um porco (*V.* "montar no porco")
monte a monte; aos montes; correr montes e vales; de monte a monte; monte de merda; monte de Vênus; monte pubiano (*V.* "monte de Vênus"); por montes e vales; um monte de coisas
montinho montinho artilheiro
monumento monumento natural
mor por mor de
mora juro de mora; juros de mora (*V.* "juro de mora"); purgar a mora
morada descer à morada de Plutão; morada celeste; morada de Plutão (*V.* "império de Plutão"); preguiça chegou ali, fez casa de morada; última morada
moral autor moral (*V.* "autor intelectual"); idoneidade moral; impossibilidade moral; lei moral; lição de moral; moral da história; obrigação moral; principais atributos morais; reserva moral; responsabilidade moral; senso moral
moralismo falso moralismo
morar morar debaixo da ponte; morar na jogada; morar num assunto; morar pare-

de-meia com; morar porta a porta com alguém
morder cobra que morde o rabo; ladra mais do que morde; Macacos me mordam!; morde aqui; morde e assopra; morder a isca; morder a língua; morder a poeira (*V.* "morder o pó"); morder o chão (*V.* "morder o pó"); morder o pé; morder o pó; morder os beiços; morder os lábios; morder-se de inveja; ninguém vai te morder; Que bicho te mordeu?
mordida (*subst.*) dar uma mordida; seu ladrar é pior que sua mordida
mordido mordido de cobra; mordido pela mosca azul (*V.* "picado pela mosca azul")
mordiscada dar uma mordiscada (*V.* "dar uma mordida")
mordomo culpar o mordomo; não se pode ser juiz com tais mordomos
mores O tempora, o mores!
Morfeu cair nos braços de Morfeu (*V.* "nos braços de Morfeu"); estar nos braços de Morfeu; nos braços de Morfeu
mori aut vincere aut mori; *memento mori*
morituri Ave, Caesar, morituri te salutant
mormaço olhar de mormaço; olho de mormaço
morno(a) água morna; pessoa de água morna
morrer ajudar a bem morrer; até aí morreu Neves; cara de quem morreu e se esqueceu de deitar; com o bico n'água e morrendo de sede; De pensar morreu um burro!; é fazer ou morrer (*V.* "fazer ou morrer"); fazer ou morrer; lindo(a) de morrer; morrer à míngua; morrer com cheiro de santidade; morrer como passarinho; morrer como um cão; morrer de alegria; morrer de amor; morrer de amores por; morrer de fome; morrer de frio; morrer de inveja; morrer de medo; morrer de morte matada; morrer de morte morrida; morrer de morte natural; morrer de rir; morrer de saudades; morrer de sono; morrer de susto; morrer de tédio; morrer de vontade de; morrer em vida; morrer na casca; morrer na praia; morrer na véspera; morrer para o mundo; morrer por; morrer sem dizer "ai Jesus"; morrer um atrás do outro; Morreu o rei; viva o rei!; nadar, nadar e vir morrer na praia; não morrer de amores por; não vai morrer este ano; Pensando morreu um burro.
morrido(a) morrer de morte morrida; morte morrida; Se? Ora, se! Se minha avó não tivesse morrido, inda hoje estaria viva.
morro água de morro abaixo e fogo de morro acima; como água de morro abaixo e fogo de morro acima; descer o morro; Desse mal eu não morro.; fogo de morro acima, água de morro abaixo
mors aut mors aut victoria (*V.* "*aut vincere aut mori*")
Morse alfa Morse; alfabeto Morse; código Morse; telégrafo Morse
mortal o comum dos mortais; o mais comum dos mortais; restos mortais; salto-mortal; silêncio mortal; simples mortal
morte à beira da morte; à morte; às portas da morte; até que a morte nos separe; beijo da morte; beijo de morte; brincar com a morte; caso de vida e morte; certo como a morte; chamar a morte; chorar a morte da bezerra; de morte; duelo de morte; em artigo de morte; entre a vida e a morte; estar à morte; estar pela hora da morte; hora da morte (*V.* "hora extrema"); jogo de vida ou morte; morrer de morte matada; morrer de morte morrida; morrer de morte natural; morte matada; morte morrida; para a vida e para a morte; pela hora da morte; pensar na morte da bezerra; punir de morte; questão de vida ou morte; ser de morte; ter a morte à cabeceira; ter a morte no coração; transe de morte; uma vez na vida, outra na morte; ver a morte de perto
mortem *post mortem*
mortis causa mortis; *in articulo mortis*; *rigor mortis*
morto(a) a horas mortas; arquivo morto; chutar cachorro morto; dia morto; em ponto morto; entre mortos e feridos; estar morto de...; estar que nem morto; fazer-se de morto; fingir-se de morto; galinha-morta; gato morto; horas mortas; Inês é morta.; letra morta; língua morta; livro dos mortos; mais morto do que vivo; morto de; morto de sede; morto de vontade; morto e enterrado; morto-vivo; não ter onde cair morto; nem morto; O rei está morto, viva o rei! (*V.* "Morreu o rei; viva o rei!"); olhar de peixe morto; olho de cabra morta; olho de gata (peixe) morta(o) (*V.* "olho de cabra morta"); olho de peixe morto; peso morto; ponto morto; ser morto e vivo; sono dos mortos; terra dos mortos (*V.* "terra dos pés juntos"); tirar leite de vaca morta; zona morta
mortus mortus est pintus in casca
mosca abanar moscas; acertar na mosca; andar às moscas; apanhar moscas; às moscas; com a mosca azul; comer mosca; entregar às moscas; entregue às moscas; estar às moscas; incapaz de matar uma mosca; mordido pela mosca azul (*V.* "picado pela mosca azul"); mosca na sopa; na mosca; não fazer mal a uma mosca; não ser capaz

de arranhar uma mosca; papar mosca; picado pela mosca azul
mosqueteiro três mosqueteiros
mosquito engolir um elefante e engasgar-se com um mosquito; mosquito na sopa (*V.* "mosca na sopa"); olho de mosquito
mostarda subir a mostarda ao nariz
mostra (*subst.*) à mostra; dar mostras de; ficar à mostra; pôr à mostra
mostrador dedo mostrador (*V.* "dedo indicador")
mostrar matar a cobra e mostrar o pau; mostrar a cara; mostrar a porta a alguém; mostrar as cartas; mostrar as costas; mostrar as ferraduras; mostrar as garras (*V.* "mostrar as unhas"); mostrar as unhas; mostrar boa ou má cara; mostrar com quantos paus se faz uma cangalha (canoa); mostrar com quantos paus se faz uma canoa (*V.* "mostrar com quantos paus se faz uma cangalha (canoa)"); mostrar com quantos pontos se cose um jereba; mostrar o que sabe; mostrar os dentes; mostrar serviço
motiv leit motiv
motivo exposição de motivos; motivo condutor; motivo de força maior
moto de moto próprio
motor afinador de motores
motorista motorista de fim de semana
mots jeu de mots
mouche bateau-mouche
mouco fazer ouvidos moucos
mouro trabalhar como um mouro (*V.* "trabalhar como um burro")
mouse cursor do mouse
mouxe a trouxe-mouxe
movediço(a) areia movediça
móvel festas móveis
mover mover céus e terra; mover montanhas (*V.* "mover céus e terra"); não mover um dedo sequer; não mover uma palha
movere Quieta non movere.
movimento pôr em movimento
mu não fez nem "mu" nem "mé"
muda (*subst.*) estar na muda; muda de roupa
mudança alavanca de mudanças (*V.* "alavanca de câmbio"); andar como cachorro que caiu do caminhão de mudança; caixa de mudanças (*V.* "caixa de câmbio"); mudança de lua; vir de mudança
mudar mudar a pele; mudar a pena; mudar cebola; mudar da água para o vinho; mudar de ares; mudar de cara; mudar de conversa; mudar de cor; mudar de estado; mudar de figura; mudar de ideia; mudar de lado; mudar de mãos; mudar de opinião (*V.* "mudar de ideia"); mudar de pato para ganso; mudar de time; mudar de tom; mudar de vida; mudar o disco; mudar o tom; Mudou por quê; por que mudou?; Vamos mudar de assunto.
mudo(a) cena muda; cinema mudo; criado-mudo; entrar mudo e sair calado; mudo como um peixe
mufa queimar a mufa
mugir não tugir nem mugir; sem tugir nem mugir
muito(a) ainda haver muita água para passar debaixo da ponte; cantigas, tenho ouvido muitas; carro muito rodado; com muito auê; com muito suor; de há muito; de muita armação e pouco jogo; de muito; de muitos, um; É muita honra para um pobre marquês.; É muito urso!; E muito.; estar muitos furos acima de; esticar muito a corda; fazer muito barulho por nada; há muito; ir com muita sede ao pote; ir muito longe; isso/isto não diz muito; mais que muito; muita abelha e pouco mel; muita areia para o caminhão de (alguém); muita armação e pouco jogo; muita carne para o churrasco de (alguém); muita galinha e pouco ovo; muita vez; muitas coisas em poucas palavras; muitas vezes; muito "dado"; muito barulho por nada; muito batido; Muito bonito!; muito chão pela frente; muito de; muito e muito; muito embora; muito meu; muito obrigado(a); muito pouco; muito rodado; muito superior; muitos e muitos; não muito; não ser de muita graça; Ora, muito obrigado(a)!; pôr muito alto os olhos; por muito pouco; quando muito; Sinto muito, mas chorar não posso.; ter ainda muito gás; ter em muito; ter muita armação e pouco jogo; ter muita feijoada para comer; ter muita lábia; ter muitas horas de voo; ter muito expediente; ter muito gosto; ter muito medo e pouca vergonha; ter muito o que fazer (*V.* "ter mais o que fazer")
mula doutor da mula ruça; lerdo como mula guaxa; mula sem cabeça; picar a mula; teimoso como uma mula
mulher arenga de mulher; de mulher para mulher; desonrar uma mulher; largar o marido (ou a mulher); mulher à toa; mulher da rua (*V.* "mulher à toa"); mulher da vida (*V.* "mulher à toa"); mulher da zona (*V.* "mulher à toa"); mulher de César; mulher de comédia (*V.* "mulher à toa"); mulher de cor (*V.* "homem de cor"); mulher de faca e calhau; mulher de má nota (*V.* "mulher à toa"); mulher de ponta de rua (*V.* "mulher à toa"); mulher de rua; mulher de vida fácil; mulher do amor (*V.* "mulher à toa"); mulher do fandango (*V.* "mulher à

toa"); mulher do fato (V. "mulher à toa"); mulher do mundo (V. "mulher à toa"); mulher do piolho; mulher errada (V. "mulher à toa"); mulher fatal; mulher perdida; mulher pública; mulher vadia (V. "mulher à toa"); mulher-objeto; pior que mulher de piolho; procurar mulher; ser mulher de; ser mulher para (V. "ser mulher de"); teimoso como a mulher do piolho (V. "teimoso como uma mula"); todos, inclusive a mulher dele; tráfico de mulheres; vinho, mulheres e música
multifamiliar edificação multifamiliar
multinacional empresa multinacional
múltipla múltipla escolha
multiplicar multiplicar a espécie
multiplicativo(a) numeral multiplicativo
múmia múmia paralítica
mundano(a) vida mundana
mundão mundão de terra
mundi Sic transit gloria mundi.
mundo à face do mundo; a profissão mais antiga do mundo; abarcar o mundo com as pernas; admirável mundo novo; afundar no mundo; alma de outro mundo; amigo de todo o mundo; andar nas bocas do mundo; as sete maravilhas do mundo antigo; Assim passa a glória do mundo.; até o fim do mundo; azular no mundo; bater a boca no mundo; botar a boca no mundo; botar o pé no mundo; cair na boca do mundo; cair no mundo; cair no oco do mundo; calcanhar do mundo; cidadão do mundo; coisa de outro mundo; coisa do outro mundo; com todo o tempo do mundo; conhecer Deus e todo o mundo; conhecer meio mundo; Copa do Mundo; correr as sete partidas do mundo; correr mundo; cu do mundo; danar-se no mundo; deixar o mundo; desabar do mundo; desde quando o mundo é mundo (V. "desde que o mundo é mundo"); desde que o mundo é mundo; despachar para o outro mundo; Deus e o mundo; dever a Deus e a todo mundo; dizer adeus ao mundo; do outro mundo; É o fim do mundo.; embarcar deste mundo para um melhor; enfiar a cara no mundo; enquanto o mundo for mundo; estar no mundo da lua; fim de mundo; fim do mundo (V. "fim de mundo"); ganhar o mundo; gritar aos quatro cantos (do mundo); heroína de dois mundos; homem do mundo; ir no melhor dos mundos; ir para o outro mundo; mandar para o outro mundo; meio do mundo; meio mundo; meter o pé no mundo; morrer para o mundo; mulher do mundo (V. "mulher à toa"); mundo aberto sem porteira; mundo-d'água; mundo inteiro; mundos e fundos; não caber no mundo; não é o fim do mundo; não ser deste mundo; nem por todo (o) ouro do mundo; no fim do mundo; no mundo da lua; novas sete maravilhas do mundo; Novo Mundo; o melhor dos mundos; o mundo dá voltas; o mundo é pequeno; O mundo gira como uma bola.; o mundo inteiro; o rei do mundo; o Velho Mundo; oco do mundo; oitava maravilha do mundo; os quatro cantos do mundo; outro mundo; palmatória do mundo; partir deste mundo; pedir este mundo e o outro; pelo mundo afora; penico do mundo; pôr a boca no mundo; por este mundo afora; por nada deste mundo (V. "por nada desta vida"); primeiro mundo; prometer mundos e fundos; Quarto Mundo; querer abarcar o mundo com as pernas; salvador do mundo; segundo mundo; sete maravilhas do mundo antigo; ter o coração do tamanho do mundo; ter o mundo aos seus pés; terceiro mundo; teto do mundo; todo (o) mundo; topo do mundo; trazer ao mundo; um mundo de...; Velho Mundo; ver mundo; vir ao mundo; vir o mundo abaixo; viver no mundo da Lua; voltas do mundo
munheca munheca de samambaia; quebrar a munheca
munição munição de boca
municipal câmara municipal
muque a muque; nem a muque
murchar murchar as orelhas
murcho(a) bola murcha; caju murcho; de crista murcha (V. "de crista caída"); de orelhas murchas (V. "de orelhas baixas")
muro bater no muro; em cima do muro; ficar em cima do muro; Muro das Lamentações; *intramuros*
Murphy lei de Murphy
murro dar murro(s) em ponta de faca; dar um murro na mesa; murro em ponta de faca
musa a décima Musa; décima musa; musas gregas
muscular distensão muscular; estiramento muscular
music soul music
música banda de música; caixa de música; caixinha de música (V. "caixa de música"); dançar conforme a música; dançar conforme tocam a música (V. "dançar conforme a música"); estropiar uma música; Isso/isto é música para os meus ouvidos.; música absoluta; música clássica; música coral; música de câmara; música eletrônica; música erudita; música instrumental; música para meus ouvidos; música profana; música sacra ou sagrada; música vocal; por música; tocar música enquanto Roma pega fogo; vinho, mulheres e música

musical fundo musical; notação musical
mutandis mutatis mutandis
mutatis mutatis mutandis

N

nababo levar vida de nababo (*V.* "levar vida de marajá")
nabo comprar nabos em saco
nacional acento nacional; bandeira nacional; cadeia nacional; contabilidade nacional; hino nacional; Hino Nacional Brasileiro; memória nacional; parque nacional; pavilhão nacional; produto nacional bruto; próprios nacionais; rio da unidade nacional; símbolos nacionais
nações nações latinas; sabedoria das nações
nada a verdade, toda a verdade, nada mais que a verdade; absolutamente nada; antes de mais nada; coisa de nada; coisinha de nada (*V.* "coisinha à toa"); com cara de quem não quer nada; como quem nada tem com a coisa; como quem não quer nada (*V.* "como quem não quer e querendo"); dar em nada; de nada; É tudo ou nada.; estar com ar de quem não quer nada; estar com nada; fazer muito barulho por nada; há nada; menos que nada; muito barulho por nada; nada a ver; nada cai do céu; nada como um dia depois do outro; nada consta; nada de; nada de mais; nada de nada; nada de novo; nada demais; nada disso; nada feito; nada há de novo debaixo do sol (*V.* "nada de novo"); nada igual; nada mais!; nada mais, nada menos; nada mau!; nada na terra; nada obstante; nada pescar do assunto (do ofício); nadica de nada; não atacar nada; não dar em nada; não deixar nada a desejar; não diga mais nada hoje; Não é nada!; não estar com nada; não estar nada bem (*V.* "não estar bem"); não faltava mais nada; não foi nada; Não me faltava mais nada!; não pescar nada; não prestar para nada; não querer nada com; não saber de nada; não saber nada; não ser de nada; não significar nada; não tem nada a ver; não ter (nada) a ver (*V.* "não ter que ver"); não ter nada a desejar; não ter nada a perder; não ter nada a ver; não ter nada a ver com o peixe; não ter nada com o peixe (*V.* "não ter nada a ver com o peixe"); não ter nada de; não ter nada de mais; não valer de nada; não valer nada (*V.* "não valer dois caracóis"); o dobro de nada; ou tudo ou nada (*V.* "tudo ou nada"); partir do nada; por nada; por nada desta vida; por nada deste mundo (*V.* "por nada desta vida"); por pouco mais de nada; por um tudo-nada; Qual história, qual nada!; Qual nada!; quando nada; quase nada; Que nada!; sem condições para nada (*V.* "sem condições"); sem jeito para nada; ser nada; surgir do nada; ter em nada; tirar do nada; tudo ou nada; um nada
nadar ensinar peixe a nadar; nadar como um peixe; nadar como um prego; nadar contra a corrente; nadar contra a maré (*V.* "nadar contra a corrente"); nadar em (no) seco; nadar em delícias; nadar em dinheiro; nadar em mar de rosas; nadar em ouro; nadar em rosas (*V.* "nadar em delícias"); nadar em sangue; nadar na maionese; nadar, nadar e vir morrer na praia
nadica nadica de nada
nadinha um nadinha
naipe naipes pretos; naipes vermelhos
nambu pregar rabo em nambu
namorado dia dos namorados
namorar namorar as vitrinas; só não namora sapo por não saber qual seja a fêmea
nana fazer nana (naná/nanã)
não a mais não poder; a não ser; a não ser que; absolutamente não; ação e não palavras; afronta faço, se mais não acho; se mais achara, mais tomara; água que passarinho não bebe; ainda não; anoitecer e não amanhecer; aqui está fulano que não me deixa mentir sozinho; às não sabidas; até mais não poder; até não poder mais; atirar no que viu e acertar no que não viu; balança mas não cai; Boa coisa não é.; cá não está quem falou (*V.* "já não está mais aqui quem falou"); cair para não se levantar; cantar mas não entoar; cara de quem comeu e não gostou; cheirar mal / não cheirar bem; com cara de quem não quer nada; Comigo não, violão!; como quem não quer e querendo; como quem não quer nada (*V.* "como quem não quer e querendo"); como se não houvesse amanhã; dar a Deus o que o diabo não quis; dar o dito por não dito; dar um pelo outro e não querer troco; Desse mal eu não morro.; Deste mato não sai coelho.; Deus tal não permita; Devo e não nego; pagarei quando puder.; dia sim, dia não; dito por não dito; Do chão não passa.; É doido e a família não sabe.; E não é só.; É para hoje ou não?; Ele não nasceu ontem.; escreveu, não leu, o pau comeu; Essa eu não engulo.; Essa não cola (*V.* "Essa eu não engulo."); Essa não!; Esse filho não é meu!; estar com alguém e não abrir; estar com ar de quem não quer nada; estar com tudo e não estar prosa; Estou falando com o dono da porcada e não com os porcos.; Estou ou não estou aí nessa marmita?; Eu não sou pai disso.;

não

explicar mas não convencer; fatos e não palavras; fazer (não fazer) boa ausência de; fazer como se não fosse com ele; fingir que não viu (ouviu); foi, não foi; ganhar, mas não levar; gastar o que tem e o que não tem; inhor não (V. "nhor não"); inhor sim (/não); ir a Roma e não ver o papa; isso/isto não diz muito; Isso/isto não é comigo!; Isso/isto não é olho de santo.; Isso/isto não está na cartilha.; Isso/isto não está no gibi.; Isso/isto não me cheira bem.; Isso/isto não tem cura.; já não está mais aqui quem falou; já não ser criança; já não ser sem tempo; meter o nariz onde não é chamado; meter-se onde não é chamado; não (nem) lhe conto; Não aborreça! (V. "Não amola!"); não abrir a boca; não abrir mão (de); não acabado; não acertar uma; não achar vau; não acreditar em nem uma palavra do que diz; não acreditar nos próprios olhos; não adianta chiar; Não adianta chorar sobre leite derramado.; não aguentar um(a) gato(a) pelo rabo; não alterar nem uma vírgula; Não amola!; Não apoiado!; não arredar pé; não atacar nada; não atar nem desatar; não aumentar a aflição do aflito; não bater bem; não bater prego sem estopa; não beber nem desocupar o copo; não brincar em serviço; não caber em si; não caber na bainha; não caber na cabeça de ninguém; não caber na cova de um dente (V. "não caber no buraco de um dente"); não caber nem uma cabeça de alfinete (V. "não caber no buraco de um dente"); não caber no buraco de um dente; não caber no mundo; não caberem dois proveitos num só saco; não cair de cavalo magro; não cair em saco roto; não cair nessa; não cair noutra; não chegar aos calcanhares de; não chegar aos pés de; não chegar para as encomendas; não cheirar bem; não colar; não comprar bonde; não compreender patavina; não confundir Zé Germano com gênero humano; não conhecer limites; não conhecer o abc; não conhecer o seu lugar; não criar mofo; Não dá para acreditar! (V. "É o fim da picada!"); não dar a mínima; não dar acordo de si; não dar em árvores; não dar em nada; não dar nem mais um passo; não dar nem para a saída; não dar nem para o gasto (V. "não dar nem para o leite das crianças"); não dar nem para o leite das crianças; não dar nem para tapar um buraco do dente; não dar nem para um cachorro; não dar o braço a torcer; não dar outra; não dar ouvidos; não dar para a saída (V. "não dar nem para a saída"); não dar para acreditar; não dar pela coisa; não dar pelota; não dar ponto sem nó; não dar quartel (V. "não dar trégua"); não dar trégua; não dar um pio; não dar uma dentro; não dar uma palavra; não dar vau; não dar vaza; não deixar a peteca cair; não deixar nada a desejar; não deixar pedra sobre pedra; não deixar que a grama cresça sob os pés; não diga mais nada hoje; não dizer a nem b; não dizer a(/ao) que veio; não dizer bolacha; não dizer bulhufas (V. "não dizer bolacha"); não dizer coisa com coisa; não dizer nem sim nem não; não dizer para que veio (V. "não dizer a(/ao) que veio"); não dizer uste nem aste; não é besta para...; não é brinquedo não; não é de agora (V. "não é de hoje"); não é de hoje; Não é de sua conta!; não é do meu feitio; não é mais besta porque é um só; Não é mole!; Não é moleza! (V. "Não é mole!"); Não é nada!; não é o fim do mundo; não é o meu (dele) dia; não é para o seu bico (V. "não é para os seus beiços"); não é para os seus beiços; Não é possível!; não é pra já; não é toda a história; Não é?; não economizar elogios; não embarcar em canoa furada (V. "não ir nessa canoa"); não embarcar nessa canoa; não encontrar eco; não engolir; não enjeitar parada; não entender bulhufas (V. "não compreender patavina"); não entender patavina (V. "não compreender patavina"); não entrar em dividida; não entrar na cabeça; não enxergar um palmo adiante do nariz; não esquentar o banco; não esquentar o lugar (V. "não esquentar o banco"); não estar à altura de; não estar bem; não estar com nada; não estar em seu juízo perfeito; não estar nada bem (V. "não estar bem"); não estar nem aí; não estar no gibi; não estar no mapa; não estar para; não estar pelos ajustes; não falar a mesma língua (ou linguagem); não falar noutra coisa; não faltava mais nada; não faz mal; não faz meu gênero; não fazer caso de; não fazer coisa com coisa (V. "não dizer coisa com coisa"); não fazer farinha; não fazer feio; não fazer mal; não fazer mal a uma mosca; não fazer o gênero de; não fazer por menos; não fazer senão; não fez nem "mu" nem "mé"; não fica assim; não ficar atrás; não ficar para trás; não foi nada; não girar bem; não há como; não há cristão que aguente; não há de quê (V. "de nada"); Não há de quê.; não há erro; não há gato nem cachorro que não saiba; não há por quê (V. "Não há de quê."); Não há tal!; Não há tatu que aguente.; não haver como; não haver mãos a medir; não haver vivalma; não ir à missa com; não ir atrás de; não ir com (V. "não ir com a cara de"); não ir com a cara

não

de; não ir lá das pernas; não ir nessa canoa; não largar do pé de; não levantar mais a cabeça; não levantar um dedo; não levantar uma palha; não levar a mal; não levar a sério; não levar desaforo para casa; não lhe caber o coração no peito; não ligar a mínima a; não ligar o desconfiômetro; não livrar a cara de; não mais; não mandar para o vigário; não me cheira bem; não me faça falar; Não me faltava mais nada!; não me toques; não medir as palavras; não medir esforços; não menos; não merecer o pão que come; não mesmo; não mexer em time que está ganhando; não mexer uma palha (V. "não levantar uma palha"); não morrer de amores por; não mover um dedo sequer; não mover uma palha; não muito; não obstante; não olhar a despesas; não olhar para trás; Não ouço, não vejo, não falo.; não passar de; não passar pela garganta; não passarem os anos por; não pegar; não pensar duas vezes; não pensar nem por sombra; não perder por esperar; não pescar nada; não pisar em ramo verde; não pode ser; não poder com uma gata pelo rabo; não poder nem piar; não poder tragar alguém; não pôr as patas; não por isso; não pôr nem tirar; não pôr os dedos em; não pôr os pés em; não posso me queixar; não poupar ninguém; não poupar sexo nem idade; não precisar dizer duas vezes; não pregar olho; não pregar prego em estopa; não prestar para nada; não pus um dedo em; não querendo, mas querendo; não querer estar na pele de (alguém); não querer nada com; não querer negócio com (V. "não querer nada com"); não querer nem pensar (V. "não querer nem saber"); não querer nem saber; não querer outra vida; não querer saber de; não querer ver nem pintado; não raro; não regular bem; não respirar o mesmo ar que alguém; não responder por; não saber a quantas anda; não saber brincar; não saber da missa a metade; não saber de nada; não saber de si; não saber nada; não saber nem a nem b; não saber o que diz; não saber o que é bom; não saber o que possui (V. "não saber o que tem"); não saber o que tem; não saber onde meter a cara; não saber onde meter as mãos; não saber onde tem (tinha) a cabeça; não saber para que lado ir; não saber qual é a sua mão direita; não saber que dois e dois são quatro; não saber que letra é o a; não sair (algo) da cabeça; não salvar nem a alma; Não se aproveita nem a alma para fazer sabão.; não se coçar; não se conhecer; não se dar por achado; não se dar por entendido; não se dar por vencido; não se descoser de (alguém); não se discute; não se enxergar; Não se intrometa! (V. "Vá cuidar de sua vida!"); não se mancar (V. "não se enxergar"); não se passar para; não se passaram os anos por/para; não se pode elogiar...; não se pode ser juiz com tais mordomos; não se tocar; não sei quê; Não sei, não quero saber e tenho raiva de quem sabe.; Não seja por isso!; não sem; não ser bem isso; não ser brincadeira; não ser brincadeira de criança (V. "não ser brincadeira"); não ser burro de carga; não ser caju que nasce com a castanha para baixo; não ser capaz de arranhar uma mosca; não ser capaz de dizer nem três palavras; não ser capaz de fritar um ovo; não ser capaz de juntar nem três palavras (V. "não ser capaz de dizer nem três palavras"); não ser certo da bola; não ser coisa que se diga; não ser coisa que se faça (V. "não ser coisa que se diga"); não ser da mesma laia; não ser da Terra; não ser de brincadeira; não ser de caixas encontradas; não ser de ferro; não ser de garupa; não ser de graças; não ser de gracinhas (V. "não ser de graças"); não ser de jogar fora; não ser de meias medidas; não ser de muita graça; não ser de nada; não ser de sua conta; não ser de tal laia; não ser deste mundo; não ser do número dos vivos; não ser flor que se cheire; não ser grande coisa; não ser lá essas coisas (V. "não ser lá grande coisa"); não ser lá grande coisa; não ser lá o (para) que digamos; não ser mole; não ser nem sombra do que foi; não ser nenhum bicho de sete cabeças; não ser nenhum peixe podre; não ser o caso de; não ser olho de santo; não ser osso para andar na boca de cachorro; não ser ouvido nem cheirado; não ser pai de pançudo(s); não ser pano de amostra; não ser para graças; não ser para menos; não ser para o seu (ou meu) beiço; não ser para o seu (ou meu) bico (V. "não ser para o seu (ou meu) beiço"); não ser para os dias de alguém; não ser páreo para (alguém); não ser peixe nem carne; não ser por aí; não ser relógio de repetição; não ser sangria desatada; não ser santo da devoção de; não ser senão; não ser tão preto quanto pintam; não ser trigo limpo; não ser unha de santo; não significar nada; não somente; não tão já; não tardar com (alguém); não tem (há) de quê; não tem café coado; não tem nada a ver; não tem outro jeito; Não tem remédio!; não tem talvez; não temer Deus nem o diabo; não ter (nada) a ver (V. "não ter que ver"); não ter a mais remota ideia (V. "não ter a menor ideia"); não ter a menor ideia; não ter alisado ban-

co de escola; não ter altura; não ter bandeira; não ter cabimento; não ter cara para; não ter clima para; não ter colhões; não ter coração; não ter desconfiômetro; não ter eira nem beira; não ter envergadura para; não ter estômago para; não ter freio na língua; não ter freio nos dentes; não ter futuro; não ter grilo; não ter igual; não ter jeito; não ter mão de si; não ter mãos a medir; não ter mas nem meio mas; não ter medo de cara feia; não ter medo de caretas (V. "não ter medo de cara feia"); não ter meia(s) medida(s); não ter modos; não ter nada a desejar; não ter nada a perder; não ter nada a ver; não ter nada a ver com o peixe; não ter nada com o peixe (V. "não ter nada a ver com o peixe"); não ter nada de; não ter nada de mais; não ter nascido ontem; não ter nem um para remédio; não ter nenhum porém; não ter o que dizer; não ter o que fazer (V. "estar sem o que fazer"); não ter ombros para; não ter onde cair morto; não ter onde pôr a cabeça; não ter osso nem espinha; não ter palavra; não ter pano para mangas; não ter papas na língua; não ter paralelo; não ter peito para; não ter pernas; não ter preço; não ter que ver; não ter relho nem trambelho; não ter saída; não ter sangue nas veias; não ter senão a noite e o dia; não ter senão uma palavra; não ter sido ouvido nem cheirado; não ter talho nem maravalho; não ter tempo; não ter tempo nem de dizer ai (V. "não ter tempo"); não ter tempo nem para respirar (V. "não ter tempo"); não ter tempo nem para se coçar (V. "não ter tempo"); não ter tomado chá em pequeno; não ter um momento sequer de seu; não ter um pingo de vergonha na cara; não ter um real; não ter vez; não ter visto uma coisa nem pintada; não ter voz ativa; não tirar da cabeça; não tirar os olhos de; não tirar pedaço; não tomar partido; não tomar semancol; não tugir nem mugir; não vai ficar assim (V. "não fica assim"); não vai morrer este ano; não valer a pena; não valer de nada; não valer dois caracóis; não valer nada (V. "não valer dois caracóis"); não valer o feijão (pão) que come; não valer o pão que come (V. "não valer o feijão (pão) que come"); não valer o papel em que está escrito; não valer um alfinete; não valer um caracol; não valer um sabugo (V. "não valer dois caracóis"); não valer um tostão furado; não valer um vintém (furado); não valer um vintém furado (V. "não valer dois caracóis"); não vejo, não ouço, não falo; não vem que não tem; não ver a cor do dinheiro; não ver jeito; não ver um palmo adiante do nariz; não vir ao caso; nem que sim nem que não; nhor não; O mar não está para (pra) peixe!; O que está feito não pode ser desfeito.; O que vem de baixo não me atinge.; objeto voador não identificado (OVNI); organização não governamental; os sins e os nãos; ou eu não me chamo mais...; ouvir cantar o galo mas não saber onde; pagar e não bufar; para não se botar (ou pôr) defeito (V. "para ninguém botar (ou pôr) defeito"); parecer não ser da terra; parecer, mas não ser; pelo sim, pelo não; pode ser que sim, pode ser que não; Pois não!; Preso por ter cão, preso por não ter.; qual não foi...; quando não; que não é (foi) vida; quebra mas não verga; queira ou não queira; quer goste ou não; quer queira, quer não; quer sim, quer não; roubar e não poder carregar; Santo de casa não faz milagres.; se a memória não me falha; Se cair, do chão não passa.; se não existisse, seria preciso inventar; se não gostou, gostasse; se não me falha a memória (V. "se a memória não me falha"); se não me falha a memória...; se não se importa; Se? Ora, se! Se minha avó não tivesse morrido, inda hoje estaria viva.; sejam como sou ou não sejam; ser feliz e não saber; ser ou não ser; sim e não; Sinto muito, mas chorar não posso.; só não beber chumbo derretido; só não chamar de santo; só não namora sapo por não saber qual seja a fêmea; só não sabe jogar pedra em santo; também não; tereré não resolve; torcer a orelha e não sair sangue; um não sei quê; vai não vai; verga, mas não quebra; Você não perde por esperar (V. "Você vai ver."); Você não perde por esperar.; *não estar no script*
Napoleão foi assim que Napoleão perdeu a guerra
naquele estar naqueles dias; naquele entretanto; naquele tempo
naquilo só pensar naquilo
nariz bater com o nariz na porta (V. "bater com a cara na porta"); cair de costas e quebrar o nariz; dar com o nariz na porta; de nariz arrebitado (V. "de nariz empinado"); de nariz empinado; debaixo do nariz (de alguém); dono do seu nariz; empinar o nariz; esfregar no nariz de (V. "esfregar nas ventas de"); falar pelo nariz; ficar de nariz comprido; ficar de nariz torcido; levar alguém pelo nariz; meter o nariz em; meter o nariz onde não é chamado; não enxergar um palmo adiante do nariz; não ver um palmo adiante do nariz; nariz empinado; pau do nariz; saber onde tem o nariz; senhor de seu nariz; ser senhor do seu nariz; seu na-

riz; seu nariz cresceu; subir a mostarda ao nariz; torcer o nariz
nasal constipação nasal
nascença de nascença; sinal de nascença
nascente Império do Sol Nascente; Terra do Sol Nascente
nascer adular o sol que nasce; arrepender-se da hora em que nasceu; Ele não nasceu ontem.; estar para nascer...; não ser caju que nasce com a castanha para baixo; nascer agora; nascer com a bunda para a lua; nascer com os pés para trás; nascer com uma estrela na testa (V. "nascer com a bunda para a lua"); nascer de novo; nascer empelicado; nascer feito; nascer hoje; nascer ontem; nascer outra vez; nascer virado para a lua; Nasceu hoje!; Nasceu hoje, de novo! (V. "Nasceu hoje!"); ver o sol nascer quadrado (V. "ver o sol quadrado")
nascido não ter nascido ontem; nascido em berço de ouro; nascido para comer grãos; ter nascido ontem
nascimento ter nascimento
nata nata da terra
natal (adj.) terra natal; torrão natal
Natal (subst.) árvore de Natal
natalício aniversário natalício
natalidade controle de natalidade
natura in natura
natural abrigo natural; achar natural; agente natural; água natural; ao natural; em tamanho natural; filho natural; fora do natural; impulso natural; lei natural; monumento natural; morrer de morte natural; número natural; recursos naturais; seleção natural; ter bom natural
natureza aberração da natureza; aborto da natureza; chamado da natureza; cortar a natureza de; de má natureza; força da natureza; lei da natureza; natureza humana; por natureza; rei da natureza; segunda natureza
nau nau catarineta
nauseam ad nauseam
naval construção naval; fuzileiro naval
navalha afiado como uma navalha; andar pelo fio da navalha; no fio da navalha
nave nave espacial
navegar ir navegando; navegar de conserva; navegar em duas águas; navegar na rede; navegar nas mesmas águas
navio a ver navios; ficar a ver navios; navio do deserto
Nazaré homem de Nazaré; o Carpinteiro de Nazaré
nec nec(/non) plus ultra
neca neca(s) de pitibiriba (V. "neres de pitibiriba")
necandi animus necandi
necessidade como a necessidade; de primeira necessidade; fazer da necessidade uma virtude; fazer necessidade; fazer uma necessidade; necessidade imperiosa; necessidades fisiológicas; passar necessidade
néctar néctar dos deuses
nefas per fas et per nefas
nefas nem por fas nem por nefas; Ou por fas ou por nefas.; por fas ou por nefas
negação ser a negação de; ser uma negação
negar Devo e não nego; pagarei quando puder.; negar a pés juntos (V. "negar de pés juntos"); negar de pés juntos; negar fogo; negar o corpo; negar o estribo
negativo(a) certidão negativa; em negativo
negócio encarregado de negócios; homem de negócios; não querer negócio com (V. "não querer nada com"); negócio arrastado; negócio da China; negócio de água arriba; negócio de arromba; negócio de comadres; negócio de compadres; negócio de Estado; negócio de ocasião; negócio de orelha; negócio de pai para filho; negócio embrulhado; negócio engatilhado; negócio furado; negócio limpo; retirado dos negócios; um negócio (V. "um amor"); Um negócio!
negrinho negrinho do Pastoreio
negro (ing.) negro spiritual
negro(a) anã branca (vermelha, negra, marrom); buraco negro; cabeça de negro; câmbio negro; continente negro; dia negro; humor negro; jogar a negra; lista negra; magia negra; mercado negro; meu negro; na lista negra; negro preto; negro velho; o Poeta Negro; ouro negro; ovelha negra; papa negro; ser uma ovelha negra; trabalhar como um negro (V. "trabalhar como um burro")
nem bater sem dó nem piedade; coisa sem pés nem cabeça; estar que nem morto; ficar sem mel nem cabaça; não acreditar em nem uma palavra do que diz; não alterar nem uma vírgula; não atar nem desatar; não beber nem desocupar o copo; não caber nem uma cabeça de alfinete (V. "não caber no buraco de um dente"); não dar nem mais um passo; não dar nem para a saída; não dar nem para o gasto (V. "não dar nem para o leite das crianças"); não dar nem para o leite das crianças; não dar nem para tapar um buraco do dente; não dar nem para um cachorro; não dizer a nem b; não dizer nem sim nem não; não dizer uste nem aste; não estar nem aí; não

nervoso(a)

fez nem "mu" nem "mé"; não há gato nem cachorro que não saiba; não pensar nem por sombra; não poder nem piar; não pôr nem tirar; não poupar sexo nem idade; não querer nem pensar (*V.* "não querer nem saber"); não querer nem saber; não querer ver nem pintado; não saber nem a nem b; não salvar nem a alma; Não se aproveita nem a alma para fazer sabão.; não ser capaz de dizer nem três palavras; não ser capaz de juntar nem três palavras (*V.* "não ser capaz de dizer nem três palavras"); não ser nem sombra do que foi; não ser ouvido nem cheirado; não ser peixe nem carne; não temer Deus nem o diabo; não ter eira nem beira; não ter mas nem meio mas; não ter nem um para remédio; não ter osso nem espinha; não ter relho nem trambelho; não ter sido ouvido nem cheirado; não ter tempo nem de dizer ai (*V.* "não ter tempo"); não ter tempo nem para respirar (*V.* "não ter tempo"); não ter tempo nem para se coçar (*V.* "não ter tempo"); não ter visto uma coisa nem pintada; não tugir nem mugir; nem a gancho; nem à mão de Deus Padre; nem a muque; nem a pau; nem ao menos; nem ao próprio diabo ocorreria (*V.* "nem o próprio diabo lembraria"); nem assim, nem assado; nem bem; nem brincando; nem carne nem peixe; nem chegar, já ir embora; nem chiou; nem chique nem mique; nem chus nem bus; nem coberto de ouro; nem com açúcar; nem de brincadeira; nem de longe; nem dito, nem feito; nem é bom falar; nem é preciso dizer; nem em um milhão de anos; nem fede nem cheira; nem lá, nem cá; nem mais nem menos; nem mas nem meio mas; Nem me fale!; nem meio; nem mesmo; nem morto; nem nunca; nem o próprio diabo lembraria; nem oito nem oitenta; nem para o céu; nem para remédio; nem pau nem pedra; nem peixe nem carne; nem pensar; nem pintado; nem piou; nem por (em) sonhos (*V.* "nem por sombras"); nem por decreto; nem por isso; nem por sombra (*V.* "nem por sombras"); nem por sombras; nem por todo (o) ouro do mundo; nem por um decreto; nem que; nem que a galinha crie dentes (*V.* "nem que a vaca tussa"); nem que a vaca tussa; nem que chovam canivetes; nem que o diabo toque rebeca; nem que se vire pelo avesso; nem que sim nem que não; nem se pergunta; nem sequer; nem tanto; nem tanto ao mar nem tanto à terra; nem tanto assim; nem tanto nem tão pouco; nem tique nem taque; nem tirar nem pôr (*V.* "não pôr nem tirar"); nem todo dia é dia santo; Nem triscou!; nem tudo são espinhos (*V.* "nem tudo são flores"); nem tudo são flores; nem tudo são rosas (*V.* "nem tudo são flores"); nem tus nem bus; nem um nem outro; nem um pingo; Nem um pio!; nem um pouquinho; nem um único; nem uma coisa nem outra; nem uma letra (*V.* "nem um pingo"); Nem uma palavra.; nem uma vírgula (*V.* "nem um pingo"); nunca vi, nem pintado(a); que nem; que nem formiga (*V.* "como formiga"); rir sem tom nem som; sem agravo nem apelação (*V.* "sem apelação"); sem avesso nem direito; sem bulha nem matinada; sem conta, nem peso, nem medida; sem cruz nem cunho; sem direito nem avesso (*V.* "sem avesso nem direito"); sem dó nem piedade; sem eira nem beira; sem fé nem lei; sem lei nem grei; sem lei nem rei; sem lei nem rei nem roque (*V.* "sem lei nem rei"); sem lei nem roque (*V.* "sem lei nem rei"); sem lenço nem documento; sem mais nem menos; sem mais quê nem para quê; sem ofício nem benefício; sem pau nem pedra; sem pé nem cabeça (*V.* "sem pé(s) nem cabeça"); sem pé(s) nem cabeça; sem peso nem medida; sem quê nem para (por) quê; sem rei nem roque; sem rima nem razão; sem tambor nem trompete; sem tento nem propósito; sem tirar nem pôr; sem tir-te nem guar-te; sem tom nem som; sem trelho nem trambelho; sem tugir nem mugir; sobrar que nem jiló na janta; sofrer que nem sovaco de aleijado; *nem por fas nem por nefas*

nemine *nemine contradicente*; *nemine discrepante* (*V.* "*nemine contradicente*"); *nemine discretante*

neném fazer neném

nenhum(a) coisa nenhuma; coisíssima nenhuma; de jeito nenhum; de maneira nenhuma; estar sem nenhum; não ser nenhum bicho de sete cabeças; não ser nenhum peixe podre; não ter nenhum porém; nenhum momento a perder; no meio de lugar nenhum; sem nenhum; sob nenhuma circunstância

neolatino(a) línguas neolatinas

nerd *ser um nerd*

neres neres de neres; neres de pitibiriba

nervo ataque de nervos; cacho de nervos; com os nervos à flor da pele; com os nervos em pandarecos; dar nos nervos; feixe de nervos; guerra de nervos; mexer com os nervos (de alguém); nervos de aço; pilha de nervos; ser uma pilha (de nervos); um molho de nervos

nervoso(a) abalo nervoso

nesse/nessa embarcar nessa; Estou ou não estou aí nessa marmita?; não cair nessa; não embarcar nessa canoa; não ir nessa canoa; nesse(/neste) entremeio; nesse(/neste) entretanto; nesse(/neste) entretempo; nesse(/neste) ínterim; nesse(/neste) meio-tempo
neste/nesta nesse(/neste) entremeio; nesse(/neste) entretanto; nesse(/neste) entretempo; nesse(/neste) ínterim; nesse(/neste) meio-tempo; nesta altura; nesta altura dos acontecimentos; nesta conformidade; nesta toada; nestas circunstâncias; neste caso; neste comenos; neste entremeio; neste entrementes (V. "neste entremeio"); neste entretanto; neste minuto
neto filho do Sol e neto da Lua
Netuno reino de Netuno
neurose neurose de guerra
neutro(a) cor neutra
neve até aí morreu Neves; bola de neve; branco como a neve; crescer como bola de neve; efeito bola de neve; em neve; neves perpétuas
névoa ir-se em névoas; névoa seca; ter névoas nos olhos
nexo sem nexo
nhemnhemnhém ficar de nhenhenhém
nhor nhor não; nhor sim
nica fazer nicas
niente dolce far niente
nihil nihil obstat
nil Nil novi sub sole. (V. "nada de novo"); nil novi sub sole
nimis ne quid nimis
niña La Niña
ninguém aqui, que ninguém nos ouve; Comigo ninguém pode.; comigo ninguém rasga (V. "Comigo ninguém pode."); não caber na cabeça de ninguém; não poupar ninguém; ninguém menos que; ninguém sabe, ninguém viu; ninguém vai te morder; para ninguém botar (ou pôr) defeito; que ninguém nos ouça; se eu contar, ninguém vai acreditar; ser o segundo entre ninguém; ser o segundo numa lista de ninguém (V. "ser o segundo entre ninguém"); terra de ninguém; um joão-ninguém
ninho ninho de amor; ninho de cobras; ninho de gatos; ninho de metralhadora; ninho de ratos; ninho de víboras (V. "ninho de ratos"); ninho de xexéu
niño El Niño
nisso/nisto ponha anos nisso
nitroglicerina ser nitroglicerina pura
nível a nível de; alto nível; ao nível de; baixo nível; curva de nível; de alto nível (V. "de alto bordo"); de nível; de primeiro nível (V. "de primeira linha"); em nível; nível de vida; nível social; no mesmo nível; no nível; passagem de nível
nivelar nivelar por baixo
nó "nós" deu o diabo nas tripas; aí é que está o nó; cara de nó cego; cheio de nó pelas costas; dar nó em pau seco; dar nó em pingo-d'água; dar nós no lenço; dar o nó; dar um nó; desatar o nó górdio; desatar os nós do lenço; não dar ponto sem nó; nó cego; nó da questão; nó de porco; nó em pingo-d'água; nó górdio; nó na garganta; nó nas tripas; nó no estômago; ser um nó; ter um nó na garganta
Nobel prêmio Nobel
nobili in anima nobili
nobis ora pro nobis; Seja lá que santo for, ora-pro-nóbis.
noblesse noblesse oblige
nobre horário nobre
nobreza nobreza de alma
noção sem noção
nocaute ir a nocaute; nocaute técnico
nocet Quod abundat non nocet.
nodus gordio nodus (V. "nó górdio")
Noé arca de Noé
Noel acreditar em Papai Noel; Papai Noel
noitada fazer noitada
noitão de noitão
noite à boca da noite; a noite é uma criança; ajuntar o dia com a noite; alta noite; astro da noite; Boa noite!; boca da noite; chá da meia-noite; como o dia e a noite; cor da noite; da noite para o dia; de manhã à noite; de noite; dia e noite; do dia para a noite; fazer da noite dia; manto da noite; na calada da noite; não ter senão a noite e o dia; noite alta; noite após noite; noite cerrada; Noite das Garrafadas; noite de breu; Noite de São Bartolomeu; noite e dia; noite eterna; noite fechada; o astro da noite; o cair da noite; passar a noite com; passar a noite em claro; pela noite adentro; só ter de seu o dia e a noite; tarde da noite; terra do sol da meia-noite; trocar o dia pela noite; varar a noite; véu da noite
noivo(a) balançar o véu da noiva; mês das noivas
nojo causar nojo; de dar nojo; estar de nojo
nolens nolens, volens
nome chamar de tudo quanto é nome; conhecer de nome; contar o milagre sem dizer o nome do santo; dar nome a; dar nomes aos bois; de nome; dizer nomes; em nome da lei; em nome de; Em nome de Deus!; limpar o nome; nome de batismo; nome de família; nome de guerra; nome do padre (pai); nome feio; por nome; pôr nome; saber

dar nome aos bois; sem nome; só de nome; só tem nome; ter nome; ter um nome a zelar; tomar o nome de Deus em vão; xingar o nome da mãe
nomeada de nomeada
nominal cheque nominal; valor nominal
nominativo(a) ação nominativa
nomine sine nomine
non a non domino; abusus non tollit usum; area non aedificandi; condição sine qua non; nec(/non) plus ultra; non compos mentis; non dominus; Non ducor duco.; Non nova, sed nove.; non plus ultra; Quieta non movere.; Quod abundat non nocet.; res non verba; Se non è vero, è bene trovato.; sine qua non; uti non abuti
nonada de nonada
normal condições normais de temperatura e pressão
norte colosso do Norte; de norte a sul; falar do Norte/Sul; Leão do Norte; perder o norte; Veneza do Norte
nós "nós" deu o diabo nas tripas; Ai de nós!; aqui entre nós; aqui pra nós; cá entre nós; nós outros
nosce Nosce te ipsum.
nosso(a) dar o meu (seu) (nosso) sangue; ensinar o Pai-nosso ao vigário; minha (ou nossa etc.) terra (V. "terra natal"); Minha Nossa Senhora! (V. "Minha nossa!"); Minha nossa!; nos nossos dias; nossa amizade; Nossa Mãe; Nossa mãe!; Nossa Senhora; Nossa Senhora!; nosso semelhante; Nosso Senhor; os nossos; pai-nosso; pão nosso de cada dia; querer ensinar o pai-nosso ao vigário; visitação de Nossa Senhora
not last but not least; to be or not to be
nota cheio da nota (V. "cheio da grana"); custar uma nota (preta); dar a nota; dar má nota; descolar uma nota; má nota; mulher de má nota (V. "mulher à toa"); nota de rodapé; nota dez (V. "classe "A""); Nota dez!; nota firme; nota fria; nota preta; ofício de notas; uma nota; uma nota firme; uma nota preta (V. "uma nota firme"); *nota bene*
notação notação musical
notícia agência de notícias; notícia oficiosa; ser notícia
notório público e notório
noturno(a) casa noturna; com mão diurna e noturna
noutro baixar noutro centro (V. "baixar noutra freguesia")
noutro(a) baixar noutra freguesia; cantar noutra freguesia; não cair noutra; não falar noutra coisa
nouveau art nouveau; nouveau riche
nove as nove irmãs; cheio de nove-horas;
noves fora; prova dos nove; Non nova, sed nove.
novi Nil novi sub sole. (V. "nada de novo"); nil novi sub sole; Qui novi?
novidade cheio de novidades
novíssimo novíssimo continente
novo(a) admirável mundo novo; alma nova; Boa-Nova; boas-novas; bossa-nova; criar alma nova; cruzado novo; cruzeiro novo; de novo; inteligência de peru novo; lei nova; lua nova; missa nova; nada de novo; nada há de novo debaixo do sol (V. "nada de novo"); nascer de novo; Nasceu hoje, de novo! (V. "Nasceu hoje!"); novas sete maravilhas do mundo; novo continente; novo em folha; Novo Mundo; Novo Testamento; novos horizontes; O que há de novo?; pagar o novo e o velho; remendo velho em pano novo; República Nova; tinindo de novo; venta de bezerro novo; dia de Ano-Novo judaico (Rosh Hashaná); Non nova, sed nove.
noz casca de noz; são mais as vozes que as nozes; ser uma casca de noz
nu (*subst.*) a nu; nu artístico; pôr a nu
nu/nua (*adj.*) a olho nu; dizer a verdade nua e crua; fio nu; nu de mão no bolso; nu e cru; nu em pelo; olho nu; verdade nua e crua; vestir os nus
nuclear arma nuclear; combustível atômico/nuclear
nullius res nullius
num/numa andar num cortado; andar num torniquete; andar numa roda-viva; cair num engano; cair num erro; enfiar a cara num buraco; entrar numa enrascada (V. "entrar numa fria"); entrar numa fria; estar num beco sem saída; estar num mato sem cachorro (V. "estar no mato sem cachorro"); estar numa boa; estar numa camisa de força; estar numa encruzilhada; estar/ficar num mato sem cachorro; ficar num mato sem cachorro (V. "ficar no mato sem cachorro"); ficar numa boa; investir numa ideia; investir numa pessoa (V. "investir numa ideia"); ir e vir num pé só; ir num pé e voltar no outro; ir num pé só (V. "ir num pé e voltar no outro"); ir num pulo (V. "ir num pé e voltar no outro"); meter/pôr numa redoma; morar num assunto; não caberem dois proveitos num só saco; num á; num abrir e fechar de olhos; num ai; num amém; num ápice; num cortado; num desses dias (V. "num dia desses"); num dia desses; num estalar de dedos; num instante; num mato sem cachorro (V. "no mato sem cachorro"); num momento; num passe de mágica; num pé só; num piscar de olhos; num pulo; num raio de; num relâm-

pago; num relance; num traço; numa boa; numa enrascada; numa fria (V. "numa enrascada"); numa palavra; numa roda-viva; numa só palavra; numa só toada (V. "numa toada só"); numa tacada; numa toada só; numa volta de mão; passar como num sonho; passar num funil; passar numa peneira (V. "passar na peneira"); pôr num pedestal; pôr numa redoma; sentar num formigueiro; ser chegado numa garrafa; trazer num cortado; vir num pé e voltar no outro; vir num pulo (V. "vir num pé e voltar no outro"); viver num miserê
numeração numeração binária; numeração decimal; numeração romana
numeral numeral cardinal; numeral fracionário; numeral multiplicativo; numeral ordinal
número em gênero, número e grau; fazer número; inimigo público número um; não ser do número dos vivos; número da besta; número ímpar; número inteiro; número natural; número par; número primo; número redondo; número um; sem-número; ser apenas um número; ser um número
nunc ex nunc; *hic et nunc*
nunca antes tarde do que nunca; como nunca; Desde que lhe tirei as peias, nunca mais o vi.; dia de São Nunca; dia de São Nunca de tarde (V. "dia de São Nunca"); menos que nunca; nem nunca; nunca é tarde; nunca jamais; nunca mais; nunca na vida (V. "nunca jamais"); nunca pus os pés em; nunca se sabe; nunca ter visto (alguém) mais gordo; nunca vi, nem pintado(a); tarde ou nunca; Terra do Nunca; um nunca acabar
núncio núncio apostólico
núpcias segundas núpcias
nutum ad nutum
nuvem andar nas nuvens; às nuvens; com a cabeça nas nuvens (V. "com a cabeça no ar"); computação em nuvem; computação na(s) nuvem(ns) (V. "computação em nuvem"); em brancas nuvens; estar nas nuvens; ir às nuvens; nas nuvens; nuvem derramadeira; passar como uma nuvem (V. "passar como o vento"); pôr nas nuvens; ter a cabeça nas nuvens

O

ó (*interj.*) a do ó
obediência obediência passiva; render obediência
objetivo falta de objetivo; sem objetivo
objeto mulher-objeto; objeto de desejo; objeto de discussão; objeto voador não identificado (OVNI)
oblige noblesse oblige
oblíquo olhar oblíquo
óbolo óbolo de São Pedro
obra canteiro de obras; coroar a obra; correr a obra; em obras; engenheiro de obras feitas; fazer obra; mão de obra; Mãos à obra!; mestre de obras; meter/pôr mãos à obra; obra capital; obra de arte; obra de carregação; obra de empreitada; obra de fachada; obra de fancaria; obra de fôlego; obra de misericórdia; obra de paciência; obra de Penélope; obra de pulso; obra de referência; obra de talha; obra do capeta; obra feita a machado; obra póstuma; obras de Santa Engrácia; obras públicas; pau para toda obra; pôr em obra; pôr mãos à obra; por obra e graça de; ser pau para toda obra
obrigação obrigação moral; por pura obrigação
obrigado muito obrigado(a); Ora, muito obrigado(a)!
obrigatório requisito obrigatório; seguro obrigatório
obscuro artista obscuro
observação espírito de observação
obstáculo corrida com (de) obstáculos
obstante nada obstante; não obstante
obstat nihil obstat
obvio óbvio ululante
ocasião agarrar a ocasião pela calva; agarrar a ocasião pelos cabelos (V. "agarrar a ocasião pela calva"); casamento de ocasião; de ocasião; negócio de ocasião; ocasião imprópria; perder boa ocasião de ficar calado; por ocasião de; preço de ocasião
ocaso ocaso da vida
oceano gota-d'água no oceano; um pingo-d'água no oceano (V. "uma gota-d'água no oceano"); uma gota-d'água no oceano
ócio ócio vil
o'clock *five o'clock tea*
oco(a) cabeça oca; cair no oco do mundo; oco do mundo; santo do pau oco; ser oco da cabeça
ocorrer nem ao próprio diabo ocorreria (V. "nem o próprio diabo lembraria")
ocular globo ocular; testemunha ocular
óculos óculos do Pai eterno
oculto(a) amigo-oculto; às ocultas; ciências ocultas
ocupacional terapia ocupacional
ocupado ocupado como uma abelha (formiga)
ódio ódio figadal
odor odor de santidade
oferecer oferecer a outra face
oferta em oferta; feirão de ofertas; lei da oferta e da procura

olho

off em off
office office boy
officer chief executive officer (CEO)
officio ex officio
oficial câmbio oficial; candidatura oficial; hora oficial (V. "hora legal"); oficial reformado
ofício de ofício; entender do ofício (V. "entender do riscado"); erro de ofício; fé de ofício; nada pescar do assunto (do ofício); ofício de defuntos; ofício de notas; ofício divino; ossos do ofício; saber de seu ofício; Santo Ofício; segredos do ofício; sem ofício nem benefício
oficioso(a) notícia oficiosa
oh Oh, Deus!
Oiapoque do Oiapoque ao Chuí
oitava (*subst.*) oitava de final
oitavo(a) oitava maravilha; oitava maravilha do mundo
oitenta nem oito nem oitenta; oito ou oitenta; ou oito ou oitenta
oitiva de oitiva
oito juntos como trança em oito; nem oito nem oitenta; oito ou oitenta; ou oito ou oitenta; tomar um oito
óleo derramar óleo em águas turvas; pôr óleo; santos óleos; trocar o óleo
olhadela dar uma olhadela
olhadinha dar uma olhadinha (V. "dar uma olhadela")
olhado mau-olhado
olhar E olhe lá.; fuzilar com o olhar/com os olhos; medir com o olhar; não olhar a despesas; não olhar para trás; olhar atravessado (V. "olhar de través"); olhar com bons olhos; olhar com o canto do olho; olhar com o rabo do olho; olhar de banda; olhar de cima; olhar de lado; olhar de mormaço; olhar de peixe morto; olhar de soslaio; olhar de través; olhar fixo; olhar impuro; olhar longe; olhar maroto; olhar oblíquo; olhar para o dia de amanhã; olhar para o próprio rabo; olhar para o próprio umbigo; olhar para ontem; olhar pelo canto do olho (V. "olhar com o canto do olho"); olhar por cima dos ombros; olhar por si; Olhe para si! (V. "Cuide de sua vida!"); preso(a) pelo olhar (V. "preso(a) pelo beiço"); sem olhar para trás; tirar mau-olhado; trocar olhares; Um gato pode olhar para um rei.
olho a olho; a olho desarmado; a olho nu; a olhos vistos; abaixar os olhos; abrir o olho; abrir os olhos; abrir os olhos à luz; abrir os olhos de; acender os olhos; andar de olho em; aos olhos de; arregalar os olhos; até os olhos; baixar os olhos; botar cinza nos olhos de; botar o olho em; botar olho grande em; branco do olho; capela dos olhos; chupar o olho; chupar os olhos da cara; com os olhos abertos; com os olhos rasos d'água; com um olho aqui, outro lá; comer com os olhos; correr os olhos por; custar os olhos da cara; dar com os olhos em; dar uma vista de olhos (V. "dar uma vista"); de encher os olhos; de olho em; de olho no gato e de olho no peixe; de olhos abertos; de olhos cerrados (V. "de olhos fechados"); de olhos fechados; debaixo dos olhos; deitar cinza nos olhos de (V. "botar cinza nos olhos de"); deitar olho comprido a; deitar poeira nos olhos; deitar terra nos olhos; dever os olhos da cara (V. "dever os cabelos da cabeça"); diante dos olhos; dormir com um olho aberto; dormir com um olho fechado e outro aberto; dormir de olhos abertos; encher os olhos; enquanto o diabo esfrega o olho; enquanto o diabo esfrega um olho (V. "enquanto o diabo esfrega o olho"); entrar pelos olhos; estar com o olho na estrada; estar com os olhos em; estar de olho; estar de olho em (V. "andar de olho em"); falar com os olhos; fechar os olhos; fechar os olhos a (ou para); fechar os olhos de (alguém); ficar de olho em; ficar de olhos abertos; fugir à luz dos olhos; fulminar com os olhos; furar os olhos de; fuzilar com o olhar/com os olhos; Isso/isto não é olho de santo.; jogar poeira nos olhos (V. "deitar poeira nos olhos"); jogar poeira nos olhos de alguém; jogar terra nos olhos (V. "deitar terra nos olhos"); lançar poeira aos olhos de; lance de olhos; levantar os olhos ao céu; levantar os olhos de; levantar os olhos para; menina de cinco olhos; menina do olho; menina dos olhos; meter os dedos pelos olhos; meter pelos olhos adentro; não acreditar nos próprios olhos; não pregar olho; não ser olho de santo; não tirar os olhos de; num abrir e fechar de olhos; num piscar de olhos; olhar com bons olhos; olhar com o canto do olho; olhar com o rabo do olho; olhar pelo canto do olho (V. "olhar com o canto do olho"); olho clínico; olho comprido; olho da rua; olho de águia; olho de boi; olho de cabra; olho de cabra morta; olho de gata (peixe) morta(o) (V. "olho de cabra morta"); olho de gato; olho de lince; olho de mormaço; olho de mosquito; olho de peixe morto; olho de santo; olho de sapo; olho de seca pimenta; olho de vaca laçada; olho do dono; olho do furacão; olho gordo; olho grande (V. "olho gordo"); olho mágico; olho no olho; olho nu; olho por olho; Olho por olho, dente por dente.; olho vivo; olhos de coruja (V. "olhos de lince"); olhos de lince; olhos de sapiranga;

603

olhômetro

olhos rasgados; olhos rasos de água; olhos vagos; passar o rabo dos olhos por; passar os olhos por; pelos meus(/seus) belos olhos; pôr cinza nos olhos (de alguém); pôr muito alto os olhos; pôr no olho da rua; pôr o olho em; pôr olho grande em; pôr olhos compridos em; pôr os olhos em; pôr terra nos olhos; pregar olho; queimar-se nos olhos de; saltar aos olhos; seguir com os olhos; ser um colírio para os olhos; só ter olhos para; ter de olho; ter debaixo dos olhos; ter diante dos olhos; ter mais olhos que barriga; ter névoas nos olhos; ter o olho em si; ter o olho maior (do) que... (*V.* "ter olhos maiores que a barriga"); ter o olho maior que a barriga; ter olho clínico; ter olhos de lince; ter olhos maiores que a barriga; ter olhos na ponta dos dedos; ter os olhos maiores do que a barriga (*V.* "ter olhos maiores que a barriga"); ter os olhos maiores que... (*V.* "ter olhos maiores que a barriga"); ter peneira nos olhos; ter poeira nos olhos; ter quatro olhos; tirar a venda dos olhos; torto de um olho; trazer de olho; ver com ambos os olhos; ver com bons olhos; ver com os próprios olhos; ver pelos olhos de outrem; vibrar os olhos; vista de olhos; volver os olhos
olhômetro no olhômetro
olímpico(a) anéis olímpicos; cheque olímpico; gol olímpico; Jogos Olímpicos; piscina olímpica; volta olímpica
oliveira folha de oliveira; ramo de oliveira
ombro carregar aos ombros; chorar no ombro de; dar de ombros; encolher os ombros; levantar os ombros; não ter ombros para; olhar por cima dos ombros; ombro a ombro; ombro amigo; ombro com ombro (*V.* "ombro a ombro"); sacudir os ombros; tratar por cima do ombro
ômega alfa e ômega; de alfa a ômega (*V.* "de A a Z")
omissão salvo erro ou omissão
omnes ad unum omnes; *erga omnes*
omnia per omnia secula seculorum
onça amigo da onça; bafo de onça; cutucar onça com vara curta; do tempo do onça; estar uma onça (*V.* "estar uma arara"); ficar uma onça; hora da onça beber água; mamar em onça; na hora da onça beber água; na onça; safar a onça; tempo do onça; toco de amarrar onça; tronco de amarrar onça (*V.* "toco de amarrar onça"); virar onça
onda Chega de onda!; crista da onda; entrar na onda (*V.* "entrar na moda"); estar na onda; fazer onda; ir na onda; na crista da onda; na onda; onda de calor; onda de protestos; onda do futuro; pegar uma onda; seguir a onda; tirar onda; tirar onda de
onde até onde a memória alcança; até onde a vista alcança; de onde; de onde em onde; dê por onde der; de vez em onde; fazer por onde; meter o nariz onde não é chamado; meter-se onde não é chamado; não saber onde meter a cara; não saber onde meter as mãos; não saber onde tem (tinha) a cabeça; não ter onde cair morto; não ter onde pôr a cabeça; onde a porca torce o rabo; onde comem dois, comem três (*V.* "se dá pra dois, dá pra três"); Onde está o busílis?; Onde já se viu!; onde Judas perdeu as botas; onde o diabo perdeu as esporas; onde o vento faz a curva; onde quer que; Onde você comprou esta camisa que está usando, tinha para homem?; Onde você está com a cabeça?; ouvir cantar o galo mas não saber onde; por onde; por onde quer que; saber onde lhe aperta o calo (*V.* "saber onde lhe aperta o sapato"); saber onde lhe aperta o sapato; saber onde lhe dói o calo; saber onde tem a cabeça; saber onde tem as ventas; saber onde tem o nariz; ter por onde; vez por onde
ontem antes de ontem; Ele não nasceu ontem.; já vi ontem; lembrar-se como se tivesse sido ontem; não ter nascido ontem; nascer ontem; olhar para ontem; para ontem; parece que foi ontem; ter nascido ontem
onze camisa de onze varas; meter-se em camisa de onze varas
opa irmão de opa
opção leque de opções
open open market
opera *soap opera*
operação operação tartaruga
operandi modus operandi
opere opere citato
opereta país de opereta
opinião abraçar a opinião (de alguém); carregar uma opinião; fazer opinião; mudar de opinião (*V.* "mudar de ideia"); opinião pública; pesquisa de opinião; questão de opinião; ser de opinião; sondagem de opinião; ter opinião formada
oportunidade agarrar uma oportunidade com unhas e dentes (*V.* "agarrar a ocasião pela calva"); aproveitar a oportunidade (*V.* "aproveitar enquanto o Brás é tesoureiro"); na oportunidade de; oportunidade de ouro; pintar uma oportunidade
oportuno momento oportuno
oposição intriga da oposição; oposição sistemática; são intrigas da oposição
óptico(a) ilusão de óptica; *scanner óptico*
ora ficar no ora veja; Ora bolas!; ora isso, ora aquilo; Ora pílulas!; ora pipocas; ora pois; Ora sebo!; Ora, muito obrigado(a)!;

Ora, ora!; ora... ora; por ora; Se? Ora, se! Se minha avó não tivesse morrido, inda hoje estaria viva.; *ora pro nobis*; *Seja lá que santo for, ora-pro-nóbis.*
ora (*lat.*) *Ora et labora.*
oração apostolado da Oração
orador orador sacro
oral por informação oral; prova oral; tradição oral
Orates casa de orates; casa dos orates (*V.* "casa de orates")
orbe orbe terrestre
orbi urbi et orbi
órbita estar em órbita; fora de órbita
orçamentário(a) verba orçamentária
ordem à ordem; ajudante de ordens; até segunda ordem; chamar à ordem; de primeira ordem; de segunda ordem (*V.* "de segunda classe"); em boa ordem; em ordem de precedência; estar em ordem; estar na ordem do dia; fora de ordem; na ordem do dia; ordem de pagamento; ordem do dia; Ordem Primeira; ordem religiosa; Ordem Segunda; Ordem Terceira; ordens maiores; ordens menores; ordens sagradas; ordens são ordens; palavras de ordem; pôr a casa em ordem; pôr em ordem; por ordem; pôr ordem; questão de ordem; receber as ordens; receber ordem; suspensão de ordens
ordenamento ordenamento ambiental; ordenamento jurídico
ordinal numeral ordinal
ordinário(a) ação ordinária; de ordinário; lei ordinária; ordinário da missa; sair do ordinário
ore ab ore ad aurem
orelha abanar as orelhas; agarrar na orelha da sota; andar com a pulga atrás da orelha; arrebitar as orelhas; até as orelhas; bater orelha; bater orelhas (*V.* "bater orelha"); beber água nas orelhas dos outros; cobertor de orelha; com a orelha em pé; com a orelha pegando fogo; com a pulga atrás da orelha; concha de orelha; da pontinha da orelha; dar um puxão de orelhas; de orelha; de orelha em pé; de orelhas baixas; de orelhas murchas (*V.* "de orelhas baixas"); espírito santo de orelha; falar no burro, apontaram as orelhas; ficar com a orelha em pé; ficar de orelhas baixas; ficar de orelhas em pé; levar um puxão de orelhas (*V.* "levar um pito"); murchar as orelhas; negócio de orelha; orelha da sota; orelha de abano; orelha de macaco; orelha quente; orelha seca; pegar na orelha da sota; pegar pelas orelhas (*V.* "puxar as orelhas"); pôr uma pulga atrás da orelha de (*V.* "pôr uma pedra no sapato de"); puxar as orelhas; puxar pela orelha da sota; torcer a orelha e não sair sangue; torcer as orelhas; torcer as orelhas de; travesseiro de orelha; troca na orelha (*V.* "troca por troca"); vau de orelha
orelhada de orelhada
orelhar orelhar a sota
organ house organ
organização organização não governamental
organizado(a) crime organizado
órgão órgãos públicos
orgulho engolir o orgulho; pôr o orgulho de lado
oriental Banda Oriental; Igreja Oriental
oriente Extremo Oriente; grande Oriente; Oriente Médio; Oriente Próximo
origem puro de origem; voltar às origens
original graça original
orquestra fosso de orquestra
ortodoxo(a) Igreja Ortodoxa
ortopédico colete ortopédico
ósculo ósculo da paz (*V.* "beijo da paz")
osso armação dos ossos; até a medula dos ossos; até os ossos; dar com os ossos em; dar um osso para (alguém); de carne e osso; É pele e osso!; em carne e osso; em osso; enterrar os ossos; enterro dos ossos; estar no osso; feixe de ossos; moer os ossos; montar em osso; não ser osso para andar na boca de cachorro; não ter osso nem espinha; no osso; osso duro de roer; ossos de borboleta; ossos do ofício; pele e osso; roer os ossos; saco de ossos; seco como osso; ser de carne e osso; ser pele e osso; somente pele e ossos
ostra fechado como uma ostra
otaviana pax otaviana
ótico(a) (*adj.*) ilusão de óptica; *scanner* óptico
our save our souls (S.O.S.)
ouro a ouro e fio; a peso de ouro; a preço de ouro; abrir com chave de ouro; bezerro de ouro; boca de ouro; bodas de ouro; chave de ouro; chuva de ouro (ou de prata); cláusula ouro; cobrir de ouro; coração de ouro; de ouro; em letras de ouro (*V.* "em letras de fogo"); entregar o ouro; entregar o ouro ao bandido (*V.* "entregar o ouro"); fechar com chave de ouro; gaiola de ouro; galinha dos ovos de ouro; idade de ouro; jubileu de ouro; livro de ouro; matar a galinha dos ovos de ouro; medalha de ouro; menino/a de ouro; mina de ouro; nadar em ouro; nascido em berço de ouro; nem coberto de ouro; nem por todo (o) ouro do mundo; o bezerro de ouro; oportunidade de ouro; ouro branco; ouro de lei; ouro dos tolos; ouro dos trouxas (*V.* "ouro dos tolos"); ouro em pó; ouro negro; ouro sobre azul; ouro verde; re-

out

gra de ouro; ser ouro de lei; ser ouro em pó; trocar ouro por lama; valer ouro; valer seu peso em ouro; velocino de ouro
out *checkout*; *fade in (out)*
outono equinócio da primavera/outono
outrem de outrem; derramar o sangue de outrem; ver pelos olhos de outrem
outro(a) abrir um buraco para tapar outro; acender uma vela a Deus e outra ao Diabo; alma de outro mundo; Amanhã é outro dia!; andar no vácuo do outro; aquentar água para o mate dos outros; beber água nas orelhas dos outros; Cara de um, focinho de outro.; chegar com uma mão atrás e outra na frente (*V*. "chegar de mãos abanando"); coisa de outro mundo; coisa do outro mundo; com um olho aqui, outro lá; com uma mão atrás e outra adiante; como diz o outro; como lá diz o outro; Conta outra!; conte outra (*V*. "Conte para outro!"); Conte para outro!; dar a outra face; dar um pelo outro e não querer troco; dar uma no cravo, outra na ferradura; de outra feita; de outra sorte; de outras eras; de outro planeta; de um dia para (o) outro; de um jeito ou de outro; de um lado para o outro; de um minuto para o outro (*V*. "de um momento para o outro"); de um momento para o outro; de um para outro lado; de um polo ao outro; de uma hora para outra; descobrir um santo para cobrir outro; descobrir um santo para vestir outro (*V*. "descobrir um santo para cobrir outro"); despachar para o outro mundo; despir um santo para vestir outro; do outro mundo; dormir com um olho fechado e outro aberto; em outras palavras; entrar por um ouvido e sair pelo outro; esquentar água para o mate dos outros; falar de outra coisa; ir amolar outro; ir num pé e voltar no outro; ir para o outro mundo; ir pregar em outra freguesia; Isso/isto é outra história...; isso/isto são outros quinhentos; mandar bater a outra porta; mandar bater em outra freguesia (*V*. "mandar bater a outra porta"); mandar para a outra vida; mandar para o outro mundo; maria vai com as outras; meia dúzia de um e seis do outro; morrer um atrás do outro; nada como um dia depois do outro; não dar outra; não querer outra vida; não tem outro jeito; nascer outra vez; nem um nem outro; nem uma coisa nem outra; nós outros; o macaco é outro; o outro; oferecer a outra face; outro eu; outro galo cantaria; outro lado da moeda; outro mundo; outro que tal; outro tanto; passar de um polo a outro; pedir este mundo e o outro; pergunte-me outra; por outro lado; querer ser mais pintado do que os outros; querer uma no saco e outra no papo; são outros quinhentos; Se um diz branco, o outro diz preto.; ser (fulano) outra vez; ser outra vez; ser outro homem; tomar outro rumo; tomar umas e outras; um ao outro; um e outro; um ou outro; um pé lá, outro cá; um pelo outro; uma coisa depois da outra; Uma coisa é uma coisa, outra coisa é outra coisa.; Uma coisa leva a outra.; uma coisa ou outra; uma no cravo e outra na ferradura; uma vez na vida, outra na morte; uma vez ou outra; uma vez por outra (*V*. "uma vez ou outra"); umas e outras; umas em cheio, outras em vão; uns aos outros; uns e outros; vez ou outra (*V*. "de tempo a tempo"); vez por outra; vir num pé e voltar no outro; Você é outro!
outubro alagação de outubro
ouvida de ouvida (*V*. "de orelha")
ouvido (*adj.*) não ser ouvido nem cheirado; não ter sido ouvido nem cheirado
ouvido (*subst.*) abrir os ouvidos; ao ouvido; ao pé do ouvido; aplicar o ouvido; aplicar os ouvidos (*V*. "aplicar o ouvido"); as paredes têm ouvidos; azucrinar os ouvidos; bom ouvido; buzinar aos (nos) ouvidos; cantigas, tenho ouvido muitas; cera do ouvido; chegar aos ouvidos; com cera no ouvido; dar ouvidos a; de ouvido; duro de ouvido; emprenhar pelos ouvidos; entrar por um ouvido e sair pelo outro; estar com cera no ouvido; fazer ouvidos de mercador; fazer ouvidos moucos; fechar os ouvidos; ferir os ouvidos; incomodar os ouvidos; Isso/isto é música para os meus ouvidos.; levar aos ouvidos de; martelar nos ouvidos de alguém; música para meus ouvidos; não dar ouvidos; no pé do ouvido; ouvidos de mercador; pé de ouvido; prestar ouvido (*V*. "prestar atenção"); prestar ouvido a; ser todo ouvidos; soar mal aos meus ouvidos; tapar os ouvidos; ter bom ouvido; ter cera nos ouvidos; ter os ouvidos cheios; ter os ouvidos entupidos; tocar de ouvido; todo ouvidos
ouvir aqui, que ninguém nos ouve; Não ouço, não vejo, não falo.; não vejo, não ouço, não falo; ouvir cantar o galo mas não saber onde; ouvir umas verdades; por ouvir dizer; que ninguém nos ouça; sinto arrepios só de contar (ou de ouvir) (*V*. "sinto arrepios só de lembrar")
ova Uma ova!
ovelha leão entre ovelhas; ovelha desgarrada; ovelha negra; ser uma ovelha negra
ovo ao frigir dos ovos; babar ovo; boca de chupar ovo; branco do ovo; careca como um ovo; catar pelo em ovo; chocar os ovos;

colocar todos os ovos na mesma cesta; contar com o ovo dentro da galinha; de arrepiar cabelo de ovo (*V.* "de arrepiar"); de ovo virado; deitar ovos; estalar ovos; estar cheio como um ovo; estar de ovo virado; estrelar ovos; fazer ovo; fios de ovos; galinha dos ovos de ouro; gema de ovo; matar a galinha dos ovos de ouro; muita galinha e pouco ovo; na fritada dos ovos; não ser capaz de fritar um ovo; no frigir dos ovos; no ovo; o ovo ou a galinha; ovo de Colombo; ovo de Páscoa; ovo estalado; pinto saído do ovo; pisar em ovos; pôr ovos; procurar cabelo em ovo; procurar pelo em ovo; sair da casca do ovo; ser um ovo; *ab ovo (usque) ad mala*; *ab ovo*
oxigenado(a) água oxigenada
Oxóssi capanga de Oxóssi

P

P.S. *post scriptum (P.S.)*
pá colocar /pôr uma pá de cal em; da pá virada; pá carregadeira; p-a-pá Santa Justa; pôr uma pá de cal
paca paca tatu
pacamão cara de pacamão de enxurrada
pacau bater o pacau
pace in pace; Requiescant in pace.
paciência criar calo no coração ou na paciência; de fazer perder a paciência a um santo; encher a paciência; esgotar a paciência; levar à paciência; obra de paciência; paciência de Jó; paciência de santo (*V.* "paciência de Jó"); perder a paciência; Tenha a santa paciência!; Tenha paciência!; tentar a paciência (de alguém); ter paciência; ter uma paciência de Jó
pacífico ponto pacífico
paco conto do paco
paçoca seco na paçoca
pacote pacote de férias; pacote econômico
pacto pacto de sangue; ter pacto com o diabo
pacuera bater a pacuera
padrão padrão de vida
padre casar no padre; nem à mão de Deus Padre; nome do padre (pai); Santo Padre
pagador desculpa de mau pagador
pagamento balanço de pagamentos; contraordem de pagamento; dação em pagamento; equilíbrio do balanço de pagamentos; facilitar o pagamento; franco de pagamento; ordem de pagamento
pagão camisa de pagão
pagar Deus te (lhe) pague; Devo e não nego; pagarei quando puder.; efeito a pagar/receber; fodido e mal pago; pagar as custas; pagar caro; pagar com a mesma moeda; pagar com a mesma moeda. (*V.* "pagar na mesma moeda"); pagar com juros; pagar com língua de palmo; pagar e não bufar; pagar em espécie; pagar mico; pagar na mesma moeda; pagar o justo pelo pecador; pagar o maior mico (*V.* "pagar mico"); pagar o mal com o bem; pagar o mico; pagar o novo e o velho; pagar o pato; pagar o prejuízo; pagar os pecados; pagar para ver; pagar pela língua; pagar por; pagar por fora (*V.* "dar um por fora"); pagar tributo à mocidade; pagar tributo à velhice; pagar um alto preço; pagar um bom dinheiro; pagar um mico; pagar uma ficha (*V.* "pagar um bom dinheiro"); pagar uma fortuna (*V.* "pagar um bom dinheiro"); pagar uma visita; pagar vale; Você me paga!
página a páginas tantas; cabeça de página; na primeira página dos jornais; página de rosto; página virada; páginas amarelas; virar a página
pagode de pagode
pah É pah e buf.
pai analfabeto de pai e mãe; com o pai na forca; como dizia meu pai; creio em Deus Pai; de pai para filho; dia dos pais; E eu sou pai disso?; ensinar o Pai-nosso ao vigário; Eu não sou pai disso.; filho de meu pai; irmãos de pai; mãe (pai) adotiva(o); mãe (pai) coruja; não ser pai de pançudo(s); negócio de pai para filho; o Pai da Aviação; o pai da criança; o pai da História; o pai da ideia; o pai da mentira; o pai das queixas; o pai do mal; óculos do Pai eterno; pai de família; pai de todos (*V.* "dedo médio"); pai dos burros; pai-nosso; querer ensinar o pai-nosso ao vigário; ser pai de; ter pai vivo e mãe bulindo; tirar o pai da forca
painel painel de instrumentos
país país de opereta; país emergente; Países Baixos
paisana à paisana
paixão calor da paixão; fogo da paixão; minha paixão; Sexta-feira da Paixão
pala bater pala
paladar estragar o paladar
palam palam et publice
palanque assistir de palanque (*V.* "assistir de camarote"); de palanque
palatina abóbada palatina
palatino(a) conde palatino
palavra ação e não palavras; arte da palavra; associação de palavras; cassar a palavra; com licença da palavra; com o perdão da palavra; comer as palavras; cortar a palavra a; cumprir a palavra dada; cumprir a palavra empenhada (*V.* "cumprir a palavra

palavrão

dada"); dar a palavra; de palavra; Desculpe a má palavra!; dom da palavra; em duas palavras; em outras palavras; em poucas palavras; em quatro palavras; em toda a extensão da palavra; em uma palavra; empenhar a palavra; engolir as próprias palavras; estar com a palavra na boca; estar sob palavra (V. "estar sob juramento"); Faço das suas as minhas palavras./Faço minhas as suas palavras.; falta de palavra; fatos e não palavras; ficar só em palavras; gastar palavras; homem (pessoa) de palavra; homem de poucas palavras; jogar com as palavras; jogo de palavras; manter a palavra; mascar as palavras; medir as palavras; meias palavras; molhar a palavra; muitas coisas em poucas palavras; na acepção da palavra; na extensão da palavra; não acreditar em nem uma palavra do que diz; não dar uma palavra; não medir as palavras; não ser capaz de dizer nem três palavras; não ser capaz de juntar nem três palavras (V. "não ser capaz de dizer nem três palavras"); não ter palavra; não ter senão uma palavra; Nem uma palavra.; numa palavra; numa só palavra; palavra cabeluda; palavra de honra; palavra de rei; palavra por palavra; palavra puxa palavra; palavras ácidas; palavras cruzadas; palavras de ordem; palavras envenenadas; palavras pesadas; palavras sacramentais; passar a palavra; pedir a palavra; pegar na palavra; pesar as palavras; pessoa de poucas palavras; pôr palavras na boca de; Santas palavras!; ser a última palavra em; sob palavra; ter a palavra; ter a palavra fácil; ter a palavra final; ter a última palavra; ter palavra; tirar a palavra da boca de; tomar a palavra; última palavra; usar a palavra; vibrar as palavras
palavrão chuva de palavrões
palavrinha dar uma palavrinha
palco palco de batalha
paleontológico(a) jazida paleontológica; sítio paleontológico
paletó abotoar o paletó; fechar o paletó; fechar o paletó de; paletó de madeira; vestir o paletó de madeira
palha chapéu de palha; cigarro de palha; dá cá aquela palha; dar palha; dê cá aquela palha; dormir nas palhas; fogo de palha; homem de palha; não levantar uma palha; não mexer uma palha (V. "não levantar uma palha"); não mover uma palha; palha de aço; por dá(dê) cá aquela palha; puxar palha (V. "puxar uma palha"); puxar uma palha; rabo de palha; ter rabo de palha
palhaço bancar o palhaço; cara de palhaço; colarinho de palhaço
palhada bater palhada
palheiro agulha no palheiro; procurar agulha em (no) palheiro
palhetada em duas palhetadas
palhinha chapéu de palhinha (V. "chapéu de palha")
pálida cara-pálida; pálida imitação
palinódia cantar a palinódia
palitinho disputar no palitinho; jogo de palitinhos
palito economia de palitos; magro como um palito (V. "magro como um espeto"); seco como palito
palma bater palmas; conhecer como a palma da mão; conheço como a palma de minha mão; dar a palma a; É de vaca bater palmas com os chifres.; ganhar a palma; levar a palma; levar a palma a; salva de palmas; Sua alma, sua palma.; ter alguém na palma da mão; ter cabelo na palma da mão; ter na palma da mão; ter unhas na palma da mão; tratar na palma da mão; trazer nas palmas das mãos
palmar erro palmar
palmatória dar a mão à palmatória; dar as mãos à palmatória (V. "dar a mão à palmatória"); palmatória do mundo
palminho um palminho de cara (V. "um palminho de rosto"); um palminho de rosto
palmo a sete palmos debaixo da terra; com língua de palmo; debaixo de sete palmos; língua de palmo; língua de palmo e meio; não enxergar um palmo adiante do nariz; não ver um palmo adiante do nariz; pagar com língua de palmo; palmo a palmo; palmo de terra; sete palmos
palpo em palpos de aranha (V. "em papos de aranha")
pamonha cara de pamonha
pampa às pampas (V. "às pamparras")
pamparra às pamparras
Pan Peter Pan
panca andar em pancas; dar pancas; ver-se em pancas
pança comer até encher a pança (V. "comer como um cavalo"); encher a pança
pancada absorver a pancada (V. "absorver o choque"); de pancada; esperar pela pancada; meio pancada (V. "meio louco"); moer a pancadas; pancada de água; pancada de chuva (V. "pancada de água"); saco de pancadas; ter pancada na mola
pançudo não ser pai de pançudo(s)
pandarecos aos pandarecos; com os nervos em pandarecos; em pandarecos
Pandora caixa de Pandora

para

pane pane seca
panela chá de panela; ficar com cara de cachorro que quebrou panela; pôr na mesma panela
panelinha desfazer a panelinha; fazer panelinha; são da mesma panelinha
panem panem et circenses
pano a todo pano; abrir os panos; baixar o pano; cair o pano; dar pano para mangas; debaixo dos panos; Desça o pano.; não ser pano de amostra; não ter pano para mangas; pano cru; pano de boca; pano de chão; pano de fundo; pano de prato; pano lento; pano para mangas; pano rápido; pano sagrado; pano verde; panos quentes; por baixo do pano; por baixo dos panos (*V.* "por baixo do pano"); por debaixo do(s) pano(s) (*V.* "por baixo do pano"); por debaixo dos panos (*V.* "por debaixo da mesa"); pôr panos quentes; remendo velho em pano novo; ter pano para as mangas (*V.* "ter pano para mangas"); ter pano para mangas
pantana dar em pantana (*V.* "dar em nada")
pantim fazer pantim
Panurgo carneiros de Panurgo
pão a pão e água; a pão e laranja; bom como pão (*V.* "bom como água"); comer o pão que o diabo amassou; farinha de pão (*V.* "farinha de rosca"); fazer pão grande; firme como o Pão de Açúcar (*V.* "firme como uma rocha"); fração do pão; ganhar o pão de cada dia; não merecer o pão que come; não valer o feijão (pão) que come; não valer o pão que come (*V.* "não valer o feijão (pão) que come"); pão ázimo; pão celeste; pão com manteiga; pão com manteiga dos dois lados; pão com rosca; pão da alma; pão da vida; pão do céu (*V.* "pão celeste"); pão do espírito; pão dos anjos (*V.* "pão celeste"); pão e circo; pão nosso de cada dia; pão pão, queijo queijo; pão-duro; passar a pão e água; Por fora bela viola, por dentro pão bolorento.; por fora corda de viola, por dentro pão bolorento (*V.* "Por fora bela viola, por dentro pão bolorento."); tirar o pão da boca de; tororó, pão duro; vende como pão quente
papa não ter papas na língua; papa de milho
papa (pontífice) ir a Roma e não ver o papa; papa negro; Temos o Papa.
papagaio bico de papagaio; empinar um papagaio; falar como papagaio; língua de papagaio; papagaio de pirata; seco como língua de papagaio
papai acreditar em Papai Noel; corte papal ou pontifical; filhinho de papai; o papai; o papai aqui (*V.* "o papai"); Papai Noel

papam Habemus papam.
papar estar papando alto; papar mosca
papel casamento de papel passado; confiar ao papel; de papel passado; fazer papel de besta (*V.* "fazer papel de bobo"); fazer papel de bobo; ficar no papel; forminha de papel; não valer o papel em que está escrito; papéis trocados; papel aceita tudo; papel aguenta tudo (*V.* "papel aceita tudo"); papel de folhinha; papel de seda; papel higiênico; papel machê; papel principal; papel queimado; papel timbrado; pôr no papel; tigre de papel
papelão Que papelão!
paper commercial paper
papo a vitória está no papo; águia de papo amarelo; bate-papo; bate-papo virtual; bater papo; bater um papo; bom papo; de papo para o ar; de papo pro ar (*V.* "de barriga para cima"); em papos de aranha; encher o papo (*V.* "encher o bucho"); Está no papo!; estar no papo; falar de papo cheio; ficar de papo para o ar; fim de papo; Isso/isto é papo!; levar no papo (*V.* "levar na conversa"); levar um papo; papo pro ar; passar no papo; querer uma no saco e outra no papo; ser um bom papo; viver de papo para o ar
par a par (de); a par de; a par e passo; ao par; ao par de; aos pares; de par; de par com; de par em par; estar a par de; fazer par; número par; par a par; par de galhetas; par ou ímpar; pôr a par; pôr-se a par; sem-par
Pará príncipe do Grão-Pará
para (*prep.*) abrir um buraco para tapar outro; ainda haver muita água para passar debaixo da ponte; ainda para mais ainda; ainda para mais ajuda; amigo da boca para fora; andar da sala para a cozinha; andar para trás como caranguejo; apelar para a ignorância; aquentar água para o mate dos outros; boa para cortar manteiga; bom demais para durar; bom demais para ser verdade; bom para cortar manteiga; botar para correr; botar para fora; botar para rachar; botar verde para pegar maduro; cair para não se levantar; cair para trás; carne para canhão; chegar para apagar as luzes; chutar para córner; chutar para o alto; colocar raposa para tomar conta de galinheiro; com as pernas para o alto; Conte para outro!; conversa mole para boi dormir; conversa para (pra) boi dormir (*V.* "conversa mole para boi dormir"); cuspir para cima (*V.* "cuspir para o ar"); cuspir para o ar; da boca para fora; da mão para a boca; da noite para o dia; dar corda para se enforcar; dar os anéis para salvar os dedos; dar pano para mangas; dar para o gasto; dar

609

para

para trás; dar um osso para (alguém); de barriga para cima; de cá para lá; de então para cá; de hoje para amanhã; de homem para homem; de igual para igual; de lá para cá; de mim para mim; de mulher para mulher; de pai para filho; de papo para o ar; de pernas para o ar; de si para consigo mesmo; de telhas para cima; de trás para a frente; de um dia para (o) outro; de um lado para o outro; de um minuto para o outro (*V.* "de um momento para o outro"); de um momento para o outro; de um para outro lado; de um tempo para cá; de uma hora para outra; de uma vez para sempre (*V.* "de uma vez"); deixar para amanhã (*V.* "guardar para amanhã"); deixar para depois; deixar para trás; descobrir um santo para cobrir outro; descobrir um santo para vestir outro (*V.* "descobrir um santo para cobrir outro"); despachar para o outro mundo; despir um santo para vestir outro; dez para as duas; dispor-se para o que der e vier; dizer de si para si; do dia para a noite; do pé para a mão; dose para elefante (*V.* "dose para leão"); dose para leão; É muita honra para um pobre marquês.; É para hoje ou não?; É para/pra valer. (*V.* "É tudo ou nada."); embarcar deste mundo para um melhor; embarcar/ir desta para a melhor (*V.* "embarcar deste mundo para um melhor"); empregada para todo serviço; espirrar para o céu; esquentar água para o mate dos outros; estar em graça para com (*V.* "estar na graça de"); estar mais para lá do que para cá; estar para nascer...; estar para o que der e vier; estória para boi dormir; falar da boca para fora; falar para a velhinha surda da última fila; falar para as paredes; falar para dentro; falar para si mesmo; fazer a cama (para alguém); fazer-se de burro para conseguir capim; fechado para balanço; ficar de papo para o ar; ficar para contar a história; ficar para galo de São Roque (*V.* "ficar para tia (titia) ou tio (titio)"); ficar para semente; ficar para tia (titia) ou tio (titio); ficar para trás; fuga para a frente; guardar para amanhã; guardar para si; Há gente para tudo.; Há gosto para tudo.; Há limites para tudo.; história para (pra) boi dormir; história para menino dormir (*V.* "história para (pra) boi dormir"); ir a vaca para o brejo; ir desta para melhor; ir direto/direitinho para o céu; ir para a Cacuia (*V.* "ir para a cucuia"); ir para a cama; ir para a cama com; ir para a cidade dos pés juntos; ir para a cucuia; ir para a prateleira; ir para as cabeceiras; ir para as cucuias (*V.* "ir para a cucuia"); ir para bom lugar; ir para cima; ir para cima de; ir para fora; ir para o beleléu; ir para o brejo; ir para o canto; ir para o céu das formigas; ir para o céu vestido e calçado; ir para o chuveiro mais cedo; ir para o espaço; ir para o outro mundo; ir para o sacrifício; ir para o vale dos lençóis; ir para o vinagre; ir para os quintos do inferno; ir para trás; ir pra (para a) frente; ir pra (para a) geladeira; ir pra (para a) roça; ir pro (para o) mato; ir, mandar ou mandar ir para o(os) caixa-pregos; ir-se desta para a melhor; Isso/isto é grego (para mim).; Isso/isto é música para os meus ouvidos.; jogar para a arquibancada; jogar para a plateia; jogar para escanteio; jogar tudo para o ar; jogar verde para colher maduro; levantar a voz para alguém; levar Deus para si; levar jeito para (alguma coisa); mal(es) que vem (vêm) para o bem; mandar (alguém) desta para melhor; mandar (alguém) para o diabo; mandar (alguém) para o diabo que o carregue (*V.* "mandar (alguém) para o diabo"); mandar desta para pior; mandar para a outra vida; mandar para aquele lugar; mandar para as cucuias (*V.* "mandar para o beleléu"); mandar para o beleléu; mandar para o chuveiro; mandar para o outro mundo; mandar para os quintos do inferno (*V.* "ir para os quintos do inferno"); mandar para os quintos do(s) inferno(s); mandar voltar para a escola; mijar para trás; morrer para o mundo; mudar da água para o vinho; mudar de pato para ganso; muita areia para o caminhão de (alguém); muita carne para o churrasco de (alguém); música para meus ouvidos; não chegar para as encomendas; Não dá para acreditar! (*V.* "É o fim da picada!"); não dar nem para a saída; não dar nem para o gasto (*V.* "não dar nem para o leite das crianças"); não dar nem para o leite das crianças; não dar nem para tapar um buraco do dente; não dar nem para um cachorro; não dar para a saída (*V.* "não dar nem para a saída"); não dar para acreditar; não dizer para que veio (*V.* "não dizer a(/ao) que veio"); não é para o seu bico (*V.* "não é para os seus beiços"); não é para os seus beiços; não ficar para trás; não levar desaforo para casa; não mandar para o vigário; não olhar para trás; não prestar para nada; não saber para que lado ir; Não se aproveita nem a alma para fazer sabão.; não ser caju que nasce com a castanha para baixo; não ser osso para andar na boca de cachorro; não ser para graças; não ser para menos; não ser para o seu (ou meu) beiço; não ser para o seu (ou meu) bico (*V.* "não

ser para o seu (ou meu) beiço"); não ser para os dias de alguém; não ser páreo para (alguém); não ter nem um para remédio; não ter pano para mangas; não ter tempo nem para respirar (V. "não ter tempo"); não ter tempo nem para se coçar (V. "não ter tempo"); nascer com a bunda para a lua; nascer com os pés para trás; nascer virado para a lua; nascido para comer grãos; negócio de pai para filho; nem para o céu; nem para remédio; O mar não está para (pra) peixe!; olhar para o dia de amanhã; olhar para o próprio rabo; olhar para o próprio umbigo; olhar para ontem; Olhe para si! (V. "Cuide de sua vida!"); Onde você comprou esta camisa que está usando, tinha para homem?; pagar para ver; pano para mangas; para a frente; para a galera; para a galeria; para a vida e para a morte; para acolá; para adiante; para além de; para ali; para aqui; para aqui, para acolá; para as calendas gregas; para assim dizer; para baixo; para baixo todo(s) (os) santo(s) ajuda(m); para cá; para cima; para cima de; para cima e para baixo; para começo de conversa; para dar e vender; para dentro; para desgraçar; para diabo; para diante; para dizer a verdade...; para encurtar a conversa; para fora; para fora de; para inglês ver; para já; para lá; para lá e para cá; para logo; para não se botar (ou pôr) defeito (V. "para ninguém botar (ou pôr) defeito"); para ninguém botar (ou pôr) defeito; para o ar; para o bispo; para o espaço; para o melhor ou para o pior (V. "para o que der e vier"); para o que der e vier; para ontem; para que; para que lado o vento soprar; para que lado sopra o vento; Para quem é, bacalhau basta.; para segurança; para sempre; para seu governo; para tanto; para todo (o) sempre; para todos os bolsos; para todos os efeitos; para trás; para valer; para viagem; partir para a briga (V. "passar às vias de fato"); partir para a ignorância; passar desta vida para melhor; passar para trás; pau para toda obra; pegar para Judas; pernas para o ar; Pernas, para que te quero?; Pés, para que te quero?; plantar verde para colher maduro; pôr os bofes para fora (V. "deitar os bofes pela boca"); pôr os pés para cima; pôr para correr; pôr para fora; pôr para o lado; pôr para um lado (V. "pôr para o lado"); procurar sarna para se coçar; pronto para usar (V. "pronto para vestir"); pronto para vestir; puxar a brasa para sua sardinha; Quanta honra para um pobre marquês!; representar para as cadeiras; rir dos dentes para fora; sair da frigideira para o fogo; sarna para se coçar; sem condições para nada (V. "sem condições"); sem jeito para nada; sem mais quê nem para quê; sem olhar para trás; sem quê nem para (por) quê; ser a fôrma para o pé de; ser bom para o fogo; ser dose para elefante; ser dose para leão (V. "ser dose para elefante"); ser fôrma para o pé de; ser mulher para (V. "ser mulher de"); ser passado para trás; ser pau para toda obra; ser um colírio para os olhos; só para variar; tem gente para tudo (V. "Há gente para tudo."); Tem gosto para tudo. (V. "há gosto para tudo."); tem limites para tudo (V. "Há limites para tudo."); tenho para mim que...; ter dinheiro para queimar; ter hora certa para tudo; ter muita feijoada para comer; ter pano para as mangas (V. "ter pano para mangas"); ter pano para mangas; ter para dar e vender; ter para si; ter resposta para tudo; ter sarna para coçar-se; ter uma cruz para carregar; tocar a vida para frente; tocar o barco para a frente; trabalhar para o bispo; tratar de igual para igual; tudo de cabeça para baixo; Um gato pode olhar para um rei.; um passo atrás (ou para trás) e dois adiante (ou à frente); Vá para o diabo!; Vá para o inferno!; varrer para debaixo do tapete; ver o que é bom para tosse; ver para crer; ver para que lado sopra o vento (V. "ver de que lado sopra o vento"); viver de papo para o ar; viver para contar a história (V. "ficar para contar a história"); voar para cima de
parábola A parábola da caverna (V. "caverna de Platão")
parabólica antena parabólica
parada abrir a parada; aguentar a parada; dobrar a parada (aposta); enfrentar a parada; não enjeitar parada; parada cardíaca; parada de sucessos; parada federal; ponto de parada; topar a parada; topar qualquer parada; vencer a parada
parade hit parade
paradeiro pôr um paradeiro
paradoxo paradoxo socrático
parafuseta rebimboca da parafuseta
parafuso entrar em parafuso; parafuso quadrado em rosca redonda; parafuso solto; ter um parafuso a menos; ter um parafuso frouxo (V. "ter um parafuso a menos"); ter um parafuso solto (V. "ter um parafuso a menos")
parágrafo capítulo e parágrafo
paraguaio cavalo paraguaio
paraíso estar no paraíso; estar num paraíso; paraíso fiscal
paralelo(a) atividade paralela; barras paralelas; câmbio paralelo; correr em paralelo

paralítico(a)

(*V.* "correr por fora"); não ter paralelo; pôr em paralelo; sem paralelo
paralítico(a) múmia paralítica
paraolímpico(a) Jogos Paraolímpicos
parar ir parar no cafundó do judas; limpador de para-brisa; parar com; Pare com isso!; preguiça chegou ali, parou (*V.* "preguiça chegou ali, fez casa de morada"); ser para-raios de encrenca
paratus in utrunque paratus
pardo(a) comer o peito da franga com molho pardo (*V.* "comer o peito da franga"); eminência parda; frango ao molho pardo; galinha ao molho pardo; molho pardo
parecer ao que parece; Assim é, se lhe parece; Cada uma que pareça duas.; mais difícil do que parece; Parece piada!; parece que foi ontem; parecer não ser da terra; parecer um sonho; parecer uma boneca; parecer, mas não ser; parecerem-se como duas gotas-d'água; por estranho que pareça; por mais estranho que pareça (ou que possa parecer) (*V.* "por estranho que pareça"); ser de parecer (*V.* "ser de opinião")
parede as paredes têm ouvidos; bater com a cabeça pelas paredes; colocar contra a parede; com as costas na parede; conversar com as paredes; dar com a cabeça pelas (nas) paredes; encostar na parede; entre a espada e a parede; entre quatro paredes; falar com as paredes; falar para as paredes; fazer parede; imprensar contra a parede; jogar contra a parede; levar à parede; limpar as mãos à parede; meter-se entre quatro paredes; morar parede-meia com; parede de enchimento; paredes-meias; poder limpar as mãos à parede; pôr contra a parede; pôr os pés à parede; subir pelas paredes
parelha correr parelhas com; fazer parelha
parente parente afim; parente de ligação; parente por afinidade; parente por parte de Adão e Eva; parente próximo; parente uterino
parêntese abrir aspas/parênteses; abrir parênteses; entre parênteses; fechar o parêntese
páreo estar no páreo; não ser páreo para (alguém)
pares primus inter pares
pari pari passu
parido(a) vaca parida
parlamentar comissão parlamentar de inquérito; decoro parlamentar; imunidade parlamentar
Parnaso subir ao Parnaso
paroquial casa paroquial
parque parque de diversões; parque industrial; parque infantil; parque nacional
parreira suco de parreira; sumo de parreira
parte a esta parte; à parte; cheio de partes; da parte de; dar parte de; dar parte de fraco; de minha parte; de parte a parte; de parte de; em parte; fazer a parte do leão; fazer parte de; fazer parte do jogo; ficar com a parte do leão; fora parte; ir por partes; modéstia à parte; parente por parte de Adão e Eva; parte do leão; partes baixas (*V.* "partes pudendas"); partes íntimas (*V.* "partes pudendas"); partes pudendas; pôr de parte; por parte de; por partes; por toda parte; pula esta parte; ter parte com; ter parte em; ter parte no bolo; tomar parte em
parti parti pris
partibus in partibus infidelium
participação participação nos lucros
participativo(a) democracia participativa
particular amigo particular; em particular; sinais particulares; vida particular (*V.* "vida privada")
partida (*subst.*) correr as sete partidas do mundo; estar em ablativo de partida (*V.* "estar em ablativo de viagem"); ganhar a partida; partidas dobradas; perder a partida; ponto de partida; pôr-se de partida; pregar uma partida
partido(a) (*adj.*) bom partido; com o coração partido; coração partido; não tomar partido; samba de partido-alto; tirar partido; tomar o partido de (alguém); tomar partido
partilha formal de partilha
partir a partir de; partir a cara; partir como uma bala; partir como uma flecha (*V.* "partir como uma bala"); partir de um princípio; partir deste mundo; partir do nada; partir o coração; partir para a briga (*V.* "passar às vias de fato"); partir para a ignorância; Raios (que) o partam!
parto fazer o parto; parto da montanha; parto difícil; trabalho de parto
pascal círio pascal; preceito pascal; vigília pascal
páscoa domingo de Páscoa; ovo de Páscoa
passada (*subst.*) dar uma passada
passadinha dar uma passadinha (*V.* "dar uma passada")
passado (*subst.*) passado distante; próximo passado
passado(a) (*adj.*) águas passadas; casamento de papel passado; de eras passadas; de papel passado; em passadas eras; frutos passados; passado na tripa do macaco; ser passado para trás; ter passado por coisa pior
passagem abrir passagem; de passagem; dizer de passagem; estar de passagem; fa-

zer passagem; passagem de nível; passar de passagem; pedir passagem
passant en passant
passante passante de
passar água que passou debaixo da ponte; ainda haver muita água para passar debaixo da ponte; Assim passa a glória do mundo.; deixar passar; Do chão não passa.; não passar de; não passar pela garganta; não passarem os anos por; não se passar para; não se passaram os anos por/para; O que passou, passou.; passar a bola; passar a borracha; passar a chave em; passar a conversa; passar a ferro; passar a fio de espada; passar à frente; passar à história; passar a limpo; passar a língua; passar a linha; passar a manta em; passar a mão em; passar a mão na cabeça (de); passar a mão pela cabeça (de) (*V.* "passar a mão na cabeça (de)"); passar a noite com; passar a noite em claro; passar a palavra; passar a pão e água; passar a pasta; passar a perna (em); passar à reserva; passar a vez; passar a vista por; passar adiante; passar ao largo; passar aos finalmente; passar apertado; passar as raias; passar às vias de fato; passar banha em; passar batido; passar bem; passar bom tempo; passar bons momentos; passar cola; passar como num sonho; passar como o vento; passar como uma nuvem (*V.* "passar como o vento"); passar como uma sombra; passar da bitola; passar da conta; passar da idade; passar da moda; passar das marcas; passar das medidas; passar de; passar de ano; passar de cavalo a burro; passar de largo; passar de passagem; passar de pato a ganso; passar de porco a porqueiro; passar de um polo a outro; passar de viagem; passar desta vida para melhor; passar do branco ao preto (*V.* "passar de um polo a outro"); passar do ponto; passar dos limites; passar em branco; passar em claro; passar em julgado; passar em revista; passar em silêncio; passar escritura; passar fogo; passar fome; passar lamba; passar longe; passar manteiga em focinho de gato; passar na (numa) peneira; passar na cara (alguém); passar na chave; passar na conversa; passar na frente; passar na peneira; passar na tangente; passar necessidade; passar no papo; passar no quarto; passar nos cobres; passar nos peitos; passar num funil; passar numa peneira (*V.* "passar na peneira"); passar o bastão; passar o beiço; passar o bico; passar o buçal em; passar o chapéu; passar o diabo; passar o facão; passar o pé adiante da mão; passar o pente-fino em; passar o pires; passar o que o diabo enjeitou; passar o rabo dos olhos por; passar o som; passar o tempo; passar os cinco dedos; passar os cobres (*V.* "cair com os cobres"); passar os olhos por; passar para trás; passar pela cabeça; passar pela censura; passar pela peneira; passar pelo pau do canto; passar por; passar por (um) mau(s) bocado(s) (*V.* "passar por um mau pedaço"); passar por baixo do poncho; passar por cima (de); passar por cima do cadáver de; passar por coisa pior; passar por poucas e boas; passar por um aperto; passar por um mau pedaço; passar por um mau quarto de hora (*V.* "passar por um mau pedaço"); passar raspando; passar recibo; passar sebo nas canelas; passar susto em; passar trote; passar um buçal em (*V.* "passar o buçal em"); passar um calote; passar um mau quarto de hora; passar um pito; passar um sabão (*V.* "passar um pito"); passar um susto; passar um telegrama; passar uma cantada; passar uma conversa; passar uma descompostura; passar uma esponja; passar uma rasteira; passar-se com armas e bagagens para; passe bem; rogar ao santo até passar o barranco; Se cair, do chão não passa.; ver o cavalo passar arreado
passarinho água que passarinho não bebe; comer como um passarinho; como um passarinho; espantar o passarinho; ir-se como um passarinho; morrer como passarinho; um passarinho me contou; ver passarinho verde
pássaro a voo de pássaro; livre como um pássaro
passe num passe de mágica; passe de mágica; passe livre
passear mandar passear
passeio carro de passeio; dar um passeio; passeio completo
passinho cada passinho
passivo(a) fumante passivo; obediência passiva; resistência passiva
passo a cada passo; a furta-passo; a par e passo; a passo; a passo e passo; a passos de gigante; a passos de tartaruga; a passos largos; a passos lentos; a um passo; alargar os passos; ao mesmo passo; ao passo que; apertar o passo; arrepiar o passo (*V.* "arrepiar caminho"); ceder o passo a; contar os passos; dar o primeiro passo; dar os primeiros passos; dar um mau passo; dirigir os passos de; estar a um passo do altar; firmar o passo; marcar passo; mau passo; medir os passos; não dar nem mais um passo; passo a passo; passo de cágado; passo de ganso; passo de urubu malandro; passo em falso; passo errante; primeiros passos; seguir os

passos de; ser um passo para; travar o passo; trocar os passos; um passo à frente, dois atrás; um passo atrás (ou para trás) e dois adiante (ou à frente); um passo por vez
passu pari passu
pasta passar a pasta; pasta 007
pastar mandar pastar; Vá pastar!
pasto bater pasto; casa de pasto
pastor pastor alemão (*V.* "cão policial")
pastoreio crioulinho do pastoreio (*V.* "crioulo do pastoreio"); crioulo do pastoreio; negrinho do Pastoreio
pastoso(a) voz pastosa
pata a leite de pato; a pata de cavalo; meter a pata; não pôr as patas
patacoada dizer patacoadas
patada dar patada
patavina não compreender patavina; não entender patavina (*V.* "não compreender patavina")
pâté pâté de foie gras
patente carta patente
paterno(a) casa paterna
patético apelo patético (*V.* "apelo dramático")
patim patim de rodas
patinho cair como um patinho; patinho feio
Patmos Águia de Patmos
pato(a) bico de pato; cair como um pato (*V.* "cair como um patinho"); comer como pinto e cagar como pato; como água nas costas de pato; goela de pato; mudar de pato para ganso; pagar o pato; passar de pato a ganso; pé de pato; querer tirar leite de pato; ser pato; ter goela de pato
pátria a pátria celeste; abdicar à pátria; crime de lesa-pátria; mãe-pátria; salvar a pátria; Voluntários da Pátria
patriarca Patriarca da Independência
pátrio pátrio poder
pau a dar com (o) pau; a meio pau; assentar o pau em; baixar o pau; bandeira a meio-pau; bater no pau; cair de pau; cantar o pau; cara de pau; cavalo de pau; cerca de pau a pique; chamar pro pau; chutar o pau da barraca; com quantos paus se faz uma canoa; dar nó em pau seco; dar nos paus; dar pau; dar por paus e pedras; descer o pau; escreveu, não leu, o pau comeu; Esse pau tem formiga.; estar de bandeira a meio-pau; estar de pau feito; estar no pau; farinha de pau; fazer colher de pau e bordar o cabo; ficar com cara de pau; ficar com o pau duro; jogar com pau de dois bicos; levar a pau; levar pau; levar tudo a pau; matar a cobra e mostrar o pau; matar a pau; mentir com a maior cara de pau; meter o pau; meter o pau em; meter o pau nos cobres; mostrar com quantos paus se faz uma cangalha (canoa); mostrar com quantos paus se faz uma canoa (*V.* "mostrar com quantos paus se faz uma cangalha (canoa)"); na maior cara de pau (*V.* "na maior"); nem a pau; nem pau nem pedra; no pau; no segundo pau; o pau comeu; passar pelo pau do canto; pau a pau; pau a pique; pau à toa; pau com formiga; pau da venta (*V.* "pau do nariz"); pau de amaciar carne; pau de amarrar égua; pau de arara; pau de bandeira; pau de cabeleira; pau de urubu; pau do nariz; pau duro; pau ferrado; pau para toda obra; pé de pau; pegar no pau-furado; perna de pau; por cima de paus e de pedras; quebrar o pau; santo do pau oco; sem pau nem pedra; sentar o pau; ser pau para toda obra; servir de pau de cabeleira a; sujo como pau de galinheiro; tacar o pau
Paula irmã paula
paus dois de paus
pauta em pauta
pauzinho mexer com os pauzinhos (*V.* "mexer os pauzinhos"); mexer os pauzinhos
pavão cobrir-se com penas de pavão; enfeitar-se com penas de pavão
pavilhão pavilhão nacional
pavio de fio a pavio; pavio curto; queimar o pavio; ter o pavio curto
pax pax americana; pax et bonum; pax otaviana; pax romana; pax vobiscum
paxá viver como um paxá
paz a paz esteja convosco; beijo da paz; cachimbo da paz; de boa paz; deixar em paz; Deixe-me em paz!; estar em paz com a consciência; fazer as pazes; fazer as pazes com a vitória; ficar em paz; fumar o cachimbo da paz; Me deixe em paz!; ósculo da paz (*V.* "beijo da paz"); paz a qualquer preço; paz de espírito; paz e bem; paz podre; reina a paz em Varsóvia; ser de boa paz
pé a pé; a pé de; abrir no pé; abrir o pé (*V.* "abrir no pé"); ajudar-se de pés e mãos; ao pé da letra; ao pé de; ao pé do ouvido; aos pés de (*V.* "ao pé de"); apertar o pé; arrastar os pés; atado de pés e mãos; atirar-se aos pés de; bater o pé; bater pé; boi em pé; botar o pé na forma; botar o pé no caminho; botar o pé no mundo; cair aos pés de; cair de pé; calçar pelo mesmo pé; cidade dos pés juntos; coisa sem pés nem cabeça; com a orelha em pé; com o pé atrás; com o pé direito; com o pé esquerdo; com o pé na cova; com o pé na estrada (*V.* "com o pé no estribo"); com o pé no estribo; com os pés nas costas; com os pés no chão; com pés de lã; com pés de ladrão; com um pé nas costas; cria de

pé; da cabeça aos pés; dar com o pé; dar no pé; dar o pé e tomar a mão; dar pé; dar um jeito no pé; dar um mau jeito no pé/braço/mão (V. "dar um jeito no pé"); dar um tiro no pé; de cabelo em pé; de cabelos em pé; de orelha em pé; de pé; de pé atrás; de pé em pé; de pé quebrado; de pés e mãos atados; de quatro pés; dedo grande do pé (V. "dedo polegar"); do pé para a mão; dobrar pés com cabeça; dos pés à cabeça; duvido até com os pés; em pé; em pé de guerra; em pé de igualdade; Em que pé está?; encher o pé; encostado ao pé da embaúba; enfiar o pé; enterrar os pés; entrar com o pé direito; entrar com o pé esquerdo; estampa dos pés; estar a pé; estar com o pé atrás (V. "estar de pé atrás"); estar com o pé na cova (V. "ter um pé na cova"); estar com os pés na cova; estar com os pés no estribo; estar com um pé em; estar com um pé na cova (V. "ter um pé na cova"); estar de pé atrás; faltar terra nos pés; fazer com as mãos e desmanchar com os pés; fazer finca-pé; fazer pé atrás; fazer pé firme; ferrado dos quatro pés; ficar com a orelha em pé; ficar de orelhas em pé; ficar de pé; ficar no pé de; fincar os pés; ganhar pé; gramar a pé; ídolo de pés de barro; inventor do pé de moleque; ir aonde levam os pés; ir aos pés; ir e vir num pé só; ir no pé-dois; ir num pé e voltar no outro; ir num pé só (V. "ir num pé e voltar no outro"); ir para a cidade dos pés juntos; jogar-se aos pés (de alguém); jurar de pés juntos; lamber os pés de; lançar-se (jogar-se) aos pés de; largar do pé; mesa de pé de galo; meter o pé em; meter o pé no atoleiro; meter o pé no estribo; meter o pé no lodo (V. "meter o pé no atoleiro"); meter o pé no mundo; meter os pés em; meter os pés pelas mãos; meter/enfiar o pé na tábua; morder o pé; na ponta dos pés; não arredar pé; não chegar aos pés de; não deixar que a grama cresça sob os pés; não largar do pé de; não pôr os pés em; nas pontas dos pés; nascer com os pés para trás; negar a pés juntos (V. "negar de pés juntos"); negar de pés juntos; no mesmo pé; no pé do ouvido; num pé só; nunca pus os pés em; passar o pé adiante da mão; pé ante pé; pé chato; pé de anjo; pé de apoio; pé de atleta; pé de boi; pé de cabra; pé de chinelo; pé de chumbo; pé de galinha; pé de guerra; pé de moleque; pé de ouvido; pé de pato; pé de pau; pé de valsa; pé de vento; pé na bunda; pé na cova; pé na tábua; pé no chão; pé no saco; pegar no pé; pegar no pé de alguém; pegar pelo pé; peito do pé; perder pé; pés de barro; pés de galinha; pés e pelo; Pés, para que te quero?; pisar no pé (de); pisar no pé da lei; planta do pé; pôr de pé; pôr o pé no pescoço de; pôr os pés à parede; pôr os pés na estrada; pôr os pés para cima; pôr-se de pé; pôr-se na ponta dos pés; puxar o pé; puxar pelo pé; rapar os pés à porta; regar o pé (de alguém); responder ao pé da letra; roer as unhas dos pés; sacudir a poeira dos pés; sair de em pé; sair pé ante pé; samba no pé; sapecar o pé; sem pé nem cabeça (V. "sem pé(s) nem cabeça"); sem pé(s) nem cabeça; sentir o chão fugir dos pés; ser a fôrma para o pé de; ser fôrma para o pé de; sofrer que só pé de cego; sola do pé; ter asas nos pés; ter o mundo aos seus pés; ter os pés fincados na terra (V. "ter os pés na terra"); ter os pés na cova (V. "ter um pé na cova"); ter os pés na terra; ter os pés no chão; ter pé; ter pé espalhado; ter pés de barro; ter um pé na cova; terra dos pés juntos; tirar o pé; tirar o pé da lama; tirar o pé da lama (do lodo) (V. "tirar a vaca do brejo"); tirar o pé do lodo (V. "tirar o pé da lama"); tomar pé; trocar os pés pelas mãos; um pé lá, outro cá; um pé no saco; verso de pé quebrado; vir num pé e voltar no outro
pê língua do pê (da letra "p"); pê da vida
peça em peça; ficar na peça; peça de resistência; peça de teatro; peça por peça; peça rara; pregar uma peça (V. "pregar uma partida"); pregar uma peça a alguém; retalho da mesma peça; ser retalho da mesma peça
pecado dos meus pecados (V. "dos pecados"); dos pecados; feio como o pecado (V. "feio de meter medo"); pagar os pecados; pecado capital; pecado da carne; por mal dos pecados; Por meus pecados!; purgar os pecados; ser os pecados de alguém; sete pecados capitais; vara de bater pecado; viver em pecado
pecador pagar o justo pelo pecador
pecar pecar por excesso de
peçonha andar como cobra quando perde a peçonha; cobra que perdeu a peçonha (V. "cobra que perdeu o veneno"); deitar peçonha
pectore ab imo pectore (V. "ab imo corde")
pedaço aos pedaços; caindo aos pedaços; cair aos pedaços; chegar no pedaço; do tamanho de um pedaço de corda; em pedaços; fazer em pedaços; fazer pedaços (V. "fazer em pedaços"); fazer-se em pedaços; mau pedaço; não tirar pedaço; passar por um mau pedaço; pedaço de asno; pedaço de mau caminho; Qual o tamanho de um pedaço de corda?; um beijo e um pedaço de queijo; um pedaço de mau caminho; um pedaço do bolo
pedágio praça de pedágio

pedante

pedante linguagem pedante
pedestal pôr num pedestal
pedestre estátua pedestre; faixa de pedestres
pedida Boa pedida!
pedir dar (pedir) demissão; estar com a vida que pediu a Deus; levar a vida que pediu a Deus; pede deferimento; pedir a mão (de); pedir a palavra; pedir água (*V.* "pedir arrego"); pedir arrego; pedir as contas; pedir carona; pedir este mundo e o outro; pedir fogo; pedir o boné; pedir passagem; pedir penico; pedir pousada; pedir trégua (*V.* "pedir arrego"); ter a vida que pediu a Deus
pedra atirar a primeira pedra; bicho de matar com pedra; botar uma pedra em cima de; caminho das pedras; cantar a pedra; carregar pedras; carregar pedras enquanto descansa; chuva de pedra; colocar uma pedra em cima; com a pedra no sapato; com quatro pedras na mão; comover as pedras; coração de pedra; dar por paus e pedras; de pedra e cal; dormir como uma pedra; E lá vai pedra.; feito de pedra e cal; gravado na pedra; idade da pedra; idade da pedra lascada; jogar a primeira pedra; jogar pedra; jogar pedra na cruz; não deixar pedra sobre pedra; nem pau nem pedra; pedra angular; pedra de amolar; pedra de escândalo; pedra de isqueiro; pedra de moinho; pedra de toque; pedra filosofal; pedra fundamental; Pedra Lascada; pedra no meio do caminho; pedra no sapato; pedra polida; pedra por pedra; pedra portuguesa; pedra preciosa; pedra sepulcral; pó de pedra; por cima de paus e de pedras; pôr uma pedra em cima; pôr uma pedra em cima de (*V.* "botar uma pedra em cima de"); pôr uma pedra no assunto (*V.* "pôr uma pedra em cima"); pôr uma pedra no sapato de; primeira pedra; responder com sete pedras na mão; sem pau nem pedra; ser de pedra; ser uma pedra no sapato; só não sabe jogar pedra em santo; sono de pedra; surdo como uma pedra (*V.* "surdo como uma porta"); ter coração de pedra; tirar água de pedra; tirar leite de pedra; uma pedra no caminho; uma pedra no sapato
pedrada lá vai pedrada (*V.* "lá vai fumaça")
pedreiro colher de pedreiro
Pedro barca de São Pedro; cadeira de São Pedro; chaves de São Pedro; ficar com a mãe de São Pedro; óbolo de São Pedro
pegada ir nas pegadas de (alguém)
pegado pegado a laço
pegar a coisa está pegando fogo (*V.* "a coisa está preta"); aí é que a coisa pega; algo que está pegando; Aqui é que a roda pega. (*V.* "aqui é que está o busílis"); botar verde para pegar maduro; brincar de pegar; calça pega-frango (pega-marreco) (*V.* "calças de pegar frango"); calças de pegar frango; com a orelha pegando fogo; deixar o circo pegar fogo; É pegar ou largar.; hora do pega pra capar; na hora do pega pra capar (*V.* "na hora da onça beber água"); não pegar; pega pra capar; pegar (alguém) desprevenido; pegar (na) uma deixa; pegar (um) bigu; pegar a boia; pegar a trouxa; pegar barriga; pegar bem; pegar carona em; pegar com a boca na botija; pegar com a mão na cumbuca (*V.* "pegar com a boca na botija"); pegar da banda podre; pegar de; pegar em armas; pegar em flagrante; pegar em um rabo de foguete; pegar embalagem; pegar fogo; pegar jacaré; pegar leve; pegar mal; pegar na chaleira (*V.* "pegar no bico da chaleira"); pegar na enxada; pegar na orelha da sota; pegar na palavra; pegar na pena; pegar na perna (de); pegar na veia; pegar no alheio; pegar no ar; pegar no batente; pegar no bico da chaleira; pegar no embalo; pegar no pau-furado; pegar no pé; pegar no pé de alguém; pegar no pesado; pegar no pulo; pegar no rabo da macaca; pegar no rabo da tirana; pegar no sono; pegar no tranco; pegar o (no) batente; pegar o angu; pegar o boi; pegar o boi pelos chifres; pegar o bonde andando; pegar o bonde errado; pegar o feijão de; pegar o jeito; pegar o pião na unha; pegar o serviço; pegar o sol com as mãos; pegar o tigre pelo rabo; pegar o touro à unha; pegar o touro pelos chifres (*V.* "pegar o touro à unha"); pegar para Judas; pegar pela língua; pegar pelas orelhas (*V.* "puxar as orelhas"); pegar pelo pé; pegar pesado; pegar traíra; pegar uma boca; pegar uma carona; pegar uma onda; pegar uma ponta; pegar uma praia; pegar velocidade; pegar-se a; pegar-se com; pegar-se com os santos; Se correr o bicho pega, se ficar o bicho come.; tocar música enquanto Roma pega fogo; ver o circo pegar fogo
peias Desde que lhe tirei as peias, nunca mais o vi.
peito a peito; a peito aberto (*V.* "a peito descoberto"); a peito descoberto; abrir o peito; amigo do peito; angina de peito; bater a mão no peito; bater no peito; bater nos peitos (*V.* "bater no peito"); braçada de peito; chamar nos peitos; com a faca no peito (*V.* "com a faca na garganta"); comer o peito da franga; comer o peito da franga com molho pardo (*V.* "comer o peito da franga"); cria de peito; criança de peito; criar ao peito; de peito aberto; do fundo do peito; do pei-

to; doente do peito; esquentar o peito; fraco do peito; fraqueza do peito; lavar o peito; levar a peito; maçã do peito; matar no peito; menino/a de peito; meter os peitos; não lhe caber o coração no peito; não ter peito para; no peito e na raça; o lado esquerdo do peito; passar nos peitos; peito a peito; peito do pé; pôr a faca no peito (*V.* "pôr contra a parede"); pôr a faca no peito de; pôr peito a; pôr um punhal no peito de (alguém); pôr uma faca no peito de (alguém) (*V.* "pôr um punhal no peito de (alguém)"); rasgar o peito; ter peito; tomar a peito; voz de peito

peixe coçar-se com a mão do peixe; como o peixe n'água; como peixe fora d'água; como um peixe fora d'água (*V.* "como peixe fora d'água"); de olho no gato e de olho no peixe; dia de peixe; ensinar peixe a nadar; estar como (um) peixe fora d'água; falar aos peixes; fazer render o peixe; filho de peixe; mudo como um peixe; nadar como um peixe; não ser nenhum peixe podre; não ser peixe nem carne; não ter nada a ver com o peixe; não ter nada com o peixe (*V.* "não ter nada a ver com o peixe"); nem carne nem peixe; nem peixe nem carne; O mar não está para (pra) peixe!; O que cair na rede é peixe.; olhar de peixe morto; olho de gata (peixe) morta(o) (*V.* "olho de cabra morta"); olho de peixe morto; peixe fora d'água; peixe grande; Peixe grande em poço pequeno.; pregar aos peixes; rabo de peixe; saber vender o seu peixe; Venda seu peixe que depois vendo o meu.; vender o (seu) peixe; vender o peixe pelo preço que comprou

pelado(a) bater uma pelada; rato pelado; terra pelada

pelar pelar-se de medo

pele à flor da pele; arrancar a pele a; arriscar a pele; cair na pele de; colocar-se na pele de (*V.* "colocar-se no lugar de"); com os nervos à flor da pele; cortar na própria pele; defender a pele; É pele e osso!; em pele; entrar na pele de; estar na pele de; lobo na pele de cordeiro; mudar a pele; não querer estar na pele de (alguém); pele e osso; pôr-se na pele de; salvar a pele; sentir na pele; ser da pele de Judas; ser da pele do diabo (*V.* "ser da pele de Judas"); ser pele e osso; somente pele e ossos; ter amor à pele (*V.* "ter amor à vida"); tirar a pele; vender caro a pele

pelica bofetada com luvas de pelica; dar com luva de pelica; luvas de pelica; mão de ferro em luvas de seda (ou pelica, ou veludo)

pelo (*subst.*) catar pelo em ovo; dar pelo; de arrepiar os pelos (*V.* "de arrepiar o(s) cabelo(s)"); em pelo; manso de em pelo; montar em pelo (*V.* "montar em osso"); nu em pelo; pés e pelo; procurar pelo em ovo; ter pelos no coração; tirar o pelo; vir a pelo (*V.* "vir a propósito")

pelo(a) (*contr.*) agarrar a ocasião pelos cabelos (*V.* "agarrar a ocasião pela calva"); escapar pelos dedos (*V.* "escapulir entre os dedos"); estar pelo beiço (*V.* "estar pelo beicinho"); ler pelo mesmo breviário (*V.* "ler pela mesma cartilha"); olhar pelo canto do olho (*V.* "olhar com o canto do olho"); pegar o touro pelos chifres (*V.* "pegar o touro à unha"); pegar pelas orelhas (*V.* "puxar as orelhas"); pela madrugada afora; pela noite adentro; pelo contrário; pelo jeito; pelo meio; pelo menos; pelo mundo afora; pelo próprio punho de; pelo que me toca; pelo seguro; pelo sim, pelo não; pelo tato; pelo visto; pelos cabelos; pelos meus(/seus) belos olhos; pelos modos; pelos quatro cantos; pelos séculos dos séculos; por/pelo espaço de; preso(a) pelo olhar (*V.* "preso(a) pelo beiço"); rezar pelo mesmo breviário (*V.* "rezar pela mesma cartilha"); trazer pelo cabresto (*V.* "trazer pelo beiço"); trepar pelo cabresto (*V.* "trepar no cabresto")

pelota dar pelota a; não dar pelota

pena a bico de pena; a duras penas; ao correr da pena; bico de pena; cobrir-se com penas de pavão; de fazer pena; enfeitar-se com penas de pavão; escrivão de pena larga; ficar com pena (*V.* "ter pena (de)"); leve como pena; mas que pena!; mudar a pena; na ponta da pena (*V.* "na ponta do lápis"); não valer a pena; pegar na pena; pena capital; pena de água; pena de talião; ser uma pena; sob pena de; ter pena (de); uma pena; valer a pena

penacho abaixar o penacho; perder o penacho; ter o penacho de

penado(a) alma penada; dar uma penada por

penal colônia penal; contravenção penal

penalidade penalidade máxima

pênalti na marca do pênalti

penates *lares et penates*

penca às pencas; dinheiro em penca; em penca; penca de chaves; penca de filhos

pendão pendão auriverde

pendente frutos pendentes

pender pender de um fio

pendura na pendura (*V.* "na dependura"); na pendura (*V.* "na dependura")

pendurar pendurar as chuteiras

peneira apanhar água com peneira; carregar água em peneira; passar na (numa) peneira; passar na peneira; passar numa peneira (*V.* "passar na peneira"); passar pela

peneirada

peneira; querer tapar o sol com a peneira; tapar o sol com a peneira; ter peneira nos olhos
peneirada dar uma peneirada
Penélope bordado de Penélope; obra de Penélope; teia de Penélope
penhor casa de penhor; remir um penhor
peniche amigo de peniche
penico feio como trombada de penicos (*V.* "feio de meter medo"); mijar fora do penico; pedir penico; penico do mundo
penitente bendito dos penitentes
pensado de caso pensado; de rixa velha e caso pensado
pensamento caixa do pensamento; ler no pensamento; liberdade de pensamento; pensamento positivo; transmissão de pensamento
pensante ente pensante
pensar dar o que pensar; De pensar morreu um burro!; mais cedo do que se pensa; não pensar duas vezes; não pensar nem por sombra; não querer nem pensar (*V.* "não querer nem saber"); nem pensar; no meu (ou seu) pensar; Pensando morreu um burro.; pensar alto; pensar bem (mal) de; pensar duas vezes; pensar na morte da bezerra; pensar no dia de amanhã; pensar que berimbau é gaita; pensar que cachaça é água; pensar que gambá é raposa; pensar que já tivesse visto tudo; pensar que o céu é perto; pense bem; pensei cá comigo; sem pensar; só pensar naquilo
pense Honni soit qui mal y pense.
pênsil ponte pênsil
Pentateuco Livros do Pentateuco
pentatlo pentatlo moderno
pente passar o pente-fino em; pente de balas
pentear ir pentear macacos; mandar pentear macacos; Vá pentear macacos!
pentelho o maior pentelho
pepino estar com um pepino nas mãos; segurar o pepino (*V.* "estar com um pepino nas mãos")
pequenino evangelho pequenino
pequeno(a) à boca pequena; café pequeno; de pequenas proporções; dizer à boca pequena; É café pequeno.; mais pequeno; não ter tomado chá em pequeno; o mundo é pequeno; os pequenos; Peixe grande em poço pequeno.; pequena área; pequena fortuna; pequenos homens verdes; sentir-se pequeno
per ad astra per aspera; ad augusta per angusta; de per se; Per aspera ad astra.; per capita; per fas et per nefas; per omnia secula seculorum; per se; renda per capita
perceber deixar perceber
percurso acidente de percurso
perda em pura perda; perdas e danos; Pura perda!; sem perda de tempo
perdão com o perdão da palavra
perdedor bom perdedor; mau perdedor
perder a perder de vista; amanhã o carneiro perdeu a lã; andar como cobra quando perde a peçonha; até perder o fôlego; botar a perder; cobra que perdeu a peçonha (*V.* "cobra que perdeu o veneno"); cobra que perdeu o veneno; de fazer perder a paciência a um santo; deitar a perder; ficar como cobra que perdeu o veneno; foi assim que Napoleão perdeu a guerra; não perder por esperar; não ter nada a perder; nenhum momento a perder; onde Judas perdeu as botas; onde o diabo perdeu as esporas; perder a cabeça; perder a compostura; perder a consciência; perder a cor; perder a direção; perder a esportiva; perder a fala; perder a graça; perder a língua; perder a linha; perder a luz; perder a luz da razão; perder a memória; perder a paciência; perder a partida; perder a pista de alguém; perder a pose; perder a prosa; perder a razão; perder a tramontana; perder a vez; perder a vida; perder a vista; perder a voz; perder altura; perder as estribeiras; perder até as calças; perder boa ocasião de ficar calado; perder de lavada; perder de vista; perder feio; perder no apito; perder o (seu) latim; perder o apetite; perder o bonde (da história); perder o cabaço; perder o chão; perder o controle; perder o equilíbrio; perder o fio da meada; perder o fôlego; perder o galeio; perder o jeito; perder o juízo; perder o latim; perder o leme; perder o mel e a cabaça; perder o norte; perder o penacho; perder o prumo; perder o rebolado; perder o ritmo; perder o rumo; perder o serviço; perder o sono; perder o tato; perder o tempo e o feitio; perder o tempo e o latim; perder o tino; perder os estribos; perder os sentidos; perder pé; perder tempo; perder terreno; perder vazas; perder-se de amores; sair perdendo; Você não perde por esperar (*V.* "Você vai ver."); Você não perde por esperar.
perdidamente perdidamente apaixonado
perdido(a) a fundo perdido; à procura do tempo perdido; advogado de causas perdidas; alma perdida (*V.* "alma penada"); bala perdida; caso perdido; causa perdida; dar um perdido em (alguém); elo perdido; homem perdido; horas perdidas (*V.* "horas e horas"); lá uma vez perdida; mais perdido que cego em tiroteio; mulher perdida; perdido de amor (*V.* "perdidamente apai-

xonado"); perdido de riso; perdido por dez, perdido por mil; procurador de causas perdidas; tempo perdido; trabalho perdido
perdoar Deus me perdoe, mas...; Deus te (me) perdoe; perdoar e esquecer
perdu à la recherche du temps perdu
perennius aere perennius
perfeito(a) em perfeita sintonia com; em seu juízo perfeito; não estar em seu juízo perfeito; perfeito imbecil
perfil de perfil
pergunta boa pergunta; crivar (alguém) de perguntas; nem se pergunta; pergunta de algibeira
perguntar ainda que mal pergunte; ainda que por mal pergunte (*V.* "ainda que mal pergunte"); perguntar se macaco quer banana; pergunte-me outra
perigo a perigo; arrostar o perigo; correr perigo; desafiar os perigos; perigo amarelo; pôr em perigo
perigosamente viver perigosamente
perigoso(a) curvas perigosas
permanecer a permanecerem assim as coisas...
permeio de permeio; pôr de permeio
permitir Deus permita; Deus tal não permita; permitir-se o luxo de
perna à perna solta; abarcar o mundo com as pernas; abrir as pernas; andar com as próprias pernas; barriga da perna; batata da perna; bater pernas; bolear a perna; bucha da perna; caminhar com as próprias pernas; com as pernas bambas; com as pernas para o alto; com o rabo entre as pernas; com uma perna às (nas) costas; com uma perna às costas (*V.* "com um pé nas costas"); comer alguém por uma perna; comer pela perna; de pernas para o ar; de pernas pro alto (*V.* "de pernas para o ar"); desenferrujar as pernas; em cima da perna; encanar a perna; encher a rua de pernas; enfiar o rabo entre as pernas; estar sem pernas; estar trocando as pernas; esticar as pernas; faltar pernas; fugir com o rabo entre as pernas; mal das pernas; meter/pôr o rabo entre as pernas; não ir lá das pernas; não ter pernas; passar a perna (em); pegar na perna (de); perna de pau; perna de saracura; pernas de cambito; pernas de cercar frango; pernas para o ar; Pernas, para que te quero?; pôr o rabo entre as pernas; puxar a perna (*V.* "puxar o pé"); puxar de uma perna; querer abarcar o céu com as pernas (*V.* "querer abarcar o mundo com as pernas"); querer abarcar o mundo com as pernas; rabo entre as pernas; sair com o rabo entre as pernas; ter boas pernas; trançar as pernas; trançar as pernas (*V.* "trocar as pernas"); três pernas; trocar as pernas
pernil esticar o pernil
pérola dar (deitar) pérolas aos porcos (*V.* "jogar pérolas aos porcos"); deitar pérolas a porcos; jogar pérolas aos porcos; pérolas aos porcos
perpetuam ad perpetuam rei memoriam
perpétuo(a) neves perpétuas
perpetuum in perpetuum
persona persona grata
perto bem perto; de perto; estar perto de; pensar que o céu é perto; perto de; ter o coração perto da goela; ver a morte de perto
peru bancar o peru; comer feijão e arrotar peru; como peru em círculo de giz; inteligência de peru novo; peru de festa; peru em círculo de giz; Que é que há com o seu peru?
perversão perversão sexual
pesada (*subst.*) da pesada
pesado os pesos-pesados da política
pesado (*subst.*) pegar no pesado; pegar pesado
pesado(a) (*adj.*) ar pesado; barra-pesada; consciência pesada; estômago pesado; mão pesada; palavras pesadas; pesado de anos; pesado de cuidados; ser pesado a alguém; sono pesado; ter a mão pesada; *rock pesado*
pesar em que pese a; pesar as palavras; pesar na balança; pesar no bolso; pesar sobre; pesar uma tonelada; vale quanto pesa; valer quanto pesa
pesar (*subst.*) a meu pesar; apesar dos pesares
pescada arrotar postas de pescada
pescado jogo é jogado, lambari é pescado
pescador anel do pescador; conversa de pescador; pescadores de águas turvas; pescadores de homens
pescar calças de pescar siris (*V.* "calças de pegar frango"); estar pescando; nada pescar do assunto (do ofício); não pescar nada; pescar em águas turvas (*V.* "pescadores de águas turvas")
pescaria pescaria de lambada
pescoço até o pescoço; atolado até o pescoço; carne de pescoço; com a corda no pescoço; corto o meu pescoço se...; estar com a corda no pescoço; estar envolvido até o pescoço; esticar o pescoço; pelo pescoço; pescoço de cisne; pescoço de girafa (*V.* "pescoço de cisne"); pôr o pé no pescoço de; saltar ao pescoço; salvar o pescoço; ser carne de pescoço; torcer o pescoço
peso a peso de ouro; andar de peso; de peso; de peso e medida; dois pesos e duas medidas; em peso; estar de peso; homem de

conta, peso e medida; os pesos-pesados da política; peso bruto; peso de consciência; peso dos anos; peso líquido; peso morto; peso no estômago; sem conta, nem peso, nem medida; sem peso nem medida; tirar o peso; tirar um peso de cima de si; tomar o peso de; um peso, duas medidas; valer seu peso em ouro
pesquisa pesquisa de campo; pesquisa de mercado; pesquisa de opinião
pessoa acepção de pessoas; cadastro de pessoa física; diabo em pessoa; dizer adeus a (uma pessoa ou coisa); em pessoa; homem (pessoa) de bem; homem (pessoa) de palavra; investir numa pessoa (*V.* "investir numa ideia"); jogar uma pessoa na fogueira (*V.* "jogar uma pessoa no buraco"); jogar uma pessoa no buraco; pessoa dada; pessoa de água morna; pessoa de bem; pessoa de boa-fé; pessoa de cor; pessoa de distinção; pessoa de estopim curto; pessoa de fibra; pessoa de poucas palavras; pessoa de quatro costados; pessoa física; pessoa intragável; pessoa jurídica; pessoa sem entranhas; pessoa sem-vergonha; pessoa socada; pessoas divinas; ser a segunda pessoa de; ser a verdade em pessoa; suposição de pessoa
pessoal favorecimento pessoal; o pessoal
pestana queimar as pestanas; queimar pestanas; tirar uma pestana
pestanejar sem pestanejar
peste cabra bom da peste (*V.* "cabra da peste"); cabra da peste; da peste; feio como a peste (*V.* "feio de meter medo")
peta almocreve das petas; É peta!; pregar petas
peteca deixar a peteca cair; não deixar a peteca cair; servir de peteca
petendi causa petendi
Peter Peter Pan; princípio de Peter
petição em petição de miséria
petit en petit comité
pétreo(a) cláusulas pétreas
petróleo derivado do petróleo; gás liquefeito de petróleo
petrolífero lençol petrolífero
petto in petto
peu Excusez du peu
peur sans peur et sans reproche
philips chave Philips
pia aí é que a coisa pia fino; beijo de desentupir pia; pia batismal
piada Parece piada!; piada de mau gosto; piada de salão; piada infame
piamente acreditar (em determinada coisa) piamente
piano carregador de piano; carregar piano; piano solo

pião fazer pião em; pegar o pião na unha; tomar o pião na unha
piar não poder nem piar; nem piou; piar fino; tarde piaste
picada (*subst.*) É o fim da picada!; ser o fim (da picada)
picadinho fazer em picadinhos (*V.* "fazer em pedaços")
picado(a) (*adj.*) picado pela mosca azul
picante molho picante
picar picar a mula; picar-se com as brincadeiras
pichorra mijar fora da pichorra (*V.* "mijar fora do penico")
pico horas de pico
picuinha com picuinhas
Pièce pièce de résistance
piedade bater sem dó nem piedade; piedade filial; sem dó nem piedade
pignoratícia cédula pignoratícia
pijama vestir o pijama de madeira (*V.* "vestir o paletó de madeira")
pilão cintura de pilão; mão de pilão; ter mão de pilão
pilar pilar da sociedade
Pilatos como Pilatos no credo; mandar de Herodes a Pilatos
pileque de pileque; tomar um pileque
pilha em pilha; estar uma pilha (*V.* "estar uma arara"); ficar uma pilha; pilha de nervos; ser uma pilha (de nervos); trocar a pilha
pilhado estar pilhado
piloto piloto automático; piloto de autorama; piloto de fogão; piloto de provas; plano piloto
pílula adoçar a pílula; dourar a pílula; engolir a pílula; Ora pílulas!
pimba ripa na chulipa e pimba na gorduchinha (*V.* "ripa na chulipa")
pimenta olho de seca pimenta
pimentão um pimentão
pincelada última pincelada (*V.* "última mão")
pindaíba andar na pindaíba; estar na pindaíba; na pindaíba
pinel ficar pinel
pinga estar na pinga; na pinga
pingado(a) café pingado; encontrei meia dúzia de gatos-pingados; gatos-pingados; leite pingado; meia dúzia de gatos-pingados
pingar cortar os "tês" e pingar os "is"; pingar os "is" e cortar os "tês"
pingo afogar-se em pingo-d'água (*V.* "tempestade em copo-d'água"); afogar-se em pingo-d'água; dar nó em pingo-d'água; não ter um pingo de vergonha na cara; nem um pingo; nó em pingo-d'água; pingo de gente;

plástico

pôr os pingos nos is; um pingo-d'água no oceano (V. "uma gota-d'água no oceano")
pinguinho pinguinho de gente (V. "pingo de gente")
pinho chorar no pinho
pino a pino; bater pino; sol a pino
pinote dar o pinote (V. "dar um pinote"); dar um pinote
pinta boa-pinta; conhecer pela pinta; má-pinta; na pinta; ter pinta de
pintado(a) não querer ver nem pintado; não ter visto uma coisa nem pintada; nem pintado; nunca vi, nem pintado(a); querer ser mais pintado do que os outros
pintar não ser tão preto quanto pintam; pintar a manta (V. "pintar e bordar"); pintar a saracura; pintar de preto; pintar e bordar; pintar o caneco; pintar o diabo; pintar o sete; pintar um quadro; pintar uma oportunidade
pinto comer como pinto e cagar como pato; como um pinto; ficar um pinto; molhado como um pinto; pinto saído do ovo; ser pinto
pintor pintor de rodapé
pintura É uma pintura.; ser uma pintura
pintus mortus est pintus in casca
pio não dar um pio; Nem um pio!
piolho cata-piolho (V. "dedo polegar"); mata-piolho (V. "dedo polegar"); mulher do piolho; pior que mulher de piolho; teimoso como a mulher do piolho (V. "teimoso como uma mula"); torre de piolhos
pior andar de mal a pior; de mal a pior; emenda pior que o soneto; estar na pior; ficar na pior; ir de mal a pior; levar a pior; mandar desta para pior; na pior; na pior das hipóteses; para o melhor ou para o pior (V. "para o que der e vier"); passar por coisa pior; pior a emenda que o soneto; pior que mulher de piolho; quanto pior melhor; sair pior a emenda que o soneto; seu ladrar é pior que sua mordida; tanto pior; ter passado por coisa pior
pipa ser vinho da mesma pipa; vinho da mesma pipa (V. "do mesmo barro")
piparote dar um piparote
pipi fazer pipi
pipoca ora pipocas
pipocando estar pipocando
pique a pique de; Brincar de pique (V. "brincar de pegar"); cerca de pau a pique; com o maior pique; de pique; estar a pique de; ir a pique; meter/pôr a pique; pau a pique; pôr a pique; por pique
piquete piquete de greve
pira dar o pira
piração ser uma piração

pirangar deixar de pirangar
piranha boi de piranha
pirata papagaio de pirata
pires passar o pires
Pirro vitória de Pirro
pirueta fazer piruetas
pirulito roubar pirulito de criança
pisado cavalo pisado
pisar conhecer o terreno em que pisa; estar pisando em brasas; não pisar em ramo verde; pisar em brasa; pisar em casca de banana; pisar em cena; pisar em falso; pisar em ovos; pisar fora do rego; pisar fundo; pisar na bola; pisar na trouxa; pisar nas tamancas; pisar no cangote (de); pisar no pé (de); pisar no pé da lei; pisar no poncho de; pisar nos calos (de alguém); saber o terreno em que pisa
piscar num piscar de olhos
piscina piscina olímpica
piso piso mínimo; piso salarial
pista andar na pista de alguém; dar na pista; dar uma pista; estrada de pista dupla; fazer a pista; perder a pista de alguém; pista de pouso; pista de rolamento
pistolão ter pistolão
pitada uma pitada de
pitanga chorar as pitangas (V. "chorar as mágoas")
piti dar um piti; deu o maior piti
pitibiriba neca(s) de pitibiriba (V. "neres de pitibiriba"); neres de pitibiriba
pito de pito aceso; estar de pito aceso; fazer boca de pito; levar um pito; passar um pito; sossegar o pito
pizza acabar em pizza; terminar em pizza; tudo acaba em pizza
placa gol de placa; placas tectônicas
place the right man in the right place
plaît répondez s'il vous plaît (RSVP)
planalto o Planalto
planejamento planejamento familiar
planeta de outro planeta
planilha planilha eletrônica
plano de plano; plano de saúde; plano inclinado; plano piloto; planos mirabolantes; primeiro plano; segundo plano
planta planta baixa; planta do pé; planta dormente
plantado ficar plantado
plantão de plantão; entrar de plantão
plantar ir plantar batatas; mandar plantar batatas; plantar bananeira; plantar batatas; plantar verde para colher maduro; Vá plantar batatas!
plástica cirurgia plástica (V. "cirurgia estética")
plástico (subst.) dinheiro de plástico

621

plástico(a)

plástico(a) (*adj.*) artes plásticas; artista plástico
plataforma plataforma continental; plataforma submarina (*V.* "plataforma continental"); sola de plataforma
Platão a caverna de Platão; caverna de Platão
plateia jogar para a plateia
platônico amor platônico
play fair play
player BD player; blu-ray player; CD player; DVD player
plebe plebe ignara
pleito pleito eleitoral
plenário(a) indulgência plenária
plenitude em plenitude
pleno(a) a pleno; a plenos pulmões; aval pleno; de pleno direito (*V.* "de direito"); em plena luz do dia; em plena mocidade; estar em plena força; estar em plena forma (*V.* "estar em plena força"); pleno emprego; pleno mar; plenos poderes
pluma leve como pluma (*V.* "leve como pena")
plumagem bater a bela plumagem (*V.* "bater a linda plumagem"); bater a linda plumagem
pluribus e pluribus unum
plus nec(/non) plus ultra; non plus ultra
Plutão descer à morada de Plutão; império de Plutão; morada de Plutão (*V.* "império de Plutão")
Plutarco varão de Plutarco
pluvial águas pluviais
pneu banda de pneu; pneu sobressalente
pó aspirador de pó; levantar do pó (*V.* "levantar da lama"); limpar do pó; morder o pó; ouro em pó; pó de arroz; pó de giz; pó de mico; pó de pedra; pó sutil; reduzir a pó; reduzir a pó de traque; sacudir o pó dos sapatos (*V.* "sacudir a poeira dos pés"); ser ouro em pó; virar pó
poaia deixar de ser poaia
pobre capote de pobre; cobertor de pobre; dos pobres; É muita honra para um pobre marquês.; pobre coitado; pobre como Jó; pobre de espírito; pobre homem; pobre menina rica; pobre soberbo; poncho do pobre; Quanta honra para um pobre marquês!; ricos e pobres; ser um pobre-diabo
pobreza linha da/de pobreza; pobreza das faculdades; pobreza de língua; pobreza evangélica; pobreza franciscana (*V.* "pobreza evangélica")
poço chegar ao fundo do poço; fundo do poço; no fundo do poço; Peixe grande em poço pequeno.; poço artesiano; poço de ciência; poço de sabedoria (*V.* "poço de ciência"); poço de saber (*V.* "poço de ciência"); poço do elevador; poço sem fundo; ser um poço de; um poço de
poda fazer a poda de
poder (*subst.*) a poder de; abuso de poder; cair em poder de; corredores do poder; o balanço do poder; os corredores do poder; pátrio poder; plenos poderes; poder aquisitivo; poder de fogo; poder econômico; Poder Executivo; Poder Judiciário; Poder Legislativo; poder político; poder público; poderes constituídos; quarto poder
poder (*verbo*) a mais não poder; a quem interessar possa; até mais não poder; até não poder mais; Comigo ninguém pode.; É o que se pode dizer.; não pode ser; não poder com uma gata pelo rabo; não poder nem piar; não poder tragar alguém; não poder ver defunto sem chorar; não posso me queixar; não se pode elogiar...; não se pode ser juiz com tais mordomos; O que está feito não pode ser desfeito.; pode ser; pode ser que sim, pode ser que não; Pode tirar (ir tirando) o cavalinho da chuva.; poder andar com a cara descoberta; poder contar nos dedos (de uma das mãos); poder limpar as mãos à parede; por mais estranho que pareça (ou que possa parecer) (*V.* "por estranho que pareça"); roubar e não poder carregar; Sinto muito, mas chorar não posso.; Um gato pode olhar para um rei.; ver quem pode mais
pódio chegar ao pódio
podre banda podre; cair de podre; comer da banda podre (ruim) (*V.* "comer da banda crua"); comer da banda podre (*V.* "comer fogo"); descobrir os podres de alguém; massa podre; não ser nenhum peixe podre; paz podre; pegar da banda podre; podre de; podre de rico
poeira banho de poeira; deitar poeira nos olhos; deixar a poeira baixar (*V.* "deixar assentar a poeira"); deixar assentar a poeira; deixar na poeira; esperar a poeira abaixar/assentar/baixar (*V.* "esperar até que a poeira assente"); esperar até que a poeira assente; fazer poeira; ficar na poeira; jogar poeira nos olhos (*V.* "deitar poeira nos olhos"); jogar poeira nos olhos de alguém; lamber a poeira; lançar poeira aos olhos de; levantar poeira; morder a poeira (*V.* "morder o pó"); quando a poeira baixar; sacudir a poeira dos pés; sacudir a poeira e dar a volta por cima; ter poeira nos olhos
poema poema sinfônico
poeta o Poeta Negro; poeta bissexto; poeta de água doce
poético(a) licença poética; prosa poética

point break-even point
pois ora pois; Pois bem!; Pois é!; pois então; Pois não!; pois que; pois quê; Pois sim!
polar aurora polar; calota polar; círculos polares
pole pole-position
polegar dedo polegar
poleiro falar de poleiro
polêmica gerar polêmica
poliana complexo de Poliana
polichinelo segredo de polichinelo
polícia agente da lei (de polícia); casar na polícia; caso de polícia
policial batida policial; cão policial; distrito policial
polido(a) pedra polida
polifônico(a) canção polifônica
política (subst.) boa política; ética política; fazer política; má política; os pesos-pesados da política
politicamente politicamente correto; politicamente incorreto
político (subst.) promessa de político
político(a) (adj.) asilo político; cassação de direitos políticos; dissidente político; equilíbrio político; poder político; preso político
polo camisa polo; de um polo ao outro; passar de um polo a outro; polo aquático
polo (ing.) water polo
polonês corredor polonês
poluição poluição atmosférica; poluição das águas; poluição sonora
pólvora barril de pólvora; brincar com pólvora; descobrir a pólvora
polvorosa em polvorosa; pôr em polvorosa
pomba pomba sem fel
pombinho como dois pombinhos
pomo pomo de adão; pomo de discórdia
Pomona presentes de Pomona
poncho forrar o poncho; passar por baixo do poncho; pisar no poncho de; poncho do pobre; sacudir o poncho
ponta acender vela nas duas pontas (V. "queimar vela nas duas pontas"); aguentar as pontas; andar na ponta; andar na ponta dos cascos; da ponta (V. "da pontinha"); dar murro(s) em ponta de faca; de ponta; de ponta a ponta; de ponta-cabeça; disputar sobre a ponta de uma agulha; estar na ponta; estar na ponta da tabela; estar na ponta dos cascos; fazer uma ponta; indústria de ponta; levantar uma ponta do véu; mulher de ponta de rua (V. "mulher à toa"); murro em ponta de faca; na ponta da língua; na ponta da pena (V. "na ponta do lápis"); na ponta da unha; na ponta do lápis; na ponta dos dedos; na ponta dos pés; nas pontas dos pés; pegar uma ponta; ponta de estoque; ponta de lança; ponta dos trilhos; pôr-se na ponta dos pés; quarta da ponta; queimar vela nas duas pontas; saber na ponta da língua; segurar as pontas; tecnologia de ponta; ter na ponta da língua; ter olhos na ponta dos dedos; ter resposta na ponta da língua (V. "ter resposta para tudo"); trazer na ponta da língua; unir as pontas; vencer de ponta a ponta; ponta do *iceberg*
pontapé a socos e pontapés; aos socos e pontapés; dar pontapé na fortuna; dar um pontapé; levar um pontapé; pontapé inicial
pontaria dormir na pontaria; fazer pontaria
ponte água que passou debaixo da ponte; ainda haver muita água para passar debaixo da ponte; cabeça de ponte; correr água sob a ponte; fazer uma ponte; guardas de ponte (via); morar debaixo da ponte; ponte aérea; ponte de safena; ponte levadiça; ponte levante (V. "ponte levadiça"); ponte pênsil; servir de ponte
pontear pontear uma viola
ponteiro acertar os ponteiros (V. "acertar os relógios")
pontifical corte papal ou pontifical; missa pontifical
pontífice Pontífice Romano; Romano Pontífice; Sumo Pontífice
pontifício(a) cadeira pontifícia (V. "cadeira de São Pedro")
pontinha da pontinha; da pontinha da orelha; ser da pontinha (V. "ser daqui")
ponto a ponto de; a ponto que; a que ponto; a tal ponto que; ao ponto; ao ponto de; assinar o ponto; até certo ponto; até que ponto; bater ponto; cartão de ponto; chegar ao ponto de saturação (V. "chegar ao fundo do poço"); com todos os pontos e vírgulas; dois-pontos, travessão; dormir no ponto; em ponto de bala; em ponto morto; Em ponto!; entregar os pontos; estar a ponto de; estar no ponto; fazer ponto em; ferir o ponto; ir ao ponto (V. "ir ao que interessa"); ir ao ponto de; ir direto ao ponto; ligar os pontos; mostrar com quantos pontos se cose um jereba; não dar ponto sem nó; no ponto; passar do ponto; ponto alto; ponto atrás; ponto cardeal; ponto cego; ponto crucial; ponto culminante; ponto de apoio; ponto de bala; ponto de cruz; ponto de encontro; ponto de honra; ponto de luz; ponto de parada; ponto de partida; ponto de referência; ponto de venda; ponto de vista; ponto e vírgula; ponto facultativo; ponto final; ponto fraco; ponto morto; ponto pacífico; ponto por ponto; ponto positivo; pôr os pontos nos is (V. "pôr os pingos nos is"); pôr ponto; pôr um

ponto final; relógio de ponto; somar pontos; subir de ponto; tocar no ponto; tocar no ponto fraco
pontualidade pontualidade britânica
popa de vento em popa; ir de vento em popa
população envelhecimento da população; refugo da população
popular ação popular; aura popular; casa popular; democracia popular; dito popular; sabedoria popular (V. "sabedoria das nações"); soberania popular
populi vox populi
populismo populismo assistencial
populo coram populo
populusque Senatus populusque romanus
pôr (*subst.*) do raiar ao pôr do sol; pôr do sol
pôr (*verbo*) ao pôr do sol; colocar (pôr) na balança; colocar /pôr uma pá de cal em; estar como galinha quando quer pôr; meter/pôr a mão em cumbuca; meter/pôr a mão na consciência; meter/pôr a mão no fogo; meter/pôr a pique; meter/pôr a viola no saco; meter/pôr a(s) mão(s) na massa; meter/pôr atrás das grades; meter/pôr mãos à obra; meter/pôr no mesmo saco; meter/pôr numa redoma; meter/pôr o rabo entre as pernas; não pôr as patas; não pôr nem tirar; não pôr os dedos em; não pôr os pés em; não pus um dedo em; não ter onde pôr a cabeça; nem tirar nem pôr (V. "não pôr nem tirar"); nunca pus os pés em; para não se botar (ou pôr) defeito (V. "para ninguém botar (ou pôr) defeito"); para ninguém botar (ou pôr) defeito; ponha anos nisso; pôr (alguém) à prova; pôr (alguém) nas estrelas; pôr (alguém) nos cornos da Lua; pôr (botar) as mãos no fogo (por alguém) (V. "pôr a mão no fogo (por alguém)"); pôr (colocar) lenha na fogueira; pôr a andar; pôr a boca no mundo; pôr a boca no trombone (V. "pôr a boca no mundo"); pôr a cabeça de alguém a prêmio; pôr a casa abaixo; pôr a casa em ordem; pôr a coberto; pôr a descoberto; pôr a escrita em dia; pôr a faca na garganta de (V. "pôr a faca no peito de"); pôr a faca no peito (V. "pôr contra a parede"); pôr a faca no peito de; pôr a ferros; pôr a guitarra a funcionar; pôr a limpo; pôr a mão em; pôr a mão na consciência; pôr a mão no arado; pôr a mão no fogo (por alguém); pôr a mesa; pôr à moda; pôr à mostra; pôr a nu; pôr a par; pôr a pique; pôr a preço a cabeça de; pôr à prova; pôr a salvo; pôr a vergonha de lado (V. "deixar a vergonha de lado"); pôr a(s) mão(s) na massa; pôr água na fervura; pôr alguém em sua sombra; pôr alguém no seu lugar; pôr ao corrente; pôr as barbas de molho; pôr as cartas na mesa; pôr as coisas em seus lugares; pôr às costas; pôr as mangas de fora; pôr as manguinhas de fora (V. "pôr as mangas de fora"); pôr as mãos; pôr as mãos em; pôr atalho; pôr azeite (gasolina) no fogo (V. "pôr (colocar) lenha na fogueira"); pôr azeite no fogo; pôr azeitona na empada de alguém (V. "botar azeitona na empada de alguém"); pôr banca; pôr barbicacho em; pôr cadeado na boca (de); pôr cerco a; pôr chifres em; pôr cinza nos olhos (de alguém); pôr cobro; pôr contra a parede; pôr corno em; pôr de acordo; pôr de banda; pôr de lado; pôr de molho; pôr de parte; pôr de pé; pôr de permeio; pôr de quarentena; pôr de sua algibeira; pôr do bolso; pôr e dispor; pôr em campo; pôr em cena; pôr em circulação; pôr em debandada; pôr em dia; pôr em dúvida; pôr em efeito; pôr em evidência; pôr em forma; pôr em fuga; pôr em hasta pública; pôr em jogo; pôr em movimento; pôr em obra; pôr em ordem; pôr em paralelo; pôr em perigo; pôr em polvorosa; pôr em postas; pôr em praça; pôr em prática; pôr em pratos limpos; pôr em relevo; pôr em serviço; pôr em sossego; pôr em vigor; pôr em voga; pôr em xeque; pôr fé em; pôr fim (a); pôr fogo em; pôr fogo na canjica; pôr fogo nos dois lados da vela; pôr fora; pôr fora de jogo; pôr freio em; pôr luto; pôr mãos à obra; pôr mel em boca de asno; pôr muito alto os olhos; pôr na balança; pôr na berlinda; pôr na boca de; pôr na cabeça; pôr na conta; pôr na gaveta; pôr na geladeira; pôr na lista; pôr na mesa; pôr na mesma panela; pôr na roda; pôr na rua; pôr nas alturas; pôr nas mãos de; pôr nas nuvens; pôr no bolso; pôr no chinelo; pôr no estaleiro; pôr no formol; pôr no gelo; pôr no índex; pôr no limbo; pôr no lixo; pôr no olho da rua; pôr no papel; pôr no prego; pôr no rol do esquecimento; pôr no seguro; pôr nome; pôr nos chifres da lua (V. "pôr nos cornos da lua"); pôr nos cornos da lua; pôr nos eixos; pôr nos trilhos; pôr num pedestal; pôr numa redoma; pôr o carro adiante dos bois; pôr o coração à larga; pôr o dedo na chaga (V. "pôr o dedo na ferida"); pôr o dedo na ferida; pôr o olho em; pôr o orgulho de lado; pôr o pé no pescoço de; pôr o preto no branco; pôr o rabo entre as pernas; pôr óleo; pôr olho grande em; pôr olhos compridos em; pôr ordem; pôr os bofes para fora (V. "deitar os bofes pela boca"); pôr os bofes pela boca afora; pôr os cornos (no marido); pôr os dedos em; pôr os olhos em; pôr os pés à parede; pôr os pés na estrada; pôr os pés

Porto

para cima; pôr os pingos nos is; pôr os pontos nos is (*V.* "pôr os pingos nos is"); pôr ovos; pôr palavras na boca de; pôr panos quentes; pôr para correr; pôr para fora; pôr para o lado; pôr para um lado (*V.* "pôr para o lado"); pôr peito a; pôr ponto; pôr por terra; pôr porta afora; pôr preço; pôr sebo nas canelas; pôr seu preço; pôr suspensórios em cobra; pôr tacha; pôr termo a; pôr terra nos olhos; pôr um fim a; pôr um freio em; pôr um paradeiro; pôr um ponto final; pôr um punhal no peito de (alguém); pôr uma faca no peito de (alguém) (*V.* "pôr um punhal no peito de (alguém)"); pôr uma pá de cal; pôr uma pedra em cima; pôr uma pedra em cima de (*V.* "botar uma pedra em cima de"); pôr uma pedra no assunto (*V.* "pôr uma pedra em cima"); pôr uma pedra no sapato de; pôr uma pulga atrás da orelha de (*V.* "pôr uma pedra no sapato de"); pôr uma rolha na boca de; pôr/botar lenha na fogueira (*V.* "deitar lenha na fogueira"); pôr-se (estar) em guarda; pôr-se a; pôr-se à cabeceira de; pôr-se a caminho; pôr-se à mercê; pôr-se à mesa; pôr-se a par; pôr-se a salvo; pôr-se ao fresco; pôr-se ao largo; pôr-se de acordo; pôr-se de partida; pôr-se de pé; pôr-se diante de; pôr-se em campo; pôr-se em dia; pôr-se em marcha; pôr-se na pele de; pôr-se na ponta dos pés; pôr-se no fresco; pôr-se no lugar de; pôr-se no seu lugar; quer mais claro, ponha-lhe água; sem tirar nem pôr
porca agora (aí) é que a porca torce o rabo; aí é que a porca torce o rabo; onde a porca torce o rabo; sair a porca mal capada
porcada Estou falando com o dono da porcada e não com os porcos.
porcamente mal e porcamente
porção meia porção
porcaria pouca porcaria; uma porcaria
porcelana de porcelana
porco comer como um porco; curto como coice de porco; dar (deitar) pérolas aos porcos (*V.* "jogar pérolas aos porcos"); deitar pérolas a porcos; espírito de porco; Estou falando com o dono da porcada e não com os porcos.; ficar no porco; jogar pérolas aos porcos; montar no porco; montar um porco (*V.* "montar no porco"); nó de porco; Os porcos voam!; passar de porco a porqueiro; pérolas aos porcos; serviço porco; suspender a feijoada que o porco está vivo; vara de porcos
porém há um porém; não ter nenhum porém
porfia à porfia
poro respirar saúde por todos os poros; suar por todos os poros

porque não é mais besta porque é um só
porquê os "comos" e os "porquês"
porqueira Eh, porqueira!
porqueiro passar de porco a porqueiro
porquinho esvaziar o porquinho
porrete no porrete
porta a porta da rua é serventia da casa; à porta de; a portas fechadas; abrir a porta; abrir as portas; advogado de porta de fábrica; advogado de porta de xadrez/cadeia (*V.* "advogado de porta de fábrica"); arrombar uma porta aberta; às portas da morte; às portas de; atrás das portas; bacalhau de porta de venda; bater a outra porta; bater à porta; bater a porta na cara de (alguém); bater com a cara na porta; bater com a porta na cara; bater com o nariz na porta (*V.* "bater com a cara na porta"); bater de porta em porta; bater em todas as portas; burro como uma porta; calado como uma porta (*V.* "calado como um túmulo"); casado atrás da porta); dar com a cara na porta; dar com a porta na cara de; dar com o nariz na porta; de porta em porta; deixar a porta aberta; deixar uma porta aberta (*V.* "deixar a porta aberta"); entrar pela porta da frente; entrar pela porta dos fundos; errar a porta; errar de porta; estar à porta; estar às portas; estar o diabo atrás da porta; falar com uma porta (*V.* "falar com as paredes"); fechar a porta na cara de alguém (*V.* "fechar a janela na cara de alguém"); fechar as portas; ganhar pela porta traseira; levar com a porta na cara; magro como bacalhau em porta de venda (*V.* "magro como um espeto"); mandar bater a outra porta; morar porta a porta com alguém; mostrar a porta a alguém; pôr porta afora; por portas transversas; porta a porta; porta da rua; porta de marfim; porta e janela; portas adentro; Quem vier atrás que feche a porta.; rapar os pés à porta; sair porta afora; surdo como uma porta; tomar o recado na porta da rua (*V.* "tomar o recado na escada")
portador ação ao portador; ao portador; cheque ao portador
porte de grande porte (*V.* "de grandes proporções"); porte de arma; porte de rainha (rei)
porteira abrir a porteira (*V.* "abrir as portas"); mundo aberto sem porteira; porteira aberta; porteira fechada
porteiro porteiro do Céu; porteiro eletrônico
porter prêt-à-porter (*V.* "pronto para vestir")
Portland cimento Portland
Porto capitania dos portos; porto seco

português (*subst.*) português arcaico; português moderno
português(a) (*adj.*) em bom português; em português claro; falar português claro; pedra portuguesa
pós em pós; ir em pós
pose fazer pose; manter a pose; perder a pose
pós-graduação pós-graduação *lato sensu*; pós-graduação *stricto sensu*
posição posição de impedimento; posição de sentido; ter posição
position pole-position
positivo pensamento positivo; ponto positivo
pospelo a pospelo
posse acima das posses; de posses; ter a posse de; ter posses; tomar posse de
possidetis uti possidetis
possível É possível que...; fazer o possível; humanamente possível (ou impossível); na medida do possível; Não é possível!; o mais possível; o menos possível; o quanto possível; Será possível?; Seria possível?
possuir não saber o que possui (*V.* "não saber o que tem")
post ex post; post meridiem; post mortem; post scriptum (P.S.)
posta (*subst.*) arrotar postas de pescada; fazer em postas; pôr em postas
postal caixa postal; cartão-postal; código de endereçamento postal; franquia postal; reembolso postal; vale postal
postaux colis postaux
poste como um poste (*V.* "como estátua")
posteriori a posteriori
posto (*conj.*) posto isso/isto; posto que
posto (*subst.*) a postos; posto de gasolina
posto(a) (*adj.*) bem-posto; de mãos postas; isso/isto posto; mãos postas
postulado postulado de Euclides
póstumo(a) obra póstuma
pot pot pourri
potável água potável
pote de pote; de tanga, pote e esteira; encher o pote; estar de pote; ir com muita sede ao pote; miolo de pote; quebrar o pote
potencial em potencial
potestade potestades celestes; potestades das trevas
pouco(a) a pouco e pouco; a poucos lanços; alguns poucos (*V.* "uns poucos"); aos poucos; ar de poucos amigos; cara de poucos amigos; com pouco...; como poucos; daqui a pouco; de muita armação e pouco jogo; de pouco; dentro em pouco; Desgraça pouca é bobagem!; dizer poucas e boas; em poucas palavras; estar (pouco) se lixando; estar por pouco; estar pouco ligando; estar pouco somando (*V.* "estar pouco ligando"); estimar pouco a vida; falar pouco e bem; faltar pouco para; faz pouco; fazer poucas e boas; fazer pouco caso de; fazer pouco de; ferver em pouca água; há pouco; homem de poucas palavras; miséria pouca é bobagem; muita abelha e pouco mel; muita armação e pouco jogo; muita galinha e pouco ovo; muitas coisas em poucas palavras; muito pouco; nem tanto nem tão pouco; passar por poucas e boas; pessoa de poucas palavras; por muito pouco; por pouco; por pouco mais de nada; por pouco que seja; pouca porcaria; pouca sombra; pouca vergonha; poucas e boas; pouco a pouco; pouco caso; pouco mais; pouco mais ou menos; pouco se lhe dá; ser uma pouca-vergonha; ter muita armação e pouco jogo; ter muito medo e pouca vergonha; um pouco; uns poucos
poupar não poupar ninguém; não poupar sexo nem idade; poupar o tempo
pouquinho aos pouquinhos (*V.* "aos poucos"); nem um pouquinho
pour et pour cause; L'art pour l'art; pour épater le bourgeois
pourri pot pourri
pousada pedir pousada
pouso campo de pouso (*V.* "campo de aviação"); pista de pouso; pouso forçado (*V.* "aterrissagem forçada"); sem pouso; trem de pouso
povo cair na boca do povo (*V.* "cair na boca do mundo"); homem do povo; o povo do Livro (*V.* "povo da Bíblia"); povo da Bíblia; povo de Deus; povo do Livro; povo eleito; povo escolhido (*V.* "povo eleito"); soberania do povo (*V.* "soberania popular")
praça abrir praça; assentar praça; auto de praça; automóvel de praça; botar tudo na praça; carro de praça; dar um estouro na praça; dar um tiro na praça; É um praça!; em praça pública; estouro na praça; fazer a praça; ir à praça; levar à praça; pôr em praça; praça comercial; praça de alimentação; praça de guerra; praça de pedágio; praça de touros; sair à praça; sentar praça
praetium praetium aestimationis
praga É uma praga!; rogar praga(s) a
praia cabeça de praia; futebol de praia; morrer na praia; nadar, nadar e vir morrer na praia; pegar uma praia; rato de praia; saída de praia
prancha prancha a vela
pranto aos prantos; cair em prantos; debulhar-se em pranto (*V.* "debulhar-se em lágrimas")

prata cabeça de prata; chuva de ouro (ou de prata); jubileu de prata; língua de prata; prata da casa; prata de lei; tela de prata
prateleira da prateleira de cima; estar na prateleira de cima; ir para a prateleira; mofar na prateleira
prática (*subst.*) colocar em prática; na prática; pôr em prática; ter prática
prático(a) (*adj.*) senso prático
prato comer no mesmo prato (*V.* "comer no mesmo cocho"); cuspir no prato em que se comeu; limpar o prato; pano de prato; pôr em pratos limpos; prato cheio; prato de resistência; prato feito; prato raso
praxe ser de praxe
prazer a seu bel-prazer; ao bel-prazer; prazer em conhecê-lo(a); ter o prazer de
prazo a curto prazo; a longo prazo; a prazo
pré cheque pré-datado
preâmbulo sem mais preâmbulos
precedência em ordem de precedência
precedente sem precedente(s)
preceito a preceito; dia de preceito; preceito pascal
precioso(a) a preciosa rubiácea; o precioso líquido; pedra preciosa
precipício à beira do precipício (*V.* "à beira do abismo")
precipitação precipitação atmosférica
precisão com precisão; de precisão; fazer uma precisão; ter precisão de
precisar não precisar dizer duas vezes
preciso nem é preciso dizer; se não existisse, seria preciso inventar
preço a preço de; a preço de banana; a preço de ouro; a qualquer preço; a todo preço; abrir preço; de preço; justo preço; morde aqui; não ter preço; pagar um alto preço; paz a qualquer preço; pôr a preço a cabeça de; pôr preço; pôr seu preço; preço cômodo; preço de banana; preço de capa; preço de custo; preço de ocasião; preço salgado; sem preço; ter em alto preço (*V.* "ter em conta"); ter o seu preço; todo homem tem um preço; tomada de preços; vender o peixe pelo preço que comprou
precoce demência precoce; ejaculação precoce; velhice precoce
preconcebido(a) ideia preconcebida
precursor precursor de Cristo
preencher preencher uma lacuna
preferência de preferência
preferencial ação preferencial; via preferencial
pregar ir pregar em outra freguesia; não pregar olho; não pregar prego em estopa; pregar aos peixes; pregar no deserto; pregar o Evangelho; pregar olho; pregar petas; pregar rabo em nambu; pregar um sermão; pregar uma partida; pregar uma peça (*V.* "pregar uma partida"); pregar uma peça a alguém
prego bater o prego; bater prego sem estopa; cama de pregos; cortar prego; dar no prego; dar o prego; dar os pregos; estar no prego; ficar como um prego; firme como um prego na areia; mandar chupar prego (*V.* "mandar às favas"); nadar como um prego; não bater prego sem estopa; não pregar prego em estopa; pôr no prego
preguiça preguiça chegou ali, fez casa de morada; preguiça chegou ali, parou (*V.* "preguiça chegou ali, fez casa de morada")
preito render preito
prejuízo correr atrás do prejuízo; em prejuízo de; encampar os prejuízos; pagar o prejuízo
prelo entrar no prelo; estar no prelo; no prelo; sair do prelo
premente fazer-se premente
prêmio colocar a prêmio; grande prêmio; pôr a cabeça de alguém a prêmio; prêmio de consolação; prêmio Nobel
prenda jogo de prendas; prendas domésticas
prender prender a atenção para; prender o fôlego; prender-se com teias de aranha; prender-se nas redes de Cupido
prensa dar uma prensa em (alguém)
prenúncio prenúncio de queda
preparar preparar o terreno
preparo preparo físico; sem preparo
presença com a presença de; em presença de; fazer ato de presença; marcar presença; na presença de; presença de espírito
presente (*adj.*) corpo presente; de corpo presente; elogio de corpo presente; missa de corpo presente; ter presente
presente (*subst.*) dar de presente; de presente; presente de Deus (*V.* "presente dos céus"); presente de grego; presente dos céus; presente dos deuses (*V.* "presente dos céus"); presentes de Baco; presentes de Pomona
presépio boi de presépio
preservação preservação ambiental
presidência presidência da República
presidencial sanção presidencial
preso(a) (*adj.*) estar com o rabo preso; língua presa; Preso por mil, preso por dois mil.; Preso por ter cão, preso por não ter.; preso(a) pelo beiço; preso(a) pelo olhar (*V.* "preso(a) pelo beiço"); rabo preso; ter o rabo preso; voz presa
preso(a) (*subst.*) preso político
pressa à pressa; a toda pressa; às pressas; com pressa; dar-se pressa; sem pressa

pressão

pressão colchete de pressão; condições normais de temperatura e pressão; grupo de pressão; marcar sob pressão; sob pressão
prestação à prestação; prestação de contas
prestar não prestar para nada; prestar atenção; prestar contas; prestar ouvido (V. "prestar atenção"); prestar ouvido a
prestes estar prestes a
presuntivo herdeiro presuntivo da coroa
presunto virar presunto
prêt prêt-à-porter (V. "pronto para vestir")
pretender pretender a mão de
pretensão pretensão e água benta
pretérito próximo pretérito
pretexto a pretexto de
preto(a) a coisa está preta; As coisas estão pretas; bola preta; café preto; custar uma nota (preta); estarem as coisas pretas; faixa preta; homem da capa preta; naipes pretos; não ser tão preto quanto pintam; negro preto; nota preta; passar do branco ao preto (V. "passar de um polo a outro"); pintar de preto; pôr o preto no branco; preto como breu; preto como carvão; preto de alma branca; preto no branco; rainha da cocada preta; rei da cocada preta; Se um diz branco, o outro diz preto.; uma nota preta (V. "uma nota firme"); ver a coisa preta
pretoriano(a) guarda pretoriana
pretty pretty lies
prevenção de prevenção; estar de prevenção com
previdência previdência social
prévio(a) aviso prévio; estar de aviso prévio (V. "estar de aviso")
prima prima facie; prima tonsura
primário(a) produto primário
primavera equinócio da primavera/outono; primavera da vida
prime prime rate
primeiro(a) à primeira; à primeira enxadada; a primeira impressão é a que fica; à primeira vista; amor à primeira vista; astro de primeira grandeza; atirar a primeira pedra; atirar no primeiro que me aparecer na frente; coisa de primeira mão; dar o primeiro passo; dar os primeiros passos; de primeira; de primeira água; de primeira categoria; de primeira classe; de primeira força; de primeira linha; de primeira mão; de primeira necessidade; de primeira ordem; de primeira qualidade; de primeiro nível (V. "de primeira linha"); em (de) primeira mão; em primeiro lugar; jogar a primeira pedra; marinheiro de primeira viagem; matar o primeiro que me aparecer na frente (V. "atirar no primeiro que me aparecer na frente"); Mateus, primeiro aos teus.; na primeira página dos jornais; Ordem Primeira; primeira classe; primeira impressão; primeira infância; primeira linha; primeira pedra; primeira-dama (de um país, de um estado, de um município); primeiras letras; primeiro de abril; primeiro e último; primeiro e único; primeiro entre iguais; primeiro mundo; primeiro plano; primeiro que; primeiro sem segundo; primeiro sono; primeiro time; primeiros passos; primo primeiro; tudo tem sua primeira vez
primitivo(a) Igreja primitiva
primo (*it.*) *galeto al primo canto*
primo(a) (*subst.*) número primo; prima(o)-irmã(o); primo primeiro
primus primus inter pares
princesa princesa real
principal papel principal; principais atributos morais
príncipe como príncipe; como um príncipe; edição príncipe; príncipe consorte; príncipe da Escuridão; príncipe da Igreja; príncipe das Astúrias; príncipe das trevas; príncipe de Gales; príncipe do ar; príncipe do Grão-Pará; príncipe dos Apóstolos; príncipe dos demônios; príncipe encantado; príncipe herdeiro; príncipe imperial; príncipes da Igreja; vida de príncipe; viver como um príncipe (V. "viver como um rei")
princípio a princípio; a princípio, são flores; do princípio ao fim; em princípio; partir de um princípio; por uma questão de princípios; princípio do fim; princípio de *Peter*
priori a priori
pris parti pris
prisão dar voz de prisão; prisão de ventre; prisão domiciliar; voz de prisão
prisco(a) priscas eras
prisioneiro(a) os prisioneiros da caverna (V. "caverna de Platão"); prisioneiro da consciência; prisioneiro de guerra
prisma sob esse prisma
privado(a) (*adj.*) cárcere privado; empresa privada; propriedade privada; vida privada
privilegiado(a) informação privilegiada
pró em pró de; prós e contras
pro (*lat.*) *pro domo sua*
proa abaixar a proa (V. "abaixar a grimpa"); cabeça de proa; carranca de proa; de proa; figura de proa; ter pela proa
probatório(a) estágio probatório
probidade probidade administrativa
problema matar o problema; xis do problema
proceder proceder bem
processador processador de texto

processamento centro de processamento de dados; processamento de dados
proclama correrem os proclamas
proclamar proclamar aos quatro ventos (V. "espalhar aos quatro ventos")
procura à procura do tempo perdido; lei da oferta e da procura
procurador procurador de causas perdidas
procurar procurar a quadratura do círculo; procurar agulha em (no) palheiro; procurar briga (V. "procurar encrenca"); procurar cabelo em ovo; procurar chifre em cabeça de cavalo; procurar encrenca; procurar marido; procurar minhoca no asfalto; procurar mulher; procurar o caminho de volta; procurar pelo em ovo; procurar sarna para se coçar; Vá procurar sua turma! (V. "Vá cuidar de sua vida!")
Procusto leito de Procusto
prodígio menino-prodígio
pródigo filho pródigo
produção bens de produção; produção em massa
produto Produto Interno Bruto; produto nacional bruto; produto primário
profana música profana
professo ex professo
professor(a) marido de professora; professor titular
profeta rei Profeta
profético Livros Proféticos
profissão a mais antiga das profissões; a profissão mais antiga do mundo; á-bê-cê da profissão; bê-á-bá de uma profissão; profissão de fé; profissão liberal
profissional carteira profissional (V. "carteira de trabalho"); profissional liberal; segredo profissional
profundas (*subst.*) profundas do inferno
profundidade profundidade de campo
profundo(a) águas profundas; baixo profundo
profusão com profusão; em profusão
programa garota de programa; programa de computador; programa de índio
programação grade de programação
progresso fazer progressos
proh proh pudor
proibido fruto proibido; jogo proibido
projeto projeto de gente; projeto de lei
prol de prol; em prol de; homem de prol
proletariado ditadura do proletariado
proletário(a) classes proletárias
promessa embalar com promessas; promessa de político; quebrar a promessa; quebrar promessa
prometer dias que prometem; prometer a Lua (V. "prometer mundos e fundos"); prometer largo e dar estreito; prometer mundos e fundos; prometer o troco
prometido(a) Terra Prometida
promissão Terra da Promissão
promotor(a) promotor público
prontidão de prontidão; em prontidão
pronto(a) de bate-pronto; de pronto; É assim e pronto!; estar pronto; ficar pronto; pronto para usar (V. "pronto para vestir"); pronto para vestir
propaganda agência de propaganda; propaganda enganosa
proporção à proporção que; de grandes proporções; de pequenas proporções
proporcionado(a) bem proporcionado
proposição proposição temerária
propósito a propósito; A que propósito?; de bons propósitos; de propósito; fora de propósito; sem tento nem propósito; ter o propósito de (V. "ter propósito"); ter propósito; vir a propósito
propriamente propriamente dito
propriedade propriedade privada; propriedades físicas
propriis alis volat propriis
próprio(a) a própria; amor-próprio; andar com as próprias pernas; arrancar os próprios cabelos; assustar-se com a própria sombra; caminhar com as próprias pernas; carregar a sua própria cruz; cavar a própria cova; cavar a própria sepultura (V. "cavar a própria cova"); chutar contra seu próprio gol; confiar no próprio taco; cortar na própria pele; de moto próprio; do próprio punho; enfiar a própria cabeça na areia; engolir as próprias palavras; enterrar a própria cabeça na areia; fazer comércio com o próprio corpo; fazer justiça pelas próprias mãos; não acreditar nos próprios olhos; nem ao próprio diabo ocorreria (V. "nem o próprio diabo lembraria"); nem o próprio diabo lembraria; olhar para o próprio rabo; olhar para o próprio umbigo; pelo próprio punho de; por conta própria; próprios nacionais; seguir seu próprio caminho; sentado nas próprias mãos; sofrer na própria carne; ter medo da própria sombra; tomar as leis nas próprias mãos (V. "fazer justiça pelas próprias mãos"); ver com os próprios olhos
prosa boa prosa; cantar em prosa e verso; cheio de prosa; dar dois dedos de prosa; dedo de prosa; deixar de prosa; dois dedos de prosa; estar com tudo e não estar prosa; perder a prosa; prosa poética; ser boa a sua prosa; ser prosa
proteção tomar sob sua proteção
protesto onda de protestos
protetor protetor solar

prova à prova de; à prova de bala; a toda prova; colocar à prova; fechar a prova; piloto de provas; pôr (alguém) à prova; pôr à prova; prova cabal; prova de fogo; prova de revezamento; prova dos nove; prova oral; ter suas provas feitas; tirar a prova
provar provar por a mais b; provar por absurdo; provar que cobra é elefante
proveito Bom proveito!; em proveito de; levar fama sem proveito; não caberem dois proveitos num só saco; sem proveito; tirar proveito de
prover prover um cargo
proveta bebê de proveta
providência divina providência; tomar providência
provimento dar provimento
província província eclesiástica
provisório(a) medida provisória
próximo(a) Oriente Próximo; parente próximo; Próxima de Centauro; próximo a (de); próximo futuro; próximo passado; próximo pretérito; próximo vindouro
prumo a prumo; perder o prumo
psicológico momento psicológico
Pt pt, saudações
pua arco de pua; Senta a pua!
pubiano monte pubiano (V. "monte de Vênus")
publice palam et publice
publicidade agência de publicidade (V. "agência de propaganda"); dar publicidade (a); publicidade enganosa
público (*subst.*) público cativo; público fiel
público(a) (*adj.*) a rua é pública; bens públicos; cair em domínio público; cair no (em) domínio público (V. "ser de domínio público"); cair no domínio público; calamidade pública; cargo público; clamor público; coisa pública; concorrência pública; de domínio público; defensor público; dívida pública; em praça pública; em público; em público e raso; empresa pública; equilíbrio das contas públicas; espírito público; fazenda pública; fé pública; finanças públicas; força pública; funcionário público; fundos públicos; hasta pública; homem público; inimigo público número um; jardim público; lavar roupa suja em público; Ministério Público; mulher pública; obras públicas; opinião pública; órgãos públicos; poder público; pôr em hasta pública; promotor público; público e notório; razão pública; receita pública; relações públicas; repartição pública; saúde pública; ser de domínio público; serviço público; servidor público; tornar público; utilidade pública; via pública; vida pública; vir a público
publishing desktop publishing
pudendo(a) partes pudendas
puder Devo e não nego; pagarei quando puder.; rir enquanto puder; Salve-se quem puder!
pudor (*lat.*) *proh pudor*
pular ainda pular a cerca; pula esta parte; pular (o) cambão; pular a cerca; pular carniça; pular de alegria; pular de galho em galho; pular na garganta de; pular uma fogueira
pulga andar com a pulga atrás da orelha; caçar pulga em juba de leão; com a pulga atrás da orelha; pôr uma pulga atrás da orelha de (V. "pôr uma pedra no sapato de"); salto de pulga
pulinho dar um pulo/pulinho logo ali (V. "dar um pulo (a)")
pulmão a plenos pulmões
pulo aos pulos; dar pulos de alegria; dar um pulo (a); dar um pulo/pulinho logo ali (V. "dar um pulo (a)"); de um pulo; errar o pulo; ir num pulo (V. "ir num pé e voltar no outro"); num pulo; pegar no pulo; pulo do gato; vir num pulo (V. "vir num pé e voltar no outro")
púlpito subir ao púlpito
pulso a pulso; a todo pulso; de pulso; escritor de pulso; homem de pulso; obra de pulso; tomar o pulso; tomar pulso
punctum punctum saliens
punhado aos punhados
punhal pôr um punhal no peito de (alguém)
punhalada punhalada nas costas
punho cerrar os punhos; de faca em punho; do próprio punho; pelo próprio punho de
punica punica fides
púnico(a) guerras púnicas
punir punir de morte
pureza pureza de linguagem
purgar purgar a mora; purgar os pecados
purgatório purgatório em vida; ter o purgatório em vida
puro(a) adrenalina pura; em pura perda; por pura obrigação; pura e simplesmente; Pura perda!; pura verdade; puro de; puro de origem; puro e simples; puro por cruza; ser nitroglicerina pura
purpurina jogar purpurina
puta (*adj.*) um puta (de um)
puta (*subst.*) filho da puta
puto (*adj.*) ficar puto; puto da vida
puxa (*interj.*) Eh, puxa!; Puxa vida!
puxação puxação de saco
puxado fio puxado; puxado à substância; puxado a sustância (V. "puxado à substância")

quanto(a)

puxador puxador de samba; puxador de terço
puxão dar um puxão de orelhas; levar um puxão de orelhas (*V.* "levar um pito")
puxar bate, puxa, espicha e rasga; palavra puxa palavra; puxar a alguém; puxar a brasa para sua sardinha; puxar a corda; puxar a escada; puxar a perna (*V.* "puxar o pé"); puxar a trouxa; puxar aos seus; puxar as orelhas; puxar assunto; puxar conversa; puxar da bolsa; puxar da cachimônia; puxar de uma perna; puxar do bestunto; puxar fogo; puxar fumo; puxar o freio de mão; puxar o pé; puxar o tapete; puxar os fios; puxar palha (*V.* "puxar uma palha"); puxar pela bolsa; puxar pela língua de; puxar pela memória; puxar pela orelha da sota; puxar pelo pé; puxar saco de (alguém); puxar uma palha; ter a quem puxar

Q

Q.I. quociente de inteligência; ter Q.I.
QED *Quod erat demonstrandum. (QED)*
quadra fazer a quadra; quadra de ases; quadra do ano; quadra quadrada; quadra risonha da vida
quadrado (*subst.*) metro quadrado; quadrado mágico
quadrado(a) (*adj.*) besta quadrada; parafuso quadrado em rosca redonda; quadra quadrada; ver o sol nascer quadrado (*V.* "ver o sol quadrado"); ver o sol quadrado
quadrante em todos os quadrantes
quadratura procurar a quadratura do círculo; quadratura do círculo
quadrilha quadrilha de cães; quadrilha de ladrões
quadrinhos história em quadrinhos (*V.* "tira de quadrinhos"); histórias em quadrinhos; tira de quadrinhos
quadro enxugar os quadros de funcionários; pintar um quadro; quadro vivo
qual cada qual; cada qual com seu saraquá (*V.* "cada macaco no seu galho"); Cada qual com seu saraquá.; não saber qual é a sua mão direita; Quais são as últimas?; Qual é a sua?; Qual é o babado?; Qual é?; Qual história!; Qual história, qual nada!; Qual nada!; qual não foi...; Qual o quê!" (*V.* "Qual nada!"); Qual o tamanho de um pedaço de corda?; seja qual for; só não namora sapo por não saber qual seja a fêmea; tal e qual; tal ou qual; tal qual
qualidade de primeira qualidade; de qualidade; na qualidade de; qualidade de vida; voto de qualidade
qualquer a qualquer aceno; a qualquer custo (*V.* "a qualquer preço"); a qualquer instante (*V.* "a qualquer momento"); a qualquer momento; a qualquer preço; arranhar o latim (um idioma qualquer); de qualquer ângulo; de qualquer forma; de qualquer jeito; de qualquer maneira (*V.* "de qualquer jeito"); de qualquer modo (*V.* "de qualquer jeito"); em qualquer caso (*V.* "em qualquer hipótese"); em qualquer hipótese; homem qualquer; paz a qualquer preço; por qualquer ângulo; qualquer coisa; qualquer dia desses; qualquer dos dois; qualquer estudante sabe; qualquer que; qualquer que seja; qualquer um; topar qualquer parada
quand quand même
quando a quando e quando; ainda quando; andar como cobra quando perde a peçonha; Até quando?; cor de burro quando foge (*V.* "cor de burro fugido"); de quando em quando; de quando em vez; de vez em quando; desde quando; desde quando o mundo é mundo (*V.* "desde que o mundo é mundo"); desde que o mundo é mundo; Devo e não nego; pagarei quando puder.; eis senão quando; estar como galinha quando quer pôr; justamente quando; mesmo quando; quando a poeira baixar; quando acaba; quando as galinhas criarem dentes; quando de; quando em quando; quando for o caso; quando menos; quando menos se espera; quando muito; quando nada; quando não; quando quer que; senão quando; ser quando
quantas (*subst.*) A quantas anda(m)?; não saber a quantas anda
quanti e tutti quanti; tutti quanti
quantia quantia ridícula; sem quantia
quantidade em quantidade; quantidade bastante; quantidades imaginárias
quantitativa análise quantitativa
quanto(a) chamar de tudo quanto é nome; com quantos paus se faz uma canoa; de tudo quanto é jeito; de tudo quanto é lado; E quanto!; É tudo quanto/que eu queria saber.; há quanto tempo; Lá se foi tudo quanto Marta fiou.; mostrar com quantos paus se faz uma cangalha (canoa); mostrar com quantos paus se faz uma canoa (*V.* "mostrar com quantos paus se faz uma cangalha (canoa)"); mostrar com quantos pontos se cose um jereba; não ser tão preto quanto pintam; o quanto; o quanto possível; por tudo quanto é (mais) santo (sagrado) (*V.* "por tudo o que é santo"); Quanta honra para um pobre marquês!; quanto a; quanto antes; quanto antes melhor; quanto mais melhor; quanto pior melhor; tanto mais quanto; tanto ou quanto; tanto quanto; um tanto ou quanto (*V.* "um tanto quanto");

um tanto quanto; vale quanto pesa; valer quanto pesa; ver o quanto é bom; ver quanto dói uma saudade
quantum *quantum satis*
quara bate não quara
quarenta a vida começa aos quarenta; livro de quarenta folhas
quarentena de quarentena; pôr de quarentena
quarta (*subst.*) quarta de final
quarteirão arrasar quarteirão; de arrasar quarteirão
quartel guerra sem quartel; não dar quartel (*V.* "não dar trégua"); tudo como dantes no quartel de Abrantes
quarto (*subst.*) dar um quarto ao diabo; fazer quarto a; passar no quarto; passar um mau quarto de hora; quarto crescente; quarto de despejo; quarto e sala; quarto minguante; sala e quarto
quarto(a) (*adj.*) É a quarta letra do alfabeto.; em quarta marcha; quarta da ponta; quarta dimensão; Quarta-feira de Cinzas; quarta-feira de trevas
quarto(a) (*num.*) dar com os quartos de lado; passar por um mau quarto de hora (*V.* "passar por um mau pedaço"); Quarto Mundo; quarto poder
quartos afrouxar os quartos (*V.* "afrouxar o garrão")
quase estar quase acreditando que; quase nada; quase o mesmo; quase que; quase sempre; quase, quase
quatro a quatro mãos; aos quatro cantos (*V.* "aos quatro ventos"); aos quatro ventos; as quatro últimas coisas; cair de quatro; certo como dois e dois são quatro (*V.* "certo como a morte"); com quatro pedras na mão; de quatro; de quatro costados; de quatro pés; dos quatro costados; em quatro palavras; entre quatro paredes; espalhar aos quatro ventos; fazer o diabo a quatro; ferrado dos quatro pés; ficar de quatro; ficar de quatro por (algo ou alguém); gritar aos quatro cantos (do mundo); meter-se entre quatro paredes; não saber que dois e dois são quatro; o diabo a quatro; o escambau a quatro; os quatro cantos do mundo; os Quatro Cavaleiros do Apocalipse; os quatro elementos; pelos quatro cantos; pessoa de quatro costados; proclamar aos quatro ventos (*V.* "espalhar aos quatro ventos"); tão certo como dois e dois são quatro; ter quatro olhos; trevo de quatro folhas; vinte e quatro horas a fio
que aí é que a coisa encrenca (*V.* "aí é que a coisa pega"); aí é que a coisa fia fino (*V.* "aí é que a coisa pia fino"); aí é que está a questão (*V.* "aí é que está o nó"); ainda que por mal pergunte (*V.* "ainda que mal pergunte"); Aqui é que a roda pega. (*V.* "aqui é que está o busílis"); até que; cada um que se entenda (*V.* "cada um lá se entende"); cobra que perdeu a peçonha (*V.* "cobra que perdeu o veneno"); comer o que o diabo enjeitou (*V.* "comer o pão que o diabo amassou"); deixar que falem (*V.* "deixar pra lá"); É assim que tem de ser! (*V.* "É assim e pronto!"); É de hoje que...; É Deus que...; é que; eis por que; eis que; entrementes que (*V.* "entretanto que"); Era só isso que faltava (*V.* "era só o que faltava!"); Era só o que faltava. (*V.* "Só faltava isso!"); fazer o que dá na veneta (*V.* "fazer tudo o que dá na telha"); ir ao que importa (*V.* "ir ao que interessa"); mandar (alguém) para o diabo que o carregue (*V.* "mandar (alguém) para o diabo"); matar o primeiro que me aparecer na frente (*V.* "atirar no primeiro que me aparecer na frente"); meter-se com o que é seu (*V.* "meter-se com a sua vida"); mexer com o cão que está dormindo (*V.* "mexer em time que está ganhando"); não dizer para que veio (*V.* "não dizer a(/ao) que veio"); não saber o que possui (*V.* "não saber o que tem"); não ser coisa que se faça (*V.* "não ser coisa que se diga"); não ter o que fazer (*V.* "estar sem o que fazer"); não valer o pão que come (*V.* "não valer o feijão (pão) que come"); nem que a galinha crie dentes (*V.* "nem que a vaca tussa"); no que; no que tange/concerne a (*V.* "com relação a"); O que é que há? (*V.* "O que há?"); O que é, o que é...?; O que ele faz? (*V.* "Que apito é que ele toca?"); O que está feito, está feito. (*V.* "O que está feito, feito está."); O que que há?; O que será, será.; ou algo que o valha (*V.* "ou algo assim"); para que; por mais estranho que pareça (ou que possa parecer) (*V.* "por estranho que pareça"); por que; Que bons ventos o trouxeram? (*V.* "Que ares o trouxeram?"); que de; que dirá (*V.* "quanto mais"); Que é de?; Que é que há?; Que maçada! (*V.* "Que chateação!"); que nem formiga (*V.* "como formiga"); Que que há? (*V.* "O que que há?"); que se dane (*V.* "Dane-se!"); seja lá o que for (*V.* "seja lá como for"); ser mais fácil um burro voar que...; Será quê?; tanto mais que (*V.* "tanto mais quanto"); tem gente que...; tempo em que os bichos falavam (*V.* "tempo em que se amarrava cachorro com linguiça"); tenho para mim que...; ter muito o que fazer (*V.* "ter mais o que fazer"); ter os olhos maiores do que a barriga (*V.* "ter olhos maiores que a barriga"); ver a hora que (*V.* "ver a

hora de"); ver para que lado sopra o vento (V. "ver de que lado sopra o vento"); ver que bicho vai dar (V. "ver que bicho dá")
quê além de quê; além do quê (V. "além de quê"); Mudou por quê; por que mudou?; não há de quê (V. "de nada"); Não há de quê.; não há por quê (V. "Não há de quê."); não sei quê; não tem (há) de quê; O quê!?; pois quê; Por quê?; Qual o quê!" (V. "Qual nada!"); sem mais quê nem para quê; sem quê nem para (por) quê; tal o quê; ter com quê; ter um quê por; um não sei quê; um quê
quebra de quebra; quebra de milho; quebra de serviço; quebra de sigilo bancário; quebra fraudulenta
quebrado(a) (adj.) de pé quebrado; estar quebrado; estar todo quebrado; quebrada da tibieza; verso de pé quebrado
quebrados (subst.) e uns quebrados
quebranto botar quebranto
quebrar botar pra quebrar; cair de costas e quebrar o nariz; ficar com cara de cachorro que quebrou panela; o quebrar da barra; quebra mas não verga; quebrar a banca; quebrar a cabeça; quebrar a cabeça de; quebrar a cara; quebrar a castanha; quebrar a castanha de; quebrar a esquina; quebrar a munheca; quebrar a promessa; quebrar a tigela; quebrar a tira; quebrar lanças por; quebrar o encantamento (V. "quebrar o encanto"); quebrar o encanto; quebrar o gelo; quebrar o jejum; quebrar o pau; quebrar o pote; quebrar o tabu; quebrar o torto; quebrar o(/um) galho; quebrar os grilhões; quebrar promessa; quebrar um galho (V. "quebrar o(/um) galho"); verga, mas não quebra
queda além de queda, coice; Depois da queda, coice.; duro na queda; É tiro e queda.; Em cima de queda, coice.; estar em queda livre; prenúncio de queda; queda de barreira; queda de braço; queda livre; ser tiro e queda; ter queda por (V. "ter uma queda por"); ter uma queda por; tiro e queda
quedo quedo e quedo
queijo com a faca e o queijo nas mãos; estar com a faca e o queijo nas mãos; estar como rato no queijo; macarronada sem queijo; pão pão, queijo queijo; queijo de Minas; ter a faca e o queijo nas mãos; um beijo e um pedaço de queijo
queima queima de estoque
queimado(a) (adj.) açúcar queimado; ficar queimado (com); fósforo queimado (V. "fósforo apagado"); papel queimado; sair queimado
queimar à queima-roupa; queima de arquivo; queimar a largada; queimar a língua; queimar a mufa; queimar as bruxas; queimar as pestanas; queimar campo; queimar etapas; queimar incenso a alguém; queimar no golpe; queimar o arquivo; queimar o filme; queimar o pavio; queimar o último cartucho; queimar pestanas; queimar rodinha; queimar vela nas duas pontas; queimar-se nos olhos de; ter dinheiro para queimar
queixa fazer queixa de; o pai das queixas
queixar não posso me queixar; queixar-se ao bispo; Vá se queixar ao bispo!
queixo abanar os queixos; amolar os queixos; bater o queixo; botar os queixos em; cair de queixo; de cair o queixo; de queixo caído; de queixo empinado; derrubar o queixo de; duro de queixo; ensaboar os queixos do burro; ficar de queixo caído; ficar de queixo na mão; queixo caído; queixo de vidro
quem a quem interessar possa; cá não está quem falou (V. "já não está mais aqui quem falou"); Cara de quem chupou limão (V. "cara de quem comeu e não gostou"); cara de quem comeu e não gostou; cara de quem morreu e se esqueceu de deitar; com cara de quem não quer nada; como quem nada tem com a coisa; como quem não quer e querendo; como quem não quer nada (V. "como quem não quer e querendo"); doa a quem doer; doa em(a) quem doer (V. "custe o que custar"); estar com ar de quem não quer nada; já não está mais aqui quem falou; Não sei, não quero saber e tenho raiva de quem sabe.; Para quem é, bacalhau basta.; Por quem é!; por serdes vós quem sois; Pra quem é, bacalhau basta!; quem de direito; Quem dera!; Quem diria!; Quem é ele? (V. "Que apito é que ele toca?"); Quem está na chuva é pra se molhar.; Quem me dera!; quem quer que; Quem sabe...?; quem sair por último apague a luz (V. "Quem vier atrás que feche a porta."); Quem sou eu!?; Quem te viu e quem te vê!; Quem vier atrás que feche a porta.; saber quem é quem; Salve-se quem puder!; seja lá quem for (V. "seja quem for"); seja quem for; ser quem dá as cartas; ter a quem puxar; ver quem pode mais; Você sabe com quem está falando?
quente a quente; assunto quente; batata quente; bater o ferro enquanto está quente; cabeça quente; chorar na cama que é lugar quente; clima quente; com um quente e dois fervendo; cor quente; estar quente; frente quente; malhar em ferro quente; o clima está quente; orelha quente; panos quentes; pôr panos quentes; sangue quente; tempo quente; ter as costas quentes; ter

querer

o sangue quente; ter uma batata quente nas mãos; tijolo quente; vem quente que eu estou fervendo; vende como pão quente
querer acredite se quiser; com cara de quem não quer nada; como queira; como quem não quer e querendo; como quem não quer nada (*V.* "como quem não quer e querendo"); como quer que; como queríamos demonstrar; como quiser; dar a Deus o que o diabo não quis; dar um pelo outro e não querer troco; Deus queira!; digam o que quiserem; É tudo quanto/que eu queria saber.; estar com ar de quem não quer nada; estar como galinha quando quer pôr; gostinho de quero mais (*V.* "gosto de quero mais"); gosto de quero mais; não querendo, mas querendo; não querer estar na pele de (alguém); não querer nada com; não querer negócio com (*V.* "não querer nada com"); não querer nem pensar (*V.* "não querer nem saber"); não querer nem saber; não querer outra vida; não querer saber de; não querer ver nem pintado; Não sei, não quero saber e tenho raiva de quem sabe.; o que quer que; onde quer que; perguntar se macaco quer banana; Pernas, para que te quero?; Pés, para que te quero?; por onde quer que; por querer; quando quer que; queira Deus; queira ou não queira; quem quer que; quer chova, quer faça sol; quer dizer; quer goste ou não; quer mais claro, ponha-lhe água; quer queira, quer não; quer sim, quer não; querer a cabeça de; querer abarcar o céu com as pernas (*V.* "querer abarcar o mundo com as pernas"); querer abarcar o mundo com as pernas; querer aparecer; querer bem a; querer chegar a; querer contar as estrelas; querer crer; querer distância de; querer dizer; querer engolir (alguém); querer ensinar o pai-nosso ao vigário; querer mal a; querer o céu e a terra; querer que um raio caia sobre (a) minha cabeça se...; querer saber de; querer ser mais pintado do que os outros; querer tapar o sol com a peneira; querer tirar leite de pato; querer tirar o aço do espelho; querer uma no saco e outra no papo; querer ver a caveira de alguém; Quero que vá tudo pro inferno!; se Deus quiser (*V.* "Deus queira!"); Se Deus quiser!; seja lá como Deus quiser (*V.* "seja lá como for"); sem querer; sem querer, querendo
questão aí é que está a questão (*V.* "aí é que está o nó"); âmago da questão; É questão de tempo.; É/está fora de questão.; em questão; fazer questão absoluta de (*V.* "fazer questão de"); fazer questão de; fazer questão fechada de (*V.* "fazer questão de"); fora de questão; nó da questão; o xis da questão; por uma questão de princípios; questão aberta; questão de; questão de consciência; questão de Estado; questão de família; questão de fato; questão de forma; questão de honra; questão de jeito; questão de lana-caprina; questão de opinião; questão de ordem; questão de somenos; questão de tempo; questão de vida ou morte; questão fechada; questão vital; ser (uma) questão de; ser questão fechada
question that is the question
quia credo quia absurdum
quiabo tomar na cuia dos quiabos
quid ne quid nimis; Quid inde?; quid pro quo; Ut quid?
quieto(a) quieto como um santo; *Quieta non movere.*
quilo a quilo; fazer o quilo; por quilo
quilômetro quilômetro por hora
química (*subst.*) fazer química
químico(a) (*adj.*) arma química
quina fazer a quina
quinau dar o quinau; dar quinau em
quinhão ter o seu quinhão (*V.* "ter o seu tanto de")
quinhentos isso/isto são outros quinhentos; são outros quinhentos
quintal de fundo de quintal
quinto (*subst.*) dia do Quinto
quinto(a) (*num.*) quinta roda do carro; quinta-feira maior
quintos andar pelos quintos; ir para os quintos do inferno; mandar para os quintos do inferno (*V.* "ir para os quintos do inferno"); mandar para os quintos do(s) inferno(s); quintos dos infernos
quintos mandar para os quintos do inferno (*V.* "ir para os quintos do inferno")
quirieléison dizer o quirieléison
quite Estamos quites.
quo in statu quo ante; quid pro quo; Quo vadis?; status in quo (*V.* "status quo"); status quo
quociente quociente de inteligência; quociente eleitoral
quod age quod agis; Quod abundat non nocet.; Quod dixi, dixi.; Quod erat demonstrandum. (QED)
quoi je ne sais quoi
quotidiano missal quotidiano
quousque Quousque tandem?

R

rã ter uma rã na garganta
rabanada rabanada de vento
rabeira estar na rabeira; ficar na rabeira; ir na rabeira

rabo agora (aí) é que a porca torce o rabo; aí é que a porca torce o rabo; animal sem rabo; balançar o rabo; bater com o rabo na cerca (*V.* "bater com a porta na cara"); burro sem rabo; cascavel de rabo fino; cobra que morde o rabo; com fogo no rabo; com o rabo entre as pernas; com o rabo na cerca; correr atrás do rabo; crescer como rabo de cavalo; dar com o rabo na cerca; de cabo a rabo; enfiar o rabo entre as pernas; estar com o rabo na cerca (*V.* "estar com o rabo preso"); estar com o rabo preso; fugir com o rabo entre as pernas; gato escondido com o rabo de fora; levar com a tábua no rabo; mentira de rabo e cabeça; meter/pôr o rabo entre as pernas; não aguentar um(a) gato(a) pelo rabo; não poder com uma gata pelo rabo; o rabo abana o cão; olhar com o rabo do olho; olhar para o próprio rabo; onde a porca torce o rabo; passar o rabo dos olhos por; pegar em um rabo de foguete; pegar no rabo da macaca; pegar no rabo da tirana; pegar o tigre pelo rabo; pôr o rabo entre as pernas; pregar rabo em nambu; rabo abanando o cachorro; rabo de foguete; rabo de palha; rabo de peixe; rabo de saia; rabo entre as pernas; rabo na cerca (*V.* "rabo preso"); rabo preso; sair com o rabo entre as pernas; segurar o diabo pelo rabo; ter o rabo preso; ter rabo de palha
raça acabar com a raça de; de má raça; de raça; na raça; na raça e na coragem; no peito e na raça; ter raça; raça irritadiça
rachado(a) cantar como taquara rachada; voz de cana rachada; voz de taquara rachada
rachar argumento de rachar; botar para rachar; de rachar; frio de rachar; ou vai ou racha; rachar as despesas; rachar de ganhar dinheiro
racial discriminação racial; integração racial; segregação racial (social, religiosa etc.)
racional animal racional
radical defeito radical; esportes radicais; radical chique; vício radical
raia chegar às raias; fechar a raia; fugir da raia; passar as raias; tocar as raias
raiar do raiar ao pôr do sol; raiar do dia
rail *guard rail*
rainha porte de rainha (rei); rainha da cocada preta; rainha dos ares
raio como um raio; num raio de; Que raio!; querer que um raio caia sobre (a) minha cabeça se...; raio de ação; raio de eloquência; raio de esperança; Raios (que) o partam!; ser para-raios de encrenca
raiva acesso de raiva (*V.* "acesso de fúria"); escumar de raiva; espumar de raiva; explosão de raiva (*V.* "explosão de cólera"); fulo de raiva (*V.* "fulo da vida"); Não sei, não quero saber e tenho raiva de quem sabe.; roxo de raiva; tinir de raiva
raiz até a raiz do(s) cabelo(s); até a raiz dos cabelos; bem de ra iz; bens de raiz; chegar à raiz de (algo); com raiz e galhos; comer capim pela raiz; comer grama pela raiz; corar até a raiz dos cabelos; cortar o mal pela raiz; de raiz; pela raiz
raízes criar raízes; fincar raízes; lançar raízes
rama algodão em rama; em rama; pela rama
ramo domingo de Ramos; não pisar em ramo verde; ramo de oliveira
rampa rampa de lançamento; subir a rampa
rancho rancho carnavalesco
ranho chover baba e ranho
rapadura entregar a rapadura
rapar rapar os pés à porta
rapidinho(a) dar uma rapidinha (*V.* "dar uma trepada")
rápido(a) pano rápido; rápido e rasteiro; refeição rápida
rapina ave de rapina
raposa colocar raposa para tomar conta de galinheiro; pensar que gambá é raposa; Raposa do Deserto; raposa velha
raro(a) ave rara; de raro em raro; joia rara; não raro; peça rara; raro em raro; *avis rara*
rasante voo rasante
rasgado(a) cumprimentos rasgados; da rede rasgada; falar rasgado; olhos rasgados; rasgados elogios; sorriso rasgado; voo rasgado
rasgar bate, puxa, espicha e rasga; comigo ninguém rasga (*V.* "Comigo ninguém pode."); rasgar a fantasia; rasgar o jogo; rasgar o peito; rasgar o verbo; rasgar o véu; rasgar seda
rasgo de um rasgo; rasgo de eloquência; rasgo de generosidade
raso(a) com os olhos rasos d'água; em público e raso; fazer tábua rasa; olhos rasos de água; prato raso; soldado raso; tábua rasa; *tabula rasa*
raspa raspa do tacho
raspão de raspão
raspar passar raspando; raspar a garganta; raspar a goela (*V.* "raspar a garganta"); raspar o fundo do tacho
rasteira (*subst.*) dar uma rasteira (*V.* "passar uma rasteira"); dar uma rasteira em; levar uma rasteira; passar uma rasteira; rasteira em cobra

rasteiro(a) (*adj.*) rápido e rasteiro
rasto a rastos; de rastos
rastro deixar rastro; no rastro de
rata dar uma rata
rata pro rata tempore; *pro rata*
rate prime rate
ratio ultima ratio regum (V. *"ultima ratio"*); *ultima ratio*
rato(a) brincar de gato e rato; caminho de rato; como gato e rato (V. "como cão e gato"); ensinar rato a subir de costas em garrafa; estar como rato no queijo; ninho de ratos; rato de biblioteca; rato de cartório; rato de feira; rato de hotel; rato de praia; rato de sacristia; rato pelado; rato sábio; ratos do deserto
ratoeira cair na ratoeira
Raul chamar o Raul (V. "chamar o Juca")
razão à razão de; acarretar razões; cair na razão; carradas de razão; chamar à razão; dar razão a alguém; dar razão de si; em razão de; encurtar razões; ente de razão; estar coberto de razão; fora da razão; idade da razão; perder a luz da razão; perder a razão; razão áurea; razão de Estado; razão de ser; razão eterna; razão pública; razão social; razões de cabo de esquadra; sem rima nem razão; ter boas razões para; ter carradas de razão; ter suas razões; trazer à razão; vendar a razão
ré de ré; marcha a ré
reação ação e reação
reajuste reajuste salarial
real alteza real (imperial); cair na real; canastra real; casa real; cruzeiro real; ente real; estrada real; favorecimento real; geleia real; insígnias reais; não ter um real; princesa real; tempo real; vara real
realidade cair na realidade (V. "cair na real"); fora da realidade; realidade virtual
realista mais realista que o rei
realização realização de capital
reatar reatar o fio da conversa; reatar o fio da meada (V. "reatar o fio da conversa")
rebanho rebanho espiritual
rebarba tirar uma rebarba (V. "pegar uma boca")
rebate rebate falso
rebeca nem que o diabo toque rebeca
rebelde doença rebelde; missão rebelde
rebenqueado rebenqueado da sorte; rebenqueado das saudades
rebentar rebentar de; rebentar de fome; rebentar de gente; rebentar de riso; rebentou nas minhas mãos
rebimboca rebimboca da parafuseta
rebojo rebojo de águas
rebolado perder o rebolado; teatro rebolado

reboque a reboque (de); andar a reboque; levar a reboque
rebuço não ter rebuço; sem rebuço
rebus sic standibus rebus
recado a bom recado; dar conta do recado; dar o recado; de bom recado; tomar o recado na escada; tomar o recado na porta da rua (V. "tomar o recado na escada")
recarregar recarregar as baterias; recarregar os cartuchos (V. "recarregar as baterias")
receber efeito a pagar/receber; receber a tonsura; receber a visita da cegonha; receber as águas batismais; receber as ordens; receber de bandeja; receber o batismo; receber o troco; receber o último alento; receber o último suspiro; receber ordem; receber por esposa/o
recebimento acusar o recebimento (V. "acusar recebimento"); acusar recebimento
receio sem receio
receita receita culinária; receita pública
receptor receptor universal
recesso último recesso
recherche à la recherche du temps perdu
recibo dar recibo; passar recibo
recobrar recobrar a consciência
recolher recolher-se aos bastidores; recolher-se com as galinhas; toque de recolher
recompensa recompensa financeira
reconhecer reconhecer a firma; ser forçoso reconhecer
recorde bater o recorde; em tempo recorde; estabelecer um recorde
recreação por sua alta recreação
recurso como último recurso; em último recurso; recurso extremo; recursos humanos; recursos naturais
recusar recusar-se à evidência
rede bola na rede; cair na rede; da rede rasgada; em rede; navegar na rede; O que cair na rede é peixe.; prender-se nas redes de Cupido; rede alimentar; rede de lojas (V. "cadeia de lojas")
rédea à rédea larga (V. "à rédea solta"); rédea solta; afrouxar a rédea; com a rédea na mão; com as rédeas na mão; dar rédea larga a (V. "dar rédeas"); dar rédeas; largar a rédea; rédea curta; soltar as rédeas; tomar as rédeas
redenção sem redenção
redentor(a) a Redentora; o Redentor
redobrar redobrar os esforços
redoma meter/pôr numa redoma; pôr numa redoma
redondamente cair redondamente; estar redondamente enganado; redondamente enganado

redondo(a) conta redonda/arredondada; descer redondo; jogar uma bola redonda; mesa-redonda; número redondo; parafuso quadrado em rosca redonda; redondo como uma bola; viagem redonda
redor ao redor; ao redor de; em redor
redução redução ao absurdo
reduzido(a) ficar reduzido à miséria; ficar reduzido a zero (*V.* "ficar reduzido à miséria")
reduzir reduzir a cinzas; reduzir à expressão mais simples; reduzir a pó; reduzir a pó de traque; reduzir ao silêncio
reembolso reembolso postal
refeição refeição de assobio; refeição ligeira (*V.* "refeição rápida"); refeição rápida
refém ficar refém de
referência com referência a (*V.* "com relação a"); dar referências; obra de referência; ponto de referência
referendum ad referendum
refilão de refilão
refluxo fluxo e refluxo da sorte; refluxo da maré
reforma reforma agrária
reformado(a) oficial reformado; religião reformada
refratário material refratário
refrescar refrescar a cabeça; refrescar a memória
refresco dar um refresco
refugo refugo da população
regalar regalar a alma
regar regar o pé (de alguém)
região região das trevas; região do sepulcro; região metropolitana; região militar; regiões etéreas
regime regime seco
régime ancien régime
regimento regimento interno
regis regis ad exemplar
registrado(a) marca registrada
registradora caixa registradora
registro registro civil; registro geral
rego pisar fora do rego; rego do cabelo
regra cagar regras; de regra; em regra; fora das regras; por via de regra; regra áurea; regra de ouro; regra geral; regras do jogo; via de regra
regressivo(a) contagem regressiva
regular não regular bem
regum ultima ratio regum (*V.* "ultima ratio")
rei abas do rei; astro rei; Ele tem o rei na barriga.; mais realista que o rei; Morreu o rei; viva o rei!; o rei do mundo; o rei dos animais; o rei dos metais; O rei está morto, viva o rei! (*V.* "Morreu o rei; viva o rei!"); palavra de rei; porte de rainha (rei); rei da cocada preta; rei da criação; rei da natureza; rei do Universo; rei dos animais; rei dos ares; rei dos metais; rei dos Reis; rei Momo; rei Profeta; rei Sol; sem lei nem rei; sem lei nem rei nem roque (*V.* "sem lei nem rei"); sem rei nem roque; ter o rei na barriga; ter o/um rei na barriga (*V.* "ter rei na barriga"); ter rei na barriga; trazer o rei na barriga; Um gato pode olhar para um rei.; vale dos reis; viver como um rei; *ad perpetuam rei memoriam*
Reich terceiro Reich
reinar reina a paz em Varsóvia
reino até que venha o Reino; o reino das sombras; o Reino de Deus; o reino de Éolo; o Reino dos Céus (*V.* "o Reino de Deus"); reino animal; reino das sombras; reino de Netuno; reino do céu; reino mineral; reino vegetal
reinventar reinventar a roda
reis dia de Reis; folia de Reis ou do Divino; Reis Magos
réis conto de réis; dez réis de mel coado; por dez réis de mel coado
relação círculo de relações; com relação a; cortar relações; em relação a; relações estremecidas; relações públicas; ter relações com
relâmpago como um relâmpago (*V.* "como um raio"); num relâmpago
relance de relance; num relance
relar tretou, relou...
relativamente relativamente a
relativo(a) É relativo.; impossibilidade relativa; maioria relativa; umidade relativa
relento ao relento
relevo pôr em relevo
relho baixar o relho; não ter relho nem trambelho
religião religião reformada
religioso(a) casamento religioso; ordem religiosa; segregação racial (social, religiosa etc.); votos religiosos
reliquia et reliquia
relógio acertar os relógios; como um relógio; contra o relógio; correr contra o relógio; corrida contra o relógio (*V.* "corrida contra o tempo"); não ser relógio de repetição; relógio de ponto; relógio de repetição; relógio de sol; ser como um relógio
rem animus rem sibi habendi
remar ir remando; remar contra a corrente (*V.* "remar contra a maré"); remar contra a maré
remate em remate
remédio Do céu venha o remédio.; mal sem remédio; Não tem remédio!; não ter nem um para remédio; nem para remédio;

remendado(a)

Que remédio!; remédio caseiro; remédio heroico; santo remédio; sem remédio; ter remédio
remendado(a) locução (frase) remendada
remendo descarregar remendos; remendo velho em pano novo
remido sócio remido
remir remir um penhor
remissão sem remissão
remo à vara e a remo
remorso estar com remorso; sem remorso
remoto(a) controle remoto; não ter a mais remota ideia (V. "não ter a menor ideia")
rempli rempli de soi-même
remunerado(a) estágio remunerado; reserva remunerada
renal cálculo renal (vesical ou urinário)
renascer renascer das cinzas
renda fazer renda; leão do Imposto de Renda; renda vitalícia; viver de renda(s); *renda per capita*
render fazer render o peixe; render a alma; render a alma a Deus; render a alma ao Criador (V. "render a alma a Deus"); render as sentinelas; render graças a; render o espírito; render obediência; render preito; render que só mandioca de várzeas; render-se à evidência; render-se ao sono
rendição rendição de serviço
renovar renovar as feridas
rente rente a; rente de (V. "rente a")
reo In dubio pro reo.
repartição repartição pública
repelão de repelão
repente de repente; ter bons repentes; ter repentes
repetição não ser relógio de repetição; relógio de repetição
repicar mandar repicar o sino
replicação abalos de replicação
répondez répondez s'il vous plaît (RSVP)
reportagem furo de reportagem
repousar repousar no Senhor; repousar sobre os louros (V. "descansar sobre os louros")
repouso repouso eterno; repouso semanal
representação representação diplomática
representante representante de venda
representar representar para as cadeiras
representativo(a) democracia representativa
reproche sans peur et sans reproche
república dia da República; presidência da República; República Nova; República Velha
reputação manchar a reputação (V. "manchar a honra")
repuxo aguentar o repuxo

requentado caldo requentado
réquiem missa de réquiem
requiescant Requiescant in pace.
requinte requinte de crueldade
requisito requisito obrigatório
res res non verba; res nullius
rés ao rés de; ao rés do chão; rés do chão
reserva banco de reservas; de reserva; dizer (divulgar) sob reserva; fazer reserva; ficar de reserva; fundo de reserva; passar à reserva; reserva de domínio; reserva de mercado; reserva florestal; reserva moral; reserva remunerada; sem reserva; sob todas as reservas; ter de reserva
reservista certificado de reservista
resfriado Um, saúde; dois, cuidado; três, resfriado.
resguardo de resguardo; estar de resguardo
residência fixar residência; residência médica
résistance pièce de résistance
resistência peça de resistência; prato de resistência; resistência passiva
resolução resolução heroica
resolver tererê não resolve
respectivamente respectivamente a
respeitar respeitar as conveniências
respeito a respeito de; apelo ao respeito; com respeito a; com todo o respeito; dar-se ao respeito; de respeito; dizer respeito a; em respeito de; faltar ao respeito; faltar com o respeito; no que diz respeito a; respeito; respeito humano
respiração respiração boca a boca
respirada (*subst.*) dar uma respirada
respirar não respirar o mesmo ar que alguém; não ter tempo nem para respirar (V. "não ter tempo"); respirar aliviado; respirar ar fresco; respirar o mesmo ar; respirar saúde por todos os poros
responder não responder por; responder à altura; responder ao pé da letra; responder com sete pedras na mão; responder por; responder por si; responder torto
responsabilidade chamar à responsabilidade; crime de responsabilidade; declinar (de) uma responsabilidade (V. "declinar (de) um cargo")
responsável editor responsável
resposta dar o calado como resposta; mastigar uma resposta (ou um assunto); ter boas respostas; ter resposta na ponta da língua (V. "ter resposta para tudo"); ter resposta para tudo
resto a resto; a resto de barato; com ar de resto; de resto; restos mortais
restrito sentido restrito

resumo em resumo
resvés resvés com
reta (*subst.*) na reta final; reta final; sair da reta; tirar da reta
retalho a retalho; colcha de retalhos; retalho da mesma peça; ser retalho da mesma peça; vender a retalho
retardo retardo mental
retirada (*subst.*) bater em retirada; retirada estratégica
retirado(a) (*adj.*) retirado dos negócios
retiro retiro espiritual
reto(a) (*adj.*) ângulo reto
retomar retomar o fio da meada
retoque dar os últimos retoques
retorcer retorcer o caminho
retórica fazer retórica
retranca aguentar a retranca; estar/ficar na retranca; jogar na retranca
retrato retrato falado
retro ut retro; Vade retro!
réu banco dos réus; cara de réu; estar no banco dos réus; no banco dos réus
reunião reunião de cúpula
revelação Sede da Revelação (*V.* "Sede da Fé")
revelia à revelia; deixar correr à revelia
reverso(a) ao reverso (*V.* "ao revés"); considerar o reverso da medalha; reverso da mão; reverso da medalha; verso e reverso
revertério dar um revertério
revés a revezes; ao revés; de revés; em revés; reveses da fortuna; reveses da sorte (*V.* "reveses da fortuna"); reveses da vida
revestir revestir-se de autoridade
revez às revezes (*V.* "a revezes")
revezamento corrida de revezamento; prova de revezamento
revirar revirar a casa; revirar-se no túmulo
revista passar em revista
revoada de revoada
revoir au revoir
revolta levantar o estandarte da revolta
revolução Revolução Industrial
revolver (*verbo*) revolver céus e terra
reza (*subst.*) a troco de reza; reza brava
rezar ajoelhou, tem que rezar; rezar na conta benta; rezar o terço; rezar pela mesma cartilha; rezar pelo mesmo breviário (*V.* "rezar pela mesma cartilha"); rezar por alma de uma dívida
RG registro geral
riacho calças de saltar riacho (*V.* "calças de pegar frango")
riba ainda em riba; de riba; em riba; em riba de; pra riba; tudo em riba (*V.* "tudo em cima")
riche nouveau riche

rico(a) boca rica; levar vida de rico (*V.* "levar vida de marajá"); pobre menina rica; podre de rico; rico como Creso; rico como um marajá (*V.* "rico como Creso"); ricos e pobres
ricochete de ricochete
ridículo(a) dar-se ao ridículo; descambar no ridículo; do sublime ao ridículo; quantia ridícula
right all right; the right man in the right place
rígido disco rígido
rigor a rigor; conhecer o rigor da mandaçaia; de rigor; em rigor; traje a rigor; *rigor mortis*
rijo de rijo; rijo de ânimo
rima sem rima nem razão
rinha galo de rinha (*V.* "galo de briga")
rio à beira-rio; correr rios de tinta; rio da unidade nacional; rio de sangue; veio do rio
ripa baixar a ripa; meter a ripa em; ripa na chulipa; ripa na chulipa e pimba na gorduchinha (*V.* "ripa na chulipa")
riqueza riqueza de uma língua; sede de riqueza
rir arrebentar de rir; desatar a rir; dobrar de rir; estar morto de...; estourar de rir; molhar as calças de tanto rir; morrer de rir; rir a bom rir; rir à custa de; rir à farta; rir à socapa; rir amarelo; rir às bandeiras despregadas; rir às gargalhadas; rir até arrebentar as ilhargas; rir como um doido; rir dos dentes para fora; rir enquanto puder; rir na cara de; rir sem tom nem som; rir(-se) o roto do esfarrapado; rir-se o roto do esfarrapado (*V.* "rir-se o sujo do mal-lavado"); rir-se o sujo do mal-lavado; rolar de rir
risada risada homérica; soltar uma risada
risca à risca; cumprir à risca; risca do cabelo (*V.* "rego do cabelo"); seguir à risca
riscado (*subst.*) entender do riscado
riscar riscar a cama no chão com giz; riscar da minha lista; riscar do mapa; riscar largo e cortar estreito; Riscou catre, saiu tamborete.
risco capital de risco; correr o risco; correr risco; correr riscos (*V.* "correr risco"); por conta e risco de; por sua conta (e risco)
risinho dar risinhos
riso acesso de riso; alvo de riso; frouxo de riso; perdido de riso; rebentar de riso; riso alvar; riso amarelo; riso canino (*V.* "riso sardônico"); riso idiota; riso sardônico; riso seco; ser alvo de riso
risonho(a) quadra risonha da vida
riste com o dedo em riste (*V.* "de dedo em

rítmico(a)

riste"); de dedo em riste; dedo em riste; em riste
rítmico(a) *(adj.)* ginástica rítmica
ritmo em ritmo de Brasília; perder o ritmo
riverdeci *a riverdeci*
rixa andar de rixa; de rixa velha e caso pensado
roca imagem de roca; santo de roca
roça caminho da roça; ir pra (para a) roça
roçado chover no roçado de
rocha cristal de rocha; firme como uma rocha; rocha viva
rock *rock and roll*; *rock pesado*
roda à roda de; andar à roda; andar com a cabeça à roda; andar numa roda-viva; Aqui é que a roda pega. (*V.* "aqui é que está o busílis"); botar na roda; brincar de roda; cadeira de rodas; cantiga de roda; chave de roda; de roda; desandar a roda; desandar a roda da fortuna; em roda; entrar na roda; fazer a roda a; inventar a roda; mão na roda; meter na roda (*V.* "meter na dança"); na roda-viva; numa roda-viva; patim de rodas; pôr na roda; quinta roda do carro; reinventar a roda; roda a roda; roda da fortuna; roda dura; roda hidráulica; ser roda dura; ser uma mão na roda
rodado carro muito rodado; muito rodado
rodagem estrada de rodagem
rodante material rodante
rodapé nota de rodapé; pintor de rodapé
rodar rodar (a) bolsinha (*V.* "rodar a bolsa"); rodar a baiana; rodar a bolsa; rodar nos calcanhares (*V.* "virar nos calcanhares")
rodeado rodeado de cuidados
rodeio falar sem rodeios; sem rodeios
rodinha queimar rodinha
rodízio a rodízio
rodo a rodo; gastar a rodo
rodoviário(a) anel rodoviário; estação rodoviária (terminal); malha rodoviária (ferroviária)
roer duro de roer; osso duro de roer; roer a corda; roer as unhas dos pés; roer os ossos; roer um corno
rogado fazer-se de rogado
rogar rogar ao santo até passar o barranco; rogar praga(s) a
rogo assinatura a rogo
rojão aguentar o rojão (*V.* "aguentar a barra")
rol a rol; cair no rol do esquecimento; pôr no rol do esquecimento
rolado seixo rolado
rolagem barra de rolagem
rolamento pista de rolamento
rolante escada rolante
rolar bola rolando; botar a bola pra rolar; cabeças vão rolar; deitar e rolar; deixar a bola rolar; deixar rolar; É de se rolar no chão.; estar rolando; rolar de rir
roldão de roldão
rolê aú com rolê; bife rolê (*V.* "bife enrolado")
roleta roleta-russa
rolha lei da rolha; meter/enfiar uma rolha na boca de; pôr uma rolha na boca de; tirar a rolha da boca
roll *rock and roll*
rolo bolo de rolo; dar rolo; ficar de rolo; fumo de rolo; rolo compressor
Roma ir a Roma e não ver o papa; sete colinas de Roma; tocar música enquanto Roma pega fogo
romance herói de romance; romance de capa e espada
romano(a) católico romano; Igreja Católica Apostólica Romana; numeração romana; Pontífice Romano; Romano Pontífice; *pax romana*
romanus *Senatus populusque romanus*
rombo dar um rombo
romeu romeu e julieta; um romeu
romper de virar e romper; estar de virar e romper; romper as algemas; romper as baetas; romper as baterias; romper as cadeias; romper as hostilidades; romper as tréguas; romper lanças; romper o silêncio; romper os ferros; romper um segredo
roncar com a barriga roncando; estar com a barriga roncando; Gente de fora não ronca.
roque ficar para galo de São Roque (*V.* "ficar para tia (titia) ou tio (titio)"); sem lei nem rei nem roque (*V.* "sem lei nem rei"); sem lei nem roque (*V.* "sem lei nem rei"); sem rei nem roque
rosa água de rosas; banhar-se em águas de rosas; céu de rosas; lavar-se em água de rosas; leito de rosas; mar de rosas; nadar em mar de rosas; nadar em rosas (*V.* "nadar em delícias"); nem tudo são rosas (*V.* "nem tudo são flores"); rosa dos ventos; ver tudo cor-de-rosa; vida cor-de-rosa (*V.* "vida de príncipe")
rosário desfiar o rosário; mês do Rosário; ser conta do meu rosário
rosca farinha de rosca; pão com rosca; parafuso quadrado em rosca redonda
roscofe marca roscofe
rose *la vie en rose*; *vie en rose*
roseira balançar o galho da roseira
Rosh dia de Ano-Novo judaico (*Rosh Hashaná*)
rosto com o suor do rosto; dar de rosto; de rosto; de rosto descoberto; fazer rosto a; lançar em rosto a; página de rosto; rosto a

saber

rosto; suor do rosto; torcer o rosto; um palminho de rosto
rota de rota batida; em rota batida; em rota de colisão; rota aérea; rota batida; rota de colisão
rotatividade hotel de alta rotatividade
rotativo(a) crédito rotativo
rotina cair na rotina
roto(a) não cair em saco roto; rir(-se) o roto do esfarrapado; rir-se o roto do esfarrapado (V. "rir-se o sujo do mal-lavado")
roubar roubar a cena; roubar e não poder carregar; roubar pirulito de criança
roubo convite ao roubo
roupa à queima-roupa; aliviar a roupa; bater roupa; Com que roupa?; dar até a roupa do corpo; estar em roupas menores; ficar só com as roupas do corpo (V. "ficar com a camisa do corpo"); lavar roupa suja em público; muda de roupa; roupa branca; roupa de baixo (V. "roupa branca"); roupa de cama; roupa de ver a Deus; roupa interior (V. "roupa branca"); roupa íntima; roupa sovada; roupas de baixo; roupas íntimas (V. "roupas de baixo"); ser fogo na roupa; tábua de bater roupa
roupão roupão de banho
roxo(a) estar roxo por; roxo de raiva; ser roxo por
RSVP *répondez s'il vous plaît (RSVP)*
rua a porta da rua é serventia da casa; a rua é pública; arrastar pela rua da amargura; botar o bloco na rua; encher a rua de pernas; ficar na rua; frevo de rua; homem da rua; ir às ruas; medir rua; menino de rua; mulher da rua (V. "mulher à toa"); mulher de ponta de rua (V. "mulher à toa"); mulher de rua; nas ruas; olho da rua; pôr na rua; pôr no olho da rua; porta da rua; rua da amargura; rua do lá vem um; tomar o recado na porta da rua (V. "tomar o recado na escada"); varredor de rua; viver na rua; voz das ruas
rubiácea a preciosa rubiácea
Rubicão atravessar o Rubicão; cruzar o Rubicão
ruça a coisa está ruça (V. "a coisa está preta")
ruço(a) doutor da mula ruça
ruim achar ruim; cabelo ruim; coisa-ruim; comer da banda podre (ruim) (V. "comer da banda crua"); comer ruim; ferida ruim; gastar cera com defunto barato (ou ruim); ruim da bola; ruim de bola; ruim de cabeça; ruim de corte; ruim de ideia; sangue ruim; ser ruim de
rumo cortar no rumo de; em rumo de; perder o rumo; rumo a; sem rumo; tomar outro rumo; tomar rumo; traçar o rumo

rumor soar um rumor
rupestre arte rupestre; inscrição rupestre
rupto *ab rupto*
rural extensão rural; guerrilha rural/urbana
rush *hora do rush*
russo(a) roleta-russa
S.O.S. *save our souls (S.O.S.)*

S

sábado Sábado de Aleluia; sábado gordo
sabão acabar-se como sabão na mão de lavadeira; bola de sabão; dar um sabão (em alguém); ir lamber sabão; levar um sabão (V. "levar um pito"); mandar lamber sabão (V. "mandar às favas"); Não se aproveita nem a alma para fazer sabão.; passar um sabão (V. "passar um pito")
sabático ano sabático
sabedoria arrotar sabedoria (V. "arrotar sapiência"); poço de sabedoria (V. "poço de ciência"); sabedoria das nações; sabedoria popular (V. "sabedoria das nações")
saber (*subst.*) poço de saber (V. "poço de ciência")
saber (*verbo*) a saber; cansado de saber; dar a saber; Deus é quem sabe; Deus sabe como; É doido e a família não sabe.; É tudo quanto/que eu queria saber.; estar careca de saber; Eu sei lá?; fazer saber; mostrar o que sabe; não há gato nem cachorro que não saiba; não querer nem saber; não querer saber de; não saber a quantas anda; não saber brincar; não saber da missa a metade; não saber de nada; não saber de si; não saber nada; não saber nem a nem b; não saber o que diz; não saber o que é bom; não saber o que possui (V. "não saber o que tem"); não saber o que tem; não saber onde meter a cara; não saber onde meter as mãos; não saber onde tem (tinha) a cabeça; não saber para que lado ir; não saber qual é a sua mão direita; não saber que dois e dois são quatro; não saber que letra é o a; não sei quê; Não sei, não quero saber e tenho raiva de quem sabe.; ninguém sabe, ninguém viu; nunca se sabe; ouvir cantar o galo mas não saber onde; qualquer estudante sabe; Que sei eu?; Quem sabe...?; querer saber de; sabe Deus; Sabe lá?; sabe o que mais?; saber a; saber as linhas com que se cose; saber bem; saber da última; saber dar nome aos bois; saber das coisas; saber de antemão; saber de cor; saber de cor e salteado; saber de que lado sopra o vento; saber de seu ofício; saber entrar e sair; saber levar; saber na ponta da língua;

saber o terreno em que pisa; saber onde lhe aperta o calo (V. "saber onde lhe aperta o sapato"); saber onde lhe aperta o sapato; saber onde lhe dói o calo; saber onde tem a cabeça; saber onde tem as ventas; saber onde tem o nariz; saber quem é quem; saber se virar; saber ser homem; saber vender o seu peixe; saber viver; sabe-se lá...; Sei lá!; sei o que sei; ser feliz e não saber; só Deus sabe; só não namora sapo por não saber qual seja a fêmea; só não sabe jogar pedra em santo; um não sei quê; Vai saber!; vir a saber-se; Você sabe com quem está falando?
sabeu/sabeia lágrima sabeia
sabichão metido a sebo (besta/sabichão) (V. "metido(a) a")
sabidas (*subst.*) às sabidas
sabidas (*subst.*) às não sabidas; às sabidas
sabido(a) (*adj.*) sabido como cobra
sábio rato sábio
sabor ao sabor da maré; ao sabor de; ao sabor do vento; sabores fundamentais; viver a sabor
sabugo até o sabugo; não valer um sabugo (V. "não valer dois caracóis")
sacar sacar a descoberto
sacerdotal classe sacerdotal
saciedade até à saciedade
saco botar (colocar) no mesmo saco; coçação de saco; coçar o saco; com saco para; comprar nabos em saco; dar no saco; de saco cheio; despejar o saco; encher o saco; enfiar a viola no saco; estar de saco cheio; estar sem saco; estender o saco; esvaziar o saco; farinha do mesmo saco; meter/pôr a viola no saco; meter/pôr no mesmo saco; não caberem dois proveitos num só saco; não cair em saco roto; não estar com saco para; pé no saco; puxação de saco; puxar saco de (alguém); Que saco!; querer uma no saco e outra no papo; saco de batata; saco de dormir; saco de gatos; saco de ossos; saco de pancadas; saco de viagem; saco sem fundo; ser saco furado (V. "ser um saco furado"); ser um saco furado; torrar o saco; um pé no saco; um saco; ver o fundo do saco
sacra fazer a Via-Sacra
sacra *auri sacra fames*
sacramental absolvição sacramental; palavras sacramentais; segredo sacramental; sigilo sacramental
sacramento administrar os sacramentos; com todos os sacramentos; ligar-se pelo sacramento; sacramentos da iniciação cristã; Santíssimo Sacramento; sete sacramentos; últimos sacramentos

sacrifício espírito de sacrifício; ir para o sacrifício; sacrifício do altar; sacrifício incruento; Santo Sacrifício; supremo sacrifício
sacrílego(a) filho sacrílego
sacristia barata de igreja; rato de sacristia
sacro(a) música sacra ou sagrada; orador sacro; Sacro Colégio
sacudidela dar uma sacudidela no corpo
sacudir sacudir a poeira dos pés; sacudir a poeira e dar a volta por cima; sacudir as cadeiras; sacudir o jugo; sacudir o pó dos sapatos (V. "sacudir a poeira dos pés"); sacudir o poncho; sacudir os arreios; sacudir os ombros
saecula *in saecula saeculorum*
saeculorum *in saecula saeculorum*
safado safado da vida
safar safar a onça
safena ponte de safena
sagrado(a) cidade sagrada; Escritura Sagrada; estátua sagrada; fogo sagrado; lugar sagrado (V. "lugar santo"); Manto Sagrado; ministério sagrado; monstro sagrado; música sacra ou sagrada; ordens sagradas; pano sagrado; por tudo quanto é (mais) santo (sagrado) (V. "por tudo o que é santo"); Sagrada Escritura; Sagrada Face; Sagrada Família; sagradas espécies; Sagradas Letras; Sagrado Lenho; tribuna sagrada; vaca sagrada
saia agarrado às saias; barra da saia; de saia curta (V. "de saia justa"); de saia justa; diabo de saias; saia de baixo; saia justa
saída (*subst.*) a saída do ano; achar uma saída; beco sem saída; dar a saída; dar saída; de saída; entrada de ginete e saída de sendeiro; entrada de leão e saída de cão (V. "entrada de ginete e saída de sendeiro"); estar num beco sem saída; não dar nem para a saída; não dar para a saída (V. "não dar nem para a saída"); não ter saída; saída de banho; saída de praia; ter boas saídas; ter saída
saído(a) pinto saído do ovo; ser muito saído
sair acabar de sair do forno; de sair; Deste mato não sai coelho.; entra ano, sai ano; entra e sai; entrar mudo e sair calado; entrar por um ouvido e sair pelo outro; ir buscar lã e sair tosquiado; mal ter saído dos cueiros (V. "cheirar a cueiros"); não sair (algo) da cabeça; quem sair por último apague a luz (V. "Quem vier atrás que feche a porta."); Riscou catre, saiu tamborete.; saber entrar e sair; sai de baixo; sai não sai; Sai pra lá! (V. "Não amola!"); saia do meu caminho (V. "sai de baixo"); sair

a campo; sair à francesa; sair a lume; sair à luz (*V.* "sair a lume"); sair a porca mal capada; sair à praça; sair ao encontro de; sair bem na foto; sair caro; sair chispando; sair cinza; sair com a sua; sair com o rabo entre as pernas; sair da casca; sair da casca do ovo; sair da concha; sair da frigideira para o fogo; sair da ideia; sair da lama e cair no atoleiro; sair da linha; sair da memória (*V.* "sair da ideia"); sair da reta; sair da toca; sair da(/de) moda; sair de baixo; sair de banda; sair de casa; sair de cena; sair de circulação; sair de em pé; sair de fininho; sair de mano; sair de si; sair de uma fria; sair do ar; sair do armário; sair do atoleiro; sair do caminho; sair do compasso; sair do leito; sair do mapa; sair do ordinário; sair do prelo; sair do sério; sair do sufoco; sair do tom; sair do vermelho; sair dos eixos; sair dos trilhos; sair em campo (*V.* "sair a campo"); sair faísca; sair feito uma bala; sair fora; sair fora de si; sair fora dos eixos; sair limpo; sair liso (*V.* "sair limpo"); sair no braço; sair no tapa; sair pé ante pé; sair pela tangente; sair pelo ladrão; sair perdendo; sair pior a emenda que o soneto; sair porta afora; sair queimado; sair vendendo arreios; sair ventando; sair-se bem ou mal; torcer a orelha e não sair sangue; vir buscar lã e sair tosquiado
sais je ne sais pas; je ne sais quoi
sal água e sal; comida de sal; sal amargo; sal da terra; sal de cozinha; sal fino; sal grosso; sem sal
sala andar da sala para a cozinha; fazer sala; mobiliar a sala de visitas; quarto e sala; rabo de saia; sala de espera; sala de estar; sala de jantar; sala de visita; sala dos milagres; sala e quarto; sala VIP
salada fazer uma salada
salamaleque fazer salamaleques
salão abrir os salões; de salão; futebol de salão (futsal); jogo de salão; limpar o salão; piada de salão; salão de beleza
salarial achatamento salarial; arrocho salarial; piso salarial; reajuste salarial; teto salarial
salário décimo terceiro salário; salário de fome; salário-mínimo
saldar saldar contas
saldo saldo credor (devedor)
salgado comer insosso e beber salgado; preço salgado
salgar salgar o galo
saliens punctum saliens
saliente tornar-se saliente
salis cum grano salis

saliva engolir a saliva (*V.* "engolir saliva"); engolir saliva; gastar saliva à toa
salivar estar salivando; ficar salivando (*V.* "estar salivando")
Salomão juízo de Salomão
saltar calças de saltar riacho (*V.* "calças de pegar frango"); fazer saltar os miolos; saltar à vista; saltar ao pescoço; saltar aos ares; saltar aos olhos; saltar pelos ares; saltar por cima de tudo
salteado de cor e salteado; saber de cor e salteado
saltinho dar um saltinho
salto andar de salto alto; dar um salto em; de salto; de salto alto; jogar de salto alto; salto de pulga; salto no escuro; salto-mortal
salus solo Deus salus
salutant Ave, Caesar, morituri te salutant
salva salva de gargalhadas; salva de palmas
salvação âncora de salvação; salvação da lavoura; tábua de salvação
salvador salvador do mundo
salvar dar os anéis para salvar os dedos; não salvar nem a alma; salvar a pátria; salvar a pele; salvar as aparências; salvar o dia; salvar o pescoço; salvar-se em águas de bacalhau; salvem as baleias; Salve-se quem puder!; salvou-se uma alma
salva-vida balsa salva-vidas
salvo (*adj.*) a salvo; em salvo; pôr a salvo; pôr-se a salvo; salvo pelo gongo; salvo seja; são e salvo
salvo (*prep.*) salvo erro ou omissão; salvo melhor juízo; salvo se
samambaia munheca de samambaia
samaritano bom samaritano; o bom samaritano
samba escola de samba; puxador de samba; samba de breque; samba de enredo; samba de partido-alto; samba do crioulo doido; samba no pé; Tudo acaba (ou acabou) em samba. (*V.* "tudo acaba em pizza")
sana mens sana in corpore sano
sanção sanção presidencial
sancta sancta santorum
sanduíche sanduíche aberto
saneamento saneamento básico
sangria não ser sangria desatada; sangria desatada
sangue a sangue-frio; banco de sangue; banhar as mãos no sangue de; banho de sangue; batismo de sangue; bebedor de sangue; carne e sangue meus; chorar lágrimas de sangue; chupar o sangue; dar o meu (seu) (nosso) sangue; dar o sangue por; dar ou derramar o sangue por; de sangue-frio; deixar o sangue subir à cabeça; derrama-

sanguíneo

mento de sangue; derramar o sangue de outrem; derramar o seu sangue; em letras de sangue; enquanto o sangue me girar nas veias; estar no sangue; esvair-se em sangue; ferver o sangue nas veias; ficar sem sangue nas veias; gelar o sangue nas veias; irmãos de sangue; juramento de sangue; laços de sangue; manchar as mãos de sangue; matar a sangue-frio; nadar em sangue; não ter sangue nas veias; pacto de sangue; rio de sangue; sangue azul; sangue de barata; sangue de Cristo; sangue frio; sangue nas veias; sangue quente; sangue ruim; sangue, suor e lágrimas; sede de sangue; suar sangue; subir o sangue à cabeça; ter o sangue quente; ter sangue de barata; ter sangue na guelra; ter sangue nas veias (V. "ter sangue na guelra"); torcer a orelha e não sair sangue; verter sangue
sanguíneo grupo sanguíneo
sanguinis jus sanguinis
sanitário(a) (*adj.*) água sanitária; aparelho sanitário; aterro sanitário; louça sanitária; vaso sanitário
sano mens sana in corpore sano
sans sans peur et sans reproche
Sant'Ana mês de Sant'Ana
santelmo fogo de santelmo
santidade capa de santidade; cheiro de santidade; morrer com cheiro de santidade; odor de santidade; Sua Santidade
santificado dia santificado
santíssimo Santíssimo Sacramento
santo(a) ano santo; campo santo; casa de misericórdia (ou Santa Casa de Misericórdia); contar o milagre sem dizer o nome do santo; cruz de Santo André; Cuidado com a louça que o santo é de barro.; de fazer perder a paciência a um santo; descobrir um santo para cobrir outro; descobrir um santo para vestir outro (V. "descobrir um santo para cobrir outro"); despir um santo para vestir outro; dia de Todos os Santos; dia santo de guarda; dons do Espírito Santo; Espírito Santo; espírito santo de orelha; filho(a) de santo; fingir-se de santo; frutos do Espírito Santo; guerra santa; hora santa; Isso/isto não é olho de santo.; lugar santo; mãe de santo; não ser olho de santo; não ser santo da devoção de; não ser unha de santo; nem todo dia é dia santo; o Santo Sepulcro; obras de Santa Engrácia; olho de santo; paciência de santo (V. "paciência de Jó"); p-a-pá Santa Justa; para baixo todo(s) (os) santo(s) ajuda(m); pegar-se com os santos; Por todos os santos!; por tudo o que é santo; por tudo quanto é (mais) santo (sagrado) (V. "por tudo o que é santo"); quieto como um santo; rogar ao santo até passar o barranco; Santa Casa; Santa Ceia; santa das causas impossíveis; Santa Sé; santa terrinha; santas espécies; Santas palavras!; Santo de casa não faz milagres.; santo de roca; santo Deus; santo do pau oco; santo dos santos; santo e senha; santo horror; Santo Império; Santo Lenho; Santo Ofício; Santo Padre; santo remédio; Santo Sacrifício; Santo Sepulcro; Santo Sudário; santos óleos; Semana Santa; só não chamar de santo; só não sabe jogar pedra em santo; sufrágios dos santos; Tenha a santa paciência!; ter santo forte; Terra Santa; todo santo dia; *Seja lá que santo for, ora-pro-nóbis.*
santorum sancta santorum
são (santo) ave de São João; barca de São Pedro; cadeira de São Pedro; caminho de São Tiago; chaves de São Pedro; cruz de São Francisco; cruz de São João (V. "cruz de malta"); dia de São Nunca; dia de São Nunca de tarde (V. "dia de São Nunca"); estrada de São Tiago; ficar com a mãe de São Pedro; ficar para galo de São Roque (V. "ficar para tia (titia) ou tio (titio)"); leão de São Marcos; mal de São Lázaro; Noite de São Bartolomeu; óbolo de São Pedro; São Tomé; Viva São João!
São Marcos leão de São Marcos
são/sã corpo são e mente sã; em sã consciência; são e salvo
sapateiro gaveta de sapateiro
sapato com a pedra no sapato; contar com sapato de defunto (V. "contar com o ovo dentro da galinha"); cordão de sapato; esperar por sapato de defunto; fazer de gato e sapato; fazer gato-sapato de; gastar a sola do sapato; gastar sola de sapato; pedra no sapato; pôr uma pedra no sapato de; saber onde lhe aperta o sapato; sacudir o pó dos sapatos (V. "sacudir a poeira dos pés"); sapato de defunto; ser uma pedra no sapato; uma pedra no sapato
sapecar sapecar a mão (V. "sapecar o pé"); sapecar o pé
sapiência arrotar sapiência; vossa sapiência
sapiencial Livros Sapienciais
sapiens homo sapiens
sapiranga olhos de sapiranga
sapo(a) boca de sapo; engolir sapos; olho de sapo; só não namora sapo por não saber qual seja a fêmea
saracura perna de saracura; pintar a saracura
saraivada saraivada de golpes
saraquá cada qual com seu saraquá (V.

"cada macaco no seu galho"); Cada qual com seu saraquá.
sarça sarça ardente
sardinha apertados como sardinhas em lata; comer sardinha e arrotar pescada; como sardinhas na lata; puxar a brasa para sua sardinha; tirar a sardinha; tirar a sardinha com mão de gato; tirar a sardinha da boca (de alguém); tirar a sardinha da boca de (*V.* "tirar o mel da boca de"); tirar sardinha
sardônico riso sardônico
sarjeta na sarjeta
sarna É uma sarna.; procurar sarna para se coçar; sarna para se coçar; ser (alguém) uma sarna; ter sarna para coçar-se
sarrafada dar sarrafadas em
sarrafo baixar o sarrafo em
sarro tirar um sarro
satélite satélite artificial
satietatem usque ad satietatem
satis quantum satis
satisfação dar satisfação; dar uma satisfação (*V.* "dar satisfação"); tomar satisfações a
saturação chegar ao ponto de saturação (*V.* "chegar ao fundo do poço")
saturno anéis de Saturno
saudação pt, saudações; saudação angélica
saudade deixar na saudade; ficar na saudade; levar saudades; morrer de saudades; rebenqueado das saudades; ver quanto dói uma saudade
saúde beber à saúde de; casa de saúde; centro de saúde; enganar a saúde (*V.* "enganar a dor"); mal de saúde; plano de saúde; respirar saúde por todos os poros; saúde de ferro; saúde pública; Um, saúde; dois, cuidado; três, resfriado.; vender saúde
save save our souls (S.O.S.)
scanner scanner óptico
sceleris societas sceleris
scribendi cacoethes scribendi
script não estar no script
scriptum post scriptum (P.S.)
se acredite se quiser; afronta faço, se mais não acho; se mais achara, mais tomara; Assim é, se lhe parece; cada um lá se entende; cada um que se entenda (*V.* "cada um lá se entende"); cair para não se levantar; cara de quem morreu e se esqueceu de deitar; com quantos paus se faz uma canoa; como se; como se não houvesse amanhã; corrija-me se eu estiver errado; corto o meu pescoço se...; cuspir no prato em que se comeu; dar corda para se enforcar; de se tirar o chapéu (*V.* "de tirar o chapéu"); Dou-lhe um doce se...; É de se rolar no chão.; É o que se pode dizer.; E se...; Ele se julga o tal.; eles lá se entendem (*V.* "são da mesma panelinha"); estar (pouco) se lixando; Estou louco se...; fazer como se não fosse com ele; fazer melhor se; fumar se-me-dão; Lá se foi tudo quanto Marta fiou.; lembrar-se como se tivesse sido ontem; mais cedo do que se pensa; mandar ver se está na esquina (*V.* "mandar às favas"); mostrar com quantos paus se faz uma cangalha (canoa); mostrar com quantos pontos se cose um jereba; Não se aproveita nem a alma para fazer sabão.; não se coçar; não se conhecer; não se dar por achado; não se dar por entendido; não se dar por vencido; não se descoser de (alguém); não se discute; não se enxergar; Não se intrometa! (*V.* "Vá cuidar de sua vida!"); não se mancar (*V.* "não se enxergar"); não se passar para; não se passaram os anos por/para; não se pode elogiar...; não se pode ser juiz com tais mordomos; não se tocar; não ser coisa que se diga; não ser coisa que se faça (*V.* "não ser coisa que se diga"); não ser flor que se cheire; não ter tempo nem para se coçar (*V.* "não ter tempo"); nem que se vire pelo avesso; nem se pergunta; nunca se sabe; Onde já se viu!; para não se botar (ou pôr) defeito (*V.* "para ninguém botar (ou pôr) defeito"); perguntar se macaco quer banana; pouco se lhe dá; quando menos se espera; que se dane (*V.* "Dane-se!"); que se dane(m); querer que um raio caia sobre (a) minha cabeça se...; saber as linhas com que se cose; saber se virar; salvo se; Santa Sé; sarna para se coçar; se a memória não me falha; se bem disse, melhor o fez; se bem que; Se cair, do chão não passa.; Se correr o bicho pega, se ficar o bicho come.; se dá pra dois, dá pra três; se Deus quiser (*V.* "Deus queira!"); Se Deus quiser!; se eu contar, ninguém vai acreditar; se me dão; se melhorar, estraga; se não existisse, seria preciso inventar; se não gostou, gostasse; se não me falha a memória (*V.* "se a memória não me falha"); se não me falha a memória...; se não se importa; se o diabo der licença; se tanto; Se um diz branco, o outro diz preto.; Sé vacante; se vontade matasse; Se? Ora, se! Se minha avó não tivesse morrido, inda hoje estaria viva.; Só se for sobre o meu cadáver!; tanto se me dá como se me deu; tempo em que se amarrava cachorro com linguiça; ter um medo que se pela; Vá se queixar ao bispo!; Vá ver se está chovendo (*V.* "Vá ver se estou lá na esquina!"); Vá ver se estou lá na esquina!
se (*lat.*) *a se; in se; Se non è vero, è bene trovato.*

seara invadir seara alheia; meter a foice em seara alheia
sebe sebe viva; taipa de sebe (*V.* "taipa de mão")
sebo botar sebo nas canelas; meter-se a sebo; metido a sebo (besta/sabichão) (*V.* "metido(a) a"); Ora sebo!; passar sebo nas canelas; pôr sebo nas canelas
secar deixa estar (jacaré, que a lagoa há de secar).; olho de seca pimenta
seco(a) a seco; alfândega seca; armazém de secos e molhados; às secas; bruma seca; dar nó em pau seco; em seco; engolir em seco; estar por cima da carne-seca; ficar no seco; lavagem a seco; lavar a seco; lei seca; nadar em (no) seco; névoa seca; orelha seca; pane seca; por cima da carne-seca; porto seco; regime seco; riso seco; seco como língua de papagaio; seco como osso; seco como palito; seco na paçoca; secos e molhados
secreta arma secreta
secretário(a) secretária eletrônica; secretário de Estado
secreto(a) agente secreto; amigo-secreto; serviço secreto; sociedade secreta
secula per omnia secula seculorum
secular braço secular; vida secular
século consumação dos séculos; do século; há séculos; nos séculos dos séculos; pelos séculos dos séculos; por séculos; por séculos e séculos (*V.* "por séculos"); por todos os séculos dos séculos; século das luzes; viver fora de seu século; viver no século
seculorum per omnia secula seculorum
sed Dura lex sed lex.; Non nova, sed nove.
seda mão de ferro em luvas de seda (ou pelica, ou veludo); papel de seda; rasgar seda; ter sedas no coração
sede com o bico n'água e morrendo de sede; dar sede; ir com muita sede ao pote; matar a sede; morto de sede; sede apostólica; Sede da Fé; Sede da Revelação (*V.* "Sede da Fé"); sede de água; sede de riqueza; sede de sangue; sede gestatória; sede social
sedentário(a) (*adj.*) vida sedentária
sedestre estátua sedestre
segredo desabrochar um segredo; em segredo; guardar segredo; romper um segredo; segredo de abelha; segredo de comédia; segredo de Estado; segredo de polichinelo; segredo do coração; segredo profissional; segredo sacramental; segredos do ofício
segregação segregação racial (social, religiosa etc.)
seguida (*subst.*) em seguida
seguir a seguir; logo a seguir; seguir a esteira de; seguir a onda; seguir à risca; seguir com os olhos; seguir nas águas de; seguir o bom caminho; seguir o exemplo; seguir os passos de; seguir seu próprio caminho
segundo (*conj.*) segundo dizem
segundo (*subst.*) em um segundo; fração de segundos; um segundo
segundo(a) (*num.*) artigo de segunda; até segunda ordem; cara de segunda-feira; de segunda (terceira etc.) categoria; de segunda classe; de segunda mão; de segunda ordem (*V.* "de segunda classe"); do segundo time; domingo de Ramos; em (de) segunda mão; no segundo pau; Ordem Segunda; primeiro sem segundo; segunda chamada; segunda frente; segunda infância; segunda intenção; segunda língua; segunda natureza; segundas núpcias; segundo Adão; segundo clichê; segundo escalão; segundo mundo; segundo plano; segundo sentido; sem segundo; ser a segunda pessoa de; ser o segundo entre ninguém; ser o segundo numa lista de ninguém (*V.* "ser o segundo entre ninguém")
segurança alfinete de segurança; cinto de segurança; com segurança; em segurança; mandado de segurança; margem de segurança; para segurança; por segurança; vidro de segurança
segurar segurar a barra; segurar a língua; segurar a vela; segurar as pontas; segurar o barco; segurar o diabo pelo rabo; segurar o leme; segurar o pepino (*V.* "estar com um pepino nas mãos")
seguro (*subst.*) a seu seguro; ir pelo seguro; pelo seguro; pôr no seguro; seguro de vida; seguro obrigatório
seguro(a) (*adj.*) de fonte segura; em mãos seguras; fonte segura
seio bico do seio; botões do seio; no seio de
seis entre seis e meia dúzia; escolher entre seis e meia dúzia; estar entre seis e meia dúzia; meia dúzia de um e seis do outro; trocar seis por meia dúzia; Vale seis!
seiscentos Com os seiscentos diabos! (*V.* "Com seiscentos diabos!"); Com seiscentos diabos!; Com seiscentos mil diabos! (*V.* "Com os diabos!")
seixo seixo rolado
sela boi de sela; cavalo de sela; de sela na barriga
selar selar um acordo
seleção seleção canarinha; seleção natural
self self-made man
selo sete selos
selva lei da selva; selva de concreto
sem abandonar sem lutar; animal sem rabo; baixar sem e levantar com; bater prego sem estopa; bater sem dó nem piedade; beco sem saída; bofetada sem mão; burro

sem rabo; cachorro sem dono; caminho sem volta; coisa sem pés nem cabeça; com vontade ou sem ela; contar o milagre sem dizer o nome do santo; cordeiro sem mácula; corpo sem alma; defunto sem choro; dormir sem essa; entrada sem bola; estar no mato sem cachorro; estar num beco sem saída; estar num mato sem cachorro (V. "estar no mato sem cachorro"); estar sem cabeça; estar sem fôlego; estar sem gás; estar sem nenhum; estar sem o que fazer; estar sem pernas; estar sem saco; estar sem vintém; estar/ficar num mato sem cachorro; falar sem rodeios; ficar no mato sem cachorro; ficar num mato sem cachorro (V. "ficar no mato sem cachorro"); ficar sem a boia; ficar sem camisa; ficar sem cor; ficar sem graça; ficar sem mel nem cabaça; ficar sem sangue nas veias; guerra sem quartel; indústria sem chaminé; já não ser sem tempo; joão sem maria; levar fama sem proveito; liso e sem babado; lugar sem volta; macarronada sem queijo; machado sem cabo; mal sem remédio; mala sem alça; morrer sem dizer "ai Jesus"; mula sem cabeça; mundo aberto sem porteira; na várzea sem cachorro (V. "no mato sem cachorro"); não bater prego sem estopa; não dar ponto sem nó; não sem; no mato sem cachorro; num mato sem cachorro (V. "no mato sem cachorro"); pessoa sem entranhas; pessoa sem-vergonha; poço sem fundo; pomba sem fel; primeiro sem segundo; rir sem tom nem som; saco sem fundo; sem agravo nem apelação (V. "sem apelação"); sem apelação; sem apelo; sem avesso nem direito; sem base; sem bulha nem matinada; sem cabimento; sem Ceres e Baco, Vênus vive fria; sem cerimônia; sem cessar; sem classe; sem comentários; sem condições; sem condições para nada (V. "sem condições"); sem consistência; sem conta; sem conta, nem peso, nem medida; sem contar que; sem contradição; sem cruz nem cunho; sem demora; sem descanso; sem destino; sem direção; sem direito nem avesso (V. "sem avesso nem direito"); sem discrepância; sem dizer água vai; sem dó nem piedade; sem dúvida; sem efeito; sem eira nem beira; sem embargo; sem embargo de; sem empurra-empurra; sem escapatória; sem esforço; Sem essa!; sem exemplo; sem fala; sem falar de; sem falta; sem faltar um cabelo; sem faltar um só cabelo (V. "sem faltar um cabelo"); sem fé nem lei; sem fôlego; sem freios; sem fundo; sem futuro; sem graça; sem grilos; sem horizontes; sem igual; sem jeito; sem jeito para nada; sem lar; sem lei nem grei; sem lei nem rei; sem lei nem rei nem roque (V. "sem lei nem rei"); sem lei nem roque (V. "sem lei nem rei"); sem lenço nem documento; sem linha; sem mais; sem mais aquela; sem mais nem menos; sem mais preâmbulos; sem mais quê nem para quê; sem mais tardar; sem medida; sem medo e sem censura; sem método; sem mistura; sem noção; sem nome; sem objetivo; sem ofício nem benefício; sem olhar para trás; sem paralelo; sem pau nem pedra; sem pé nem cabeça (V. "sem pé(s) nem cabeça"); sem pé(s) nem cabeça; sem pensar; sem perda de tempo; sem peso nem medida; sem pestanejar; sem preço; sem preparo; sem pressa; sem proveito; sem quantia; sem que; sem quê nem para (por) quê; sem querer; sem querer, querendo; sem rebuço; sem receio; sem redenção; sem rei nem roque; sem remédio; sem remissão; sem remorso; sem reserva; sem rima nem razão; sem rodeios; sem rumo; sem sal; sem segundo; sem senão; sem sentido; sem sentidos; sem sobressalto; sem solução de continuidade; sem sombra de dúvida; sem tambor nem trompete; sem tento; sem tento nem propósito; sem termo; sem teto; sem tino; sem tirar nem pôr; sem tir-te nem guar-te; sem tom nem som; sem trelho nem trambelho; sem tugir nem mugir; sem um senão (V. "sem senão"); sem um tostão; sem-fim; sem-número; sem-par; ser mala sem alça (V. "ser mala"); situação sem volta; telefone sem fio; tocar viola sem corda; tornar sem efeito; sem joio; um sem-que-fazer; violão sem braço
semana dia de semana; fim de semana; motorista de fim de semana; semana furada; semana inglesa; Semana Santa; semana solteira
semanal repouso semanal
semancol não tomar semancol
semblante semblante cerrado (V. "franzir as sobrancelhas")
semear semear em areia
semelhante de semelhante; nosso semelhante
semente cornetão de semente; ficar para semente
sempre até sempre; cantar sempre a mesma cantiga; de uma vez para sempre (V. "de uma vez"); devagar e sempre; É a história de sempre!; é cantar sempre a mesma cantiga (V. "É sempre a mesma cantilena."); É sempre a mesma cantilena.; é sempre a mesma história (V. "É relativo."); estar sempre em cena; haver sempre um mas; o mesmo de sempre; para sempre; para todo (o) sempre;

por todo o sempre; quase sempre; sempre que; voltar à vidinha de sempre
sena fazer a sena
senão eis senão quando; não fazer senão; não ser senão; não ter senão a noite e o dia; não ter senão uma palavra; sem senão; sem um senão (*V.* "sem senão"); senão quando; senão que
senatus *Senatus populusque romanus*
sendeiro entrada de ginete e saída de sendeiro
senha santo e senha
senhor adormecer no Senhor; Ascensão do Senhor; casa do Senhor; ceia do Senhor; descansar no Senhor; dia do Senhor; Eis aqui a serva do Senhor.; estar senhor da situação; estar senhor de si; memorial do Senhor; Nosso Senhor; o senhor; o Senhor; repousar no Senhor; senhor da Messe; senhor da situação; senhor de baraço e cutelo; senhor de engenho; senhor de seu nariz; senhor de si; senhor Diretas; senhor dos seres; ser senhor do seu nariz; Sim senhor!
senhora a senhora; Minha Nossa Senhora! (*V.* "Minha nossa!"); Nossa Senhora; Nossa Senhora!; visitação de Nossa Senhora
senhoria Vossa Senhoria
senil demência senil
sensação fazer sensação
sensível ser sensível; tocar na corda sensível
senso bom-senso; senso comum; senso de direção; senso íntimo; senso moral; senso prático
sensu pós-graduação *lato sensu*; pós-graduação *stricto sensu*; *stricto sensu*
sentado capinar sentado; cochilar sentado; esperar sentado; sentado nas próprias mãos
sentar Senta a pua!; sentar a mão; sentar no banco; sentar no cabresto; sentar num formigueiro; sentar o braço; sentar o pau; sentar praça
sentido aberração dos sentidos; com os cinco sentidos; duplo sentido; em todos os sentidos; fazer sentido; os cinco sentidos; perder os sentidos; posição de sentido; segundo sentido; sem sentido; sem sentidos; sentido anti-horário; sentido figurado; sentido horário; sentido restrito; sexto sentido; ter sentido
sentimento ferir os sentimentos de alguém
sentinela render as sentinelas
sentir dizer o que sente; Sente e espere!; sentir gosto de chapéu de sol na boca; sentir gosto de guarda-chuva na boca (*V.* "sentir gosto de chapéu de sol na boca"); sentir na pele; sentir no bolso; sentir o chão fugir dos pés; sentir o clima; sentir-se como; sentir-se em casa; sentir-se flutuando; sentir-se pequeno; sinto arrepios só de contar (ou de ouvir) (*V.* "sinto arrepios só de lembrar"); sinto arrepios só de lembrar; Sinto muito, mas chorar não posso.
separado em separado
separar até que a morte nos separe; separar algum; separar o joio do trigo
séptico(a) fossa séptica
sepulcral pedra sepulcral; silêncio sepulcral (*V.* "silêncio mortal"); voz sepulcral
sepulcro o Santo Sepulcro; região do sepulcro; Santo Sepulcro; sepulcro caiado
sepultar sepultar o talento; sepultar-se em vida
sepultura baixar à sepultura; cavar a própria sepultura (*V.* "cavar a própria cova"); estar à beira da sepultura; levar à sepultura
sequeiro arroz de sequeiro
sequência em sequência
sequencial assassino serial (ou sequencial) (*V.* "assassino em série")
sequer não mover um dedo sequer; não ter um momento sequer de seu; nem sequer
ser aceitar as coisas como elas são (*V.* "aceitar a vida como ela é"); agora é que são elas; Assim seja!; assim sendo; Bendito seja Deus!; certo como dois e dois são quatro (*V.* "certo como a morte"); É assim que tem de ser! (*V.* "É assim e pronto!"); é que; em ser; Era só isso que faltava (*V.* "era só o que faltava!"); Era só o que faltava. (*V.* "Só faltava isso!"); Essa é de amargar!; Essa é de doer!; Esse filho não é meu!; não é de agora (*V.* "não é de hoje"); Não é moleza! (*V.* "Não é mole!"); não é para o seu bico (*V.* "não é para os seus beiços"); Não seja por isso!; não ser brincadeira de criança (*V.* "não ser brincadeira"); não ser capaz de juntar nem três palavras (*V.* "não ser capaz de dizer nem três palavras"); não ser coisa que se faça (*V.* "não ser coisa que se diga"); não ser de gracinhas (*V.* "não ser de graças"); não ser lá essas coisas (*V.* "não ser lá grande coisa"); não ser para o seu (ou meu) bico (*V.* "não ser para o seu (ou meu) beiço"); nem tudo são espinhos (*V.* "nem tudo são flores"); O que é, o que é...?; O que será, será.; ou seja; pode ser; por pouco que seja; por serdes vós quem sois; por tudo quanto é (mais) santo (sagrado) (*V.* "por tudo o que é santo"); por um és não és; qualquer que seja; que a terra lhe seja leve; salvo seja; seja como for; seja feita a tua vontade; Seja homem!; seja lá como Deus quiser (*V.* "seja lá como for"); seja lá como for; seja

lá o que for (V. "seja lá como for"); seja lá quem for (V. "seja quem for"); seja o que for; seja qual for; seja quem for; seja tudo por amor de Deus; sejam como sou ou não sejam; sendo assim; sendo que; ser (uma) questão de; ser babado por; ser bom em (V. "ser bom de (em)"); ser cheio de dodóis; ser com; ser da pele do diabo (V. "ser da pele de Judas"); ser da pontinha (V. "ser daqui"); ser de; ser de amargar (V. "ser de morte"); ser de boa paz; ser de difícil avaliação (V. "não ter preço"); ser de lua; ser de parecer (V. "ser de opinião"); ser de praxe; ser dose para leão (V. "ser dose para elefante"); ser espada; ser mala sem alça (V. "ser mala"); ser muito saído; ser mulher para (V. "ser mulher de"); ser o fim (da picada); ser o lanterninha (V. "ser o lanterna"); ser o segundo numa lista de ninguém (V. "ser o segundo entre ninguém"); ser para; ser por; ser saco furado (V. "ser um saco furado"); ser um bichão (V. "ser um bicho"); ser um filme (V. "ser como um filme"); ser uma boa; ser uma chinfra; ser uma máquina; só não namora sapo por não saber qual seja a fêmea; *Seja lá que santo for, ora-pro-nóbis.*
ser (*subst.*) senhor dos seres
seráfico doutor Seráfico
sereia cantar de sereia; canto da sereia; voz de sereia
sereno camarote do sereno; ficar no sereno
serial assassino serial (ou sequencial) (V. "assassino em série")
série assassino em série; em série; fabricação em série; fora de série
sério(a) a sério; caso sério; fala sério; levar a sério; não levar a sério; sair do sério; sério candidato; tirar (alguém) do sério (V. "sair do sério"); tirar do sério; tomar a sério
sermão pregar um sermão; Sermão da Montanha; sermão do mandato; sermão encomendado
serpente cova de serpente; serpente infernal; serpente maldita (V. "serpente infernal")
serra subir a serra; subir à serra; travar a serra; velho como a serra
serrar serrar de cima
sertão boca do sertão; sertão bruto
serva Eis aqui a serva do Senhor.; serva de Deus
serventia a porta da rua é serventia da casa
serviço abandono de serviço (V. "abandono de emprego"); área de serviço; brincar em serviço; dar o serviço; de serviço; empregada para todo serviço; escala de serviço; fazer um serviço; fora de serviço; mostrar serviço; não brincar em serviço; pegar o serviço; perder o serviço; pôr em serviço; quebra de serviço; rendição de serviço; serviço de bordo; serviço de carregação; serviço doméstico; serviço militar; serviço porco; serviço público; serviço secreto; serviço social
servido(a) águas servidas; É/está servido?; estar servido; ser servido; viver como Deus é servido
servidor servidor público
servir servir a carapuça; servir a Deus; servir como uma luva; servir de; servir de capacho; servir de cobaia; servir de degrau; servir de escudo; servir de espelho; servir de espetáculo; servir de exemplo; servir de lição; servir de modelo (V. "servir de exemplo"); servir de pau de cabeleira a; servir de peteca; servir de ponte; servir-se de alguém
sésamo Abre-te, Sésamo!
sessão sessão espírita
sesta fazer a sesta; hora da sesta
set jet set
seta seta de amor; seta de Cupido
sete a sete chaves; a sete palmos debaixo da terra; as sete maravilhas do mundo antigo; as sete virtudes; bicho de sete cabeças; bota de sete léguas; cidade das sete colinas; correr as sete partidas do mundo; debaixo de sete palmos; fechar a sete chaves; fechar com sete chaves; guardar a sete chaves; homem dos sete instrumentos; não ser nenhum bicho de sete cabeças; novas sete maravilhas do mundo; pela bola sete; pintar o sete; responder com sete pedras na mão; sete colinas de Roma; sete maravilhas do mundo antigo; sete mares; sete palmos; sete pecados capitais; sete sacramentos; sete selos; ter sete fôlegos como o gato; ter sete vidas (V. "ter sete fôlegos como o gato"); tocar sete instrumentos
sétimo(a) estar no sétimo céu; ir ao sétimo céu; no sétimo céu; sétima arte; subir ao sétimo céu
seu/sua a seu bel-prazer; a seu gosto; a seu modo; a seu seguro; a seu talante; a seu tempo; à sua altura; à sua maneira; acabou-se o meu/teu/seu gás; amigo de seu(s) amigo(s); autor dos seus dias; avaliar um livro pela sua capa; caçar sua turma; cada macaco no seu galho; cada qual com seu saraquá (V. "cada macaco no seu galho"); Cada qual com seu saraquá.; carregar a sua própria cruz; chegar a sua hora; chegar o seu dia e sua hora; chutar contra seu próprio gol; com os seus botões; com seus botões; como vilão em casa de seu sogro; conhecer o seu eleitorado; conhecer seu lugar; Cuide de

sua vida!; dar ares de sua graça; dar sua fé; deixar sua marca em; derramar o seu sangue; do seu feitio; dono de seu nariz; É todo seu.; em seu juízo perfeito; estar à frente de seu tempo; estar dentro de seus direitos; estar na sua cancha; estar no seu elemento; estar nos seus gerais; estar tudo nos seus conformes (V. "estar tudo nos conformes"); este seu criado; falar com (os) seus botões; fazer o seu jogo; gastar o seu latim; jogar (seu) dinheiro pela janela; levar a sua adiante; medir pela sua bitola; meter-se com a sua vida; meter-se com o que é seu (V. "meter-se com a sua vida"); não conhecer o seu lugar; Não é de sua conta!; não é para o seu bico (V. "não é para os seus beiços"); não é para os seus beiços; não estar em seu juízo perfeito; não saber qual é a sua mão direita; não ser de sua conta; não ser para o seu (ou meu) beiço; não ser para o seu (ou meu) bico (V. "não ser para o seu (ou meu) beiço"); não ter um momento sequer de seu; no meu (ou seu) pensar; no seu elemento; o autor de seus dias; O gato comeu sua língua?; os seus; para seu governo; pôr alguém em sua sombra; pôr alguém no seu lugar; pôr as coisas em seus lugares; pôr de sua algibeira; pôr seu preço; por seu turno; por sua alta recreação; por sua conta (e risco); por sua vez; pôr-se no seu lugar; puxar a brasa para sua sardinha; puxar aos seus; Que é que há com o seu peru?; saber de seu ofício; saber vender o seu peixe; seguir seu próprio caminho; senhor de seu nariz; ser boa a sua prosa; ser senhor do seu nariz; seu dele; seu ladrar é pior que sua mordida; seu nariz; seu nariz cresceu; seu tanto de; seus dias estão contados; só ter de seu o dia e a noite; Sua alma, sua palma.; Sua batata está assando!; Sua Santidade; ter de seu; ter o mundo aos seus pés; ter o seu dia; ter o seu preço; ter o seu quinhão (V. "ter o seu tanto de"); ter o seu tanto de; ter os seus conformes; ter seu dia; ter seu lugar; ter seu tanto de; ter seus dias; ter seus dias contados; tomar sob sua proteção; tudo tem seu mas; tudo tem sua primeira vez; Vá cuidar de sua vida!; Vá tomar conta de sua vida!; valer seu peso em ouro; Venda seu peixe que depois vendo o meu.; vender o (seu) peixe; ver a sua avó por uma greta; viver de seus encantos; viver fora de seu século; viver fora de seu tempo (V. "viver fora de seu século")
sexo belo sexo; discutir sobre o sexo dos anjos; fazer sexo; não poupar sexo nem idade; o belo sexo; o sexo forte; sexo forte; sexo frágil; terceiro sexo

sexto(a) enforcar a sexta(-feira); Sexta-feira da Paixão; sexto sentido
sexual apetite sexual; assédio sexual; ato sexual; perversão sexual
shop duty-free shop; free shop
shopping shopping center
show dar um show; data show; show business; um show
si a si mesmo; alheio de si; andar fora de si; cair em si; cheio de si; coisa em si; dar acordo de si; dar de si; dar o melhor de si; dar razão de si; dar sinal de si; de si consigo; de si para consigo mesmo; deixação de si mesmo; dizer de si para si; em si; entre si; estar em si; estar fora de (mim) si; estar senhor de si; falar para si mesmo; fazer-se por si mesmo; ficar cheio de si; fora de si; guardar para si; levar Deus para si; não caber em si; não dar acordo de si; não saber de si; não ter mão de si; o melhor de si; olhar por si; Olhe para si! (V. "Cuide de sua vida!"); por si; por si mesmo; por si só; responder por si; sair de si; sair fora de si; senhor de si; sobre si; ter diante de si; ter império sobre si mesmo; ter o olho em si; ter para si; ter sobre si; tirar um peso de cima de si; tomar sobre si; tornar a si; voltar a si; volver a si; *de per se*
siamês irmãos siameses
sibi animus rem sibi habendi
sic sic standibus rebus; Sic transit gloria mundi.
sideral ano sideral
sigilo quebra de sigilo bancário; sigilo sacramental
significar não significar nada
signo signos do zodíaco; sob o signo de; *in hoc signo vinces*
silêncio conspiração do silêncio; guardar silêncio; impor silêncio a; lei do silêncio; minuto de silêncio; o silêncio da lei; passar em silêncio; reduzir ao silêncio; romper o silêncio; silêncio cortante (V. "silêncio mortal"); silêncio mortal; silêncio sepulcral (V. "silêncio mortal")
silencioso(a) maioria silenciosa
silva da silva; doidinho da silva (V. "doido varrido")
sim dar o sim; dia sim, dia não; inhor sim (/não); inhor sim (V. "nhor sim"); isso/isto sim; não dizer nem sim nem não; nem que sim nem que não; nhor sim; os sins e os nãos; pelo sim, pelo não; pode ser que sim, pode ser que não; Pois sim!; quer sim, quer não; sim e não; Sim senhor!
símbolo Símbolo dos Apóstolos; símbolos nacionais
similia et similia; Similia similibus curantur.

similibus Similia similibus curantur.
simpatia chá e simpatia; fazer uma simpatia
simples à simples vista; maioria simples (*V.* "maioria relativa"); puro e simples; reduzir à expressão mais simples; simples assim; simples de espírito; simples mortal
simplesmente pura e simplesmente
simulador simulador de voo
simultâneo(a) interpretação simultânea; tradução simultânea (*V.* "interpretação simultânea")
sinal armar-se com o sinal da cruz; avançar o sinal; bom sinal; dar sinal; dar sinal de; dar sinal de si; dar sinal de vida (*V.* "dar sinal de si"); dar sinal verde; em sinal de; fazer sinal de; mau sinal; por sinal; sinais particulares; sinais vitais; sinal amarelo; sinal da cruz; sinal de nascença; sinal de tráfego; sinal de vida; sinal dos tempos; sinal verde; sinal vermelho
sinalização cone de sinalização
sine condição sine qua non; sine die; sine ira et studio; sine nomine; sine qua non
sinfônico poema sinfônico
singular combate singular
sinistro(a) linha sinistra
sino bater o sino; boca de sino; dobrar o sino; mandar repicar o sino
sinóptico Evangelhos Sinópticos
sintático(a) análise léxica, lógica, sintática
sintonia em perfeita sintonia com
sinuca sinuca de bico
sirga andar à sirga de (alguém)
siri Boca de siri!; calças de pescar siris (*V.* "calças de pegar frango"); fazer boca de siri
Sísifo suplício de Sísifo; trabalho de Sísifo
sísmico(a) abalo sísmico; vaga sísmica
siso de siso; dente de siso (do juízo); vender o siso a Catão
sistema análise de sistemas; analista de sistema; por sistema; sistema binário; sistema decimal (*V.* "numeração decimal")
sistemático(a) (*adj.*) oposição sistemática
sítio estado de sítio; sítio arqueológico; sítio histórico; sítio paleontológico
situ in situ
situação à altura da situação; em má situação; estar senhor da situação; senhor da situação; situação sem volta
ski jet ski
só a um (só) tempo; alguém que só tem gogó; com uma só cajadada, matar dois coelhos (*V.* "matar dois coelhos com uma só cajadada); como ele só; como um só homem; de supetão, só espirro; de um (só) jeito; de um só fôlego; de um só jato (*V.* "de um só fôlego"); de uma só estirada (*V.* "de uma estirada"); de uma só vez; de uma vez só (*V.* "de uma vez"); E não é só.; é só abrir a boca; É só falar.; É só verniz.; É só virar as costas.; É só.; É tudo uma coisa só.; É uma vez só.; Era só isso que faltava (*V.* "era só o que faltava!"); era só o que faltava!; Era só o que faltava. (*V.* "Só faltava isso!"); fiado, só amanhã; ficar só com as roupas do corpo (*V.* "ficar com a camisa do corpo"); ficar só em palavras; ir e vir num pé só; ir num pé só (*V.* "ir num pé e voltar no outro"); matar dois coelhos com uma só cajadada; melhor, só inventando; não caberem dois proveitos num só saco; não é mais besta porque é um só; num pé só; numa só palavra; numa só toada (*V.* "numa toada só"); numa toada só; por si só; que só; que só ele; render que só mandioca de várzeas; sem faltar um só cabelo (*V.* "sem faltar um cabelo"); sinto arrepios só de contar (ou de ouvir) (*V.* "sinto arrepios só de lembrar"); sinto arrepios só de lembrar; só de nome; só Deus sabe; só enxergar os dourados; Só falta falar!; Só faltava essa! (*V.* "Só faltava isso!"); Só faltava isso!; Só isso?; só não beber chumbo derretido; só não chamar de santo; só não namora sapo por não saber qual seja a fêmea; só não sabe jogar pedra em santo; só para variar; só pensar naquilo; Só por milagre!; só por só; só que; Só se for sobre o meu cadáver!; só tem nome; só ter de seu o dia e a noite; só ter olhos para; só um minuto; Só vendo!; sofrer que só pé de cego; ter só a camisa do corpo; um luxo só (*V.* "um luxo de"); um só; Veja(m) só!
soap soap opera
soar fazer soar bem alto; soar a hora; soar a última hora; soar bem; soar mal; soar mal aos meus ouvidos; soar um rumor
sob brotar sob as cinzas; correr água sob a ponte; de sob; dizer (divulgar) sob reserva; estar sob fogo cerrado; estar sob juramento; estar sob palavra (*V.* "estar sob juramento"); feito sob encomenda; feito sob medida; marcar sob pressão; não deixar que a grama cresça sob os pés; sob a condição de; sob as asas de; sob condição; sob consideração; sob controle; sob emenda; sob encomenda; sob esse prisma; sob exame; sob fogo; sob juramento; sob medida; sob nenhuma circunstância; sob o império de; sob o manto da caridade; sob o mesmo teto; sob o signo de; sob o sol; sob os auspícios de; sob os cobertores; sob palavra; sob pena de; sob pressão; sob todas as reservas; tomar sob sua proteção
sobejo de sobejo

soberania soberania do povo (*V.* "soberania popular"); soberania popular
soberano o soberano arquiteto
soberbo pobre soberbo
sobra de sobra; ficar com as sobras
sobrancelha carregar as sobrancelhas; franzir as sobrancelhas; franzir as sobrancelhas (ou o sobrolho) (*V.* "franzir a testa")
sobrancelha franzir as sobrancelhas (ou o sobrolho) (*V.* "franzir a testa")
sobrar ficar sobrando; sobrar que nem jiló na janta
sobre andar sobre brasas; armar sobre falso; chorar sobre o leite derramado; clamar sobre o leite derramado (*V.* "chorar sobre o leite derramado"); como gato sobre brasas; correr a cortina sobre; de sobre; descansar sobre os louros; descarregar a cólera sobre alguém; descarregar a ira (ou o furor) sobre alguém (*V.* "descarregar a cólera sobre alguém"); discutir sobre o sexo dos anjos; disputar sobre a ponta de uma agulha; dizer o diabo sobre; dormir sobre; dormir sobre louros; dormir sobre o caso; edificar sobre areia; esforço sobre-humano; estar sobre espinhos; lançar luz sobre; lançar suspeita sobre; lançar um véu sobre; Não adianta chorar sobre leite derramado.; não deixar pedra sobre pedra; ouro sobre azul; pesar sobre; por sobre; querer que um raio caia sobre (a) minha cabeça se...; repousar sobre os louros (*V.* "descansar sobre os louros"); Só se for sobre o meu cadáver!; sobre meu cadáver; sobre si; ter império sobre si mesmo; ter sobre si; tomar sobre si
sobreaviso de sobreaviso; estar de sobreaviso
sobremão de sobremão
sobremesa da sopa à sobremesa
sobressalente de sobressalente; pneu sobressalente
sobressalto de sobressalto; em sobressalto; sem sobressalto
sobrevivência no limite da sobrevivência
sobrolho carregar o sobrolho; enrugar a testa (ou o sobrolho) (*V.* "franzir a testa"); franzir as sobrancelhas (ou o sobrolho) (*V.* "franzir a testa")
soca ir na soca; levar uma soca
socada pessoa socada
socapa à socapa; rir à socapa
socar socar canjica
social assistência social; bebedor social; camisa social; capital social; coluna social; contrato social; convenções sociais; encargos sociais; escala social; escória social; evolução social; grupo social; nível social; previdência social; razão social; sede social; segregação racial (social, religiosa etc.); serviço social
sociedade alta sociedade; capital aberto (sociedade anônima de); capital fechado (sociedade anônima de); em sociedade; fina flor da sociedade; pilar da sociedade; sociedade afluente; sociedade anônima; sociedade secreta
societas societas sceleris
society high society
sócio sócio remido
soco a socos e pontapés; aos socos e pontapés
socorro em socorro
Sócrates demônio de Sócrates
socrático paradoxo socrático
Sofia escolha de Sofia
soflagrante no soflagrante
sofrer sofrer as injúrias do tempo; sofrer da bola; sofrer na própria carne; sofrer que nem sovaco de aleijado; sofrer que só pé de cego; sofrer um abalo; sofrer uma baixa
sogro(a) casa da sogra; como vilão em casa de seu sogro
soi rempli de soi-même
sói como sói acontecer
soit Honni soit qui mal y pense.
sol adular o sol que nasce; ao pôr do sol; banho de sol; carne de sol; chapéu de sol; chova ou faça sol; de sol a sol; do raiar ao pôr do sol; eclipse do Sol; filho do Sol e neto da Lua; Império do Sol Nascente; lugar ao sol; nada há de novo debaixo do sol (*V.* "nada de novo"); pegar o sol com as mãos; pôr do sol; quer chova, quer faça sol; querer tapar o sol com a peneira; rei Sol; relógio de sol; sentir gosto de chapéu de sol na boca; sob o sol; sol a pino; sol e dó; tálamo do sol (*V.* "tálamo da aurora"); tapar o sol com a peneira; terra do sol da meia-noite; Terra do Sol Nascente; tomar sol; um lugar ao sol; ver o sol nascer quadrado (*V.* "ver o sol quadrado"); ver o sol quadrado
sola cabeça de bater sola; de sola e vira (*V.* "de virar e romper"); entrar de sola; gastar a sola do sapato; gastar sola de sapato; sola de plataforma; sola do pé
solar ano solar; aquecimento solar; ciclo solar; coroa solar; espectro solar; filtro solar; mês solar; protetor solar; vento solar
soldado soldado desconhecido; soldado do fogo; soldado gregal (*V.* "soldado raso"); soldado raso
soldo a soldo de
sole Nil novi sub sole. (*V.* "nada de novo"); nil novi sub sole
solene voto solene (*V.* "votos religiosos")
soli jus soli

solidão solidão a dois
solitário vício solitário
solo *solo Deus salus*
solo piano solo
solstício solstício de verão/inverno
solta (*subst.*) à solta; andar à solta; andar com o diabo à solta; andar o diabo à solta; às soltas (*V.* "à solta"); O diabo anda à solta!
soltar fazer a festa e soltar os foguetes; soltar a franga; soltar a língua; soltar a taramela; soltar a tirana; soltar a trela a; soltar a voz; soltar as asas à imaginação; soltar as rédeas; soltar foguetes; soltar fumaça pelas ventas; soltar o freio; soltar o laço; soltar o verbo; soltar os cachorros; soltar os cachorros em cima de; soltar os foguetes antes da festa; soltar suspiros; soltar traques; soltar um; soltar uma; soltar uma risada
solteirão(ona) ficar solteirão(ona) (*V.* "ficar para tia (titia) ou tio (titio)")
solteiro(a) despedida de solteiro; mãe solteira; semana solteira
solto(a) (*adj.*) à perna solta; à rédea solta; dormir a sono solto; língua solta; livre, leve e solto; parafuso solto; solto de língua; sono solto; ter um parafuso solto (*V.* "ter um parafuso a menos"); urina solta
soltura alvará de soltura; mandado de soltura; soltura de ventre
solução sem solução de continuidade; solução de continuidade
som alto e bom som; ao som de; barreira do som; caixa de som; curtir um som; dizer alto e bom som; editor de som; passar o som; rir sem tom nem som; sem tom nem som; velocidade do som
somar estar pouco somando (*V.* "estar pouco ligando"); somar pontos
sombra à sombra; à sombra de; agir na sombra; assustar-se com a própria sombra; cone de sombra; de boa sombra; de má sombra; estar à sombra; estar com o burro amarrado na sombra; estar na sombra; fazer sombra; na sombra; não pensar nem por sombra; não ser nem sombra do que foi; nem por sombra (*V.* "nem por sombras"); nem por sombras; o reino das sombras; passar como uma sombra; pôr alguém em sua sombra; pouca sombra; reino das sombras; sem sombra de dúvida; ser a sombra de alguém; ser uma sombra do que foi; sombra e água fresca; ter medo da própria sombra; uma sombra do que era/foi
somenos de somenos; questão de somenos
somente não somente; somente pele e ossos
sonante metal sonante; moeda sonante (*V.* "moeda manual")
sonda sonda espacial
sondagem sondagem de opinião
sondar sondar o terreno
soneca tirar uma soneca (*V.* "tirar uma pestana")
soneto emenda pior que o soneto; pior a emenda que o soneto; sair pior a emenda que o soneto
sonhar estar sonhando; sonhar acordado; sonhar um sonho
sonho É um sonho!; em sonhos; nem por (em) sonhos (*V.* "nem por sombras"); parecer um sonho; passar como num sonho; ser o sonho de; sonhar um sonho; sonhos dourados; um sonho
sono agarrar no sono; cabecear de sono; caindo de sono; cair com sono; cair de sono; cair no sono; com sono; conciliar o sono; cortar o sono a; dormir a sono solto; dormir o sono; dormir o sono da inocência; dormir o último sono; entregar-se ao sono; estar caindo de sono; ferrar no sono; matar o sono; morrer de sono; pegar no sono; perder o sono; primeiro sono; render-se ao sono; sono de pedra; sono dos justos; sono dos mortos; sono eterno; sono leve; sono pesado; sono solto; tirar o sono a (de); tonto de sono
sonoro(a) poluição sonora; trilha sonora
sopa cair à sopa no mel; cair como sopa no mel; da sopa à sobremesa; dar sopa; dar uma sopa; É sopa.; mosca na sopa; mosquito na sopa (*V.* "mosca na sopa"); ser sopa; ser uma sopa; sopa de cavalo cansado; sopa no mel; tomar sopa com
sopapo a sopapos; dar um sopapo; de sopapo
sopé ao sopé
soprador soprador de apito
soprar para que lado o vento soprar; para que lado sopra o vento; saber de que lado sopra o vento; soprar a língua; soprar e comer; ver de que lado sopra o vento; ver para que lado sopra o vento (*V.* "ver de que lado sopra o vento")
sopro instrumentos de assopro (ou sopro)
soro soro da verdade; soro fisiológico
sorrelfa à sorrelfa
sorrir sorrir de lado; sorrir enviesado (*V.* "sorrir de lado")
sorriso abrir-se em sorriso; desabrochar em sorrisos; sorriso amarelo; sorriso impudico; sorriso largo; sorriso matreiro; sorriso rasgado
sorte à sorte; a sorte foi (está) lançada; arriscar a sorte; Boa sorte!; chutar a sorte; dar sorte; de outra sorte; de sorte que; de tal sorte; deitar sortes; deixar por conta da sorte; desafiar a sorte; desta sorte; estar

com sorte; falta de sorte; fluxo e refluxo da sorte; golpe de sorte; jogar a sorte (*V.* "lançar a sorte"); jogar com a sorte; lançar a sorte; ler a sorte; má sorte; maré de sorte; por sorte; rebenqueado da sorte; reveses da sorte (*V.* "reveses da fortuna"); sorte grande; tentar a sorte; tirar a sorte; tirar a sorte grande; toda sorte de
sorvete virar sorvete
sós a sós; Enfim, sós!; sós a sós
soslaio de soslaio; olhar de soslaio
sossegar sossegar o facho (*V.* "sossegar o pito"); sossegar o pito
sossego pôr em sossego
sota agarrar na orelha da sota; dar sota e ás a; orelha da sota; orelhar a sota; pegar na orelha da sota; puxar pela orelha da sota
sótão ter macaquinhos no sótão
sotaque de sotaque
soul save our souls (S.O.S.); soul music
sova dar uma sova
sovaco sofrer que nem sovaco de aleijado
sovado(a) roupa sovada
sovela à sovela
soviete Soviete Supremo
sozinho aguentar sozinho; aqui está fulano que não me deixa mentir sozinho; deixar falando sozinho; estar sozinho; ficar falando sozinho; sozinho e Deus
spaghetti western spaghetti
spiritual negro spiritual
sponte sponte sua
stabat Stabat Mater
stand stand by
standibus sic standibus rebus
starting starting gate
state welfare state
statu in statu quo ante
status status in quo (*V.* "status quo"); status quo
stricto pós-graduação stricto sensu; stricto sensu
studio sine ira et studio
sua É a sua avó (*V.* "É a vovozinha."); levar a sua avante (*V.* "levar a sua adiante"); Vá procurar sua turma! (*V.* "Vá cuidar de sua vida!")
sua (*lat.*) pro domo sua
suadeira dar uma suadeira em
suado(a) vitória suada
suador dar um suador (*V.* "dar uma suadeira em")
suar dar que suar; fazer suar; fazer suar o topete; suar a camisa; suar em bica (*V.* "suar em bicas"); suar em bicas; suar frio; suar o topete; suar por todos os poros; suar sangue
suástica cruz suástica

suave forte e suave
sub Nil novi sub sole. (*V.* "nada de novo"); nil novi sub sole; sub judice
subaquático mergulho subaquático
subida (*subst.*) de subida
subir deixar o sangue subir à cabeça; ensinar rato a subir de costas em garrafa; sobe e desce; subir à cabeça; subir a mostarda ao nariz; subir a rampa; subir a serra; subir à serra; subir ao altar; subir ao céu; subir ao Parnaso; subir ao púlpito; subir ao sétimo céu; subir ao trono; subir como uma flecha; subir de ponto; subir na vida; subir nos tamancos; subir o sangue à cabeça; subir pelas paredes; subir um furo no conceito de alguém
súbitas (*subst.*) a súbitas
súbito (*subst.*) de súbito
sublime do sublime ao ridículo
submarino(a) (*adj.*) caça submarina; mergulho submarino; plataforma submarina (*V.* "plataforma continental")
subsistência agricultura de subsistência
substância em substância; puxado à substância
subtropical clima subtropical
sucesso bom-sucesso; história de sucesso; mau sucesso; parada de sucessos; sucesso de bilheteria; ter bom sucesso; ter sucesso
suco extrair todo o suco; suco de parreira
sudário Santo Sudário
sueco(a) ginástica sueca
suey chop suey
sufoco no sufoco; sair do sufoco
sufrágio sufrágio direto/indireto (*V.* "voto direto/indireto"); sufrágio universal; sufrágios dos santos
sui sui generis
suíte dar o suíte
sujar sujar a água que bebe; sujar a barra; sujar as calças (*V.* "encher as calças"); sujar as mãos
sujeito sujeito a chuvas e trovoadas; um bom sujeito
sujo(a) barra-suja; boca suja; de boca suja; dinheiro sujo; estar sujo com; fazer algum trabalho sujo; ficar sujo (com alguém); ficar sujo na praça; ficha suja; golpe sujo; jogo sujo; lavar roupa suja em público; língua suja; mente suja; rir-se o sujo do mal-lavado; sujo como pau de galinheiro; ter a boca suja; trabalho sujo
sul Cone Sul; Cruzeiro do Sul; de norte a sul
sum Cogito, ergo sum
suma em suma
sumária absolvição sumária
sumiço chá de sumiço; dar sumiço; tomar chá de sumiço

sumir sumir como fumaça (V. "sumir do mapa"); sumir de vista (V. "sumir do mapa"); sumir do mapa
summa summa cum laude
sumo Sumo Bem; sumo de cana; sumo de parreira; Sumo Pontífice
suor com muito suor; com o suor do rosto; esvair-se em suor; fazer o bom suor (V. "fazer suar"); sangue, suor e lágrimas; suor de alambique; suor do rosto; suor frio; ter suores frios
superfície à superfície
superior muito superior; ser superior
superioridade complexo de superioridade
superlativo no superlativo
supérstite cônjuge supérstite
supetão chegar de supetão; de supetão; de supetão, só espirro
suplemento suplemento alimentar
supletivo(a) ensino supletivo
suplício suplício de Sísifo; suplício de Tântalo; suplícios eternos; último suplício
suposição suposição de pessoa
suposto suposto isto; suposto que
supra ut supra
supremo(a) Ente Supremo; expiação suprema; honras supremas (V. "honras fúnebres"); no supremo grau; o fim supremo; o supremo arquiteto (V. "o soberano arquiteto"); Ser Supremo; Soviete Supremo; supremo sacrifício
surdina à surdina (V. "em surdina"); em surdina; na surdina; pela surdina
surdo(a) falar para a velhinha surda da última fila; surdo como um tiú (teiú); surdo como uma pedra (V. "surdo como uma porta"); surdo como uma porta
surfar surfar na internet
surgir surgir do nada
surpresa caixa de surpresa; caixinha de surpresa (V. "caixa de surpresa"); de surpresa
surra dar uma surra (V. "dar uma sova"); surra de língua
sursum sursum corda
surtir surtir efeito
sururu sururu de capote; Terra do Sururu
suspeita (subst.) lançar suspeita sobre
suspender suspender a feijoada que o porco está vivo
suspensão suspensão de ordens
suspenso em suspenso
suspensório pôr suspensórios em cobra
suspirar suspirar de; suspirar por
suspiro até o último suspiro; dar o último suspiro (V. "dar o último alento"); exalar o último suspiro; receber o último suspiro; soltar suspiros; Último suspiro

sustância puxado a sustância (V. "puxado à substância")
sustentar sustentar a voz
sustentável desenvolvimento sustentável
susto levar susto; levar um susto; morrer de susto; passar susto em; passar um susto; sem susto; tomar susto (V. "tomar um susto"); tomar um susto
sutil espírito sutil; pó sutil; sutil como um elefante
sutileza sutileza de espírito
suum cuique suum

T

tabaqueiras ir às tabaqueiras
tabela cair pelas tabelas; estar na ponta da tabela; jogar por tabela; por tabela
tabu quebrar o tabu
tábua as tábuas da Lei; dar a tábua; dar tábua; fazer tábua rasa; levar com a tábua no rabo; levar tábua; meter/enfiar o pé na tábua; na tábua da beirada; na tábua da venta; pé na tábua; ser uma tábua; tábua de bater roupa; tábua de salvação; tábua rasa; tábuas da Lei
tabuada cantar a tabuada (V. "dizer a tabuada"); dizer a tabuada
tabula tabula rasa
taca meter a taca em (V. "meter a ripa em")
tacada bela tacada; de uma tacada; grande tacada; numa tacada; tacada de cego
tacar tacar ficha; tacar fogo na canjica; tacar o pau
tacha pôr tacha
tacho cara de tacho; ficar com cara de tacho (V. "ficar com cara de pau"); fundo do tacho; raspa do tacho; raspar o fundo do tacho; tacho areado
taco confiar no próprio taco; no taco; taco a taco
taedium taedium vitae
tahine homus bi tahine
taipa taipa de mão; taipa de sebe (V. "taipa de mão")
tal a tal ponto que; como tal; de maneiras tais; de tal; de tal maneira; de tal sorte; Deus tal não permita; e tal; Ele se julga o tal.; Este é o tal.; fulano de tal; Não há tal!; não se pode ser juiz com tais mordomos; não ser de tal laia; o tal; outro que tal; que tal (?); tal como; tal e qual; tal o quê; tal ou qual; tal qual; tal que; um(a) tal de
tálamo tálamo da aurora; tálamo do sol (V. "tálamo da aurora")
talante a meu (seu) talante; a seu talante
talento aborto de um talento; caçador de talentos; sepultar o talento

talha obra de talha
talhado bem-talhado; talhado para
talhar talhar as despesas
talho a talho aberto; a talho de foice; ao talho de; não ter talho nem maravalho; talho da vida
talião lei de talião; pena de talião
talvez não tem talvez; talvez... talvez
tamanca pisar nas tamancas; trepar nas tamancas (*V.* "trepar nos tamancos")
tamanco subir nos tamancos; trepar nos tamancos
tamanduá abraço de tamanduá
tamanhinho ficar (deste) tamanhinho (tamaninho)
tamanho do tamanho de um bonde; do tamanho de um pedaço de corda; em tamanho natural; Qual o tamanho de um pedaço de corda?; ter o coração do tamanho do mundo
também Eu também sou filho de Deus.; mas também; também não; também ser filho de Deus
tambor sem tambor nem trompete
tamborete Riscou catre, saiu tamborete.
tampa até as tampas
tampos meter os tampos; tirar os tampos
tanajura bunda de tanajura; cintura de tanajura (*V.* "cintura de pilão")
tandem Quousque tandem?
tanga de tanga; de tanga, pote e esteira; estar de tanga; estar/ficar de tanga; ficar de tanga
tangente escapar pela tangente; passar na tangente; pela tangente; sair pela tangente
tanger no que tange a
tangir no que tange/concerne a (*V.* "com relação a")
Tântalo suplício de Tântalo
tantas a folhas tantas; a páginas tantas; às tantas
tanto algum tanto; e tanto; e tantos; em tanto; molhar as calças de tanto rir; nem tanto; nem tanto ao mar nem tanto à terra; nem tanto assim; nem tanto nem tão pouco; outro tanto; para tanto; se tanto; seu tanto de; tanto assim que; tanto como; tanto faz; tanto faz assim como assado (*V.* "tanto faz"); tanto faz dar na cabeça como na cabeça dar (*V.* "tanto faz"); tanto mais quanto; tanto mais que (*V.* "tanto mais quanto"); tanto melhor; tanto ou quanto; tanto pior; tanto por tanto; tanto quanto; tanto que; tanto se me dá como se me deu; ter o seu tanto de; ter seu tanto de; um tanto; um tanto ou quanto (*V.* "um tanto quanto"); um tanto quanto
tantum ad argumentandum tantum

tão não ser tão preto quanto pintam; não tão já; nem tanto nem tão pouco; tão bom como tão bom; tão cedo; tão certo como dois e dois são quatro; tão certo como eu me chamar (fulano) (*V.* "tão certo como dois e dois são quatro"); tão logo
tapa a tapa; entrar no tapa; sair no tapa; trocar tapas; trocar uns tapas (*V.* "trocar tapas")
tapado ser tapado; tapado como uma anta
tapar abrir um buraco para tapar outro; não dar nem para tapar um buraco do dente; querer tapar o sol com a peneira; tapar a boca de (alguém); tapar buraco; tapar o sol com a peneira; tapar os lábios a; tapar os ouvidos
tapete estender o tapete para; puxar o tapete; tapete mágico; tapete verde; tapete vermelho; varrer para debaixo do tapete
tapioca cuscuz de tapioca
taquara cantar como taquara rachada; voz de taquara rachada
taque nem tique nem taque
taramela dar à taramela; dar taramela (*V.* "dar à taramela"); fechar a taramela; soltar a taramela
tardar não tardar com (alguém); no mais tardar; o mais tardar; sem mais tardar; tardar mas arrecadar
tarde à tarde; antes tarde do que nunca; cedo ou tarde; de tarde; dia de São Nunca de tarde (*V.* "dia de São Nunca"); já vai tarde; mais cedo ou mais tarde; mais tarde; nunca é tarde; ser tarde; tarde da noite; tarde e a más horas; tarde ou nunca; tarde piaste
tardezinha de tardezinha
tardinha (*subst.*) à tardinha; com a tardinha; de tardinha; pela tardinha
tarefa barra de tarefas
tarimba ter tarimba
tartaruga a passos de tartaruga; andar como tartaruga; cheque tartaruga; como tartaruga; operação tartaruga
tatear tatear no escuro
tática tática de guerra
tato falta de tato; pelo tato; perder o tato
tatu meter a mão em buraco de tatu; Não há tatu que aguente.; paca tatu
Taubaté velhinha de Taubaté
tavolagem casa de tavolagem
táxi táxi aéreo
tchau tchau e bênção
tea five o'clock tea
teatro fazer teatro de; herói de teatro; peça de teatro; teatro de arena; teatro de bolso; teatro de guerra; teatro rebolado
tecer tecer comentários; tecer loas
tecido tecido urbano

tenda

tecla bater na mesma tecla; é bater na mesma tecla (V. "É sempre a mesma cantilena.")
técnico(a) (adj.) falta técnica; nocaute técnico
tecnicolor em tecnicolor
tecnologia alta tecnologia; tecnologia de ponta
teco dar o teco; dar teco
tectônico(a) placas tectônicas
tédio morrer de tédio
teia cortar a teia de vida de; prender-se com teias de aranha; teia de Penélope; teias de aranha
teimoso(a) teimoso como a mulher do piolho (V. "teimoso como uma mula"); teimoso como uma mula
teiú surdo como um tiú (teiú)
tela a tela grande (V. "tela de prata"); em tela; estar na tela de discussão; jornal da tela; tela de prata
telefone grampear telefone; telefone celular; telefone sem fio
telefônico(a) (adj.) escuta telefônica/eletrônica; grampo telefônico; lista telefônica
telégrafo telégrafo Morse
telegrama passar um telegrama; telegrama fonado
televisão canal de televisão; responsabilidade civil; responsabilidade contratual; responsabilidade moral; televisão de cores
telha até as telhas; como der na telha (V. "como der na cabeça"); dar na telha; de telhas abaixo; de telhas para cima; estar com a telha; estar debaixo da telha; fazer tudo o que dá na telha; ter uma telha a mais
telhado telhado de vidro; ter telhado de vidro
temer não temer Deus nem o diabo
temerário(a) proposição temerária
tempão fazer um tempão; um tempão
temperar temperar a garganta; temperar a língua
temperatura condições normais de temperatura e pressão
tempero virado no tempero
tempestade calmaria antes da tempestade; fazer tempestade em copo-d'água; tempestade em copo-d'água; ver tempestade em copo-d'água
templo templo de Deus; templo eterno; vendilhões do templo
tempo à procura do tempo perdido; a seu tempo; a tempo; a tempo desabrido; a tempo e a hora; a todo tempo; a um (só) tempo; aguentar o tempo; antes do tempo; antípoda do tempo; ao mesmo tempo; ao tempo que; aproveitar enquanto é tempo (V. "aproveitar enquanto o Brás é tesoureiro"); assanhado como barata em tempo de chuva; até a consumação dos tempos; bocado de tempo; bons tempos; chupar cana e assobiar ao mesmo tempo; com o andar do tempo; com tempo; com todo o tempo do mundo; corrida contra o tempo; dar tempo; dar tempo ao tempo; dar um tempo; de tempo a tempo; de tempos em tempos; de um tempo para cá; desabar o tempo; do tempo do onça; É questão de tempo.; em dois tempos; em tempo; em tempo de; em tempo hábil; em tempo recorde; em três tempos; enganar o tempo; esquentar o tempo; estar à frente de seu tempo; estar velho antes do tempo; fazer tempo; fechar o tempo; fechar-se o tempo; fora de tempo; ganhar tempo; gastar o tempo; há quanto tempo; há que tempos; há tempo; haver tempo; homem (do tempo) das cavernas; hora de tempo universal; já não ser sem tempo; levantar o tempo; leve o tempo que levar; lutar contra o tempo; matar o tempo; medir o tempo; não ter tempo; não ter tempo nem de dizer ai (V. "não ter tempo"); não ter tempo nem para respirar (V. "não ter tempo"); não ter tempo nem para se coçar (V. "não ter tempo"); naquele tempo; nesse(/neste) meio-tempo; no devido tempo; no meu tempo; o tempo dirá; o tempo está louco; o tempo fechou; o tempo todo; o tempo urge; o tempo voa; os bons tempos; os tempos que correm; passar bom tempo; passar o tempo; perder o tempo e o feitio; perder o tempo e o latim; perder tempo; poupar o tempo; questão de tempo; sem perda de tempo; ser tempo de; sinal dos tempos; sofrer as injúrias do tempo; tempo carregado; tempo das águas; tempo de dom João Charuto (V. "tempo do onça"); tempo de janambura (V. "tempo do onça"); tempo de vida; tempo do onça; tempo em que os bichos falavam (V. "tempo em que se amarrava cachorro com linguiça"); tempo em que se amarrava cachorro com linguiça; tempo fechado; tempo hábil; tempo integral; tempo livre; tempo local; tempo perdido; tempo quente; tempo real; tempo útil; ter tempo; tirar um tempo para; todo tempo é tempo; tomar o tempo de alguém; tomar tempo; vir a tempo; viver fora de seu tempo (V. "viver fora de seu século")
tempora *O tempora, o mores!*
temporalidade temporalidades da vida
tempore *pro rata tempore*; *pro tempore*
temps *à la recherche du temps perdu*
tempus *tempus fugit*
tenção fazer tenção
tenda arder a tenda

657

tenor tenor de banheiro
tenra tenra idade
tentação cair em tentação
tentar tentar a paciência (de alguém); tentar a sorte
tenteando vou tenteando
tentear tentear uma criança
tento a tento; dar tento de; lavrar um tento; marcar um tento; sem tento; sem tento nem propósito; tomar tento
teologal virtudes teologais
ter aí tem jacutinga (V. "Aí tem coisa!"); aí tem truta (V. "Aí tem coisa!"); cantigas, tenho ouvido muitas; dar o que tinha de/que dar; É assim que tem de ser! (V. "É assim e pronto!"); ir ter a; ir ter com; já ter dado o que tinha de dar; lembrar-se como se tivesse sido ontem; mal ter saído dos cueiros (V. "cheirar a cueiros"); não saber onde tem (tinha) a cabeça; Não sei, não quero saber e tenho raiva de quem sabe.; não ter (nada) a ver (V. "não ter que ver"); não ter a mais remota ideia (V. "não ter a menor ideia"); não ter a menor ideia; não ter alisado banco de escola; não ter altura; não ter bandeira; não ter cabimento; não ter cara para; não ter clima para; não ter colhões; não ter coração; não ter desconfiômetro; não ter eira nem beira; não ter envergadura para; não ter estômago para; não ter freio na língua; não ter freio nos dentes; não ter futuro; não ter grilo; não ter igual; não ter jeito; não ter mão de si; não ter mãos a medir; não ter mas nem meio mas; não ter medo de cara feia; não ter medo de caretas (V. "não ter medo de cara feia"); não ter meia(s) medida(s); não ter modos; não ter nada a desejar; não ter nada a perder; não ter nada a ver; não ter nada a ver com o peixe; não ter nada com o peixe (V. "não ter nada a ver com o peixe"); não ter nada de; não ter nada de mais; não ter nascido ontem; não ter nem um para remédio; não ter nenhum porém; não ter o que dizer; não ter o que fazer (V. "estar sem o que fazer"); não ter ombros para; não ter onde cair morto; não ter onde pôr a cabeça; não ter osso nem espinha; não ter palavra; não ter pano para mangas; não ter papas na língua; não ter paralelo; não ter peito para; não ter pernas; não ter preço; não ter que ver; não ter rebuço; não ter relho nem trambelho; não ter saída; não ter sangue nas veias; não ter senão a noite e o dia; não ter senão uma palavra; não ter sido ouvido nem cheirado; não ter talho nem maravalho; não ter tempo; não ter tempo nem de dizer ai (V. "não ter tempo"); não ter tempo nem para respirar (V. "não ter tempo"); não ter tempo nem para se coçar (V. "não ter tempo"); não ter tomado chá em pequeno; não ter um momento sequer de seu; não ter um pingo de vergonha na cara; não ter um real; não ter vez; não ter visto uma coisa nem pintada; não ter voz ativa; nunca ter visto (alguém) mais gordo; Onde você comprou esta camisa que está usando, tinha para homem?; pensar que já tivesse visto tudo; Preso por ter cão, preso por não ter.; Se? Ora, se! Se minha avó não tivesse morrido, inda hoje estaria viva.; só ter de seu o dia e a noite; só ter olhos para; tem gente para tudo (V. "Há gente para tudo."); Tem gosto para tudo. (V. "há gosto para tudo."); tem limites para tudo (V. "Há limites para tudo."); Tenha a santa paciência!; Tenha dó!; Tenha paciência!; Tenho dito.; tenho para mim que...; ter a barba tesa; ter a barriga a dar horas; ter a batuta na mão; ter a boca suja; ter a bondade de; ter a cabeça nas nuvens; ter a cabeça no lugar; ter a capacidade de; ter a chave do cofre; ter a faca e o queijo nas mãos; ter a honra de; ter a língua maior que o corpo; ter à mão; ter a mão furada; ter a mão pesada; ter a mente aberta; ter a morte à cabeceira; ter a morte no coração; ter a palavra; ter a palavra fácil; ter a palavra final; ter a posse de; ter a quem puxar; ter a última palavra; ter a ver com; ter a vida por um fio; ter a vida que pediu a Deus; ter à vista; ter a vista torcida; ter açúcar na voz; ter ainda muito gás; ter algo em comum; ter algo em mente; ter alguém na palma da mão; ter alguém no bolso (V. "ter alguém na palma da mão"); ter alta; ter amor à pele (V. "ter amor à vida"); ter amor à vida; ter anos de janela; ter antenas; ter antolhos; ter ares de; ter as cartas na mão; ter às costas; ter as costas largas; ter as costas quentes; ter asas nos pés; ter assento; ter berço; ter bicheira; ter bicho-carpinteiro; ter bicho-carpinteiro (no corpo) (V. "não esquentar o banco"); ter boa boca; ter boa cabeça; ter boa cor; ter boa estrela; ter boa garganta; ter boas pernas; ter boas razões para; ter boas respostas; ter boas saídas; ter bola de cristal; ter bom coração; ter bom estômago; ter bom gosto; ter bom natural; ter bom ouvido; ter bom sucesso; ter bons bofes; ter bons repentes; ter cabeça; ter cabelo na palma da mão; ter cabelo nas ventas; ter cabelo no céu da boca (V. "ter cabelo no coração"); ter cabelo no coração; ter cadeira cativa; ter cama e mesa; ter canela de cachorro; ter cara de; ter cara para; ter carne debaixo do angu; ter carradas de razão; ter cartaz; ter

cartaz com; ter cera nos abanos (*V.* "ter cera nos ouvidos"); ter cera nos ouvidos; ter certeza; ter chifres; ter cócegas na língua; ter com quê; ter comichão na língua; ter contas a acertar (com alguém); ter cor local; ter coração de pedra; ter coração de...; ter coração grande; ter culpa no cartório; ter curso; ter dado o que tinha de dar; ter de; ter de memória; ter de olho; ter de que viver; ter de reserva; ter de seu; ter debaixo da língua; ter debaixo da mão; ter debaixo dos olhos; ter dedos de fada; ter diante de si; ter diante dos olhos; ter dinheiro como água (*V.* "ter dinheiro para queimar"); ter dinheiro para queimar; ter duas caras; ter em alta conta (*V.* "ter em conta"); ter em alto apreço (*V.* "ter em conta"); ter em alto preço (*V.* "ter em conta"); ter em conta; ter em mente; ter em mira; ter em muito; ter em nada; ter em vista; ter empenho em; ter entre as mãos; ter espírito; ter estrela na testa; ter estudos; ter expediente; ter faltado à aula no dia em que ensinaram...; ter farpas na língua; ter fé em (alguém); ter ficado de fora; ter fígado; ter fôlego de gato; ter força; ter força de lei; ter fundos; ter futuro; ter ganas de; ter goela de pato; ter hora certa para tudo; ter horas; ter império sobre si mesmo; ter influência; ter jeito; ter jeito para; ter jogo de cintura; ter lacraia nos bolsos; ter lágrimas na voz; ter lembrança de; ter linha; ter lombo para; ter lugar; ter luto nas unhas; ter luzes (a respeito de alguma coisa); ter má cor; ter macaquinhos no sótão; ter mais o que fazer; ter mais olhos que barriga; ter maneiras; ter mão; ter mão de pilão; ter mão e mando em; ter mão em; ter mão leve; ter mãos de fada; ter mãos para; ter marcação com (*V.* "estar de marcação com"); ter maus bofes; ter maus fígados; ter medo da própria sombra; ter meios; ter minhoca na cabeça; ter miolo de galinha (*V.* "ter miolo mole"); ter miolo mole; ter miolos; ter muita armação e pouco jogo; ter muita feijoada para comer; ter muita lábia; ter muitas horas de voo; ter muito expediente; ter muito gosto; ter muito medo e pouca vergonha; ter muito o que fazer (*V.* "ter mais o que fazer"); ter na boca; ter na cabeça; ter na devida conta; ter na mão; ter na memória; ter na mira; ter na palma da mão; ter na ponta da língua; ter na unha; ter nascido ontem; ter nascimento; ter névoas nos olhos; ter nome; ter o céu na terra; ter o coração do tamanho do mundo; ter o coração perto da goela; ter o corpo fechado; ter o dedo de; ter o diabo no corpo; ter o diabo no couro (*V.* "ter o diabo no corpo"); ter o diabo nos chifres (*V.* "ter o diabo no corpo"); ter o dom de; ter o jogo na mão; ter o leme; ter o mundo aos seus pés; ter o olho em si; ter o olho maior (do) que... (*V.* "ter olhos maiores que a barriga"); ter o olho maior que a barriga; ter o pavio curto; ter o penacho de; ter o prazer de; ter o propósito de (*V.* "ter propósito"); ter o purgatório em vida; ter o que fazer; ter o que merece; ter o rabo preso; ter o rei na barriga; ter o sangue quente; ter o seu dia; ter o seu preço; ter o seu quinhão (*V.* "ter o seu tanto de"); ter o seu tanto de; ter o topete; ter o/um rei na barriga (*V.* "ter rei na barriga"); ter olho clínico; ter olhos de lince; ter olhos maiores que a barriga; ter olhos na ponta dos dedos; ter opinião formada; ter os olhos maiores do que a barriga (*V.* "ter olhos maiores que a barriga"); ter os olhos maiores que... (*V.* "ter olhos maiores que a barriga"); ter os ouvidos cheios; ter os ouvidos entupidos; ter os pés fincados na terra (*V.* "ter os pés na terra"); ter os pés na cova (*V.* "ter um pé na cova"); ter os pés na terra; ter os pés no chão; ter os seus conformes; ter paciência; ter pacto com o diabo; ter pai vivo e mãe bulindo; ter palavra; ter pancada na mola; ter pano para as mangas (*V.* "ter pano para mangas"); ter pano para mangas; ter para dar e vender; ter para si; ter parte com; ter parte em; ter parte no bolo; ter passado por coisa pior; ter pé; ter pé espalhado; ter peito; ter pela mão; ter pela proa; ter pelos no coração; ter pena (de); ter peneira nos olhos; ter pés de barro; ter pinta de; ter pistolão; ter poeira nos olhos; ter por bem; ter por costume; ter por fim; ter por onde; ter posição; ter posses; ter prática; ter precisão de; ter presente; ter propósito; ter Q.I.; ter quatro olhos; ter que ver; ter queda por (*V.* "ter uma queda por"); ter rabo de palha; ter raça; ter rei na barriga; ter relações com; ter remédio; ter repentes; ter resposta na ponta da língua (*V.* "ter resposta para tudo"); ter resposta para tudo; ter saída; ter sangue de barata; ter sangue na guelra; ter sangue nas veias (*V.* "ter sangue na guelra"); ter santo forte; ter sarna para coçar-se; ter sedas no coração; ter sentido; ter sete fôlegos como o gato; ter sete vidas (*V.* "ter sete fôlegos como o gato"); ter seu dia; ter seu lugar; ter seu tanto de; ter seus dias; ter seus dias contados; ter só a camisa do corpo; ter sobre si; ter suas provas feitas; ter suas razões; ter sucesso; ter suores frios; ter tarimba; ter telhado de vidro; ter tempo; ter titica de galinha na cabeça; ter

topete; ter traços de (alguém); ter um acesso de; ter um amargo despertar; ter um ataque; ter um dia cheio; ter um escorpião no bolso; ter um espinho (uma espinha) atravessado(a) na garganta; ter um estalo; ter um fim; ter um fraco por; ter um medo que se pela; ter um nó na garganta; ter um nome a zelar; ter um parafuso a menos; ter um parafuso frouxo (V. "ter um parafuso a menos"); ter um parafuso solto (V. "ter um parafuso a menos"); ter um pé na cova; ter um quê por; ter um treco; ter um troço (V. "ter um treco"); ter um trunfo nas mãos; ter um xodó por (V. "ter um quê por"); ter uma aduela a menos (V. "ter um parafuso a menos"); ter uma batata quente nas mãos; ter uma carta na manga; ter uma chance em mil; ter uma cruz para carregar; ter uma ideia; ter uma paciência de Jó; ter uma queda por; ter uma rã na garganta; ter uma telha a mais; ter unhas na palma da mão; ter uso; ter vergonha na cara; ter vez; ter voz ativa; tido e havido; vir ter a; vir ter com
terapia centro (ou unidade) de terapia (ou tratamento) intensiva; terapia ocupacional
terça terça-feira gorda
terceiro(a) de segunda (terceira etc.) categoria; de terceira classe; décimo terceiro salário; Ordem Terceira; terceira dentição; terceira idade; terceiro estado; terceiro expediente; terceiro mundo; terceiro Reich; terceiro sexo
terço puxador de terço; rezar o terço
tereré tereré não resolve
termal água termal
térmico(a) garrafa térmica; inversão térmica
terminal doente terminal; estação rodoviária (terminal)
terminar *terminar em pizza*
termo a termo que; em breves termos; em termos; em termos de; em termos gerais; em termos hábeis; em todos os termos; levar a bom termo; levar a termo (V. "levar ao fim"); pôr termo a; sem termo; termo impróprio
terno fazer o terno; terno de grupo
terra a sete palmos debaixo da terra; aqui na Terra; baixar à terra (V. "baixar à sepultura"); bater a alcatra na terra ingrata; beijar a terra; Boa Terra; botar por terra; cair por terra; céus e terras; comer terra; como terra; confins da Terra; correr terras; crosta da Terra; da terra; dar em terra; deitar por terra; deitar terra nos olhos; descer à terra; em todos os cantos da Terra (V. "em todo canto"); estar por terra; faltar terra nos pés; fazer terra; fio terra; frutos da terra; jogar por terra; jogar terra nos olhos (V. "deitar terra nos olhos"); lançar por terra; levar por terra; língua de terra; meter-se terra adentro; minha (ou nossa etc.) terra (V. "terra natal"); minha terra; mover céus e terra; mundão de terra; nada na terra; não ser da Terra; nata da terra; nem tanto ao mar nem tanto à terra; o céu na terra; os tesouros da terra; palmo de terra; parecer não ser da terra; pôr por terra; por terra; pôr terra nos olhos; que a terra lhe seja leve; querer o céu e a terra; revolver céus e terra; sal da terra; ser Deus no céu e (fulano) na terra; ter o céu na terra; ter os pés fincados na terra (V. "ter os pés na terra"); ter os pés na terra; terra a terra; terra batida; Terra da Luz; Terra da Promissão; terra da verdade; terra de ninguém; Terra do Nunca; terra do sol da meia-noite; Terra do Sol Nascente; Terra do Sururu; Terra dos Marechais; terra dos mortos (V. "terra dos pés juntos"); terra dos pés juntos; terra firme; terra fresca; terra fria; terra natal; terra pelada; Terra Prometida; Terra Santa; trazer alguém de volta à Terra; voltar à Terra; *terra incognita*
terreno apalpar o terreno; ceder terreno; conhecer o terreno; conhecer o terreno em que pisa; estudar o terreno; ganhar terreno; limpar o terreno; perder terreno; preparar o terreno; saber o terreno em que pisa; sondar o terreno; terreno baldio
térreo andar térreo
terrestre crosta terrestre (V. "crosta da Terra"); esfera terrestre; *orbe terrestre*
terrible *enfant terrible*
terrinha santa terrinha
territorial águas territoriais; mar territorial
terror filme de terror (V. "filme de horror")
tês cortar os "tês" e pingar os "is"; pingar os "is" e cortar os "tês"
tesa ter a barba tesa
tesão dar tesão em
tese em tese
teso estar teso; ficar teso
tesoura meter a tesoura em (V. "meter a ripa em")
tesoureiro aproveitar enquanto o Brás é tesoureiro
tesouro os tesouros da terra; tesouros da memória; tesouros de Baco; tesouros de Ceres
testa à testa de; comer com a testa; de testa; enfeitar a testa de; enrugar a testa (ou o sobrolho) (V. "franzir a testa"); fazer testa a; franzir a testa; letreiro na testa; nascer

tirar

com uma estrela na testa (V. "nascer com a bunda para a lua"); ter estrela na testa; testa coroada; testa de ferro
testada varrer a testada
testamento Antigo Testamento; Novo Testamento; Velho Testamento
testemunha Deus é testemunha; testemunha auricular; testemunha ocular; testemunhas de Jeová; tomar o céu por testemunha; tomar por testemunha
testemunho dar testemunho de; falso testemunho; levantar falso testemunho
teta mamar em todas as tetas
tête en tête à tête
teto sem teto; sob o mesmo teto; teto do mundo; teto máximo; teto salarial
teu/tua ficar na tua (V. "ficar na minha")
teu/tua ficar na tua (V. "ficar na minha"); os teus; seja feita a tua vontade; *fiat voluntas tua*
teúda teúda e manteúda
texto decepar um texto; editor de texto; processador de texto; voltar ao texto
that that is the question
tia ficar para tia (titia) ou tio (titio)
Tiago caminho de São Tiago; estrada de São Tiago
tibieza quebrada da tibieza
tição tição apagado; tição do inferno
tico espantar tico-tico
tie black tie
tigela de meia-tigela; quebrar a tigela
tigre bafo de tigre (V. "bafo de onça"); montar no tigre; pegar o tigre pelo rabo; tigre de papel; tigres asiáticos; virar tigre
tiguera cair na tiguera
tijolo de tijolo aparente; tijolo cru; tijolo quente
til n, a, o, til
timbrado papel timbrado
time do segundo time; dono do time; enterrar o time; jogar no time de; mexer em time que está ganhando; mudar de time; não mexer em time que está ganhando; primeiro time; tirar o time (de campo); *full time*
tímpano de arrebentar os tímpanos; estourar os tímpanos (V. "estourar os miolos"); furar o tímpano
tim-tim tim-tim por tim-tim
tingir tingir a espada
tinir estar tinindo; tinindo de novo; tinir de fome; tinir de frio; tinir de raiva
tino perder o tino; sem tino
tinta carregar nas tintas; correr rios de tinta; levar tinta
tinteiro ficar no tinteiro
tio ficar para tia (titia) ou tio (titio); tio por afinidade

tipiti no tipiti
tipo ser o tipo de; tipo asqueroso
tique nem tique nem taque
tiquinho tiquinho de gente
tira quebrar a tira; tira de quadrinhos
tiracolo a tiracolo
tirada de uma tirada
tirana cantar a tirana; pegar no rabo da tirana; soltar a tirana
tirão aguentar o tirão; ganhar o tirão
tirar de se tirar o chapéu (V. "de tirar o chapéu"); de tirar o chapéu; de tirar o fôlego; Desde que lhe tirei as peias, nunca mais o vi.; não pôr nem tirar; não tirar da cabeça; não tirar os olhos de; não tirar pedaço; nem tirar nem pôr (V. "não pôr nem tirar"); Pode tirar (ir tirando) o cavalinho da chuva.; querer tirar leite de pato; querer tirar o aço do espelho; sem tirar nem pôr; tirar (alguém) do sério (V. "sair do sério"); tirar a barriga da miséria; tirar a camisa; tirar a cisma de; tirar a desforra; tirar a limpo; tirar a língua; tirar a máscara (de alguém); tirar a mesa; tirar a palavra da boca de; tirar a pele; tirar a prova; tirar a rolha da boca; tirar a sardinha; tirar a sardinha com mão de gato; tirar a sardinha da boca (de alguém); tirar a sardinha da boca de (V. "tirar o mel da boca de"); tirar a sorte; tirar a sorte grande; tirar a vaca do brejo; tirar a venda dos olhos; tirar a verdade a limpo; tirar a vez; tirar água de pedra; tirar água do joelho; tirar as castanhas do fogo; tirar as castanhas do fogo com mão de gato; tirar bala de criança; tirar casquinha; tirar da boca; tirar da cabeça; tirar da cartola; tirar da jogada; tirar da lama; tirar da reta; tirar de letra; tirar desforra; tirar diploma; tirar diploma de burro; tirar do bolso do colete; tirar do nada; tirar do sério; tirar farelo com; tirar farinha; tirar leite de pedra; tirar leite de vaca morta; tirar mau-olhado; tirar o atraso; tirar o boi da linha; tirar o cabaço; tirar o cavalinho da chuva (V. "tirar o cavalo da chuva"); tirar o cavalo da chuva; tirar o chapéu; tirar o corpo fora; tirar o couro de; tirar o mel da boca de; tirar o pai da forca; tirar o pão da boca de; tirar o pé; tirar o pé da lama; tirar o pé da lama (do lodo) (V. "tirar a vaca do brejo"); tirar o pé do lodo (V. "tirar o pé da lama"); tirar o pelo; tirar o peso; tirar o sono a (de); tirar o time (de campo); tirar onda; tirar onda de; tirar os tampos; tirar partido; tirar proveito de; tirar sardinha; tirar um cochilo (V. "tirar uma pestana"); tirar um coelho da cartola; tirar um fino; tirar um peso de cima de si; tirar um sarro; tirar um tempo

tiritar

para; tirar uma casquinha (V. "pegar uma boca"); tirar uma diferença; tirar uma espinha da garganta; tirar uma linha; tirar uma linhada (V. "tirar uma linha"); tirar uma pestana; tirar uma rebarba (V. "pegar uma boca"); tirar uma soneca (V. "tirar uma pestana"); tirar uma tora; tirar vantagem (V. "levar vantagem"); tire a máscara (V. "Desça o pano.")
tiritar tiritar de frio
tiro animal de tiro; dar um tiro em; dar um tiro na praça; dar um tiro no pé; de um tiro; É tiro e queda.; ser tiro e queda; tiro cego; tiro certeiro; tiro de canto; tiro de meta; tiro de misericórdia; tiro e queda; tiro livre; tiro livre direto; tiro livre indireto; tiro n'água; tiro no escuro; tiro pela culatra
tiroteio mais perdido que cego em tiroteio
tir-te sem tir-te nem guar-te
titica cheio de titicas; ter titica de galinha na cabeça
titio(a) ficar para tia (titia) ou tio (titio)
titular professor titular
título a título de; concurso de títulos
tiú surdo como um tiú (teiú)
toa à toa; andar à toa; coisa à toa; coisinha à toa; de toa; gastar saliva à toa; gente à toa; mulher à toa; pau à toa; por conta do à toa
toada na mesma toada; nesta toada; numa só toada (V. "numa toada só"); numa toada só
toalete fazer toalete
toalha jogar a toalha
toca bicho de toca (V. "bicho do mato"); sair da toca
tocaia de tocaia
tocante no tocante a
tocar dançar como tocam; dançar conforme tocam a música (V. "dançar conforme a música"); não se tocar; no que me toca; o que me toca; pelo que me toca; Que apito é que ele toca?; sem tocar um cabelinho; tocar a mão em; tocar a vida para frente; tocar as raias; tocar de mal; tocar de ouvido; tocar em uníssono; tocar fogo na canjica; tocar música enquanto Roma pega fogo; tocar na corda sensível; tocar na ferida; tocar na honra de; tocar na madeira; tocar na mesma corda; tocar no ponto; tocar no ponto fraco; tocar o barco para a frente; tocar o dedo na ferida; tocar sete instrumentos; tocar viola sem corda
toco ali, no toco; amanhecer com a avó atrás do toco; com a avó atrás do toco; com a vó atrás do toco (V. "com a avó atrás do toco"); estar com a avó atrás do toco; no toco; toco (toquinho) de gente; toco de amarrar onça
todo(a) a toda; a toda brida; a toda força; a toda hora; a toda pressa; a toda prova; a todo custo; a todo galope; a todo instante; a todo momento; a todo o transe (V. "a todo transe"); a todo pano; a todo preço; a todo pulso; a todo tempo; a todo transe; a todo vapor; a todo volume; a verdade, toda a verdade, nada mais que a verdade; amigo de todo o mundo; ao todo; apostar todas as fichas; atirar pra todos os lados; bater em todas as portas; cair na boca de todos (V. "cair na boca do lobo"); cercar por todos os lados; colocar todos os ovos na mesma cesta; com a corda toda; com todas as letras; com todo o gás; com todo o respeito; com todo o tempo do mundo; com todos os efes e erres; com todos os pontos e vírgulas; com todos os sacramentos; conhecer Deus e todo o mundo; correr a toda; de toda confiança; de toda maneira; de todas as maneiras (V. "de toda maneira"); de todo; de todo modo; de todo o coração; de uma vez por todas; dever a Deus e a todo mundo; dia de Todos os Santos; É todo seu.; em toda a extensão da palavra; em todo canto; em todo caso; em todo o caso (V. "em todo caso"); em todos os cantinhos (V. "em todo canto"); em todos os cantos (V. "em todo canto"); em todos os cantos da Terra (V. "em todo canto"); em todos os sentidos; em todos os termos; empregada para todo serviço; estar com a bola toda; estar com a corda toda; estar com o tutu todo; estar em todas; estar em todas as bocas; estar todo quebrado; extrair todo o suco; maior de todos (V. "dedo médio"); mamar em todas as tetas; mentir com todos os dentes que tem na boca; não é toda a história; nem por todo (o) ouro do mundo; nem todo dia é dia santo; no todo; o tempo todo; pai de todos (V. "dedo médio"); para baixo todo(s) (os) santo(s) ajuda(m); para todo (o) sempre; para todos os bolsos; para todos os efeitos; pau para toda obra; por toda a vida; por toda parte; por todo canto (V. "em todo canto"); por todo o sempre; por todos os cantos (V. "por toda parte"); Por todos os santos!; por todos os séculos dos séculos; respirar saúde por todos os poros; ser pau para toda obra; ser todo ouvidos; sob todas as reservas; Somos todos da costela de Adão.; suar por todos os poros; toda a gente; toda a vida; toda sorte de; todas as gentes; todo (o) mundo; todo aquele que; todo dia; todo homem tem um preço; todo ouvidos; todo santo dia; todo tempo é tempo; todos os dias; tomar todas
todos aberto a todos; andar nas mãos de todos; contra tudo e contra todos; em todos os quadrantes; estar na boca de todos; todos, inclusive a mulher dele

tolerância casa de tolerância; estourar uma casa de jogos, de tolerância etc.; tolerância zero
tolice deixar de tolice
tollit *abusus non tollit usum*
tolo fazer-se de tolo; ouro dos tolos
tom abaixar o tom; dar o tom; de bom-tom; em tom de; mudar de tom; mudar o tom; rir sem tom nem som; sair do tom; sem tom nem som; tom doutoral
tomada (*subst.*) tomada de preços
tomar colocar raposa para tomar conta de galinheiro; dar o pé e tomar a mão; dares e tomares; não ter tomado chá em pequeno; não tomar partido; não tomar semancol; toma lá, dá cá; tomar (o) fôlego; tomar a bênção; tomar a bênção a cachorro; tomar a dianteira (*V*. "tomar a frente"); tomar a dianteira (*V*. "ganhar a dianteira"); tomar a frente; tomar a fresca; tomar a liberdade de; tomar a lição; tomar a palavra; tomar a peito; tomar a sério; tomar abuso de; tomar ar; tomar ar fresco (*V*. "tomar ar"); tomar as dores por; tomar as leis nas próprias mãos (*V*. "fazer justiça pelas próprias mãos"); tomar as rédeas; tomar assento; tomar assinatura com; tomar banho de loja; tomar birra de; tomar bonde errado; tomar carona; tomar chá de cadeira; tomar chá de sumiço; tomar confiança; tomar conhecimento; tomar consciência; tomar conta; tomar conta de; tomar coragem; tomar corpo; tomar cuidado; tomar de assalto; tomar distância; tomar distância de; tomar em consideração; tomar emprestado; tomar estado; tomar ferro; tomar gosto; tomar jeito (*V*. "tomar juízo"); tomar juízo; tomar liberdades; tomar medida(s); tomar na cabeça; tomar na cuia; tomar na cuia dos quiabos; tomar no gargalo; tomar o bonde andando (*V*. "pegar o bonde andando"); tomar o bonde errado; tomar o capelo; tomar o céu por testemunha; tomar o freio nos dentes; tomar o hábito; tomar o nome de Deus em vão; tomar o partido de (alguém); tomar o peso de; tomar o pião na unha; tomar o pulso; tomar o recado na escada; tomar o recado na porta da rua (*V*. "tomar o recado na escada"); tomar o tempo de alguém; tomar o véu; tomar outro rumo; tomar parte em; tomar partido; tomar pé; tomar por testemunha; tomar posse de; tomar providência; tomar pulso; tomar rumo; tomar satisfações a; tomar sob sua proteção; tomar sobre si; tomar sol; tomar sopa com; tomar susto (*V*. "tomar um susto"); tomar tempo; tomar tento; tomar todas; tomar um caldo; tomar um gole; tomar um oito; tomar um pileque; tomar um susto; tomar um trago (*V*. "tomar um gole"); tomar uma atitude; tomar uma bucha; tomar uma dose (*V*. "tomar um gole"); tomar uma manta; tomar umas e outras; tomar vulto; Vá tomar banho!; Vá tomar conta de sua vida!
tomara afronta faço, se mais não acho; se mais achara, mais tomara; tomara que caia
tomate mais vermelho que tomate maduro
tombo andar aos tombos; dar o tombo em; dar um tombo em; homem de tono e tombo; livro de tombo
Tomé São Tomé
tomé (*subst.*) dar o tomé
tona à tona; trazer à tona; vir à tona
tonel tonel das Denaides
tonelada pesar uma tonelada
tônico(a) água tônica
tono homem de tono e tombo
tonsura receber a tonsura; *prima tonsura*
tonto(a) às tontas; barata tonta; tonto de sono; vaca tonta
topada dar uma topada
topar topar a parada; topar qualquer parada; topar tudo
topete abaixar o topete (*V*. "abaixar o facho"); arriar o topete; baixar o topete; fazer suar o topete; suar o topete; ter o topete; ter topete
topo de topo; topo do mundo
toque a toque de caixa; ao toque das ave-marias; dar um toque; não me toques; nem que o diabo toque rebeca; o toque humano; pedra de toque; toque de alvorada; toque de mágica; toque de Midas; toque de recolher; toque maçônico
toquinho toco (toquinho) de gente; toquinho de gente (*V*. "tiquinho de gente")
tora na tora; tirar uma tora
torcer agora (aí) é que a porca torce o rabo; aí é que a porca torce o rabo; dar o braço a torcer; não dar o braço a torcer; onde a porca torce o rabo; torcer a cara; torcer a orelha e não sair sangue; torcer as orelhas; torcer as orelhas de; torcer o focinho (*V*. "torcer o nariz"); torcer o gasganete de alguém; torcer o nariz; torcer o pescoço; torcer o rosto
torcida torcida a favor; torcida contra
torcido(a) (*adj.*) coração torcido; ficar de nariz torcido; ter a vista torcida
tornar tornar a si; tornar à vaca fria; tornar público; tornar sem efeito; tornar-se gente; tornar-se saliente
torneira abrir a torneira
torniquete andar num torniquete
torno em torno a (de); girar em torno de

tororó tororó, pão duro
torrão torrão natal
torrar torrar nos cobres; torrar o saco
torre camarote do Torres; fundar torres no vento; meter-se em torre de marfim; torre de Babel; torre de marfim; torre de piolhos
torrente em torrentes
torto(a) a torto e a direito; avô (avó) torto(a); espírito torto; estar de aspa torta; meter a colher torta; quebrar o torto; responder torto; torto de um olho
tosco em tosco
tosquiado ir buscar lã e sair tosquiado; vir buscar lã e sair tosquiado
tosse tosse de cachorro; ver o que é bom para tosse
tossir nem que a vaca tussa
tostão não valer um tostão furado; sem um tostão; tostão por tostão; um tostão a dúzia; um tostão de
total com carga total; com força total; eclipse total
totum fac totum; in totum
totus ex totus corde
touca dormir de touca; marcar touca
toucinho manta de toucinho
toupeira cego como uma toupeira
tour tour de force
touro corrida de touros; pegar o touro à unha; pegar o touro pelos chifres (*V.* "pegar o touro à unha"); praça de touros
tout tout court
trabalhar trabalhar como um burro; trabalhar como um mouro (*V.* "trabalhar como um burro"); trabalhar como um negro (*V.* "trabalhar como um burro"); trabalhar de bandido; trabalhar duro; trabalhar na ventana; trabalhar no acocho; trabalhar no desvio (*V.* "estar no desvio"); trabalhar para o bispo
trabalho absorver-se no trabalho; carteira de trabalho; dar trabalho; dar-se ao trabalho de; dia do trabalho; divisão do trabalho; escravo do trabalho (*V.* "escravo do dever"); fazer algum trabalho sujo; força de trabalho; frente de trabalho; jornada de trabalho; trabalho beneditino; trabalho braçal; trabalho de agulha; trabalho de campo; trabalho de fôlego; trabalho de formiga; trabalho de Hércules; trabalho de parto; trabalho de Sísifo; trabalho duro; trabalho ingrato; trabalho manual; trabalho perdido; trabalho sujo; trabalhos de Hércules; trabalhos forçados; viciado em trabalho
traça jogado às traças
traçar traçar largo e cortar curto; traçar o rumo
traço a traços largos; de um traço (*V.* "de um tiro"); num traço; ter traços de (alguém)
trade trade mark
tradição tradição de fé; tradição escrita; tradição oral
traditionis causa traditionis
traditori traduttori, traditori
tradução tradução livre; tradução simultânea (*V.* "interpretação simultânea")
traduttori traduttori, traditori
tráfego sinal de tráfego
tráfico tráfico de influência; tráfico de mulheres
tragar não poder tragar alguém
tragédia fazer tragédia de
trágica cena trágica
trago (*subst.*) tomar um trago (*V.* "tomar um gole")
traição à traição
trair trair a confiança
traíra pegar traíra
traje em trajes de Adão; em trajes menores; estar em trajes menores (*V.* "estar em roupas menores"); traje a rigor; trajes menores
trambelho não ter relho nem trambelho; sem trelho nem trambelho
trambolhada de trambolhada
trambolhão andar aos trambolhões; aos trambolhões
tramontana perder a tramontana
tranca a trancas
trança juntos como trança em oito
trancar trancar a cara; trançar as pernas
trançar trançar as pernas (*V.* "trocar as pernas")
tranco a trancos; a trancos e barrancos; aguentar o tranco; aos trancos; aos trancos e barrancos; pegar no tranco
trancoso história de trancoso
transborda ser a gota-d'água que transborda o cálice
transe a todo o transe (*V.* "a todo transe"); a todo transe; transe de morte
transformação indústria de transformação
transit Sic transit gloria mundi.
transmissão transmissão de pensamento
transmissor agente transmissor
transporte transporte alternativo
transverso(a) por linhas transversas; por portas transversas
trapo estar um trapo (*V.* "estar um bagaço"); juntar os trapos; língua de trapo; trapo humano (*V.* "farrapo humano")
traque reduzir a pó de traque; soltar traques
trás andar para trás como caranguejo; cair para trás; dar para trás; de trás para a fren-

te; ficar para trás; ir para trás; mijar para trás; não ficar para trás; não olhar para trás; nascer com os pés para trás; para trás; passar para trás; por trás; sem olhar para trás; ser passado para trás; um passo atrás (ou para trás) e dois adiante (ou à frente)
traseiro (*subst.*) chute no traseiro
traseiro(a) (*adj.*) ganhar pela porta traseira
trash filme trash
traste ser um traste; traste inútil
tratamento tratamento de choque
tratar tratar abaixo de cão (*V.* "tratar como animal"); tratar como animal; tratar como cão (*V.* "tratar como animal"); tratar de igual para igual; tratar na palma da mão; tratar por cima do ombro; tratar-se de
trato dar tratos a; dar tratos à bola; dar tratos à imaginação (*V.* "dar tratos à bola"); dar um trato; trato é trato
travar travar a serra; travar batalha; travar combate (*V.* "travar batalha"); travar o passo
través ao través; de través; olhar de través; ver tudo ao través; ver tudo de través (*V.* "ver tudo ao través")
travessa (*subst.*) travessas da cruz
travessão dois-pontos, travessão
travesseiro consultar o travesseiro; conversar com o travesseiro; travesseiro de orelha
travesso(a) (*adj.*) vias travessas
trazer a trouxe-mouxe; Bons ventos o tragam; leva e traz; Que ares o trouxeram?; Que bons ventos o trouxeram? (*V.* "Que ares o trouxeram?"); trazer (alguém) de canto chorado (*V.* "trazer de canto chorado"); trazer à baila; trazer a lume; trazer à luz (*V.* "trazer a lume"); trazer à memória; trazer à razão; trazer à tona; trazer alguém atravessado na garganta; trazer alguém de volta à Terra; trazer alguém no cabresto (*V.* "trazer alguém pelo cabresto"); trazer alguém pelo cabresto; trazer ao colo; trazer ao mundo; trazer de canto chorado; trazer de olho; trazer debaixo dos braços; trazer em mente; trazer na mala; trazer na ponta da língua; trazer nas palmas das mãos; trazer num cortado; trazer o diabo no corpo; trazer o diabo no ventre (*V.* "trazer o diabo no corpo"); trazer o rei na barriga; trazer pelo beiço; trazer pelo cabresto (*V.* "trazer pelo beiço"); trazer um espinho atravessado na garganta
trecho a breve trecho; a trechos
treco ter um treco
trégua não dar trégua; pedir trégua (*V.* "pedir arrego"); romper as tréguas
treino leão de treino

trela dar trela a; fazer uma trela; soltar a trela a
trelho sem trelho nem trambelho
trem chefe de trem; Eta trem!; trem bom; trem da alegria; trem de carreira; trem de ferro; trem de pouso; trem doido; trem expresso
tremendo tremendo barato
tremens delirium tremens
tremer tremer nas bases
trepada (*subst.*) dar uma trepada
trepar trepar nas tamancas (*V.* "trepar nos tamancos"); trepar no cabresto; trepar nos tamancos; trepar pelo cabresto (*V.* "trepar no cabresto")
três a três por dois; as três graças; dois ou três; Dou-lhe uma, dou-lhe duas, dou-lhe três.; em três tempos; melhor de três; não ser capaz de dizer nem três palavras; não ser capaz de juntar nem três palavras (*V.* "não ser capaz de dizer nem três palavras"); onde comem dois, comem três (*V.* "se dá pra dois, dá pra três"); se dá pra dois, dá pra três; três mosqueteiros; três pernas; Um, saúde; dois, cuidado; três, resfriado.
tretar tretou, relou...
treva anjo das trevas; espírito das trevas; gênio das trevas; nas trevas; potestades das trevas; príncipe das trevas; quarta-feira de trevas; região das trevas
trevo trevo de quatro folhas
treze dúzia de treze
triângulo triângulo amoroso; Triângulo das Bermudas; Triângulo Mineiro
tribuna tribuna da imprensa; tribuna sagrada
tribunal levar à barra do tribunal
tributo pagar tributo à mocidade; pagar tributo à velhice
tríduo tríduo carnavalesco (*V.* "tríduo de Momo"); tríduo de Momo; tríduo momesco (*V.* "tríduo de Momo")
trigo não ser trigo limpo; o joio e o trigo; separar o joio do trigo; trigo sem joio
trilha trilha sonora
trilho andar fora dos trilhos; andar nos trilhos; ponta dos trilhos; pôr nos trilhos; sair dos trilhos
trincheira abrir trincheiras
trino trino e Uno
trinque andar nos trinques; estar nos trinques; nos trinques
trinta bater o trinta e um
trio trio elétrico
tripa "nós" deu o diabo nas tripas; à tripa forra; comer à tripa forra; despejar a tripa; encher tripa; falar pelas tripas do Guedes; fazer das tripas coração; nó nas tripas;

passado na tripa do macaco; vomitar as tripas
triquete a cada triquete
triscar Nem triscou!
triste cavaleiro da triste figura; fazer triste figura
tristeza na alegria e na tristeza
triunfal arco de triunfo (triunfal)
triunfante ar triunfante
triunfo arco de triunfo (triunfal); em triunfo
trivela de trivela
triz por um triz
troca bolar as trocas; troca de gentilezas; troca de mãos; troca na orelha (V. "troca por troca"); troca por troca; trocas e baldrocas
trocado chumbo trocado; faturar uns trocados (V. "faturar um troco"); papéis trocados
trocar amanhecer de chinelos trocados (V. "amanhecer com a avó atrás do toco"); estar trocando as pernas; trocar a pilha; trocar as bolas; trocar as pernas; trocar de bem; trocar de língua (V. "trocar língua"); trocar de mal; trocar em miúdos; trocar farpas; trocar figurinhas (com); trocar ideias; trocar língua; trocar o dia pela noite; trocar o óleo; trocar olhares; trocar os passos; trocar os pés pelas mãos; trocar ouro por lama; trocar seis por meia dúzia; trocar tapas; trocar uns tapas (V. "trocar tapas")
troco a troco de; a troco de reza; dar o troco; dar o troco por miúdo; dar um pelo outro e não querer troco; faturar um troco; prometer o troco; receber o troco
troço ter um troço (V. "ter um treco")
Troia cavalo de Troia
troiano agradar a gregos e troianos; contentar gregos e troianos; gregos e troianos
trois ménage à trois
tromba amarrar uma tromba (V. "amarrar o bode"); andar de tromba com alguém; estar de tromba; fazer tromba; ficar de tromba; tromba-d'água
trombada feio como trombada de penicos (V. "feio de meter medo")
trombeta trombetas de Jericó
trombone botar a boca no trombone (V. "botar a boca no mundo"); pôr a boca no trombone (V. "pôr a boca no mundo")
trompete sem tambor nem trompete
tronco tronco de amarrar onça (V. "toco de amarrar onça")
trono ascender ao trono (V. "subir ao trono"); ir ao trono; subir ao trono; trono do Altíssimo; trono do Crisântemo
tronqueira fechar a tronqueira

tropeço tropeços da memória
tropeiro feijão de tropeiro
tropel de tropel; em tropel
trópico trópico de Câncer; trópico de Capricórnio
trote passar trote
trottoir fazer o trottoir
trouxa ajuntar as trouxas; arrumar a trouxa; arrumar(/fazer) a trouxa; bancar o trouxa; enrolar a trouxa; fazer a trouxa; juntar a trouxa; juntar as trouxas (V. "juntar a trouxa"); ouro dos trouxas (V. "ouro dos tolos"); pegar a trouxa; pisar na trouxa; puxar a trouxa; ser feito de trouxa; ser trouxa
trovato bene trovato; Se non è vero, è bene trovato.
trovoada sujeito a chuvas e trovoadas
trucar trucar de falso
trunfa baixar a trunfa
trunfo ter um trunfo nas mãos
truta aí tem truta (V. "Aí tem coisa!"); empurrar a truta
truz de truz
tu tu cá, tu lá
tubo custar os tubos; os tubos
tubulação entrar pela tubulação (V. "entrar pelo cano")
tudo além de tudo; antes de tudo; ao que tudo indica; apesar de tudo; botar tudo na praça; capaz de tudo; chamar de tudo quanto é nome; com casca e tudo; com tudo; contra tudo e contra todos; dar tudo; dar tudo por; de tudo quanto é jeito; de tudo quanto é lado; de tudo um; dizer tudo o que lhe vem à boca; e tudo o mais; É tudo ou nada.; É tudo quanto/que eu queria saber.; É tudo uma coisa só.; É tudo.; eis tudo; em tudo; em tudo e por tudo; estar com tudo; estar com tudo e não estar prosa; estar por tudo; estar tudo no lugar; estar tudo nos conformes; estar tudo nos seus conformes (V. "estar tudo nos conformes"); fazer de tudo; fazer tudo o que dá na telha; Foi tudo por água abaixo! (V. "Adeus minhas encomendas!"); Há gente para tudo.; Há gosto para tudo.; Há limites para tudo.; ir com tudo; jogar tudo; jogar tudo para o ar; Lá se foi tudo quanto Marta fiou.; levar tudo a fio de espada; levar tudo a pau; mais que tudo; nem tudo são espinhos (V. "nem tudo são flores"); nem tudo são flores; nem tudo são rosas (V. "nem tudo são flores"); ou tudo ou nada (V. "tudo ou nada"); papel aceita tudo; papel aguenta tudo (V. "papel aceita tudo"); pensar que já tivesse visto tudo; por tudo o que é santo; por tudo quanto é (mais) santo (sagrado) (V. "por tudo o que

é santo"); por um tudo-nada; Quero que vá tudo pro inferno!; saltar por cima de tudo; seja tudo por amor de Deus; ser capaz de tudo; tem gente para tudo (*V.* "Há gente para tudo."); Tem gosto para tudo. (*V.* "há gosto para tudo."); tem limites para tudo (*V.* "Há limites para tudo."); ter hora certa para tudo; ter resposta para tudo; topar tudo; tudo a ver; Tudo acaba (ou acabou) em samba. (*V.* "tudo acaba em pizza"); tudo azul; tudo bem; tudo como dantes no quartel de Abrantes; tudo de cabeça para baixo; tudo em cima; tudo em riba (*V.* "tudo em cima"); tudo joia; tudo ou nada; tudo tem seu mas; tudo tem sua primeira vez; ver tudo ao través; ver tudo cor-de-rosa; ver tudo de través (*V.* "ver tudo ao través"); *tudo acaba em pizza*
tugir não tugir nem mugir; sem tugir nem mugir
túmulo calado como um túmulo; descer ao túmulo; revirar-se no túmulo; ser um túmulo
túnel chegar ao fim do túnel; enxergar/ver a luz no fim do túnel; luz no fim do túnel
tupiniquim dentro das fronteiras tupiniquins
turba ir com a turba
turbilhão como um turbilhão
turbina aquecer as turbinas
turco banho turco
turístico(a) agência turística
turma caçar sua turma; em turma; turma do deixa-disso; Vá procurar sua turma! (*V.* "Vá cuidar de sua vida!")
turno em turnos; por seu turno
turpis causa turpis
turra às turras
turvo(a) águas turvas; derramar óleo em águas turvas; pescadores de águas turvas; pescar em águas turvas (*V.* "pescadores de águas turvas")
tus nem tus nem bus
tuta por tuta e meia; tuta e meia
tutti e *tutti quanti*; *tutti quanti*
tutu estar com o tutu todo; estar montado no tutu; tutu à mineira; tutu de feijão

U

ubique *hic et ubique*
ucha ficar à ucha
ucharia estar na ucharia
ufa à ufa
ultima ultima ratio
último(a) à última hora; as quatro últimas coisas; as últimas; às últimas; até a última gota; até a última letra; até as últimas; até o último suspiro; como último recurso; dar o último alento; dar o último suspiro (*V.* "dar o último alento"); dar os últimos retoques; de última categoria; de última geração; dizer as últimas a; dormir o último sono; em última análise; em última instância; em último recurso; espremer até a última gota; estar na última lona; estar nas últimas; exalar o último suspiro; falar para a velhinha surda da última fila; fazer a última viagem; jogar a última cartada; na última hora; na última lona; na última moda; nas últimas; no último furo; no último minuto; o último dos; o último dos moicanos; os últimos centavos; por último; primeiro e último; Quais são as últimas?; queimar o último cartucho; quem sair por último apague a luz (*V.* "Quem vier atrás que feche a porta."); receber o último alento; receber o último suspiro; saber da última; ser a última palavra em; soar a última hora; ter a última palavra; última cartada; última categoria; Última Ceia; última chance; última demão; última flor do Lácio; última forma; última geração; última hora; última mão; última moda; última morada; última palavra; última pincelada (*V.* "última mão"); última vontade; último cartucho (*V.* "última cartada"); último grau; último grito; último recesso; último suplício; Último suspiro; últimos sacramentos; *ultima ratio regum* (*V. "ultima ratio"*)
ultra *nec(/non) plus ultra*; *non plus ultra*
ululante óbvio ululante
um ; a um (só) tempo; a um passo; aborto de um talento; abrir um buraco para tapar outro; aprontar um escarcéu; armar um banzé; armar um barraco (*V.* "armar o maior barraco"); armar um circo; armar um esquema; até um cego vê; até um dia; avaliar um livro pela sua capa; bater o trinta e um; bater um fio; bater um papo; bêbado (ou bêbedo) como um cacho (*V.* "bêbado como um gambá"); bêbado como um gambá; beber como um gambá; beber um gole; beijo de um anjo; cada um; cada um dos dois; cada um lá se entende; cada um que se entenda (*V.* "cada um lá se entende"); cair como um patinho; cair como um pato (*V.* "cair como um patinho"); Caiu um lenço!; calado como um túmulo; Cara de um, focinho de outro.; careca como um ovo; carregar um fardo; charmoso como um hipopótamo; cobrir um acontecimento; cobrir um lance; com um olho aqui, outro lá; com um pé nas costas; com um quente e dois fervendo; comer como um boi (*V.* "comer como um cavalo"); comer como um cavalo; comer como um

lobo; comer como um passarinho; comer como um porco; comer um boi; como um anjo; como um cão; como um condenado; como um cordeiro; como um demônio; como um desesperado; como um infeliz; como um louco; como um meteoro (V. "como um raio"); como um passarinho; como um peixe fora d'água (V. "como peixe fora d'água"); como um pinto; como um poste (V. "como estátua"); como um príncipe; como um raio; como um relâmpago (V. "como um raio"); como um relógio; como um só homem; como um turbilhão; correr como um louco; cortar um dez (doze); cortar um dobrado; costurar um acordo; criar um clima; criar um monstro; curtir um som; dar ou dizer (um) fiau (V. "fazer fiau"); dar um apertão (V. "dar um aperto"); dar um aperto; dar um arrocho em; dar um ataque; dar um baile em; dar um banho; dar um basta; dar um bolo; dar um bolo em alguém; dar um branco; dar um caldo; dar um carão; dar um chega pra lá; dar um colorido especial; dar um doce a; dar um duro; dar um empurrãozinho; dar um estouro na praça; dar um fim a (em); dar um flagra; dar um fora; dar um fora em; dar um furo; dar um galho; dar um gelo em; dar um giro; dar um jeitinho (V. "dar um jeito"); dar um jeito; dar um jeito em; dar um jeito no pé; dar um lance; dar um mau jeito no pé/braço/mão (V. "dar um jeito no pé"); dar um mau passo; dar um murro na mesa; dar um nó; dar um osso para (alguém); dar um passeio; dar um pelo outro e não querer troco; dar um pinote; dar um piparote; dar um piti; dar um pontapé; dar um por fora; dar um pulo (a); dar um pulo/pulinho logo ali (V. "dar um pulo (a)"); dar um puxão de orelhas; dar um quarto ao diabo; dar um refresco; dar um revertério; dar um rombo; dar um sabão (em alguém); dar um salto em; dar um suador (V. "dar uma suadeira em"); dar um tempo; dar um tiro em; dar um tiro na praça; dar um tiro no pé; dar um tombo em; dar um toque; dar um trato; de (um) ímpeto; de dez a um; de fazer perder a paciência a um santo; de jato; de muitos, um; De pensar morreu um burro!; de tudo um; de um (só) jeito; de um bote; de um dia para (o) outro; de um em um; de um fôlego; de um jeito ou de outro; de um lado para o outro; de um lance; de um minuto para o outro (V. "de um momento para o outro"); de um momento para o outro; de um para outro lado; de um polo ao outro; de um pulo; de um rasgo; de um só fôlego; de um só jato (V. "de um só fôlego"); de um tempo para cá; de um tiro; de um traço (V. "de um tiro"); decepar um texto; declinar (de) um cargo; desabrochar um segredo; descascar um abacaxi; descobrir um santo para cobrir outro; descobrir um santo para vestir outro (V. "descobrir um santo para cobrir outro"); despir um santo para vestir outro; devorar um livro; do tamanho de um bonde; do tamanho de um pedaço de corda; dormir com um olho aberto; dormir com um olho fechado e outro aberto; dormir como um bebê; Dou-lhe um doce se...; durma-se com um barulho desses; É mais fácil um boi voar.; É muita honra para um pobre marquês.; É um águia.; É um deus nos acuda.; É um praça!; É um sonho!; É um upa.; É um verdadeiro chiqueiro!; em menos de um amém; em um instante; em um segundo; embarcar deste mundo para um melhor; empinar um papagaio; engolir um disco; engolir um elefante e engasgar-se com um mosquito; engolir um frango (V. "engolir frango"); enquanto o diabo esfrega um olho (V. "enquanto o diabo esfrega o olho"); enrolado como um caracol; entrar por um ouvido e sair pelo outro; esmagar como a um verme; estabelecer um recorde; estar a um passo do altar; estar bêbedo como um cacho (V. "estar como um cacho"); estar cheio como um ovo; estar com um buraco no estômago (V. "estar com o estômago nas costas"); estar com um pé cm; estar com um pé na cova (V. "ter um pé na cova"); estar com um pepino nas mãos; estar como um cacho; estar num paraíso; estar por um fio; estar um bagaço; estar um caco (V. "estar um bagaço"); estar um forno; estar um trapo (V. "estar um bagaço"); estropiar um verso; falar como um livro; falar pela boca de um anjo; faturar um troco; faturar uns trocados (V. "faturar um troco"); fazer de alguém um cristo; fazer um apanhado; fazer um barulhão; fazer um bonito; fazer um cavalo de batalha; fazer um despacho; fazer um drama; fazer um escarcéu; fazer um esparrame; fazer um serviço; fazer um tempão; feder como um bode (V. "cheirar a bode velho"); ficar como um crivo; ficar como um prego; ficar um pinto; firme como um prego na areia; gerar um monstro; há um porém; haver sempre um mas; inimigo público número um; ir-se como um passarinho; jogar um bolaço; jogar um bolão (V. "jogar um bolaço"); julgar um livro pela capa; Lá um dia a casa cai.; lançar um véu sobre; lavrar um tento; levar um aperto; levar um arrocho; levar um carão; levar um coice; levar um fim; levar um fora; levar um papo; levar um pito; levar um pontapé; levar um puxão de orelhas (*V.* "levar um pito"); levar um sabão (*V.* "levar um pito"); levar um susto; livre como um pássaro; lutar como um leão; magro como um espeto; magro como um palito (*V.* "magro como um espeto"); manso como um cordeiro; marcar um tento; mastigar uma resposta (ou um assunto); meia dúzia de um e seis do outro; molhado como um pinto; montar um porco (*V.* "montar no porco"); morrer como um cão; morrer um atrás do outro; mostrar com quantos pontos se cose um jereba; mudo como um peixe; nada como um dia depois do outro; nadar como um peixe; nadar como um prego; não caber na cova de um dente (*V.* "não caber no buraco de um dente"); não caber no buraco de um dente; não dar nem mais um passo; não dar nem para tapar um buraco do dente; não dar nem para um cachorro; não dar um pio; não é mais besta porque é um só; não enxergar um palmo adiante do nariz; não levantar um dedo; não mover um dedo sequer; não pus um dedo em; não ser capaz de fritar um ovo; não ter nem um para remédio; não ter um momento sequer de seu; não ter um pingo de vergonha na cara; não ter um real; não valer um alfinete; não valer um caracol; não valer um sabugo (*V.* "não valer dois caracóis"); não valer um tostão furado; não valer um vintém (furado); não valer um vintém furado (*V.* "não valer dois caracóis"); não ver um palmo adiante do nariz; nem em um milhão de anos; nem por um decreto; nem um nem outro; nem um pingo; Nem um pio!; nem um único; número um; pagar um alto preço; pagar um bom dinheiro; pagar um mico; parecer um sonho; partir de um princípio; passar de um polo a outro; passar por um aperto; passar por um mau pedaço; passar por um mau quarto de hora (*V.* "passar por um mau pedaço"); passar um buçal em (*V.* "passar o buçal em"); passar um calote; passar um mau quarto de hora; passar um pito; passar um sabão (*V.* "passar um pito"); passar um susto; passar um telegrama; pegar em um rabo de foguete; pender de um fio; Pensando morreu um burro.; pintar um quadro; pôr para um lado (*V.* "pôr para o lado"); por um ápice; pôr um fim a; por um fio; por um fio de cabelo (*V.* "por um fio"); pôr um freio em; por um instante; pôr um lado...; pôr um paradeiro; por um ponto final; pôr um punhal no peito de (alguém); por um triz; por um tudo-nada; pregar um sermão; prover um cargo; Qual o tamanho de um pedaço de corda?; qualquer um; Quanta honra para um pobre marquês!; quebrar um galho (*V.* "quebrar o(/um) galho"); querer que um raio caia sobre (a) minha cabeça se...; quieto como um santo; remir um penhor; rico como um marajá (*V.* "rico como Creso"); rir como um doido; roer um corno; romper um segredo; rua do lá vem um; Se um diz branco, o outro diz preto.; selar um acordo; sem faltar um cabelo; sem faltar um só cabelo (*V.* "sem faltar um cabelo"); sem um senão (*V.* "sem senão"); sem um tostão; ser apenas um número; ser como um filme; ser como um relógio; ser mais fácil um burro voar que...; ser um; ser um achado; ser um armário; ser um bichão (*V.* "ser um bicho"); ser um bicho; ser um bicho do mato; ser um bom garfo; ser um bom papo; ser um céu aberto; ser um colírio para os olhos; ser um coração aberto; ser um crânio; ser um desmancha-prazeres; ser um diamante em bruto; ser um filme (*V.* "ser como um filme"); ser um folgado; ser um galinha; ser um galo; ser um livro aberto; ser um luxo; ser um mata-borrão; ser um nó; ser um número; ser um ovo; ser um passo para; ser um pobre-diabo; ser um poço de; ser um saco furado; ser um traste; ser um túmulo; só um minuto; soar um rumor; sofrer um abalo; soltar um; sonhar um sonho; subir um furo no conceito de alguém; surdo como um tiú (teiú); sutil como um elefante; ter a vida por um fio; ter um acesso de; ter um amargo despertar; ter um ataque; ter um dia cheio; ter um escorpião no bolso; ter um espinho (uma espinha) atravessado(a) na garganta; ter um estalo; ter um fim; ter um fraco por; ter um medo que se pela; ter um nó na garganta; ter um nome a zelar; ter um parafuso a menos; ter um parafuso frouxo (*V.* "ter um parafuso a menos"); ter um parafuso solto (*V.* "ter um parafuso a menos"); ter um pé na cova; ter um quê por; ter um treco; ter um troço (*V.* "ter um treco"); ter um xodó por (*V.* "ter um quê por"); tirar um cochilo (*V.* "tirar uma pestana"); tirar um coelho da cartola; tirar um fino; tirar um peso de cima de si; tirar um sarro; tirar um tempo para; todo homem tem um preço; tomar um caldo; tomar um gole; tomar um oito; tomar um pileque; tomar um susto; tomar um trago (*V.* "tomar um gole"); torto de um olho; trabalhar como um burro; trabalhar como um mouro (*V.* "trabalhar como um burro"); trabalhar como um negro (*V.* "trabalhar como um burro"); trazer um espinho atravessado na garganta; trocar uns tapas (*V.* "trocar tapas"); um a um; um amor; um amor de; um amoreco (*V.* "um amor"); um ao outro; um apanhado de; um bagaço; um banana; um beijo e um pedaço de queijo; um belo dia; um bocadinho de; um bom sujeito; um braço; um brinco; um certo; um céu aberto; um de cada vez; um destes dias (*V.* "um dia destes"); um dia; Um dia a casa cai.; um dia destes; um doce; um doce de coco; um e outro; um em um milhão; um encanto; um espetáculo; um espeto; um estouro; Um gato pode olhar para um rei.; um gosto amargo na boca; um joão-ninguém; um lugar ao sol; um luxo de; um luxo só (*V.* "um luxo de"); um mala; Um milagre!; Um minutinho! (*V.* "Um minuto!"); Um minuto!; um molho de nervos; um momento; um monte de coisas; um mundo de...; um nada; um nadinha; um não sei quê; um negócio (*V.* "um amor"); Um negócio!; um nunca acabar; um ou dois; um ou outro; um palminho de cara (*V.* "um palminho de rosto"); um palminho de rosto; um passarinho me contou; um passo à frente, dois atrás; um passo por vez; um pé lá, outro cá; um pé no saco; um pedaço de mau caminho; um pedaço do bolo; um pelo outro; um peso, duas medidas; um pimentão; um pingo-d'água no oceano (*V.* "uma gota-d'água no oceano"); um poço de; um por um; um pouco; um puta (de um); um quê; um romeu; um saco; um segundo; um sem que fazer; um so; um sonho; um tanto; um tanto ou quanto (*V.* "um tanto quanto"); um tanto quanto; um tempão; um tostão a dúzia; um tostão de; Um, saúde; dois, cuidado; três, resfriado.; viver como um lorde (*V.* "viver como um rei"); viver como um monge; viver como um paxá; viver como um príncipe (*V.* "viver como um rei"); viver como um rei; viver como um verme; *dar um show*; *de um jacto* (*V. "de um jato"*); *ser um nerd*; *um show*

uma a noite é uma criança; a uma voz; abraçar uma causa; abrir uma avenida em; abrir uma brecha; acender uma vela a Deus e outra ao Diabo; achar uma brecha; achar uma saída; aferrar-se a uma ideia; afiado como uma navalha; agarrar uma oportunidade com unhas e dentes (*V.* "agarrar a ocasião pela calva"); amarrar uma linha no dedo; amarrar uma tromba (*V.* "amarrar o bode"); aprontar uma; Aquilo é uma vaca; arrombar uma porta aberta; assentar como uma luva; bater uma caixa; bê-á-bá de uma profissão; beber como uma esponja (*V.* "beber como um gambá"); botar uma pedra em cima de; burro como uma porta; Cada uma que parece duas.; Cada uma!; cair como uma bomba; cair como uma luva; calado como uma porta (*V.* "calado como um túmulo"); carregar uma opinião; cego como uma toupeira; chegar com uma mão atrás e outra na frente (*V.* "chegar de mãos abanando"); colocar /pôr uma pá de cal em; colocar uma pedra em cima; com quantos paus se faz uma canoa; com uma mão atrás e outra adiante; com uma perna às (nas) costas; com uma perna às costas (*V.* "com um pé nas costas"); com uma só cajadada, matar dois coelhos (*V.* "matar dois coelhos com uma só cajadada"); comer alguém por uma perna; cometer uma baixeza; cometer uma gafe; como uma flecha; custar uma nota (preta); dar uma; dar uma banana; dar uma bandeja (*V.* "dar de bandeja"); dar uma bobeada; dar uma brecha; dar uma bronca; dar uma cabeçada; dar uma cagada; dar uma canja; dar uma cantada em; dar uma chamada; dar uma chance; dar uma chegada; dar uma chegadinha (*V.* "dar uma passada"); dar uma ciscada; dar uma coça; dar uma cochilada; dar uma coisa em; dar uma colher de chá; dar uma de; dar uma de calcanhar; dar uma de gato mestre; dar uma de joão sem braço; dar uma dentro; dar uma dura; dar uma esnobada; dar uma esticada (*V.* "dar uma passada"); dar uma facada; dar uma fechada; dar uma força; dar uma geral; dar uma goleada; dar uma gravata; dar uma incerta; dar uma indireta; dar uma lavagem; dar uma lição a alguém; dar uma limpa; dar uma mancada; dar uma mão a; dar uma mãozinha; dar uma mordida; dar uma mordiscada (*V.* "dar uma mordida"); dar uma no cravo, outra na ferradura; dar uma olhadela; dar uma olhadinha (*V.* "dar uma olhadela"); dar uma palavrinha; dar uma passada; dar uma passadinha (*V.* "dar uma passada"); dar uma penada por; dar uma peneirada; dar uma pista; dar uma prensa em (alguém); dar uma rapidinha (*V.* "dar uma trepada"); dar uma rasteira (*V.* "passar uma rasteira"); dar uma rasteira em; dar uma rata; dar uma respirada; dar uma sacudidela no corpo; dar uma satisfação (*V.* "dar satisfação"); dar uma sova; dar uma suadeira em; dar uma surra (*V.* "dar uma sova"); dar uma topada; dar uma trepada; dar uma vacilada; dar uma virada; dar uma vista; dar uma vista de olhos (*V.* "dar uma vista"); dar uma volta; das duas, uma; de duas, uma; de uma assentada; de uma cajadada, matar dois coelhos; de uma estirada;

de uma feita; de uma figa!; de uma hora para outra; de uma lambada; de uma só estirada (V. "de uma estirada"); de uma só vez; de uma tacada; de uma tirada; de uma vez; de uma vez para sempre (V. "de uma vez"); de uma vez por todas; de uma vez só (V. "de uma vez"); de uma vezada; declinar (de) uma responsabilidade (V. "declinar (de) um cargo"); declinar uma culpa; deixar uma porta aberta (V. "deixar a porta aberta"); descolar uma nota; desonrar uma mulher; Deus lhe dê uma boa hora.; disputar sobre a ponta de uma agulha; dizer adeus a (uma pessoa ou coisa); dobrar uma esquina; dormir como uma pedra; Dou-lhe uma, dou-lhe duas, dou-lhe três.; É tudo uma coisa só.; É uma boa.; É uma chaminé.; É uma figura.; É uma longa história.; É uma pintura.; É uma praga!; É uma sarna.; É uma vez só.; em uma palavra; embutir uma lorota; encasquetar uma ideia; encher a boca de uma coisa; engolir uma afronta; Era uma vez...; escapar de uma boa; esperando uma brecha; esperar uma brecha; estar uma arara; estar uma fera (V. "estar uma arara"); estar uma onça (V. "estar uma arara"); estar uma pilha (V. "estar uma arara"); estourar uma casa de jogos, de tolerância etc.; estropiar uma música; falar com uma porta (V. "falar com as paredes"); falar como uma matraca; fazer cada uma...; fazer da necessidade uma virtude; fazer do limão uma limonada; fazer uma arte; fazer uma boa; fazer uma boca; fazer uma coisa brincando; fazer uma corrente (V. "fazer uma cruzada"); fazer uma cruzada; fazer uma fé em; fazer uma fezinha; fazer uma figuração; fazer uma necessidade; fazer uma ponta; fazer uma ponte; fazer uma precisão; fazer uma salada; fazer uma simpatia; fazer uma trela; fazer uma vaca; fazer uma vaquinha (V. "fazer uma vaca"); fechado como uma ostra; ficar uma onça; ficar uma pilha; firme como uma rocha; fumar como uma chaminé; furar uma greve; há uma eternidade (V. "há muito"); incapaz de matar uma mosca; jogar com uma carta a menos; jogar uma bola redonda; jogar uma carta; jogar uma pessoa na fogueira (V. "jogar uma pessoa no buraco"); jogar uma pessoa no buraco; lá uma vez perdida; levantar uma dúvida; levantar uma ponta do véu; levar uma bandeira; levar uma bronca (V. "levar um pito"); levar uma dura; levar uma existência; levar uma lavagem; levar uma rasteira; levar uma soca; livrar-se de uma boa; mastigar uma resposta (ou um assunto); matar dois coelhos com uma só cajadada; merecer uma medalha; meter uma bucha; meter uma lança em África; meter/enfiar uma rolha na boca de; mil e um(a); minha avó tem uma bicicleta; mostrar com quantos paus se faz uma cangalha (canoa); mostrar com quantos paus se faz uma canoa (V. "mostrar com quantos paus se faz uma cangalha (canoa)"); não acertar uma; não acreditar nem uma palavra do que diz; não aguentar um(a) gato(a) pelo rabo; não alterar nem uma vírgula; não caber nem uma cabeça de alfinete (V. "não caber no buraco de um dente"); não dar uma dentro; não dar uma palavra; não fazer mal a uma mosca; não levantar uma palha; não mexer uma palha (V. "não levantar uma palha"); não mover uma palha; não poder com uma gata pelo rabo; não ser capaz de arranhar uma mosca; não ter senão uma palavra; não ter visto uma coisa nem pintada; nascer com uma estrela na testa (V. "nascer com a bunda para a lua"); nem uma coisa nem outra; nem uma letra (V. "nem um pingo"); Nem uma palavra.; nem uma vírgula (V. "nem um pingo"); O mundo gira como uma bola.; ocupado como uma abelha (formiga); pagar uma ficha (V. "pagar um bom dinheiro"); pagar uma fortuna (V. "pagar um bom dinheiro"); pagar uma visita; parecer uma boneca; partir como uma bala; partir como uma flecha (V. "partir como uma bala"); passar como uma nuvem (V. "passar como o vento"); passar como uma sombra; passar uma cantada; passar uma conversa; passar uma descompostura; passar uma esponja; passar uma rasteira; pegar uma boca; pegar uma carona; pegar uma onda; pegar uma ponta; pegar uma praia; pesar uma tonelada; pintar uma oportunidade; poder contar nos dedos (de uma das mãos); pontear uma viola; por uma bagatela; pôr uma faca no peito de (alguém) (V. "pôr um punhal no peito de (alguém)"); pôr uma pá de cal; pôr uma pedra em cima; pôr uma pedra em cima de (V. "botar uma pedra em cima de"); pôr uma pedra no assunto (V. "pôr uma pedra em cima"); pôr uma pedra no sapato de; pôr uma pulga atrás da orelha de (V. "pôr uma pedra no sapato de"); por uma questão de princípios; pôr uma rolha na boca de; preencher uma lacuna; pregar uma partida; pregar uma peça (V. "pregar uma partida"); pregar uma peça a alguém; pular uma fogueira; puxar de uma perna; puxar uma palha; querer uma no saco e outra no papo; redondo como uma bola; rezar por alma de uma dívida; riqueza de uma língua; sair de uma fria; sair feito uma bala; salvou-se uma alma; ser (alguém) uma sarna; ser uma bênção; ser uma besta; ser uma brincadeira para; ser uma carroça; ser uma casca de noz; ser uma cassandra; ser uma dama; ser uma enguia; ser uma esponja; ser uma fera; ser uma figueira-do-inferno; ser uma figura; ser uma geladeira; ser uma grande cabeça; ser uma mãe; ser uma mão na roda; ser uma moça; ser uma negação; ser uma ovelha negra; ser uma pedra no sapato; ser uma pena; ser uma pilha (de nervos); ser uma pintura; ser uma piração; ser uma pouca-vergonha; ser uma sombra do que foi; ser uma sopa; ser uma tábua; servir como uma luva; sofrer uma baixa; soltar uma; soltar uma risada; subir como uma flecha; surdo como uma pedra (*V.* "surdo como uma porta"); surdo como uma porta; tapado como uma anta; teimoso como uma mula; tentear uma criança; ter uma aduela a menos (*V.* "ter um parafuso a menos"); ter uma batata quente nas mãos; ter uma carta na manga; ter uma chance em mil; ter uma cruz para carregar; ter uma ideia; ter uma paciência de Jó; ter uma queda por; ter uma rã na garganta; ter uma telha a mais; tirar uma casquinha (*V.* "pegar uma boca"); tirar uma diferença; tirar uma espinha da garganta; tirar uma linha; tirar uma linhada (*V.* "tirar uma linha"); tirar uma pestana; tirar uma rebarba (*V.* "pegar uma boca"); tirar uma soneca (*V.* "tirar uma pestana"); tirar uma tora; tomar uma atitude; tomar uma bucha; tomar uma dose (*V.* "tomar um gole"); tomar uma manta; um(a) tal de; uma a uma; uma baba; uma bala; Uma banana!; uma barra; uma boa hora; uma bomba; uma brasa; uma coisa; uma coisa depois da outra; Uma coisa é uma coisa, outra coisa é outra coisa.; Uma coisa leva a outra.; uma coisa ou outra; uma das suas; uma droga (*V.* "uma miséria"); uma dúzia das antigas; uma espécie de; uma gota-d'água no oceano; uma graça; uma gracinha (*V.* "doce de coco"); uma joia; uma lesma; uma mentirinha; uma micharia; uma miséria; uma no cravo e outra na ferradura; uma nota; uma nota firme; uma nota preta (*V.* "uma nota firme"); Uma ova!; uma pedra no caminho; uma pedra no sapato; uma pena; uma pitada de; uma por uma; uma porcaria; uma sombra do que era/foi; uma uva; uma vez; uma vez chega; uma vez na lua azul...; uma vez na vida, outra na morte; uma vez ou outra; uma vez por outra (*V.* "uma vez ou outra"); uma vez que; Uma vírgula!; ver (alguém) por uma greta; ver a sua avó por uma greta; ver quanto dói uma saudade; ver-se a braços com uma coisa

umas dar uma escapada; dizer umas verdades (a alguém); ouvir umas verdades; tomar umas e outras; umas e outras; umas em cheio, outras em vão

umbigo deixar o umbigo em; encolher o umbigo; mais por fora que umbigo de vedete; olhar para o próprio umbigo

umbilical cordão umbilical; cortar o cordão (umbilical); ser o cordão umbilical

umbilicalmente umbilicalmente ligado

umidade umidade relativa

una a una voce

unção unção dos enfermos

undécima a undécima hora; undécima hora

undécimo(a) na undécima hora (*V.* "na última hora")

unha À unha!; a unhas; a unhas de cavalo; agarrar uma oportunidade com unhas e dentes (*V.* "agarrar a ocasião pela calva"); botar as unhas de fora (*V.* "botar as mangas de fora"); cair nas unhas de alguém; com unhas e dentes; dar à unha; dar unhada e esconder as unhas; defender(-se) com unhas e dentes; deitar as unhas em; enterrar a unha; fazer as unhas; lamber as unhas; meter a unha; mostrar as unhas; na ponta da unha; não ser unha de santo; nas unhas; pegar o pião na unha; pegar o touro à unha; roer as unhas dos pés; ser unha e carne; ter luto nas unhas; ter na unha; ter unhas na palma da mão; tomar o pião na unha; unha de fome; unhas e dentes

unhada dar unhada e esconder as unhas

união em união com; união hipostática

único(a) filho único de mãe viúva; mão única; nem um único; primeiro e único; único dono

unidade centro (ou unidade) de terapia (ou tratamento) intensiva; rio da unidade nacional

unir unir as pontas; unir o útil ao agradável

uníssono em uníssono; tocar em uníssono

universal comunhão universal; doador universal; hora de tempo universal; hora universal; Juízo Universal (*V.* "Juízo Final"); receptor universal; sufrágio universal

universidade universidade da vida

universo centro do universo; cidadão do universo (*V.* "cidadão do mundo"); grande arquiteto do Universo; rei do Universo; ser o centro do universo

uno trino e Uno

untar untar as mãos a

unum *ad unum omnes*; *e pluribus unum*
up *check-up*; *fazer backup (ou back up)*
upa às upas; É um upa.
urbano(a) aglomerado urbano; equipamento urbano; guerrilha rural/urbana; malha urbana; tecido urbano; via urbana
urbi *urbi et orbi*
urgência urgência urgentíssima
urgentíssimo urgência urgentíssima
urgir o tempo urge
urina urina solta
urna boca de urna; ir às urnas; voz das urnas
urso(a) amigo-urso; comida de urso; É muito urso!
urtiga lançar o hábito às urtigas
urubu andar escovando urubu; chamar urubu de meu louro; escovar urubu; feio como filhote de urubu (*V.* "feio de meter medo"); lavar urubu; passo de urubu malandro; pau de urubu; urubu-malandro
urucubaca chutar a urucubaca
usar Onde você comprou esta camisa que está usando, tinha para homem?; pronto para usar (*V.* "pronto para vestir"); usar a cabeça; usar a palavra; usar de influência; usar de má-fé; usar e abusar; usar gravata borboleta
useiro useiro e vezeiro
uso ao uso de; ter uso; valor de uso
usque *ab ovo (usque) ad mala*; *usque ad satietatem*
uste não dizer uste nem aste; Quem quer uste, que lhe custe.
usum *abusus non tollit usum*; *ad usum*
usura com usura
uterino furor uterino; irmãos uterinos; parente uterino
uti *uti non abuti*; *uti possidetis*
útil ano útil; área útil; carga útil; dia útil; inocente útil; tempo útil; unir o útil ao agradável; voto útil
utilidade utilidade pública
utrunque *in utrunque paratus*
uva uma uva; uvas amargas

V

vaca a vaca foi pro brejo; ano de vacas gordas; Aquilo é uma vaca!; É de vaca bater palmas com os chifres.; fazer uma vaca; história da vaca Vitória; ir a vaca para o brejo; mão de vaca; nem que a vaca tussa; olho de vaca laçada; tirar a vaca do brejo; tirar leite de vaca morta; tornar à vaca fria; vaca atolada; vaca leiteira; vaca parida; vaca sagrada; vaca tonta; vacas gordas; vacas magras; voltar à vaca fria

vacante Sé vacante
vacas ano de vacas magras
vacilada dar uma vacilada
vacinado maior e vacinado; ser maior e vacinado
vácuo andar no vácuo do outro; horror ao vácuo
vade *Vade retro!*; *vade-mécum*
vadio(a) mulher vadia (*V.* "mulher à toa")
vadis *Quo vadis?*
vae *vae victis*
vaga memória vaga (*V.* "memória curta")
vaga (*subst.*) vaga sísmica
vago(a) (*adj.*) dores vagas; horas vagas; olhos vagos; vaga lembrança; vista vaga
vaidade Vaidade das vaidades!
vaivém dar vaivém a
vala vala comum
vale correr montes e vales; ir para o vale dos lençóis; pagar vale; por montes e vales; vale de amarguras; vale de lágrimas (*V.* "vale de amarguras"); vale dos reis; vale postal; vale quanto pesa; Vale seis!
valentia arrotar valentia
valentona à valentona
valer a valer; coisa que o valha; É para/pra valer. (*V.* "É tudo ou nada."); não valer a pena; não valer de nada; não valer dois caracóis; não valer nada (*V.* "não valer dois caracóis"); não valer o feijão (pão) que come; não valer o pão que come (*V.* "não valer o feijão (pão) que come"); não valer o papel em que está escrito; não valer um alfinete; não valer um caracol; não valer um sabugo (*V.* "não valer dois caracóis"); não valer um tostão furado; não valer um vintém (furado); não valer um vintém furado (*V.* "não valer dois caracóis"); ou algo que o valha (*V.* "ou algo assim"); ou coisa que o valha; para valer; pra valer; valer a pena; valer mais; valer ouro; valer quanto pesa; valer seu peso em ouro; Valha-me Deus!
valor bolsa de valores; de valor; juízo de valor; valor atual; valor de uso; valor estimativo; valor extrínseco; valor intrínseco; valor locativo; valor nominal; valor venal
valorem *ad valorem*
valsa ir no vai da valsa; pé de valsa
vanguarda de vanguarda; ir na vanguarda
vantagem contar vantagem; Grande vantagem!; levar vantagem; Que vantagem Maria leva?; tirar vantagem (*V.* "levar vantagem")
vão em vão
vapor a todo vapor
vaquinha fazer uma vaquinha (*V.* "fazer uma vaca")

vara à vara e a remo; cama de varas; camisa de onze varas; corrido a vara; cutucar onça com vara curta; dar o couro às varas; debaixo de vara; meter-se em camisa de onze varas; vara de bater pecado; vara de condão; vara de ferrão; vara de porcos; vara real
varado ficar varado; varado de fome
varão varão de Plutarco
varar varado de balas; varar a noite
varejo a varejo; vender a varejo (*V.* "vender a retalho")
variante via variante
variar só para variar
variedade ato de variedades
varietur ne varietur
varinha varinha de condão; varinha mágica
varonil idade varonil
varredor varredor de rua
varrer varrer a testada; varrer da ideia; varrer do mapa; varrer para debaixo do tapete
varrido doido varrido; louco varrido
Varsóvia reina a paz em Varsóvia
várzea clube de várzea; na várzea sem cachorro (*V.* "no mato sem cachorro"); render que só mandioca de várzeas
vascular acidente vascular cerebral (AVC)
vaselina ser vaselina
vaso vaso de guerra; vaso sanitário
vau a vau; dar vau; de vau a vau; não achar vau; não dar vau; vau de orelha
vazante arigó da vazante; vazante da Lua; vazante da maré
vazão dar vazão a; vazão fluvial
vazar não dar vaza
vazas perder vazas
vazio(a) de mãos vazias; denúncia vazia; maré vazia (*V.* "maré baixa (alta)"); voltar de mãos vazias
vê até um cego vê; Quem te viu e quem te vê!; vê dobrado/duplo
vécu jamais vécu
vedete mais por fora que umbigo de vedete
veemente apelo veemente (*V.* "apelo dramático")
vegetal carvão vegetal; crina vegetal; reino vegetal
vegetativo(a) vida vegetativa
veia de veia; enquanto o sangue me girar nas veias; ferver o sangue nas veias; ficar sem sangue nas veias; gelar o sangue nas veias; não ter sangue nas veias; pegar na veia; sangue nas veias; ter sangue nas veias (*V.* "ter sangue na guelra")
veículo veículo de mídia
veio não dizer para que veio (*V.* "não dizer a(/ao) que veio"); veio de água; veio mineral
vela à luz de velas; a vela; abrir as velas; acender uma vela a Deus e outra ao Diabo; acender vela nas duas pontas (*V.* "queimar vela nas duas pontas"); barco a vela; estar com a vela na mão; fazer-se à vela; ficar de vela; fio da vela; içar vela; pôr fogo nos dois lados da vela; prancha a vela; queimar vela nas duas pontas; segurar a vela; vela votiva
velado(a) voz velada
velhice pagar tributo à velhice; velhice precoce
velhinha falar para a velhinha surda da última fila; velhinha de Taubaté
velho(a) (*adj.*) a mesma e velha história; caboclo velho; cheirar a bode velho; credo velho; de rixa velha e caso pensado; de velha data; despir o homem velho; estar velho antes do tempo; lata-velha; lua velha; macaco velho; mais velho/a que meu (/minha) avô (/avó); negro velho; o Velho Mundo; pagar o novo e o velho; raposa velha; remendo velho em pano novo; República Velha; velha guarda; velho amigo; velho Chico; velho como a montanha (*V.* "velho como a serra"); velho como a serra; velho continente; velho de guerra; velho e velho; Velho Mundo; Velho Testamento
velho(a) (*subst.*) coisa do arco-da-velha; história do arco-da-velha; jogo da velha; légua de velho (*V.* "légua de beiço"); meu velho
velocidade pegar velocidade; velocidade da luz; velocidade do som
velocino velocino de ouro
velório cara de velório
veludo mão de ferro em luvas de seda (ou pelica, ou veludo); mão de veludo
venal valor venal
vencer vencer a parada; vencer de ponta a ponta; vencer pelo cansaço
venci vim, vi, venci
vencido(a) Ai dos vencidos!; dar-se por vencido; levar de vencida; não se dar por vencido
venda alavancar as vendas; bacalhau de porta de venda; compra e venda; magro como bacalhau em porta de venda (*V.* "magro como um espeto"); ponto de venda; representante de venda; tirar a venda dos olhos; *display* de venda
vendar vendar a razão
vendedor(a) vendedor ambulante; vendedora automática
vender estar vendendo botões; estar vendo coisas; para dar e vender; saber vender o seu peixe; sair vendendo arreios; Só ven-

do!; ter para dar e vender; Venda seu peixe que depois vendo o meu.; vende como pão quente; vender a alma ao diabo; vender a consciência; vender a honra; vender a ideia; vender a retalho; vender a varejo (*V.* "vender a retalho"); vender à vista; vender ao correr do martelo; vender caro; vender caro a pele; vender caro a vida (*V.* "vender caro a pele"); vender cocada; vender cuia e comprar cabaça; vender farinha; vender fumaça; vender gato por lebre; vender o (seu) peixe; vender o almoço pra comprar o jantar; vender o peixe pelo preço que comprou; vender o siso a Catão; vender por atacado; vender saúde; vender-se ao diabo; vender-se caro
vendido estar vendido; ficar vendido
vendilhão vendilhões do templo
veneno cobra que perdeu o veneno; destilar veneno; ficar como cobra que perdeu o veneno
venenoso(a) bola venenosa
veneta dar na veneta; de veneta; dizer o que lhe vem às ventas/à veneta; fazer o que dá na veneta (*V.* "fazer tudo o que dá na telha")
Veneza Veneza do Norte
veni Veni, vidi, vici.
venia data venia
venta acender as ventas; cabelinho nas ventas; dar a venta; de cabelo nas ventas; dizer o que lhe vem às ventas/à veneta; ensaboar as ventas (de); esfregar nas ventas de; ficar de venta inchada; lançar fogo pelas ventas; na tábua da venta; nas ventas de; pau da venta (*V.* "pau do nariz"); saber onde tem as ventas; soltar fumaça pelas ventas; ter cabelo nas ventas; venta de bezerro novo
ventana trabalhar na ventana
ventar sair ventando
vento achado do vento; ao sabor do vento; aos quatro ventos; Bons ventos o levem; Bons ventos o tragam; cabeça de vento; cama de vento; castelo de vento; cata-vento (*V.* "moinho de vento"); cheio de vento; com vento fraco; contra o vento; de vento em popa; encher de vento; espalhar aos quatro ventos; falar ao vento; fundar torres no vento; golpe de vento (*V.* "golpe de ar"); ir contra o vento e contra a maré; ir de vento em popa; leito do vento; lutar contra moinhos de vento; moinho de vento; nas asas do vento; onde o vento faz a curva; para que lado o vento soprar; para que lado sopra o vento; passar como o vento; pé de vento; por ares e ventos; proclamar aos quatro ventos (*V.* "espalhar aos quatro ventos"); Que bons ventos o trouxeram? (*V.* "Que ares o trouxeram?"); rabanada de vento; rosa dos ventos; saber de que lado sopra o vento; vento a favor; vento encanado; vento solar; ver de que lado sopra o vento; ver para que lado sopra o vento (*V.* "ver de que lado sopra o vento"); viver de vento
ventral decúbito dorsal, ventral ou lateral
ventre dança do ventre; desde o ventre materno; Lei do Ventre Livre; limpar o ventre; prisão de ventre; soltura de ventre; trazer o diabo no ventre (*V.* "trazer o diabo no corpo"); ventre livre
ventura a Deus e à ventura; à ventura
venture *joint venture*
Vênus ave de Vênus; camisa de Vênus; monte de Vênus; sem Ceres e Baco, Vênus vive fria
ver a meu ver; a olhos vistos; a ver navios; até mais (ver) (*V.* "até logo"); até mais ver; atirar no que viu e acertar no que não viu; bobo de ver; bom te ver; de ver, cheirar e guardar; deixar ver; Desde que lhe tirei as peias, nunca mais o vi.; desejar ver pelas costas; enxergar/ver a luz no fim do túnel; fazer ver; ficar a ver navios; ficar no ora veja; fingir que não viu (ouviu); haveis de ver esse dia; hora do vamos ver; ir a Roma e não ver o papa; já vi esse filme; já vi ontem; mandar ver; mandar ver se está na esquina (*V.* "mandar às favas"); nada a ver; Não ouço, não vejo, não falo.; não poder ver defunto sem chorar; não querer ver nem pintado; não tem nada a ver; não ter (nada) a ver (*V.* "não ter que ver"); não ter nada a ver; não ter nada a ver com o peixe; não ter que ver; não ter visto uma coisa nem pintada; não vejo, não ouço, não falo; não ver a cor do dinheiro; não ver jeito; não ver um palmo adiante do nariz; ninguém sabe, ninguém viu; nunca ter visto (alguém) mais gordo; nunca vi, nem pintado(a); Onde já se viu!; pagar para ver; para inglês ver; pelo visto; pensar que já tivesse visto tudo; Quem te viu e quem te vê!; querer ver a caveira de alguém; roupa de ver a Deus; ser de ver; ter a ver com; ter que ver; tudo a ver; Vá ver se está chovendo (*V.* "Vá ver se estou lá na esquina!"); Vá ver se estou lá na esquina!; vai ver; vai ver que; vamos ver; Veja lá!; Veja(m) só!; ver (alguém) pelas costas; ver (alguém) por uma greta; ver a coisa preta; ver a cor do dinheiro (de alguém); ver a hora de; ver a hora que (*V.* "ver a hora de"); ver a morte de perto; ver a sua avó por uma greta; ver ao longe; ver as coisas do alto; ver as coisas pelo lado bom; ver boi voar; ver camelo a dançar; ver coisas; ver com ambos os olhos; ver com bons olhos;

verão

ver com os próprios olhos; ver de longe; ver de que lado sopra o vento; ver este filme; ver estrelas; ver estrelas ao meio-dia (*V.* "ver estrelas"); ver graça em; ver longe; ver mundo; ver o cavalo passar arreado; ver o céu por dentro; ver o circo pegar fogo; ver o dia; ver o fundo do saco; ver o lado bom das coisas; ver o quanto é bom; ver o que é bom para tosse; ver o sol nascer quadrado (*V.* "ver o sol quadrado"); ver o sol quadrado; ver para crer; ver para que lado sopra o vento (*V.* "ver de que lado sopra o vento"); ver passarinho verde; ver pelos olhos de outrem; ver quanto dói uma saudade; ver que bicho dá; ver que bicho vai dar (*V.* "ver que bicho dá"); ver quem pode mais; ver tempestade em copo-d'água; ver tudo ao través; ver tudo cor-de-rosa; ver tudo de través (*V.* "ver tudo ao través"); ver-se a braços com uma coisa; ver-se e desejar-se; ver-se em aperto (*V.* "ver-se em apuros"); ver-se em apuros; ver-se em dificuldades; ver-se em grande apuro (*V.* "ver-se em apuros"); ver-se em pancas; vim, vi, venci; visto que; Você vai ver.; Você viu o que eu vi?
verão hora de verão; horário de verão; solstício de verão/inverno
verba estourar a verba; verba orçamentária; *res non verba*
verbatim *verbatim ac litteratim*
verbi *verbi gratia*
verbis *ipsis verbis*
verbo abrir o verbo; deitar o verbo; o Verbo Divino; rasgar o verbo; soltar o verbo; verbo encarnado; *verbo ad verbum*
verborum *ex vi verborum*
verbum *verbo ad verbum*
verdade a bem da verdade; a verdade, toda a verdade, nada mais que a verdade; bom demais para ser verdade; de verdade; dizer a verdade nua e crua; dizer umas verdades (a alguém); dobrar a verdade; dono da verdade; em verdade; em verdade vos digo; expressão da verdade; faltar à verdade; hora da verdade; jogo da verdade; meia verdade; na verdade; ouvir umas verdades; para dizer a verdade...; pura verdade; ser a expressão da verdade; ser a verdade em pessoa; soro da verdade; terra da verdade; tirar a verdade a limpo; verdade dobrada; verdade é que; verdade evangélica; verdade nua e crua
verdadeiro É um verdadeiro chiqueiro!
verde adubo verde; ainda verde; botar verde para pegar maduro; cair no verde; caldo verde; carne verde; casado na capelinha verde (*V.* "casado na igreja verde"); casado na igreja verde; cinturão verde; couro verde; dar a "luz verde"; dar sinal verde; dedo verde; em verde; inferno verde; jogar verde para colher maduro; luz verde; não pisar em ramo verde; ouro verde; pano verde; pequenos homens verdes; plantar verde para colher maduro; sinal verde; tapete verde; ver passarinho verde; verde e amarelo
verdor verdores da mocidade
vereda cascavel de vereda
verga quebra mas não verga; verga, mas não quebra
vergonha calos na vergonha (*V.* "calos na alma"); corar de vergonha; corrido de vergonha; deixar a vergonha de lado; não ter um pingo de vergonha na cara; pessoa sem-vergonha; pôr a vergonha de lado (*V.* "deixar a vergonha de lado"); pouca vergonha; Que vergonha!; ser a vergonha de; ser uma pouca-vergonha; ter muito medo e pouca vergonha; ter vergonha na cara
verificação dígito de verificação
veritas *in vino veritas*
verme esmagar como a um verme; viver como um verme
vermelho(a) anã branca (vermelha, negra, marrom); carne vermelha; cartão vermelho; conta no vermelho; Crescente Vermelho; cruz vermelha; Cruz Vermelha Internacional; estar no vermelho; luz vermelha; mais vermelho que tomate maduro; naipes vermelhos; no vermelho; sair do vermelho; sinal vermelho; tapete vermelho
vernáculo(a) língua vernácula
verniz É só verniz.
vero *Se non è vero, è bene trovato.*
verso cantar em prosa e verso; estropiar um verso; verso de pé quebrado; verso e reverso
vertebral coluna vertebral
verter verter água(s); verter lágrimas; verter sangue
vês isso/isto tem dois vv (vês)
vesical cálculo renal (vesical ou urinário)
vesical cálculo renal (vesical ou urinário)
vespa cintura de vespa (*V.* "cintura de pilão")
véspera estar em vésperas de; morrer na véspera
vestido (*subst.*) vestido de baile
vestido(a) (*adj.*) ir para o céu vestido e calçado; vestido a caráter
vestir descobrir um santo para vestir outro (*V.* "descobrir um santo para cobrir outro"); despir um santo para vestir outro; pronto para vestir; vestir a camisa; vestir a carapuça; vestir a mentira; vestir o hábito (*V.* "tomar o hábito"); vestir o paletó de madeira; vestir o pijama de madeira (*V.*

676

"vestir o paletó de madeira"); vestir os nus; vestir-se a caráter
véu balançar o véu da noiva; casar de véu e capela; lançar um véu sobre; levantar uma ponta do véu; rasgar o véu; tomar o véu; véu da noite
vez as mais das vezes; as mais vezes (V. "as mais das vezes"); às vezes; bola da vez; cada vez; cada vez mais; cem vezes; certa vez; chegar a vez; de quando em vez; de uma só vez; de uma vez; de uma vez para sempre (V. "de uma vez"); de uma vez por todas; de uma vez só (V. "de uma vez"); de vez; de vez em onde; de vez em quando; de vez em vez; É uma vez só.; em vez de; Era uma vez...; fazer as vezes de; lá uma vez perdida; mais de mil vezes; muita vez; muitas vezes; não pensar duas vezes; não precisar dizer duas vezes; não ter vez; nascer outra vez; no mais das vezes; o mais das vezes; passar a vez; pensar duas vezes; perder a vez; por sua vez; por vez; por vezes; ser (fulano) outra vez; ser outra vez; ter vez; tirar a vez; tudo tem sua primeira vez; um de cada vez; um passo por vez; uma vez; uma vez chega; uma vez na lua azul...; uma vez na vida, outra na morte; uma vez ou outra; uma vez por outra (V. "uma vez ou outra"); uma vez que; vez a vez; vez de; vez em vez; vez ou outra (V. "de tempo a tempo"); vez por onde; vez por outra
vezada de uma vezada
vezeiro useiro e vezeiro
vi *ex vi legis*; *ex vi verborum*; *ex vi*
via chegar às vias de fato; em via de; em vias de (V. "em via de"); guardas de ponte (via); ir às vias de fato; passar às vias de fato; por via das dúvidas; por via de; por via de regra; por vias indiretas; via de acesso; via de regra; Via Dolorosa; via férrea; Via Láctea; via preferencial; via pública; via urbana; via variante; vias de fato; vias travessas; *via crucis*
viagem ablativo de viagem; agente de viagens; cheque de viagem; de viagem; estar em ablativo de viagem; fazer a última viagem; fazer ablativo de viagem; marinheiro de primeira viagem; para viagem; passar de viagem; saco de viagem; viagem redonda
viajar viajar na maionese
viário(a) marcas viárias
víbora ninho de víboras (V. "ninho de ratos")
vibrar fazer vibrar; vibrar as palavras; vibrar os olhos
vici *Veni, vidi, vici.*
viciado ar viciado; viciado em trabalho
vício despontar o vício; vício radical; vício solitário

vicioso círculo vicioso
victis *gloria victis*; *vae victis*
victoria *aut mors aut victoria* (V. "aut vincere aut mori")
vida à boa vida; a bolsa ou a vida; a manhã da vida; a vida começa aos quarenta; a vida continua; a vida é breve; acabar com a vida; aceitar a vida como ela é; arrastar a vida; árvore da vida; atraso de vida; boa-vida; buscar a vida; cair na vida; caso de vida e morte; cavar a vida; cheio de vida; coisas da vida; cortar a teia de vida de; Cuide de sua vida!; curtir a vida; custar a vida a; custo de vida; danado da vida; dar a vida; dar a vida a; dar a vida por; dar sinal de vida (V. "dar sinal de si"); dar vida a; de bem com a vida; dever a vida a alguém; elixir da vida (V. "elixir de longa vida"); elixir de longa vida; em vida; entre a vida e a morte; escola da vida; esperança de vida; estar bem de vida; estar com a vida feita (V. "estar com a vida ganha"); estar com a vida ganha; estar com a vida que pediu a Deus; estar fulo da vida (V. "estar uma arara"); estimar pouco a vida; fazer a vida; fazer vida de casados; feliz da vida; ficar buzina da vida (V. "ficar buzina"); filosofia da vida; fulo da vida; ganhar a vida; gênero de vida; inferno em vida; inverno da vida; ir à vida; jogo de vida ou morte; levar a vida na flauta; levar a vida que pediu a Deus; levar boa vida; levar vida de cão; levar vida de marajá; levar vida de nababo (V. "levar vida de marajá"); levar vida de rico (V. "levar vida de marajá"); linha da vida; loteria da vida; louco da vida; luta pela vida; lutar pela vida; luz da vida; má vida; mandar para a outra vida; meio de vida; meter-se com a sua vida; mil vidas; morrer em vida; mudar de vida; mulher da vida (V. "mulher à toa"); mulher de vida fácil; não querer outra vida; nível de vida; nunca na vida (V. "nunca jamais"); ocaso da vida; padrão de vida; pão da vida; para a vida e para a morte; passar desta vida para melhor; pê da vida; perder a vida; por nada desta vida; por toda a vida; primavera da vida; purgatório em vida; puto da vida; Puxa vida!; quadra risonha da vida; qualidade de vida; que não é (foi) vida; questão de vida ou morte; reveses da vida; safado da vida; seguro de vida; sepultar-se em vida; ser o inferno em vida; sinal de vida; subir na vida; talho da vida; tempo de vida; temporalidades da vida; ter a vida por um fio; ter a vida que pediu a Deus; ter amor à vida; ter o purgatório em vida; ter sete vidas (V. "ter sete fôlegos como

o gato"); tocar a vida para frente; toda a vida; uma vez na vida, outra na morte; universidade da vida; Vá cuidar de sua vida!; Vá tomar conta de sua vida!; vender caro a vida (*V.* "vender caro a pele"); vida airada; vida cor-de-rosa (*V.* "vida de príncipe"); vida cristã; vida de cachorro (*V.* "vida de cão"); vida de camaleão; vida de cão; vida de príncipe; vida dura; vida eterna; vida fácil; vida futura; vida latente; vida mundana; vida particular (*V.* "vida privada"); vida privada; vida pública; vida secular; vida sedentária; vida vegetativa; viver na boa vida (*V.* "viver na flauta")
vidi Veni, vidi, vici.
vidinha voltar à vidinha de sempre
vidraceiro filho de vidraceiro
vidrado ficar vidrado em; vidrado em
vidro lã de vidro; queixo de vidro; ser de vidro; telhado de vidro; ter telhado de vidro; vidro de segurança
vie c'est la vie; la vie en rose; vie en rose
vier der e vier; dispor-se para o que der e vier; estar para o que der e vier; o que vier é lucro; para o que der e vier; Quem vier atrás que feche a porta.
viés ao viés; de viés
vigário cair no conto do vigário (*V.* "cair no conto"); conto do vigário; ensinar o Pai-nosso ao vigário; não mandar para o vigário; querer ensinar o pai-nosso ao vigário; Vigário de Cristo; vigário forâneo
vigiar mandar cabrito vigiar horta
vigília vigília pascal
vigor em vigor; entrar em vigor; pôr em vigor
vil o vil metal; ócio vil; vil metal
vila dar às de Vila Diogo
vilão como vilão em casa de seu sogro
vili in anima vili
vin vin d'honneur
vinagre ir para o vinagre; vinagre balsâmico
vincere aut vincere aut mori
vinces in hoc signo vinces
vinda boas-vindas; dar as boas-vindas; idas e vindas
vindouro próximo vindouro
vinho consagrar a hóstia (o vinho); mudar da água para o vinho; ser vinho da mesma pipa; vinho abafado; vinho da mesma pipa (*V.* "do mesmo barro"); vinho de honra; vinho, mulheres e música
vino in vino veritas
vinte às vinte; dar no vinte; vinte e quatro horas a fio
vintém dandar pra ganhar vintém; estar sem vintém; não valer um vintém (furado); não valer um vintém furado (*V.* "não valer dois caracóis")
viola enfiar a viola no saco; meter/pôr a viola no saco; moda de viola; pontear uma viola; Por fora bela viola, por dentro pão bolorento.; por fora corda de viola, por dentro pão bolorento (*V.* "Por fora bela viola, por dentro pão bolorento."); tocar viola sem corda
violão arranhar o violão; Comigo não, violão!; violão sem braço
VIP sala VIP
viperina língua viperina
vir dizer a que veio; dizer a/ao que veio; há de vir; ir e vir; ir e vir num pé só; nadar, nadar e vir morrer na praia; não dizer a(/ao) que veio; não vir ao caso; veio do rio; vir a; vir à baila; vir à boca; vir a braços com; vir a cabo; vir a calhar; vir a jeito; vir a lume; vir à luz; vir à mão; vir a pelo (*V.* "vir a propósito"); vir a propósito; vir a público; vir a saber-se; vir a ser; vir a ser a mesma coisa; vir a tempo; vir à tona; vir abaixo; vir ao caso; vir ao encontro de; vir ao mundo; vir às boas; vir às mãos; vir bem; vir bem a calhar (*V.* "vir a calhar"); vir buscar lã e sair tosquiado; vir com as mãos abanando; vir com histórias; vir de encomenda; vir de encontro a; vir de mudança; vir do alto; vir num pé e voltar no outro; vir num pulo (*V.* "vir num pé e voltar no outro"); vir o mundo abaixo; vir ter a; vir ter com
vira (*subst.*) de sola e vira (*V.* "de virar e romper")
virada (*subst.*) dar uma virada; de virada; na virada de
virado(a) (*adj.*) da pá virada; de cabeça virada; de ovo virado; estar de ovo virado; nascer virado para a lua; página virada; virado no cão; virado no tempero; virado(a) pra Lua
virar andar, virar, mexer; comer e virar o cocho (*V.* "comer e emborcar o cocho"); de virar e romper; É só virar as costas.; estar de virar e romper; nem que se vire pelo avesso; o feitiço virar-se contra o feiticeiro; saber se virar; virada da maré; virar a bandeira; virar a cabeça; virar a cabeça de; virar a cara; virar a casaca; virar a folha; virar a mesa; virar a página; virar as costas a; virar bicho; virar casaca; virar cobra; virar de bordo; virar e mexer; virar farinha; virar frege; virar fumaça; virar gente; virar nos calcanhares; virar o cocho (*V.* "emborcar o cocho"); virar o copo; virar o disco; virar o feitiço contra o feiticeiro; virar o jogo; virar onça; virar pelo avesso; vi-

rar pó; virar presunto; virar sorvete; virar tigre; virar-se o feitiço contra o feiticeiro (*V.* "voltar-se o feitiço contra o feiticeiro"); Vire a boca pra lá!
virgem cal virgem; lágrima de virgem; mata virgem
vírgula com todos os pontos e vírgulas; não alterar nem uma vírgula; nem uma vírgula (*V.* "nem um pingo"); ponto e vírgula; Uma vírgula!
virtual bate-papo virtual; realidade virtual
virtude antípoda da virtude; as sete virtudes; em virtude de; fazer da necessidade uma virtude; virtudes cardeais; virtudes teologais
virtuoso círculo virtuoso
vírus HIV = vírus da imunodeficiência humana
visado cheque visado
visagem fazer visagem
visão visão estreita
visita cartão de visita; esperar a visita da cegonha; livro de visitas; mobiliar a sala de visitas; pagar uma visita; receber a visita da cegonha; sala de visita; visita da cegonha; visita de médico
visitação visitação de Nossa Senhora
vista a perder de vista; à primeira vista; à simples vista; à vista; à vista de; à vista desarmada; à vista disso; amor à primeira vista; até a vista; até onde a vista alcança; com vista a; com vistas a (*V.* "com vista a"); conhecer de vista; curto de vista; dar na vista; dar nas vistas (*V.* "dar na vista"); dar uma vista; dar uma vista de olhos (*V.* "dar uma vista"); de encher a vista; em vista de; fazer vista; fazer vista grossa a; formiga faz bem à vista; golpe de vista; haja em vista; haja vista; ir com a vista; passar a vista por; perder a vista; perder de vista; ponto de vista; saltar à vista; sumir de vista (*V.* "sumir do mapa"); ter à vista; ter a vista torcida; ter em vista; vender à vista; vista cansada; vista curta; vista de olhos; vista desarmada; vista vaga
visual acuidade visual; identidade visual; linguagem visual; melhorar o visual (*V.* "melhorar a fachada")
vita dolce vita
vitae curriculum vitae; taedium vitae
vital aura vital; ciclo vital; espaço vital; força vital; importância vital; questão vital; sinais vitais
vitalício(a) renda vitalícia
vitam ad vitam aeternam
vitória a vitória está no papo; cantar vitória; fazer as pazes com a vitória; história da vaca Vitória; vitória de Pirro; vitória suada
vitrina namorar as vitrinas
vitro in vitro
vitrola engolir vitrola (*V.* "engolir um disco")
viúvo(a) filho único de mãe viúva; viúva branca
viva (interj.) O rei está morto, viva o rei! (*V.* "Morreu o rei; viva o rei!")
vivalma não haver vivalma
vivam ad vivam
vivant bon vivant
vive Vive la différence!
vivendi modus vivendi
viver ir vivendo; saber viver; sem Ceres e Baco, Vênus vive fria; ter de que viver; viva e deixe viver; vivendo e aprendendo; viver à larga; viver a sabor; viver como cão e gato; viver como Deus com os anjos; viver como Deus é servido; viver como gato e cachorro (*V.* "viver como cão e gato"); viver como um lorde (*V.* "viver como um rei"); viver como um monge; viver como um paxá; viver como um príncipe (*V.* "viver como um rei"); viver como um rei; viver como um verme; viver de brisa; viver de expedientes; viver de papo para o ar; viver de renda(s); viver de seus encantos; viver de vento; viver em pecado; viver exu; viver fora de seu século; viver fora de seu tempo (*V.* "viver fora de seu século"); viver na boa vida (*V.* "viver na flauta"); viver na flauta; viver na lama; viver na rua; viver no bozó; viver no mundo da Lua; viver no século; viver num miserê; viver para contar a história (*V.* "ficar para contar a história"); viver perigosamente
vivo(a) à viva força; andar numa roda-viva; ao vivo; arquivo vivo; biblioteca viva; cerca viva; de viva voz; dicionário vivo; dinheiro vivo; dizer a viva voz; em carne viva; enciclopédia viva; fôlego vivo; língua viva; mais morto do que vivo; manter vivo; Morreu o rei; viva o rei!; morto-vivo; na roda-viva; não ser do número dos vivos; numa roda-viva; olho vivo; quadro vivo; rocha viva; sebe viva; ser morto e vivo; suspender a feijoada que o porco está vivo; ter pai vivo e mãe bulindo; viva e deixe viver; Viva São João!; viva voz
vivre joie de vivre
vô/vó com a vó atrás do toco (*V.* "com a avó atrás do toco")
voador cheque voador; disco voador; objeto voador não identificado (OVNI)
voar É mais fácil um boi voar.; fazer voar os miolos; o tempo voa; Os porcos voam!;

ser mais fácil um burro voar que...; ver boi voar; voar alto; voar baixo; voar em cima de; voar nas asas da fama; voar para cima de
vobiscum *pax vobiscum*
vocação errar a vocação
vocal diarreia vocal; música vocal
voce a una voce
você Até você?; conto com você; merda pra você; Onde você comprou esta camisa que está usando, tinha para homem?; Onde você está com a cabeça?; Que é feito de você?; Você é outro!; Você me paga!; Você não perde por esperar (*V.* "Você vai ver."); Você não perde por esperar.; Você sabe com quem está falando?; Você vai ver.; Você viu o que eu vi?
voga em voga; pôr em voga
volat alis volat propriis; fama volat
volens nolens, volens
volonté à la volonté
volta à volta de; andar às voltas com; às voltas com; caminho sem volta; cortar uma volta; cortar volta (*V.* "cortar um dobrado"); cortar volta(s); cortar voltas (*V.* "cortar um dobrado"); dar a volta por cima; dar as voltas em; dar meia-volta; dar uma volta; dar volta ao juízo; dar volta em; dar voltas; dar voltas na cama; de volta; em volta de; fazer meia-volta; ida e volta; lugar sem volta; meia-volta; numa volta de mão; o mundo dá voltas; por volta de; procurar o caminho de volta; sacudir a poeira e dar a volta por cima; situação sem volta; trazer alguém de volta à Terra; volta de apresentação; volta e meia; volta olímpica; voltas do mundo
voltar ir num pé e voltar no outro; mandar voltar para a escola; vir num pé e voltar no outro; voltar à carga; voltar à estaca zero; voltar a si; voltar à Terra; voltar à vaca fria; voltar à vidinha de sempre; voltar ao aprisco; voltar ao texto; voltar às boas com (alguém); voltar as costas; voltar às origens; voltar atrás; voltar de mãos abanando (*V.* "voltar de mãos vazias"); voltar de mãos vazias; voltar-se o feitiço contra o feiticeiro
volume a todo volume
voluntário exílio voluntário; Voluntários da Pátria
voluntas fiat voluntas tua
voluptuário(a) benfeitoria voluptuária
volver direita/esquerda/meia-volta, volver!; volver a si; volver os olhos
vomitar vomitar as tripas
vontade à vontade; abusar da boa vontade de (alguém); boa vontade; com vontade; com vontade ou sem ela; contra a vontade; de livre e espontânea vontade; de má vontade; deixar à vontade; estar com vontade de; fazer as vontades de; ficar à vontade; força de vontade; juntar a vontade com o desejo; juntar-se a fome com a vontade de comer; má vontade; morrer de vontade de; morto de vontade; se vontade matasse; seja feita a tua vontade; última vontade; vontade de ferro; vontade implícita
voo a voo de pássaro; alçar voo; levantar voo; simulador de voo; ter muitas horas de voo; voo cego; voo da imaginação; voo de galinha; voo livre; voo no escuro; voo por instrumentos; voo rasante; voo rasgado
vosso(a) os vossos; Vossa Excelência; Vossa Magnificência; Vossa Maternidade; vossa mercê; vossa sapiência; Vossa Senhoria
votar votar ao desprezo
votivo(a) vela votiva
voto angariar votos; fazer votos; garimpar votos; voto de cabresto; voto de confiança; voto de louvor; voto de Minerva; voto de qualidade; voto direto/indireto; voto solene (*V.* "votos religiosos"); voto útil; votos do batismo; votos religiosos
voto ex voto
vous répondez s'il vous plaît (RSVP)
vovozinha É a vovozinha.; filha da vovozinha
vox vox populi
voz a meia-voz; a uma voz; arrastar a voz; congelou-se-lhe a voz; dar voz de prisão; de viva voz; desprender a voz; direito de voz; dizer a viva voz; levantar a voz; levantar a voz para alguém; não ter voz ativa; perder a voz; são mais as vozes que as nozes; soltar a voz; sustentar a voz; ter açúcar na voz; ter lágrimas na voz; ter voz ativa; viva voz; voz (daquele) que clama no deserto; voz ativa; voz aveludada; voz cavernosa; voz cheia; voz corrente; voz da consciência; voz das ruas; voz das urnas; voz de cabeça; voz de cana rachada; voz de peito; voz de prisão; voz de sereia; voz de taquara rachada; voz delgada; voz pastosa; voz presa; voz sepulcral; voz velada
vu déjà vu; jamais vu
vulcânico conduto vulcânico; cone vulcânico
vult Deus vult
vulto coisa de vulto; tomar vulto

W

water water closet; water polo
Watson Elementar, (meu) caro Watson.

web *web designer*
welfare *welfare state*
western *western spaghetti*
white *white Christmas*
wiedersehen *Auf Wiedersehen*

X

xadrez advogado de porta de xadrez/cadeia (*V.* "advogado de porta de fábrica"); estar no xadrez
xeque dar xeque-mate em alguém; em xeque; pôr em xeque
xerográfico(a) cópia xerográfica/heliográfica
xexéu ninho de xexéu
xingar xingar o nome da mãe
xinxim xinxim de galinha
xis o xis da questão; xis do problema
xixi fazer xixi
xodó ter um xodó por (*V.* "ter um quê por")
xuá de xuá

Y

yom *Yom Kipur*

Z

zanzar zanzar por aí
Zé não confundir Zé Germano com gênero humano; zé dos anzóis (*V.* "zé dos anzóis carapuça"); zé dos anzóis carapuça
zebra dar zebra
zebrado(a) faixa zebrada
zelar ter um nome a zelar
Zenão aporias de Zenão
zero a zero; começar da estaca zero (*V.* "começar do zero"); começar do zero; cortar os zeros; dar de dez a zero (*V.* "dar de dez em"); dieta zero; estaca zero; ficar reduzido a zero (*V.* "ficar reduzido à miséria"); tolerância zero; voltar à estaca zero; zero à esquerda; zero hora
zigue-zague fazer zigue-zagues
zinco barracão de zinco
zodíaco signos do zodíaco
zombar zomba zombando
zona cair na zona; fazer a zona; mulher da zona (*V.* "mulher à toa"); zona de livre comércio; zona do agrião; zona franca; zona morta
zoológico jardim zoológico
zumbaias fazer zumbaias (a alguém)

OBRAS DE APOIO
Referências Bibliográficas

1. ABRÃO, Bernadette Siqueira; COSCODAI, Mirtes Ugeda (orgs.). *Dicionário de mitologia*. São Paulo: Nova Cultural/Best Seller, 2000.
2. ALMEIDA, Napoleão Mendes de. *Dicionário de questões vernáculas*. 4ª ed. 2ª imp. São Paulo: Ática, 2003.
3. _____. *Gramática metódica da língua portuguesa*. 27ª ed. rev. São Paulo: Saraiva, 1978.
4. ASIMOV, Isaac. *O livro dos fatos*. Rio de Janeiro: Saraiva, 1981.
5. AULETE – Aulete Digital (www.aulete.com.br) – *Dicionário contemporâneo da língua portuguesa*. Rio de Janeiro: Lexikon, 2009.
6. BACHINSKI, Carlos. *Sic est in proverbio* (Assim diz o provérbio). Curitiba: Juruá, 2006.
7. BALLESTEROS, Ed.D, Octavio A.; BALLESTEROS, M. Ed., María del Carmen. *Mexican Sayings: The treasure of a people*. Austin: Eakin Press, 1992.
8. BARRETO, Anna Maria Cascudo; CASCUDO, Fernando Luís da Câmara. *Locuções tradicionais do Brasil*. São Paulo: Global, 2004.
9. BARROS, Luís Antônio. *Dicionário de ditados, provérbios, alusões, citações e paródias*. Niterói, RJ: Nytpress, 2008.
10. BECHARA, Evanildo. *Moderna gramática portuguesa*. 37ª ed. Rio de Janeiro: Nova Fronteira, 2009.
11. *Brewer's Dictionary of Phrase & Fable*. 17th ed. New York: HarperCollins, 2005.
12. BUCHSBAUM, Paulo Eduardo. *Frases geniais*. 3ª reimp. Rio de Janeiro: Ediouro, 2004.
13. *Bíblia de Jerusalém*. (Coord.). São Paulo: Paulus, 1981.
14. *Bíblia Sagrada*. (Coord.). 45ª Ed. São Paulo: Ave Maria, Claretiana, 1984.
15. CALDAS AULETE. *Novíssimo Aulete contemporâneo da língua portuguesa*. Rio de Janeiro: Lexikon, 2012.
16. CASCUDO, Luís da Câmara. *Coisas que o povo diz*. 2ª ed. São Paulo: Global, 2009.
17. CASSAGNE, Jean-Marie. *101 French Proverbs*. Lincolnwood (Chicago): Passport Books, 1998.
18. CEGALLA, Domingos Paschoal. *Novíssima gramática da língua portuguesa*. 19ª ed. São Paulo: Nacional, 1978.
19. CHOLLET, Isabelle; ROBERT, Jean-Michel. *Les expressions idiomatiques (Précis)*. Estella, Espanha: CLE Intl., 2009.
20. COELHO, Teixeira. *Dicionário do brasileiro de bolso*. 3ª ed. São Paulo: Arx, 2003.
21. COSTA, Marcelo Lopes. *Estórias da história da medicina*. 2ª ed. Belo Horizonte: COOPMED, 1999.
22. COTRIN, Márcio. *O pulo do gato: o berço das palavras*. São Paulo: Geração Editorial, 2005.
23. _____. *O pulo do gato 2*. São Paulo: Geração Editorial, 2007.

24. CUNHA, Celso; CINTRA, Lindley. *Nova gramática do português contemporâneo.* 5ª ed. Rio de Janeiro, Lexikon, 2008.
25. CURCIAGA, José Antonio. *En pocas palabras/In Few Words.* San Francisco: Mercury House, 1996.
26. *Dicas de português.* Belo Horizonte: Jornal "O Lutador".
27. *Dichos y refranes.* Lima (Peru): Editorial Toribio Anyarin Injante.
28. *Dicionário Caldas Aulete de bolso.* 1ª ed. Rio de Janeiro: Lexikon / LP&M, 2007 .
29. *Dicionário contemporâneo da língua portuguesa* – Aulete Digital (www.aulete.com.br). 1ª versão. Rio de Janeiro: Lexikon, 2007.
30. *Dicionário Houaiss da língua portuguesa.* Rio de Janeiro: Objetiva, 2001.
31. DUARTE, Marcelo. *Guia dos curiosos.* São Paulo: Cia. das Letras, 1995.
32. DUBOIS, Jean; e outros. *Dicionário de linguística.* São Paulo: Cultrix.
33. FERREIRA, Aurélio Buarque de Holanda. *Novo dicionário século XXI.* 3ª ed. Rio de Janeiro: Nova Fronteira, 1999.
34. GEARY, James. *O mundo em uma frase: uma breve história do aforismo.* Tradução de Claudia Gama Martinelli. Rio de Janeiro: Objetiva, 2007.
35. GIANNETTI , Eduardo. *O livro das citações.* São Paulo: Schwarcz/ Cia. das Letras, 2008.
36. *Grande enciclopédia Delta Larousse.* Delta, 1974.
37. JUCÁ, Cândido (Filho). *Dicionário das dificuldades da língua portuguesa.* 6ª ed. Rio de Janeiro: Garnier, 2001.
38. _____. *Dicionário Escolar das Dificuldades da Língua Portuguesa.* 3ª ed., 2ª tiragem. Rio de Janeiro: FENAME-MEC, 1963.
39. KNOWLES, Elizabeth. (Edição) *The Oxford Dictionary of Phrase, Saying & Quotation.* New York: Oxford University Press, 1997.
40. LANGACKER, Ronald W. *A linguagem e suas estruturas.* Petrópolis, RJ: Vozes, 1980.
41. *Las frases mas famosas de la historia.* (Recop.) Madrid, Espanha. M.E. Editores.
42. LUFT, Celso Pedro. *Moderna gramática brasileira.* 5ª ed. Porto Alegre: Globo, 1983.
43. MAGALHÃES, Álvaro. *Dicionário enciclopédico brasileiro* (Ilustrado). 10ª ed. Porto Alegre: Globo, 1965.
44. MALOUX, Maurice. *Dictionnaire des proverbes, sentences et maximes.* Paris: Larousse, 2006.
45. MATTOS, Amir Borges. (Pesq.) *Ditos populares: frases peculiares da nossa língua.* Belo Horizonte: Leitura, 2001.
46. MELLO, Nélson Cunha. *Conversando é que a gente se entende: dicionário de expressões coloquiais brasileiras.* São Paulo: Leya, 2009.
47. MICHAELLIS. *Moderno dicionário da língua portuguesa.* São Paulo: Melhoramentos, 1998.
48. MIGAL. *Frases célebres.* Madrid: A.L. Mateos, 1996.
49. *Minidicionário contemporâneo da língua portuguesa: Caldas Aulete.* 2ª ed. Rio de Janeiro: Lexikon, 2009.
50. MONTREYNAUD, Florence; PIERRON, Agnès; SUZZONI, François. *Dictionnaire de proverbes et dictons: les usuels de Robert.* Paris: Le Robert, 1989.
51. MOTA, Leonardo. *Adagiário brasileiro.* B. Horizonte: Itatiaia; São Paulo: USP, 1987.
52. NASCENTES, Antenor. *Tesouro da fraseologia brasileira.* Rio de Janeiro: Freitas Bastos, 1945.
53. *Novo dicionário Aurélio da língua portuguesa.* 2ª ed. Rio de Janeiro: Nova Fronteira. 3ª ed., 1ª imp. Curitiba: Positivo, 2004.
54. *O livro das virtudes: uma antologia de William J. Bennet.* Rio de Janeiro: Nova Fronteira, 1995.

55. *Password – English Dictionary for Speakers of Portuguese*. 2ª ed. 6ª tiragem, São Paulo: Martins Fontes, 2000.
56. PEDROSO, Edilberto Tadeu. *Motes e provérbios*. São Paulo: Ave Maria, 2006.
57. *Pequeno dicionário brasileiro da língua portuguesa*. 9ª ed. Rio de Janeiro: Civilização Brasileira, 1951.
58. PIMENTA, Reinaldo. *A casa da mãe Joana 2*. São Paulo: Elsevier, São Paulo, 2004.
59. _____. *A casa da mãe Joana*. Rio de Janeiro: Campus, 2002.
60. PINTO, Ciça Alves. *Livro dos provérbios, ditados, ditos populares e anexins*. 4ª ed. São Paulo: SENAC, 2003.
61. RANGEL, Paschoal, Pe. *Provérbios e ditos populares: a sabedoria de nossa gente*. Belo Horizonte: O Lutador, 2003.
62. ROBERTS, J.M. *O livro de ouro da história do mundo*. Rio de Janeiro: Ediouro, 2001.
63. RÓNAI, Paulo (org.). *Rosiana: uma coletânea de conceitos, máximas e brocardos de João Guimarães Rosa*. Rio de Janeiro: Salamandra, 1981.
64. ROSA, João Guimarães. *Grande sertão: veredas*. 9ª ed. Rio de Janeiro: José Olympio, 1974.
65. _____. *Noites do sertão*. Rio de Janeiro: Record, 1988.
66. SACCONI, Luiz Antonio. *Não confunda*. 2ª ed. São Paulo: Atual, 2000.
67. SANTOS, Maria Alice Moreira dos. *Dicionário de Provérbios, adágios, ditados, máximas, aforismos e frases feitas*. Porto (Portugal): Porto, 2000.
68. *Sapientia Populi: provérbios & adágios/ Legrand*. Belo Horizonte: Soler, 2004.
69. SELLITTI, P. *Provérbios e ditos populares – In* diversos números do jornal "O Lutador", anos 2000/2001, Belo Horizonte.
70. SILVA, Deonísio. *A vida íntima das frases*. São Paulo: Arx, 2003.
71. _____. *A vida íntima das palavras: origens e curiosidades da língua portuguesa*. 2ª reimp. São Paulo: Arx, 2002.
72. SOUZA, Josué Rodrigues de. *Provérbios & máximas: em 7 idiomas*. Rio de Janeiro: Lucerna, 2001.
73. SQUARISI, Dad. *Dicas de português*. Belo Horizonte: Jornal "Estado de Minas".
74. STEINBERG, Martha. *1001 Provérbios em contraste*. 7ª ed. São Paulo: Nova Alexandria, 2002.
75. TITELMAN, Gregory. *America's Popular Sayings*. New York: Gramercy Books, 2004.
76. TOSI, Renzo. *Dicionário de sentenças latinas e gregas*. São Paulo: Martins Fontes, 1996.
77. VALLANDRO, Leonel; VALLANDRO, Lino. *Dicionário inglês-português*. 2ª ed. Porto Alegre: Globo, 1956.
78. VELLASCO, Ana Maria de Moraes. *Coletânea de provérbios e outras expressões populares brasileiras*. vellasco@brnet.com.br.
79. WERNECK, Humberto. *O pai dos burros – dicionário de lugares comuns e frases feitas*. Porto Alegre: Arquipélago Editorial, 2009.
80. XATARA, Cláudia Maria; OLIVEIRA, Wanda Leandro de. *Dicionário de provérbios, idiomatismos e palavrões: francês-português/ português-francês*. São Paulo: Cultura, 2002.
81. XATARA, Cláudia Maria; OLIVEIRA Wanda Leonardo. *Novo PIP: dicionário de provérbios, idiomatismos e palavrões em uso*. 2ª ed. São Paulo: Cultura, 2008

Obs. O número de referência nas citações corresponde às obras citadas na Bibliografia.

OUTROS TÍTULOS DA LEXIKON

Autor: Caldas Aulete
ISBN: 9788586368752
Páginas: 1488
Formato: 20,5x27,5

Autor: Celso Cunha e Lindley Cintra
ISBN: 9788583000266
Páginas: 800
Formato: 16x23

Novíssimo Aulete dicionário contemporâneo da língua portuguesa
O acervo de palavras abrange mais de 75 mil verbetes de vocábulos e elementos de composição, aos quais se somam locuções e expressões idiomáticas, atingindo com isso cerca de 95 mil unidades de significado, que geram cerca de 200 mil acepções. O universo de palavras do *Novíssimo Aulete* é, pois, abrangente e atual na medida em que oferece uma consistente representatividade do léxico da língua portuguesa falada no Brasil, em um dicionário de porte médio.

Nova Gramática do Português Contemporâneo
7ª edição revista pela nova ortografia
Uma das mais conceituadas gramáticas da língua portuguesa chega à sua 7ª edição mantendo-se como uma obra obrigatória a todos os amantes do idioma, em suas diversos variantes. Mais do que um conjunto de regras e normas, o livro é um estudo aprofundado sobre a língua portuguesa, sua diversidade e a preocupação com suas diferenças regionais, no português brasileiro, europeu e africano.

Autor: Francisco Ferreira dos Santos Azevedo
ISBN: 9788583000167
Páginas: 800
Formato: 16x23

Autor: Antônio Geraldo da Cunha
ISBN: 9788586368639
Páginas: 744
Formato: 16x23

Dicionário analógico da língua portuguesa
Ideias afins/ thesaurus
Diferente de um dicionário de sinônimos, que coloca lado a lado palavras de mesmo significado, o *Dicionário analógico* propõe expressões de significados que estão em áreas próximas, análogas, ampliando muito mais a possibilidade de escolha e sugerindo àquele que o consulta a palavra que estava procurando para se expressar e não encontrava. Como é organizado por temas e não por ordem alfabética, pode-se tanto buscar o tema ao qual a palavra está relacionada ou recorrer ao índice com mais de 100 mil entradas (palavras e expressões) em ordem alfabética, enviando a quase 160 mil referências diferentes.

Dicionário etimológico da língua portuguesa
4ª edição revista e atualizada pela nova ortografia
Esta nova edição da já consagrada obra de Antônio Geraldo da Cunha, grande pesquisador da língua portuguesa, consolida o texto abrangente e preciso do autor e o reafirma como uma valiosa contribuição para o desenvolvimento da lexicografia portuguesa. Esta obra é notável pelo cuidado que foi dispensado ao estabelecimento de critérios metodológicos rígidos e coerentes para a estruturação dos verbetes e para a sua redação, que foi vazada numa linguagem tão simples, clara e objetiva quanto possível.

Autor: Cilene da Cunha Pereira *et all*
ISBN: 9788583000334
Páginas: 496
Formato: 20,5x27,5

Nova gramática para o Ensino Médio
Reflexões e práticas em língua portuguesa
Uma gramática objetiva porque apresenta seus conteúdos em pequenos textos teóricos, com rica exemplificação, seguidos de um elenco variado de exercícios visando à fixação da aprendizagem. Cada capítulo é encerrado com questões do Enem e de vestibulares recentes, além de uma bibliografia básica sobre o assunto. Portanto, é um guia teórico, prático e objetivo sobre temas da Língua Portuguesa, no qual seus usuários poderão aperfeiçoar seu desempenho na variedade padrão. Destina-se a alunos do Ensino Médio – especialmente aos que se preparam para o Enem e outros vestibulares – e a todos que desejam obter mais conhecimentos gramaticais.

Autor: Domingos Paschoal Cegalla
ISBN: 9788583001003
Páginas: 432
Formato: 16x23

Dicionário de dificuldades da língua portuguesa
4ª edição revista pela nova ortografia
Diferentemente de gramáticas e de dicionários convencionais, este *Dicionário* foca em dar respostas para as dúvidas mais recorrentes no idioma que podem não ser tiradas em gramáticas — algumas vezes muito extensas e complexas — nem em dicionários comuns — que visam somente para o significado. Especial destaque foi dado aos tópicos que falam sobre regência e concordância verbal, com abonações de conceituados escritores, além de registros de homônimos, parônimos e adjetivos eruditos. No final de suas páginas traz um uma ampla relação de vocábulos para consulta rápida de grafia.

Autor: Paulo Rónai
ISBN: 9788586368721
Páginas: 616
Formato: 16x23

Dicionário francês-português português-francês
O livro tem como diferencial ser principalmente direcionado para o público brasileiro, utilizando sempre os equivalentes das palavras francesas na forma em que são usadas no Brasil. É especialmente útil para facilitar a conversação, a leitura, a correspondência e o intercâmbio cultural, pois registra fielmente a linguagem do dia a dia, a assimilação pela língua da fala popular e da gíria, bem como a incorporação de termos técnicos.

Autor: Castelar de Carvalho
ISBN: 978858300952
Páginas: 376
Formato: 16x23

Dicionário de Machado de Assis – língua, estilo, temas
2ª edição revista e ampliada
Os três aspectos fundamentais da ficção machadiana — a língua, o estilo e os temas — são estudados por meio de exemplos extraídos dos nove romances pesquisados e apresentados sob a forma de verbetes. Cada exemplo é seguido de comentários elucidativos, não com o intuito de condicionar a apreciação do leitor, mas de servir de subsídio ao seu próprio juízo crítico, a par, naturalmente, da degustação estética dos textos do nosso maior escritor. Apresenta, ainda, um índice alfabético de tópicos facilitando a busca do leitor.

Este livro foi impresso no Rio Grande do Sul, em setembro de 2021, pela Edelbra Gráfica e Editora para a Lexikon Editora.
A fonte usada no miolo é a Nimrod, em corpo 8.
O papel do miolo é offset 63g/m² e o da capa é cartão 250g/m².